うかる!

応用情報技術者 テキスト&問題集

2025年版

日高哲郎 著

本書内容に関するお問い合わせについて

このたびは翔泳社の書籍をお買い上げいただき、誠にありがとうございます。弊社では、読者の皆様からのお問い合わせに適切に対応させていただくため、以下のガイドラインへのご協力をお願い致しております。下記項目をお読みいただき、手順に従ってお問い合わせください。

●ご質問される前に

弊社Webサイトの「正誤表」をご参照ください。これまでに判明した正誤や追加情報を掲載しています。

正誤表　https://www.shoeisha.co.jp/book/errata/

●ご質問方法

弊社Webサイトの「書籍に関するお問い合わせ」をご利用ください。

書籍に関するお問い合わせ　https://www.shoeisha.co.jp/book/qa/

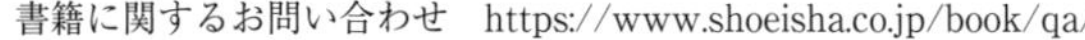

インターネットをご利用でない場合は、FAXまたは郵便にて、下記“翔泳社 愛読者サービスセンター”までお問い合わせください。
電話でのご質問は、お受けしておりません。

●回答について

回答は、ご質問いただいた手段によってご返事申し上げます。ご質問の内容によっては、回答に数日ないしはそれ以上の期間を要する場合があります。

●ご質問に際してのご注意

本書の対象を超えるもの、記述個所を特定されないもの、また読者固有の環境に起因するご質問等にはお答えできませんので、予めご了承ください。

●郵便物送付先およびFAX番号

送付先住所　〒160-0006　東京都新宿区舟町5
FAX番号　03-5362-3818
宛先　（株）翔泳社 愛読者サービスセンター

はじめに

情報処理技術者試験関連の仕事に携わってから40年以上が経過した。最初は関係書物の執筆から始めたが，次第に講義が多くなってきた。企業や学校，団体にお伺いして行う，社員や学生，インストラクタの皆さんへの直前対策講座である。執筆しているときには自分のペースでよかったが，講義となるとそうはいかない。受講者の顔色，理解度を瞬間的に察知しながらダイナミックに講義を進めていく必要がある。時間配分も適切でないといけない。しかも，受験対策講座というのは，合格して初めて評価をいただける世界である。受講生の皆さんの評判がいくらよくても，合格率が悪ければ，評価はゼロに等しい。かなり厳しいものがあるのも事実である。

しかし，講義を通して幾つかよい体験をさせていただいた。書物では一方通行であったが，講義であると，どこがわからないのか，どうやったらわかってもらえるのかを体験できる。そこで，この体験を何とか書物に生かせないだろうかと考えた。その集大成が本書である。

情報処理技術者試験は，時代に応じて何回か制度の変更が行われ，平成21年（2009年）春期試験から，現在の制度で実施されている。また，名称も「第一種情報処理技術者試験」，「ソフトウェア開発技術者試験」と変化し，現在は「応用情報技術者試験」となっている。出題分野もいろいろと変化してきた。現在の制度の大きな特徴は，要求されている知識がかなり広範囲にわたるということである。ソフトウェア，ハードウェア，システム構成，システム開発といったコンピュータやシステムに関連する知識はもちろんのこと，セキュリティ，ユーザーインタフェース，プロジェクト管理，システム運用，システム監査などの知識が要求されている。さらにやっかいなのは，ストラテジと呼ばれる経営戦略の分野の知識が要求されることである。技術者として仕事をしていると，通常，ストラテジに関連する事項が必要とされることは少ない。このため，受験に当たってはそれなりの計画的な学習が必要である。そこで本書では，特にストラテジ分野の内容に力を入れた。

出題内容などの詳細は，情報処理技術者試験のホームページを参照していただくとして，午前問題は全ての分野が必須である。しかし，出題問題の半分以上が既出問題の流用，あるいは，ほかの試験区分からの引用である。そこで筆者は，流用率の高い問題を調査し，よく出題される分野やテーマを厳選して，節末に組み入れた。

一方，午後問題では情報セキュリティの分野は必須である。あとは，分野の異なる10問の中から4問を選択して解答する。このため，情報セキュリティ以外は不得意分野を回避することができる。このように，午後問題は技術系の仕事をしていない人でも不利にならないように配慮されている。

「応用情報技術者試験」を受験される方は，企業や組織でも一番忙しい働き手の人たちであると思う。そこで本書では，効率的な学習を支援できるように，章末に午後問題の出題範囲である分野について，午後問題を収録した。このようにすることで，各章の学習事項について午後問題も併せて理解できるように配慮した。

また，最近は，基本情報技術者試験を受けずにいきなり応用情報技術者試験を受験する人が増えていることを考慮し，基本情報技術者試験レベルで習得しておくべき内容も一部掲載している。特に，「1.1.1　基数変換とシフト」の内容を応用する出題が最近多い。これによって，スムーズに応用情報技術者試験を受験できるのではないかと思う。

また，第13章と第14章に令和6年度春期試験を掲載し，近年の21回分の試験問題をWeb提供することで，最近の傾向も把握できるようにした。

最後になったが，本書を執筆するに当たり大変お世話になった翔泳社の方々に感謝する次第である。特に，今回の改訂ではかなり無理を申し上げて作業をしていただいた。

著者　日高哲郎

目次

第7章 ● テクノロジ系
ネットワーク 291

第8章 ● テクノロジ系
セキュリティ 337

第9章 ● テクノロジ系
システム開発技術 375

本書の構成・使い方

本書は，情報処理技術者試験「応用情報技術者試験（AP）」の午前試験，午後試験の両方に対応した受験対策書です。

●本書の構成

大きく分けると，分野別解説，本試験解説，試験情報があります。Webで提供するものについては，次のページの「読者特典ダウンロードのご案内」をご参照ください。

第1章～第12章

出題範囲を分野別に解説し，節末に午前問題，章末に午後問題を配置しています。本文と節末・章末の問題とで，多岐にわたる出題範囲を網羅するようにしています。

節末の午前問題は，過去問からよく出るテーマを厳選しています。本文で取り上げきれなかったテーマを補うために選定された問題もあります。本文と節末の午前問題で基本的な事項を確認しましょう。

章末の演習問題には，過去の午後問題を収録しています。各章の学習事項と併せて理解を深めてください。

第13章・第14章

最新の本試験の午前問題（第13章）と午後問題（第14章）を解説しています。全体的な分量や難度，時間配分を確認しましょう。さらに過去問題に取り組むには，21回分の過去問題をWebで提供していますのでご利用ください。

付録A：応用情報技術者になるには

試験の概要，出題傾向，学習方法，基本情報技術者試験との違いなどを解説しています。

よく出題される重要ポイント100（Web提供）

頻出の100項目を抜粋し，分野別にまとめました。繰り返し確認しましょう。

●本書で使用しているアイコンなど

本文中	Point	その節の重要ポイント
	午後にも出る	午後の試験にも出題される分野であることを示す
	チェック!	節末の午前問題。基本事項を確認しよう
	演習問題	章末の午後問題。実際に解いてしっかり理解しよう

側注欄		
	用語解説	本文中の用語を解説
	参考	本文の内容に関連する事項を説明
	▶試験に出る	何がどのように問われるかを示す
	▶間違えやすい	誤解しやすい点を解説

読者特典ダウンロードのご案内

本書の読者特典として，次のPDFファイルをダウンロードできます。なお，令和2年度春期試験は中止されたため，解説もありません。

・過去問21回分の解説（平成25年度春期～令和5年度秋期）
・解答用紙（本番の解答用紙を模したもの）
・「よく出題される重要ポイント100」（書籍紙面サイズ，スマホ画面サイズ）

本書の読者特典は，以下のサイトで提供します。配布サイトにアクセスし，表示される指示に従ってダウンロードしてください。ダウンロードするには，SHOEISHAiD（翔泳社が運営する無料の会員制度）への会員登録と，本書に記載されたアクセスキーの入力が必要です。

なお，読者特典データに関する権利は著者及び株式会社翔泳社が所有しています。許可なく配布したり，Webサイトに転載したりすることはできません。

図書館利用者の方はダウンロードをご遠慮ください。図書館職員の皆様には，ダウンロード情報（URL、アクセスキー等）を伏せる処理をしていただきますよう，お願い申し上げます。

・配布サイト
https://www.shoeisha.co.jp/book/present/9784798188881

・アクセスキー
本書の第1章～第12章の最初のページ（扉）に記載されています。ダウンロード画面で指定された章の扉を参照し，半角英数字で，大文字，小文字を区別して入力してください。

・ダウンロード期限：2025（令和7）年12月31日まで
この期限は予告なく変更になることがあります。あらかじめご了承ください。

第0章

応用情報技術者になるには

0.1 応用情報技術者試験とは

平成 20 年秋期まで実施されていたソフトウェア開発技術者試験の出題範囲などが見直され，平成 21 年春期から，応用情報技術者試験が始まりました。この試験は，筆記試験によって知識・技能･実務能力を評価します。午前の試験と午後の試験があり，午前の試験では，受験者の知識が期待する技術水準に達しているかどうかを評価します。午後の試験では，受験者の技能・実務能力が期待する技術水準に達しているかどうかを評価します。

0.1.1 期待する技術水準

応用情報技術者試験の期待する技術水準は，次のとおりです。

IT を活用した戦略の立案，システムの企画・要件定義，設計・開発・運用に関し，担当する活動に応じて次の知識・技能が要求される。

① 経営戦略・IT 戦略の策定に際して，経営者の方針を理解し，経営を取り巻く外部環境を正確に捉え，動向や事例を収集できる。
② 経営戦略・IT 戦略の評価に際して，定められたモニタリング指標に基づき，差異分析などを行える。
③ システム又はサービスの提案活動に際して，提案討議に参加し，提案書の一部を作成できる。
④ システムの企画・要件定義，アーキテクチャの設計において，システムに対する要求を整理し，適用できる技術の調査が行える。
⑤ 運用管理チーム，オペレーションチーム，サービスデスクチームなどのメンバーとして，担当分野におけるサービス提供と安定稼働の確保が行える。
⑥ プロジェクトメンバーとして,プロジェクトマネージャー（リーダー）の下でスコープ，予算，工程，品質などの管理ができる。
⑦ 情報システム，ネットワーク，データベース，組込みシステムなどの設計･開発･運用･保守において，上位者の方針を理解し，自ら技術的問題を解決できる。

出典：「情報処理技術者試験・情報処理安全確保支援士試験　試験要綱　Ver.5.3」

0.1.2 出題形式と試験時間

試験時間，出題形式などは次のとおりです。

	午前	午後
試験時間	9:30 ～ 12:00（150分）	13:00 ～ 15:30（150分）
出題数・解答数	80問出題して80問解答	11問出題して5問解答
出題形式	多肢選択式（四肢択一）	記述式

0.1.3 出題範囲

出題範囲は，情報処理推進機構（IPA）のWebサイト（https://www.ipa.go.jp/shiken/）からダウンロードできる試験要綱に記載されています。詳細は，試験要綱をご参照ください。

●午前の試験

午前の試験範囲は，次のとおりです。試験要綱では技術レベル３で出題するとしています。技術レベル３の定義は「応用的知識・スキルを有し，要求された作業について全て独力で遂行できる。」としています。

分野		内容
テクノロジ系	1.基礎理論	・基礎理論（2進数，論理演算，確率・統計，計算量など） ・アルゴリズム（スタック，整列，併合，再帰など） ・プログラミング（プログラム言語，プログラム構造など）
	2.コンピュータシステム	・コンピュータ構成要素（プロセッサ，メモリ，装置など） ・システム構成要素（処理形態，Webシステム，性能指標など） ・ソフトウェア（OS，ミドルウェア，開発ツールなど） ・ハードウェア（電子回路，半導体素子，LSIなど）
	3.技術要素	・ユーザーインタフェース（GUI，画像認識，画面設計など） ・マルチメディア（オーサリング，音声処理など） ・データベース（DBの種類と特徴，正規化，DBMS，SQLなど） ・ネットワーク（プロトコル，LAN，インターネットなど） ・セキュリティ（暗号化方式，認証，リスク管理，ISMSなど）
	4.開発技術	・システム開発技術（設計，実装，テスト，レビューなど） ・ソフトウェア開発管理技術（知的財産適用管理，構成・変更管理など）
マネジメント系	5.プロジェクトマネジメント	・プロジェクトマネジメント（スコープ管理，WBSなど）
	6.サービスマネジメント	・サービスマネジメント（ITIL，SLA，運用ツール，診断ツールなど） ・システム監査（監査技法，内部統制など）

分野		内容
ストラテジ系	7.システム戦略	・システム戦略（BPR，SFA，SOA，SaaAなど） ・システム企画（システム化計画，要件定義，リスク分析など）
	8.経営戦略	・経営戦略マネジメント（SWOT，PPM，CRM，SCMなど） ・技術戦略マネジメント（技術動向，産学官連携など） ・ビジネスインダストリ（POS，XBRL，MRP，CAE，ECなど）
	9.企業と法務	・企業活動（PDCA，IE，会計・財務など） ・法務（著作権法，派遣法，標準化団体など）

※「情報処理技術者試験・情報処理安全確保支援士試験　試験要綱　Ver.5.3」より作成

●午後の試験

午後の試験の出題範囲は，次のとおりです。

1.　経営戦略に関すること マーケティング，経営分析，事業戦略・企業戦略，コーポレートファイナンス・事業価値評価，事業継続計画(BCP)，会計・財務，リーダーシップ論 など
2.　情報戦略に関すること ビジネスモデル，製品戦略，組織運営，アウトソーシング戦略，情報業界の動向，情報技術の動向，国際標準化の動向 など
3.　戦略立案・コンサルティングの技法に関すること ロジカルシンキング，プレゼンテーション技法，バランススコアカード・SWOT分析 など
4.　システムアーキテクチャに関すること 方式設計・機能分割，提案依頼書（RFP），要求分析，信頼性・性能，Web技術（Webサービス・SOAを含む），仮想化技術，主要業種における業務知識，ソフトウェアパッケージ・オープンソースソフトウェアの適用，その他の新技術動向 など
5.　サービスマネジメントに関すること サービスマネジメントシステム（構成管理，事業関係管理，サービスレベル管理，供給者管理，サービスの予算業務及び会計業務，容量・能力管理，変更管理，サービスの設計及び移行，リリース及び展開管理，インシデント管理，サービス要求管理，問題管理，サービス可用性管理，サービス継続管理，サービスの報告，継続的改善ほか），サービスの運用（システム運用管理，仮想環境の運用管理，運用オペレーション，サービスデスクほか）など
6.　プロジェクトマネジメントに関すること プロジェクト全体計画（プロジェクト計画及びプロジェクトマネジメント計画），スコープの管理，資源の管理，プロジェクトチームのマネジメント，スケジュールの管理，コストの管理，リスクへの対応，リスクの管理，品質管理の遂行，調達の運営管理，コミュニケーションのマネジメント，見積手法 など
7.　ネットワークに関すること ネットワークアーキテクチャ，プロトコル，インターネット，イントラネット，VPN，通信トラフィック，有線・無線通信 など
8.　データベースに関すること データモデル，正規化，DBMS，データベース言語（SQL），データベースシステムの運用・保守 など
9.　組込みシステム開発に関すること リアルタイムOS・MPUアーキテクチャ，省電力・高信頼設計・メモリ管理，センサー・アクチュエーター，組込みシステムの設計，個別アプリケーション（携帯電話，自動車，家電ほか）など
10. 情報システム開発に関すること 外部設計，内部設計，テスト計画・テスト，標準化・部品化，開発環境，オブジェクト指向分析（UML），ソフトウェアライフサイクルプロセス（SLCP），個別アプリケーションシステム（ERP，SCM，CRMほか）など
11. プログラミングに関すること アルゴリズム，データ構造，プログラム作成技術（プログラム言語，マークアップ言語），Webプログラミング など

12. 情報セキュリティに関すること 情報セキュリティポリシー，情報セキュリティマネジメント，リスク分析，データベースセキュリティ，ネットワークセキュリティ，アプリケーションセキュリティ，物理的セキュリティ，アクセス管理，暗号・認証，PKI，ファイアウォール，マルウェア対策（コンピュータウイルス，ボット，スパイウェアほか），不正アクセス対策，個人情報保護 など
13. システム監査に関すること ITガバナンス及びIT統制と監査，情報システムや組込みシステムの企画・開発・運用・保守・廃棄プロセスの監査，プロジェクト管理の監査，アジャイル開発の監査，外部サービス管理の監査，情報セキュリティ監査，個人情報保護監査，他の監査（会計監査，業務監査，内部統制監査ほか）との連携・調整，システム監査の計画・実施・報告・フォローアップ，システム監査関連法規，システム監査人の倫理 など

出典：「情報処理技術者試験　情報処理安全確保支援士試験　試験要綱　Ver.5.3」

0.2 試験の攻略ガイド

応用情報技術者試験の出題傾向と対策，学習方法，応用情報技術者試験と基本情報技術者試験の違いについて説明します。

0.2.1 出題傾向と対策

午前問題はマーク方式で行われ，コンピュータで採点します。一方，午後問題は記述式で行われ，人手により採点されます。午前問題の成績が一定の基準に達しない場合，午後問題は採点されないので注意してください。そこで，まず，午前問題を突破する必要があります。そして，合格するためには，午後問題も一定以上の得点が必要です。

それでは，どの程度得点したら合格するのでしょうか。試験要綱では，100点満点で60点以上としています。しかし，年度によって問題の難易度が異なること，たまたま自分の不得意分野の出題が多かったなど，予想できない状況もありますので，午前問題は，70点（56問）程度を目標にして試験に臨むとよいと思います。午後問題も，午前問題と同じように70点程度，得点する必要があります。ただし，午後問題は，問題によって設問の数が異なるため一律に判断できません。問題ごとに配点が決まっていますので，解答1つのウェイトが異なります。そこで，おおざっぱにはなりますが，解答数に対して正解した解答の割合で得点を判断します。

試験が終了してから約2か月後に，一定の手続きをとれば，合否，得点（午前問題については，ストラテジ系，マネジメント系，テクノロジ系の各得点）を照会することができます。自分の能力がどのくらいであったかの参考になるかと思います。

また，試験問題の解答例は公表されます。多肢選択式（午前問題）については試験の翌日，記述式（午後問題）については，約2か月後です。問題用紙を持ち帰ることができるので，自分が解答した内容を，問題用紙に記入しておきましょう。そうすれば，自分がどの程度得点したかがわかります。詳細は，情報処理推進機構のWebサイトをご覧ください。

なお，応用情報技術者試験は，毎年，4月と10月に実施されます。ただし，2020（令和2）年度の4月試験が新型コロナウイルスの影響により中止されたように，不測の事態で中止になることもあります。

●午前問題

午前の試験は，先に説明した午前問題の範囲から出題されます。試験時間が150分で80問必須，選択肢が4つの択一方式で行われます。参考として，過去5回の午前問題の出題分野と出題数を示しておきます。

出題分野	令和6年秋	令和6年春	令和5年秋	令和5年春	令和4年秋
1.基礎理論	7	7	7	8	7
2.コンピュータシステム	17	17	16	16	16
3.技術要素	22	20	23	21	22
4.開発技術	4	6	4	5	5
5.プロジェクトマネジメント	4	4	4	4	4
6.サービスマネジメント	6	6	6	6	6
7.システム戦略	6	6	5	4	6
8.経営戦略	6	6	8	9	5
9.企業と法務	8	8	7	7	9

表から，コンピュータシステム，技術要素の出題が多いとわかります。なお，技術要素の分野において，セキュリティ（技術要素）の出題比率が高くなっています。セキュリティ分野の学習はしっかりとしておきましょう。さらに，ここで注目すべきなのは，ストラテジ系（システム戦略，経営戦略，企業と法務）から20問出題されていることです。この分野は範囲が広いので，しっかりと学習する必要があります。

また，用語を選ぶ問題は1分程度，正誤問題や正しい記述を選ぶ問題は2分程度，計算問題は3分程度で解答する必要があります。時間内で解けない問題は，別の問題を解いているとき正解が浮かぶ可能性もあるので，先の問題に着手してください。

●午後問題

午後問題は，11問出題されます。問1は必須，問2～問11は10問から4問を選択，あわせて5問を150分で解答します。各問題には，3～5の設問が設定されており，場合によっては，各設問が小設問に分かれていることもあります。1問を30分で解く必要があります。

参考として，過去5回の午後問題の出題分野と出題内容を示しておきます。

令和6年秋			
問1	情報セキュリティ	Webサイトのセキュリティ	必須
問2	経営戦略	コーヒーチェーン店の成長戦略	4問選択
問3	プログラミング	素数を列挙するアルゴリズム	
問4	システムアーキテクチャ	データ処理機能の配置	
問5	ネットワーク	セキュアWebゲートウェイサービスの導入	
問6	データベース	トレーディングカードの個人間売買サイトの構築	
問7	組込みシステム開発	スマートイヤホン	
問8	情報システム開発	オブジェクト指向設計	
問9	プロジェクトマネジメント	電気機器メーカーの新たなプロジェクト	
問10	サービスマネジメント	サービスデスクの立上げ	
問11	システム監査	チャットボット導入における開発計画の監査	

令和6年春			
問1	情報セキュリティ	リモート環境のセキュリティ対策	必須
問2	経営戦略	物流業の事業計画	4問選択
問3	プログラミング	グラフのノード間の最短経路を求めるアルゴリズム	
問4	システムアーキテクチャ	CRM(Customer Relationship Management)システムの改修	
問5	ネットワーク	クラウドサービスを活用した情報提供システムの構築	
問6	データベース	人事評価システムの設計と実装	
問7	組込みシステム開発	業務用ホットコーヒーマシン	
問8	情報システム開発	ダッシュボードの設計	
問9	プロジェクトマネジメント	IoT活用プロジェクトのマネジメント	
問10	サービスマネジメント	テレワーク環境下のサービスマネジメント	
問11	システム監査	支払管理システムの監査	

令和5年秋			
問1	情報セキュリティ	電子メールのセキュリティ対策	必須
問2	経営戦略	バランススコアカードを用いたビジネス戦略策定	4問選択
問3	プログラミング	2分探索木	
問4	システムアーキテクチャ	システム統合の方式設計	
問5	ネットワーク	メールサーバの構築	
問6	データベース	在庫管理システム	
問7	組込みシステム開発	トマトの自動収穫を行うロボット	
問8	情報システム開発	スレッド処理	
問9	プロジェクトマネジメント	新たな金融サービスを提供するシステム開発プロジェクト	
問10	サービスマネジメント	サービスレベル	
問11	システム監査	情報システムに係るコンティンジェンシー計画の実効性の監査	

令和5年春			
問1	情報セキュリティ	マルウェア対策	必須
問2	経営戦略	中堅の電子機器製造販売会社の経営戦略	4問選択
問3	プログラミング	多倍長整数の演算	
問4	システムアーキテクチャ	ITニュース配信サービスの再構築	
問5	ネットワーク	Webサイトの増設	
問6	データベース	KPI達成状況集計システムの開発	
問7	組込みシステム開発	位置通知タグの設計	
問8	情報システム開発	バージョン管理ツールの運用	
問9	プロジェクトマネジメント	金融機関システムの移行プロジェクト	
問10	サービスマネジメント	クラウドサービスのサービス可用性管理	
問11	システム監査	工場在庫管理システムの監査	

令和4年秋			
問1	情報セキュリティ	マルウェアへの対応策	必須
問2	経営戦略	教育サービス業の新規事業開発	4問選択
問3	プログラミング	迷路の探索処理	
問4	システムアーキテクチャ	コンテナ型仮想化技術	
問5	ネットワーク	テレワーク環境への移行	
問6	データベース	スマートデバイス管理システムのデータベース設計	
問7	組込みシステム開発	傘シェアリングシステム	
問8	情報システム開発	設計レビュー	
問9	プロジェクトマネジメント	プロジェクトのリスクマネジメント	
問10	サービスマネジメント	サービス変更の計画	
問11	システム監査	テレワーク環境の監査	

次ページの表に示すように，11分野からまんべんなく出題されます。逆に言えば，的を絞っておけば，十分に対処できます。問2の経営戦略，情報戦略，戦略立案・コンサルティング技法は3分野から1問ですからどの分野が出題されるのかはその都度，異なるわけですが，これらの分野は，単独で出題されるのではなく，複数の分野の総合的な問題になっています。午前問題の範囲ではストラテジ系ということで，一緒に扱われる分野です。したがって，午前問題の対策がそのまま午後問題の対策となるので，あまり心配する必要はないと思います。最悪，不得意であれば，選択しなければよいわけです。この分野を選択しなくても，5問解答することはできます。いずれにしても，情報セキュリティ分野と自分の得意分野の4分野について対策をとっておけば合格できます。

参考に，各問題の時間配分と配点も次ページの表に示しておきます 。必ずしも表で示したような時間配分を守る必要はありませんが，一定時間（おおむね15分程度）を経過しても解けなかった場合には，できるだけ多く得点するために，次の問題に着手するのがよいでしょう。

選択	問題番号	分野	解答時間の目安（分）	配点
必須	問1	情報セキュリティ	30分	20点
10問中 4問 選択	問2	経営戦略，情報戦略，戦略立案・コンサルティング技法	30分／問×4問＝120分	20点×4＝80点
	問3	プログラミング		
	問4	システムアーキテクチャ		
	問5	ネットワーク		
	問6	データベース		
	問7	組込みシステム開発		
	問8	情報システム開発		
	問9	プロジェクトマネジメント		
	問10	ITサービスマネジメント		
	問11	システム監査		

0.2.2 学習方法

応用情報技術者試験を受験される方は，社会人が多いと思われます。したがって，多くの場合，仕事があり，企業や組織においては中堅となっている可能性が高いので，試験対策のために時間を作ることは難しいと思います。しかし，合格するためには，勉強時間を確保する必要があります。まず，自分が試験までに使える時間を計算してみましょう。平日と休日に使える時間は異なりますし，勉強時間には個人差がありますから，自分のペースで計画を立てるのがよいでしょう。受験申込みをしてから，試験実施日まで約 3 か月です。この期間に，午前問題の対策，午後問題の対策を順次行うことになります。

●午前問題

本書は午前問題の対策を重点的に行っていますが，午前問題の対策が午後問題の対策に直接結び付きます。したがって，午前問題の対策をすることが午後問題の対策にもなります。

午前問題は，知識を問う問題が主体です。計算問題もありますが，基本的な事項を理解していれば，確実に解くことができます。そこで，次のステップを踏むとよいでしょう。午前問題の対策は，本書で十分であると確信します。

- 基本的な用語の意味を理解する（本書を熟読する）
- 基本事項を確認する（節末の演習問題で確認）
- 応用力・実践力を養う（第 13 章の過去問題の午前問題を解く）

●午後問題

午後問題では能力が試されるので，演習を繰り返すのが適切な対策です。そこで，各章末の午後問題の演習問題と，第 14 章の過去問題，ダウンロードできる過去問題を徹底的に解きます。

0.2.3 応用情報技術者試験と基本情報技術者試験の違い

応用情報技術者試験（以下「AP」とする）と基本情報技術者試験（以下「FE」とする）の午前問題の出題範囲は，試験要綱では同じです。しかし，実際に出題されている問題は，数問を除いては異なっています。かつて，FEに出題された問題やFEと同じ問題も出題されてはいますが，ほとんどの問題は，AP用に作成された問題や高度試験からの引用です。

FEと比較するとAPの問題は難しいので，月並みではありますが，FEからAPと順番に勉強していくことで，無理なくステップアップしていくことができます。

いろいろと違いがあるFEとAPですが，基本的には，難易度が基本（レベル2），応用（レベル3）という試験です。しっかりFEの勉強をすることが，APの合格につながります。

●午前問題

FEはテクノロジ系中心，APはストラテジ系の比重が高め

APとFEの問題を比べると，単にFEの方が易しいだけではなく，重点分野が微妙に異なっています。FEはテクノロジ系を中心に出題，特にコンピュータシステムを重視しています。一方，APでは，ストラテジ系の知識も要求されています。用語の知識が曖昧ですと，解答できない問題もあります。新聞にしか出てこないような新しい用語はともかく，参考書に掲載されているような用語は，正確に理解しておく必要があります。

APの計算問題は割り算が割り切れないことが多い

午前問題の10%が計算問題です。FEの計算問題の割り算は割り切れることが多いのに対し，APでは最終結果や中間結果が割り切れないことがよくあります。割り算が必要な計算問題は，解答群に示されている数値の小数点以下の桁数より1桁多く保持しながら計算しましょう。

例えば，解答群の数値が小数点以下第2位であれば，中間結果は小数点以下第3位までの数値を保持し，小数点以下第4位を切り捨てながら計算していきます。最終結果は，小数点以下第3位を四捨五入し，解答群の数値と比較して正解を決定します。

APの選択肢は文意を読み取りにくい

午前問題の約40%が「～に関して正しい記述はどれか」という形式です。文章を難解にして難度を高くしているため，一度読んだだけでは文意を読み取れないことがあります。そこで，明らかに誤っていると思われる記述を消去していきます。すると，四つの選択肢のうち，おおむね二つが残るので，残った二つで正解を検討します。こうすれば，正解率は格段に高まると考えられます。

なお，解答時間は6ページで説明したように問題によりますが，1分，2分，3分程度で解くのが目安です。これ以上時間を掛けると，他の問題の解答時間に影響します。

APの解答群の用語には高度なものがある

解答群の用語は，FEとは異なり，APは高度なものがあります。参考書で取り上げていないものもあります。あるいは，自分の知識が曖昧だという場合もあります。そこで，確実にわかる問題以外は後回しにします。他の問題を解いていると，わからなかった，あるいは曖昧だった用語の意味が，わかる場合がしばしばあります。つまり，他の問題にヒントが隠されていることがあります。

●午後問題

FEは選択式，APは記述式

FEでは，解答群から正解を選ぶという形式ですが，APでは，約半分の設問が記述式です。10～30字以内の字数制限のものがほとんどです。解答用紙は方眼紙になっているので，1文字1マスを厳守します。句読点，半角文字も同様です。解答文字数は，要求されている字数の少なくとも60%が目標です。また，字数オーバーは採点されない（0点）と考えてください。

FEはテクノロジ系が必須，APは情報セキュリティ以外は選択

情報セキュリティの分野の問題は，AP，FEともに必須です。さらに，FEはアルゴリズム，プログラミング的思考力を問う擬似言語が必須です。すなわち，テクノロジ系の問題が必須問題となっています。一方，APは，情報セキュリティ以外の10分野から4問を選択します。情報セキュリティ分野以外は，不得意な分野を選択する必要はないので，テクノロジ系の仕事をしていない人は，合格の確率がFEより高くなると考えられます。

0.3 受験の手引き

試験情報は，IPAのWebサイトの「試験情報」（https://www.ipa.go.jp/shiken/index.html）に掲載されています。予定が変わることもありますので，必ず最新の情報を確認してください。

問合せも，同サイトの問合せフォームから入力・送信してください。

●実施スケジュール

春期	秋期	予定	備考
1月中旬～2月上旬	7月上旬～7月下旬	受験申込み 受験料支払い（税込み7,500円） ・クレジットカード決済 ・ペイジーによる払込み ・コンビニ払込み ・バウチャーチケットの使用	受験資格はありません。 IPAのWebサイトから，必要事項を入力します。
4月上旬	9月下旬	受験票の発送	
4月の日曜日	10月の日曜日	試験実施	令和5年度・6年度は，4月の第3日曜日，10月の第2日曜日
試験当日の夕方以降	試験当日の夕方以降	試験問題，午前試験の解答例公表 合格発表日等の今後の予定公表	
7月上旬	12月中旬	午後試験の解答例公表	
7月上旬	12月中旬	合格発表・成績照会	IPAのWebサイトに合格者受験番号が掲載されます。 成績照会には，受験票に記載の受験番号とパスワードが必要です。
7月中旬	1月上旬	午後試験の採点講評公表	
7月下旬	1月下旬	合格証書の郵送（合格者）	合格者以外の者には通知はありません。

第1章

● テクノロジ系

基礎理論

情報処理技術者は，ハードウェアやソフトウェアなど，コンピュータに直接かかわる知識以外に，数学やプログラム言語など，基本的事項を習得しなければならない。第１節では論理演算や集合論，グラフ理論など，計算の基礎理論，第２節ではプログラムを評価するための情報の基礎理論，第３節では数学の知識を応用した数理応用を学習する。さらに，第４節ではプログラムを作るうえで必要となるプログラム言語の仕組み，第５節ではプログラムで使用するデータの構造，第６節ではアルゴリズムを学習する。

理解しておきたい用語・概念

- ☑ 基数変換
- ☑ *O* 記法
- ☑ ヒープソート
- ☑ 論理和
- ☑ 論理積
- ☑ 排他的論理和
- ☑ 2分探索
- ☑ クイックソート
- ☑ PERT
- ☑ リスト
- ☑ スタック
- ☑ 待ち行列
- ☑ 情報落ち
- ☑ 桁落ち
- ☑ ド・モルガンの法則

1.1 計算の基礎理論

計算の基礎理論は，コンピュータを使う上での論理的な根拠を与える。このとき使われるのが応用数学で，問題となる対象を数式としてモデル化する。そして，モデル化した世界の中で，論理的な手順に基づいて，数式を解いていく。

1.1.1 基数変換とシフト

Point
- コンピュータ内部では２進数が使われる
- シフトは桁を移動することであり，論理シフトと算術シフトがある

▶間違えやすい

基数

2進法，10進法，16進法は，それぞれ2，10，16が基数である。

2進法：0，1を用いる

10進法：0～9を用いる

16進法：0～9，A～Fを用いる

用語解説

ビット

ビットは，コンピュータが扱う情報の最小単位で，2進数の0と1で表現される。また，ビットの組合せで文字や数字を表現する。16進数は2進数を便宜的に区切ったもので，4ビットを16進数の1桁に対応させる。

基数は，２進数や10進数，16進数などの数値表現を行う際に，各桁の重み（位取りを示す値）の基本となる数である。また，10進数を２進数に変換したり，16進数を10進数に変換したりすることを，基数変換という。

我々が日常使用しているのは10進数であるが，コンピュータ内部では２進数でデータを表現している。これは，電気のON／OFFの２つの状態が２進数に対応するからである。２進数では，１桁を０又は１の２種類で表現する。

しかし，０と１の組合せで表現する２進数は，大きな数を表すと桁数が大きくなってわかりにくいので，16進数による表現が考案された。16進数では，１桁を０～９，A～Fで４ビット（10進数で０～15）の数値を表現する。

各基数の対応は，次のとおりである。

10 進数	2 進数	16 進数
0	0000	0
1	0001	1
2	0010	2
3	0011	3
4	0100	4
5	0101	5
6	0110	6
7	0111	7

10 進数	2 進数	16 進数
8	1000	8
9	1001	9
10	1010	A
11	1011	B
12	1100	C
13	1101	D
14	1110	E
15	1111	F

● 基数変換

各基数間の変換方法を説明する。

10進数への変換

r 進数の値が 10 進数で幾つになるかを確認するには，各桁の値とその桁の重みを掛けた値を加算する。小数点以上の桁には，下位桁から順（右から左）に r^0，r^1，r^2，…の重みが与えられる。以下の説明において，$(\ )_{16}$ のように) に続いて示す数値は基数を示す。例えば，$(\ )_{16}$ は，16 進数であることを示す。何も記述されていなければ，10 進数を意味する。

$$
\begin{aligned}
(2AB)_{16} &= 2 \times 16^2 + A \times 16^1 + B \times 16^0 \\
&= 2 \times 16^2 + 10 \times 16^1 + 11 \times 16^0 \\
&= 512 + 160 + 11 = 683 \\
(1010)_2 &= 1 \times 2^3 + 0 \times 2^2 + 1 \times 2^1 + 0 \times 2^0 \\
&= 8 + 0 + 2 + 0 = 10
\end{aligned}
$$

小数点以下の桁は，上位桁から順（左から右）に r^{-1}，r^{-2}，r^{-3}，…の重みとなる。

$$
\begin{aligned}
(0.3C)_{16} &= 3 \times 16^{-1} + C \times 16^{-2} \\
&= 3 \div 16 + 12 \div 256 = 0.1875 + 0.046875 \\
&= 0.234375 \\
(0.1011)_2 &= 1 \times 2^{-1} + 0 \times 2^{-2} + 1 \times 2^{-3} + 1 \times 2^{-4} \\
&= 0.5 + 0.0 + 0.125 + 0.0625 = 0.6875
\end{aligned}
$$

用語解説

重み

重みは，2進法，10進法，16進法などの数値表現を行う際に必要となる位取りを示す値である。例えば，10進数の100は 1×10^2 と表すこともできる。このときの1を仮数，10を基数，10^2 を重みという。

試験に出る

試験では，2進数，10進数，16進数を理解していればよいが，8進数も時々出題される。8進数は，3ビットずつ区切り，0～7の数値を割り当てる。また，重みは，下位桁から 8^0，8^1，8^2，…となる。例えば，$(123)_8$ は，次のようになる。

$$
\begin{aligned}
(123)_8 &= 1 \times 8^2 + 2 \times 8^1 + 3 \times 8^0 \\
&= 83
\end{aligned}
$$

なお，3進数が出題されたこともある。例えば，$(102)_3$ は，次のようになる。

$$
\begin{aligned}
(102)_3 &= 1 \times 3^2 + 0 \times 3^1 + 2 \times 3^0 \\
&= 9 + 0 + 2 \\
&= 11
\end{aligned}
$$

10進整数から2進整数への変換

10 進数の整数部を 2 進数に変換するには，2 進数の下位桁から n 桁目が 2^{n-1} の位であることを利用し，10 進数を 2 のべき乗（2^n になる値）の和に分解する。

$$45 = 32 + 8 + 4 + 1 = 2^5 + 2^3 + 2^2 + 2^0$$
$$= 1 \times 2^5 + 0 \times 2^4 + 1 \times 2^3 + 1 \times 2^2 + 0 \times 2^1 + 1 \times 2^0$$
$$\downarrow \quad \downarrow \quad \downarrow \quad \downarrow \quad \downarrow \quad \downarrow$$
$$(1 \quad 0 \quad 1 \quad 1 \quad 0 \quad 1)_2$$

次のように，順次 2 で割り，商が 0 になるまで繰り返す方法で計算すれば，機械的に計算でき，誤りが少なくなる。

余り

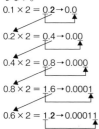

2)45 … 1 ⇒ ① 45 ÷ 2 = 22 余り 1
2)22 … 0 ⇒ ② 22 ÷ 2 = 11 余り 0
2)11 … 1 ⇒ ③ 11 ÷ 2 = 5 余り 1
2) 5 … 1 ⇒ ④ 5 ÷ 2 = 2 余り 1
2) 2 … 0 ⇒ ⑤ 2 ÷ 2 = 1 余り 0
2) 1 … 1 ⇒ ⑥ 1 ÷ 2 = 0 余り 1
0 ← 商が 0 になったら終わり

⑦ 余りを下から並べる
$45 = (101101)_2$

なお，10 進数を 16 進数に変換するには，2 の代わりに 16 を使う。また，一般に r 進数であれば，2 の代わりに r を使う。

10進小数から2進小数への変換

10 進数の小数部を 2 進数に変換するには，2 進数の小数点以下 n 桁目が 2^{-n} の位であることを利用し，10 進数を 2^{-n} のべき乗の和に分解する。

$$0.625 = 0.5 + 0.125$$
$$= 1 \times 2^{-1} + 0 \times 2^{-2} + 1 \times 2^{-3}$$
$$\downarrow \quad \downarrow \quad \downarrow$$
$$(0.1 \quad 0 \quad 1)_2$$

参考

2を掛けていくと，小数部分が必ず0になるとは限らない。$(0.1)_{10}$ を2進数に変換するとわかる。この場合，循環小数になる。2進小数から10進小数には必ず変換できるが，10進小数は2進小数に必ず変換できるとは限らない。

0.1 × 2 = 0.**2** → 0.0
0.2 × 2 = 0.4 → 0.00
0.4 × 2 = 0.8 → 0.000
0.8 × 2 = 1.6 → 0.0001
0.6 × 2 = 1.**2** → 0.00011

小数点以下が2で最初と同じになる（太字部分）。

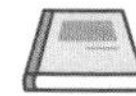
用語解説

循環小数

循環小数は，ある数字の列が限りなく繰り返す小数のことである。例えば，1/3は0.333…，1/7は0.142857142857…と，それぞれ“3”，“142857”が繰り返される。循環小数は，循環する部分を“.”で示すことがある。

$0.\dot{3}$　$0.\dot{1}4285\dot{7}$

次のように，順次，小数部に2を掛けていき，小数部が0になるまで繰り返す方法で計算すれば，機械的に計算でき，誤りが少なくなる。

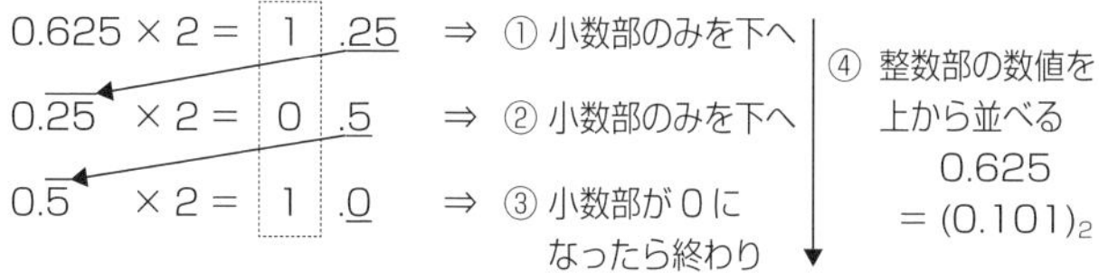

0.625 × 2 = 1 .25 ⇒ ① 小数部のみを下へ
0.25 × 2 = 0 .5 ⇒ ② 小数部のみを下へ
0.5 × 2 = 1 .0 ⇒ ③ 小数部が0に なったら終わり
④ 整数部の数値を 上から並べる
0.625
= (0.101)2

16進整数と2進整数の相互変換

2進整数を16進整数に変換したり，16進整数を2進整数に変換したりするには，16進整数の1桁が2進数の4桁（4ビット）に対応することを利用する。

2進整数を16進整数に変換するには，下位桁から4桁ずつのブロックにして，対応する16進数を割り当てる。2進数の桁が4桁に満たないときは，上位桁に0を補う。

$(1011011011)_2$ → $(10\ 1101\ 1011)_2$ → $(2DB)_{16}$

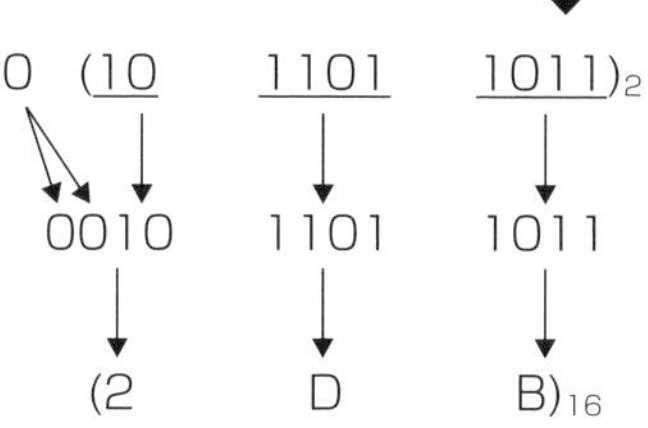

また，16進整数を2進整数に変換するには，16進数の1桁に4桁の2進数を対応させる。ただし，上位桁の00を除いて表記してもよい。

$(2DB)_{16}$ → $(0010\ 1101\ 1011)_2$

$(2\ D\ B)_{16}$

$(0010\ 1101\ 1011)_2$

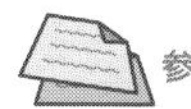

10進小数を16進小数に変換するには，次のようにする。

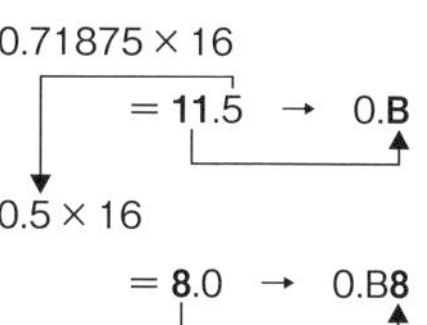

▶試験に出る

基数変換の出題は少ないが，このことを知らないと解けない問題が多い。本文で説明した操作については，基本事項として押さえておきたい。かつて，3進法や7進法について出題されたこともあるので，応用力を身につけておきたい。

基数変換の問題例

基数変換の問題例を示しておく。解き方は 1 つではないので，解答例以外の解き方も考えるとよい。

（例題 1）　次の計算は何進法で行われているか考えてみよう。

$$131 - 45 = 53$$

（解説 1-1）

最下位桁に着目する。

$$\begin{array}{r} 131 \\ -)\ \ 45 \\ \hline 53 \end{array}$$

最下位桁は，“1 − 5”という計算になるので，上位桁から借りてくる必要がある。基数を n 進数とすると，“$(n + 1) - 5 = 3$”という計算になる。そこで，n は次のようになる。

$$n + 1 - 5 = 3$$
$$\therefore\ n = 7$$

したがって，与えられた数値の基数は 7 進数である。

（解説 1-2）

次のような解き方もある。基数を n とすると，次の関係が成立する。

$$(131)_n = 1 \times n^2 + 3 \times n^1 + 1 \times n^0 = n^2 + 3n + 1$$
$$(45)_n = 4 \times n^1 + 5 \times n^0 = 4n + 5$$
$$(53)_n = 5 \times n^1 + 3 \times n^0 = 5n + 3$$
$$(131)_n - (45)_n = n^2 + 3n + 1 - (4n + 5) = n^2 - n - 4$$

この結果が，$(53)_n = 5n + 3$ に等しい。

$$\therefore\ n^2 - n - 4 = 5n + 3$$
$$n^2 - 6n - 7 = 0$$
$$(n + 1)(n - 7) = 0$$
$$n = -1,\ n = 7$$

基数は正整数なので，7 進数（$n = 7$）である。

（例題 2）正の整数の 10 進表示の桁数 D と 2 進表示の桁数 B との関係を示せ。

（解説 2）

例えば，3 桁の 10 進数の最大値は 999（$= 10^3 - 1$），4 桁

1

であれば9,999（$= 10^4 - 1$）である。一般的に，D桁の10進数であれば（$10^D - 1$）が最大値である。

一方，3桁（3ビット）の2進数の最大値は$(111)_2$（$= 7 = 2^3 - 1$），4桁（4ビット）であれば$(1111)_2$（$= 15 = 2^4 - 1$）である。一般的に，B桁（Bビット）の2進数であれば（$2^B - 1$）が最大値である。

以上から，10進数D桁と2進数B桁（ビット）の関係は，次のようになる。

$$10^D - 1 \fallingdotseq 2^B - 1$$

$$10^D \fallingdotseq 2^B$$

上式の両辺を10を底とする対数をとる。

$$\log_{10} 10^D \fallingdotseq \log_{10} 2^B$$

$$D\log_{10} 10 \fallingdotseq B\log_{10} 2$$

$$\therefore \quad D \fallingdotseq B\log_{10} 2$$

参考

（例題2）で示した対数の公式は，基数変換以外にも役に立つことがある。基本的な公式を知っておくと便利である。

$\log_n(a \times b) = \log_n a + \log_n b$

$\log_n(a \div b) = \log_n a - \log_n b$

$\log_n a^m = m\log_n a$

$\log_n 1 = 0 \quad \log_n n = 1$

●シフト演算

コンピュータは四則演算やシフト演算を行う回路を備えている。2^n倍するような演算の場合，シフト（桁移動）を用いることで，演算速度が向上する。シフトには，算術シフトと論理シフトがある。また，各シフトには，左方向に桁移動を行う左シフト，右方向に桁移動を行う右シフトがある。

算術シフト

算術シフトは，正負を考慮した数値データとしてデータを扱うときに用いる。固定小数点数について，符号ビットを除いてビット列を移動させる演算である。算術左シフトでは移動によって空いた（オーバフローした）ビットに0を挿入し，算術右シフトでは符号ビットと同じ値を挿入する。次は，1ビット算術シフトした例である。

▶間違えやすい

一般に，nビット算術左シフトを行うと，2^n倍となる。また，算術右シフトを行うと，2^{-n}（$1/2^n$）倍となる。ただし，1であるビットがあふれると，この関係が成立しないことに注意する。次は，$(7)_{10}$を1ビット算術右シフトした例である。（$7 \div 2 =$）3.5となるはずであるが，0.5を表現できないため，切り捨て$(3)_{10}$となる。

00000111 = 7

00000011 = 3

正整数の算術右シフトでは，1であるビットがあふれると，切捨てとなることは前ページで説明したとおりである。一方，負整数の算術右シフトでは，1であるビットがあふれると，絶対値で切上げになることに注意する。

論理シフトでは，本文の図からわかるように，符号ビットが0であったのにシフトしたら1になってしまうことがある。数値としてみれば，正数がシフトによって負数となってしまうということである。

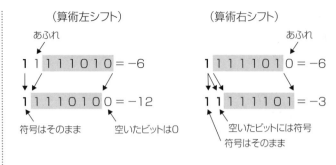

2進小数をシフトするときは，小数点は移動しないことに注意する。例えば，2.75を右に2ビットシフトすると，$2.75 \div 2^2 = 0.6875$となることを確認する。

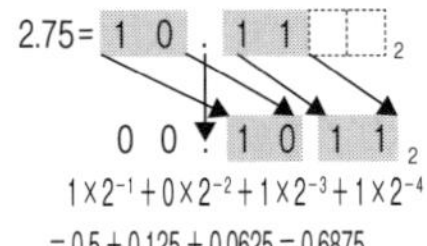

（算術左シフト）

あふれ

1 1 1 1 1 0 1 0 = −6

1 1 1 1 0 1 0 0 = −12

符号はそのまま　空いたビットは0

（算術右シフト）

あふれ

1 1 1 1 1 0 1 0 = −6

1 1 1 1 1 1 0 1 = −3

空いたビットには符号

符号はそのまま

論理シフト

論理シフトは，算術シフトのように数値データとして扱うのではなく，ビットの並びとして扱うときに使う。全てのビット列をシフトの対象とし，空いたビットには0を挿入する。論理シフトでは，算術シフトのような2^n，2^{-n}倍となるような関係は，一般に成立しない。次は，1ビット論理シフトした例である。

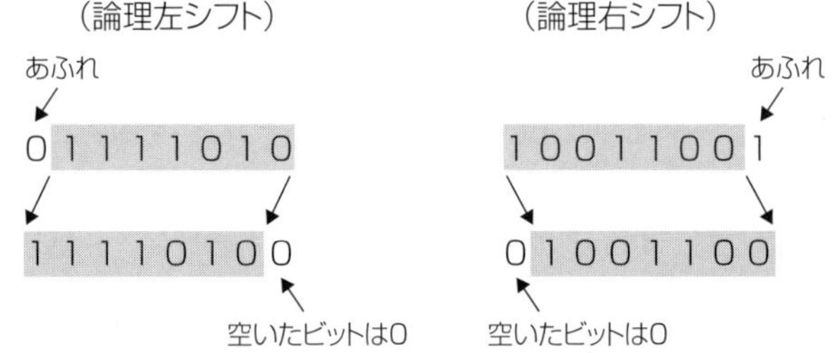

●シフトの問題例

（例題1）2進数110と101の乗算を行うときに，正しい結果が得られる手順はどれか。

ア　101を左へ1ビットシフトした値と101を加算する。

イ　101を左へ2ビットシフトした値と101を左へ1ビットシフトした値を加算する。

ウ　101を左へ3ビットシフトした値と101を左へ2ビットシフトした値を加算する。

エ　110を左へ1ビットシフトした値と110を加算する。

（解説 1-1）

与えられた 2 進数の乗算を 10 進数に置き換えると，次のようになる。

$(110)_2 \times (101)_2 = 6 \times 5 = 30$

したがって，演算結果が 30 となる記述を選べばよい。

また，左に n ビットシフトすると 2^n 倍，右へ n ビットシフトすると $1/2^n$ 倍になる。

ア　$(101)_2 = 5$ を左へ 1 ビットシフトすると 2 倍になるので 10，さらに，$(101)_2 = 5$ を加算するので 15 になる。

イ　$(101)_2 = 5$ を左へ 2 ビットシフトすると 4 倍になるので 20，さらに，$(101)_2 = 5$ を左に 1 ビットシフトすると 2 倍になるので 10，これらの結果を加算するので 30 になる。

ウ　$(101)_2 = 5$ を左へ 3 ビットシフトすると 8 倍になるので 40，さらに，$(101)_2 = 5$ を左に 2 ビットシフトすると 4 倍になるので 20，これらの結果を加算するので 60 になる。

エ　$(110)_2 = 6$ を左へ 1 ビットシフトすると 2 倍になるので 12，さらに，$(110)_2 = 6$ を加算するので 18 になる。

以上から，「イ」が正しい。

（解説 1-2）

この問題は，$(101)_2 = 5$ と $(110)_2 = 6$ の積なので，次のように考えてもよい。

$$
\begin{aligned}
5 \times 6 &= 5 \times (4 + 2) \\
&= 5 \times (2^2 + 2^1) \\
&= 5 \times 2^2 + 5 \times 2^1
\end{aligned}
$$

上式の第 1 項 5×2^2 は，$5 = (101)_2$ を左へ 2 ビットシフトすることである。第 2 項の 5×2^1 は，$5 = (101)_2$ を左へ 1 ビットシフトすることである。したがって，5 × 6 は，第 1 項と第 2 項の和である。これは，「イ」に記述されている操作と同じである。

▶試験に出る

午前問題のアルゴリズムや流れ図の穴埋め問題で，シフトで乗算を実現する内容の問題がしばしば出題される。例えば，本文で示したように，被乗数 x を6倍するには，$6 = 2^2 + 2^1$ とみなして，x を2ビット左シフトした結果と1ビット左シフトした結果を加算する。同様に，10倍するときは $10 = 2^3 + 2^1$ と見たり，$5^2 = (2^2 + 2^0)^2$ と見たりする。

1.1.2 論理と集合

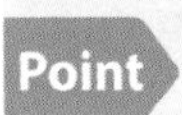

- 論理演算の基本は論理和，論理積，排他的論理和，論理否定
- 集合演算の基本は和集合，積集合，差集合

● 論理演算

論理演算（ブール演算）は，論理式を用いて，その論理的な関係を代数的に求めるものである。基本的な論理演算には，論理和（OR），論理積（AND），排他的論理和（XOR又はEOR），論理否定（NOT）などがある。

各論理演算の結果を整理する。

x	y	論理和	論理積	排他的論理和	論理否定	
		$x+y$	$x \cdot y$	$x \oplus y$	$\overline{x}$	$\overline{y}$
0	0	0	0	0	1	1
0	1	1	0	1	1	0
1	0	1	0	1	0	1
1	1	1	1	0	0	0

また，論理演算の基本公式は，次のとおりである。

0と1の演算	$x \cdot 0=0$　$x \cdot 1=x$ $x+0=x$　$x+1=1$
同一の法則	$x \cdot x=x$　$x+x=x$
交換法則	$x \cdot y=y \cdot x$　$x+y=y+x$
結合法則	$x \cdot (y \cdot z)=(x \cdot y) \cdot z$ $x+(y+z)=(x+y)+z$
分配法則	$x \cdot (y+z)=(x \cdot y)+(x \cdot z)$ $x+(y \cdot z)=(x+y) \cdot (x+z)$
吸収法則	$x \cdot (x+y)=x$　$x+(x \cdot y)=x$ $x \cdot (\overline{x}+y)=x \cdot y$　$x+(\overline{x} \cdot y)=x+y$
ド・モルガンの法則	$\overline{(x \cdot y)}=\overline{x}+\overline{y}$　$\overline{(x+y)}=\overline{x} \cdot \overline{y}$

以上の論理演算の公式を用いて，複雑な論理演算式を簡略化することができる。

xとyの否定論理積 $\overline{(x\ AND\ y)}=\overline{(x \cdot y)}$ を，“x NAND y”とする。このとき，論理式“(x NAND x) NAND (y NAND y)”を展開する。

間違えやすい

論理演算には，さらに，次のものがある。
- ・否定論理和（論理和の否定）
- ・否定論理積（論理積の否定）
- ・等価演算（排他的論理和の否定）

参考

3変数以上の排他的論理和において，入力のうち奇数個が真（“1”）ならば真（“1”），偶数ならば偽（“0”）になる。これは，入力の真の数の奇偶を判定しているともいえる。例えば，次のようになる。

$1 \oplus 1 \oplus 1 \oplus 0=1$（1が奇数個）

$1 \oplus 1 \oplus 1 \oplus 1=0$（1が偶数個）

試験に出る

排他的論理和の論理式には，本文で示したように“⊕”を使うことが多いが，試験では，次に示すような論理式で表すことがある。A，Bは論理変数である。

$(A \cdot \overline{B})+(\overline{A} \cdot B)$

$(A+B) \cdot (\overline{A}+\overline{B})$

$(A+B) \cdot \overline{(A \cdot B)}$

$$x \text{ NAND } x = \overline{(x \cdot x)} = \overline{x} + \overline{x}$$ （ド・モルガンの法則）

$$= \overline{x}$$ （同一の法則） ……①

$$y \text{ NAND } y = \overline{(y \cdot y)} = \overline{y} + \overline{y}$$ （ド・モルガンの法則）

$$= \overline{y}$$ （同一の法則） ……②

与えられた式 ＝（x NAND x）NAND（y NAND y）

$$= \overline{x} \text{ NAND } \overline{y}$$ （①，②式から）

$$= \overline{(\overline{x} \cdot \overline{y})}$$

$$= \overline{\overline{x}} + \overline{\overline{y}}$$ （ド・モルガンの法則）

$$= x + y$$ （論理否定の論理否定なので元に戻る）

▶試験に出る

論理演算の出題頻度は高い。毎回，必ず出題されるといってもよい。分配法則，吸収法則，ド・モルガンの法則を使いこなせるようにしておくこと。また，ド・モルガンの法則だけで，解答を導くことができるケースも多い。

▶間違えやすい

論理演算の記号は本文で示したもの以外に，論理積を“∧”，論理和を“∨”を使うこともある。また，論理変数Aの否定を，“¬A”で表現することもある。

●カルノー図

カルノー図は，論理式を簡略化するために用いる表である。論理式の基本公式を用いて簡略化することもできるが，直感的に把握することが難しいことがある。このようなとき，カルノー図は，図的な表現を用いて簡略化する手段を与える。

カルノー図は，次のように読み取る。

AB＼CD	00	01	11	10
00	1	0	0	1
01	0	1	1	0
11	0	1	1	0
10	0	0	0	0

CDの行（横方向）の00，01，11，10は，それぞれ（C＝0，D＝0），（C＝0，D＝1），（C＝1，D＝1），（C＝1，D＝0）という組合せを示す。ABの列（縦方向）も同様，（A＝0，B＝0），（A＝0，B＝1），（A＝1，B＝1），（A＝1，B＝0）という組合せであることを示す。なお，0は偽，1は真であることを示す。このとき，ビットの組合せが，“00→0<u>1</u>→<u>1</u>1→1<u>0</u>”となっていることに注意する。最初は00であるが，以降は，1ビットだけ変化するようにビットを組み合わせる。

各セルの中は，論理変数A，B，C，Dの論理積で表す。例えば，AB＝00，CD＝00の太枠網掛けのセルは$\overline{A} \cdot \overline{B} \cdot \overline{C} \cdot \overline{D}$で，論理演算の結果は“1”となることを示す。また，AB＝00，

▶間違えやすい

カルノー図で，1であるセルを囲むとき，2^n (n＝0，1，2，…）となるように気をつける。2^nでないと，正しい論理式を導くことはできない。また，3変数のときには，縦横のいずれかを2変数，他方を1変数とする。例えば，x，y，zの3変数のときは，次のようになる。

yz＼x	0	1
00		
01		
11		
10		

CD＝10の太枠網掛けのセルは，$\overline{A}\cdot\overline{B}\cdot C\cdot\overline{D}$で，論理演算の結果は“1”となることを示す。

カルノー図から論理式を導くには，表の中の全ての1のセルを，セルの数ができるだけ多くなるように枠で囲む。ただし，囲む場合，次の規則に従う。

- 囲んだ枠中のセルの値は，全て1であること
- 囲んだ長方形の中のセルの数は，1，2，4，…のように，2^n（nは正の整数）であること
- 同じセルを2つ以上の枠で共有してもよい
- カルノー図の上下の端，及び左右の端は連続していると考える

規則に従って枠で囲った結果は，太枠及び太枠網掛け部で示すとおりである。太枠網掛け部は，左右の端なので，連続しているとみなす。

AB＼CD	00	01	11	10
00	1	0	0	1
01	0	1	1	0
11	0	1	1	0
10	0	0	0	0

太枠網なし部分の論理式は，次のようになる。

$\overline{A}\cdot B\cdot\overline{C}\cdot D$　(AB＝01，CD＝01)
$\overline{A}\cdot B\cdot C\cdot D$　(AB＝01，CD＝11)
$A\cdot B\cdot\overline{C}\cdot D$　(AB＝11，CD＝01)
$A\cdot B\cdot C\cdot D$　(AB＝11，CD＝11)

ここで，共通変数を使って，太枠網なし部分の4つのセルを論理式で表す。共通変数とは，全ての論理式で値が同じ変数である。この場合，BとDは全て1であるが，AとCは0と1がある。したがって，共通変数はB，Dであり，論理式は，$B\cdot D$となる。

一方，太枠網掛けのセルについては，次のようになる。

$\overline{A}\cdot\overline{B}\cdot\overline{C}\cdot\overline{D}$　(AB＝00，CD＝00)
$\overline{A}\cdot\overline{B}\cdot C\cdot\overline{D}$　(AB＝00，CD＝10)

この場合の共通変数は，$\overline{A}$，$\overline{B}$，$\overline{D}$なので，論理式は，$\overline{A}\cdot\overline{B}\cdot$

$\overline{\mathrm{D}}$となる。

カルノー図が示す論理式は，枠で囲った部分の論理和で，$\overline{\mathrm{A}}\cdot\overline{\mathrm{B}}\cdot\overline{\mathrm{D}}+\mathrm{B}\cdot\mathrm{D}$となる。

●集合

集合は，同じ属性の集まりである。すなわち，同じ集合の各要素は，同じ属性をもっている。

集合の表現

集合Sは，次のいずれかで表現する。

S＝{1, 2, 3, 4, 5, 6, 7, 8, 9}(要素を列挙)

S＝{n | 1 ≦ n ≦ 9かつnは整数}（要素を算術式で表現）

S＝{φ}(要素が何もない：空集合(くうしゅうごう)という)

また，集合Sとある要素aがあったとき，Sにaが含まれているかどうかを，次のように表す。

S∋a　又は　a∈S(要素aは集合Sに含まれる)

S∌a　又は　a∉S(要素aは集合Sに含まれない)

部分集合

ある集合S1の要素が全て他の集合S2に含まれるとき，S1はS2の部分集合といい，次のように表す。

S1⊂S2　又は　S2⊃S1(S1はS2に含まれる)

また，S1がS2の部分集合で，かつ，S2がS1の要素以外の要素を含むとき，すなわち，S1⊂S2でS1≠S2であるとき，S1はS2の真部分集合という。

普遍集合と補集合

集合全体を普遍集合(全体集合)といい，Ωで表す。普遍集合の一部である集合S以外の集合をSの補集合といい，$\overline{\mathrm{S}}$やS^{C}などで表す。Ω，$\overline{\mathrm{S}}$，Sの関係は，次のとおりである。

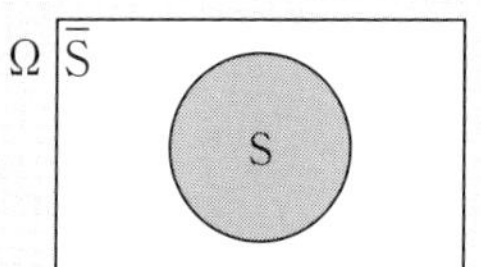

▶試験に出る

カルノー図の意味や解釈を問う問題が出題されている。また，カルノー図を使うと論理式の簡略化を簡単にできるような問題が時々出題される。カルノー図の使い方を知っておくと便利である。

真部分集合をベン図で表すと次のようになる。

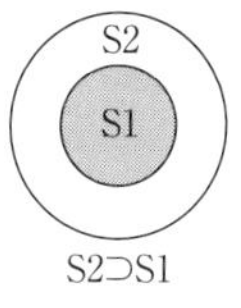

集合の演算

集合の演算には，和集合，積集合(共通集合)，差集合などがある。なお，差集合には２つあることに気をつける。

集合演算	表　記	説　明
和集合	S1 ∪ S2	S1，S2のすべての要素を含む集合
積集合	S1 ∩ S2	S1，S2に共通する要素を含む集合
差集合	S1 － S2	S1からS2と共通する要素を除いた集合
	S2 － S1	S2からS1と共通する要素を除いた集合

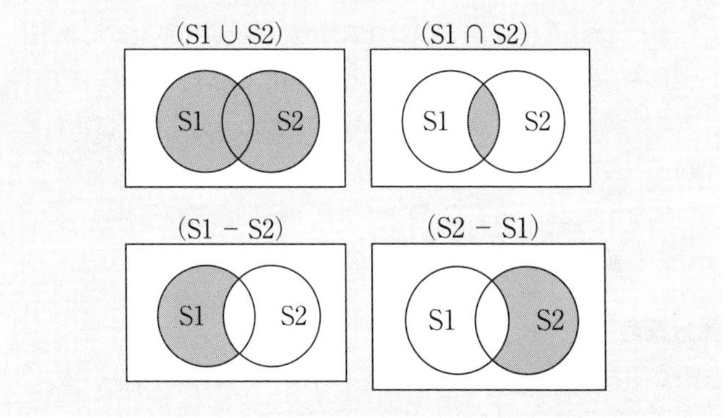

▶間違えやすい

差集合は概念的には，“S1－S2”は集合S1から集合S2である部分を除いた集合，“S2－S1”は集合S2から集合S1を除いた集合であると考えられる。

なお，差集合は，次のように積集合に置き換えることができる。

$$S1-S2=S1\cap\overline{S2}$$

これは，次のようにして証明することができる。

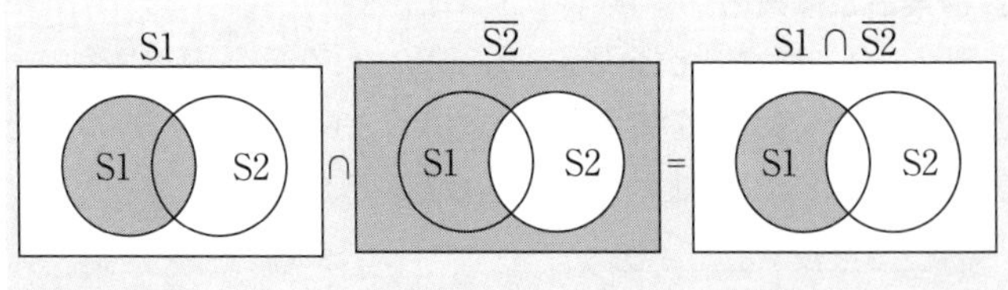

▶間違えやすい

排他的論理和をベン図で表すと，次のようになる。ベン図の網掛け部分が，排他的論理和に該当する領域である。

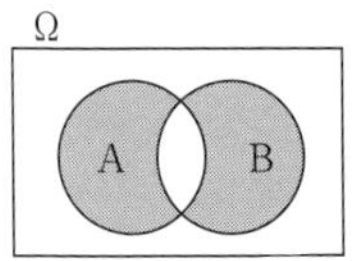

集合演算の公式

集合演算は，論理演算の公式で示した考え方と同じで，和集合を論理和，積集合を論理積，補集合を論理否定に対応させればよい。

交換則	$S1 \cap S2 = S2 \cap S1$ $S1 \cup S2 = S2 \cup S1$
結合則	$S1 \cap (S2 \cap S3) = (S1 \cap S2) \cap S3$ $S1 \cup (S2 \cup S3) = (S1 \cup S2) \cup S3$
分配則	$S1 \cap (S2 \cup S3) = (S1 \cap S2) \cup (S1 \cap S3)$ $S1 \cup (S2 \cap S3) = (S1 \cup S2) \cap (S1 \cup S3)$
吸収則	$S1 \cap (S1 \cup S2) = S1$ $S1 \cup (S1 \cap S2) = S1$ $S1 \cap (\overline{S1} \cup S2) = S1 \cap S2$ $S1 \cup (\overline{S1} \cap S2) = S1 \cup S2$
補元則	$S \cup \overline{S} = \Omega \quad S \cap \overline{S} = \phi$
ド・モルガンの法則	$\overline{S1 \cap S2} = \overline{S1} \cup \overline{S2}$ $\overline{S1 \cup S2} = \overline{S1} \cap \overline{S2}$

集合演算の応用例

集合演算の応用例を示しておく。論理演算と同じように考えてもよい。これらの演算を行うとき，ベン図を用いることもある。しかし，ベン図は直感的でわかりやすいが，気を付けないと塗りつぶす範囲を誤ってしまうことが多いので注意が必要である。一方，集合式を代数的に解けば，公式を覚える必要はあるが，誤りは少ない。

例えば，“$X=(\overline{A}\cap\overline{B})\cup(\overline{A}\cap B)\cup(A\cap\overline{B})$”を整理してみる。

$X = (\overline{A}\cap\overline{B})\cup(\overline{A}\cap B)\cup(A\cap\overline{B})$

$= \overline{A}\cap(\overline{B}\cup B)\cup(A\cap\overline{B})$

（第 1 項と第 2 項に分配則を適用，$\overline{A}$ が共通）

$= \overline{A}\cup(A\cap\overline{B})$（$\overline{B}\cup B$ は全体集合で“1”）

ここで，吸収則を使うために，上の表の吸収則の 4 番目の式において，$\overline{A} = S1$，$\overline{B} = S2$ と置けば，次のようになる。

$X = \overline{A}\cup(A\cap\overline{B})$

→ $S1\cup(\overline{S1}\cap S2)$ （$\overline{A} = S1$ なので $A = \overline{S1}$）

$= S1\cup S2$ （吸収則）

→ $\overline{A}\cup\overline{B}$

$= \overline{A\cap B}$ （ド・モルガンの法則）

このように，論理演算や集合演算の公式を知っていれば，式を誤りなく簡潔にすることができる。

参考

含意

論理式A，Bに論理演算子“⇒”を作用させることで得られる“A⇒B”もまた論理式である。この記号“⇒”を含意という。これは，“Aが成立するならばBが成立する”という意味である。このとき，AはBの十分条件，BはAの必要条件を表す。なお，真理値表は，次のようになる。

A	B	A⇒B
真	真	真
真	偽	偽
偽	真	真
偽	偽	真

試験に出る

ベン図に対応する集合の式や論理式を選ばせる問題，あるいは逆に，集合の式や論理式に対応するベン図を選ばせる形式の問題が多い。このとき，差集合と積集合の関係，すなわち，$A-B=A\cap\overline{B}$を知っているだけで解ける問題が多い。

1.1.3 グラフ理論

- 木は閉じていないグラフ
- 木の巡回法には幅優先順と深さ優先順

グラフは，辺の集合と点の集合から成る図形である。グラフには，木，完全グラフなどがある。

●グラフの定義と種類

グラフGは，点の集合Vと辺の集合Eを用いて，G＝(V，E)と表す。木は閉じていないグラフ，完全グラフは全ての2点間において1本の辺が存在するグラフである。

グラフの点は，2分木ではノード又は節ということが多い。

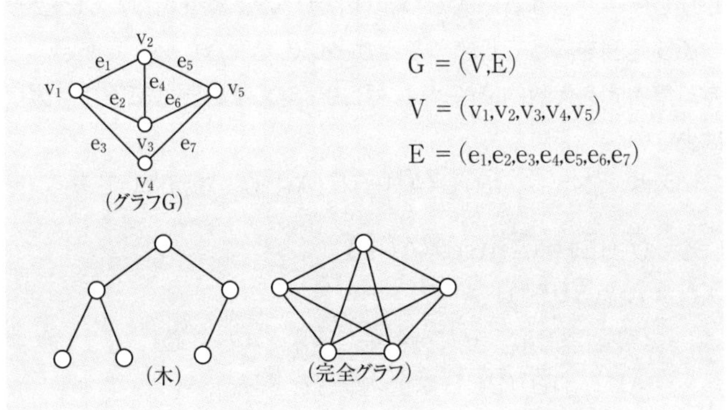

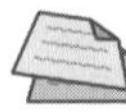

下図は，有向グラフの例である。

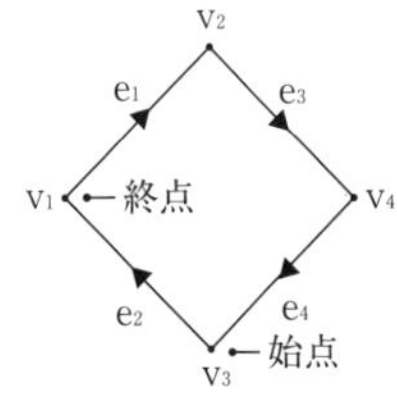

グラフには，無向グラフと有向グラフがある。無向グラフは辺に向きがないグラフである。上図は全て無向グラフである。有向グラフは辺に向きがあるグラフで，矢印で示す。有向グラフにおいて，点 v_i と点 v_j を結ぶ辺 e_{ij} が，v_i から v_j に向かっているとき，e_{ij} ＝ (v_i，v_j) と表す。このとき，v_i を始点，v_j を終点という。

●木の巡回法

順序木
順序木は，各節が同じレベルであっても，探索において順序性をもつ木である。

順序木の巡回法は，次のように2つに分類され，さらに，深さ優先順は，3つに分類される。

巡回法		順　序
幅優先順		同一レベルの点を順に巡回
深さ優先順	先行順	親，左部分木，右部分木の順に巡回
	中間順	左部分木，親，右部分木の順に巡回
	後行順	左部分木，右部分木，親の順に巡回

なお，部分木については，次ページの側注で説明する。また，木については，「1.5.3 木」で説明する。

以下の巡回法の例示では，番号順に巡回する。

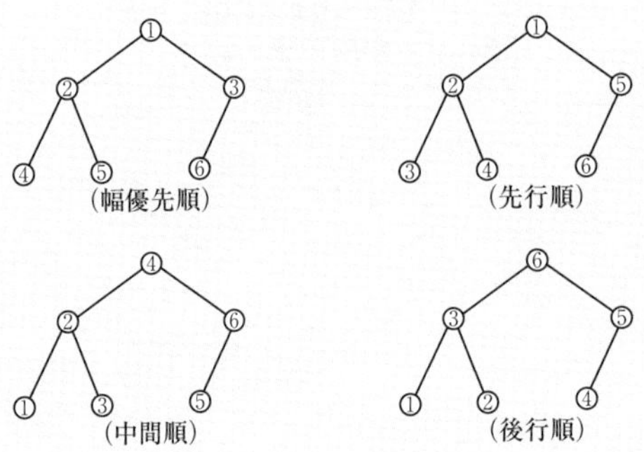

深さ優先順は，根から始めて，左側の子から，かつ葉のほうから巡回する巡回順である。次のように考えるとわかりやすい。

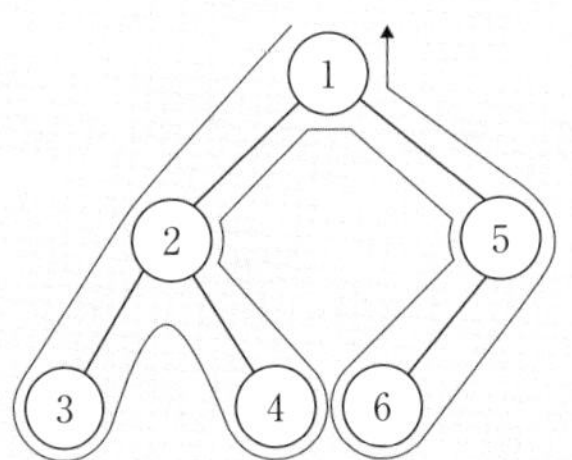

先行順は，点の左側を通るときその値を取り出す（巡回する）巡回順である。したがって，親，左の子，右の子の順に巡回するので，“1→2→3→4→5→6”の順となる。後行順は，点の右側を通るときその値を取り出す巡回順である。したがって，左の子，右の子，親の順に巡回するので，“3→4→2→6→5→1”の順となる。また，中間順は，点の下側を通るときその値を取り出す巡回順である。したがって，左の子，親，右の子の順に巡回するので，“3→2→4→1→6→5”の順となる。

試験に出る

順序木の探索順の違いを問う問題が出題される。深さ優先順の，先行順，中間順，後行順の違いをしっかりと押さえておく。

用語解説

探索木

探索木は，木を構成する各点に値をもつ要素を格納した木である。

用語解説

部分木

部分木は，木構造の一部で，それ自身も木構造となっている部分である。本文のヒープの図では，節7を根とした節（7，6（1，2），5）の組合せは木となっているので部分木である。また，節9の左にあるので，節9の左部分木ともいう。同様に，節（8，4，3）の組合せを，節9の右部分木という。

ヒープや2分探索木では，同じ値をもつ節は存在しないのが前提である。同じ値の節が存在するときは，左部分木，右部分木のいずれかに配置する。

●グラフのデータ構造

代表的なグラフのデータ構造に，次のものがある。

データ構造	説　明
ヒープ	深さの浅い順に，同じ深さでは左から順に節が配置される2分木で，次の関係がある 親の節の値＞子の節の値（または親の節の値＜子の節の値）
2分探索木	各節の値に次の制約をもつ2分木 左の子の節の値＜親の節の値＜右の子の節の値
B木	根からすべての葉までの深さが等しく，かつ，次の条件を満たす多分木 ・根以外の各節はk個以上の要素をもつ ・各節は最大2k個の要素をもつ ・各節は要素数に1を加えた数の子をもつ

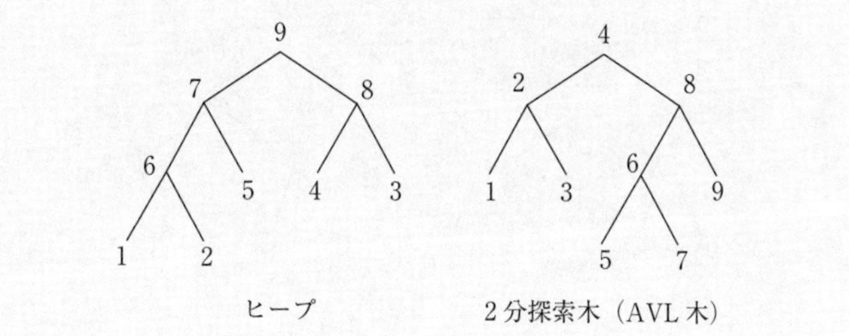

B木（B tree）は節点に複数のキーを格納できる木構造で，新たな要素は，それぞれのキーの値に対して大小を比較して子の節点へ振り分けられる。

次は，$k=2$ の例である。p は，子を指し示すポインタである。

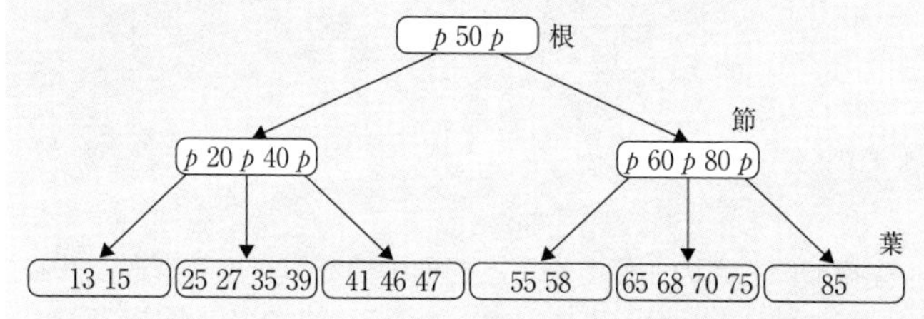

根の左側には50までの値をもつ要素，右側には50より大きい値をもつ要素が格納されることを示している。次に，根の左の節からは，左端の子は20までの値をもつ要素，中央の子は20より大きく40までの値をもつ要素，右の子は，40より大きく50までの値をもつ要素が格納されることを示している。右部分木についても同様である。

チェック! よく出る午前問題で基本事項を確認

日付・正解 Check ／ ／ ／

1

問題 1 [応用情報技術者試験 2016 年春期午前 問 2] 難易度 ★★ 出題頻度 ★★★

10進数123を，英字A～Zを用いた26進数で表したものはどれか。ここで，A = 0，B = 1，…，Z = 25とする。

ア BCD　イ DCB　ウ ET　エ TE

問題 2 [応用情報技術者試験 2016 年春期午前 問 1] 難易度 ★★ 出題頻度 ★★★

nビットの値L_1，L_2がある。次の操作によって得られる値L_3は，L_1とL_2に対するどの論理演算の結果と同じか。

〔操作〕
(1) L_1とL_2のビットごとの論理和をとって，変数Xに記憶する。
(2) L_1とL_2のビットごとの論理積をとって更に否定をとり，変数Yに記憶する。
(3) XとYのビットごとの論理積をとって，結果をL_3とする。

ア 排他的論理和　イ 排他的論理和の否定
ウ 論理積の否定　エ 論理和の否定

解説 1

10 進数 123 を 26 で割ると，商と余りは次のようになる。

123 ÷ 26 = 4 余り 19

このことから，10 進数 123 は次のようになる。

$123 = 26^1 \times 4 + 26^0 \times 19$

そこで，4 と 19 が英字の A ～ Z のどれに対応するかを確認すればよい。

26 進数	A	B	C	D	E	F	G	H	I	J	K	L	M	N	O	P	Q
10 進数	0	1	2	3	4	5	6	7	8	9	10	11	12	13	14	15	16

R	S	T	U	V	W	X	Y	Z
17	18	19	20	21	22	23	24	25

したがって，10進数123を，英字A～Zを用いた26進数で表したものは，"ET"である。

ア　$BCD_{26} = B \times 26^2 + C \times 26^1 + D \times 26^0 = 1 \times 26^2 + 2 \times 26^1 + 3$
$= 676 + 52 + 3 = 731_{10}$

イ　$DCB_{26} = D \times 26^2 + C \times 26^1 + B \times 26^0 = 3 \times 26^2 + 2 \times 26^1 + 1$
$= 2{,}028 + 52 + 1 = 2{,}081_{10}$

エ　$TE_{26} = T \times 26^1 + E \times 26^0 = 19 \times 26^1 + 4$
$= 494 + 4 = 498_{10}$

正解：ウ

解説 2

〔操作〕に従って，L_1とL_2の論理演算を行う。"＋"は論理和，"・"は論理積，$\overline{X}$はXの論理否定である。

$X = L_1 + L_2$　（〔操作〕(1)）
$Y = \overline{L_1 \cdot L_2} = \overline{L_1} + \overline{L_2}$　（〔操作〕(2)とド・モルガンの法則）
$L_3 = X \cdot Y = (L_1 + L_2) \cdot (\overline{L_1} + \overline{L_2})$　（〔操作〕(3)）

L_3の結果を，展開する。

$L_3 = (L_1 + L_2) \cdot (\overline{L_1} + \overline{L_2})$
$= ((L_1 + L_2) \cdot \overline{L_1}) + ((L_1 + L_2) \cdot \overline{L_2})$
$= (L_1 \cdot \overline{L_1} + L_2 \cdot \overline{L_1}) + (L_1 \cdot \overline{L_2} + L_2 \cdot \overline{L_2})$
$= L_2 \cdot \overline{L_1} + L_1 \cdot \overline{L_2}$　（$L_1 \cdot \overline{L_1}$，$L_2 \cdot \overline{L_2}$は0）
$= L_1 \cdot \overline{L_2} + \overline{L_1} \cdot L_2$

これは，排他的論理和で，次の真理値表で確認できる。

L_1	L_2	$\overline{L_1}$	$\overline{L_2}$	$L_1 \cdot \overline{L_2}$	$\overline{L_1} \cdot L_2$	$L_1 \cdot \overline{L_2} + \overline{L_1} \cdot L_2$	$L_1 \oplus L_2$
0	0	1	1	0	0	0	0
0	1	1	0	0	1	1	1
1	0	0	1	1	0	1	1
1	1	0	0	0	0	0	0

正解：ア

1.2 情報の基礎理論

プログラムの基礎理論は，プログラミングをする上での基本的な考え方である。アルゴリズムの基本的な動作原理を説明するのがオートマトン，アルゴリズムの正しさを示すのが正当性である。

1.2.1 オートマトン

Point
- オートマトンはコンピュータの動作をモデル化したもの
- オートマトンは状態遷移表や状態遷移図で表現

オートマトンは，コンピュータなどの計算機構を数学的に表すモデルの総称で，情報を入出力する入出力装置，入力情報と現在の情報から次の状態を制御する状態制御装置で構成される。

イギリスの数学者のA. M. Turing(チューリング)は，オートマトン理論を，チューリング機械と呼ばれる仮想機械によってモデル化した。この機械において，入出力装置を入力装置だけに限定したものを，有限オートマトンという。有限オートマトンは，状態遷移表や状態遷移図で，動作を表すことができる。

オートマトンには，プッシュダウンオートマトンもある。有限オートマトンではデータを取り出してチェックするだけであるが，プッシュダウンオートマトンは，スタックにデータを格納するため，再び，呼び出すことができる。

有限オートマトン

有限オートマトンでは，入力情報(入力テープ)の記号を1つ読んでは，状態遷移表や状態遷移図に従って状態を遷移する。最初に読み込んだ時点を初期状態という。その後，ヘッドを右に1つ移動する。この動作を繰り返すことによって，入力テープの記号を読み終えたときに，最終状態であれば，“入力は受理された”という。

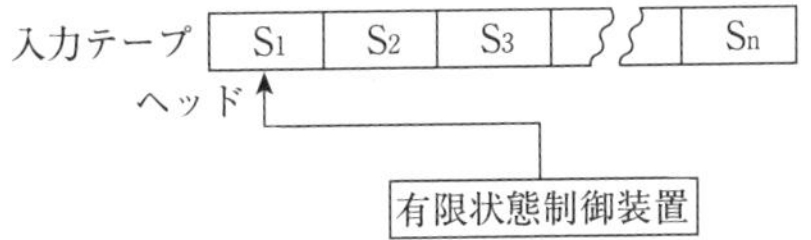

“入力は受理された”というのは，例えば，言語の変数名を想定すればよい。一般的に，変数名は英字と数字の組合せが許される。入力された文字と状態遷移の規則に従って遷移させていったとき，最終状態となれば，その変数名は正しいと判断することができる。

参考

有限オートマトンを状態遷移図で表現した例は，節末の「問題1」を参照のこと。

●有限オートマトンと状態遷移表

次の有限オートマトンと状態遷移表が与えられ，初期状態をq0，最終状態（終了状態）をq3としたとき，入力が受理されるかどうかを検証する。状態遷移表は，例えば，状態q0のときaが入力されると，状態q1に遷移する（状態遷移表の網掛け部分）と読み取る。

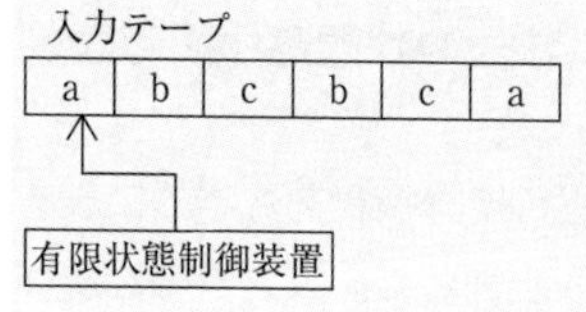

状態遷移表

入力＼状態	q0	q1	q2	q3
a	q1	q2	q3	q3
b	q0	q0	q1	q3
c	q2	q2	q2	q3

入力テープの内容と，状態遷移表に従って状態遷移を確認すると，次のようになる。入力文字列は，“abcbca”とする。

番号	状態	入力	遷移先	説　明
①	q0	a	→ q1	初期状態はq0　q0でaが入力されてq1に遷移
②	q1	b	→ q0	①でq1となる　q1でbが入力されてq0に遷移
③	q0	c	→ q2	②でq0となる　q0でcが入力されてq2に遷移
④	q2	b	→ q1	③でq2となる　q2でbが入力されてq1に遷移
⑤	q1	c	→ q2	④でq1となる　q1でcが入力されてq2に遷移
⑥	q2	a	→ q3	⑤でq2となる　q2でaが入力されてq3に遷移

以上から，文字列“abcbca”は受理されたと判断することができる。

▶試験に出る

オートマトンの概念について問う出題はない。また，出題は，有限オートマトンに限定されている。文字列と状態遷移図（又は状態遷移表）が与えられ，文字列が受理されるかどうかということを問う形式の出題である。

●オートマトンの応用例

有限オートマトンは，コンパイラの字句解析に応用されている。**字句解析**は，原始プログラムの文字列から，字句（名前，予約語，定数，区切り記号）に分けることである。

1.2.2 計算量と正当性

午後にも出る

1

- 計算量はアルゴリズムの評価の尺度の１つ
- 正当性はプログラムの正しさを証明すること

計算量は，“計算の複雑さ”とも呼ばれ，アルゴリズムがもつ計算の量を一定の尺度によって規定したものである。一方，正当性は，プログラムが正しいことを証明することである。

●計算量

計算量には，領域計算量と時間計算量があるが，ほとんどの場合，時間計算量を指す。

参考

計算量という概念を用いることで，アルゴリズムの内容を客観的に評価することができる。

計算量	説　明
領域計算量	プログラムの実行開始から終了までに使用する記憶容量
時間計算量	プログラムの実行開始から終了までの所要時間

最大計算量と平均計算量

計算量の算出では，入力データが最悪の場合を想定する。この最悪の場合の計算量を，最大計算量という。最大計算量に対して平均的な計算量を，平均計算量という。一般に，平均計算量を算出するのは，最大計算量と比較して難しいといわれ，ほとんどの場合，最大計算量が使われる。

O 記法

計算量の単位は，O（オーダ）という記号を用いる。そして，O を用いて計算量を表すことを，O 記法（オー記法，オーダ記法）という。例えば，バブルソートのように，二重ループのアルゴリズムは，配列の要素数 n の２乗に比例するので，$O(n^2)$ と表現し，“オーダ n^2 のアルゴリズム” という言い方をする。

計算量に関して，以下の関係が成立する。

$$O(f(n))+O(g(n))=\max(O(f(n)),\ O(g(n)))$$
$$O(f(n))\times O(g(n))=O(f(n)\times g(n))$$

これは，計算量の加算は，計算量の大きい方に引きずられることを示している。2つのプログラムを一緒にしたような場合，一緒にしたプログラムの計算量は，計算量の大きい方のプログラムと同じになるということである。また，計算量の乗算は，バブルソートなどのように，二重ループとなるアルゴリズムを想定すればよい。1つのループの計算量がnであるとすると，二重ループではn^2となる。

また，計算量の大小関係は，次のとおりである。cは定数である。

$$O(1)<O(\log_2 n)<O(n)<O(n\log_2 n)<O(n^2)<O(n^3)<\cdots<O(n^c)<O(2^n)<O(3^n)<\cdots<O(c^n)<O(n!)$$

$O(1)$は，計算量が1ということではない。計算量が定数時間ということで，処理時間がデータ量に依存しないことを示す。

●正当性

正当性の証明には，レベルによって部分正当性と全正当性がある。

用語解説

正当性

正当性は，プログラムが正しいことを証明することである。プログラムの正しさを証明するには，テストが一般的であるが，テストは限られた範囲しか証明できない。正当性は，全ての場合に正しいことを証明する。

部分正当性

部分正当性は，入力条件を満たしたプログラムを実行すると，停止した時点で得られる結果が，出力条件を満たしていることを証明することである。このとき，表明という考え方を用いる。表明は，各変数同士に成立している関係を表現したもので，プログラムのある部分について，実行前(前条件)と実行後(後条件)の間に常に成立する関係を示すことである。すなわち，部分正当性とはプログラムの部分部分において，プログラムが正しいことを示すことである。

プログラムの全正当性が得られたということは，“ある有限時間内において，正しい実行結果を出した”ことを意味する。つまり，正しいアルゴリズムは，有限時間内に結果が得られることを示している。これは，ループしないということである。

全正当性

全正当性は，入力条件を満たしたプログラムを実行すると，必ず停止する(停止性)とともに，得られる結果は出力条件を満たすことを証明することである。“出力条件を満たす”というのは，部分正当性が成立しているということである。全正当性は，部分正当性を満たし，かつ停止するということである。

1.2.3 データ型と演算・精度

Point
- IEEE 754 は浮動小数点数表示の規格の 1 つ
- 誤差の発生する原因には丸め，桁落ち，情報落ちなど

コンピュータは有限桁数で計算するため，四捨五入や切捨て，切上げなどの操作によって誤差が発生する。浮動小数点数演算では，かなり大きい数とかなり小さい数との加減算を行うと，小さい数が事実上，無視されてしまう。

このため，演算順序を変えるなどして，誤差の発生を防ぐ必要がある。

● データ構造

データ構造は，コンピュータでデータ処理や計算を行うときに，あらかじめデータを扱いやすいようにしておき，計算速度が速くなるようにしたものである。データ構造には，基本データ構造と問題向きデータ構造がある。次は，基本データ構造の分類である。また，問題向きデータ構造は，プログラミングなどにおいて利用される具体的なデータ型で，「1.5 問題向きデータ構造」で示すデータ構造である。

基本データ構造		説明
基本データ型		内部構造をもたない
	単純型	単純な構造（整数型，実数型，文字型，論理型，列挙型）
	ポインタ型	参照機能をもつ
	抽象データ型	操作との一体化（カプセル化）
構造型		内部構造をもつ
	配列型	同じ型の要素の並び（添字式をもつ）
	レコード型	複数のデータ型の並び

参考

論理型は，数学的には，論理演算の定義された2要素，すなわち，false (0) と true (1) から成るデータ集合である。AND（論理積），OR（論理和），NOT（論理否定）の基本操作が定義されている。

参考

列挙型は，要素間で順番を決めた定数の集合で，pred（直前の要素を取り出す），succ（直後の要素を取り出す）の基本操作が定義されている。

間違えやすい

配列と列挙型のデータ構造は似ているが，配列は変数を格納するため，各要素の値を自由に変更できるのに対し，列挙型は複数の定数を並べてそれに名前を付けたものである。プログラムで，定数で確保する変数（領域）と考えればよい。

IEEE 754

IEEE 754（1985）標準では，32ビット（単精度）の浮動小数点数を次の形式で表現する。

S	E	M

S：符号，1ビット
E：指数部，8ビット，2進数値，バイアス値127
M：仮数部，23ビット，2進数値

この形式で表される数値は $(-1)^S(2^{E-127})(1.M)$ となる。ここで，(1.M) は，正規化して1の位が1で残りの小数部分がMであることを表す。ただし，特別な値については，次表のとおりに表現する。

特別な値	符号	指数部	仮数部
+∞	0	111 … 1	000 … 0
−∞	1	111 … 1	000 … 0
Nan (非数)	0 1	111 … 1 111 … 1	000 … 0以外 000 … 0以外
+0	0	000 … 0	000 … 0
−0	1	000 … 0	000 … 0

例えば，$(1.5)_{10} = +1.5 \times 10^0$ は，$(1.1)_2 \times 2^0$ と変換でき，これは正数であり，S = 0，2^0 なので E = 0 + 127 = 127，M = 1となる。Eについては，バイアス値を忘れないようにする。

0	01111111	100…………00

また，次の場合，$(0.75)_{10}$ となる。

0	01111110	100…………00

上図では，S=0，$E=(01111110)_2=(126)_{10}$，$M=(0.1)_2$ なので，次のようになる。

$$
\begin{aligned}
(-1)^S(2^{E-127})(1.M) &= (-1)^0(2^{126-127})(1.1)_2 \\
&= (1)(2^{-1})(1.1)_2 \\
&= (0.11)_2 \\
&= (0.75)_{10}
\end{aligned}
$$

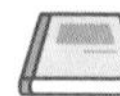
用語解説

バイアス値

バイアス値は，負数を正数値にするために加算する値である。浮動小数点数表示の指数部は負数を表現するのに2の補数方式ではなく，バイアス値を加算している。IEEE 754では，127を加算する。例えば，−1であれば，実際には126が格納される。

参考

IEEE754では本文で示した単精度の他に，半精度（S=1，E=5，M=10），倍精度（S=1，E=11，M=52），倍々精度（4倍精度）（S=1，E=15，M=112）を規定している。なお，S，E，Mはそれぞれ，符号，指数部，仮数部のビット数である。

▶間違えやすい

IEEE 754以外の浮動小数点数の表示方法に，イクセス64がある。イクセス64は，符号部1ビット，指数部7ビット，仮数部24ビットで構成される。IEEE 754と異なり，仮数部は0＜仮数部＜1となるように正規化する。また，バイアス値として64を使用する。

誤差

コンピュータ内部では有限桁数で演算を行うため，レジスタに入りきらない数値があると無視されたりして，コンピュータによる演算結果と数学上の計算結果（真値）に違いが出る。この違いを誤差という。

誤差には，真値，測定値，観測値，計算値などとの関係から，次のものがある。

絶対誤差

絶対誤差は，測定値，観測値，計算値などの結果から真値を代数的に引いた絶対値である。すなわち，｜測定値－真値｜で示される。なお，測定値には観測値，計算値を使うこともある。

相対誤差

相対誤差は，絶対誤差と真値との比である。しかし，真値を知ることは不可能なので，測定値や観測値，計算値などを真値とみなして求めることが多い。相対誤差は，次式で計算する。

$$\text{相対誤差} = \frac{\text{絶対誤差}}{\text{真値}} \fallingdotseq \frac{\text{絶対誤差}}{\text{測定値（観測値，計算値）}}$$

系統誤差

系統誤差は，何らかの原因により，測定値，観測値，計算値などの結果が真値と比較して，同じ方向に偏ってしまう誤差である。

誤差の発生する原因

誤差の発生する原因には，次のようなことがある。

丸め誤差

丸め誤差は，丸めによって発生する誤差である。ある値の近似値を求める場合，通常，ある桁の次の桁以下を切捨て，切上げ，四捨五入などをして端数の処理を行う。なお，端数処理をすることを丸めという。

桁落ち

桁落ちは，有効桁数がなくなる現象である。ほぼ等しい数値同士の引き算，絶対値がほぼ等しく符号が異なる2数の加算などを

▶試験に出る

誤差の発生する原因についての知識が要求されている。また，丸め誤差，桁落ちなどの意味を問う問題が頻出している。これらの意味を確実に頭に入れておく。さらに，数値と演算が与えられ，演算の結果どのような誤差が発生する可能性があるかというような応用問題も出題されている。

▶間違えやすい

コンピュータでは無限小数を扱えないため，有限桁数にするときに，丸めを行う。このとき，誤差が発生する。

用語解説

有効桁数

有効桁数は，近似値や測定値の上位の桁で，意味のある数字のことである。例えば，210という測定値が，小数点以下を四捨五入したのであれば，有効桁数は3桁で，2.10×10^2となる。1の位を四捨五入したのであれば，有効数字は2桁で，2.1×10^2となる。ただし，コンピュータを用いた計算では，0以外の数字の数を有効桁数という。したがって，2.10と2.1はいずれも，有効桁数は2桁とみなす。

行った場合，有効桁数が急激に減少する。

```
        356.3622
 −)     356.3579
 ─────────────────
          0.0043
            ↑
            └──上位桁が 0 になるため有効桁数が急減する
```

情報落ち

情報落ちは，数値が事実上無視されてしまう現象である。大きな値と小さな値の加減算を行った場合に，小さい値の桁を大きな値の桁にそろえることによって，仮数部に入りきらなくなり，小さい値の情報の一部が落ちてしまうことがある。

```
      356.3622
 −)     0.0000…15  ←極端に値の小さな数値が無視されてしまう
 ─────────────────
      356.3622
```

▶間違えやすい

情報落ちと同じような現象に，積み残しがある。2数a，bの加算結果は，数学上ではa+bであるが，a≫bであるようなとき，コンピュータの演算結果では，aとなってしまうことがある。例えば，第n項までの部分和S_nに要素x_{n+1}を加算するとき，$S_n \gg x_{n+1}$であると$S_n = S_{n+1}$となり，x_{n+1}は事実上無視される。このような現象を積み残しという。積み残しを防ぐには，絶対値の小さな数値から順に加算していく。

打ち切り誤差

打ち切り誤差は，打ち切りによって発生する誤差である。打ち切りは，極限操作を有限のところで打ち切ることである。例えば，無限級数の $S = \sum_{i=1}^{\infty} a_i$ の計算を行う際，無限に計算することは不可能なので，適当な誤差の範囲で計算を打ち切るような場合が該当する。

●エンディアン

エンディアン（バイトオーダ）は，2バイト以上の数値データを記録したり転送したりするときの順番のことである。2バイト以上のデータは，1バイトごとに分割して記録／転送する。最上位のバイトから順番に記録／転送する方式をビッグエンディアン，最下位のバイトから順番に記録／転送する方式をリトルエンディアンという。エンディアンの異なるコンピュータ同士でデータをやり取りする場合，相手のエンディアンを考慮しないと値が異なってしまう。例えば，16進数ABCD1234をリトルエンディアンやビッグエンディアンでメモリに配置すると次のようになる。

▶間違えやすい

リトルエンディアンでは，最下位（右端）ビットの属するバイトを低位の（アドレス値の小さい）アドレスへ格納する。バイナリダンプすると，順序が逆になる。一方，ビッグエンディアンは，最上位（左端）ビットの属するバイトを低位の（アドレス値の小さい）アドレスへ格納する。バイナリダンプすると，そのまま読める。

0	+1	+2	+3
34	12	CD	AB

リトルエンディアン

0	+1	+2	+3
AB	CD	12	34

ビッグエンディアン

1.2.4 人工知能

- AI は人間の知的な作業をコンピュータで模倣すること
- DL は人間ができることをコンピュータに学習させること

人工知能（Artificial Intelligence：AI）は，認識や推論といった人間の知能が行うことをコンピュータにさせるソフトウェアやシステムである。例えば，人間が用いる自然言語を認識したり，大量のデータから論理的な推論を行ったりする。人工知能の応用例に，専門家の問題解決技法を模倣するエキスパートシステムや，人間の学習能力と同等の機能をコンピュータで実現する機械学習，画像や音声の意味を理解する画像理解システム，音声理解システムなどがある。AI の基礎となるのは，知識工学である。

● 知識工学

知識工学（Knowledge Engineering：KE）は，人工知能の応用を，種々の角度から研究する学問である。特定の分野の知識を表現し，その知識から推論するプログラムの開発を目標とする。知識ベースやエキスパートシステムなどに応用されている。知識工学の具体的な応用が，エキスパートシステムやデータマイニングである。

● エキスパートシステム

エキスパートシステム（専門家システム）は，人間の専門家（エキスパート）の意思決定能力をエミュレートする AI の研究から発生したシステムである。専門家のような知識についての推論によって複雑な問題を解くように設計されており，通常のプログラミングのようにソフトウェア開発者が設定した手続きに従うわけではない。例えば，医療診断，故障診断，設計・計画支援，船舶の操縦などのエキスパートシステムがある。

参考

エキスパートシステムは，推論エンジンと知識ベースから構成される。推論エンジンは，頭脳に相当し，問題の解決・処理を担当する。知識ベースは，事実や常識，経験などの知識をコンピュータが解読できる形にしてデータベースにしたものである。推論エンジンが専門家の知識を収集，その知識を知識ベースに蓄積するとともに，知識ベースの知識を基に推論し，結論を導き出す。

機械学習

機械学習は，人間が自然に行っている学習能力と同様の機能をコンピュータで実現しようとする技術・手法で，人工知能における研究課題の１つである。センサやデータベースなどから，ある程度の数のサンプルデータ集合を入力して解析を行い，そのデータから有用な規則，ルール，知識表現，判断基準などを抽出し，アルゴリズムを発展させる。

エキスパートシステムでは，判断式を人間が与えなければならないが，機械学習では学習によって判断式をコンピュータ自身が導く点がエキスパートシステムとは異なる。

ディープラーニング

ディープラーニング（Deep Learning：DL，深層学習）は，音声の認識，画像の特定，予測など，人間が行うような作業を実行できるようにコンピュータに学習させる手法である。ディープラーニングでは，人間がデータを編成して定義済みの数式に適用するのではなく，人間はデータに関する基本的なパラメタ設定のみを行い，その後は何層もの処理を用いたパターン認識を通じてコンピュータ自体に課題の解決方法を学習させる。

ディープラーニングでは，ニューラルネットワークを多層にして用いることで，データに含まれる特徴を段階的により深く学習することが可能になる。多層構造のニューラルネットワークに大量の画像，テキスト，音声データなどを入力することで，コンピュータはデータに含まれる特徴を各層で自動的に学習を進める。この構造と学習の手法がディープラーニング特有の特徴であり，この手法により，ディープラーニングは極めて高い精度の認識が可能で，場合によっては，人間の認識精度を超えることもある。

ディープラーニングでは膨大な量のデータを利用し，特徴量を抽出する必要があり，無数の行列演算を行う。そこで，行列演算を得意とするGPUを活用することで，トレーニングの期間を短縮できる。GPUの行列演算の処理速度は，CPUの10倍以上といわれている。GPUは，画面表示や画像処理を行うために使われる半導体チップ（演算装置）である。

参考

過学習

機械学習を行うとき，あらかじめ用意してあるデータをコンピュータが学習しすぎた結果，そのデータに過剰に適合してしまうことがある。この結果，未知データ（テストデータ）に対して精度が悪くなってしまう。このような現象を，過学習という。

用語解説

ニューラルネットワーク

ニューラルネットワーク（Neural Network：NN，神経回路網）は，パターン認識をするように設計された人間や動物の脳の仕組みから考え出されたもので，脳機能の特性の幾つかをコンピュータ上で表現するための数学モデルである。

参考

近年開発の進んでいる自動運転車において，停止標識を認識したり，電柱と人間を区別したりするのは，ディープラーニングが可能にしている技術である。また，電話，タブレット，テレビなどの音声認識にもディープラーニングが応用されている。

参考

GPUとGPGPU

画像処理を高速に行う演算装置をGPU（Graphics Processing Unit）という。このGPUの機能を画像処理以外に転用することをGPGPU（General-Purpose computing on GPU）といい，シミュレーションやAIなどに使われている。

1.2.5 形式言語

Point
- 形式言語はプログラム言語の文法を厳密に表現する手段
- BNF は形式言語の 1 つ

形式言語は，句構造文法の概念に基づく言語とその文法を形式化したもので，プログラム言語に応用されている。なお，句構造文法は，プログラム言語の構文記述として用いられているもので，オートマトンが基本原理となってる。形式言語の 1 つに BNF がある。

● BNF

BNF（Backus-Naur Form：バッカス・ナウア記法，バッカス記法）はプログラム言語の構文と意味を文字記号で厳密に記述するものである。文字だけで定義するので簡潔に表現でき，最終的な文の記述形式に近い表現となる。さらに，曖昧さを排除できるので，わかりやすいといわれている。

BNF は，ALGOL60 に用いられたのが最初である。その後，プログラム言語やコンパイラ記述の研究や発展の基礎となった。BNF による定義は厳密ではあるが，再帰的な構造となっているためわかりづらい部分もある。

● BNF の基本形

BNF の表現には，順次，反復，選択がある。以下，BNF の基本形を説明する。

“<>”は，前後の文字がつながったり，範囲が不明確になったりするのを防ぐためで，不都合がなければ使わないこともある。また“:: =”は，定義するという意味で，左辺を右辺のように定義するということである。

順次

順次は，“x という構文要素は，a と b という文字の並びである”という定義である。すなわち，“a の次に b がなければならない”ということである。

< x > :: =< a >< b >

反復

反復は，“x という構文要素は，a の繰返しである”という定義である。すなわち，“a が 1 個，又は複数個連続する”ということである。

< x > :: =< a >…

選択

選択は，“x という構文要素は，a 又は b である”という定義である。選択は，次のように記述する。“｜”はいずれか一方を選択することを示す記号である。

＜ x ＞ :: ＝＜ a ｜ b ＞

また，選択の一方がない場合は，次のように記述する。

＜ x ＞ :: ＝ ［＜ a ＞］

これは，“x という構文要素は，a であるか又は空である”という定義である。なお，“［］”は，省略可能を示す記号である。

終端記号と非終端記号

BNF において，既に定義した構文要素を別な定義や，その定義自身に使用することができる。このような構文要素を，非終端記号という。非終端記号は構文定義をわかりやすくするために用いる。非終端記号は，構文定義のためだけに使い，文中に記述する文字ではない。一方，非終端記号に対して，そのまま文中に記述する文字を，終端記号という。

次の“＜ x ＞”は非終端記号，a，b，c は終端記号である。

＜ y ＞ :: ＝＜ a ＞＜ x ＞

＜ x ＞ :: ＝＜ b ＞＜ c ＞

▶試験に出る

BNFに関する出題が多い。ただし，ほとんどの問題が，BNFによる構文規則が与えられて，解答群から構文規則に合致している式を選ばせるパターンである。具体例を当てはめて，検討する。

● BNFの例

BNF について，具体例で説明する。

「＜識別子＞は，＜英字＞で始まり，続く 0 個以上の＜数字＞又は＜英字＞によって構成されるとする。」

この＜識別子＞の定義について考える。

① ＜英字＞で始まりということから，基本は“＜識別子＞ :: ＝＜英字＞”である。

② 続く 0 個以上の＜数字＞又は＜英字＞によって構成されるということから，次のように整理できる。

- 0 個の場合は①で表現できる。
- 1 個の場合は次のように表現できる。

  ＜識別子＞ :: ＝＜英字＞＜数字＞ ｜ ＜英字＞＜英字＞
- 2 個以上の場合は，＜数字＞又は＜英字＞を連続させる必要があるが，＜数字＞と＜英字＞の定義は 1 文字のみである。そこで，識別子を再帰的に用いる。すると，次のようになる。

<識別子> :: = < 識別子 >< 数字> | <識別子><英字>

③　①，②から，<識別子>は，次のように定義できる。

<識別子> :: = <英字> | <識別子><数字> | <識別子><英字>
<数字> :: = 0 | 1 | 2 | 3 | 4 | 5 | 6 | 7 | 8 | 9　　…　終端記号
<英字> :: = a | b |…| z | A | B |…| Z　　…　終端記号

チェック!　よく出る午前問題で基本事項を確認

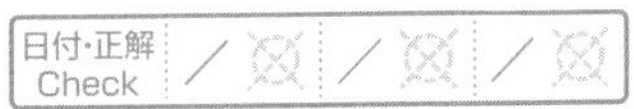

問題 1　[応用情報技術者試験 2009 年春期午前 問 3]　難易度 ★　出題頻度 ★★★

次に示す有限オートマトンが受理する入力列はどれか。ここで，S_1は初期状態を，S_3は受理状態を表している。

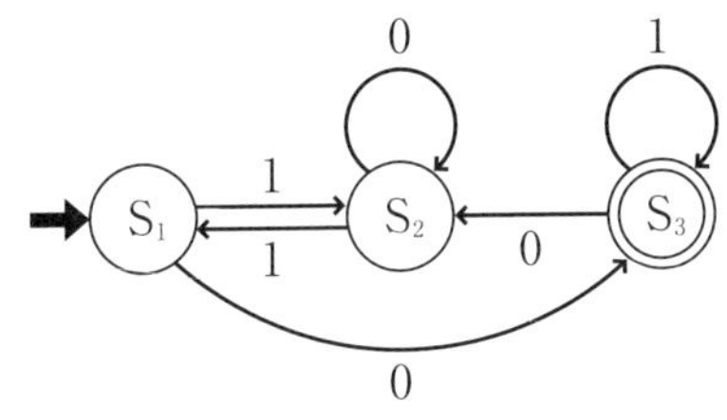

ア　1011　　　イ　1100　　　ウ　1101　　　エ　1110

問題 2　[応用情報技術者試験 2012 年秋期午前 問 6]　難易度 ★　出題頻度 ★★★

アルゴリズムの処理時間や問題の計算時間を比較するときに使用するオーダ記法の説明として，適切なものはどれか。

ア　アルゴリズムが解に到達するまでの計算量の下限値を表す。
イ　アルゴリズムがこれより遅くならないという計算量の上限値を表す。
ウ　アルゴリズムの解析では，主要項の部分を除いて比較する。
エ　アルゴリズムを実現した場合の変数領域の大きさを表す。

解説 1

問題で与えられている状態遷移図は，状態 S_1 で 1 が入力されると状態 S_2 に遷移し，0 が入力されると状態 S_3 に遷移することを示す。

なお，問題文では初期状態と受理状態の説明はあるが，説明がないときは，矢印（➡）のあるノードが初期状態，二重丸のノードが受理状態（終了状態）である。

ア　入力列“1011”は，次のように遷移する。

入力前の状態	入力列	入力後の状態
S_1 →	1	→ S_2
S_2 →	0	→ S_2
S_2 →	1	→ S_1
S_1 →	1	→ S_2

イ　入力列“1100”は，次のように遷移する。

入力前の状態	入力列	入力後の状態
S_1 →	1	→ S_2
S_2 →	1	→ S_1
S_1 →	0	→ S_3
S_3 →	0	→ S_2

ウ　入力列“1101”は，次のように遷移する。

入力前の状態	入力列	入力後の状態
S_1 →	1	→ S_2
S_2 →	1	→ S_1
S_1 →	0	→ S_3
S_3 →	1	→ S_3

（受理される）

エ 入力列“1110”は，次のように遷移する。

入力前の状態	入力列	入力後の状態
S_1 →	1	→ S_2
S_2 →	1	→ S_1
S_1 →	1	→ S_2
S_2 →	0	→ S_2

正解：ウ

解説 2

この問題に記述されている“アルゴリズムの処理時間や問題の計算時間”を，計算量という。オーダは，アルゴリズムの計算量を示す概念で，O 記法（オー記法，オーダ記法）を用いて表現する。例えば，配列の長さ n が 2 倍，3 倍，…となると，実行時間が $2^2 = 4$ 倍，$3^2 = 9$ 倍，…となっていくアルゴリズムの計算量は，$O(n^2)$（オーダ n^2 と読む）と表記する。また，計算量が $f(n)$ のアルゴリズムを，オーダ $f(n)$ のアルゴリズムという。

計算量を算出するに当たっては，入力データは最悪のケースを想定する。例えば，線形探索のアルゴリズムでは，探索すべき要素が存在しない，あるいは，存在してもその要素が配列の最後にあるような場合である。

したがって，オーダ記法は，“アルゴリズムがこれより遅くならないという計算量の上限値を表す”である。

なお，本問のように，時間についての計算量を，時間計算量という。また，「エ」の記述にあるような“アルゴリズムを実現した場合の変数領域の大きさ”の尺度を，領域計算量という。

正解：イ

1.3 数理応用

数理応用は，科学的，数学的な方法を用いて，種々の計画が最も効果的であるように決定するための技法である。本節では，基本的な手法として，確率，PERT，待ち行列を学習する。

1.3.1 確率と確率分布

Point
- 順列は要素の並び，組合せは要素の組合せ
- 確率は"事象の数÷全事象の数"で計算

特定の事象が発生する確率を求めるには，全事象の数と特定の事象が発生する場合の数を計算する必要がある。このとき，順列・組合せの計算が必要となることがある。

●順列と組合せ

順列

n 個のものから r 個（$r \leqq n$）を選んで並べる並べ方 $_nP_r$ は

$$_nP_r = n(n-1)(n-2)\cdots(n-r+1) = \frac{n!}{(n-r)!}\ (\text{通り})$$

である。これを，n 個のものから r 個とった順列という。

例えば，1～5の5種類の数字を並べるとき，次のように，120 通りの並べ方がある。

$$5 \times 4 \times 3 \times 2 \times 1 = 120(\text{通り})$$

組合せ

n 個のものから r 個を選び出す組合せ $_nC_r$ は，

$$_nC_r = \frac{_nP_r}{r!} = \frac{n(n-1)(n-2)\cdots(n-r+1)}{r!} = \frac{n!}{r!(n-r)!}\ (\text{通り})$$

である。これを，n 個のものから r 個を選ぶ組合せという。

例えば，1～5の5種類の数字から2つの数字を選ぶ組合せは，次のように10通りある。

間違えやすい

n! は n の階乗（かいじょう）という。
n の階乗とは，1 から n までの整数の積のことで，式にすると，$n! = n \times (n-1) \times (n-2) \times \cdots \times 2 \times 1$ である。
また，
$0! = 1$,
$1! = 1$
である。

間違えやすい

順列・組合せの応用に，重複順列がある。本文の順列は，全ての要素の値が異なることを前提としたが，重複順列では，同じものがそれぞれ m，n，…個あるときの順列の数を数える。例えば，a，b，c がそれぞれ m，n，o 個あるときの順列の数は，次のようになる。

$$\frac{(m+n+o)!}{m! \times n! \times o!}$$

$$ {}_5C_2 = \frac{{}_5P_2}{2!} = \frac{5 \cdot 4}{2 \cdot 1} = 10 \text{(通り)} $$

確率

確率は，“1 つの事象の起こりうる可能性を表した数”で，全事象の数を n，事象 A の数を n(A)とすると，事象 A の発生する確率 P(A)は，次式で定義される。

$$ P(A) = \frac{n(A)}{n} $$

例えば，サイコロを振って 1 の目が出る確率は，1/6 である。この場合，全事象は 1 ～ 6 の 6 通り，1 の目が出る事象は 1 通りである。

余事象

事象 A に対して，A でない事象を A の余事象といい，$\overline{A}$ で表す。上記のサイコロの例でいえば，1 の目が出る事象の余事象は，“2 ～ 6 の目が出る”事象である。ある事象とその余事象の発生する確率の関係は，次のとおりである。

$$ P(A) + P(\overline{A}) = 1 $$

排反事象

2 つの事象のうち，一方が発生すれば他方は発生しない事象があれば，これらを排反事象という。

例えば，次の事象 A, B は，互いに排反事象である。

事象A＝{サイコロを振って奇数(1，3，5)の目が出る}

事象B＝{サイコロを振って偶数(2，4，6)の目が出る}

確率の加法定理と乗法定理

事象 A，B において，少なくとも一方が起こる確率 P(A ∪ B)は，次のようになる。これを，確率の加法定理という。

$$ P(A \cup B) = P(A) + P(B) - P(A \cap B) $$

事象 A，B が排反事象であれば，事象 A，B の共通部分はないので，P(A ∩ B)＝0 となる。

一方，事象 A，B が互いに独立して起こる確率 P(A ∩ B)は，次のようになる。これを，確率の乗法定理という。

$$ P(A \cap B) = P(A) \cdot P(B) $$

▶試験に出る

順列・組合せや確率の問題が頻出している。順列・組合せは，公式を知っていれば簡単に解くことができる問題が多い。確率の問題は，応用力を試されるので，全事象が幾つになるのか，確率の計算対象となる事象が幾つになるのかを見極める。このとき，数が少なければ列挙するのが確実で速い。そうでなければ，順列・組合せの公式を駆使する。

参考

確率の問題例で示したように，確率の計算問題では，場合分けをきちんと行い，1つ1つ計算するのが肝心である。直感的に答えの見当がつくような問題はほとんど出題されないので，地道に計算するしかない。

●確率の練習問題

問題

3台の機械A，B，Cが良品を製造する確率は，それぞれ60%，70%，80%である。機械A，B，Cが製品を1つずつ製造したとき，いずれか2つの製品が良品で残り1つが不良品になる確率は何%か。

解説

各機械で製造したとき，良品である確率，不良品である確率は，次のようになる。

機械	良品である確率	不良品である確率
A	60%（= 0.6）	1 − 0.6 = 0.4
B	70%（= 0.7）	1 − 0.7 = 0.3
C	80%（= 0.8）	1 − 0.8 = 0.2

参考

ベイズの定理

幾つかの袋の中に赤い玉と白い玉が幾つか入っているとする。これらの袋のうちどれか1つの袋から，玉を1つ取り出したとき，この取り出された玉の色（結果）から，どの袋から取り出されたものか（原因）を推定することを考える。ここで用いるのがベイズの定理である。

また，いずれか2つの製品が良品で残り1つが不良品であるとき，製造機械の組合せは，次のとおりである。○は良品，×は不良品である。また，()内は，発生確率である。

番号	機械A	機械B	機械C
①	○（0.6）	○（0.7）	×（0.2）
②	○（0.6）	×（0.3）	○（0.8）
③	×（0.4）	○（0.7）	○（0.8）

各機械の組合せ①～③の確率を求め，これらの確率の合計を求めれば，いずれか2つの製品が良品で残り1つが不良品である確率となる。

①の確率＝ 0.6 × 0.7 × 0.2 = 0.084

②の確率＝ 0.6 × 0.3 × 0.8 = 0.144

③の確率＝ 0.4 × 0.7 × 0.8 = 0.224

以上から，求める確率は，次のようになる。

いずれか2つの製品が良品で残り1つが不良品である確率

＝①の確率＋②の確率＋③の確率

＝ 0.084 + 0.144 + 0.224

＝ 0.452 → 45.2%

1.3.2 PERT と PDM

午後にも出る

1

Point
- PERT，PDM は日程計画に使用
- 日程を短縮するにはクリティカルパスの作業の日数を短縮

日程計画とは，プロジェクトの工程を計画することで，作業手順計画と日程計画を含めた計画全般の工程管理のことをいう。代表的な方法には幾つかあるが，本項では，日程計画に重点を置き，PERT と PDM について説明する。

参考

本文中の作業の内容と日程の流れを矢印で順に追って表した図式を，アローダイアグラムという。作業間の関連や影響を明確にするために作成する。複雑な工程や細かい時間配分を図式化できるため，大規模プロジェクトで採用することが多い。

● PERT

PERT（Program Evaluation and Review Technique）は，プロジェクト管理技法の 1 つで，大規模プロジェクトの日程計画を立案するとともに, 要員や資源の割当てなどを行うのに使われる。

プロジェクトの所要日数は，前進計算によって求める。前進計算では，最早結合点時刻を求める。最早結合点時刻は，そのイベントを最も早く開始できる日程である。また，後進計算によって最遅結合点時刻を求める。最遅結合点時刻は，そのイベントを最も遅く開始できる日程である。また，最早結合点時刻と最遅結合点時刻の等しいイベントを結んだ経路を，クリティカルパスという。

間違えやすい

クリティカルパス上の作業は，日程に余裕がないため，遅らせることができない。このため，日程管理では，重点的に管理する。

次に示すプロジェクトを例にとって，クリティカルパスを求める。所要日数の単位は，“日”とする。

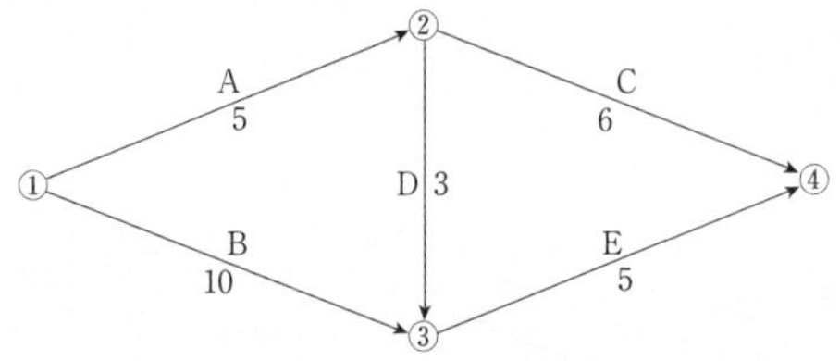

参考

本文で説明したPERTでは日程の管理だけを行っているが，プロジェクト資源の制約（人員や機材など）の概念を加えて最短所要日数を求める手法がある。この手法を，CCM（critical Chain Method：クリティカルチェーン法）という。CCMでは，個々の作業にバッファ（安全余裕時間）をもたせず，クリティカルチェーンの最後に集めてプロジェクト全体で管理する。このバッファを，プロジェクトバッファという。

前進計算

イベント①から順次，②，③，④と最早結合点時刻を求める。前進計算では，矢線の合流するイベントに注意する。この場合は，イ

用語解説

イベント

イベントは作業が完了した時点で，かつ次の作業を開始することができる時点である。本文の図において，イベント②は作業Aが完了した時点で，かつ，後続の作業C，Dを開始することができる時点である。

参考

単に所要日数を計算するだけであるならば，全ての経路の所要日数を算出し，最も大きい値を採用すればよい。このことについては，節末の問題で解説している。

②→④の経路では，プロジェクトを15日で終わらせるためには，作業Cを遅くとも何日後に開始する必要があるかを考える。②→③の経路では，イベント③の最遅結合点時刻10を保証するためには，作業Dを遅くとも何日後に開始する必要があるかを考える。

▶間違えやすい

アローダイアグラムでは，本文で示したようにアロー（作業）は原則として実線である。しかし，点線でアローが表示されることがある。この場合のアローは作業の同期をとるためであって，実際に作業が発生するわけではない。このような作業をダミー作業といい，所要日数を0とみなして計算する。

ベント③，④である。例えばイベント③においては，“A → D”の経路であると8日，“B”の経路であると10日必要である。したがって，Eに着手できるのは，Bの完了を待たなければならないので，10日後である。このように，矢線が合流するイベントの最早結合点時刻は，大きい方を採用する。

次は前進計算の結果である。図中，~~8~~と消しているのは，最早結合点時刻として採用しなかったことを示す。

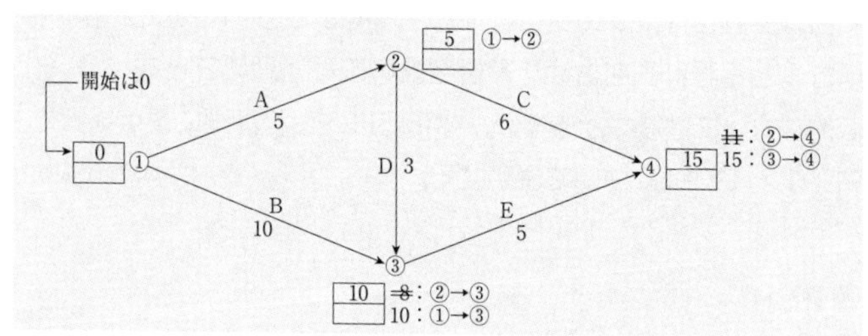

後進計算

前進計算で，プロジェクトの所要日数は15日と求められた。後進計算では，イベント④から最遅結合点時刻を求めていく。例えば，15日で終わらせるためには，作業Eを遅くとも，10日後には開始する必要があると考える。しかし，イベント②，①のように，複数のイベントに分岐している場合は注意する。イベント②において，イベント②→④の経路では，9日後に作業Cを開始する必要がある。イベント②→③の経路では，7日後に作業Dを開始する必要がある。遅くとも何日後に開始しないと間に合わないという観点から，結合点時刻の小さい方を採用する。また，太線の経路がクリティカルパスである。

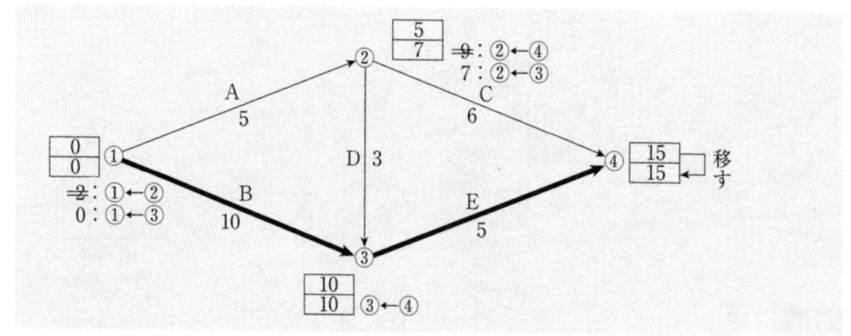

日程短縮

日程を短縮するには，クリティカルパス上の作業を短縮する。作業Cは早ければ5日後には開始できるが，9日後に開始しても間に合う。後進計算で示した日数のうち二重線で消した日数が最も遅く開始できる日程を示している。

ここで，作業Cの日程を短縮しても，“B→E”という作業経路が15日かかってしまうため，所要日数は変わらない。そこで，クリティカルパス上の作業の短縮が必要となる。

各作業の短縮費用が与えられているときは，作業の所要日数を短縮するに当たって，クリティカルパス上の作業のうち短縮費用の最も少ない作業を対象とすることにも注意する。

ファストトラッキングとクラッシング

ファストトラッキングは，プロジェクトのスケジュールを短縮する技法の1つで，順番に実行する作業を並行に進めることで全体のスケジュールの短縮を実現する。前段階の作業が完了しないうちに始める作業があるため，手戻りのリスクがあり，どの作業を並行に行うとリスクが少ないかを見極める必要がある。仕様が確定している工程ではファストトラッキングを適用しても手戻りのリスクは少ないが，未確定の工程では，手戻りのリスクが大きくなる。

間違えやすい

プロジェクトによっては，最初から同時進行で進める場合もあるが，これはファストトラッキングとはいわない。ファストトラッキングは，あくまでも遅延を防ぐ対策として使われる手法である。

クラッシングは，プロジェクトのスケジュールを変更せずにコストを追加投入することでプロジェクト全体のスケジュールを短縮させる方法である。残業を増やしたり，要員やリソースを追加投入したりして，作業の進捗を早める方法を採ることが多い。新しいリソースを追加するため，最小限にしてもコストはかかるので，費用対効果を考える必要がある。また，新規要員を追加する方法は，正しく運用できない場合や教育・研修を行う必要があるため，効果的とはいえない。

● PDM

PDM（Precedence Diagramming Method：プレシデンスダイアグラム法）は，プロジェクトなどの作業工程を表すネットワーク図の1つで，依存関係にある2つの工程間の順序を論理的に4つの関係で定義し，表記する方法である。PDMの基本的な作図法は，作業（アクティビティ）をノードとして，その順序・依存関係をアロー（矢線）でつないでいく。ノード記号の内側には作業名，場合によっては作業期間，開始予定日などを書き込む。並行作業はノードを上下に並べるが，順番に行われる作業は次の4つの論理的順序関係で整理する。

参考

PERTとPDMの比較

PERTは先行作業が終了すればすぐに後続作業がスタートするイベントドリブン型であるのに対し，PDMは連続する2つの作業の間にラグ（待ち時間）とリード（準備期間）の概念を持ち込み，より精密な日程計画を表現できるように工夫されている。

アローダイアグラムでは，ある作業の終了が別の作業の開始条件となる「終了－開始」（FS）の依存関係しか表現できないのに対して，PDMではFS以外に，「開始－開始」（SS），「開始－終了」（SF），「終了－終了」（FF）の関係を記述できる。

依存関係	関係の内容
FS	（Finish-to-Start） 先行作業が終了すると後続作業が開始
SS	（Start-to-Start） 先行作業が開始すると後続作業も開始
SF	（Start-to-Finish） 先行作業が開始すると後続作業が終了
FF	（Finish-to-Finish） 先行作業が終了すると後続作業も終了

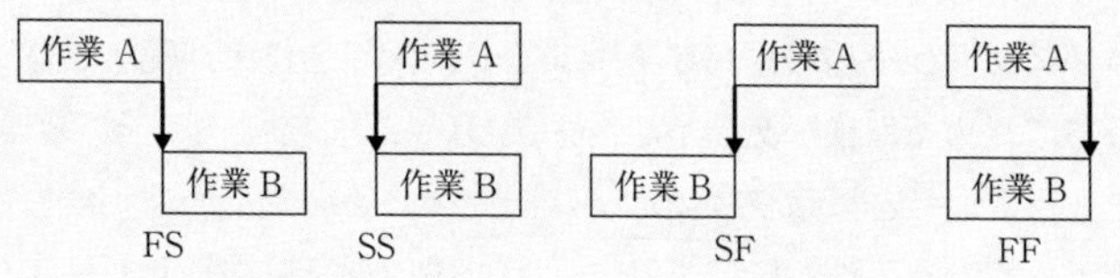

なお，上図で，作業名の上の枠には，日程関係の数値を記入する。正式には４つの枠を設定し，次のように記述する。

ES	EF
作業名	
LS	LF

ES：最早開始日　EF：最早終了日

LS：最遅開始日　LF：最遅終了日

作業名と作業日数を併記する場合は，次のように表現する。図において，( ) 内の数値が作業日数である。

ES	EF
作業A（15）	
LS	LF

次は，PDMの具体的な例である。なお，下記の例では省略したが，作業名の記述欄に，作業名と作業日数を併記することもある。

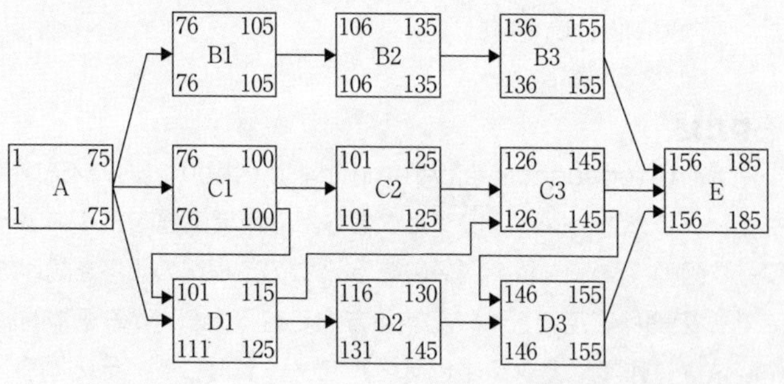

また，PDMの依存関係がFS関係のみであれば，PDMで表現された作業工程はアローダイアグラムで表現することができる。

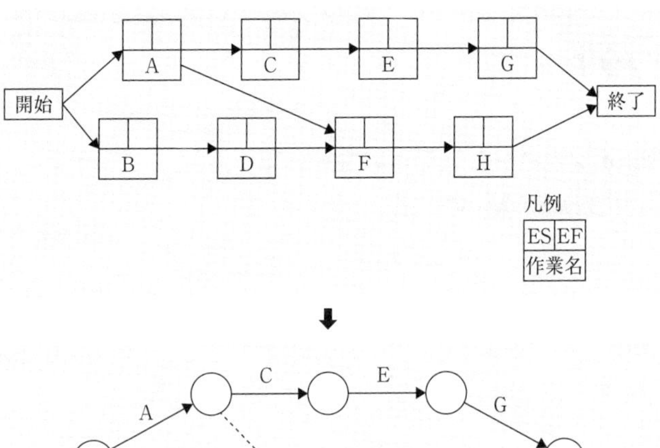

この場合のPDMは全てFS関係としているので，PERT（アローダイアグラム法）と考え方は同じである。すなわち，先行作業が終了すると後続作業が開始するので，作業の順序関係から検討すればよい。そこで，PDMでは，作業Aの終了後に作業Fが開始していることに着目する。

●リードとラグ

PDMでは，連続する2つの作業の間にリードとラグの概念を持ち込むことで，作業の依存関係に条件を付けることができる。なお，次の図では，LSとLFは省略している。

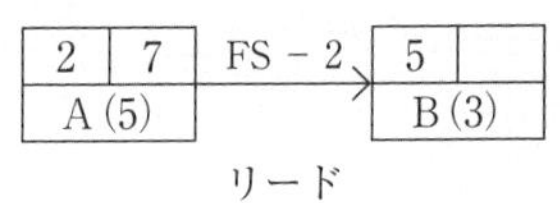

リード

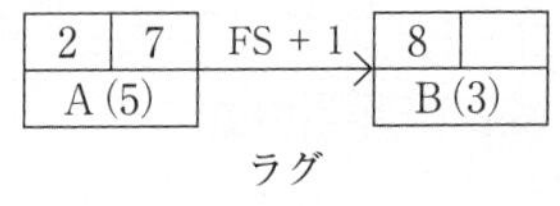

ラグ

先行作業Aの最早終了時刻（EF）が7でFS関係ならば，後続作業Bの最早開始時刻（ES）は7になる。“FS − 2”は，FS関係に2日間のリードがある（前倒しできる）ことを示している。すなわち，後続作業BのESは“7 − 2 =”5になる。一方，“FS + 1”は，1日間のラグがある（遅らせることができる）ことを示している。すなわち，後続作業BのESは“7 + 1 =”8になる。

リード／ラグ

リードは，先行作業に対して後続作業の開始を前倒しできる時間である。先行作業の終了が近づいたので，後続作業の準備をする場合などに考慮する。**ラグ**は先行作業に対して後続作業の開始を遅らせることができる時間である。後続作業場所への移動時間がかかるような場合に考慮する。

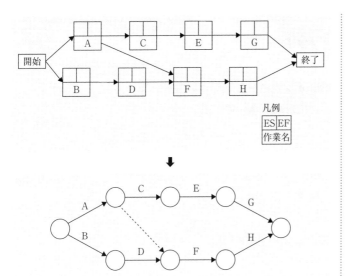

1.3.3 待ち行列

午後にも出る

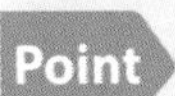

■ 待ち行列理論はオンラインシステムの性能計算に応用
■ 代表的な待ち行列理論は M/M/1 型

駅の自動券売機やスーパーのレジなどにおいて，人が滞留する現象がある。このように，サービスを受けようとして待っている人や設備を，待ち行列という。

● ケンドールの記法

待ち行列理論は，待ち行列の平均待ち時間を求める手法である。待ち行列の状態は，ケンドールの記法で示す。

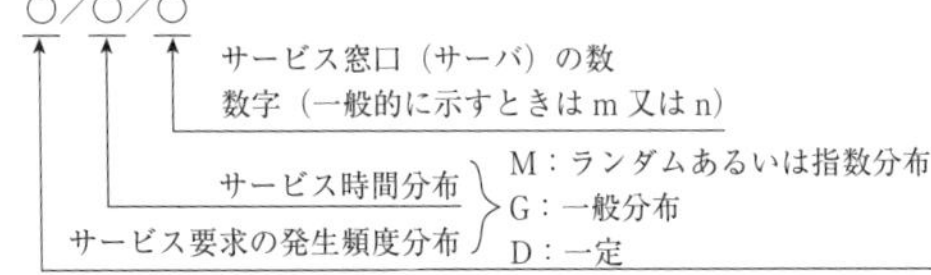

システム設計でよく用いられるのは，M/M/m である。これは，サービス要求の発生頻度分布がランダム，サービス時間分布が指数分布，サービス窓口の数が m 個であることを示している。このうち応用範囲が広いのは，M/M/1 である。これは，サービス窓口の数が 1 個の待ち行列モデルである。なお，統計数学では，ランダムな発生は，ポアソン分布で近似する。

● 待ち行列の公式

M/M/1 待ち行列に必要な公式を整理しておく。

平均到着率（λ（ラムダ））＝単位時間当たりの平均到着数（件／時間）

平均処理率（μ（ミュー））＝単位時間当たりの平均処理数（件／時間）

利用率（ρ（ロー））＝（サービス窓口が処理中である確率）

とすると，次式が成立する。

$$\rho = \lambda / \mu$$

▶ 試験に出る

待ち行列の問題では，M/M/1 型待ち行列の公式だけを覚えておけばよい。これだけで，全ての問題を解くことができる。また，覚えておく公式は，利用率の算出式，待ち行列に滞留しているジョブ数の算出式だけでよい。

用語解説

指数分布
指数分布は，事象が連続して独立に一定の発生確率で発生する事象の時間間隔の分布を示す。例えば，電話の通話時間の分布，電球の寿命などを表す分布として使われる。

ポアソン分布
ポアソン分布は，一定時間にある事象が起こる回数など，回数，頻度，個数などの分布を示す。待ち行列モデルのように，ランダムな到着は，ポアソン分布で近似する。

ρはトラフィック密度ともいい，$0 < \rho < 1(\lambda < \mu)$が成立する。$\lambda > \mu$の場合は，処理が到着に追いつかないという状態で，待ち行列が際限なく大きくなってしまい，待ち行列理論が成立しない。また，トランザクション1件当たりの処理時間は，平均処理率の逆数で，平均サービス時間(平均処理時間)という。平均サービス時間からも，利用率ρを計算することができる。

平均サービス時間$(t_s) = 1/\mu$(時間／件)

$\rho = \lambda t_s$

以上を基本として，以下の種々の公式が導かれる。

E_w(処理中も含めて滞留しているジョブ数の平均値)

$= \rho / (1 - \rho)$

T_q(到着してから処理開始までの時間：平均待ち時間)

$$= E_w \times t_s = \frac{\rho}{1-\rho} t_s$$

T_qの考え方は，トランザクションが到着したとき，処理待ちのトランザクションが完了しないと，その到着したトランザクションの処理を開始することができないということである。そこで，処理待ちのトランザクション数（処理中も含む)に，平均サービス時間を掛ければ，T_qを計算することができる。

覚えておくべき公式は，上記のρ，E_wの算出式である。

T_w(到着して処理が終了するまでの時間：平均応答時間)

$$= T_q + t_s = \frac{1}{1-\rho} t_s$$

平均待ち時間がわかれば，平均応答時間は，平均待ち時間に到着したトランザクションの処理時間を加算すればよい。

以上の関係を図に示しておく。

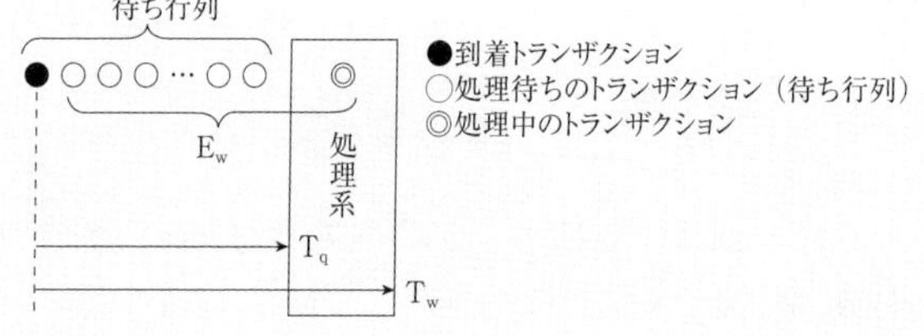

間違えやすい

試験問題では，平均到着率（λ）は1時間当たりの到着件数，平均サービス時間（t_s）はミリ秒で与えられるなど，時間の単位が異なることが多い。このため，時間の単位をそろえる必要がある。

試験に出る

問題によってt_s(平均サービス時間)が与えられたり，μ(平均処理率)が与えられたり，あまり統一性はない。しかし，平均サービス時間や平均処理率の意味を考えれば，$t_s = 1/\mu$という関係があることはわかる。

待ち行列理論の選択基準

オンライントランザクション処理システム，LANなどでは，処理要求の発生はランダムなことが多いので，到着はポアソン分布で近似するが，サービス時間は指数分布を用いる場合と一定値を用いる場合など，状況に応じて選択する。

例えば，クライアントサーバシステムでは，クライアントがサーバにアクセスするときのLANの転送待ち時間の分布がサービス時間に該当する。この時間はトラフィック量に応じて変動するので，指数分布で近似するのが一般的である。しかし，サーバの内部処理はほとんど一定であるとすると，サービス時間は一定値とするのがよい。ただし，情報処理技術者試験において計算させる問題は，全てがM/M/1型待ち行列なので，先に示した公式を覚えておけばよい。

▶試験に出る

待ち行列の問題は，ほぼ隔年ごとに出題されている。面倒な計算は多いが，公式を知っていれば確実に解くことができる。待ち行列の公式が明示されているケースもあるが，午前問題では少ない。一方，午後問題では，ほとんど明示されている。

M/M/1型待ち行列のキャパシティプランニング

M/M/1型待ち行列の平均待ち時間は，次式で表すことができることは既に説明した。

$$
\begin{aligned}
T_q &= E_w \times t_s \\
&= \frac{\rho}{1-\rho} t_s
\end{aligned}
$$

ここで，t_sが一定であるとすれば，平均待ち時間と利用率の関係は，次のようになる。

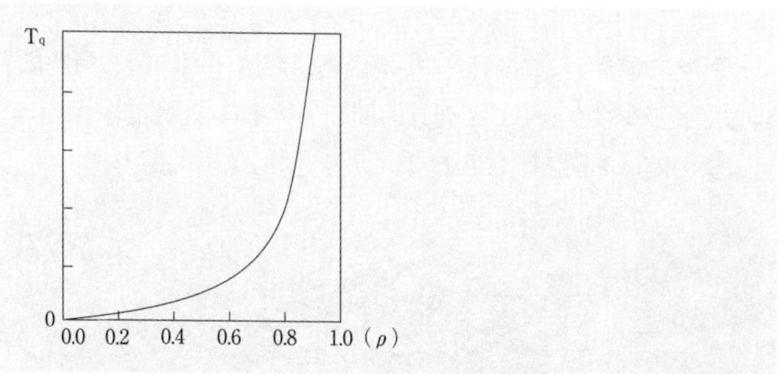

図からわかるように，利用率が70%（0.7）程度を超えると待ち時間が急激に増えてしまう。したがって，M/M/1型待ち行列のようなホストコンピュータによる集中処理では，コンピュータの使用率を70%以下に抑えることが必要である。

チェック! よく出る午前問題で基本事項を確認

日付・正解 Check / / /

問題 1 [応用情報技術者試験 2015年秋期午前 問53] 難易度 ★★ 出題頻度 ★★★

図に示すとおりに作業を実施する予定であったが，作業Aで1日の遅れが生じた。各作業の費用増加率を表の値とするとき，当初の予定日数で終了するために掛かる増加費用を最も少なくするには，どの作業を短縮すべきか。ここで，費用増加率とは，作業を1日短縮するために要する増加費用のことである。

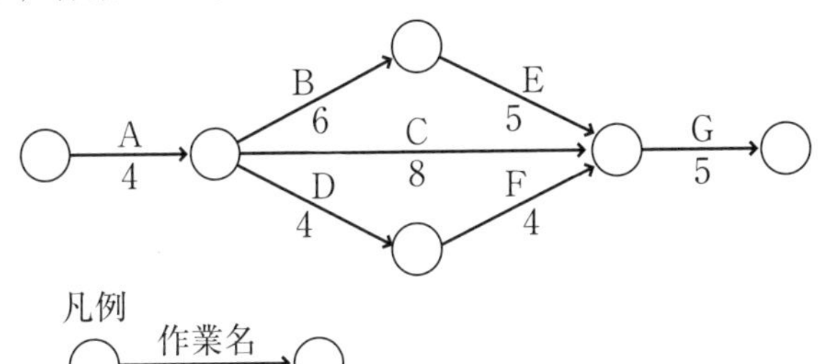

作業名	費用増加率
A	4
B	6
C	3
D	2
E	2.5
F	2.5
G	5

ア B　　イ C　　ウ D　　エ E

問題 2 [応用情報技術者試験 2022年秋期午前 問3] 難易度 ★★ 出題頻度 ★★★

製品100個を1ロットとして生産する。一つのロットからサンプルを3個抽出して検査し，3個とも良品であればロット全体を合格とする。100個中に10個の不良品を含むロットが合格と判定される確率は幾らか。

ア $\frac{178}{245}$　　イ $\frac{405}{539}$　　ウ $\frac{89}{110}$　　エ $\frac{87}{97}$

解説 1

作業Aが1日余計にかかったので，以降の作業で1日を短縮する必要がある。日程を短縮するには，クリティカルパス上の作業のうち増加費用の最も少ない作業を短縮する。

まず，クリティカルパスを求めるため，与えられたアローダイアグラムの各経路について所要日数を計算する。所要日数の最大の経路がクリティカルパスである。

A→B→E→G：4＋6＋5＋5 ＝20（日）（所要日数が最大）

A→C→G　　：4＋8＋5　　＝17（日）

A → D → F → G：4 + 4 + 4 + 5 = 17（日）

したがって，“A → B → E → G” がクリティカルパスで，このプロジェクトの所要日数は 20 日である。

以上から，所要日数を短縮するために，クリティカルパス上で費用増加率の最も小さな作業を選ぶと，作業 E の 2.5 である。

正解：エ

解説 2

1 ロット 100 個中に 10 個の不良品があるとき，1 個の製品を取り出しそれが良品である確率 P1 は次のとおりである。これは，100 個の中から良品 90 個のいずれか一つを取り出す確率である。

$$P1 = \frac{100 - 10}{100} = \frac{90}{100} = \frac{9}{10}$$

良品を 1 個取り出したあと，さらに 1 個の製品を取り出しそれが良品である確率 P2 は次のとおりである。このとき，良品が 1 個取り出されたあとなので，全体の個数は 1 減るが，不良品の個数は変わらないことに注意する。

$$P2 = \frac{(100 - 1) - 10}{100 - 1} = \frac{89}{99}$$

2 個の良品を取り出したあと，さらに 1 個の製品を取り出しそれが良品である確率 P3 は次のとおりである。このとき，良品が 2 個取り出されたあとなので，全体の個数は 2 減るが，不良品の個数は変わらないことに注意する。

$$P3 = \frac{(100 - 2) - 10}{100 - 2} = \frac{88}{98} = \frac{44}{49}$$

以上から，ロット全体が良品と判断される確率 P は次のようになる。

$$P = P1 \times P2 \times P3$$

$$= \frac{9 \times 89 \times 44}{10 \times 99 \times 49} = \frac{9 \times 89 \times 4}{10 \times 9 \times 49} = \frac{178}{245}$$

正解：ア

1.4 プログラム言語

プログラム言語は，コンピュータに行わせる処理（プログラム）を記述するための言語である。プログラムは，プログラム言語を用いて記述したあと，コンピュータが理解できる機械語に翻訳する必要がある。

1.4.1 プログラム構造と基本制御構造

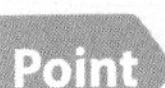

- プログラム構造には再帰，再使用可能，再配置可能など
- 基本制御構造は連接，選択，繰返しの3つ

プログラムは，目的に応じて，種々の構造をとることができる。また，手続き型プログラミングでは，連接（連続），選択，繰返しの３つの基本制御構造を用いる。

●プログラム構造

プログラム構造には，再帰（リカーシブ），再使用可能（リユーザブル），再配置可能（リロケータブル）などがある。再使用可能は，さらに，再入可能（リエントラント），逐次再使用可能に分類できる。

種類		特徴
再帰		プログラム実行中に，実行中の手続き自体を呼び出すことが可能な構造
再使用可能		主記憶に再ロードしなくても複数のタスクから使用可能
	再入可能	同時に複数のプログラムで使用可能
	逐次再使用可能	同時には使用不可能（待ち行列を作る）
再配置可能		プログラム実行中に主記憶の格納位置を動的に変更可能

●基本制御構造

手続き型プログラミングでは，連接（連続），選択，繰返しの３つの基本制御構造でプログラミングが可能であるとされている。

間違えやすい

再帰構造のプログラムでは，呼び出すごとに同じ名称の変数に別々の値が格納されるため，スタックを使う。また，再入可能なプログラム構造では，手続き部を複数のプログラムで共用し，データ部分だけを呼んだプログラムごとに確保する。

試験に出る

再帰，再入可能，再使用可能の用語の意味を問う問題が頻出している。基本的事項なので，しっかりと覚えておく。また，再入可能は手続き部を共有し，データ部分（作業領域）だけを呼んだプログラムごとに確保するため，主記憶の節約になる。

参考

構造化プログラミングを提唱したダイクストラは，goto文有害論を唱えた。goto文はプログラムの処理の流れを変え，プログラマにとって読みにくくなるので，基本制御構造だけでプログラムを作成すべきという主張である。

種　類	説　明
連　接 （連　続）	goto文や判断を含まない逐次的に実行される文だけで構成する論理構造
選　択	条件が成立するかどうかで実行する処理が異なるときに使用する論理構造
繰返し	条件が成立している間，同じ処理を繰り返す論理構造

選択には，if then else 構造と多分岐構造がある。**if then else 構造**は，条件によって２方向に分岐する。**多分岐構造**は，複数方向に分岐する。また，**繰返し構造**には，回数繰返し構造，前判定繰返し構造，後判定繰返し構造がある。**回数繰返し構造**は一定回数，処理を繰り返す。**前判定繰返し構造**は，繰返しの入り口で繰り返すかどうかを判断する。**後判定繰返し構造**は，繰返しの出口で繰り返すかどうかを判断する。

参考

プログラム領域を確保する方法に，静的割当てと動的割当てがある。静的割当ては，プログラムが起動されたときに確保され，実行が終わるまで解放されない。動的割当ては，ブロック（モジュール）が起動されたときに割り当てられ，ブロックの処理が終われば解放される。

●手続きと関数

手続き（プロシージャ）は呼出しと復帰の機能を備えたプログラムの一部分で，一般には call 文などで呼び出す。**関数**は，手続きにおいて値を与えると結果を戻す機能をもったものである。手続きの呼出しを変数と同じように扱うことができる。

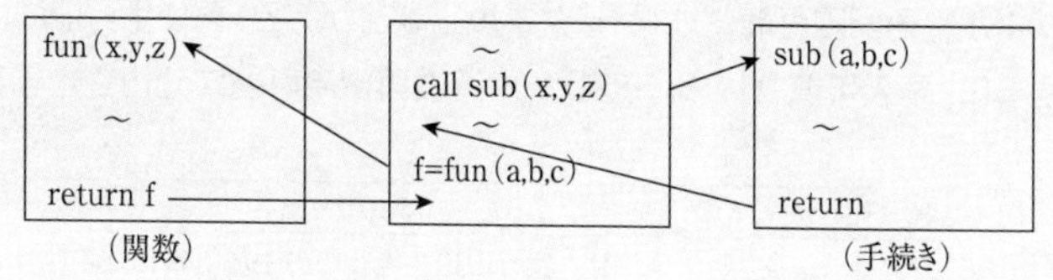

手続きや関数とデータをやり取りする変数を，**引数**（ひきすう）という。引数の扱い方によって，**値呼出し**と**参照呼出し**がある。

値呼出し	サブプログラムの中で引数の値が変更されても，呼んだ側の値は変わらない
参照呼出し	サブプログラムの中で引数の値を変更すると，呼んだ側の値も変わる

1.4.2 コンパイル技法

- コンパイルは字句解析→構文解析→意味解析→最適化→コード生成の順
- 算術式は逆ポーランド記法で表現可能

コンパイルは，コンパイラ言語(C，COBOL，Fortranなど)で記述された言語を，機械語に変換することである。また，コンパイルする言語プロセッサを，コンパイラという。

用語解説

言語プロセッサ
言語プロセッサは，あるプログラム言語をほかのプログラム言語に変換するソフトウェアの総称である。例えば，C言語のプログラムを機械語に変換する。変換前のプログラムをソースプログラム（原始プログラム），変換後のプログラムを目的プログラムという。

コンパイラの処理手順

コンパイラの処理手順は，次のとおりである。

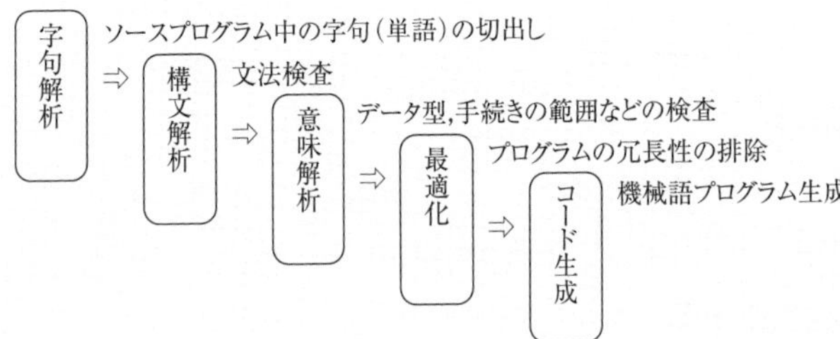

最適化

最適化（オプティマイズ）は，目的プログラムの実行時間を短縮したり，プログラムのサイズを小さくしたりするために行う処理である。

参考

最適化のそのほかの方法には，次のものがある。

レジスタ割当ての再編
余裕のあるレジスタを，作業用として使用することで処理時間を短縮する。

サブルーチンの組込み（インライン展開）
サブルーチンを本体に組み込んで，サブルーチンの呼出し回数を減らす。プログラムの容量は増えるが，処理時間を短縮することができる。

畳込み

畳込みは，コンパイル時に定数をあらかじめ計算しておくことである。例えば，"x=60 ＊ 60"とあれば，"x=3600"としておく。

式の簡略化

同じ式を置き換えて，式を簡略化する。

$$\left.\begin{array}{l} x=p+q \\ y=(p+q)*3 \end{array}\right\} \rightarrow \left\{\begin{array}{l} x=p+q \\ y=x*3 \end{array}\right.$$

ループの再編

ループの中で値の変わらない定数をループの外に出したり，多重ループを一重ループに置き換えたりする。

●逆ポーランド記法

ある数式とその数式を逆ポーランド記法に変換したとき，左からの変数の出現順序は同じになることに気をつける。数式X＝(A＋B)×Cを逆ポーランド記法に変換すると，XAB＋C×＝となっており，変数の出現順序はいずれも，XABCである。

逆ポーランド記法（後置記法）は，コンパイルするときに，算術式を機械語に変換する過程で用いる算術式の内部表現である。数式の( )をはずし，実際に計算する順序で演算子が現れる。基本的には，変数の後ろに演算子を配置する。

算術式“X＝(A＋B)×C”の変換過程を示す。演算は，優先順に従って行い，演算対象の2つの変数の後ろに演算子を置く。

X＝(A+B)×C　→　X＝AB＋×C（AB＋をPと置く）
X＝P×C　→　X＝PC×　（PC×をQと置く）
X＝Q　→　XQ＝

“XQ＝”が逆ポーランド記法による表現であるが，P，Qを元の変数A，B，Cに戻しておく。

XQ＝　→　XPC×＝　→　XAB＋C×＝

逆ポーランド記法で表現された式を数式にするには，逆ポーランド記法で表現された式の先頭（左側）から演算子を探し，その演算子の直前の2つの変数に対して，演算子が指定する演算を行えばよい。

XAB＋C×＝：左から見ていくと最初の演算子は“＋”
→XA＋BC×＝　((A＋B)＝Pと置く)
→XPC×＝　：左から見ていくと最初の演算子は“×”
→XP×C＝　((P×C)＝Qと置く)
→XQ＝　：左から見ていくと最初の演算子は“＝”
→X＝Q

あとは，P，Qに元の変数を代入すればよい。

X＝Q　→　X＝(P×C)　→　X＝((A＋B)×C)
→　X＝(A＋B)×C（不要な()をはずす）

試験に出る

数式を逆ポーランド記法に変換させたり，逆に，逆ポーランド記法から数式に変換させたりする問題が，時々出題されている。素早く変換できるようにしておくとよい。

1.4.3 プログラム言語の種類・特徴

Point
- 言語には手続き型，関数型，論理型，オブジェクト指向型
- マークアップ言語には SGML，XML，HTML など

プログラム言語の分類方法には種々の考え方があり，統一されていない。プログラミング原理による分類では，手続き型プログラム言語，関数型プログラム言語，論理型プログラム言語，オブジェクト指向型プログラム言語に分類される。このうち，オブジェクト指向型はデータ主導型，そのほかの言語は，計算主導型と考えられている。使用目的に応じて，種々の言語が提供されている。

●プログラム言語の分類と特徴

プログラム言語の分類と特徴，代表的な言語は，次のとおりである。

言語の分類	特徴	言語の例
手続き型	問題の解決手順を手続き（アルゴリズム）によって記述	C, COBOL, Fortran, BASIC, PL/I, Pascal
関数型	関数定義と関数呼出しで構成，データをリストに置き換えて処理	LISP, Haskell, Scala, Erlang
論理型	データの関係を論理式によって定義し，その関係を証明しながら推論を繰り返す	Prolog
オブジェクト指向型	データと手続きをカプセル化したオブジェクトによる処理	Java, C++, C#, Python, Ruby, Smalltalk

●マークアップ言語

マークアップ言語は，文章中にレイアウト情報や文字の大きさ，飾りつけなどの指定を直接埋め込み，画面表示や印刷をする言語である。<HEAD>，</HEAD> などの記号（タグ）を文章中に記述し，文章の形式を制御する。<> はタグを示す記号で，<> の中に記述されたキーワードが制御内容を指定する。マークアップ言語には，SGML，XML，HTML などがある。

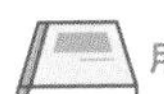
用語解説

COBOL
COBOLは，会計処理や事務処理用の言語として，CODASYLという団体が言語仕様を定めた。文書化を意識しており，プログラムの記述が英語の表現に似ている。

C 言語
C言語は，UNIXのOSを記述するために，AT&T（米国の大手通信事業者）のベル研究所が開発した言語である。多くのデータ型が用意されており，現在は広範囲に使用されている。また，構造化プログラミングを意識して開発されている。

C++ 言語
C++言語は，C言語を拡張したオブジェクト指向型プログラム言語である。C言語とは完全に上位互換で，C言語の手続き型に慣れていても，簡単にオブジェクト指向を習得することができる。

参考

ベクタ画像を記述するためのマークアップ言語をSVG（Scalable Vector Graphics）という。W3Cで仕様が定義され，矩形や円，直線，文字列などの図形オブジェクトをXML形式で記述し，Webページでの図形描画にも使うことができる画像フォーマットである。

ベクタ画像

ベクタ画像（ベクトル画像，ベクタグラフィックス）は，線を用いて図形を描画・管理する画像である。点の集まりで描画するビットマップ画像とは異なり，図形の拡大や縮小などを行っても画像が劣化しない。

用語解説

イベントドリブン

イベントドリブン（イベント駆動）は，事象（イベント）をきっかけに，それに対応する処理を開始するプログラムである。例えば，キーボードのキーの押下やマウスでの項目選択などのイベントが発生すると，プログラムの中のそのイベントに対応する処理が実行される。

用語解説

CGI

CGI（Common Gateway Interface）は，Webサーバから外部のプログラムを利用するためのインタフェースである。

なお，タグを指定することをマークアップということから，マークアップ言語と呼ばれる。

言語	説明
SGML	Standard Generalized Markup Language 文書の論理構造や意味構造をタグで指定することで標準化したもので，大規模な文書データベースを構築することができる
HTML	HyperText Markup Language SGMLをインターネット向けに開発したもので，ホームページを作成するのに使う
XML	eXtensible Markup Language SGMLをインターネット用に最適化した，データを記述するためのもので，ユーザ独自のタグを指定することができる

●スクリプト言語

スクリプト言語は，コンピュータに処理させる手順をテキスト（文字）を用いて記述する。処理手順を記述する点では手続き型言語と変わらないが，習得の容易さが配慮されているほか，GUIを利用した高機能な開発環境が提供されている。スクリプト言語によって記述された処理手続きをスクリプトといい，データベースソフトや表計算ソフトで用いるマクロがスクリプトに該当する。また，イベントドリブン型のプログラムであるのが大きな特徴である。スクリプト言語の例として，Visual Basic，JavaScript，Perl，PHPなどがある。

言語	説明
Visual Basic	マイクロソフト社が開発したプログラム言語で，GUIを使ったアプリケーションが容易に作成可能。中間コードを用いるため，実行速度は遅い
Java Script	米国ネットスケープ・コミュニケーションズ社（AOL社が買収）などが開発した言語で，HTML文書に組み込み，ブラウザのインタプリタで実行。ブラウザでデータを処理するアプリケーション向け
Perl（パール）	Practical Extraction and Report Language。テキストの検索や抽出，レポート作成向きの言語で，インタプリタ型。CGIの開発などに使われる
PHP	PHP: Hypertext Preprocessor。動的にWebページを生成するときに使われる言語で，HTMLファイル内に処理内容を記述したスクリプトを埋め込む
Python（パイソン）	システム管理やツール，アプリケーション開発，技術計算，Webシステムなどで広く利用されているオブジェクト指向型スクリプト言語。一般の言語では（　）や｛　｝を使ってブロックの範囲を示すのに対して，Pythonはインデント（字下げ）の深さで示す

その他のプログラム言語・技法の特徴

現在，よく使われている幾つかのプログラム言語について，特徴や用途などを示す。

Javaの特徴

Java（ジャバ）は，C++をベースに，米国サン・マイクロシステムズ社（オラクル社が買収）が開発したオブジェクト指向型プログラム言語である。Javaで作成したプログラムは，WindowsやMac OSなどといった特定のOSやパソコンの機種に依存することなく実行することができる。また，ネットワーク上にあるプログラムをダウンロードして，Webブラウザ上で実行させることができる。

ブラウザ上で実行させるJavaプログラムをJavaアプレット，ブラウザなしで単独に実行させるJavaプログラムをJavaアプリケーションという。

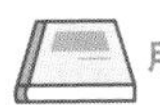

自然言語処理に関連する事項も出題される。自然言語処理は，日常的に使っている自然言語をコンピュータに処理させる一連の技術である。

JavaScript

JavaScriptは，ブラウザなどでの利用に適したスクリプト言語である。Javaに似た記法を用いるが，直接の互換性はない。Webページに動きや対話性を付加することを目的に開発された。例えば，入力データのチェックや処理結果に応じて表示内容を変えることなどが可能となる。

用語解説

HTTP

HTTPは，HTMLファイルや画像ファイルなど，Webページのデータを送受信するためのプロトコル（通信規約）である。Webクライアント（ブラウザ）が要求を出し，Webサーバが応答して，データのやり取りを行う。

Ajax

Ajax（エイジャックス）（Asynchronous JavaScript + XML）は，ブラウザが搭載しているJavaScriptのHTTPの通信機能を利用して，対話型Webアプリケーションを構築する技術である。Webページのリロードを伴わずに，サーバとXML形式のデータのやり取りを行って処理を進める。指定したURLからXMLドキュメントを読み込み，サーバと非同期に通信することでシームレスな環境を実現する。

従来，Webブラウザで地図を見ると，表示位置を少しずらすたびに全ての画像を読み込みにいくため，表示に時間がかかった。また，ドラッグしてスクロールすることもできなかったため，表示位置の調整に手間取ることもあった。しかし，Ajaxを使うことで，地図の表示位置を変更しても画像を流れるように切り替えることができ，地図をドラッグしながらスクロールすることができ

参考

JSON

JavaScript内でのデータ形式の1つにJSONがある。JSON（JavaScript Object Notation）は，多数の要素が複雑な構造で組み合わせられたデータを簡潔な表記で書き表すことができる。JavaScript専用のデータ形式ではなく，種々のソフトウェアやプログラム言語間におけるデータの受渡しに使えるようになっている。

る。

Ajaxは，Googleマップのユーザインタフェースに採用されたことで注目され，その後，グループウェアやWebメールなど，多くのWebサービスのユーザインタフェースで使用されている。

チェック! よく出る午前問題で基本事項を確認

日付・正解 Check　／　／　／

問題 1 ［応用情報技術者試験 2020年秋期午前 問3］

難易度 ★★　出題頻度 ★★★

式A＋B×Cの逆ポーランド表記法による表現として，適切なものはどれか。

ア　＋×CBA　　イ　×＋ABC　　ウ　ABC×＋　　エ　CBA＋×

問題 2 ［応用情報技術者試験 2020年秋期午前 問7］

難易度 ★★　出題頻度 ★★★

オブジェクト指向のプログラム言語であり，クラスや関数，条件文などのコードブロックの範囲はインデントの深さによって指定する仕様であるものはどれか。

ア　JavaScript　　イ　Perl　　ウ　Python　　エ　Ruby

解説 1

逆ポーランド表記法は，二つの変数の次に，演算子を記述する形式である。問題で与えられた式を逆ポーランド表記法に変換すると，次のようになる。() 内は，逆ポーランド表記法に変換した部分である。

A＋<u>B×C</u>　→　A＋（BC×）

<u>A＋（BC×）</u>　→　（A（BC×）＋）　→　**ABC×＋**

1回変換した部分は一つの項としてみなすことに注意して，一般の計算式を解くのと同じ順番で変換を行うことで逆ポーランド表記法の表現になる。変換の順序は，一般の計算式と同様，“()”（かっこ），“×，÷”（乗算，除算），“＋，－”（加算，減算）である。

なお，式と逆ポーランド表記法の変数の出現順序は同じになるので，「ア，エ」は検討の対象外である。式における変数の出現順序は“A→B→C”であるのに対して,「ア,エ」ともに“C→B→A”だからである。

正解：ウ

解説 2

インデント（字下げ）は，プログラムの見やすさ，可読性の向上を目的として用いることが多いが，Pythonでは，同じ位置にインデントされている文は同じブロックとして扱う。

ア JavaScript（ジャバスクリプト）は，ブラウザなどでの利用に適したスクリプト言語である。Javaに似た記法を用いるが，互換性はない。Webページに動きや対話性を付加することを目的に開発された。例えば，入力データのチェックや処理結果に応じて表示内容を変えることなどが可能となる。

JavaScriptでは，“{”と“}”で囲んでコードブロックの範囲を示す。

イ Perl（パール）（Practical Extraction and Report Language）は，テキストの処理やファイルの処理に適したスクリプト言語である。UNIXやWindowsなど多くのプラットフォーム（OS）上で動作する。実用性と多様性を重視しており，C言語をはじめ，他のプログラム言語の優れた機能を取り入れている。テキスト処理以外に，CGI，Webアプリケーション，システム管理などに用いられている。

Perlでは，“{”と“}”で囲んでコードブロックの範囲を示す。

ウ Python（パイソン）は，システム管理やツール，アプリケーション開発，技術計算，Webシステムなどで広く利用されているオブジェクト指向型スクリプト言語である。プログラマが小規模なプログラムから大規模なプログラムまで，明確で論理的なコードを書くのを支援することを目的としている。

Pythonでは，インデント（字下げ）の深さでコードブロックの範囲を示す。

エ Ruby（ルビー）は，テキスト処理に適したオブジェクト指向型スクリプト言語である。主にWebアプリケーション開発に使われており，シンプル，読みやすさ，高機能が特徴の日本製のプログラム言語である。

Rubyでは，“do … end”，“then … end”の範囲がコードブロックとなる。

正解：ウ

1.5 問題向きデータ構造

プログラムの処理手順（アルゴリズム）を考えるとき，データを典型的なパターンに当てはめると，アルゴリズムの組み立てが容易となる。このパターンを問題向きデータ構造といい，リスト やスタック，キュー（待ち行列），木などがある。

1.5.1 リスト

Point
- リストはポインタでつながれているのが特徴
- リストの操作はポインタのつなぎ替えで対処

用語解説

ポインタ変数

ポインタ変数は，プログラム言語において，ある変数の内容が格納されている場所（アドレス）に関する情報を保持する変数である。

間違えやすい

リストの要素の最後を示す文字はプログラム言語によって決まっているが，任意に与えることもできる。要は，データとして発生しない値であればよい。C 言語では，通常，NULL 文字（全てのビットが“0”）を用いる。また，ポインタはアドレスを示すので負数はない。そこで，−1 を使うこともある。

リストは，同一の形式のデータが論理的に 1 列（線形）に並んだデータ構造で，各要素がポインタによって関連付けられている。ポインタは，次の要素の格納場所（アドレス）を指し示す情報である。各要素は，ポインタによって連結されているため，順番に並んでいる必要はない。

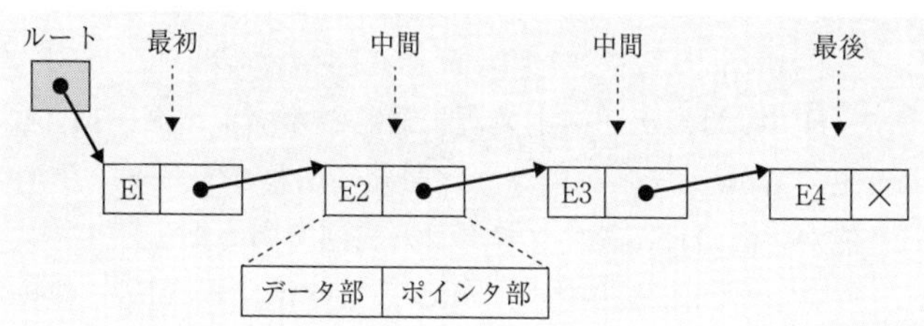

最初の要素へのポインタは，ルートと呼ばれる変数に格納される。また，リストの最後の要素（上図では“E4”）のポインタ部には最後のデータであることを示す文字（上図では“×”）が格納される。

●リストの種類

今まで説明したリストは，一方向にしか連結されていないので，E1→E2→E3→E4 の順でしかたどることができない。これを，単方向リスト（単リスト）という。一方，E4→E3→E2→E1

順にもたどることができるようにポインタを付加したものを**双方向リスト**（**双リスト**），最後の要素のポインタ部が最初の要素のアドレスを示すようにしたものを**環状リスト**という。

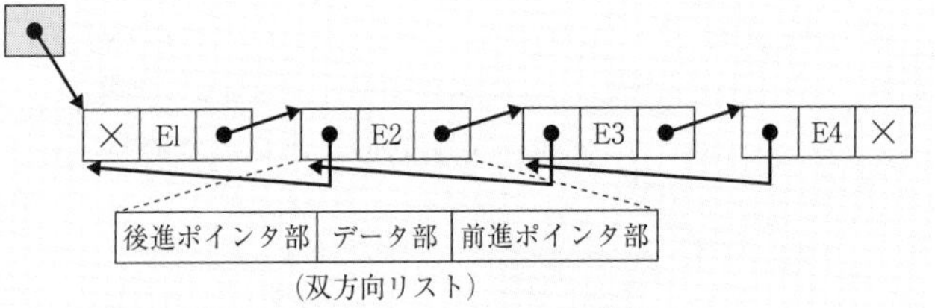

（双方向リスト）

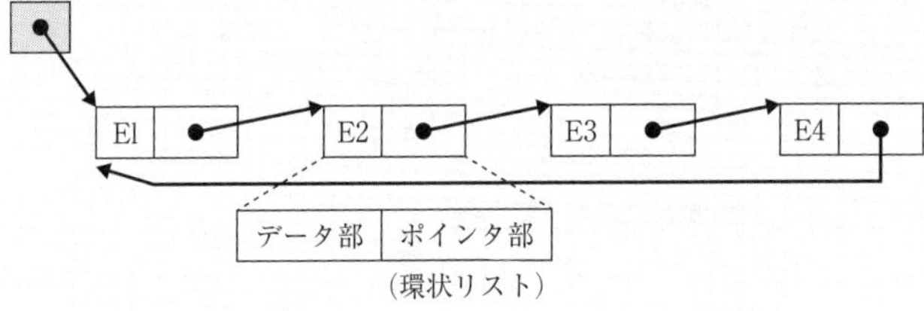

（環状リスト）

参考

配列とリスト

データが連続して並んでいる状態を線形という。配列は連続領域に要素が並んでいるので，線形である。一方，リストは，ポインタでつながれているので，必ずしも連続領域に要素が並んでいる必要はない。したがって，リストは非線形である。

リストの基本操作

リストの操作には幾つかあるが，重要なのは，要素の挿入と削除である。基本的にはポインタのつなぎ替えだけで済むが，リストの先頭への挿入や削除，リストの最後尾への挿入や削除，リストの中間への挿入や削除などによって，多少，操作が異なる。

挿入

リストへの要素の挿入は，まず，挿入する要素のポインタ部に，直後の要素のアドレスを格納する。次に，直前の要素のポインタ部を，挿入する要素のアドレスに変更する。以下の図において，点線に“×”は連結を切断したことを示す。

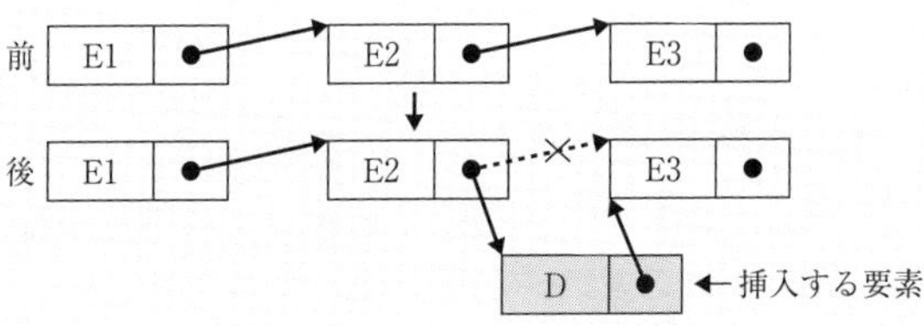

削除

リストからの要素の削除は，挿入と同様，ポインタ部の変更だけで済む。まず，削除する要素の直前の要素のポインタ部を，削除する要素の直後の要素のアドレスに変更する。なお，削除されたデータは**ガーベジ**（不要データ）として，リストを再構成するまで残るので，一定のタイミングで不要な要素を削除する必要がある。このことを，**ガーベジコレクション**という。

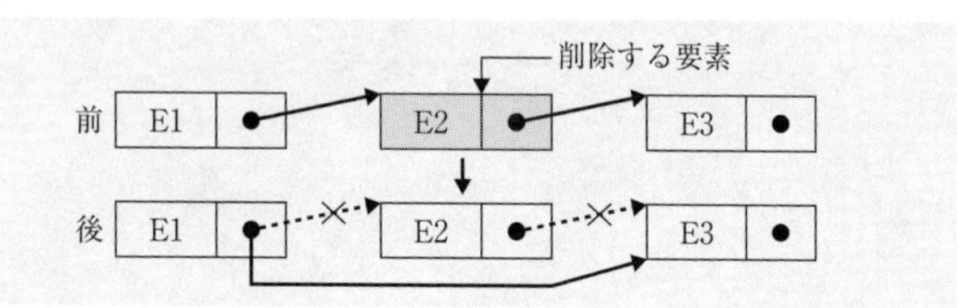

● リストの操作の応用例

次に示すリストを用いて，要素の挿入と削除の方法を説明する。Headはルート，Tailは最後尾の要素へのポインタである。また，挿入や削除を行ったときの，処理量も併せて検討する。**処理量**とは，操作するための手順で，操作のステップがたくさんあれば，処理量は大きいということになる。

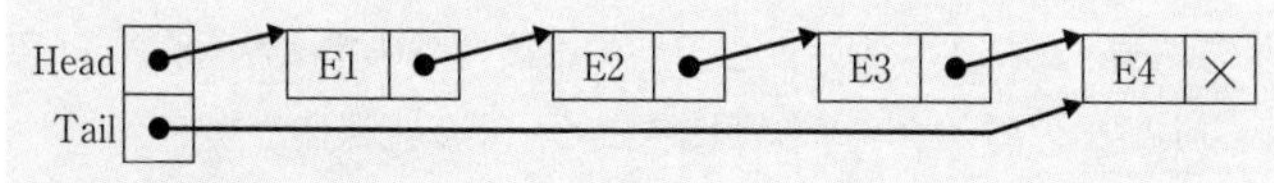

先頭と最後尾の要素の削除

先頭の要素を削除するには，E1を読み込んでE2へのポインタを得，これをHeadに格納する。

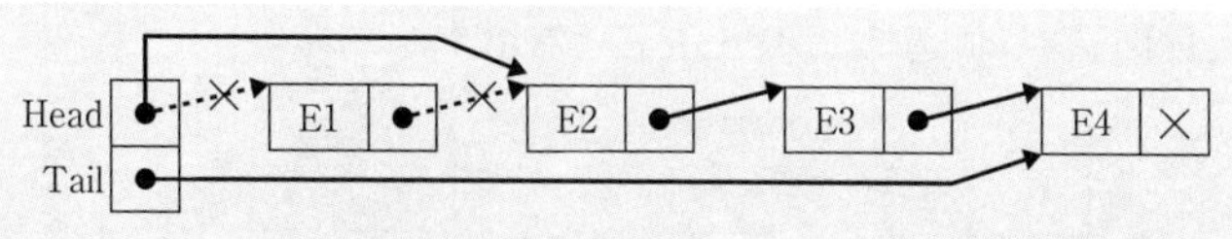

一方，最後尾の要素を削除するには，Tailの内容からE4のアドレスを確認し，次にHeadから順にE1，E2，E3とたどり，それぞれの要素の次の要素へのポインタがE4のアドレスであるかどうかを確認する。E4であればポインタ部に最後の要素であ

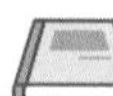
用語解説

ガーベジコレクション
ガーベジコレクションは，プログラムが使用した領域のうち不要になった領域（ガーベジ）を空き領域として再利用できるようにすることである。なお，似たような機能に，メモリコンパクションがある。**メモリコンパクション**は，ガーベジを集めて未使用の連続領域を確保する機能である。

参考

メモリリーク
メモリリークは，アプリケーションで動的に確保した主記憶が，何らかの理由で解放されず主記憶に残ってしまう状態である。メモリリークを解消するには，ガーベジコレクションを実行する必要がある。

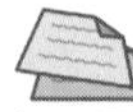
参考

処理量と計算量
処理量は，計算量と置き換えてもよい。単方向リストで，かつ，先頭の要素へのポインタだけの単純なリスト構造では，検索の計算量は$O(n)$である。リスト先頭に要素を挿入・削除する場合の計算量は$O(1)$である。また，最後尾からの削除，挿入は$O(n)$である。

ることを示す“×”を格納する。さらに，この要素のアドレスをTailにも格納する。

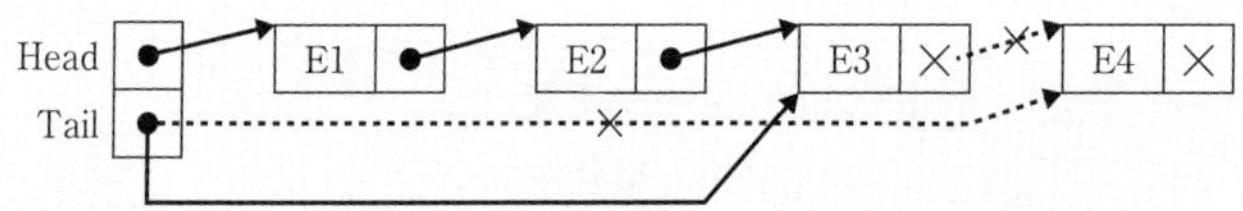

以上から，リストの先頭の要素の削除の処理量は一定，最後尾の要素の削除の処理量は要素数によって異なる。最後尾の要素を削除するには，リストの先頭から探索する必要がある。

先頭と最後尾への要素の挿入

リストの先頭に要素を挿入するには，追加要素のポインタ部にHeadの内容を移し，Headに追加要素のアドレスを格納する。“E0”は追加する要素である。

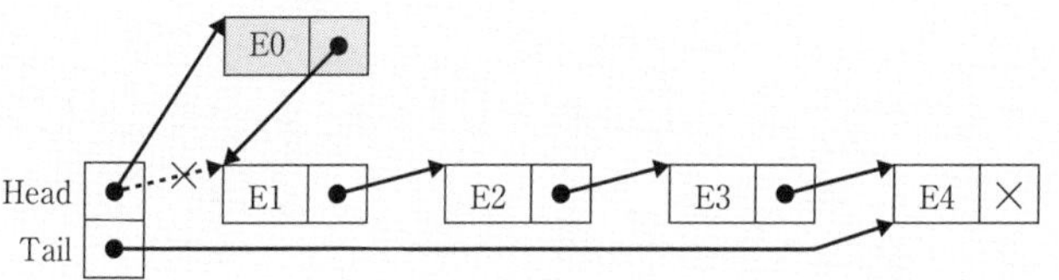

リストの最後尾に要素を挿入するには，Tailの内容からE4を読み込み，E4のポインタ部に追加要素のアドレスを格納し，Tailに追加要素のアドレスを格納する。

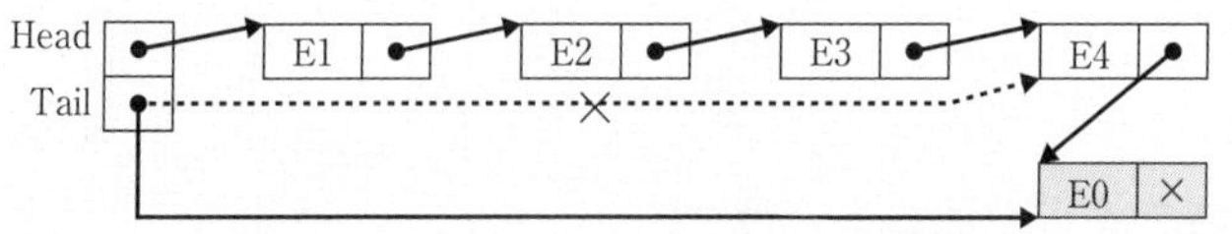

以上から，要素の挿入については先頭，最後尾いずれも処理量は一定である。

この場合のリストへの要素の挿入や削除を整理すると，次のようになる。“大”，“小”は，処理量の相対的比較である。

	先頭	最後尾
削除	小（一定）	大（要素数に比例）
追加	小（一定）	小（一定）

参考

最後尾の要素へのポインタをもっていると，最後尾の要素への検索の計算量は，$O(1)$ になる。その他の要素への計算量は $O(n)$ なので，リスト全体の検索の計算量は，計算量の定義により $O(n)$ となる。

▶試験に出る

リストの挿入と削除に関する問題が頻繁に出題されている。単方向リストで，かつ，先頭の要素へのポインタだけの単純なリスト構造だけではなく，“●リストの操作の応用例”で示したような構造のものも出題される。

1.5.2 スタックとキュー

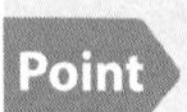

- スタックは後入れ先出し（LIFO）のデータ構造
- キューは先入れ先出し（FIFO）のデータ構造

スタックは，データの挿入と削除（取出し）がともに同じ場所で行われるデータ構造である。キュー（待ち行列）は，一方の端でデータの挿入が行われ，他方の端でデータ削除（取出し）が行われるデータ構造である。

●スタックの基本構造

スタックにおいて，スタックの最上段（挿入と削除が行われる端）を頂上（表面），もう一方の端を底という。また，スタックへの要素の挿入をプッシュ（push），スタックから要素を削除することをポップ（pop）という。

スタックは，次のような概念で表現することが多い。

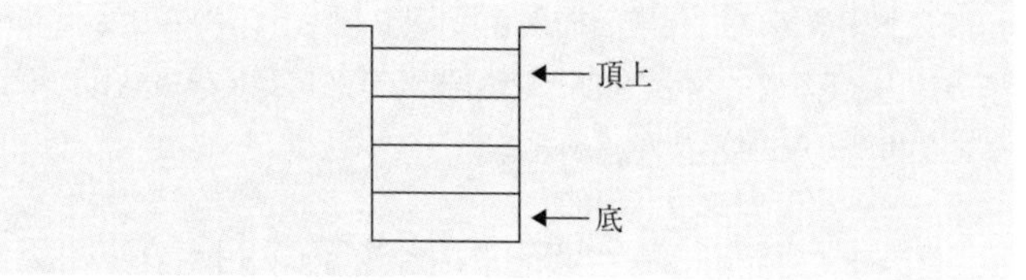

●スタックの基本操作

スタックは，LIFO（Last In First Out：後入れ先出し）というデータ構造である。これは，あとで挿入した要素が，先に取り出されるというものである。さらに，スタックでは要素の挿入や削除が繰り返されるので，スタックの最上段がどこであるかを管理する必要がある。現時点のスタックの最上段を指し示すポインタを，スタックポインタ（Stack Pointer：SP）という。スタックでは，SPが指している位置に要素を格納したり，要素を削除したりすることができる。このため，スタックの操作を行うごとに，

参考

スタックは，リストを用いて実現することができる。単方向リストにおいて，リストの先頭から順に，要素を追加すれば，最後に追加した要素がリストの先頭になる。一方，リストの先頭から順に要素を取り出す。結果として，LIFOの順でリストを操作することになる。

▶間違えやすい

スタックの操作は，最初は必ずpush，最後は必ずpopである。これは，スタックが空になった状態でのpopはできないからである。ある時点でpopしようとしたとき，それ以前に行われたpush回数より多くのpopを連続的に行うことはできない。

SPの値が増減される。なお，スタックに要素が格納されていない状態を空といい，スタックが空の場合，SPはスタックの底の1つ下の位置を示している。

次の例では，“A→B→C”の順で要素が挿入され，“C→B→A”の順で要素が削除される。なお，push操作においては，どのような要素を挿入するかを示すため，pushに続いて要素を記述する。しかし，pop操作においては，スタックの最上段に格納されている要素が取り出されるため，popのみを記述する。

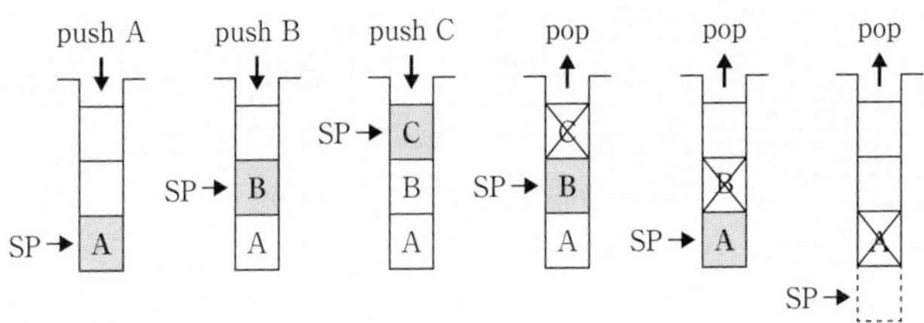

スタックの利用例

主プログラムが副プログラム（サブルーチン）や関数を呼び出すとき，現在実行しているプログラムの戻り番地をスタックに格納して副プログラムを呼び出す。そして，副プログラムが終了すると，スタックの最上段から主プログラムへの戻り番地を取り出してその番地に分岐する。

さらに，副プログラムが他の副プログラムを呼び出したときは，順次，スタックに呼んだプログラムの戻り番地を格納し，呼ばれたプログラムから戻るときは，スタックの最上段から，順次，戻り番地を取り出す。

▶試験に出る

スタックに関する問題がよく出題される。pushとpopを繰り返した結果，スタックの状態がどうなるかということを問う出題が多い。さらに，後述するキューの操作と組み合わせてスタックの最終結果がどうなるかという出題も多い。

キューの基本構造

キューにおいて，キューの最初の要素を先頭，最後の要素を末尾という。新しい要素は，最後の要素の後ろの位置に挿入され，最初の要素が削除（取出し）の対象となる。また，キューへの要素の挿入をエンキュー（enqueue），キューからの削除（取出し）をデキュー（dequeue）という。

キューは，次のような概念で表現することが多い。

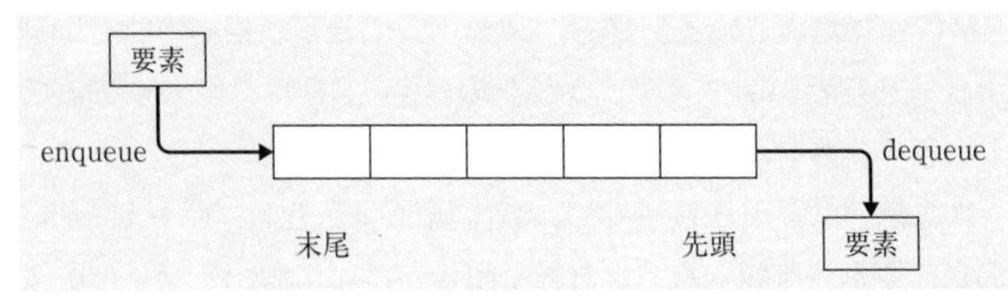

キューの基本操作

キューは，FIFO（First In First Out：先入れ先出し）というデータ構造である。これは，先に挿入した要素が，先に取り出されるというものである。キューでは，新しい要素は最後の要素の次（後ろ）に挿入され，最初の（古い）要素が削除される。

スタックでは，要素の挿入と削除が一方の端でのみで行われるので，１つのSPで位置を示すことができたが，キューでは，要素の挿入は末尾で，削除は先頭で行われるので，先頭と末尾を制御するポインタがそれぞれ必要である。それぞれのポインタは正式な呼び名はないが，それぞれ，先頭ポインタ（以下の図では“HP”とする），末尾ポインタ（“TP”）とする。なお，enqueue操作においては，どのような要素を挿入するかを示すため，enqueueに続いて要素を記述する。しかし，dequeue操作においては，キューの先頭から取り出されるため，dequeueのみ記述する。

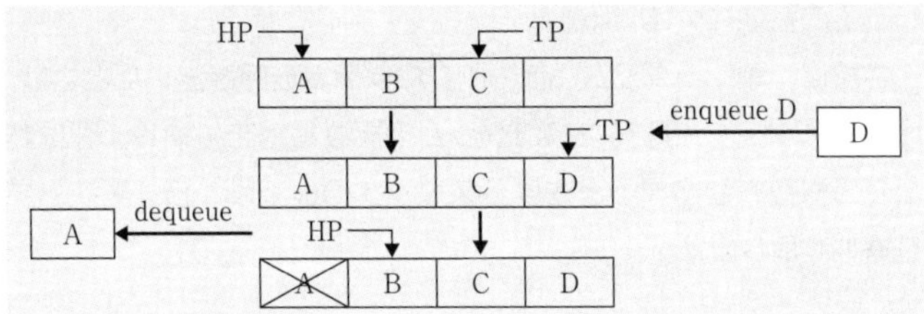

キューの例

多重プログラミングでは，実行待ちのプログラムは，優先順位が同じであれば，実行待ちのキューに入れられ，CPUが空くのを待つ。また，オンライントランザクション処理では，メッセージ（電文）はキューに入れられ，順次処理される。駅の切符の自動販売機の前に並んで乗車券を購入する人たちの行列がキューの例である。先に並んでいる人から順に，乗車券を購入していく。

参考

キューは，リストを用いて実現することができる。単方向リストにおいて，リストの最後尾に順に要素を挿入し，リストの先頭から順に要素を取り出せばよい。

用語解説

多重プログラミング
複数のプログラムを同時に実行しているように見せる方式。OSは複数のプログラムを同時に実行することはできない。そこで，処理対象のプログラムを短い時間ずつ切り替えることで，見掛け上，複数のプログラムを同時に実行しているように見せる。

オンライントランザクション処理
座席予約システムなど，処理要求に対して，直ちに処理結果が返ってくる処理形態である。なお，処理要求のことをトランザクションという。オンライントランザクション処理では，処理要求の順に処理が実行されるので，処理要求はキューに格納される。

●リングバッファ

リングバッファ（環状バッファ，循環バッファ）は，概念的には，次のように配列の先頭（top）と末尾（bottom）をつないだ環のようなデータ構造である。キューに使われる構造で，バッファが再利用できるように配列を環状（リング）に使う仕組みである。

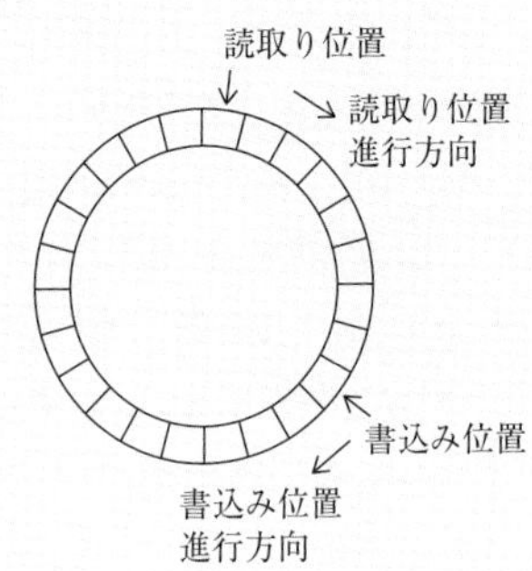

実際には，バッファを物理的にリング状に配置はできないので，配列を用いてリングバッファキューを実現する。しかし，配列を無限に確保するのは難しいので，添字を要素数で割った余りを添字とすることで，添字を一定の範囲に限定し，直線状の配列の両端を論理的につなげる。例えば，次の要素数 5 の配列 T の場合で例示する。

添字HP ⟶	0	1	2	3	4
配列T					

HP が= 2 のとき，エンキューを行うには，HP に 1 を加算して HP = 3 とする。単純に 1 を加算するのではなく，1 を加算した後，要素数 5 で割った余りを次の HP とする。

HP + 1 = 2 + 1 = <u>3</u>　→　<u>3</u> ÷ 5 = 0 余り 3（新しい HP）

なぜ，このようにするかというと，例えば HP = 4 のとき，HP に 1 を加算すると 5 となり，配列の範囲外となる。しかし，要素数で割った余りを次の HP とすることで，添字が 0 となり，配列を循環的に使うことができる。

HP + 1 = 4 + 1 = <u>5</u>　→　<u>5</u> ÷ 5 = 1 余り 0（新しい HP）

本文では添字が0から始まる場合を説明した。しかし，試験問題では，添字が1から始まるとする場合もある。この場合，現在のHPを要素数で割った余りに1を加算する。

HP = 4　4 ÷ 5 = 0 余り <u>4</u>
→ <u>4</u> + 1 = 5（新しいHP）

HP = 5　5 ÷ 5 = 1 余り <u>0</u>
→ <u>0</u> + 1 = 1（新しいHP）

1.5.3 木

- 2分探索木は“左の子の値＜親の値＜右の子の値”の関係を保つ
- ヒープは“親の値＜子の値”又は“親の値＞子の値”の関係を保つ

▶間違えやすい

“ある節”というのは，本文の図において，例えば，節1（値1の節）の左部分木は，2，4，5の値をもつ節で構成する木，右部分木は，3，6の値をもつ節で構成する木を指す。また，値4の節は，値2の節の左部分木である。

木は，要素同士の階層関係を表現するためのデータ構造である。○は節（ノード）といい，各節の上下関係を辺（枝）で結んでいる。上下関係において，上位の節を親，下位の節を子という。また，最上位の節を根（ルート），最下位の節（子をもたない節）を葉という。さらに，木の一部分を部分木といい，ある節の左側にある部分木を左部分木，右側にある部分木を右部分木という。

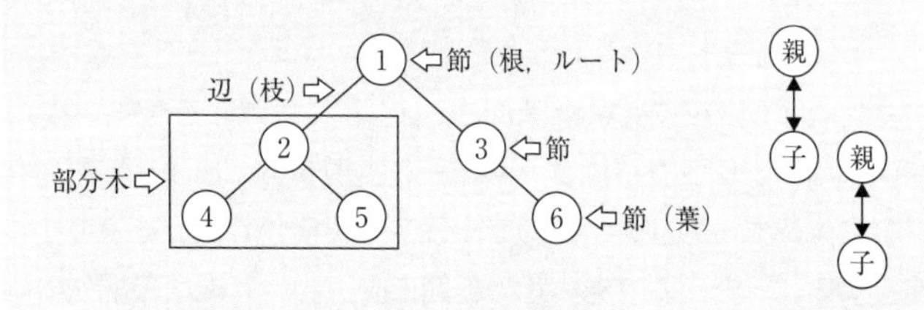

2分木と完全2分木

▶間違えやすい

最下層の葉が可能な限り左に寄せられている木を完全k分木とすることもある。

各節がk個の子で構成されている木を，k分木といい，2分木は，k分木のうち，k＝2の木である。また，全ての葉の深さが等しく，葉以外の節が全てk個の子をもつ木を完全k分木といい，完全2分木は，完全k分木のうち，k＝2のものである。

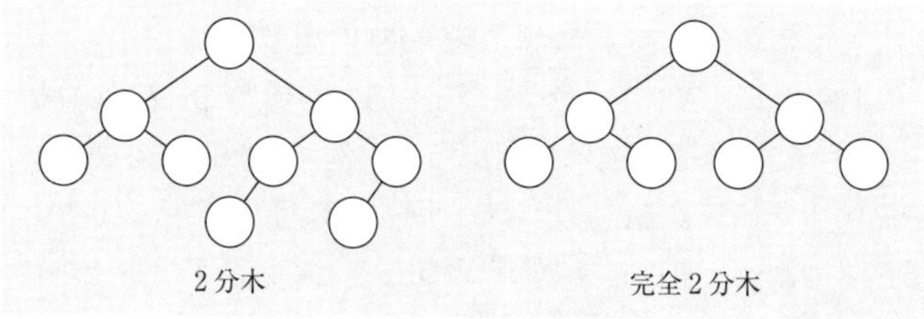

2分探索木

木を構成する節に値をもつ要素を格納した木を，探索木という。2 分探索木は，探索木のうち，次の制約のもとに要素に値を割り当てた 2 分木である。

左の子の値＜親の値＜右の子の値

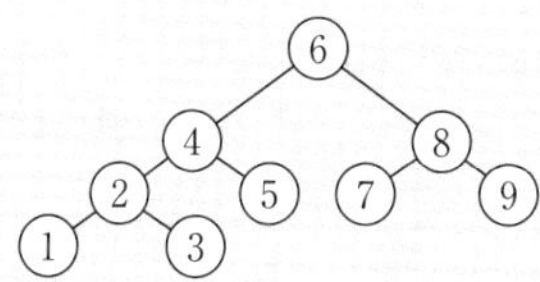

2 分探索木では，最小値をもつ要素が左端の葉，最大値をもつ要素が右端の葉になる。

用語解説

深さ

深さ（レベル）は，ある節について，その節から根までの辺の数のこと。根の深さは 0 である。これを，深さ 0，あるいはレベル 0 という言い方をする。本文中の 2 分探索木において，4，8 の値をもつ節は"深さ 1"，2，5，7，9 の値をもつ節は"深さ 2"である。

ヒープ

ヒープは，完全 2 分木で，各節の値のもち方に次の制約をもつ木である。

親の値＜子の値（又は，親の値＞子の値）

下の図において，左側のヒープは，根の値が最も小さくなっている。また，右側のヒープは，根の値が最も大きくなっている。

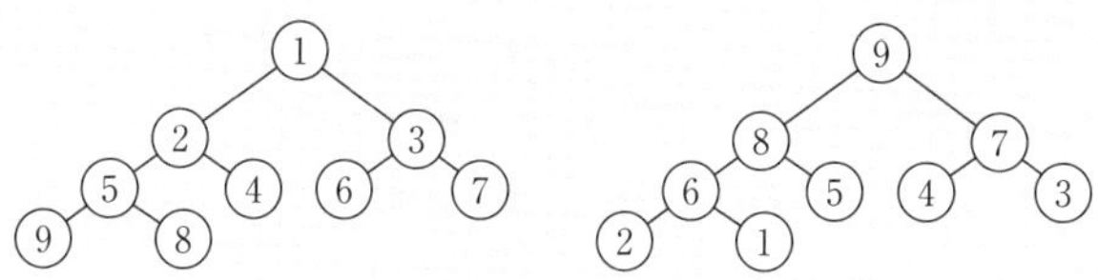

B木

2 分木や多分木では，要素の挿入や削除などを繰り返していくと，木が変形してしまう。結果として，ある部分木の左部分木ばかりが伸びてしまうということが起きる。このようなアンバランスな状態を避けるために，要素の挿入や削除が発生すると，木全体の構造を再調整する機能をもつ木がある。このような木を，バランス木という。

2 分木をもとにしたバランス木に，AVL 木（Adelson-Velskii & Landis' tree）がある。AVL 木は，各節において，その部分

用語解説

多分木

ある要素（親ノード）を起点とし，3 つ以上の要素（子ノード）への枝分かれがあり，樹木のように広がっていくデータ構造。多分木に対し，2 つまでの子しかもてないような木を，2 分木という。

B⁺木
多分木をもとにしたデータ構造である。B木と似たような構造であるが，データをもつのは葉のみで，葉以外の節はキーだけを持つ構造である。また，根から全ての葉までの深さが等しいのが特徴である。

木の深さが1つしか異ならない2分木である。このため，各部分木の左と右の深さの情報をもっており，この情報によって，要素の挿入や削除の際に，木の構造を調整できるようになっている。

B木（B-tree）は，多分木をもとにしたバランス木の1つで次の制約をもつ。

- 根と葉以外の各節は，k個以上の子をもつ。
- 各節は，最大で2k個の要素をもつ。
- 各節は，節のもつ要素数に1を加えた数の子をもつ。
- 根から全ての葉までの深さは同じ。

B木の概念については，「1.1.3　グラフ理論」を参照のこと。

●順序木

順序木は，木の各節の値によって一定の並びになる木である。2分木やヒープは，節の値の並びに規則があるので，順序木の1つである。これらの木については，「1.1.3　グラフ理論」で説明した巡回順が適用できる。

チェック!　よく出る午前問題で基本事項を確認

日付・正解 Check　／　／　／

問題 1　〔応用情報技術者試験 2009年秋期午前 問5〕　難易度 ★★　出題頻度 ★★★

n個の要素x_1，x_2，…，x_nから成る連結リストに対して，新たな要素x_{n+1}の末尾への追加に要する時間を$f(n)$とし，末尾の要素x_nの削除に要する時間を$g(n)$とする。

nが非常に大きいとき，実装方法1と実装方法2における$\frac{g(n)}{f(n)}$の挙動として，適切なものはどれか。

〔実装方法1〕

先頭のセルを指すポインタ型の変数frontだけをもつ。

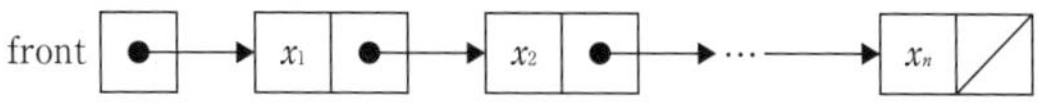

〔実装方法2〕

先頭のセルを指すポインタ型の変数frontと，末尾のセルを指すポインタ型の変数rearを併せもつ。

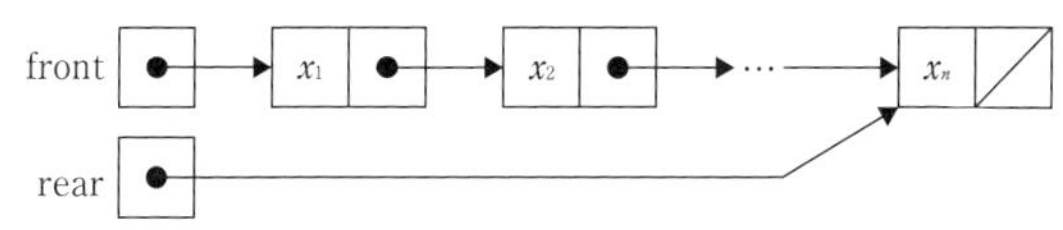

	実装方法1	実装方法2
ア	ほぼ1になる。	ほぼ1になる。
イ	ほぼ1になる。	ほぼ n に比例する。
ウ	ほぼnに比例する。	ほぼ1になる。
エ	ほぼnに比例する。	ほぼnに比例する。

問題 2 〔応用情報技術者試験 2011 年春期午前 問 7〕 難易度 ★★ 出題頻度 ★★★

PUSH 命令でスタックにデータを入れ，POP 命令でスタックからデータを取り出す。動作中のプログラムにおいて，ある状態から次の順で 10 個の命令を実行したとき，スタックの中のデータは図のようになった。1 番目の PUSH 命令でスタックに入れたデータはどれか。

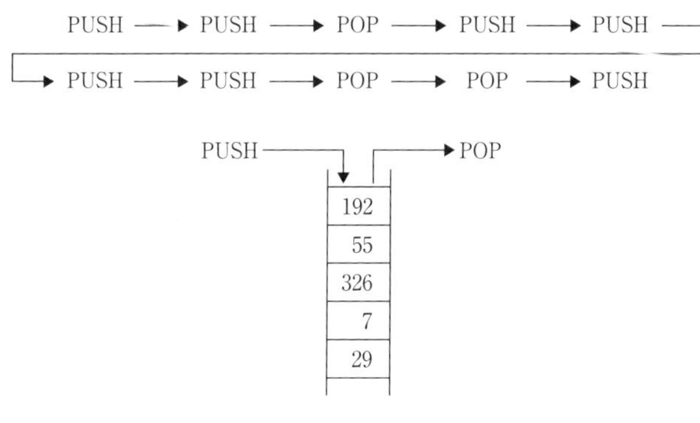

ア 29　　イ 7　　ウ 326　　エ 55

問題 3　[応用情報技術者試験 2018 年秋期午前 問 6]　難易度 ★★　出題頻度 ★★

葉以外の節点は全て二つの子をもち，根から葉までの深さが全て等しい木を考える。この木に関する記述のうち，適切なものはどれか。ここで，深さとは根から葉に至るまでの枝の個数を表す。また，節点には根及び葉も含まれる。

ア　枝の個数が n ならば，節点の個数も n である。
イ　木の深さが n ならば，葉の個数は 2^{n-1} である。
ウ　節点の個数が n ならば，深さは $\log_2 n$ である。
エ　葉の個数が n ならば，葉以外の節点の個数は $n-1$ である。

解説 1

（1）実装方法 1

末尾に追加するときも末尾から削除するときも，リストを先頭から最後までたどる必要がある。したがって，$f(n)$ と $g(n)$ はほぼ等しい。すなわち，$g(n) / f(n) \fallingdotseq 1$ である。

（2）実装方法 2

末尾を指し示すポインタがあるため，末尾に要素を追加する時間は一定である。一方，末尾から要素を削除するときは，最後の要素のポインタはあるので，最後の要素に直接アクセスはできるが，その 1 つ前の要素については，リストの先頭からたどる必要がある。この結果，$g(n)$ は要素数（n）に比例し，$f(n)$ は一定なので，$g(n) / f(n)$ はほぼ n に比例する。

正解：イ

解説 2

スタックでは，POP 命令で取り出されるデータは直前の PUSH 命令でスタックに格納したデータである。そこで，PUSH 命令と POP 命令の対応を調べる。矢印で結んだ PUSH 命令と POP 命令が対応する。

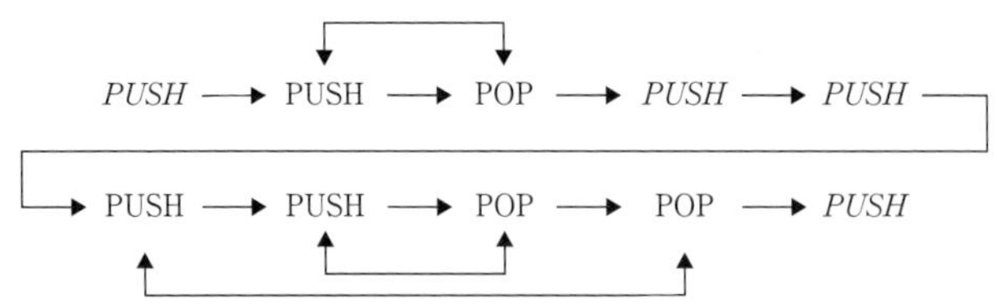

以上から，結果的に PUSH 命令（上の斜体の PUSH）を 4 回実行したことと同じである。

一方，問題の図において，スタックの表面の値は最後（実質的に４番目）の PUSH 命令で実行した結果なので，各 PUSH 命令でスタックに入れたデータは次のとおりである。

スタック	
192	←実質的な4番目のPUSH命令
55	←実質的な3番目のPUSH命令
326	←実質的な2番目のPUSH命令
7	←実質的な1番目のPUSH命令
29	

したがって，１番目の PUSH 命令でスタックに入れたデータは“7”である。

正解：イ

解説３

葉以外の節点は全て２つの子をもち，根から葉までの深さが全て等しい木は，次のような２分木が該当する。

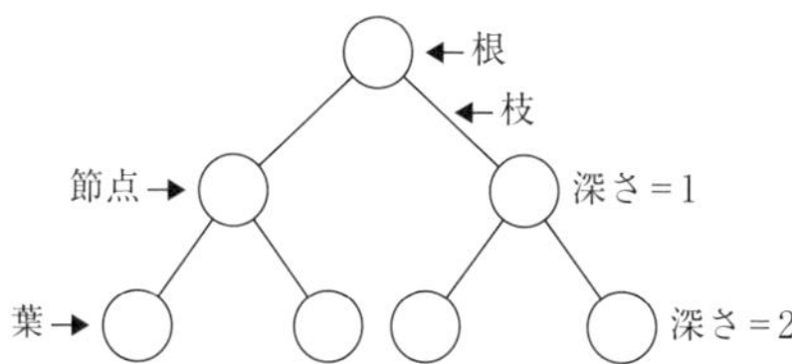

ア　図からわかるように，枝の個数は 6，節点の個数は 7 である。この記述では，節点の個数は 6 になるはずである。

イ　図からわかるように，木の深さは 2，葉の個数は 4 である。この記述では，葉の個数は（2^{2-1} ＝）2 になるはずである。

ウ　図からわかるように，節点の個数は 7，深さは 2 である。この記述では，深さは，$\log_2 7$ になるはずである。

　$\log_2 7$ の値については，次のように考える。

$$4 < 7 < 8$$

$$2^2 < 7 < 2^3$$

$$\log_2 2^2 < \log_2 7 < \log_2 2^3$$

$\therefore$　$2 < \log_2 7 < 3$（$\log_n n^m = m\log_n n$，$\log_n n = 1$ という関係が成立）

以上から，$\log_2 7$ は 2 より大きく，3 より小さい。このため 7 にはならない。

エ　図からわかるように，葉の個数は 4，葉以外の節点の個数は 3 である。これは，記述内容と一致する。

正解：エ

1.6 アルゴリズム

アルゴリズムは，問題解決のための手順である。アルゴリズム自体は抽象的なもので，特定のハードウェアやプログラム言語とは独立である。また，アルゴリズムを具体的に表現したものが，流れ図や擬似言語である。

1.6.1 探索アルゴリズム

午後にも出る

- 線形探索は先頭から順に探索，2 分探索は中央から探索
- ハッシュ探索はハッシュ関数を使って格納位置を決定

探索は，表(配列)中の要素の内容を調べていくことである。探索の方法によって，線形探索や 2 分探索，ハッシュ探索がある。

●線形探索

線形探索は，配列の先頭から要素を 1 つずつ，探索キーに合致しているかどうかを調べていく方法である。配列の要素数を n とすると，最大比較回数は n 回，最小比較回数は 1 回なので，平均比較回数は次のようになる。

$$平均比較回数 = (n + 1) \div 2 \fallingdotseq n/2(回)$$

ここで，n が非常に大きい($n \gg 0$)とすると，平均比較回数は n に比例する。つまり，線形探索の計算量は $O(n)$ である。

間違えやすい

本文中の線形探索の説明は，探索する要素が配列中に存在することを前提としている。例えば，探索する要素が存在しない確率を α とすると，確率 α で n 回の探索が行われる。一方，確率 $(1 - \alpha)$ で配列中に探索要素が存在するので，α を考慮した平均探索回数は，次のようになる。

$(n+1)(1-\alpha)/2+n\alpha$

●2分探索

2 分探索は，表中の要素がキー値の昇順又は降順に並んでいるときに有効な探索法である。探索範囲の中央の要素のキー値と探索すべきデータのキー値を順次比較していく。比較の結果，探索範囲の半分が切り捨てられ，残った部分について同様の比較を行う。

2 分探索の比較回数は，要素数を n とすると，$\log_2 n$ に比例する。したがって，2 分探索の計算量は，$O(\log_2 n)$である。

平均比較回数＝$[\log_2 n]$（$[x]$ は小数点以下を切り捨てた整数）

最大比較回数＝平均比較回数＋ 1

＝$[\log_2 n]$ ＋ 1

2 分探索の手順を整理する。

①探索範囲の中央の要素のキー値と探索データのキー値を比較

②探索データのキー値が小さい場合，中央の値を含めて大きい範囲を捨て①を繰り返す

③探索データのキー値が大きい場合，中央の値を含めて小さい範囲を捨て①を繰り返す

探索キーを 5 としたときの手順を具体的に示す。↑は範囲の中央を示す。また，網部は探索範囲で，最初は全範囲である。

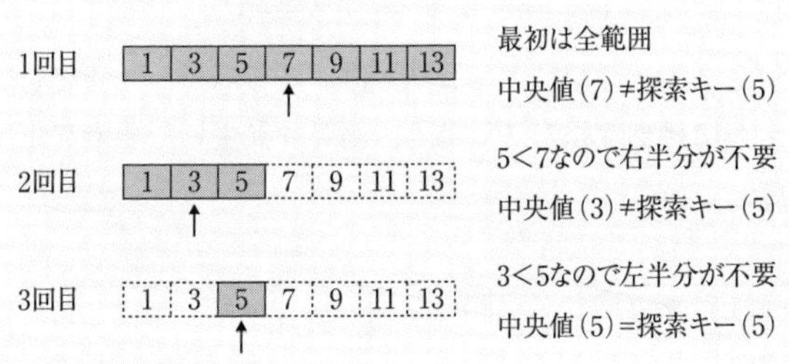

● ハッシュ探索

ハッシュ探索は，キー値をあらかじめ決めた関数（ハッシュ関数）によって演算し，変換した結果を配列の添字（そえじ）にして探索する方法である。

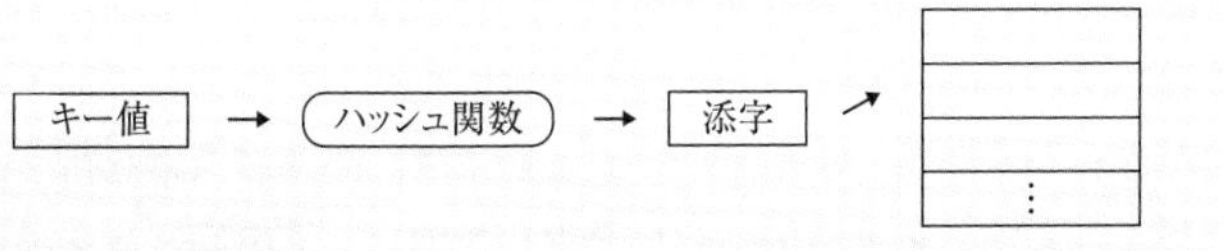

ハッシュ探索では，ハッシュ関数を使って添字を求めるため，衝突が発生しなければ計算量は一定である。計算量が一定のときは $O(1)$と表す。

参考

2 分探索の計算量の算出

配列の要素数を nとすると，一度の探索で探索範囲が半分になり，要素数が1になるまで探索を続けるので，探索回数を x とおき次のように計算する。

$1 = n / 2^x$

$2^x = n$

$\log_2 2^x = \log_2 n$

$x = \log_2 n$

参考

ブロック探索

線形探索を改良した方法に，ブロック探索がある。ブロック探索は，n 個の昇順（又は，降順）に並んだデータをm個のブロックに分割し，各ブロックの最後尾のデータだけを線形探索することによって，目的のデータのブロックを探し出す。次に，該当ブロックの線形探索を行い目的のデータを探し出すという方法である。

用語解説

衝突

ハッシュ関数によって演算した結果，異なる要素が同じ位置（演算結果が同じ）を示すことがある。このような現象を衝突という。

衝突が発生したときは，何らかの対策を取らないと配列に要素を格納できない。衝突への代表的な対策法に，オープンアドレス法，チェイン法がある。

オープンアドレス法（クローズドハッシュ法）は，衝突が発生したとき再ハッシュで対処する方法である。再ハッシュは，衝突が発生したとき，再度格納場所を計算することである。そして，その場所が空であればそこに格納する。再び衝突が発生すれば，さらに再ハッシュを行う。最も簡単な方法は，最初の値に 1 を加算する方法である。

オープンアドレス法では，要素を格納する配列（ハッシュ表）の要素数を管理する必要がある。ハッシュ表がいっぱいの状態で新しい要素を格納しようとしても，格納できないからである。

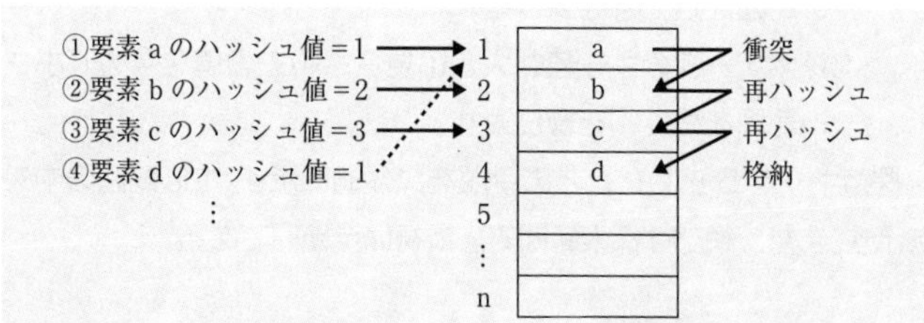

チェイン法（オープンハッシュ法）は，同じハッシュ値をもつ要素をリストに格納する方法である。衝突が発生した要素をポインタでつないでいく。

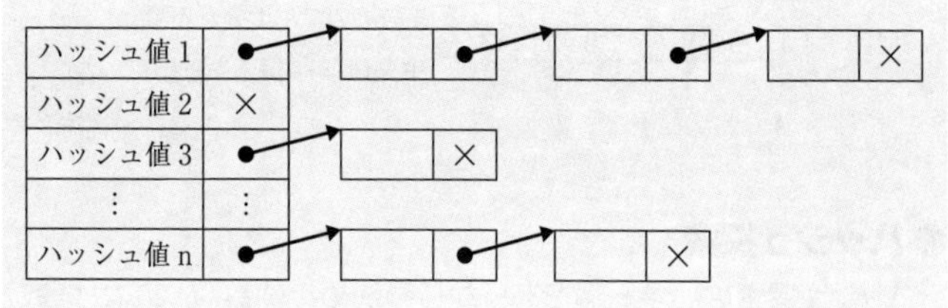

●探索法の比較

2 分探索は要素の値で整列済みの配列（整列順は，昇順でも降順でもよい）の探索に有効，線形探索は配列の要素の並びが不定のとき有効である。また，ハッシュ探索は，高速な探索を行うことができるが，格納時に衝突が発生した場合，その回避策を検討する必要がある。

1.6.2 整列アルゴリズム

午後にも出る

- 選択ソート，バブルソートの計算量は $O(n^2)$
- クイックソートの最大計算量は $O(n^2)$，平均計算量は $O(n \log_2 n)$

整列（ソート）は，データをキーの値の順に並べ替えることである。主な整列アルゴリズムの考え方と計算量を示す。計算量は，クイックソート以外は，最大計算量と平均計算量は同じである。

要素数を n とした場合の各整列法の計算量は次のとおりである。

整列法	考え方	計算量
選択ソート	整列対象範囲の最小値を選択しながら整列	$O(n^2)$
バブルソート	隣り合う要素の大小を比較しながら整列	$O(n^2)$
シェルソート	飛び飛びの要素に挿入ソートを適用	$O(n^{2/3})$ 以下
クイックソート	基準値より大きな要素と小さな要素に分割しながら整列	$O(n\log_2 n)$(平均) $O(n^2)$(最大)
ヒープソート	ヒープの根が最大値(または最小値)であることを利用	$O(n\log_2 n)$
マージソート	整列済みの2つの配列をマージして1つにする	$O(n\log_2 n)$
挿入ソート	整列済みの配列に対し，追加要素を適切な位置に挿入	$O(n^2)$

●バブルソート

バブルソート(隣接交換法)は，隣り合う要素を比較し，逆順なら交換することで整列を完了させる。次ページの図において，網掛け部は整列済みで，整列対象の範囲外を示す。

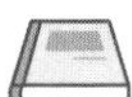

用語解説

最大計算量／平均計算量

アルゴリズムの計算量を算出するに際して，通常は最大計算量で見積もる。最大計算量は，最悪の状態での計算量である。最大計算量に対して，平均的な計算量を，平均計算量という。一般に，平均計算量の算出は難しいといわれている。それは，データ量の平均の定義が，アルゴリズムによって異なるからである。

参考

ヒープソートを適用するに当たって，整列処理の前に，対象の配列に対してヒープを構成する必要がある。この計算量は $O(n)$ である。また，ヒープソートの特徴は，配列の要素の並び順にかかわらず，$O(n\log_2 n)$ 以下に抑えられることである。

用語解説

選択ソート

選択ソート（基本選択法）は，整列範囲の要素から最も小さい要素を取り出して，整列範囲の先頭（左端）の要素と入れ替える。これで，先頭の要素は整列されたことになる。次に，残りの整列範囲から，最も小さい要素を取り出して整列範囲の先頭の要素と入れ替える。このようにして，整列範囲を一つずつ狭めていくことで整列が完了する。

1回目	4 1 3↔2	3と2なので入替え
	4 1↔2 3	1と2なのでそのまま
	4↔1 2 3	4と1なので入替え
	1 4 2 3	1回目完了（左端が最小値）
2回目	1 4 2↔3	2と3なのでそのまま
	1 4↔2 3	4と2なので入替え
	1 2 4 3	2回目完了（左端が最小値）
3回目	1 2 4↔3	4と3なので入替え
	1 2 3 4	3回目完了（整列完了）

クイックソート

クイックソートは，配列の中から適当な基準値を選び，その基準値より小さい部分列と大きい部分列に分け，さらに，各部分列に対して同様の操作を再帰的に繰り返す方法である。最終的に部分列の要素数が 1 になると，整列が完了する。

クイックソートの平均計算量は $O(n\log_2 n)$ であるが，既に整列済みの配列に対してクイックソートを適用すると分割が行われないので，バブルソートなどと同じ $O(n^2)$ となる。

以下の例では，基準値を配列の右端としている。太枠部は基準値である。

クイックソートは，現在考案されている整列アルゴリズムの中で最も高速といわれている。しかし，整列済みの配列に適用すると，最悪の状態となる。要素の値が適当にばらついていると，ほぼ2等分しながら整列が進むため効率がよい。

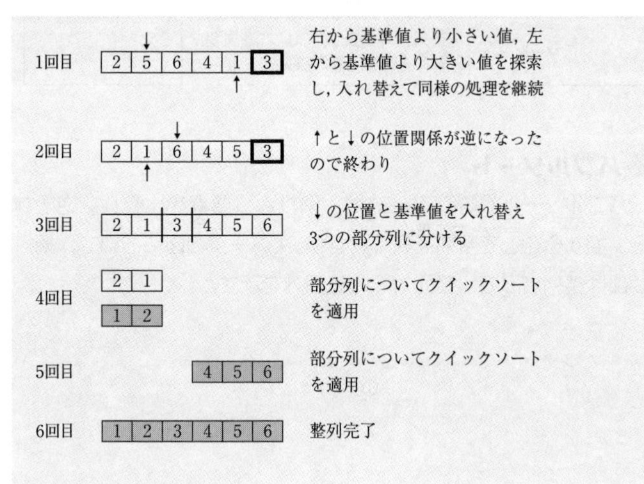

●ヒープソート

ヒープは，どの部分木も親の値が子の値より大きい(又は，小さい)完全2分木である。そこで，ヒープの根を取り出せば，それが最大値(又は，最小値)となる。したがって，次の手順で処理を行えば，整列することができる。

①ヒープを構成する
②根を取り出す
③取り出した根を除いた残りで①，②を繰り返す

以下は，根が最大値の例である。なお，ヒープを配列で実現すると，k番目の左の子は2k番目，右の子は（2k＋1）番目に格納される。このため，ヒープは，配列では，幅優先順に格納される。また，根を取り出したときは，配列の右端の要素と入れ替える。

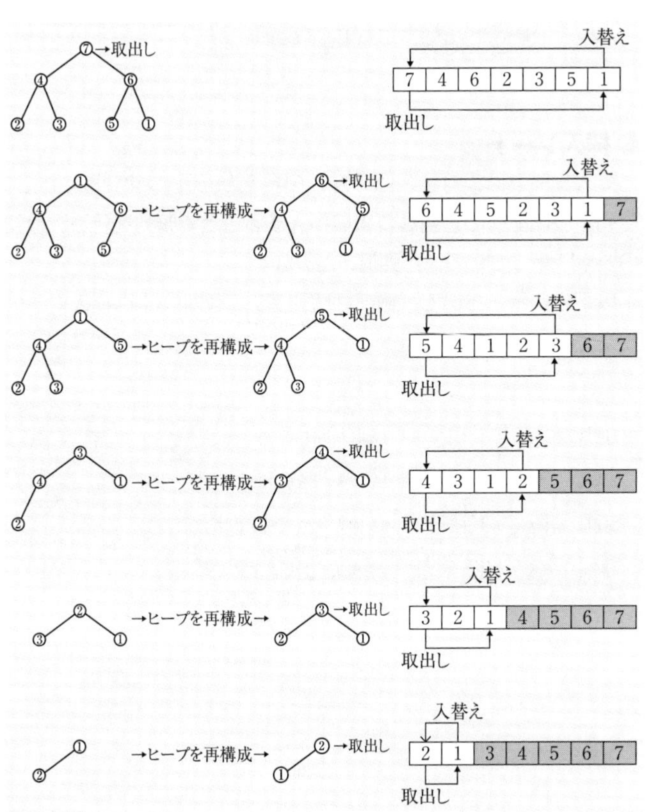

参考

ヒープを再構成するときは，根の値と左右の子の値の大きい方と交換する。例えば，1回目のヒープの再構成では，1（根）と6（右の子）を入れ替える。さらに，入れ替えた右の子を根（値＝1）として左右の子の値の大きい方（この場合は左の子しかなく5）と入れ替える。これを，子がなくなるまで繰り返すとヒープが完成する。

マージソート

マージソートは，既に整列された２つの配列を併合（マージ）して，１つの整列された配列を作る方法である。このため，対象範囲を２分割し，それぞれの配列をさらに２分割する。分割を再帰的に繰り返し，対象範囲の要素が２個以下になったら，各分割範囲で整列する。そして，整列済みの配列を順次併合する。

1回目　7 4 6 2 3 5 1

分割

2回目　7 4 6 | 2 3 5 1

さらに分割

3回目　7 | 4 6 | 2 3 | 5 1

分割範囲内で整列

4回目　7 | 4 6 | 2 3 | 1 5

マージ（分割範囲内は整列済み）

5回目　4 6 7 | 1 2 3 5

さらにマージ（分割範囲内では整列済み）
（整列完了）

6回目　1 2 3 4 5 6 7

挿入ソートを改良して，要素の移動距離を大きくすることで整列を高速化した方法が，シェルソートである。最初に一定間隔を空けて飛び飛びに挿入ソートを適用して大雑把に整列しておき，最後に挿入ソートを適用する。シェルソートの計算量は要素の値の並びに影響を受けるため一定しないが，$O(n^{2/3})$ を超えない。

挿入ソート

挿入ソートは，対象範囲の左端の要素から１つずつ取り出し，整列済みの配列の適当な位置に挿入することで整列を行う。最初の要素は１つなので，整列済みとみなす。

以下の例示において，網部は整列済みの配列，↑は挿入対象の要素である。

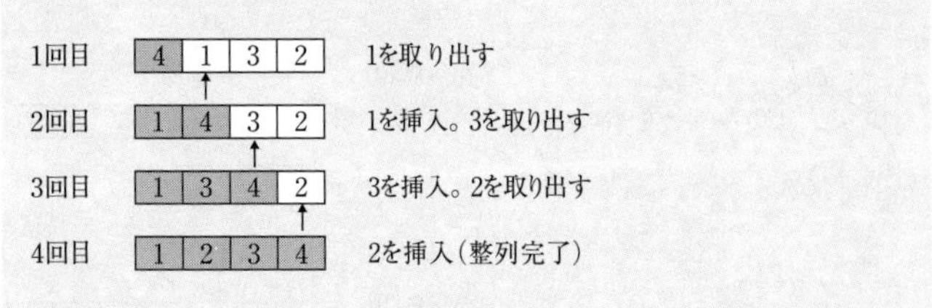

1.6.3 再帰

午後にも出る

Point
- 再帰呼出しは自分自身を呼び出すプログラム構造
- 値が異なるだけで処理内容が同じ処理に再帰呼出しを適用

再帰（リカーシブ）は，あるプログラムを実行するのに，プログラム中でそのプログラム自身を呼び出すことである。プログラムの手続きにおいて，その手続きを再使用する。このような構造（性質）をもつプログラムを，再帰的プログラムという。

●再帰の概念

再帰を説明するのに，自然数の階乗を使うことが多い。n（$n \geqq 1$）の階乗は $n!$ と表し，次のように定義する。

$$n!=n\times(n-1)\times(n-2)\times\cdots\times2\times1\quad(n=1\text{のとき}\quad 1!=1)$$

なお，$0!=1$ と定義する。

これを，再帰を用いて定義すると，次のようになる。

$$\begin{aligned} n! &= n\times(n-1)\times(n-2)\times\cdots\times2\times1 \\ &= n\times\{(n-1)\times(n-2)\times\cdots\times2\times1\} \\ &= n\times(n-1)! \end{aligned}$$

すなわち，$n!$ を定義するのに $(n-1)!$ を使用している。これは，n の値が異なるだけで，同じプログラム（関数）を使うことができることを示している。

●再帰的プログラム

再帰的プログラムは，再帰呼出しを可能とするプログラム構造である。関数や手続きの実行中に，自分自身を呼び出して使用できる。再帰的プログラムを実行するには，スタックが必要である。

再帰の例に，既に例示した階乗以外に，自然数の定義，木構造の探索，クイックソートのアルゴリズムなどがある。なお，ほとんどのプログラム言語で再帰構造をとることができるが，1960年代前後によく使われたCOBOLやFortranなど，一部のプログラム言語では使用できない。

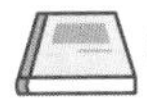

用語解説

自然数
自然数は，0より大きな（1以上の）整数である。このため，0は含まないが，階乗の計算において0!の計算が必要になることがあり，数学的には，0!＝1と定義している。

階乗
階乗は，自然数nに対して，nから1までの全ての自然数を掛けたもので，n!で表す。例えば，4の階乗（4!）は4×3×2×1＝24である。

次は，階乗計算（fact()）のプログラム例である。○番号は，後での説明のために付けた。

```
/* 主プログラム */
①function main
②  f = fact(n)             /* 階乗計算の関数の呼出し */
③  print f                 /* n!の計算結果を表示 */
④endfunction
/* 階乗計算の関数 */
⑤function fact(n)
⑥  if (n = 0)
⑦    then                  /* n=0のときは1を返す */
⑧      w = 1               /* 0!の結果 */
⑨    else                  /* n≠0 */
⑩      w = n * fact(n − 1) /* n=n*（n − 1）!の計算結果 */
⑪  endif
⑫  return w                /* 呼んだプログラムに戻る */
⑬endfunction
```

このプログラムで，具体的に，3! の計算過程を追跡する。結果は 6 になるはずである。

まず，②で n = 3 にして階乗計算の関数を呼び出す。そして，⑥の判断で n ≠ 0 なので，⑩で関数 fact () が再帰的に呼び出される。以下，再帰呼出しの手順を示す。n = 0 になるまで，関数 fact () が再帰的に呼び出される。

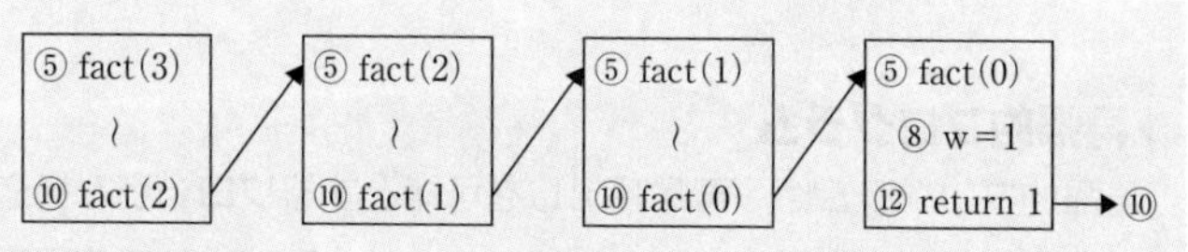

次に，再帰呼出しから戻る手順を示す。関数 fact () を呼び出した回数と同じ回数，return 文が実行される。そして，最後に主プログラムに戻り 6 が表示される。下線部は，関数 fact () からの戻り値である。

間違えやすい

再帰構造ではスタックを使用するためスタックの操作が必要であるが，プログラム言語のほうで適切に処理してくれる。このため，プログラム作成者はスタックを自ら確保する必要はない。

間違えやすい

プログラムの⑩における n の値は，関数 fact() を呼び出す前の値であることに注意する。同じプログラムを何度も呼び出しているが，別なプログラムを呼び出していると考えるとわかりやすい。呼び出している間，変数はスタックに格納されている。

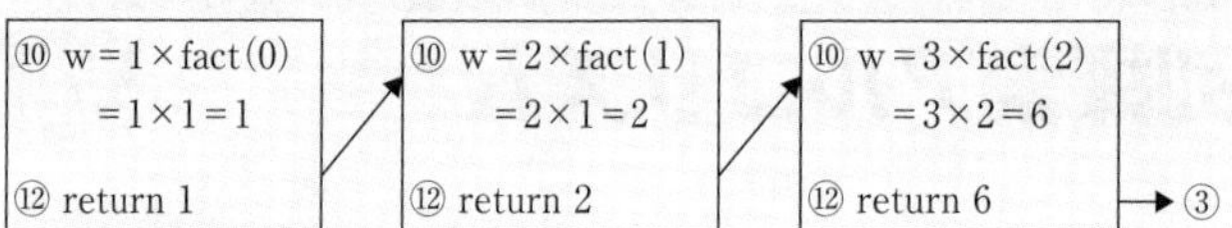

●分割統治

分割統治は，再帰の特殊な形態で，解くべき問題を幾つかの部分に分割し，各部分の問題の解を統合することによって全体の解を求めようとする考え方である。小部分に分けた問題に再帰を組み合わせる。分割統治と再帰を組み合わせたアルゴリズムにマージソートやクイックソートなどがある。

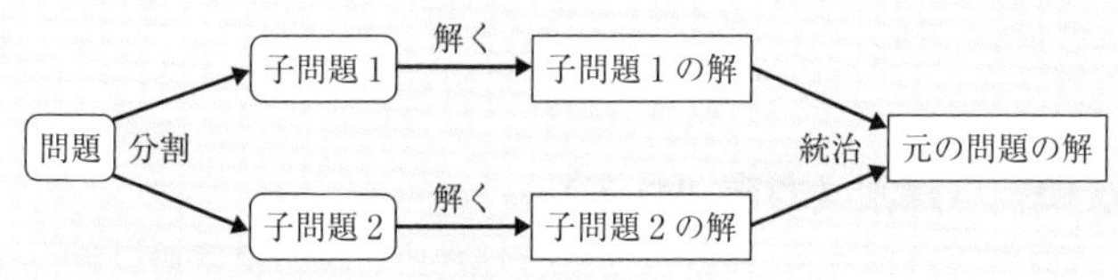

●再帰の例題

以下，再帰に関連する例題を取り上げておく。

次の関数 g(x) の定義に従って g(4) を再帰的に求めるとき，必要な加算の回数を求めてみる。

```
g(x)：if  x  ＜2  then  1
                    else  g(x − 1)＋ g(x − 2)
```

定義式どおりに計算する。g(0)，g(1)はx＜2なので1である。

```
g(4) ＝ g(3) ＋ g(2)                         ：加算 1 回
                  ↓
                g(2) ＝ g(1) ＋ g(0)          ：加算 1 回
        ↓
        g(3) ＝ g(2) ＋ g(1)                  ：加算 1 回
                  ↓
                g(2) ＝ g(1) ＋ g(0)          ：加算 1 回
```

以上から，加算は4回行われる。

▶試験に出る

再帰に関連した出題は多い。しかし，再帰の定義を問う出題はほとんどなく，本文で取り挙げたような，ただひたすら計算させる問題がほとんどである。計算間違いをしないように注意して計算するしかない。

1.6.4 文字列探索アルゴリズム

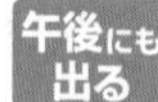

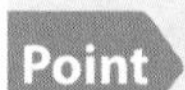

- 文字列探索は先頭から 1 文字ずつ比較するのが原則
- BM 法は効率的な文字列探索法の 1 つ

文字列探索は，テキスト（文字列）中に指定された文字列があるかどうかを調べることである。

以下，文字列 S の中に文字列 P があるかどうかを例にして説明する。

S：おいしいメロンがたべたい

P：メロン

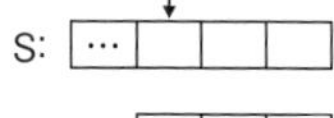

文字列探索のアルゴリズムでは，探索範囲の終了条件に気を付ける。

最後の位置

S: …

P:

文字列 S の文字数を m，文字列 P の文字数を n とすると，文字列 S の最後の位置は，配列の添字が 1 から始まる場合，(m − n + 1) である。

●単純な探索（力まかせ法）

文字列を探索するのに，配列の先頭から順次 1 文字ずつずらしながら比較していく。

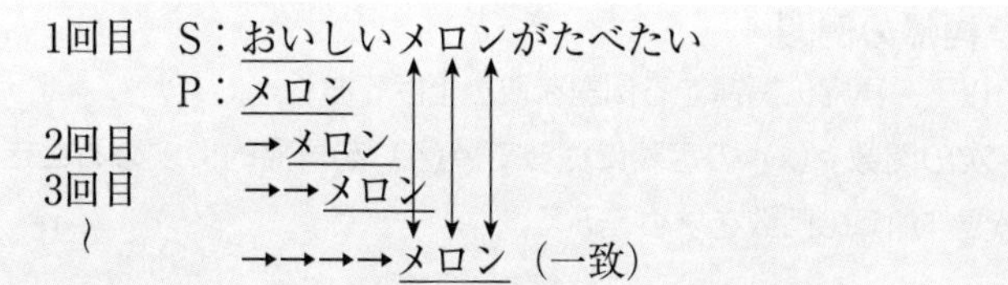

●BM法

BM 法(Boyer-Moore method)は，S と P を 1 文字ずつ比較していくのは力まかせ法と同じであるが，P の右側から比較していく。また，不一致になった場合，S の比較範囲の右端の文字によってスキップさせる文字数を変える。

S：　＊＊＊メ＊＊＊	S：　＊＊＊ロ＊＊＊	S：　＊＊＊ン＊＊＊
移動前：メロン	移動前：メロン	移動前：メロン
移動後：→→メロン	移動後：→メロン	移動後：→→→メロン

“メロン”と比較するとき，

・右端が“メ”のとき，次に一致する可能性のあるのは 2 文字先

→ 2 文字スキップ

・右端が“ロ”のとき，次に一致する可能性のあるのは 1 文字先
→ 1 文字スキップ
・右端が“ン”のとき，次に一致する可能性のあるのは 3 文字先
→ 3 文字スキップ

“メロ” 以外の文字のときは，3 文字スキップさせる。BM 法では，余計な比較をしないため，文字列探索を高速に行うことができる。

▶試験に出る

文字列探索のアルゴリズムの出題は比較的少ないが，出題されると難しい問題となる。比較される文字列の最終位置がどこかということをしっかりと理解しておく。あとは，単なる配列要素の比較である。

チェック! よく出る午前問題で基本事項を確認

日付・正解 Check ／ ／ ／

問題 1 [応用情報技術者試験 2017 年秋期午前 問 7] 難易度 ★★ 出題頻度 ★★★

fact(n)は，非負の整数nに対してnの階乗を返す。fact(n)の再帰的な定義はどれか。

ア if n = 0 then return 0 else return n × fact(n − 1)
イ if n = 0 then return 0 else return n × fact(n + 1)
ウ if n = 0 then return 1 else return n × fact(n − 1)
エ if n = 0 then return 1 else return n × fact(n + 1)

問題 2 [応用情報技術者試験 2016 年秋期午前 問 6] 難易度 ★★ 出題頻度 ★★★

ヒープソートの説明として，適切なものはどれか。

ア ある間隔おきに取り出した要素から成る部分列をそれぞれ整列し，更に間隔を詰めて同様の操作を行い，間隔が1になるまでこれを繰り返す。
イ 中間的な基準値を決めて，それよりも大きな値を集めた区分と，小さな値を集めた区分に要素を振り分ける。次に，それぞれの区分の中で同様な処理を繰り返す。
ウ 隣り合う要素を比較して，大小の順が逆であれば，それらの要素を入れ替えるという操作を繰り返す。
エ 未整列の部分を順序木にし，そこから最小値を取り出して整列済みの部分に移す。この操作を繰り返して，未整列の部分を縮めていく。

解説 1

nの階乗はn!と表し，次のとおり定義する。

$n! = 1 \times 2 \times 3 \times \cdots \times n$　ただし　$0! = 1$，$1! = 1$

0! = 1であることを知らないと，「ア，ウ」のいずれを正解としてよいのか分からないので，階乗の定義は知っておく必要がある。また，“return　R”は関数からの戻りを表し，関数の返す値がRであることを意味する。例えば，“return　0”であれば関数の結果が0であることを意味する。

問題文の表記に合わせてnの階乗を式で表すと，次のようになる。

$fact(n) = n! = n \times (n-1) \times (n-2) \times \cdots \times 2 \times 1$

同様に(n − 1)の階乗を式で表すと，次のようになる。

$fact(n-1) = (n-1)! = (n-1) \times (n-2) \times \cdots \times 2 \times 1$

以上から，fact(n)は次のように定義できる。

$fact(n) = n \times fact(n-1)$

以上から，fact(n)は，n = 0のとき1，それ以外はn × fact(n − 1)となる。

したがって，fact(n)の再帰的な定義は，“**if　n = 0　then　return　1　else return　n × fact(n − 1)**”である。

ア，イ　0! = 0ではなく，0! = 1である。

エ　例えば，n = 3のとき，次のようになる。

$$fact(3) = 3 \times fact(4) = 3 \times 5 \times fact(5)$$

これは，無限ループとなり，計算できない。

正解：ウ

解説 2

ヒープソートは，ヒープを用いた整列法である。2分木において親の値が常に子の値より大きい（又は小さい）2分木をヒープという。したがって，根の値がヒープの中で最大値（又は最小値）になっている。そこで，ヒープの根の値を取り出し，残りの節でヒープを再構成することを繰り返せば整列することができる。

ア　シェルソートの説明である。

イ　クイックソートの説明である。

ウ　バブルソートの説明である。

正解：エ

演習問題

［応用情報技術者試験 2020 年 10 月午後 問 3］

問題 1

誤差拡散法による減色処理に関する次の記述を読んで，設問1～4に答えよ。

画像の情報量を落として画像ファイルのサイズを小さくしたり，モノクロの液晶画面に画像を表示させたりする際に，減色アルゴリズムを用いた画像変換を行うことがある。誤差拡散法は減色アルゴリズムの一つである。誤差拡散法を用いて，階調ありのモノクロ画像を，黒と白だけを使ったモノクロ2値の画像に画像変換した例を図1に示す。

階調ありのモノクロ画像の場合は，各ピクセルが色の濃淡をもつことができる。濃淡は輝度で表す。輝度0のとき色は黒に，輝度が最大になると色は白になる。モノクロ2値の画像は，輝度が0か最大かの2値だけを使った画像である。

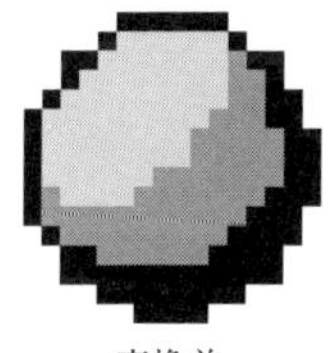

変換前

変換後

図1　画像変換の例

〔誤差拡散法のアルゴリズム〕

画像を構成するピクセルの輝度は，1ピクセルの輝度を8ビットで表す場合，0～255の値を取ることができる。0が黒で，255が白を表す。誤差拡散法では，次の二つの処理をピクセルごとに行うことで減色を行う。

① 変換前のピクセルについて，白に近い場合は輝度を255，黒に近い場合は輝度を0としてモノクロ2値化し，その際の輝度の差分を評価し，輝度の誤差Dとする。例えば，変換前のピクセルの輝度が223の場合，変換後の輝度を255とし，輝度の誤差Dは，223－255から，－32である。

② 事前に定義した誤差拡散のパターンに従って，評価した誤差Dを周囲のピク

セル（以下，拡散先という）に拡散させる。

拡散先の数が4の場合の，誤差拡散のパターンの例を図2に，減色処理の手順を図3に示す。なお，拡散する誤差の値は整数とし，小数点以下は切り捨てる。

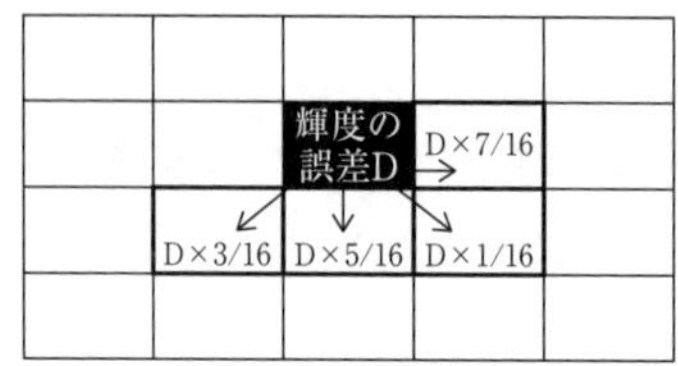

図2　拡散先の数が4の場合の，誤差拡散のパターンの例

1. 変換前画像のピクセルの数と同じ要素数の整数の2次元配列を，変換処理後の輝度を格納するための配列（以下，変換後輝度配列という）として用意し，全ての要素を0で初期化する。
2. 変換前画像の一番上の行から，各行について左から順に1ピクセル選び，輝度を得る。
3. 変換前画像の輝度と，変換後輝度配列の同じ要素の値を加算し，これをFとする。
4. Fの値が128以上なら変換後輝度配列の輝度を255とし，誤差の値DをF－255とする。Fの値が128未満なら変換後輝度配列の輝度を0とし，誤差の値DをFとする。
5. Dの値について，誤差拡散のパターンに定義された割合に従って配分し，拡散先の要素に加算する。ただし，画像の範囲を外れる場合は，その値を無視する。
6. 処理していないピクセルが残っている場合は2.に戻って繰り返す。
7. 変換後輝度配列で輝度が0を黒，輝度が255を白として，画像を出力する。

図3　減色処理の手順

図2のパターンを使い，図3の手順に従って，1行目の左上から2ピクセル分の処理をした後，その右隣のピクセル（左上から3ピクセル目）について処理した例を図4に示す。変換前画像の輝度の値が128で，変換後輝度配列の同じ要素の値が－14なので，Fは128+（－14）=114となる。Fが128未満なので，輝度は0，誤差Dは114となる。誤差114に7/16を乗じて，小数点以下を切り捨てた値は49なので，変換後輝度配列の一つ右の要素に49を加算する。同様に，左下には21，下には35，右下には7を加算する。

0	223	128	35	220
30	22	18	55	197
35	122	250	105	15
38	153	251	120	18

変換前画像

0	255	－14	0	0
－6	－10	－2	0	0
0	0	0	0	0
0	0	0	0	0

左上から2ピクセル分の処理後

➡

0	255	0	49	0
－6	11	33	7	0
0	0	0	0	0
0	0	0	0	0

左上から3ピクセル目の処理後

変換後輝度配列

図4　左上から3ピクセル目について処理した例

〔誤差拡散法を用いて減色するプログラム〕

誤差拡散法を用いて減色するプログラムを作成した。プログラム中で使用する主な変数，定数及び配列を表1に，作成したプログラムを図5に示す。

表1　プログラム中で使用する主な変数，定数及び配列

名称	種別	説明
width	変数	画像の幅。1以上の整数が入る。
height	変数	画像の高さ。1以上の整数が入る。
bmpFrom [x, y]	配列	変換前画像の輝度の配列。輝度が0～255の値で格納される。x，yはそれぞれX座標とY座標で，画像の左上が [1, 1]，右下が [width, height] である。
bmpTo [x, y]	配列	変換後輝度配列。x，yはbmpFrom [x, y] と同様である。全ての要素は0で初期化されている。
ratioCount	定数	誤差拡散のパターンの拡散先の数。図2の場合は4が入る。
tdx [ ]	配列	拡散先の，ピクセル単位のX方向の相対位置。図2の場合は [1, －1, 0,1] が入る。
tdy [ ]	配列	拡散先の，ピクセル単位のY方向の相対位置。図2の場合は [0, 1, 1, 1] が入る。
ratio [ ]	配列	拡散先のピクセルごとの割合の分子。図2の場合は [7, 3, 5, 1] が入る。
denominator	定数	拡散先のピクセルごとの割合の分母。図2の場合は16が入る。

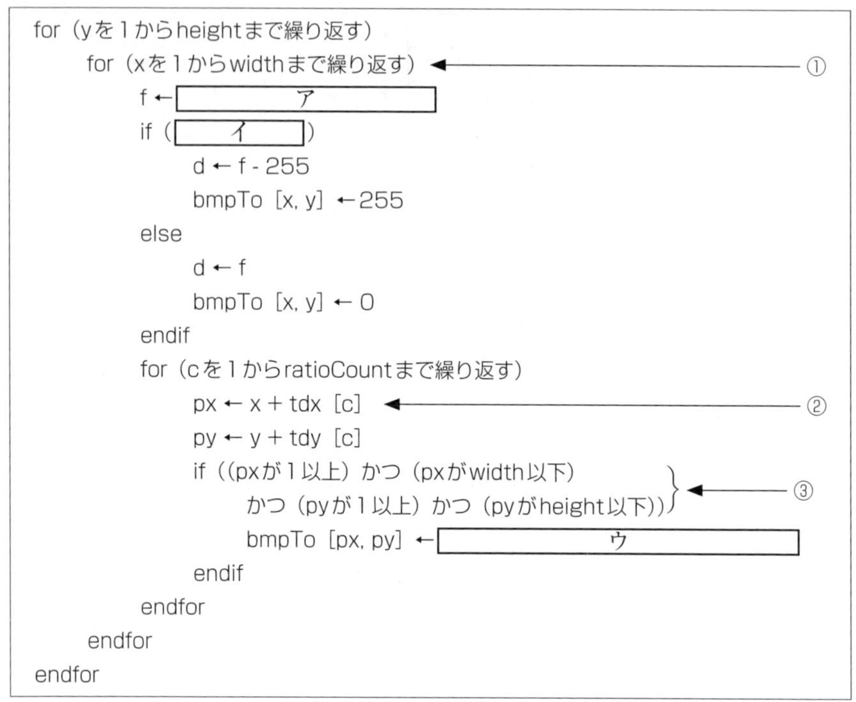

```
for（yを1からheightまで繰り返す）
    for（xを1からwidthまで繰り返す） ←──── ①
        f ← [ ア ]
        if（[ イ ]）
            d ← f - 255
            bmpTo［x, y］←255
        else
            d ← f
            bmpTo［x, y］← 0
        endif
        for（cを1からratioCountまで繰り返す）
            px ← x + tdx［c］ ←──── ②
            py ← y + tdy［c］
            if（（pxが1以上）かつ（pxがwidth以下）
                かつ（pyが1以上）かつ（pyがheight以下））} ←── ③
                bmpTo［px, py］← [ ウ ]
            endif
        endfor
    endfor
endfor
```

図5　作成したプログラム

〔画質向上のための改修〕

ピクセルを処理する順番を，Y座標ごとに逆向きにすることで，誤差拡散の方向の偏りを減らし，画質を改善することができる。

　Y座標が奇数の場合：ピクセルを左から順に処理する。

　Y座標が偶数の場合：ピクセルを右から順に処理する。

なお，Y座標が偶数の場合は，誤差拡散のパターンを左右逆にして評価する。

画質を向上させるために，図5の①と②の行の処理を書き換えた。書き換えた後の①の行の処理を図6に，書き換えた後の②の行の処理を図7に示す。なお，A mod Bは，AをBで割った余りである。

```
for（txを1からwidthまで繰り返す）
    x ← tx
    if ((［ エ ］ mod ［ オ ］) が0に等しい)
        x ← ［ カ ］
    endif
```

図6 書き換えた後の①の行の処理

```
px ← x - tdx [c] + (2 * tdx [c] * (［ エ ］ mod ［ オ ］) )
```

図7　書き換えた後の②の行の処理

〔処理の高速化に関する検討〕

図5中の③の箇所では，誤差を拡散させる先のピクセルが画像の範囲の外側にならないように制御している。このような処理をクリッピングという。

③のif文は，プログラムの終了までに［ キ ］回呼び出され，その度に，条件判定における比較演算と論理演算の評価が，あわせて最大で［ ク ］回行われる。ここでの計算量が少なくなるようにプログラムを改修することで，処理速度を向上させることができる可能性がある。

設問1　図4の左上から3ピクセル目について処理した後の状態から処理を進め，太枠で示されたピクセルの一つ右隣のピクセルを処理した後の変換後輝度配列について，(1)，(2) に答えよ。

(1)　減色処理の結果のピクセル（上から1行目，左から4列目の要素）の色を，白か黒で答えよ。

(2)　(1) のピクセルの処理後に，そのピクセルの下のピクセル（上から2行目，左から4列目の要素）に入る輝度の値を整数で答えよ。

設問2　図5中の［ ア ］～［ ウ ］に入れる適切な字句を答えよ。

設問3　図6，図7中の［ エ ］～［ カ ］に入れる適切な字句を答えよ。

設問4　本文中の［ キ ］，［ ク ］に入れる適切な字句を答えよ。

〔応用情報技術者試験 2010年春期午後 問4〕

問題2

インターネットを介した情報提供システムに関する次の記述を読んで，設問1～4に答えよ。

Z社は，利用者が希望する映画のタイトル，あらすじ，上映館，上映期間などの映画情報を表示する情報提供サービスを行っており，平均待ち時間の目標値を40ミリ秒以下としている。このサービスに使用する情報提供システムの現在のシステム構成を図1に示す。

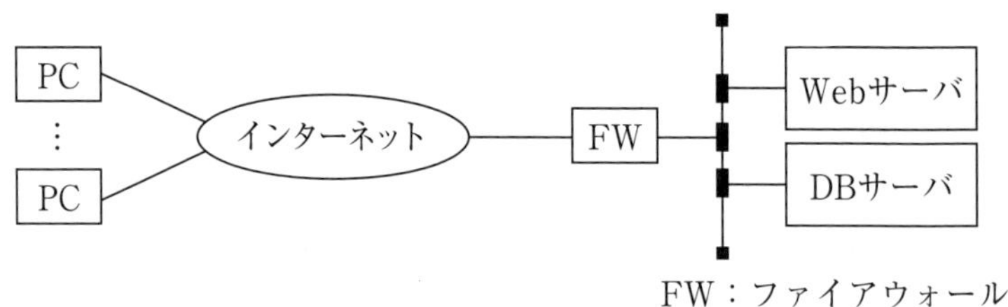

図1　現在のシステム構成

Webサーバとデータベースサーバ（以下，DBサーバという）を一体のシステムとして，現在のシステムの状況を調査したところ，1分当たりのアクセス数は平均600件，1アクセス当たりの平均処理時間Tpは40ミリ秒であった。また，アクセス頻度はおおむね［　a　］分布に，処理時間はおおむね［　b　］分布に従っていたので，M/M/1の待ち行列モデルによって評価することにした。

〔システム構成の見直し〕

アクセス数が順調に増加しているので，現在のシステム構成のままでは，将来，平均待ち時間がZ社の目標値を超えてしまう可能性のあることが分かった。そこで，この問題に対処するために，情報提供システムのシステム構成を見直して，図2に示すように，負荷分散装置を介して現行Webサーバと同等の処理能力を有するWebサーバ3台に負荷分散するシステム構成を検討することにした。

見直し後のシステムの負荷分散装置では，次の（ｉ）～（ｖ）の負荷分散方式のいずれかを選択することができる。

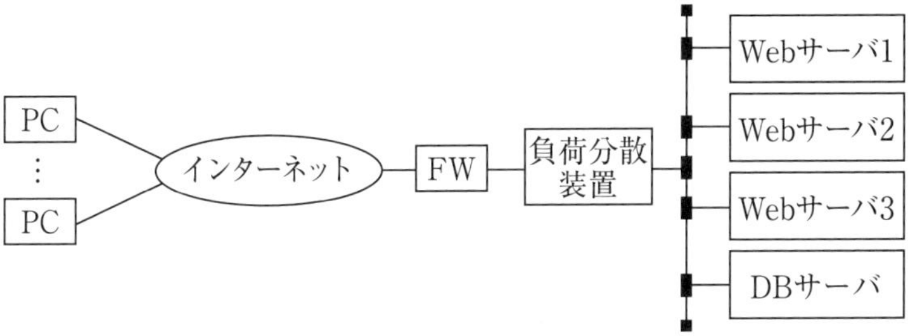

PC
⋮
PC
インターネット
FW
負荷分散装置
Webサーバ1
Webサーバ2
Webサーバ3
DBサーバ

図2　見直し後のシステム構成

（i）　ラウンドロビン方式：あらかじめ決めた順序で各Webサーバにアクセスを振り分ける。
（ii）　加重ラウンドロビン方式：Webサーバの処理能力に応じて，アクセスを振り分ける。
（iii）　最少クライアント数方式：接続中のクライアント数が最も少ないWebサーバにアクセスを振り分ける。
（iv）　最小データ通信量方式：データ通信量が最も少ない Web サーバにアクセスを振り分ける。
（v）　最小負荷方式：CPU使用率が最も低いWebサーバにアクセスを振り分ける。

Z社では，負荷分散方式としては，設定の容易なラウンドロビン方式を採用することにした。

しかし，図2の見直し後のシステム構成においても，①アクセス数が一定数を超過すると，Webサーバが高負荷状態となり，待ち時間が長くなるなどの事象が発生することから，更なる対処が必要と考えた。

〔新サービスの追加〕

Z社では，〔システム構成の見直し〕後に，利便性を向上するため，今までのサービスに加えて，Webサーバにかかる負荷が大きい新サービスも提供することになった。この新サービスの提供では，WebサーバがDBサーバから取得してPCへ送信する，1アクセス当たりのデータ量が増加するので，WebサーバでのCPU処理時間も増加する。そこで，見直し後のシステムで採用していたラウンドロビン方式について再評価したところ，②複数の利用者がほぼ同時にアクセスしているとき，同じサービスを要求した利用者同士でも応答時間に大きなばらつきが生じ，平均待ち時間が目標値を超える場合があることが判明したので，③負荷分散方式の設定を変更することにした。

なお，DBサーバについては，性能的に十分な余裕があり，システム全体の性能に影響を与えることはないことが分かっている。

設問1　現在のZ社の情報提供システムについて，本文中の[a]，[b]に入れる適切な字句を答えよ。

設問2　現在のZ社の情報提供システムについて，(1) ～ (4) に答えよ。ただし，(1) は，整数で答えよ。(2) ～ (4) は，小数第2位を四捨五入して小数第1位まで求めよ。

(1)　平均到着時間間隔 T_r（ミリ秒）を求めよ。

(2)　利用率 ρ を求めよ。

(3)　平均待ち時間 T_w（ミリ秒）を求めよ。

(4)　平均応答時間 T_s（ミリ秒）を求めよ。

設問3　〔システム構成の見直し〕の下線①の対処として，次の (1)，(2) のそれぞれに該当する具体的方策を解答群の中からすべて選び，記号で答えよ。

(1)　情報提供システムへのアクセスをすべて受け付ける対処

(2)　情報提供システムへのアクセスのうち同時に受け付ける数を制限する対処

解答群

ア　Webサーバの故障を検出し，故障していないWebサーバへ振り分ける。

イ　Webサーバの通信用バッファを大きくする。

ウ　現行Webサーバと同等の処理能力をもつWebサーバを増設する。

エ　現行Webサーバより高い処理能力をもつWebサーバに取り替える。

オ　“混雑しているので後ほどアクセスしてください”と表示する装置を設置する。

設問4　〔新サービスの追加〕について，(1)，(2) に答えよ。

(1)　本文中の下線②について，なぜこのような問題が発生するのか。その原因について，50字以内で述べよ。

(2)　本文中の下線③について，どの負荷分散方式を設定することが適切か。本文中の負荷分散方式から二つ選び，（ⅰ）～（ⅴ）の番号で答えよ。

演習問題・解答

解説 1

■設問1　解答　(1) 黒
(2) 33

(1) 上から1行目，左から4列目の要素の色

上から1行目，左から4列目の値は，図4の変換前画像の太枠の右のセルで，値（輝度）は35である。この値を，図3の3.以降の手順で変換すればよい。

次の図は，図4の左端の図（変換前画像）と，右端の図（左上から3ピクセル目の処理後，すなわち，左上から4ピクセル目の処理前）の状態である。太枠網掛け部分は，設問の計算対象のセル（上から2行目左から4列目）である。

上から1行目
左から4列目
↓

0	223	128	35	220
30	22	18	55	197
35	122	250	105	15
38	153	251	120	18

変換前画像

……

上から1行目
左から4列目
↓

0	255	0	49	0
−6	11	33	7	0
0	0	0	0	0
0	0	0	0	0

左上から3ピクセル目の処理後

手順1）3．変換前画像の輝度と，変換後輝度配列の同じ要素の値を加算し，これをFとする。

変換前の輝度は35，変換後の輝度配列の同じ要素の値は49なので，

F＝35＋49＝84

手順2）4．Fの値が128以上なら変換後輝度配列の輝度を255とし，誤差の値DをF−255とする。Fの値が128未満なら変換後輝度配列の輝度を0とし，誤差の値DをFとする。

Fの値は84であり128未満なので，変換後輝度配列の値は0，また，D＝F＝84

手順3）5．Dの値について，誤差拡散のパターンに定義された割合に従って配分し，拡散先の要素に加算する。ただし，画像の範囲を外れる場合は，その値を無視する。

計算対象の直下（計算前は値が7）のセルなので，D×5/16を計算して7を加算する。

D×7/16＝84×5/16＋7＝33.25　→　33（小数点以下切捨て）

したがって，セルの値は0なので，「画像を構成するピクセルの輝度は，1ピクセルの輝度を8ビットで表す場合，0～255の値を取ることができる。0が黒で，255が白を表す」（〔誤差拡散法のアルゴリズム〕の冒頭）から“**黒**”である。

(2) 上から2行目，左から4列目の要素に入る輝度の値

（1）の枠中の手順3）で計算したように，“**33**”である。

■設問2　解答　ア：bmpFrom[x, y]＋bmpTo[x, y]

イ：fが 128以上

ウ：bmpTo[px, py]＋（d ∗ ratio[c]/denominator）

●空欄ア

「変換前画像の一番上の行から，各行について左から順に1ピクセル選び，輝度を得る」（図3の2.）から，外側のループカウンタyが下方向（1～height），内側のループカウンタxが右方向（1～width）であると分かる。また，表1の説明から，画像の輝度を格納する配列bmpFrom，bmpToともに，第1添字がx，第2添字がyと分かる。

f(F)の値を決定するので，図3の3.の処理である。これは，画像の輝度を表す配列bmpFrom，bmpToの対応する要素の値を加算する。

したがって，“**bmpFrom［x, y］＋bmpTo［x, y］**”が入る。

●空欄イ

d(D)の値を決定するので，図3の4.の処理である。この条件が成立すれば，f－255をDに代入するので，fが128以上かどうかの判断である。

したがって，“**fが128以上**”が入る。

●空欄ウ

直前のif文の判断が成立したときの処理で，図2で示す計算が示されていないので，この空欄で，図2で示す計算を行っていると見当がつく。すると，ここは図3の5.の処理であると分かる。

1つの変換前画像の要素について，変換後輝度配列の計算対象となる要素は図2から分かるように，最大4要素である。この値は，ratioCountに格納されている。しかし，例えば，図4のbmpFrom［1，1］（変換前画像の左上角）についていえば，変換後輝度配列の要素は3要素である。また，変換前画像の左端列，右端列ともに，1番上と1番下の要素についても同様に，変換後輝度配列の計算対象となるセルは4要素に満たない。

次の太枠のセルが範囲外があるセル，点線の枠が，範囲外のセルである。

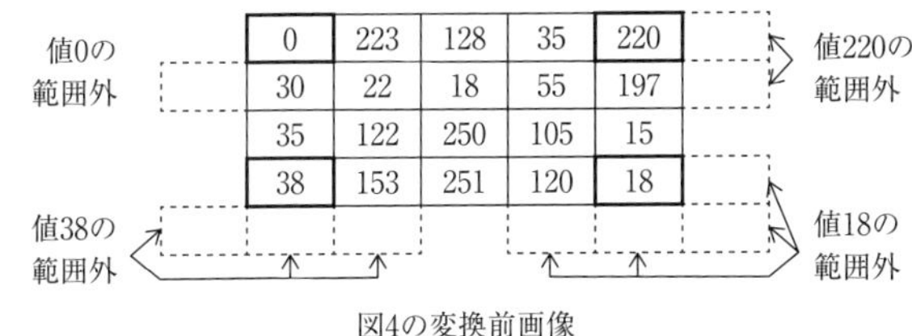

図4の変換前画像

範囲内のセルは４要素であり，その座標値は，次のようになる。太枠は計算対象のセル，○番号のセルは拡大する誤差を計算するセルである。プログラムでは，①，②，③，④の順に計算しているが，この理由については，後述する。

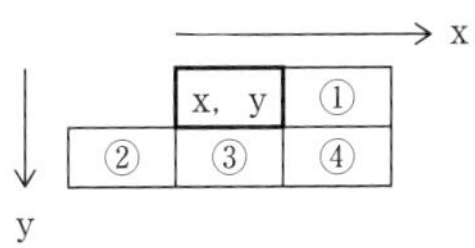

①～④の［x，y］と変位は，次のとおりである。ここで，右方向がxの増える方向，下方向がyの増える方向であることに注意する。

①：[(x + 1)，(y + 0)] = [(x + 1)，y]
②：[(x − 1)，(y + 1)]
③：[(x + 0)，(y + 1)] = [x，(y + 1)]
④：[(x + 1)，(y + 1)]

①～④のxの増分に着目すると，（1，−1，0，1）となっており，表1のtdx［ ］の説明と対応している。また，yについては，（0，1，1，1）となっており，tdy［ ］の説明と対応している。

このことから，cを添字として1～ratioCountまで変化させて，配列tdx，tdyから変移を取り出してx，yに加算しpx，pyとしていると分かる。このとき，pxが1以上width以下であればx座標は範囲内，pyが1以上height以下であればy座標は範囲内である。この判断を，空欄ウの直前のif文で実行している。そして，計算前のbmpTo［px，py］に計算結果を加算している。

計算は，誤差の値（dに格納されている）に割合を掛けるのであるが，割合の分母は表1から分かるように，denominator（この場合は16）に格納されている。また，分子は，配列ratioに格納されている。

したがって，“**bmpTo[px，py] + (d * ratio[c]/denominator)**”が入る。

■設問3　解答　エ：y，オ：2，カ：width − tx ＋ 1（width − x ＋ 1でも可）

●空欄エ，オ

「ピクセルを処理する順番を，Y座標ごとに逆向きにすることで，誤差拡散の方向の偏りを減らし，画質を改善することができる。

Y座標が奇数の場合：ピクセルを左から順に処理する。

Y座標が偶数の場合：ピクセルを右から順に処理する。」(〔画質向上のための改修〕）ということから，まず，yが奇数か偶数かの判断が必要である。そして，奇数の判断は2で割った余りが1，偶数の判断は余りが0であることを利用する。これは，“y mod 2”の結果を判断すればよい。

したがって，“**y**”（空欄エ），“**2**”（空欄オ）が入る。

●空欄カ

空欄エ，オの説明から，Y座標が奇数のときはピクセルを左から順に処理（x = 1，2，…，widthの順），偶数のときはピクセルを右から順に処理（x = width，width − 1，…，1の順）するとよいことが分かる。

このため，Y座標が奇数のときは，現在のプログラムと同じように処理すればよいので，txをxに代入すればよい。一方，Y座標が偶数のときは，tx = 1のときx = width，tx = 2のときx =（width − 1），…，tx = widthのときx = 1となるように操作すればよい。これは，x = width − tx ＋ 1という変換を行えばよい。例えば，width = 4のときを例にして添字の変化を示す。このときは，tx = 1，2，3，4という変化に対して，x = 4，3，2，1と変化すればよい。

tx	1	2	3	4
x	4 − 1 + 1 = 4	4 − 2 + 1 = 3	4 − 3 + 1 = 2	4 − 4 + 1 = 1

したがって，“**width − tx ＋ 1**”が入る。なお，空欄エ，オの直前の代入でx = txとなっているため，“**width − x ＋ 1**”でも正解である。

■設問4　解答　キ：height × width × ratioCount，ク：7

●空欄キ

1行（1つのy座標）についてx座標が1からwidthまで繰り返すのでwidth回，これが，1からheightまでheight回繰り返すので，width × height回実行する。さらに，1ピクセルについて，拡散先の数，すなわち，ratioCount回，実行する。

したがって，“**height × width × ratioCount**”が適切である。

●空欄ク

if文の4つの条件が全て“かつ”で結合されているので，条件を先頭から比較し，条件を満たさなかったら以降の処理は実行しない。そこで，次のように整理する。

if ((条件1) かつ (条件2) かつ (条件3) かつ (条件4))

例えば，条件1を満たさないときは，このif文は終わる。この場合，条件1（比較演算）だけである。したがって，比較演算と論理演算の最大実行回数は，全ての条件を満たすときである。

以下，最大実行回数となる手順を整理する。

①	条件1	（比較演算1）
②	条件2	（比較演算2）
③	条件1かつ条件2	（論理演算1）
④	条件3	（比較演算3）
⑤	③かつ条件3	（論理演算2）
⑥	条件4	（比較演算4）
⑦	⑤かつ条件4	（論理演算3）

以上から，比較演算が4回，論理演算3回，計7回，実行される。

したがって，“**7**”が適切である。

解説 2

■設問1　解答　a：ポアソン，b：指数

M/M/1 待ち行列モデルでは，到着が完全にランダム，サービス時間（処理時間）の分布は“**指数**”（空欄 b）分布，設備は 1 つであり，客のサービスの優先順位は考えないとする。また，ランダムな到着は，統計数学では，“**ポアソン**”（空欄 a）分布に従うことが知られている。

■設問2　解答　(1) 100，(2) 0.4，(3) 26.7，(4) 66.7

(1) 平均到着時間間隔 T_r（ミリ秒）

1分（60秒＝60,000ミリ秒）当たりのアクセス数は平均600件なので，平均到着時間間隔（ある到着と次の到着の時間間隔）T_rは，次のようになる。

$$\text{平均到着時間間隔} = \frac{60{,}000}{600} = \mathbf{100}\ \text{（ミリ秒）}$$

(2) 利用率 ρ

利用率 ρ を求めるのに，単位をそろえることに注意する。

1分（60秒）に600件のアクセスがあるので，1秒では10件のアクセスがある。すなわち，平均到着率（λ）は，10（件／秒）である。また，1件（アクセス）当たりの処理時間（T_P）は40ミリ秒なので，0.04（秒／件）である。

以上から，ρ は待ち行列の公式から次のようになる。

$$\rho = \lambda T_P = 10 \times 0.04 = \mathbf{0.4}$$

(3) 平均待ち時間 T_w（ミリ秒）

平均待ち時間 T_wは，待ち行列の公式から次のようになる。

$$T_w = \frac{0.4}{1-0.4} \times 40 = 26.666\cdots \fallingdotseq \mathbf{26.7}\ \text{（ミリ秒）（小数第2位を四捨五入）}$$

(4) 平均応答時間 T_s（ミリ秒）

平均応答時間は，平均待ち時間に処理時間を加算すればよい。

$$\begin{aligned} T_s &= T_w + 40 \\ &= 26.7 + 40 = \mathbf{66.7}\ \text{（ミリ秒）} \end{aligned}$$

1

■設問3　解答　(1) ウ，エ (順不同)，(2) オ

(1) アクセスをすべて受け付ける対処

ラウンドロビン方式では，到着順にWebサーバにアクセスを振り分けるため，特定のサーバに高負荷の処理が集中する可能性がある。そこで，Webサーバの処理機能を増強するという観点で，“現行Webサーバと同等の処理能力をもつWebサーバを増設する”（「**ウ**」），“現行Webサーバより高い処理能力をもつWebサーバに取り替える”（「**エ**」）のいずれかの対策をとればよい。

(2) 同時に受け付ける数を制限する対処

制限数を超えた場合，その処理要求を破棄すればよい。しかし，利用者が破棄されたことに気が付かないと，応答を待ち続ける可能性がある。そこで，“「混雑しているので後ほどアクセスしてください」と表示する装置を設置する”（「**オ**」）ことで，再アクセスを促す必要がある。

■設問4　解答　(1) 特定のWebサーバに新サービスの処理が集中した場合に，待ち時間が長くなることがある。
(2) (iv)，(v) (順不同)

(1) 平均待ち時間が目標値を超えることがある原因

ラウンドロビン方式であると，到着順にWebサーバに振り分けるため，Webサーバに負荷のかかる新サービスが特定のWebサーバに集中して処理されることがある。

したがって，応答時間にばらつきが生じたのは，“**特定のWebサーバに新サービスの処理が集中した場合に，待ち時間が長くなることがある。**”という主旨で50字以内にまとめる。

(2) 適切な負荷分散方式

負荷分散を適切に行うためには，負荷のかかっていないWebサーバに優先的に処理を行わせるようにすればよい。新サービスでは，データ量が増加し，CPU処理時間も増加するので，この観点から適切な対策を選ぶと，最小データ通信量方式“(iv)”，最小負荷方式“(v)”になる。

なお，“(i)”は，ラウンドロビン方式では平均待ち時間が目標値を超えたということで不適切である。“(ii)”は，見直し後のWebサーバの処理能力には差はないので不適切である。また，接続中のクライアント数が少なくても負荷がかかっていることも考えられるので，“(iii)”も不適切である。

第2章

● テクノロジ系

コンピュータ構成要素

コンピュータは，ハードウェアとソフトウェアから構成される。ハードウェアは，コンピュータの装置そのものを指す。第１節ではコンピュータを構成する代表的な装置であるプロセッサ（CPU，処理装置，回路），第２節では主記憶の実現技術を学習する。さらに，主記憶の容量不足を補うため，種々の補助記憶装置が使われている。また，周辺装置とコンピュータを接続する入出力インタフェースが使われている。第３節では，これらの装置やインタフェースについて，併せて学習する。

理解しておきたい用語・概念

- ☑ 割込み
- ☑ RAID
- ☑ USB
- ☑ パイプライン
- ☑ 密結合マルチプロセッサ
- ☑ 疎結合マルチプロセッサ
- ☑ SISD
- ☑ SIMD
- ☑ MISD
- ☑ MIMD
- ☑ キャッシュメモリ
- ☑ ROM
- ☑ RAM
- ☑ SRAM
- ☑ DRAM

アクセスキー q （小文字のキュー）

2.1 プロセッサ

コンピュータを構成する要素には，プロセッサ（処理装置，CPU：Central Processing Unit），記憶装置（メモリ），補助記憶装置，入出力装置などがある。本節では，CPU のアーキテクチャ（設計思想，実現技術，構造，構成）について学習する。

2.1.1 プロセッサの構造と動作原理

Point
- プロセッサ（処理装置，CPU）は演算装置と制御装置の総称
- 割込みには外部割込みと内部割込み

参考

VLIW（ブリュー）
VLIW（Very Long Instruction Word）は，プログラムをコンパイルするとき，並列的に処理できる命令をあらかじめ並列に並べておく技法である。複数のパイプラインを並列に動作させ，その上で，パイプラインに乱れを生じないようにすることでCPUの性能向上を図っている。

間違えやすい

レジスタには，汎用レジスタ，専用レジスタなどがある。汎用レジスタは四則演算の中間結果の保持，ベースアドレスの保持，インデックスレジスタなど，多目的に使用される。一方，専用レジスタは使用目的が決まっているレジスタで，図に示したもの以外に，ベースレジスタなどがある。また，インデックスレジスタを専用レジスタとして用意しているコンピュータもある。

プロセッサは，周辺機器からデータを受け取り，データを演算・加工し，メモリに記憶したり結果を周辺機器に出力したりする一連の動作を行う装置である。

● プロセッサの構成

プロセッサは，演算装置と制御装置の総称である。構成は機種によって多少異なるが，おおむね，次のとおりである。このうち，アプリケーションが直接制御できるのは，汎用レジスタだけである。

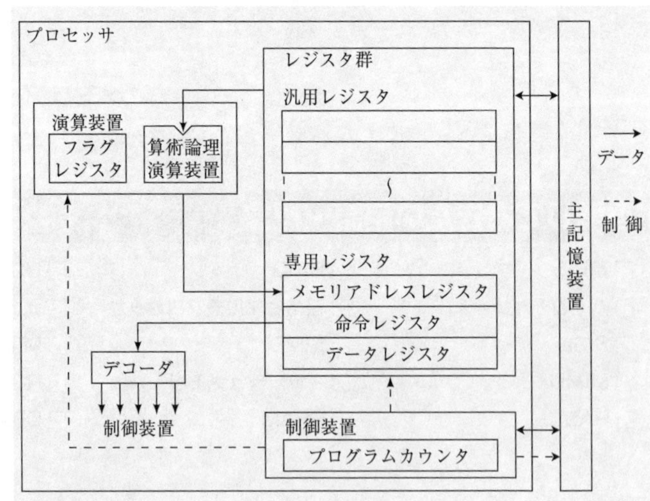

割込み

割込みは，現在実行中のプログラムを中断し，割込みの原因となった要因に対応した処理を実行することである。割込み処理が完了すると，元のプログラムの中断した時点から再開する。

割込みは，外部割込みと内部割込みに分類される。外部割込みは，実行しているプログラムとは関係なく発生する割込みである。内部割込みは，プログラムの動作に起因して発生する割込みである。

割込みの種類		原因例
外部割込み	機械チェック割込み	処理装置の誤動作，電源・電圧異常，主記憶障害，NMI
	入出力割込み	入出力完了，入出力状態変化（印刷装置の紙切れ，電源OFFなど）
	外部信号割込み	システム操作卓からの指示，外部信号（測定器からの信号など）
	タイマ割込み	所定時間経過（インタバルタイマ），所定時刻経過
内部割込み	プログラム割込み（例外割込み）	オーバフロー，アンダフロー，不正命令コード実行，0による除算，アドレス指定エラー，記憶保護違反
	制御プログラム呼出し割込み（スーパバイザコール）	入出力操作要求，タスク切替え，ページフォールト

割込みには優先順位が付けられ，これによって，多重割込み制御が行われる。また，プログラムの命令によって，割込みを禁止したり，割込みを意識的に発生させたりすることができる。なお割込みの状態はPSW(Program Status Word：プログラム状態語)に格納される。

割込み動作

割込みが発生すると，次の手順で処理が行われる。

① 現在実行中のプログラムのプログラムカウンタ，レジスタ群，PSW（旧PSW）をスタックに待避

② 割込み処理に対応したルーチンのPSW（新PSW）を設定

③ 割込み処理ルーチンの実行

④ 退避したプログラムカウンタ，レジスタ群，PSWを元に戻し，旧PSWを新PSWとする

⑤ 中断したプログラムの再開

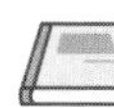

用語解説

NMI

NMI（Non-Maskable Interrupt）は，マスク不可能な割込みである。ソフトウェアでこのNMIを禁止することはできない。システムで致命的な問題が発生すると，NMI信号を有効にすることで，システムソフトウェアに異常を伝えることができる。

スーパバイザコール

スーパバイザコールは，一般のプログラムがOSの機能を使用するため，制御プログラム（OS）を呼び出したときに発生する割込みである。割込みによって，制御プログラムに制御権が移る。制御プログラムのことをスーパバイザということから，スーパバイザコールという。

PSW

PSWは，CPUの現在の種々の状態（演算状態や割込みの状態など）を示すフラグや次に実行すべき命令のアドレスを保持する専用レジスタである。

▶試験に出る

プログラムが入出力命令を発行したときは制御プログラム呼出し割込みが発生する。また，入出力の完了は，入出力割込みである。同じ入出力に関することであるが，割込みの種類が異なることに注意する。

2.1.2 プロセッサの高速化方式

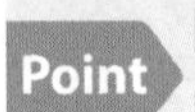

- CISCはマイクロプログラム制御，RISCは結線論理による制御
- パイプライン制御は，プロセッサの高速化技術の1つ

VLSI
Very Large Scale Integration（超LSI）。VLSIは，IC（集積回路）のうち，素子の集積度が10万～1,000万個程度のもの（明確な定義はない）を指す。ただし，特に素子の数を特定せず，単に先端的な半導体技術や製品を指すこともある。

CISCの基本的なアーキテクチャは，マイクロプログラム制御であるが，結線論理も基本的な共通処理部分では使用している。

結線論理
結線論理は，命令の基本動作に対応した固定配線（論理回路）を用意し，命令の解読結果に従って部分動作をする回路を順次呼び出して1つの命令を実行する方式である。複雑な命令の実行には適さないが，加減算などの単純な命令を高速に実行することができる。

プロセッサの開発のアプローチに，CISCとRISCがある。いずれも，VLSIを搭載し，高速化を狙った方式である。

● CISC

CISC（Complex Instruction Set Computer）は，複雑な命令をVLSIでワンチップ化することで，アーキテクチャは複雑になっても，全体として高速化を図ろうとする方式である。VLSIに収められた命令群を，マイクロプログラム（ストアドロジック）という。

マイクロプログラム制御では，一部の基本的な命令のみを結線論理で実現し，複雑な部分をマイクロプログラムで実現する。

● RISC

RISC（Reduced Instruction Set Computer）は，命令セットを使用頻度の高い基本的な簡易命令だけにとどめ，各命令の実行時間を向上させようとする方式である。命令セットの数を減らすことで，ハードウェアを単純化し，処理速度の向上を図っている。

RISCでは1命令の長さを固定長とし，さらに，1命令の実行時間を一定にすることを重視している。単一サイクルで1命令を実行するため，結線論理（ワイヤードロジック，布線論理，配線論理）が用いられている。単純な命令だけで構成されるため，プログラムの容量がCISCより大きくなることが多く，コンパイラの最適化技術が重要である。

比較項目	CISC	RISC
構　造	複　雑	単　純
命令の種類	多　い	少ない
1命令の実行時間	遅　い	速　い
制御方法	マイクロプログラム	結線論理

パイプライン制御

パイプライン制御は，プロセッサ内部において複数の命令をオーバラップさせて実行させることで，見掛け上の実行速度を向上させる方式である。

命令の実行過程を幾つかの基本操作（ステージ）に分け，各ステージの実行速度を同じにすれば，次の命令と前の命令を 1 ステージずつずらして実行できる。このため，各ステージを実行するための装置は必要になるが，処理速度は大幅に向上する。なお，各ステージの実行時間をピッチという。

以下は，6 ステージ（深さ6）に分けた例である。

IF	ID	OA	OF	EX	RS		
	IF	ID	OA	OF	EX	RS	
		IF	ID	OA	OF	EX	RS

IF：命令取出し
ID：命令解読
OA：オペランドアドレス計算
OF：オペランド取出し
EX：実行
RS：実行結果格納

スーパスカラ方式

スーパスカラ方式は，パイプラインを複数もち，命令を同時並行的に行う仕組みである。

IF	ID	OA	OF	EX	RS	
IF	ID	OA	OF	EX	RS	
	IF	ID	OA	OF	EX	RS
	IF	ID	OA	OF	EX	RS

スーパパイプライン方式

スーパパイプライン方式は，パイプライン方式における各ステージをさらに複数のステージに分けた仕組みである。

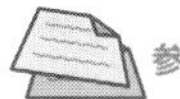

参考

パイプラインでは，条件分岐命令が現れると，プロセッサは分岐しそうかどうか予測し（分岐予測），即座に決定した方の実行を開始する。ただし，その予測があとで間違っていたことがわかると，分岐命令以降の処理結果は全て捨てる。
このような方式を，投機実行という。

間違えやすい

CPUのパイプライン処理を有効に機能させるためには，分岐命令を少なくするのがよい。なお，関数呼出しは分岐命令を含んでいないように見えるが，関数に分岐するので，分岐命令を含んでいる。

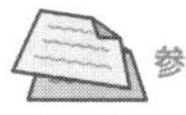

参考

パイプラインハザード
各命令間に依存性があるとき，資源の競合や，分岐命令によって命令の流れが変更されたときなどに，パイプライン制御が有効に機能しない状態をいう。

先回り制御
先回り制御は，ある命令の実行中に使用しない装置や回路があれば，次の命令の操作を始め，命令を重複させていく方式である。この方式により，個々の回路の速度を向上させなくても，実効的な演算速度を向上させることができる。

2.1.3 マルチプロセッサ

Point
- コンピュータアーキテクチャにはSISD，SIMD，MISD，MIMD
- マルチプロセッサシステムにはTCMPとLCMP

マルチプロセッサシステム(多重プロセッサシステム)は，複数のプロセッサが主記憶や補助記憶を共有し，ジョブを分担して並列的に処理するシステム構成である。

● M.Flynnの分類

スタンフォード大学のM.Flynn(フリン)は，コンピュータの命令の流れとデータの流れに着目して，コンピュータアーキテクチャをSISD，SIMD，MISD，MIMDに分類した。

略語	説明
シスド SISD	Single Instruction Single Data stream（逐次処理） ノイマン型コンピュータ
シムド SIMD	Single Instruction Multiple Data stream（並列処理） 1命令で複数データを処理。アレイプロセッサなど
ミスド MISD	Multiple Instruction Single Data stream 単一データを複数命令で処理。パイプライン
ミムド MIMD	Multiple Instruction Multiple Data stream 複数データを複数命令で処理。マルチプロセッサなど

● 密結合マルチプロセッサ

密結合マルチプロセッサ(Tightly Coupled MultiProcessor: TCMP)は，複数のプロセッサが主記憶やOS，ディスクなどの資源を共有し，互いに同期をとりながら処理を進めていくシステム構成である。

● 疎結合マルチプロセッサ

疎結合マルチプロセッサ(Loosely Coupled MultiProcessor: LCMP)は，複数のコンピュータシステムをLANやWANで接続したシステム構成である。

量子力学の現象を利用して並列計算を実現するコンピュータを量子コンピュータという。従来型のコンピュータより短時間で問題が解ける可能性があるため，多くの分野での活用が期待されている。量子コンピュータの実現方式は，量子ゲート方式と量子アニーリング方式に大別できる。

量子ゲート方式
量子ゲート方式は，従来型のコンピュータの上位互換として期待されており，論理回路（量子ゲート）と計算回路（電子回路）で構成され，複数の状態を同時に表現する量子ビットという情報と，その重ね合わせを利用することにより演算を行う。

量子アニーリング方式
量子アニーリング方式は，アニーリング（焼きなまし法）というアルゴリズムを処理に利用した量子コンピュータの方式である。

密結合マルチプロセッサでは，プロセッサ数が増えると，主記憶の競合により，並列処理の効率は低下する。一方，疎結合マルチプロセッサは単独のコンピュータシステムをネットワークで結合したもので，OSは異なってもよい。

●マルチプロセッサの隘路(あいろ)

マルチプロセッサ方式による並列処理では，プロセッサの数が増えるに従って性能は向上する。ただし，プロセッサの数と処理性能は，完全に比例するわけではない。共有資源のアクセスでは，待ち行列ができ，並列処理を完全に行うことができない場合もある。このような部分を，高速化に対するボトルネックという。

マルチプロセッサ方式による並列処理を行ったとき，使用するプロセッサの数と期待できる性能（処理時間の逆数）との一般的な関係は，次のようになる。

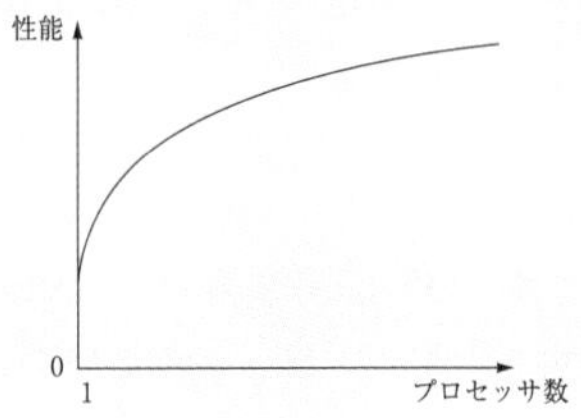

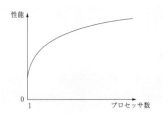

●対称型マルチプロセッシングと非対称型マルチプロセッシング

対称型マルチプロセッシング（Symmetrical Multi-Processing：SMP）は，複数のプロセッサを同時に利用して並列処理を行うマルチプロセッサの方式である。密結合マルチプロセッサ（TCMP）において，複数のプロセッサを同格に扱い動作させる。複数のプロセッサで同じ1つのメモリ空間を使用し，それぞれ情報を共有できるように設計されている。これにより，プロセッサはそれぞれほかのプロセッサと全く同様の処理を行うことが可能となり，処理能力や耐障害性などの向上を図ることができる。

非対称型マルチプロセッシング（Asymmetric Multi-Processing：AMP）は，複数のプロセッサをもつシステムの中で，OSのカーネルを実行するプロセッサとアプリケーションを実行するプロセッサのように，各プロセッサに役割を与えるマルチプロセッサの方式である。プロセッサごとに仕様や性能が異なり，動作するOSまで異なることもある。このため，全体を管理するためのプロセッサを構成に含めるのが一般的である。

ボトルネックが発生する理由の具体例として，①複数のプロセッサからの主記憶の使用要求の競合の発生，②データベースへの同時アクセスなどによるロックの発生などがある。

アムダールの法則

アムダールの法則は，並列計算を行うプログラムを複数のプロセッサ（CPU）で処理した場合の性能向上比（E）を，プログラムの並列可能部分の割合（r）とCPU数（n）を使って次の式によって示したものである。

$$E = \frac{1}{1 - r + r / n}$$

アムダールの法則から，CPUの数を2倍にしても，性能は2倍にならないと分かる。また，プログラムの95％を並列化しても5％は並列処理ができないので，並列化による性能向上比は，プログラムの逐次処理部分によって制限される。

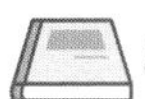

カーネル

カーネルは，OSの基本機能を実装したソフトウェアである。OSの中核部分として，アプリケーションや周辺機器の監視，ディスクやメモリなどの資源の管理，割込み処理，プロセス間通信などを行う。また，機能追加や周辺機器の制御ソフトウェア（ドライバ）などをモジュール化して，あとから追加できるようになっている。

2.1.4 論理回路

■ AND 回路は論理積，OR 回路は論理和を実現
■ 2 進数の加算には半加算器と全加算器を使用

論理回路は，コンピュータなどのディジタル信号を扱う機器において，論理演算を行う電子回路である。論理回路を構成する上での基本的な論理素子には，AND 回路，OR 回路，NOT 回路の3 つの基本論理回路がある。

▶試験に出る
技術者試験では，問題冊子の表紙裏に回路図の説明があるので覚えておく必要はない。しかし，覚えておいた方が問題を素早く解答できる。AND 回路，OR 回路，NOT 回路，XOR 回路の 4 つと，小さな○が論理否定を示すことを知っておけばよい。

●基本論理回路と XOR 回路

基本論理回路の AND 回路は論理積，OR 回路は論理和，NOT 回路は論理否定を実現する回路である。また，基本論理回路ではないが，排他的論理和を実現する XOR 回路も使われる。

以下，代表的な論理回路記号を示す。

	論理積素子（AND）
	否定論理積素子（NAND）
	論理和素子（OR）
	否定論理和素子（NOR）
	排他的論理和素子（XOR）
	論理否定素子（NOT）

●加算器

加算器は，2 進数の和を求める回路である。下位からの桁上がりを考慮しない半加算器（Half Adder：HA），下位桁からの桁上がりを考慮する全加算器（Full Adder：FA）から構成される。半加算器は，下位からの桁上がりを考慮しないので，最下位ビットの加算に使用される。また，全加算器は，最下位ビット以外のビットの加算に使用される。

次は，3 桁の加算を行う加算器の例である。

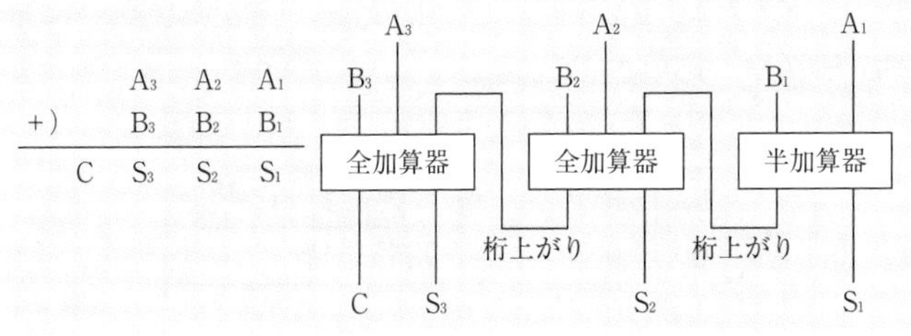

次は，半加算器の回路図の例と表記法である。2 進数 1 ビットの演算は桁上がり（C）が論理積，加算結果（S）は排他的論理和である。

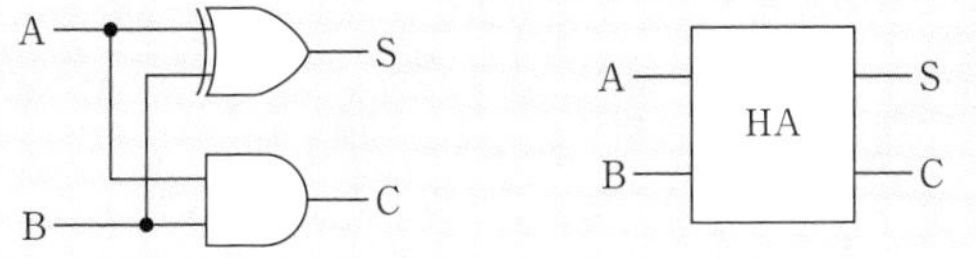

また，次は，全加算器の回路図と表記法である。

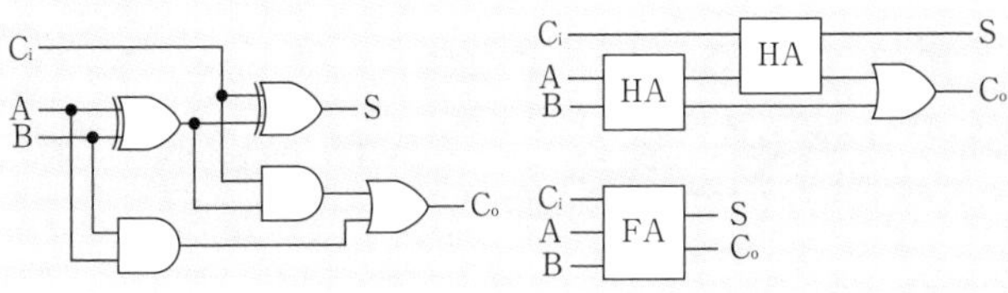

フリップフロップ

フリップフロップは，“0”と“1”の 2 つの安定状態をもつ電子回路で，1 ビットの情報を保持できる。加える信号によって 2 つの状態が交互に変化するようにできている。大規模な電子回路を構成する基本的な素子で，SRAM やマイクロプロセッサ内部のレジスタなどの記憶回路に使われる。

フリップフロップには幾つかの種類があり，次は，RS フリップフロップの回路図である。RS は，R（Reset），S（Set）の 2 入力の信号名に由来する。RS フリップフロップは，次表で示す真理値表になる論理回路である。入力 S，R が同時に 1 になることはなく，いずれか一方が 1 になると，対応する出力 Q か $\overline{Q}$ が 1 になる。また，入力が 0 であれば出力は変わらない。すなわち，2 つの安定状態をもつ論理回路である。この性質を利用し，1 個

参考

半加算器の真理値表は，次のようになる。A，B は入力，S は和，C は桁上がりである。

A	B	C	S
0	0	0	0
0	1	0	1
1	0	0	1
1	1	1	0

また，全加算器の真理値表は，次のようになる。C_i は下位桁からの桁上げ，C_o は上位桁への桁上げである。

A	B	C_i	C_o	S
0	0	0	0	0
0	0	1	0	1
0	1	0	0	1
0	1	1	1	0
1	0	0	0	1
1	0	1	1	0
1	1	0	1	0
1	1	1	1	1

のフリップフロップ回路で 1 ビットのデータを記憶する。この原理が SRAM に応用されている。

入力		出力	
S	R	Q	$\overline{Q}$
0	0	現状維持	
1	0	1	0
0	1	0	1
1	1	不定	

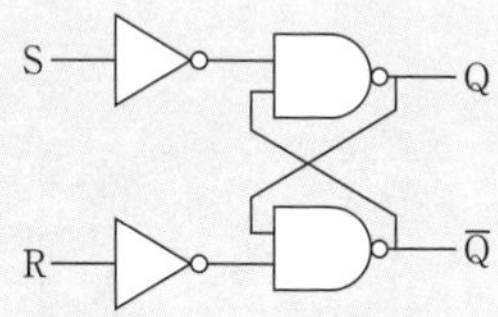

●論理回路の問題の例

図の論理回路と等価な回路をア～エから選ぶことを検討する。

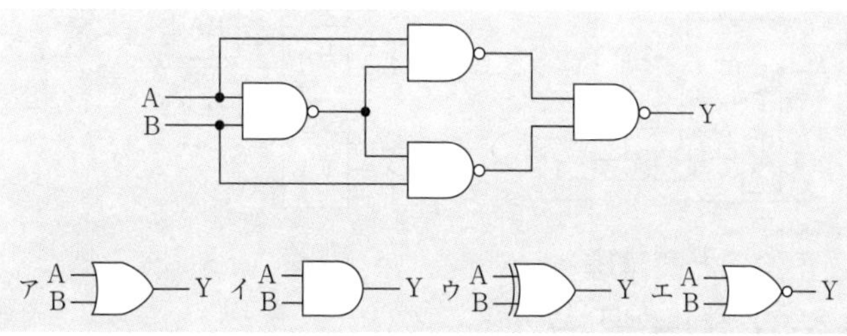

問題の図で用いられている論理演算記号は AND 回路の出力に○が付与されているので AND の否定，すなわち，NAND 回路である。論理変数 A，B の NAND は $\overline{A \cdot B}$ で，ド・モルガンの法則により，次のように変形することができる。

$\overline{A \cdot B} = \overline{A} + \overline{B}$

さらに，説明のため，次のように，各論理回路の出力に①～④の番号を付ける。

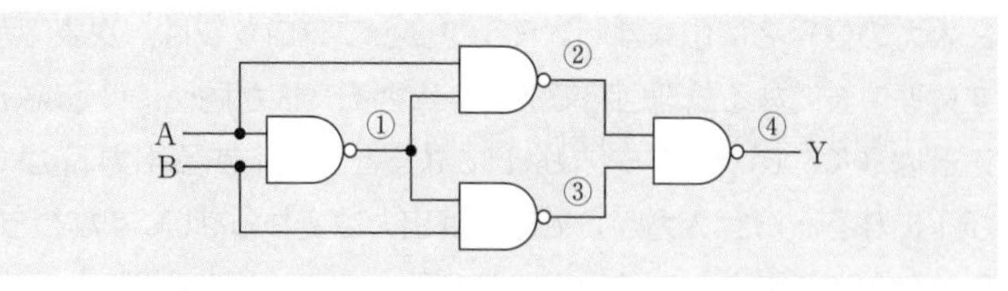

▶試験に出る

回路図の入力の組合せから，出力の内容を答えさせる問題が多い。例えば，問題例で取り上げたような回路図で，入力 A，B が (1，0) のとき，出力 Y の値を答えさせるという問題である。複雑な回路図が多いので，本文で示したように，各論理回路の出力の値を 1 つひとつ，数え上げていくとよい。

$$①=\overline{A \cdot B}$$

$$②=\overline{A \cdot ①}=\overline{A \cdot (\overline{A \cdot B})}=\overline{A}+(\overline{\overline{A \cdot B}})=\overline{A}+(A \cdot B)$$

$$=(\overline{A}+A) \cdot (\overline{A}+B) \quad (\text{分配法則})$$

$$=\overline{A}+B$$

$$③=\overline{B \cdot ①}=\overline{B \cdot (\overline{A \cdot B})}=\overline{B}+(\overline{\overline{A \cdot B}})=\overline{B}+(A \cdot B)$$

$$=(A+\overline{B}) \cdot (B+\overline{B}) \quad (\text{分配法則})$$

$$=A+\overline{B}$$

$$④=\overline{② \cdot ③}=\overline{(\overline{A}+B) \cdot (A+\overline{B})}=(\overline{\overline{A}+B})+(\overline{A+\overline{B}})$$

$$=(A \cdot \overline{B})+(\overline{A} \cdot B)$$

$$=A \cdot \overline{B}+\overline{A} \cdot B$$

④の論理式は，排他的論理和なので，「ウ」に等しい。

④の論理式が排他的論理和であることがわからなければ，次のようにして，論理変数 A，B の全ての組合せについて 1 つひとつ確認する。

A	B	①= A NAND B	②= A NAND ①	③= B NAND ①	④= ② NAND ③
0	0	1	1	1	0
0	1	1	1	0	1
1	0	1	0	1	1
1	1	0	1	1	0

●正論理と負論理

正論理と負論理は，ディジタル回路の表現で，2 進数をどう取り扱うかを示したものである。ディジタル回路では，電圧の高い状態 “H” と電圧の低い状態 “L” の 2 つの状態で回路を構成する。例えば，TTL という回路の場合，動作電圧は DC（直流）5V である。このとき，電圧の高い状態 “H” を＋ 5V，電圧の低い状態 “L” を 0V として動作する。

正論理（ハイアクティブ）は，論理回路で電圧の高い方に 1（真），低い方に 0（偽）を対応させることである。一般的なデータ回路などの設計において利用される。一方，負論理（ローアクティブ）は，電圧の高い方に 0，低い方に 1 を対応させることである。割込み制御用信号線などの設計において利用される。

参考

排他的論理和の論理式は，本文に示した式以外に次のような式がある。なお，“⊕” は，排他的論理和の記号である。

$$x \oplus y$$
$$=(x+y) \cdot (\overline{x}+\overline{y})$$
$$=(x+y) \cdot (\overline{x \cdot y})$$

用語解説

TTL

Transistor and Transistor Logic。半導体を用いた論理回路の1つで，コンピュータ，産業用制御機械，測定機器，家電製品，シンセサイザなど，様々な用途で使われている。

▶試験に出る

回路図の問題の出題は多い。本文の例題のように，論理演算を知らないと解答できない問題が多い。ド・モルガンの法則，論理積，論理和，論理否定，排他的論理和は確実に頭に入れておく。また，吸収法則も覚えておくと役に立つ。

チェック!　よく出る午前問題で基本事項を確認

日付・正解 Check　／　／　／

問題 1　[応用情報技術者試験 2018 年春期午前 問 9]　難易度 ★　出題頻度 ★★★

複数のデータに対して1個の命令で同一の操作を同時並列に行う方式で，マルチメディアデータなどを扱うCPUに採用されているものはどれか。

ア　MIMD　　イ　MISD　　ウ　SIMD　　エ　SISD

問題 2　[応用情報技術者試験 2016 年秋期午前 問 8]　難易度 ★★　出題頻度 ★★★

全ての命令が5ステージで完了するように設計された，パイプライン制御のコンピュータがある。20命令を実行するには何サイクル必要となるか。ここで，全ての命令は途中で停止することなく実行でき，パイプラインの各ステージは1サイクルで動作を完了するものとする。

ア　20　　イ　21　　ウ　24　　エ　25

解説 1

ア　MIMD（複数命令，複数データ処理）は，複数の独立した命令が，異なるデータを処理するコンピュータである。並列処理が可能なマルチプロセッサシステムが該当する。

イ　MISD（複数命令，単一データ処理）は，1つのデータを複数の命令が同時に処理するコンピュータである。パイプライン制御が可能なコンピュータが該当する。

ウ　SIMD（単一命令，複数データ処理）は，1つの命令で複数のデータを同時処理するコンピュータである。ベクトルプロセッサ（アレイプロセッサ）など，並列処理が可能なコンピュータが該当する。

エ　SISD（単一命令，単一データ処理）は，逐次処理のコンピュータである。ノイマン型コンピュータが該当する。

正解：ウ

解説 2

パイプライン制御は，CPUの高速化技術の一つで，命令の実行段階を幾つかのステージに細分化し，各ステージを一つずつずらして実行する方式である。“全ての命令は途中で停止することなく実行でき”というのは，命令が全て逐次的に実行されることを意味する。すなわち，分岐命令がないということである。

パイプライン制御においては，最初の命令は５ステージの実行時間を考慮する必要があるが，２命令目以降の１９命令は，１ステージずつずらすので１ステージの実行時間だけを考慮すればよい。すなわち，全部で１９ステージ（サイクル）を実行する時間となる。

20命令の実行サイクル＝ 5 ＋ 19 ＝ **24**（サイクル）

10番目までの命令について，具体的に確認しておく。

１番目の命令	1	2	3	4	5									
２番目の命令		1	2	3	4	5								
３番目の命令			1	2	3	4	5							
４番目の命令				1	2	3	4	5						
５番目の命令					1	2	3	4	5					
６番目の命令						1	2	3	4	5				
７番目の命令							1	2	3	4	5			
８番目の命令								1	2	3	4	5		
９番目の命令									1	2	3	4	5	
10番目の命令										1	2	3	4	5
サイクル	1	2	3	4	5	6	7	8	9	10	11	12	13	14

図から分かるように，最初の命令では５ステージ分の実行時間を考慮するが，２番目以降の命令は，１ステージ（サイクル）分の実行時間を考慮すればよいことが分かる。

正解：ウ

2.2 メモリアーキテクチャ

メモリアーキテクチャは，低速ではあるが安価で大容量の記憶装置と，高価で小容量ではあるが高速の記憶装置を組み合わせ，見掛け上，高速で大容量の記憶装置を実現する技術である。

2.2.1 情報素子

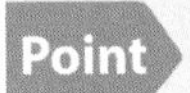

- 半導体メモリにはROMとRAMの2つ
- DRAMは主記憶，SRAMはキャッシュメモリに使用

参考

光を利用した記憶媒体を光メモリという。
光メモリは，レーザ光を利用して記録や再生（読込み）を行う。磁性体メモリと同様，大容量であることを利用して，補助記憶装置として使われる。CD-ROM，DVD，ブルーレイディスクなどの光ディスクが光メモリの例である。

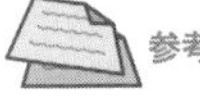

参考

フラッシュメモリには，NAND型とNOR型がある。NAND型は，データの書込みと読出しはページ（複数ビット）単位，削除はブロック（複数ページ）単位で行われる。NOR型は，ビット単位のランダムアクセスが可能であるが，書込み速度が遅く，高集積化に不向きである。

情報素子は，コンピュータの記憶装置を構成する最小の部品である。半導体や磁性体，光などを利用した記憶媒体がある。

●半導体メモリ

半導体メモリは，半導体回路で構成された記憶装置で，読出し専用のROMと読み書き可能なRAMがある。

ROM（ロム）

ROM（Read Only Memory）は読出し専用のメモリで，あらかじめデータを書き込んでおき，それを回路に組み込んで使用する。電源を切断しても記憶が失われない。このような性質を，不揮発性という。

種　類	説　明
マスクROM	Masked ROM 製造時点で記憶（以降の書換えは不可）
PROM（ピーロム）	Programmable ROM 使用者が最初に書込む（以降の書換えは不可）
EPROM（イーピーロム）	Erasable and PROM 一括消去と書換えが可能（紫外線で消去）
EEPROM（イーイーピーロム/ダブルイーピーロム）	Electrically EPROM。E2PROM（イーツーピーロム）と記す場合もある。 一括消去後，書換えが可能（電気的に消去）
フラッシュメモリ	一括またはブロック単位で消去や書換えが可能

RAM

RAM（Random Access Memory）は，自由に内容を変更できるメモリである。ほとんどのものが電源がないと記憶の維持ができない。このような性質を，揮発性という。動作原理によってバイポーラ型とMOS型(Metal Oxide Semiconductor)に分類される。MOS型のうち，現在多く用いられているのがCMOS（Complementary MOS）である。また，バイポーラとMOSの両方の特長を活かしたBiCMOSもある。

比較項目	動作速度	雑音の影響	集積度	ビット単価	用途
MOS	低速	小	高	安価	主記憶
バイポーラ	高速	大	低	高価	キャッシュ

さらに，RAMの構造から，SRAM(Static RAM)とDRAM(Dynamic RAM)に分類される。

SRAMにはバイポーラ型とMOS型があり，バイポーラ型はその高速性を利用して，キャッシュメモリに使用される。フリップフロップで構成され，複数個のトランジスタを組み合わせて1ビットを表現するため，集積度は低い。MOS型のSRAMは，高速で消費電力が少ないという特徴を利用して，バッテリで動作するような機器に用いられている。

DRAMはMOS型で，高集積度を利用して主記憶に用いられる。1つの素子で1ビットを表現するため集積度は高い。しかし，コンデンサに電荷を蓄えるという方式なので，時間が経過すると放電してしまう。そこで，状態を維持するために，一定時間（数ミリ秒）ごとに充電するためのリフレッシュ動作が必要である。

●磁性体メモリ

磁性体メモリは，磁気を利用して記録する媒体である。大容量であることを利用して，補助記憶装置として使われる。磁気ディスク，ハードディスク，磁気テープ，DAT(Digital Audio Tape recorder）などがある。

CMOSは，MOSを改良して動作速度を速くしたものである。また，BiCMOS（Bipolar Complementary Metal Oxide Semiconductor）は，1つの基板にバイポーラとCMOSの両方を使って回路を形成したものである。

参考

半導体技術の1つにSoCがある。SoC（System on a Chip）は，コンピュータの主要機能を1つのチップに詰め込むこと，あるいは，コンピュータの主要機能を搭載したチップである。

2.2.2 メモリシステムの構成

Point
- キャッシュメモリはメモリアクセスを高速化する技法
- メモリインタリーブはメモリの並列的アクセスの技法

2つの記憶装置間のアクセス速度の差を埋めるために，キャッシュと呼ばれる緩衝記憶装置を配置する技術を，キャッシングという。キャッシングにより，経済的にアクセス速度の向上を図ることができる。プロセッサと主記憶の間に置かれるのがキャッシュメモリ，主記憶と磁気ディスクの間に置かれるのがディスクキャッシュである。

●キャッシュメモリの役割

主記憶への書込みや主記憶からの読込みは，プロセッサと比較して遅い。そこで，主記憶よりも高速なキャッシュメモリを設置し，プロセッサが使用したデータや命令はキャッシュメモリへ保存し，2度目からはキャッシュメモリを参照することで，処理の高速化を図る。

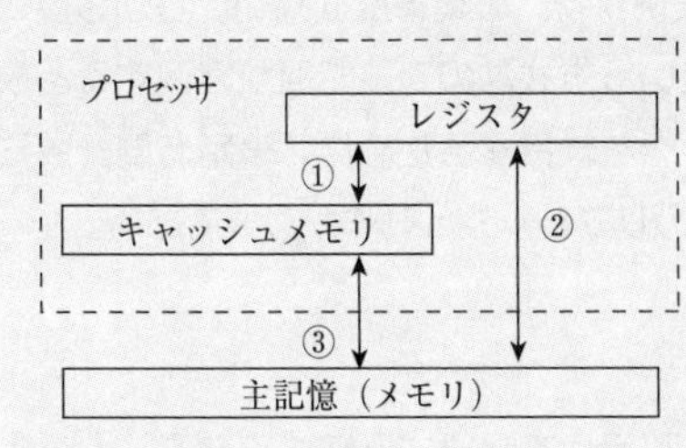

キャッシュメモリを使用していると，プログラムで主記憶への書込みを行っても，即座に主記憶に対して書込みが発生するとは限らない。主記憶への書込み方式には，ライトスルー方式，ライトバック方式がある。

間違えやすい

キャッシュメモリを，一次キャッシュと二次キャッシュと，段階的に構成することがある。一次キャッシュはプロセッサに内蔵され，二次キャッシュは，主記憶と一次キャッシュの間に配置される。

参考

通常，一次キャッシュにないデータは二次キャッシュを探しにいく。二次キャッシュになければ主記憶を探しにいく。このことから，一次キャッシュにあるデータは，二次キャッシュには必ずあり，二次キャッシュの容量は一次キャッシュの容量より大きい。一般に，CPUに近いほど，容量は小さくなる。

用語解説

ライトスルー方式
ライトスルー方式（ストアスルー方式）は，主記憶への書込みとキャッシュメモリの書込みを同時に行う方式である。

ライトバック方式
ライトバック方式（ストアイン方式，ライトイン方式）は，キャッシュメモリだけに書き込み，該当ブロックが主記憶に追い出されるときに書き込む方式である。

キャッシュメモリの割当て方式

プログラムの一部（主記憶）をキャッシュメモリに割り当てる方法に，ダイレクトマッピング方式，セットアソシアティブ方式，フルアソシアティブ方式がある。

ダイレクトマッピング方式

ダイレクトマッピング方式はハッシュ法を利用したもので，比較的簡単な構成で済むが，シノニム（衝突）が発生する確率が高いため，ヒット率はあまりよくない。格納ブロックの番号は，次式によって算出した余りを用いる。

キャッシュメモリのブロック番号位置
　＝主記憶のブロック番号÷キャッシュメモリのブロック数

セットアソシアティブ方式

セットアソシアティブ方式は，キャッシュを複数ブロック単位でまとめ（セット），セット内であればどこにも空いているブロックに格納できる方式である。次式で計算した剰余をセット番号とし，対応するセットのいずれかに格納する。

キャッシュメモリのセット位置
　＝主記憶のブロック番号÷セット数

フルアソシアティブ方式

フルアソシアティブ方式は，キャッシュメモリの任意のブロックに格納する方式である。この方式は構造は簡単であるが，探しているブロックがキャッシュメモリにあるかどうかを確認するために，大容量の連想記憶を必要とする。また，検索時間が掛かる。

平均命令実行時間

プログラムの実行時に，プログラムやデータの一部しかキャッシュメモリには格納されない。このとき，実行に必要な部分がキャッシュメモリにある確率をヒット率，キャッシュメモリにない確率をNFP（Not Found Probability）という。このヒット率やNFPを用いて，実効的な命令実行時間（平均命令実行時間，平均メモリアクセス時間）を計算できる。

次のようなコンピュータシステムにおける平均命令実行時間T

セットアソシアティブ方式において，次は，セット数が3（0～2）で1セット2ブロックで構成した例である。この場合，主記憶のブロック番号1は，1÷3の余りのセットに格納される。1÷3の余りは1なので，セット1のブロック#2か#3に格納される。

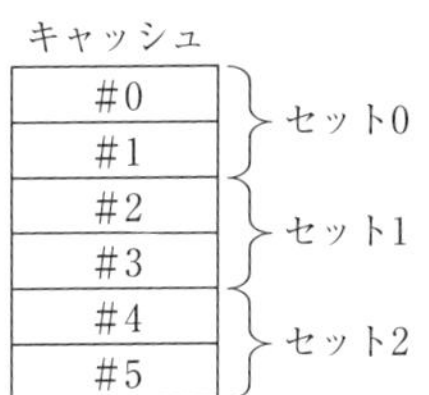

連想記憶
連想記憶は，記憶装置に記憶されているデータの位置をアドレス（番地）で示すのではなく内容で示す記憶方法である。データの情報の一部から関連した情報を取り出し，位置を探し出す。情報を連想し，位置を探し出すことからこのように呼ばれる。

は，次式で表すことができる。ただし，ヒット率をh，NFPをnとした。

T＝Tc×h＋Tm×(1－h)
　＝Tc×(1－n)＋Tm×n

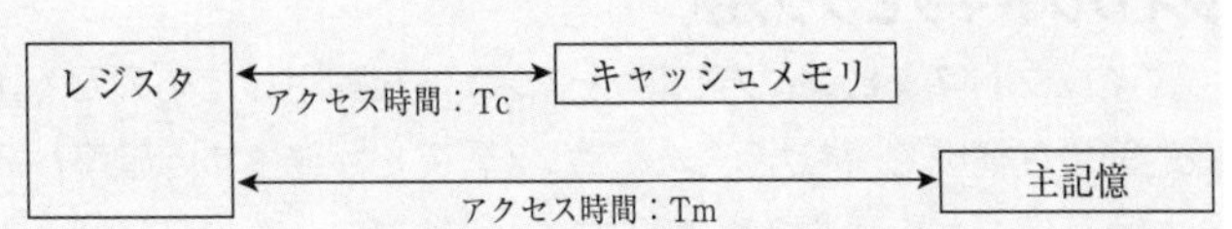

また，二次キャッシュがある場合，一次キャッシュのヒット率がα（0＜α＜1），二次キャッシュのヒット率がβ（0＜α＜1）であるとき，全体のヒット率は，次のようになる。なお，一次キャッシュにあるデータは全て二次キャッシュにもあるとする。

全体のヒット率＝α＋(1－α)×β

● メモリインタリーブ

メモリインタリーブ(インタリーブ)は，主記憶の高速化技術の一つである。主記憶をバンクという単位に分割し，連続したアドレスを割り当て，複数のバンクを同時並行的に読み書きすることで，主記憶アクセスの向上を図る。

図の例示は４バンクに分割した例である。０番地から３番地のアクセスが並行的に行われるので，インタリーブしていない場合と比べて，４倍の速度でメモリにアクセスできる。

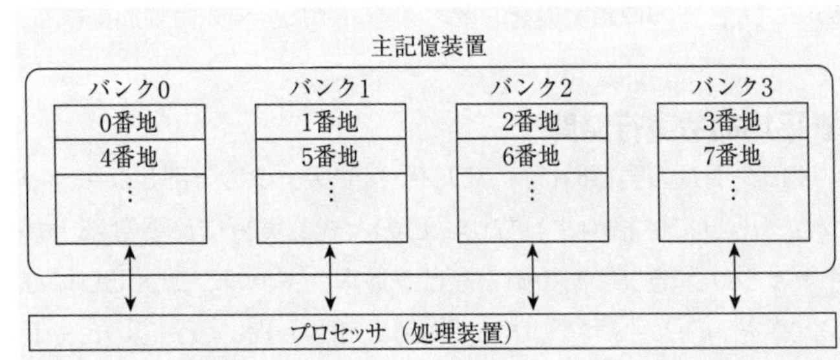

参考

本文の二次キャッシュ（L2）がある場合について，α＝0.95，β＝0.6とした場合，全体のヒット率（h）を求める。この場合，一次キャッシュ（L1）にあるデータは全てL2にもあるという前提である。L1でヒットする確率が0.95，L1でヒットしなかった場合（1－0.95＝0.05）でも，L2に0.6の確率でヒットするので，hは，次のようになる。

h＝0.95＋0.05×0.6
　＝0.98

▶試験に出る

平均命令実行時間を導出する問題が頻出している。ヒット率，NFPの意味を正確に把握しておく。また，平均命令実行時間からさらにMIPS値を計算させる出題もある。

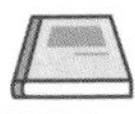
用語解説

MIPS

MIPS（Million Instructions Per Second）は，1秒間に実行できる命令数を100万（10^6）の単位で表したものである。また，平均命令実行時間の逆数がMIPSである。

2.2.3 主記憶の誤り検出方式

Point
- パリティチェックは“1”であるビットの数を調整
- ハミング符号は1ビットの誤りの訂正が可能(2ビット以上の誤りを検出)

2

主記憶に格納されているデータの誤りを検出する方法に，パリティチェックやハミング符号がある。これらの方式は条件付きではあるが誤りを検出すると同時に，誤りを訂正することもできる。このような，誤り訂正機能をもった符号を，ECC(Error Correcting Code：誤り訂正符号)という。

●パリティチェック方式

パリティチェック(奇偶検査)は，２進数符号によって記録や伝送する文字に１ビット付加し，“1”であるビットの数を奇数(奇数パリティチェック)又は偶数(偶数パリティチェック)になるように調整する方式である。

原則として，パリティチェックでは，１ビットの誤りを検出できるが，訂正はできない。次の例は，偶数パリティチェックの例である。網掛け部のデータに誤りがあり，奇偶が逆になっているので誤りがあることはわかるが，どのビットかの特定はできない。

								パリティビット	
(正)	1	0	1	1	1	1	0	1	←1のビットが6（偶数）
(誤)	1	1	1	1	1	1	0	1	←1のビットが7（奇数）

次のように，水平方向と垂直方向のパリティビットを付加すると，１ビットの誤りは検出でき，訂正もできる。網掛けの部分が誤りのあるビットである。ただし，２ビット以上誤っていると，エラーの検出はできるが，訂正はできない。次は，偶数パリティを想定している。

パリティチェック方式は，データの符号に１ビット付加して全体として１であるビットを奇数，又は偶数に統一する方式である。したがって，１ビットの誤りであれば検出できるが，２ビット誤ると奇偶が元に戻ってしまうので，誤りの検出はできない。このように，パリティチェックは，１ビットの誤りの検出を想定した方法である。

3ビット誤った場合は，誤ったビット位置にもよるが，結局，1ビット誤ったのと同じことになる。これは，2ビット誤れば奇偶が元に戻るため，誤りがないと判断できるからである。このため，1ビット誤ったのと同じ状態となり，誤りの箇所を特定できない。

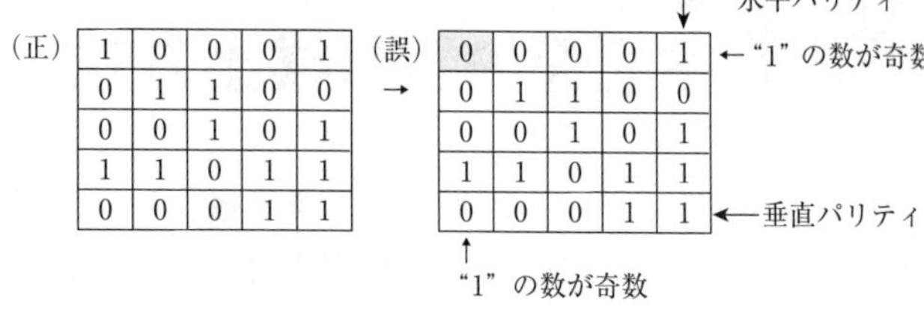

(正)

1	0	0	0	1
0	1	1	0	0
0	0	1	0	1
1	1	0	1	1
0	0	0	1	1

(誤)

0	0	0	0	1
0	1	1	0	0
0	0	1	0	1
1	1	0	1	1
0	0	0	1	1

水平パリティチェックと垂直パリティチェックを組み合わせても，2ビットの誤りは次のように2通り考えられ，誤りの箇所が特定できない。次は，偶数パリティの例である。網掛け部は，誤りのあるビットである。

0	0	0	0	1	←奇数
0	0	1	0	0	←奇数
0	0	1	0	1	
1	1	0	1	1	
0	0	0	1	1	
↑	↑				

奇数

1	1	0	0	1	←奇数
1	1	1	0	0	←奇数
0	0	1	0	1	
1	1	0	1	1	
0	0	0	1	1	
↑	↑				

奇数

パリティチェック方式と似た方式で，ビットを付加することで誤りを検出する方法に，群計数チェック（Block Check Sequence：BCS）がある。ブロックごとにその水平方向に1のビットの数を2進数にしたものを付加して送信する。一般には，2進数の下位2ビットを使う。

●ハミング符号

ハミング符号は，情報ビットに冗長ビットを付加したものである。一般に，ハミング符号は，1ビットの誤りの訂正が可能で，2ビット以上の誤りを検出することができる。ハミング符号では，一定の情報ビットに，それに応じた冗長ビットを付加するが，誤りの有無と位置がわかるように冗長ビットを付加する。

例えば，情報ビット4ビット，誤り検出ビット3ビットでは，次のようにする。

情報ビット4ビットをX_3，X_5，X_6，X_7，パリティビットをP_1，P_2，P_4として，次のようにデータを構成する。

P_1	P_2	X_3	P_4	X_5	X_6	X_7

誤りの検出に，（P_1，X_3，X_5，X_7），（P_2，X_3，X_6，X_7），（P_4，X_5，X_6，X_7）という組合せでパリティチェックを行い，偶数パリティとなるようにパリティのビットを定める。偶数パリティなので，各ビットの組合せの排他的論理和が0となる。あるいは全

ビットの値を加算した結果を2で割った余りが0ということでも同じである。

すなわち，次の式が成立する。"⊕"は排他的論理和の記号，mod(a,2)は，aを2で割った余りを示す。

$(P_1 \oplus X_3 \oplus X_5 \oplus X_7) = 0$　　$mod((P_1 + X_3 + X_5 + X_7), 2) = 0$

$(P_2 \oplus X_3 \oplus X_6 \oplus X_7) = 0$　　$mod((P_2 + X_3 + X_6 + X_7), 2) = 0$

$(P_4 \oplus X_5 \oplus X_6 \oplus X_7) = 0$　　$mod((P_4 + X_5 + X_6 + X_7), 2) = 0$

例えば，本来"0111100"というデータを"01<u>0</u>1100"と誤った場合を想定する。検査結果は，同一行の各4ビットの排他的論理和，又は，ビット値の合計を2で割った余りである。

ビット位置	P_1	P_2	X_3	P_4	X_5	X_6	X_7	検査結果
入力	0	1	0	1	1	0	0	
P_1, X_3, X_5, X_7	0	—	0	—	1	—	0	1
P_2, X_3, X_6, X_7	—	1	0	—	—	0	0	1
P_4, X_5, X_6, X_7	—	—	—	1	1	0	0	0

本来，偶数パリティとなるようにチェックビットが定められているので，検査結果のビットは全て"0"にならないといけないが，ビットが誤ったため，検査結果のビットの一部が"1"になっている。そこで，検査結果を下から取り出して，次のように2進数を10進数に変換する。

$(011)_2 = 0 \times 2^2 + 1 \times 2^1 + 1 \times 2^0 = (3)_{10}$

この結果，左から3ビット目が誤っていると判断する。

一般にハミング符号は，ある整数mに対し，次のように符号長と情報数を構成する。

符号長：$n = 2^m - 1$

情報数：$k = n - m$

ここで，情報数は元のデータのビット数，符号長は生成される符号のビット数である。例えば，m＝3の場合，n＝7，k＝4となり，4ビットのビット列を7ビットの符号語に置き換えるハミング符号が形成される。この場合を(7,4)ハミング符号という。

▶間違えやすい

"0111100"→"01<u>0</u>1100"
これは，X_3が(P_1,<u>X_3</u>,X_5,X_7)と(P_2,<u>X_3</u>,X_6,X_7)の2つの式に共通に含まれているので，これらの2つの式のパリティが奇数になる。このため，X_3は誤っていると判断する。
本文の例の場合，X_3とX_7は2つの式にあるがX_7は3つの式にあり，1つの式の検査結果は0になることからX_7は誤っていないと判断できる。

▶間違えやすい

本文中の表のビットの組合せの順序に気をつける。上から，(P_1，X_3，X_5，X_7)，(P_2，X_3，X_6，X_7)，(P_4，X_5，X_6，X_7)の順序でないと，誤ったビット位置の計算結果が異なる。

▶試験に出る

ハミング符号についての出題が多い。ただし，ハミング符号についての知識だけを問うより，論理演算の知識を併せて問う問題となっている。例えば，どのビットが誤っているかを具体的に答えさせる問題である。

チェック!　よく出る午前問題で基本事項を確認

日付・正解 Check　／　／　／

問題　[応用情報技術者試験 2016年秋期午前 問10]　難易度 ★　出題頻度 ★★★

メモリインタリーブの目的として，適切なものはどれか。

ア　同一のバンクに連続してアクセスしたとき，アクセス時間を短くする。
イ　同一のバンクの連続したアドレスにアクセスしたとき，キャッシュミス発生時のアクセス時間を短くする。
ウ　一つのバンクが故障しても，システムが停止しないようにする。
エ　複数のバンクに割り振った連続したアドレスにアクセスしたとき，アクセス時間を短くする。

解説

メモリインタリーブ（インタリーブ）は，主記憶アクセスの高速化の技法の一つである。主記憶を複数個用意し（各々をバンクという），アドレスを全バンクにわたり図で示すように割り付け，例えば，命令は第1バンクに記憶させ，データは第2バンクに記憶させておく。メモリインタリーブは，このように記憶されたプログラムとデータを1アクセスで読出しが行えるようにし，実効読出し速度を向上させるための技法である。主記憶の並列処理ともいえる高速なアクセスができる。図は，四つのバンクに分けた例である。この場合，1メモリサイクルで32バイトが同時アクセスできる。

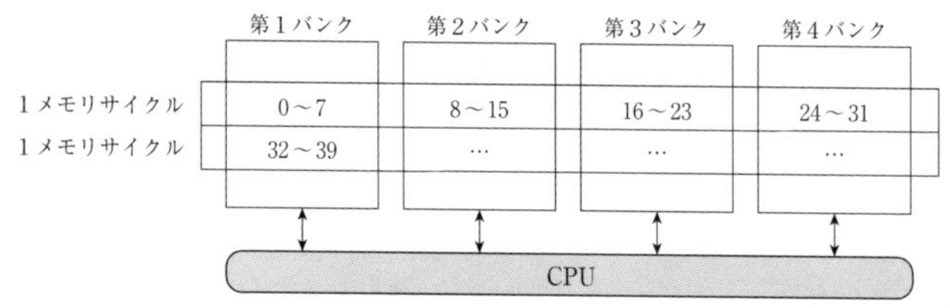

したがって，メモリインタリーブの目的は，“**複数のバンクに割り振った連続したアドレスにアクセスしたとき，アクセス時間を短くする**”である。

ア，イ　アクセス速度の向上が望めるのは，複数のバンクに並列アクセスしたときである。
ウ　データが冗長化されているわけではないので，一つのバンクが故障すればシステム障害になる。

正解：エ

2.3 入出力装置と入出力デバイス

主記憶の容量不足を補ったり，電源を切断しても記憶が失われたりしないようにするため，補助記憶装置がコンピュータに接続されている。また，コンピュータと周辺装置を接続する入出力インタフェースが提供されている。

2.3.1 RAID

Point
- RAIDは複数のディスクを一体化したディスクアレイシステム
- 現在多く普及しているのはRAID0，RAID1，RAID5

RAID（レイド）（Redundant Arrays of Inexpensive Disks）は，ハードディスクを複数台並列に並べ，それら全体を1つのディスク装置のように制御することで，入出力の高速化と信頼性の向上を図った外部記憶装置，又はその構成である。

RAIDは，ブロック単位にデータを各ハードディスクに分散して記録する。例示ではハードディスク5台に分散しているので，1/5程度の時間で入出力ができることになるが，実際には種々の制御が行われるため，単純に1/5になるわけではない。

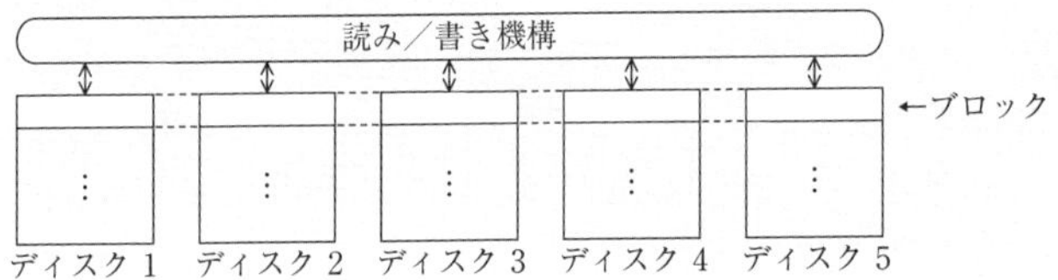

RAIDには，RAID0，RAID1，RAID2，RAID3，RAID4，RAID5などのレベルがあるが，実際に使われているのは，RAID0，RAID1，RAID5が多い。なお，レベルの高さは処理方法やデータの方式，パリティの配置などの違いを示すもので，高速性や信頼性の高さを示すものではない。

間違えやすい

RAID2，RAID3，RAID4は，パリティ用のディスクを固定した方式である。
RAID2は，ECC機構を採用しており，エラーの回復が可能である。
RAID3，RAID4は，パリティ方式を採用しており，エラーの検出が可能である。また，RAID3がデータをビット又はバイト単位で分割するのに対して，RAID4はブロック単位で分割する。

RAID0

RAID0は，複数のディスクに１つのブロックを特定サイズごとに書き込む方式である。単一の装置にアクセスが集中しないため，アクセスの高速化を図ることができる。ただし，冗長性をもたないため，信頼性は向上しない。

RAID0は，１つのブロックを単純に分割しただけで，ストライピングとも呼ばれる。

参考

ホットスペアディスク

ホットスペアディスクは，RAIDにおいて，1台以上のディスクを予備として設置するものである。RAIDの稼働時にはグループに所属せず，電源を入れた状態で待機している。ディスクの故障発生とともに故障したディスクの代替として，RAIDに組み込まれる。

RAID1

RAID1は，２台のハードディスクに同じデータを記録することで，信頼性の向上を図った構成である。データの二重化の考え方で，ミラーリングともいう。

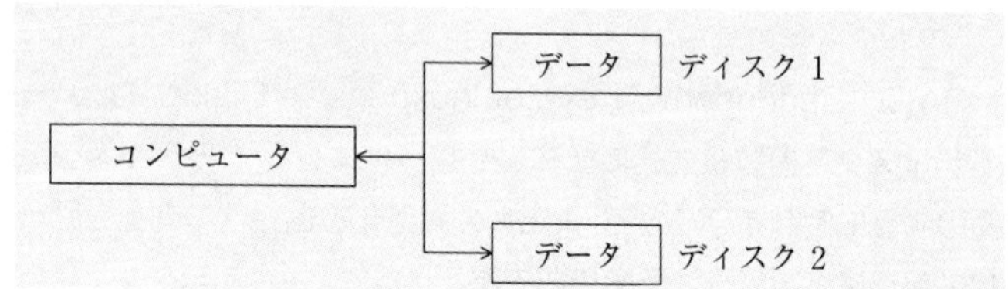

ディスクの二重化は，データの信頼性は向上するが，ディスクアクセスの高速化には結び付かない。

参考

RAIDには，RAID0とRAID1を組み合わせた，RAID0+1やRAID1+0がある。また，RAID5にもう1つ独立したパリティを付け加えたRAID6がある。RAID6では，同時に2つのディスクが故障した場合でも，データの保全が可能である。

RAID5

RAID5は，各データブロックにパリティをもたせたもので，信頼性とアクセスの高速化を図ったものである。データとパリティを別々のディスクに配置することで，１台のディスク障害が発生しても復旧ができる。RAID5はパリティをもつため，パリティ付きストライピングともいう。

次の例示において，Bはデータブロック，Pはパリティである。

ディスク 1	ディスク 2	ディスク 3	ディスク 4	ディスク 5
B1	B2	B3	B4	P1～4
B5	B6	B7	P5～8	B8
B9	B10	P9～12	B11	B12
B13	P13～16	B14	B15	B16
P17～20	B17	B18	B19	B20

参考

5台でRAID5を構成したときのディスクの使用率は，4/5＝80%である。また，4台であれば3/4＝75%である。

試験に出る

RAID0，RAID1，RAID5の特徴を問う問題が頻出している。RAID0は高速化を図った構成で信頼性向上を図ったものではないこと，RAID1は信頼性の向上を図った構成で高速化を図ったものではないことに注意する。

2.3.2 入出力インタフェース

Point
- 入出力インタフェースの方式にはシリアルとパラレルの２つ
- 入出力インタフェースの規格には USB，SCSI，SATA など

2

入出力インタフェースは，パソコンにプリンタやハードディスク装置など，周辺装置を接続し，データ転送を行うインタフェースである。

入出力インタフェースには，単一のケーブルを用いて１ビットずつ順次データを送るシリアル伝送，複数の信号線を用いて数ビットまとめてデータを送るパラレル伝送がある。

代表的な入出力インタフェースと伝送方式の対応は，次のとおりである。

伝送方式	入出力インタフェース
シリアル	USB，IEEE 1394，RS-232C，IrDA，Bluetooth，SATA
パラレル	SCSI

● USB

USB（Universal Serial Bus）は，USB ハブを介して最大 127 台まで機器をツリー状に接続することができる。USB 1.1 では，データ転送速度が 12Mbps のフルスピードモード，1.5 Mbps のロースピードモードがある。フルスピードモードではプリンタやスキャナなど，ロースピードモードではキーボードやマウスなどを接続する。また，USB 2.0 では，最大 480Mbps（ハイスピードモード）まで引き上げることができるため，高速な機器も接続可能となっている。

USB 2.0 のデータ転送方式には，アイソクロナス，バルク，インタラプトなどがある。また，拡張機能として，周辺機器同士が直接接続できる On-The-Go をサポートしている。

また，USB 3.0 では，USB 2.0 と互換性を保ったうえで，5G ビット／秒のスーパスピードモード（Gen1）が提供されている。

さらに，USB 3.1 では，最大転送速度が 10G ビット／秒のスーパスピードプラス（Gen2）が追加されている。また，Gen2 を

参考

IEEE 1394
IEEE 1394（アイトリプルイー）は，周辺機器をツリー接続で最大63台，デイジーチェーン接続で最大17台を接続できる。100Mbps，200Mbps，400Mbps などの転送速度が規格化されている。なお，現在は 3.2G ビット／秒まで高速化されている。
USB と同様，プラグアンドプレイ機能やホットプラグ機能を備えているため，機器の電源を入れたままでも抜き差しができる。

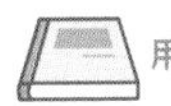
用語解説

プラグアンドプレイ
プラグアンドプレイは，周辺機器や拡張カードなどをコンピュータに接続すると，デバイスドライバの組込みと設定を自動的に行う機能である。

ホットプラグ
ホットプラグは，コンピュータや周辺機器の電源を入れたままでのプラグアンドプレイが可能となるようにした機能である。

2本束ねた20Gビット／秒のUSB 3.2も規格化されている。

プラグアンドプレイ機能や，ホットプラグ機能を備えているため，機器の電源を入れたままでも抜き差しができる。

参考

Bluetooth以外の無線インタフェースにIrDAがある。IrDA（Infrared Data Association）は，赤外線通信の標準化団体のことであるが，IrDAが定めた赤外線通信の規格も指す。

● Bluetooth

Bluetoothは，世界各国で免許なしに使える2.4GHzの周波数帯域を利用して，パソコン，周辺機器，携帯電話などと近距離無線通信を行う技術である。半径10m程度以内であれば，障害物があっても通信ができるため，室内の無線LANや携帯パソコンと携帯電話のコードレス接続などをすることができる。

● SCSI

SCSI（スカジー）（Small Computer System Interface）は，パソコンなどの小型コンピュータとハードディスク装置，光ディスク装置，レーザプリンタ，CD-ROM，イメージスキャナなどの高速データ転送を要求される周辺機器を接続するための規格である。1つのポートを介して最大15台まで芋づる式（デイジーチェーン）で接続することができる。現在，Ultra320 SCSIで，320Mbpsの転送能力をもつ。なお，SCSI-3では，シリアル転送の規格もある。

用語解説

ATA

ATA（AT Attachment）は，米国規格協会によって標準化されたIDEの正式な規格である。現在，ハードディスク以外の装置も接続する規格となっている。IDE（Integrated Drive Electronics）は，ハードディスクとパソコンを接続する入出力インタフェースである。

● SATA

SATA（サタ）（Serial ATA）は，ATAで採用されていたパラレル転送方式をシリアル転送方式に変更したものである。シンプルなケーブルでシリアル転送を行うことで高速化を実現した。現在の規格はSATA-3で，6Gビット／秒の転送速度となっている。また，外付けドライブ用にeSATA（external SATA）が規格化されている。

参考

近距離無線通信の規格に，NFCもある。NFC（Near Field Communication）は，ISO/IEC 18092で定められている国際規格で，機器同士をかざすように近づけるだけで通信ができる。通信距離は10cm程度で，100～400kビット／秒の双方向通信が可能である。導入例に，おサイフケータイ，SuicaやEdyなどの電子マネー決済などがある。

● ZigBee

ZigBee（ジグビー）は，家電向けの短距離無線通信規格の一つである。Bluetoothと似たような技術を使っているが，Bluetoothよりは低速で伝送距離も短い（最大で30m）が，省電力で低コストという利点がある。アルカリ単3乾電池2本で約2年駆動するという低消費電力が特徴で，転送速度が遅くてもかまわない家電の遠隔制御などに応用される。また，実際の製品仕様では，1つのネットワークに数百台程度の機器（理論上は2^{16}台）を接続できる。

2.3.3 補助記憶装置

- 光ディスクには再生専用型，追記型，書換え可能型の３種類
- DVD やブルーレイディスクは，大量データの保存に最適

補助記憶装置は，主記憶の容量不足を補ったり，データを運んだり，バックアップなどに使われている。ハードディスク，半導体ディスク，磁気テープ，光ディスクなど多くのものが提供されている。

光ディスク

光ディスクは，読み書きにレーザ光を利用する補助記憶装置である。大容量で，携帯性に優れているため，ソフトウェアの配布媒体，バックアップ媒体などに用いられる。また，再生専用型や追記型では，一度記録した領域に上書きができないため，データの保存媒体として最適である。

種類	入出力インタフェース
再生専用型	読込みのみ。CD-ROM，DVD-ROM
追記型	追加のみ（上書き不可）。CD-R，DVD-R，DVD+R，BD-R
書換え可能型	一括消去して上書き。CD-RW，DVD-RAM，DVD+RW，BD-RE

SSD

SSD（Solid State Drive）は，記憶装置として半導体素子メモリを用いたストレージ，特に，ディスクドライブとして扱うことができるデバイスである。半導体素子に電気的にデータを記録，読出しを行うため，極めて高速に読み書きが可能となっている。また，高速で回転する円盤（ディスク）やモータ，読み書き装置（ヘッド）などの機械部品がないため，消費電力が少なく，耐衝撃性に優れ，振動や駆動音もなく，装置の形状を小型，薄型，軽量にすることができる。

参考

補助記憶装置は，外部記憶装置ともいう。コンピュータ本体の外部に接続して，プログラムやデータなどを記録する装置ということから，このように呼ばれる。

参考

クラウドサービスで用いるストレージサービスのうち，データをオブジェクト単位で取り扱うストレージ（記憶装置）を，オブジェクトストレージという。従来のファイルやディレクトリのような階層構造ではなく，容量制限もないことなど，フラットな構造でデータアクセスに関する利便性の高さが評価されている。このため，非構造型のデータを大量に保管することができる。また，オブジェクトストレージは，更新や書き換え頻度の少ない大容量データの保管，配信に適した仕組みであり，環境データの保存や重要な研究データのアーカイブなどに活用されている。なお，ここでいうオブジェクトとは，関連性の高いひとまとまりのデータを1つの単位として扱うことをいう。

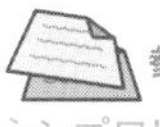

参考

シンプロビジョニング

シンプロビジョニングは，記憶装置を仮想化して管理することで，装置全体を1つの装置として利用しようとするものである。ハードディスクなどの記憶装置を1台ずつ管理するのではなく，仮想化ソフトにより複数の記憶装置をまとめて1つの装置として扱う。

参考
本文で示した補助記憶装置以外に，SD/SDHC/SDXCカードがある。大きさや容量によって幾つかに分類されている。容量では，2GBまでがSD，32GBまでがSDHC，2TBまでがSDXCである。大きさでは，SDとSDHCにはfull, mini, microの3種類，SDXCにはfull, microの2種類がある。

●DVD/BD

DVD（Digital Versatile Disk）は，動画，音声，データなどを記録できる大容量光ディスクである。家電とコンピュータに統一的な規格として構想されたもので，ディジタル動画とディジタル音声データを収録することができ，動画データで133分の記録ができる。記録方式によって違いはあるが，数Gバイト～数十Gバイトの記憶容量をもつ。

さらに，DVDより大容量データを記録できるBD（Blu-ray Disc：ブルーレイディスク）がある。DVDが5～10Gバイトであるのに対して，BDは，25～100Gバイトの容量をもつ。

チェック!　よく出る午前問題で基本事項を確認

日付・正解 Check　／　／　／

問題　[応用情報技術者試験 2015年春期午前 問11]　難易度 ★★　出題頻度 ★★★

RAID1～5の各構成は，何に基づいて区別されるか。

ア　構成する磁気ディスク装置のアクセス性能
イ　コンピュータ本体とのインタフェースの違い
ウ　データ及び冗長ビットの記録方法と記録位置との組合せ
エ　保証する信頼性のMTBF値

解説

RAID（Redundant Array of Inexpensive Disks）は，データを分割して，複数の磁気ディスク装置に対して並列にデータの読み書きを行う装置，又は，その機構である。複数台の磁気ディスクを組み合わせて，信頼性の向上，アクセス速度の向上などを目的としたディスクアレイシステムである。

RAIDには，RAID0，RAID1，RAID2，RAID3，RAID4，RAID5などがある。RAID0は冗長ビット（パリティビット）をもたないが，RAID1～5は，冗長ビットの記録方法と記録位置の組合せで区別したものである。

（1）RAID0

RAID0はストライピングとも呼ばれ，複数の磁気ディスクにデータ（ブロック）を特定サイズごとに書き込む方式である。単一の磁気ディスクにアクセスが集中しないため，入出力の高速化を図ることはできるが，冗長ビットを書き込まないので，信頼性は向上しない。

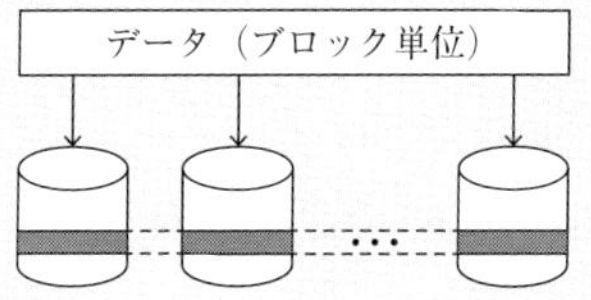

(2) RAID1

RAID1は，2台の磁気ディスクに同じデータを記録することでデータの安全性を高めた構成である。ミラーリングや二重化ともいう。一方の磁気ディスクや磁気ディスク制御装置に障害が発生すると，他方の磁気ディスクと磁気ディスク制御装置を継続使用するので，障害による停止を回避することができる。しかし，ストライピングは行わないので，処理速度は向上しない。RAID1を構成するのに，最低2台の磁気ディスクを必要とする。

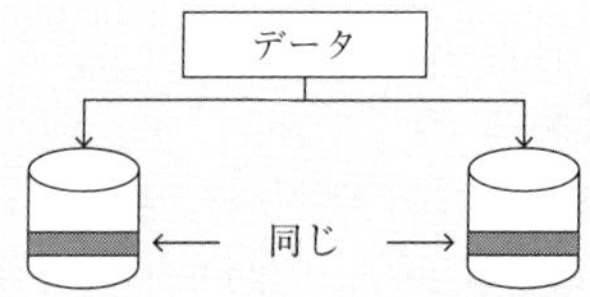

なお，RAID0とRAID1を組み合わせたRAID0＋1，RAID1＋0という構成もある。

(3) RAID2

RAID2は，データを記録する磁気ディスク以外に，ハミング符号によるチェック用磁気ディスクを割り当て，障害防止だけでなくエラーの訂正もできるようにした構成である。2台の磁気ディスクに障害があっても処理を続行できる。データはバイト又はビット単位で各磁気ディスクに分散する。しかし，エラーの訂正に必要なデータ量が本来のデータ量を上回ることがあるなど，コスト効率がよくないため，実用化されていない。RAID2を構成するのに，最低5台（2台がデータ，3台がハミング符号）の磁気ディスクを必要とする。

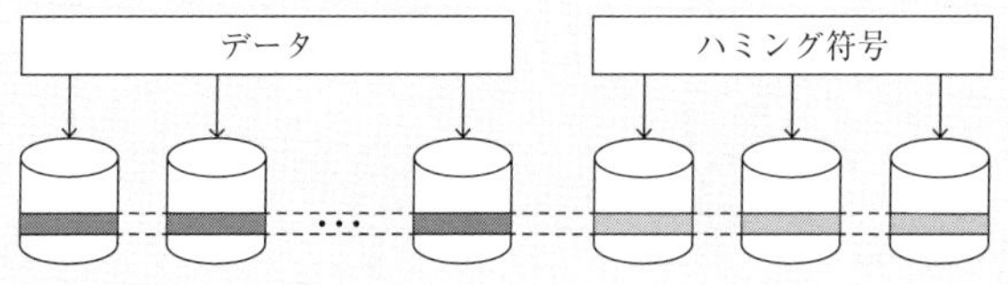

(4) RAID3

RAID3は，RAID2のエラー訂正の仕組みを簡略化したもので，エラー検出用に1台の磁気ディスクを使う。エラーの検出にはパリティチェック方式を採用しており，1台の磁気ディスクの障害であれば処理を続行することができる。

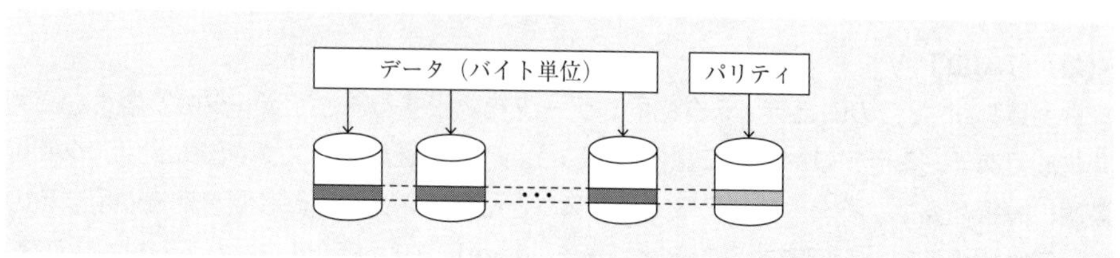

RAID3では，データをビット又はバイト単位で各磁気ディスクに分散する。磁気ディスクの並列台数が多くなっても，パリティを記録した誤り検出専用のディスクは1台で済むので，転送速度が高く，経済的であり，大容量のデータ転送に向いている。しかし，パリティを書き込むのに特定の磁気ディスクにアクセスが集中するため，書込み時の性能はよくない。かつてはサーバに多く使われていたが，現在は，RAID5に移行している。また，RAID3を構成するのに，最低3台（2台がデータ，1台がパリティ）の磁気ディスクを必要とする。

(5) RAID4

RAID4は，RAID3のストライピングの単位をブロック単位にして，アクセス速度を向上させたものである。しかし，読込み性能はデータを読み出す際にパリティによる照合を行うので，RAID0より多少の低下が起こり，書込み性能はパリティ生成が一つの磁気ディスクに集中することからかなり低下する。また，小容量のデータの読み書きはRAID3よりは高速であるが，RAID0やRAID2，RAID5と比較すると，かなり性能が低下する。このため，ほとんど利用されていない。

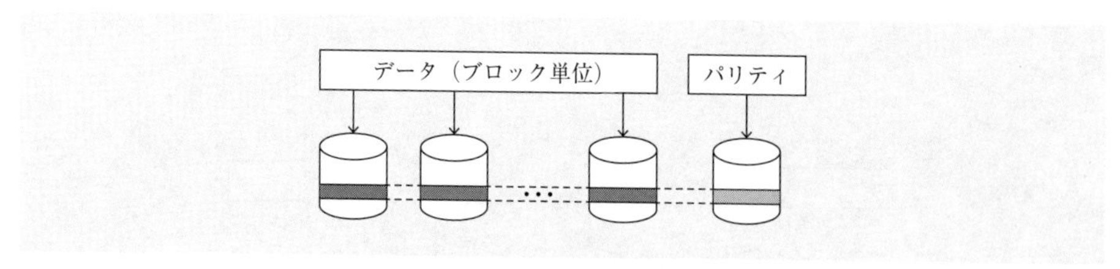

(6) RAID5

RAID5は，パリティ付きストライピングとも呼ばれ，各データブロックにパリティを分散してもたせたものである。データとパリティが別の磁気ディスクに書かれるため，1台の磁気ディスク障害があっても，処理を続行することができる。アクセス速度は，パリティの演算をするため，RAID0よりは多少の低下はあるが，RAID1より実効記録容量の割合が増加する。また，パリティが分散されるため，RAID2やRAID3，RAID4のアクセス速度よりも向上する。RAID5を構成するには，最低3台の磁気ディスクを必要とする。現在，多くのシステムに使われている。

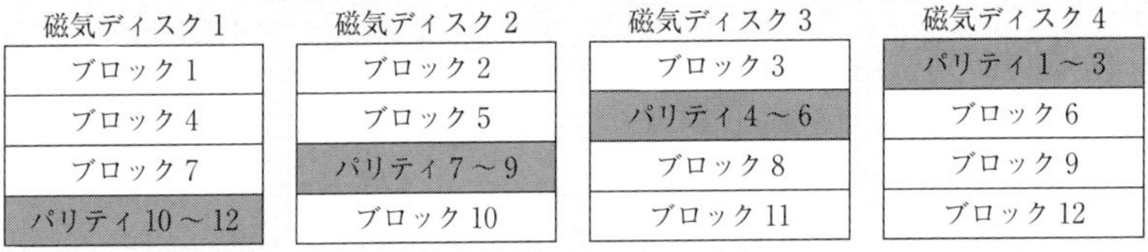

磁気ディスク 1	磁気ディスク 2	磁気ディスク 3	磁気ディスク 4
ブロック 1	ブロック 2	ブロック 3	パリティ 1 〜 3
ブロック 4	ブロック 5	パリティ 4 〜 6	ブロック 6
ブロック 7	パリティ 7 〜 9	ブロック 8	ブロック 9
パリティ 10 〜 12	ブロック 10	ブロック 11	ブロック 12

なお，パリティには，各ブロックの排他的論理和を格納する。これによって，1台の磁気ディスクに障害が発生してもデータを復元することができる。また，RAID5を拡張し，2台の磁気ディスクに障害が発生してもデータを復元できるRAID6という構成もある。

RAID5では，磁気ディスク4台の場合1/4がパリティに使用され，n台の場合1/nがパリティに使用される。図は4台の磁気ディスクでRAID5を構成しているので，磁気ディスクの使用効率は（3/4 = 0.75 =）75%である。

したがって，RAID 1 〜 5の各構成は，“**データ及び冗長ビットの記録方法と記録位置との組合せ**”に基づいて区別される。

ア　個々の磁気ディスクの性能は問わない。全体として，性能向上を図っている。

イ　コンピュータ本体との接続形態は問わない。パソコンでは，USBやsSATA接続のものがある。

エ　個々の磁気ディスクのMTBF（Mean Time Between Failure：平均故障間隔）は問わない。冗長構成をとることでMTBFの向上を図っている。

正解：ウ

演習問題

［応用情報技術者試験 2014 年秋期午後 問 4］

問題

ストレージ設計に関する次の記述を読んで，設問1～5に答えよ。

E社は，新聞社である。E社では，中期経営計画にディジタルメディアの積極的な活用を掲げており，新聞記事のWeb配信サービスの強化を検討している。具体的には，E社が過去に掲載した記事の検索サービスと，最新記事のPCやモバイル端末への配信サービスを，24時間365日提供する予定である。

新しいWeb配信サービスを支える情報システム（以下，新配信システムという）を構築するプロジェクトは，アプリケーションソフトウェア開発チームとシステム基盤チームから成る。プロジェクトリーダは情報システム部のF課長が，システム基盤チームのチームリーダはG君が担当することになった。なお，新配信システムは，ハードウェアの保守期限を考慮し，5年間運用する想定である。

〔新配信システムのシステム構成〕

利用者は新配信システムにPCやモバイル端末を用いてアクセスする。PCの場合はWebブラウザを利用し，モバイル端末の場合は専用アプリケーションソフトウェアを利用する。なお，専用アプリケーションソフトウェアは，毎時0分0秒にE社データセンタ内のサーバにアクセスし，最新記事をモバイル端末に保存する。

E社データセンタ内には，記事の検索や配信を行うアプリケーションサーバ（以下，APサーバという），記事データ（文字データや画像データ）を格納したストレージ，及び記事の検索用データ（記事タイトル，公開日時，分類情報，記事データのストレージ上のファイルパス）を格納したデータベースサーバ（以下，DBサーバという）を配置し，サービス提供を行う。新配信システムのシステム構成を図1に示す。

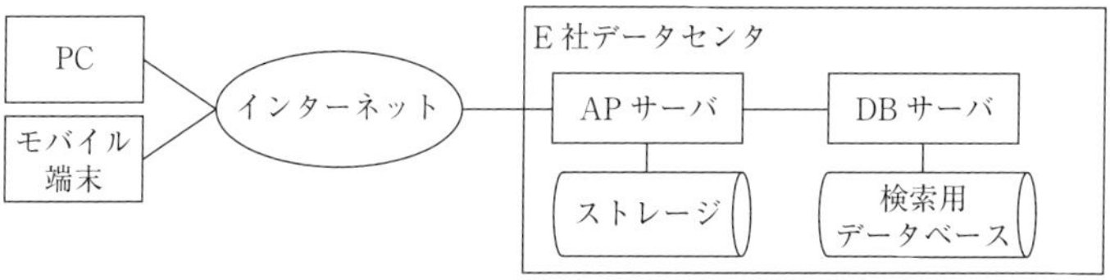

図1　新配信システムのシステム構成

PCやモバイル端末からの記事の検索要求があると，APサーバが要求を受け付けて，DBサーバを用いて記事を検索した後，検索条件に合致する記事が存在する場合には，ストレージ内に格納された記事データをPCやモバイル端末へ送信する。

〔データ量の調査〕

G君は，新配信システム稼働開始時の記事データ量と，稼働開始から想定運用期間満了までの記事データ発生量を調査した。記事データ量調査の結果を図2に示す。

稼働開始時の記事データ量	
・記事件数	900,000件
・平均データ量	100kバイト／件
稼働開始後の記事データ発生量	
・稼働開始年度の件数	20,000件
・2年目以降の増加率	20%／年
・平均データ量	稼働開始時から変化なし

図2　記事データ量調査の結果

〔性能指標とその目標値の定義〕

E社の情報システムガイドラインでは，Webシステムは，利用者が画面上のボタンを押してから，結果が全て画面に表示されるまでの［　a　］を性能指標とし，目標値を2.0秒と規定している。

しかし，新配信システムの場合は，利用者側のインターネット回線やPC，モバイル端末の性能の影響を受けるので，［　a　］を性能指標とすることは困難である。そこでG君は，APサーバが検索要求を受け付けてから検索結果の最初のデータを送信し始めるまでの［　b　］を性能指標とし，目標値を0.5秒とすることにした。

また，単位時間当たりに処理できる件数を示す［　c　］については，現在のE社の配信システムへのアクセス件数を基に，利用者数増加によるアクセス件数増大を考慮した最大アクセス件数を目標値とすることにした。

〔ストレージ設計〕

G君は，新配信システムの特性からストレージに対する要件を整理し，複数のハードディスク装置を組み合わせる①RAID構成を用いたストレージの採用を検討した。

(1) ディスク容量

想定運用期間満了時に②全記事データを格納できるディスク容量が必要である。

(2) 性能要件

③APサーバのデータ読み書き要求に小さい遅延で応答できるアクセス速度が必要である。しかし，利用を想定しているハードディスク装置1台当たりのアクセス速度は遅く，1台だけでは性能目標を達成できない。

(3) 信頼性要件

ハードディスク装置の単体故障によるデータ消失を防止する。また，新配信システムは，24時間365日の運用となるので，ハードディスク装置の単体故障時に利用者へのサービス提供が停止しないようにする。ただし，ハードディスク装置の交換作業中の性能劣化，信頼性低下は許容する。

(4) その他要件

性能要件と信頼性要件を満たしつつ，ディスクを効率的に利用するために，データ量に対して2倍以上のディスク容量を確保する構成は採用しない。

〔新配信システムの構築〕

G君は，〔ストレージ設計〕で検討したストレージに加え，サーバやネットワークについても要件を満たすように設計を行い，新配信システムのシステム基盤の構築作業を完了させた。また，稼働開始後の新配信システムが性能要件を満たしていることを確認するために，APサーバのアクセスログを集計し，1時間ごとの［　b　］の平均とアクセス件数を随時性能レポートに記録する性能情報採取ツールをAPサーバに設置した。

〔稼働開始後の性能問題〕

新配信システムの稼働から1年後，新配信システムの利用者は，PC利用者が約20,000人，モバイル端末利用者が約3,000人となった。ある日，モバイル端末利用者から“記事のデータ取得が極端に遅い。モバイル端末のCPU利用率は低く，他のWebサイトからのデータ取得は遅くない。”とのクレームがあった。

G君が性能情報採取ツールによって記録された性能レポートを確認したところ，④特に異常な傾向は見られなかった。しかし，アプリケーションソフトウェア開発チームがAPサーバのアクセスログを調査したところ，全てのモバイル端末の専用アプリケーションソフトウェアが毎時0分0秒にAPサーバに集中してアクセスしており毎時0分0秒のデータ取得が極端に遅くなっていることが分かった。

アプリケーションソフトウェア開発チームは，専用アプリケーションソフトウェアを修正して性能問題を解決した。

設問1　本文中の［　a　］～［　c　］に入れる適切な字句を解答群の中から選び，記号で答えよ。

解答群

ア　アクセスタイム	イ　サーチタイム
ウ　シークタイム	エ　スループット
オ　ターンアラウンドタイム	カ　レスポンスタイム

設問2　本文中の下線①について，(1)，(2) に答えよ。

(1) 新配信システムのストレージに採用すべきRAIDレベルを解答群の中から選び，記号で答えよ。ただし，RAIDコントローラの性能やネットワーク帯域は十分に確保されているものとする。

解答群

ア　RAID0	イ　RAID1
ウ　RAID1 + RAID0	エ　RAID5

(2) ストレージを，同一型式のハードディスク装置を用いたRAID構成とした場合，ストレージ全体としてのデータの読込み速度を向上させるためには，ハードディスク装置の構成をどのようにするとよいか。ハードディスク装置数とデータの配置の観点から，30字以内で述べよ。

設問3　本文中の下線②について，想定運用期間満了時の全記事データのデータ量を答えよ。なお，1Gバイトは1,000,000kバイトとし，答えは10Gバイト単位に切り上げて求めよ。

設問4　本文中の下線③について，データの読込み速度と書込み速度のどちらを重視してストレージを採用する必要があるか。答案用紙の“読込み速度・書込み速度”のいずれかの字句を○印で囲んで示せ。また，それは，新配信システムのどのような特性によるものか。35字以内で述べよ。

設問5　本文中の下線④について，性能情報採取ツールによって記録された性能レポートで異常を見つけられなかった理由を，40字以内で述べよ。

演習問題・解答

解説

■設問1　解答　a：オ，b：カ，c：エ

●空欄a

利用者が画面上のボタンを押してから，結果が全て画面に表示されるまでの時間間隔は，“ターンアラウンドタイム”（「**オ**」）である。

●空欄b

APサーバが検索要求を受け付けてから検索結果の最初のデータを送信し始めるまでの時間間隔は，処理時間又は応答時間である。解答群では，“レスポンスタイム”（「**カ**」）が該当する。

●空欄c

単位時間当たりに処理できる件数は，“スループット”（「**エ**」）である。なお，“処理能力”ともいう。

■設問2　解答　(1)　エ

(2)　ハードディスク装置数を増やし，データを分散させる。

(1) 新配信システムのストレージに採用すべきRAIDレベル

RAIDに要求される条件の信頼性要件“ハードディスク装置の単体故障によるデータ消失を防止する。また，新配信システムは，24時間365日の運用となるので，ハードディスク装置の単体故障時に利用者へのサービス提供が停止しないようにする。ただし，ハードディスク装置の交換作業中の性能劣化，信頼性低下は許容する”（〔ストレージ設計〕(3)）から，RAID0は，不適切である。RAID0は冗長性をもたないので，ディスクの障害時には，システムを停止する必要がある。

また，その他の要件“性能要件と信頼性要件を満たしつつ，ディスクを効率的に利用するために，データ量に対して2倍以上のディスク容量を確保する構成は採用しない”（〔ストレージ設計〕(4)）から，RAID1＋RAID0及びRAID1は不適切である。これらの構成はミラーリングなので，必要容量の2倍の容量を用意する必要がある。

一方，RAID5は，n台の構成であれば，実効データ量は“(n－1)／n”である。

したがって，新配信システムのストレージに採用すべきRAIDレベルは，“RAID5”（「**エ**」）が適切である。

(2) ストレージ全体としてのデータの読込み速度を向上させるための対策

RAID構成が前提なので，できるだけ多くのディスクを設置し，データを分散配置することで，読込みの並列度を高くするのがよい。なお，設問文の指示により，"ハードディスク装置数"と"データの配置"に関連する字句が必要である。

したがって，"**ハードディスク装置数を増やし，データを分散させる**"という主旨で，30字以内にまとめる。

■設問3　解答　110 (Gバイト)

想定運用期間は5年間である。このとき必要なデータ量を，図2を基に計算する。1年目に発生するデータ量は20,000件，以降，20%ずつ増えるので，前年のデータ量を1.2倍する。

時期	データ量
稼働開始時	900,000件×100kバイト／件＝90×10^9バイト＝90Gバイト
1年目	20,000件×100kバイト／件＝2×10^9バイト＝2Gバイト
2年目	2Gバイト×1.2＝2.4Gバイト
3年目	2.4Gバイト×1.2＝2.88Gバイト
4年目	2.88Gバイト×1.2＝3.456Gバイト
5年目	3.456Gバイト×1.2＝4.1472Gバイト

表の下線部の値を合計すると必要量が求められる。

必要量＝90Gバイト＋2Gバイト＋2.4Gバイト＋2.88Gバイト
　　　　＋3.456Gバイト＋4.1472Gバイト
　　　＝104.8832Gバイト
　　　　→　**110**Gバイト（設問文の指示により，10Gバイト単位に切上げ）

■設問4　解答　重視：(**読込み速度**)・　**書込み速度**
　　　　　　　　特性：**多数のPCやモバイル端末に対して記事を配信する特性**

新配信サービスは，"E社が過去に掲載した記事の検索サービスと，最新記事のPCやモバイル端末への配信サービスを，24時間365日提供する予定である"（問題文の冒頭）ということと，"APサーバのデータ読み書き要求に小さい遅延で応答できるアクセス速度が必要である"（下線③を含む記述）ということから，"**読込み速度**"を重視する必要がある。このため，性能目標も検索や配信を中心に検討する。

また，新配信システムの特性については配信を主目的とすることから，"**多数のPCやモバイル端末に対して記事を配信する特性**"という主旨で，35字以内にまとめる。

■設問５　解答　１時間単位の平均を集計しており，短い時間の特異点が分からないから

これは，アクセスログの取り方に問題があったと考えられる。“全てのモバイル端末の専用アプリケーションソフトウェアが毎時０分０秒にAPサーバに集中してアクセスしており毎時０分０秒のデータ取得が極端に遅くなっていることが分かった”（〔稼働開始後の性能問題〕）に対して，アクセスログは，“稼働開始後の新配信システムが性能要件を満たしていることを確認するために，APサーバのアクセスログを集計し，１時間ごとのレスポンスタイム（空欄b）の平均とアクセス件数を随時性能レポートに記録する性能情報採取ツールをAPサーバに設置した”（〔新配信システムの構築〕）からである。このため，１時間の平均値はわかるが，ピーク時（短い時間帯）の状況はわからない。

したがって，“**１時間単位の平均を集計しており，短い時間の特異点がわからないから**”という主旨で，40字以内にまとめる。

2

第3章

● テクノロジ系

システム構成要素

システムを構成する要素，システム資源間の機能配分，システム構成要素間の情報の流れをどのように制御するかが，情報処理システムのコストや性能に大きな影響を与える。本章では，種々の情報処理システムの構成や，分散処理システムの代表例であるクライアントサーバシステムについて学習するとともに，フェールセーフやフェールソフトなど，システムの信頼性，可用性を向上させるための考え方や技術について学習する。

理解しておきたい用語・概念

- ☑ クライアント
- ☑ サーバ
- ☑ 3層アーキテクチャ
- ☑ デュアルシステム
- ☑ デュプレックスシステム
- ☑ ホットスタンバイ
- ☑ 水平分散
- ☑ 垂直分散
- ☑ 命令ミックス
- ☑ フェールソフト
- ☑ フェールセーフ
- ☑ MIPS
- ☑ ベンチマークテスト
- ☑ ターンアラウンドタイム
- ☑ 可用性

アクセスキー C (大文字のシー)

3.1 システム構成技術

システム構成技術は，利用者の要件を満たす情報システムを構築するために，システムの構成要素であるハードウェアやソフトウェアを選択し，各構成要素の配置と相互の結合方法を決める技術である。

3.1.1 クライアントサーバシステム

Point
- 処理を依頼するのがクライアント，処理を提供するのがサーバ
- 3層アーキテクチャは低速回線に最適

参考

分散コンピューティング環境の中核をなす技術の1つにRPCがある。RPC (Remote Procedure Call)は，プログラムの一部の手続きをサーバにもたせる方式である。

用語解説

オープンシステム

オープンシステムは，仕様を標準化することで，異なるコンピュータメーカのハードウェアやソフトウェアを組み合わせて使用できるように構築されたコンピュータシステムである。

クライアントサーバシステム(Client Server System：CSS)は，処理要求を出すクライアントと，処理要求を処理し，処理結果を返すサーバとがネットワークで接続されているシステム構成である。CSSの基本的な考え方は，従来のホストコンピュータで行っていた処理の一部を端末側に移すということではなく，クライアントが独立して処理を行い，必要に応じてサーバの助けを借りるということである。したがって，情報処理の主体は，クライアントにある。

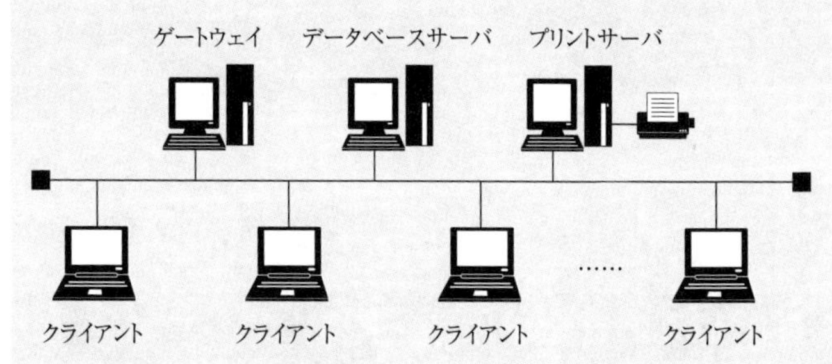

●CSSの特徴

CSSは典型的な分散処理システムである。ハードウェア面では，オープンシステムを構築できることが大きな特徴である。ソフトウェアの開発面では，開発支援ツールが整備されており，徹底的な

モジュール化を図ることができるため，再利用が可能となる。再利用ができるということは，開発の生産性が向上するとともに，保守性も向上するということである。一方，ハードウェアを物理的に分散させるため，管理の手間がかかる。また，ネットワークの性能が，システムの性能に大きな影響を与える。

CSS の長所と短所は，次のとおりである。

長所	機能に対応したハードウェア／ソフトウェアの選択が可能 システムの機能や性能に対し柔軟な拡張性をもつ 可用性（稼働率）の高いシステムの構築が可能 アプリケーション開発の生産性・保守性が向上 GUIを利用した操作性の高いアプリケーション開発が可能
短所	分散化によってシステムのパフォーマンスが低下 ネットワークの負荷の予測が困難 ハードウェアの管理や保守の作業量が増加 異なるメーカーの製品であると障害発生時に原因の特定が困難 データ共有にともなうセキュリティの維持が困難

●3層アーキテクチャ

3層アーキテクチャ(3層クライアントサーバシステム)は，クライアントサーバ型のアプリケーションを論理的な3つのモジュールに分けたシステムである。プレゼンテーション層，ファンクション層(アプリケーション層)，データ層（データベースアクセス層）の3層を機能的に区別することで，システム性能や開発保守効率の向上を目指したものである。データ加工処理をサーバ側で行うことでクライアントとサーバ間の通信量を減らすことができ，低速回線であっても，クライアントの台数が多い場合でも，応答性能が比較的低下しない。また開発効率の面からは，機能的に3つのモジュールに分けることで，開発の並行作業や仕様の変更作業が容易になる。

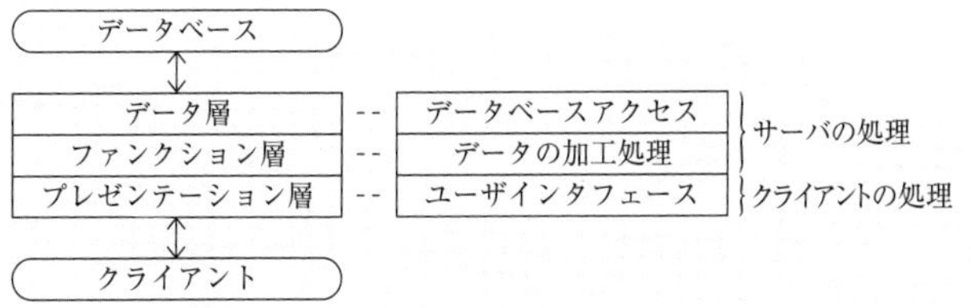

参考

クライアントサーバシステムにおいて，一連の処理の指示をサーバ側に登録したプログラムやテキストファイルをストアドプロシージャという。クライアントはストアドプロシージャの名称を指示するだけで，処理をサーバに依頼することができる。

参考

クライアントに最低限の機能しかもたせず，サーバ側でアプリケーションやファイルなどの資源を管理するシステムの総称をシンクライアント(Thin Client：TC)という。また，このようなシステムを実現するために，機能を絞った低価格のクライアント用コンピュータを指す。

参考

仮想化技術を利用し，ネットワーク機能を汎用サーバ上にソフトウェアで実現することで，柔軟なネットワーク基盤を構築するものをNFV (Network Functions Virtualization) という。

▶試験に出る

3層アーキテクチャはどこが優れているのかといった視点からの出題が多い。ネットワークの通信量が減る，開発の並行作業が可能という特徴をしっかり押さえておく。

3.1.2 システムの構成方式

- デュアルシステムは高信頼性と高稼働率を目指したシステム構成
- デュプレックスシステムは高稼働率を目指したシステム構成

フォールトトレランスは，試験では，フォールトトレラントとされていることが多い。また，フォールトイントレランスも，フォールトイントレラントとされていることが多い。

コンピュータシステムの信頼性や稼働率を向上させるための考え方に，フォールトトレランスとフォールトアボイダンスがある。フォールトトレランスは，プロセッサを含めてあらゆる機器を多重化することである。冗長構成をとることで，信頼性を高めている。一方，フォールトアボイダンス（フォールトイントレランス）は，システムの構成要素に信頼性の高い機器を使用することで，障害の発生を抑えようとするものである。

コンピュータシステムの構成の基本は，プロセッサを 1 台で構成するシンプレックスシステムである。冗長構成と比較して経済的であるが，安全性，信頼性，処理能力の面で劣る。また，システムを停止しないと，保守ができないという欠点をもつ。

通信制御装置 ― プロセッサ ― 補助記憶装置

● タンデムシステム

タンデムシステム（直列システム）は，2 台のプロセッサを直列に接続した構成である。冗長構成ではなく，機能分散や負荷分散を目的としたもので，信頼性や稼働率の向上を目指したものではない。

通常，主プロセッサに対して小型プロセッサが使われる。小型プロセッサは，簡単なエラーチェックなど，主プロセッサの前処理を行ったり，通信制御装置の代替機としたりする。

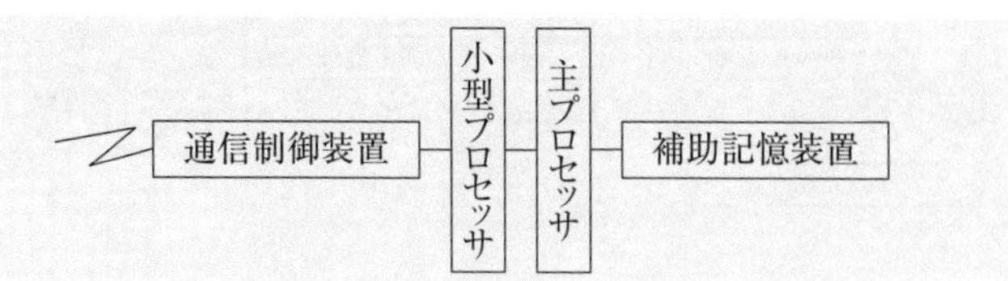

デュプレックスシステム

デュプレックスシステム(待機システム)は，２系列のうち，一方の系列でオンライン処理，他方の系列は待機系としてバッチ処理などを行っているシステム構成である。オンライン処理の系列に障害が発生すると，バッチ処理の系列に切り替えてオンライン処理を行う。信頼性はデュアルシステムより劣るが，コスト面では有利である。稼働率の向上を目指したシステム構成である。

なお，待機系をいつでもオンライン処理できるように待機させておく構成を，ホットスタンバイシステムという。ホットスタンバイシステムに対し，待機系を他の業務に使っていたり，電源を入れない状態で待機させておいたりするシステムを，コールドスタンバイシステムという。

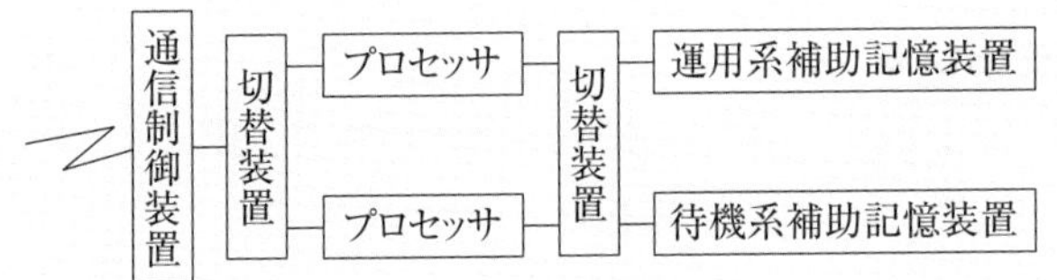

デュアルシステム

デュアルシステムは，２系列で同期運転を行い，処理結果を照合するシステム構成である。瞬時の故障も許されない場合に採用されるシステム構成で，障害発生時は，障害の発生した系列を切り離して，運転を続行する。高信頼性と高稼働率を目指したシステム構成である。

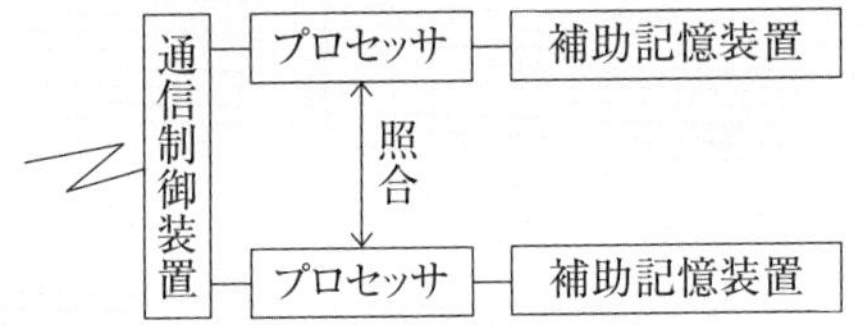

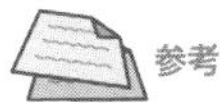
参考

数台のコンピュータシステムを疎結合し，１台の高性能・高可用性のコンピュータのように扱うシステムをクラスタ構成という。なお，複数のコンピュータシステムを直結する疎結合はクラスタとはいわず，ネットワークで接続するタイプをクラスタということが多い。

▶試験に出る

デュアルシステムやデュプレックスシステム，ホットスタンバイシステムの特徴に関する出題が多い。デュアルシステムは高信頼性と高稼働率を目指したシステム構成，デュプレックスシステムは高稼働率を目指したシステム構成，ホットスタンバイシステムは電源を入れて待機と覚えておく。

3.1.3 処理形態

- 処理形態には集中処理と分散処理
- クライアントサーバシステムは典型的な垂直機能分散システム

処理形態は，集中処理と分散処理に大別することができる。集中処理は，ホストコンピュータを中心として，全ての処理をホストコンピュータで行う形態である。分散処理は，ネットワークを介して複数のコンピュータを接続し，機能や負荷を分散させる方式である。

用語解説

グロッシュの法則

グロッシュの法則は，“プロセッサの性能は価格の2乗に比例する”という法則である。すなわち，プロセッサの性能が4倍程度になっても，価格は2倍程度にしかならないということである。しかし，この法則は汎用コンピュータに成立するもので，現在の分散環境では，成立しなくなっている。

●集中処理

集中処理は，コンピュータやデータを地理的に集中して処理することを目的とした処理形態である。

長所	スケールメリット（グロッシュの法則が成立） 要員，ハードウェア，ソフトウェアに無駄がないので運用面で経済的 システム構成の標準化が容易 セキュリティの確保が容易
短所	バックログの滞積（環境の変化に柔軟な対応が困難） オーバヘッドが大きくホストに負荷が集中 ホストに障害が発生するとシステム全体が停止 システムが複雑になり使いにくいことがある

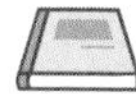

用語解説

バックログ

バックログは手つかずの仕事という意味で，開発に着手できていないソフトウェアを指す。

集中処理システムを処理方式で分類すると，次のようになる。

<table>
<tr><th colspan="2">処理方式</th><th>接続方式</th></tr>
<tr><td rowspan="5">バッチ処理</td><td>センタバッチ処理</td><td>オフライン</td></tr>
<tr><td>リモートバッチ処理（Remote Job Entry:RJE）</td><td rowspan="9">オンライン</td></tr>
<tr><td>集信処理（データ収集システム）</td></tr>
<tr><td>配信処理</td></tr>
<tr><td>集配信処理</td></tr>
<tr><td rowspan="5">リアルタイム</td><td>オンライントランザクション処理</td></tr>
<tr><td>メッセージ交換</td></tr>
<tr><td>問合せ応答（会話型処理）</td></tr>
<tr><td>TSS（タイムシェアリング）</td></tr>
<tr><td>リアルタイム制御（プロセス制御）</td></tr>
</table>

間違えやすい

鉄道や航空機の座席予約システムをオンラインシステムということが多いが，厳密には，**オンライントランザクション処理システム**という。また，電子メールなどデータの加工を伴わず，単にメッセージを送受信する処理形態を**メッセージ交換**という。

分散処理

分散処理は，ネットワークを介して複数の情報機器を接続し，機能や負荷を分散して処理する形態である。一般には，複数のコンピュータや端末が，異なる場所に設置される。

分散処理は，分散させる形態によって機能分散と負荷分散，構成によって水平分散と垂直分散に分類することができる。

構成／形態	水平分散	垂直分散
機能分散	水平機能分散	垂直機能分散
負荷分散	水平負荷分散	

水平分散

水平分散では，機能や負荷に対して上下の関係がなく，全てのコンピュータが対等に処理を行う形態である。水平負荷分散は，システムの信頼性の向上を目指したもので，処理要求が発生すると空いているコンピュータが処理を担当する。一方，水平機能分散は，処理能力の限界を回避することを目指したもので，業務別やアプリケーションごとに処理するコンピュータを分ける形態である。

垂直分散

垂直分散は，処理機能や機器に階層をもたせたシステム構成である。垂直機能分散は，資源の最適利用と即応性を目指したもので，個々の利用者が共同利用するコンピュータなどの間で機能を分散する処理形態である。クライアントサーバシステムは，サーバの処理機能を複数のクライアントに対して提供するので，垂直分散の例である。サーバにはデータベース処理機能を配置し，クライアントにはGUIなどのユーザーインタフェース処理機能を配置する。データベース処理機能は全てのクライアントに共通する機能であり，ユーザーインタフェース処理機能はクライアント独自の処理なので，処理内容に上下の関係が存在する。

参考

分散処理の例に，グリッドコンピューティングがある。グリッドコンピューティングは，ネットワークを介して複数のコンピュータを結合し，仮想的に高性能なコンピュータを作り，利用者はそこから必要な機能を取り出して使う。

参考

Webシステム

Webシステムは，クライアントに特別なプログラムのインストールが不要で，ブラウザソフトウェアからサーバにアクセスして操作を行うことができるシステムである。ブラウザを使用したクライアントサーバシステムと考えればよい。

▶試験に出る

最近は，Webに関連する事項の出題が多い。AjaxやWebシステムについて理解しておくとよい。

分散処理システムの長所／短所

分散処理システムは，オープンシステム化により，異なるベンダの機器を任意に接続できるため，安価で，自由な構成を採用することができる反面，システム全体の実体が見えないという欠点がある。

長所	管理組織と機器の対応がとれるので管理責任が明確 災害や障害の発生を局所化できる マルチベンダ製品の導入でコストパフォーマンスが向上 アプリケーションや機器の追加が容易（保守性が高い）
短所	システムの実体がとらえにくい（障害箇所の特定が困難） システム全体の性能はネットワークの性能に左右される データの不整合が発生しやすい 外部からの侵入に弱い（ウイルスなどに感染しやすい）

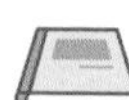
用語解説

マイグレーション
マイグレーションは，ハードウェアやオペレーティングシステムなどが異なる情報システム間で，データやプログラムを移行することである。

近年，古いソフトウェア資産を有効活用するマイグレーションサービスが注目されている。特に，従来の集中型システムからオープンシステムへのマイグレーションが行われている。

●分散システムにおける集中化の意義

分散処理システムであっても，特定機能については，集中した方がよいことがある。

情報の一元管理

データベースは，データを一元管理することで，データの整合性を保つことができる。

アプリケーションの一元管理

アプリケーションの分散に伴うトラブル防止に有効である。プログラムの更新が頻繁に発生するような場合，バージョン管理がおろそかになりがちなので，一元管理がよい。

資源の共同利用

高価なシステム資源を共同利用することで，システム全体のコストを低減することができる。例えば，高価なプリンタやプロッタなどを共同利用することである。

▶試験に出る

クライアントサーバシステムは，典型的な垂直機能分散システムの例であることを問う問題が出されている。理屈はともかく，“クライアントサーバシステム＝垂直機能分散”ということだけは，しっかり覚えておく。

グリッドコンピューティング

グリッドコンピューティングは，ネットワークを介して複数のコンピュータを結合し，仮想的に高性能なコンピュータを作り，利用者はそこから必要な機能を取り出して使うシステムである。複数のコンピュータに並列処理を行わせることで，1 台 1 台の性能は低くても，大量データを高速に処理することができるようになる。

グリッドコンピューティングの技術を利用することで，待機しているコンピュータのリソースを活用したり，大量かつ高速のデータ処理を必要とする企業や他部門に貸し出したりすることが可能になる。また，1 台のコンピュータでは処理しきれないような処理も行うことができる。

参考

クラウドコンピューティング

クラウドコンピューティングは，インターネットなどのコンピュータネットワークを経由して，コンピュータ資源をサービスの形で提供する利用形態である。ユーザに必要なものは，最低限の接続環境とPCや携帯情報端末などのクライアント，サービス利用料金である。

3

HPC

HPC (High Performance Computing) は，自然現象のシミュレーションや生物構造の解析など，非常に計算量が多い計算処理を指す。例えば，地球全体の気象など，人間が制御することができない現象，自動車の衝突シミュレーションなど，実験コストが高くなる現象の解析などが該当する。HPC を実現するには，スーパコンピュータを使う方法が一般的であるが，多数のパソコンをネットワークで接続して 1 台のコンピュータとして利用する方法などもある。

ライブマイグレーション

ライブマイグレーションは，動作中の仮想マシンを停止させることなく別のサーバに移動して処理を継続させる機能である。ハードウェアのメンテナンスや部品の交換が必要になったとき，サービスを停止させずに対応することができる。切替えによるダウンタイムはほとんど 0 で，移動前の処理やセッションが全て引き継がれるため可用性に影響は与えない。

3.1.4 サーバ仮想化

- サーバ仮想化は物理サーバを複数台のサーバとして分割利用する仕組み
- サーバ仮想化の方法にはホスト型，ハイパバイザ型，コンテナ型

VDI
企業などで，デスクトップ環境を仮想化してサーバ上に集約することを，VDI（Virtual Desktop Infrastructure：仮想デスクトップインフラ）という。利用者はクライアント端末からネットワークを通じてサーバ上の仮想マシンに接続し，デスクトップ画面を呼び出して操作する。クライアント端末の機能は必要最小限にとどめて処理を行う仕組みである。

仮想化は，物理的な環境にとらわれることなく，ハードウェアに含まれるCPU，メモリなどのリソースを論理的に分割・統合する技術である。また，OSが動作する実際のコンピュータをソフトウェアによって仮想的に構築したものを仮想マシン（Virtual Machine：VM）という。1台のコンピュータを複数のVMに分割することで，複数の利用者が同時に利用したり，異なるOSを並列に実行させたりすることができる。仮想化の技術に，ホストOS型，ハイパバイザ型，コンテナ型がある。

●ホストOS型仮想化

ホストOS型仮想化は，OS上のアプリケーションとして仮想マシンを動作させ，その中で別のOSを稼働させる方式である。基盤になるOSをホストOS，その上で動作するOSをゲストOSという。ホストOS上でも，ゲストOS上でも，アプリケーションを動作させることができる。下図において，APはアプリケーションである。

<table>
<tr><td>仮想マシン</td><td>仮想マシン</td><td>仮想マシン</td><td></td></tr>
<tr><td>AP</td><td>AP</td><td>AP</td><td></td></tr>
<tr><td>ゲストOS</td><td>ゲストOS</td><td>ゲストOS</td><td rowspan="2">AP</td></tr>
<tr><td colspan="3">仮想化ソフトウェア</td></tr>
<tr><td colspan="4">ホストOS</td></tr>
<tr><td colspan="4">物理サーバ</td></tr>
</table>

●ハイパバイザ型仮想化

ハイパバイザ型仮想化は，コンピュータ上で仮想マシン構築に特化したハイパバイザと呼ばれる専用のソフトウェアを起動し，ハイパバイザ上で複数の異なるOSを並列に実行できるようにするソフトウェアである。仮想マシンをソフトウェアによって作り出し，その上で複数種類のOSを稼働させることができる。

仮想マシン	仮想マシン	仮想マシン
AP	AP	AP
ゲストOS	ゲストOS	ゲストOS
ハイパバイザ(仮想化ソフトウェア)		
物理サーバ		

▶試験に出る

サーバ仮想化に関連する出題が，午前問題，午後問題ともに頻出している。午前問題については，仮想化の意味，仮想化の三つの方法を理解しておく。一方，午後問題は，仮想化の知識は原則として不要で，サーバ仮想化という用語に慣れておけばよい。

●コンテナ型仮想化

コンテナ型仮想化は，ホストOS上にコンテナという独立した空間を用意し，複数のアプリケーションを同じOS上で動かす方式である。コンテナの中で各アプリケーションが独立して動作するため，仮想化というよりは，隔離された別々のアプリケーションの実行環境という概念に近い。コンテナ型仮想化では，ゲストOSは使わない。

コンテナ	コンテナ	コンテナ
AP	AP	AP
コンテナエンジン		
ホストOS		
物理サーバ		

チェック!　よく出る午前問題で基本事項を確認

問題 1　[応用情報技術者試験 2011 年春期（特別）午前 問 14]　難易度 ★★　出題頻度 ★★

コンピュータシステムの構成の名称とその構成図の組合せのうち，適切なものはどれか。

ア　クラスタ構成

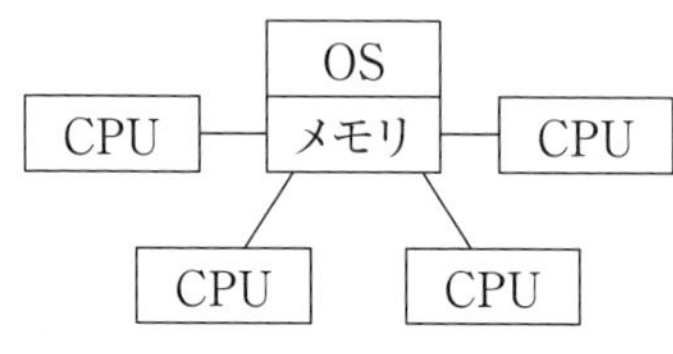

イ　疎結合マルチプロセッサ構成

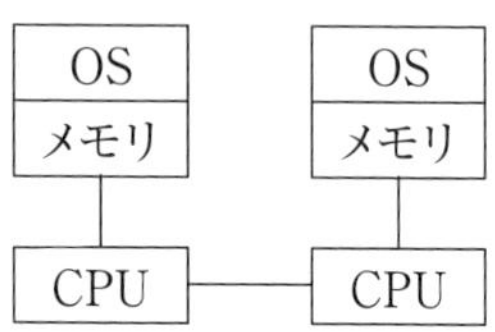

ウ　デュアル構成

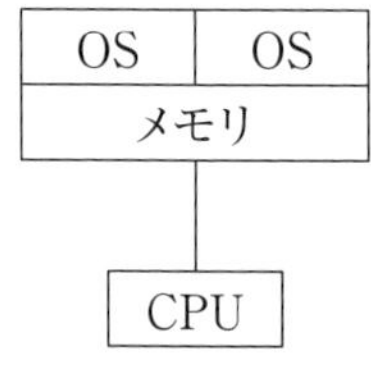

エ　デュプレックス構成

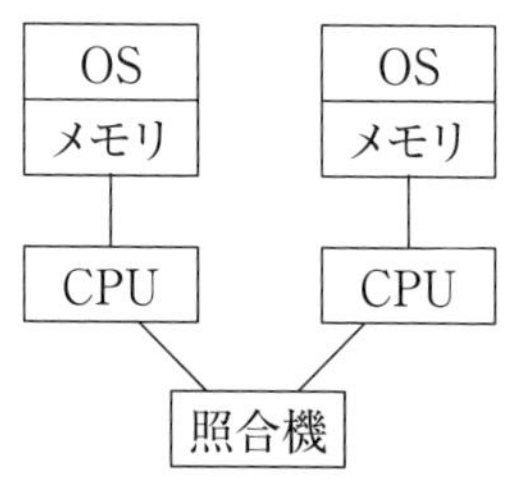

問題 2　[応用情報技術者試験 2020 年秋期午前 問 12]　難易度 ★★　出題頻度 ★★★

現状のHPC（High Performance Computing）マシンの構成を，次の条件で更新することにした。更新後の，ノード数と総理論ピーク演算性能はどれか。ここで，総理論ピーク演算性能は，コア数に比例するものとする。

〔現状の構成〕

(1) 一つのコアの理論ピーク演算性能は10GFLOPSである。
(2) 一つのノードのコア数は8個である。
(3) ノード数は1,000である。

〔更新条件〕

(1) 一つのコアの理論ピーク演算性能を現状の2倍にする。

(2) 一つのノードのコア数を現状の2倍にする。

(3) 総コア数を現状の4倍にする。

	ノード数	総理論ピーク演算性能（TFLOPS）
ア	2,000	320
イ	2,000	640
ウ	4,000	320
エ	4,000	640

解説 1

ア　クラスタ構成は，数台のコンピュータシステムを疎結合し，1台の高性能・高可用性のコンピュータのように扱うシステムである。複数のコンピュータシステムを直結する疎結合はクラスタと呼ばず，ネットワークで多くの台数を接続するタイプをクラスタと呼ぶことが多い。なお，疎結合は，複数のコンピュータシステムを，ネットワークや高速バスで結合した形態である。クラスタ構成を導入することにより，システム障害時に，停止時間を最小限に食い止めたり，負荷を分散させたりすることでシステムダウンを回避することが可能になる。

　図は，CPU（プロセッサ）は複数あるが，メモリを共有している。このようなコンピュータシステムの構成を，密結合マルチプロセッサ構成という。

イ　複数の同種のプロセッサの連携によって処理能力を高める方式のコンピュータシステムを，マルチプロセッサ（多重プロセッサ）という。マルチプロセッサのうち，プロセッサごとに主記憶（メモリ）をもち，それぞれのプロセッサがOSを搭載して単独に動作する構成を，疎結合マルチプロセッサ構成という。

ウ　デュアル構成は，複数のコンピュータシステムで同時に同じ処理を行い，処理結果を照合するシステム構成である。処理結果が異なるときは，多数決論理で障害が発生したと思われるコンピュータシステムを分離する。2台の場合は，一定の規則を定めることで，障害が発生したコンピュータシステムを特定する。

　図は，OSが複数で，メモリとCPUを共有している。これは，1つのコンピュータシステムに複数のOSを搭載している構成で，マルチOS構成という。

エ　デュプレックス構成は，2系列のコンピュータシステムをもち，一方の系列でオンライン処理を行い，他方の系列はオフラインで使用するシステム構成である。障害発生時には，オフライン系列をオンライン系列に切り替えて使用する。

図は，照合機を使用している。これは，2つのコンピュータシステムの処理結果を照合するための装置である。このように，処理結果を照合するコンピュータシステムの構成を，デュアル構成という。

正解：イ

解説 2

ノード数はコンピュータの数，コア数はノード上の個別のプロセッサの数である。例えば，デュアルコアプロセッサは，2 つのコアと見る。

現状の総コア数は，〔現状の構成〕から，（1,000 × 8 =）8,000個である。これを，4倍にするので，総コア数は（8,000 × 4 =）32,000個となる。一方，1つのノードのコア数を現状の2倍とするので，1つのノードのコア数は（8 × 2 =）16個となる。

以上から，更新後のノード数は，次のようになる。

更新後のノード数= 32,000 ÷ 16 = 2,000（個）

総コア数が4倍になるので，更新後の総理論ピーク演算性能は4倍になるが，1つのコアの演算性能を2倍にするので，更新後の総論理ピーク演算性能は8倍になる。

まず，現状の構成での総理論ピーク演算性能は，次のようになる。

現状の総理論ピーク演算性能= 10（GFLOPS）× 8,000
= 8×10^4（GFLOPS）

更新後は，演算性能が8倍になるので，更新後の総理論ピーク演算性能は，次のようになる。

更新後の総理論ピーク演算性能= 8×10^4（GFLOPS）× 8
= 64×10^4（GFLOPS）
= 640×10^3（GFLOPS）
→ 640（TFLOPS）

正解：イ

3.2 システムの性能・信頼性

コンピュータシステムの評価を行うとき，性能と信頼性が議論される。性能がよいとは処理能力が優れていることであり，信頼性が高いということは故障が少ないということである。

3.2.1 性能指標

- MIPS や FLOPS はプロセッサの性能指標
- 代表的なベンチマークテストには TPC，SPEC

性能評価の対象として，CPU の処理能力，バッチ処理の処理能力，オンラインシステムの処理能力などがある。また，コンピュータシステム全体の性能評価を行うために，ベンチマークテストの基準が定められている。

CPU の処理能力

CPU の処理能力を示す指標に，次のものがある。

評価尺度	説明
MIPS（ミップス）	Million Instructions Per Second 1秒間の実行命令数を10^6（百万）単位で表示
FLOPS（フロップス）	Floating Point Operation Per Second 1秒間の浮動小数点命令の実行数を表示
命令ミックス	平均的なプログラムの命令の出現頻度と実行時間から1命令当たりの平均実行時間を表示
SPEC	Standard Performance Evaluation Corporation UNIXの総合的な処理能力評価のベンチマーク

バッチ処理の処理能力

バッチ処理の処理能力を示す指標には，次のものがある。

評価尺度	説明
スループット	単位時間当たりの処理可能なジョブ数やデータ量 処理能力ともいう
ターンアラウンドタイム	TurnAround Time（TAT） ジョブを入力してから出力を得るまでの時間間隔

▶試験に出る

MIPS, FLOPS, スループット，ターンアラウンドタイムなどの用語の意味を問う問題が出題される。出題頻度は多くはないが，出題されれば確実に解答できるように，これらの用語の意味を十分に理解しておく。

用語解説

OLTP(OnLine Transaction Processing:オンライントランザクション処理)

OLTPは,ホストコンピュータにオンライン接続された複数の端末からホストコンピュータにメッセージを送り,ホストコンピュータで処理した結果を端末に送り直す処理形態である。

オンラインシステムの処理能力

オンライントランザクション処理(OLTP)システムの処理能力を示す指標には,次のものがある。

評価尺度	説明
応答時間	入力が完了してから,出力が開始されるまでの時間間隔 レスポンスタイムともいう
TPS	Transaction Per Second 1秒間に処理可能なトランザクション件数
TPC	Transaction Processing performance Council OLTPの性能評価のベンチマーク

命令ミックスとMIPSの計算方法

命令ミックスは,コンピュータの性能を測定するために使用される命令の組合せである。平均的に使用される命令の組合せを実行し,その結果から1命令当たりの平均実行時間を求め,コンピュータの性能の尺度にする。命令ミックスには,科学技術計算用のギブソンミックス,事務計算用のコマーシャルミックスがある。

例えば,次のような命令ミックスがあったときのMIPS値を計算する。

命令の種類	実行時間	出現頻度
演算命令	80ナノ秒	20%(0.2)
移動命令	20ナノ秒	50%(0.5)
比較命令	40ナノ秒	20%(0.2)
その他の命令	60ナノ秒	10%(0.1)

平均命令実行時間 =Σ命令実行時間×出現頻度

$=80\times0.2+20\times0.5+40\times0.2+60\times0.1$

$=40$(ナノ秒)

$=40\times10^{-9}$(秒)

MIPS $=1\div(40\times10^{-9})\div10^{6}=25$(MIPS)

▶試験に出る

命令ミックスによって平均命令実行時間やMIPSを算出する問題が出題されているので,この計算方法を理解しておく。また,各命令の実行時間がクロック数で与えられ,平均クロック数を算出してからMIPSを算出するという問題も出題されている。

ベンチマークテスト

ベンチマークテストは,標準的に用意したプログラムを実行して性能を測定することである。プログラムは,種々の機種で実行できるように,高級言語で作成されることが多い。

ベンチマークテストでは，プロセッサの処理速度や入出力制御プログラムの性能，使用する記憶容量などを測定し，機種の導入時の評価に使う。

ベンチマークに関連する団体には，SPECやTPCがある。

用語解説

ベンチマーク

多くの分野で，“指標”の意味で用いられており，ITの分野においては，コンピュータシステムのハードウェアやソフトウェアの性能を測定するための指標を指す。一定の基準に対して，相対的な性能を表す指標として用いられる。

SPEC（スペック）

SPEC（Standard Performance Evaluation Corporation：標準性能評価法人）は，標準的なベンチマークを作成することを目指して設立された非営利団体である。SPECのベンチマークはコンピュータシステムの性能評価に広く使われている。SPECベンチマークはOSに依存しないプログラム言語（C言語など）で記述されており，利用者は自分のOSで動作する任意のコンパイラでコンパイルすることができる。ただし，ソースコードを変更することはできない。

現在，多く使われているベンチマークとその内容は，次のとおりである。

指標	説明
SPEC CPU2017	CPU，メモリ，コンパイラの総合的な性能評価
CINT2017 (SPECint)	整数演算を評価。コンパイラ，インタプリタ，ワードプロセッサ，チェスプログラムなどを実行
CFP2017 (SPECfp)	浮動小数点数演算を評価。物理現象のシミュレーション，三次元グラフィックス，画像処理，化学計算などを実行

TPC

TPC（Transaction Processing performance Council：トランザクション処理性能評議会）は，トランザクション処理性能を測定するベンチマークの仕様を制定する非営利団体である。TPCベンチマークは，プロセッサの性能以外に，ディスク，DBMS，OSなどを含めたシステム全体の性能を評価することができ，評価結果は，性能値とコストパフォーマンスで表される。

参考

TPCが公開しているベンチマークには，TPCx-HSとTPCx-BBというビッグデータと呼ばれる大量のデータを分析することを主な目的としたデータ処理基盤のためのベンチマークテストがある。

指標	説明
TPC-C TPC-E	複雑な受注業務をモデル化したもので，実際の企業内システムに近似したOLTPを評価
TPC-H	大型基幹業務向け意思決定支援環境をシミュレートして性能を評価
TPC-R	ビジネスレポートと意思決定支援環境をシミュレートして性能を評価
TPC-W	Webベースの OLTPの性能を評価（電子商取引システム向け）

TPSの算出

TPS(Transaction Per Second：トランザクション処理能力)は，次のようにして算出する。

TPS(件／秒)＝MIPS値÷トランザクションの処理ステップ

例えば，2MIPS（2×10^6 命令／秒）のコンピュータにおいて，トランザクションの実行ステップが平均10万命令，CPUの使用率が80%(0.8)のとき，TPSは次のようになる。

$$TPS = 2 \times 10^6 \times 0.8 \div (10 \times 10^4)$$
$$= 16(件／秒)$$

▶間違えやすい

一般に，機械語命令は数クロックを必要とするため，1命令当たりの平均クロック数をCPI（Clock Per Instruction）で表す。

クロック

クロック(クロック周波数)は，プロセッサの動作を制御するための基準信号の周波数で，単位はHz(ヘルツ)である。1Hzは1秒間の周波数が1であることを示す。プロセッサはクロックに同期して演算やデータの入出力を行うので，クロックが大きければ，それだけ高速であることを示す。

参考

計画・開発中，稼働中のシステムに求められるリソースの処理能力や数量などを見積り，最適なシステム構成を計画することを，キャパシティプランニングという。キャパシティプランニングの活動サイクルは，モニタリング，分析，チューニング，実装である。

モニタリング

モニタリングは，実稼働中のシステムの実行結果を，ソフトウェアやハードウェアによって収集し，その測定結果から性能や稼働状況を評価することである。ソフトウェアによるモニタリング(ソフトウェアモニタリング)が原則であるが，厳密な測定がソフトウェアモニタリングでは不可能なとき，ハードウェアによるモニタリング(ハードウェアモニタリング)が使われる。

ハードウェアモニタリング	ソフトウェアモニタリング
命令実行回数と所要時間 命令種別の実行頻度 バッファ，キャッシュメモリのヒット率 主記憶のアクセス分布 マルチプロセッサの競合状態	スーパバイザモードの時間の割合 装置の負荷状況 メモリの使用状況 応答時間 仮想記憶のページング状況 ジョブステップごとの資源の利用状況 ジョブの多重度と待ち状況 事象トレース（タスク切替え，割込み）
プロセッサ，チャネル，入出力装置の利用率 磁気ディスクのアクセス分布	
ハードウェアモニタリングとソフトウェアモニタリング　併用	

3.2.2 信頼性

- RASISは信頼性の評価指標
- 縮退運転はフェールソフト，安全側に動作させるのはフェールセーフ

信頼性は，コンピュータシステムが停止しない，あるいは，決められた時間内では完全に動作する(動作信頼性)，データに誤りが発生しない(情報信頼性)が満たされることである。

RASISの各文字の日本語の訳は次のとおりである。
R：(狭義の) 信頼性
A：可用性
S：保守性
I：完全性 (保全性)
S：機密性
稼働率は，可用性の尺度の1つである。

●RASIS（ラシス/レイシス）

RASISは，コンピュータシステムを安全に使えるように，コンピュータシステムが備えるべき性質を表したものである。

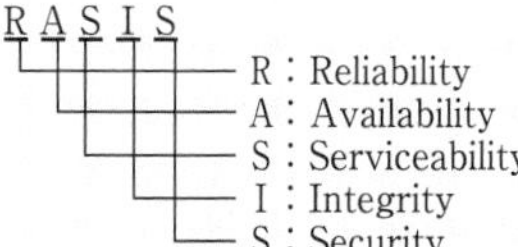

●バスタブ曲線

バスタブ曲線は，一般的な機械部品の故障率と使用期間の関係をグラフに表したものである。

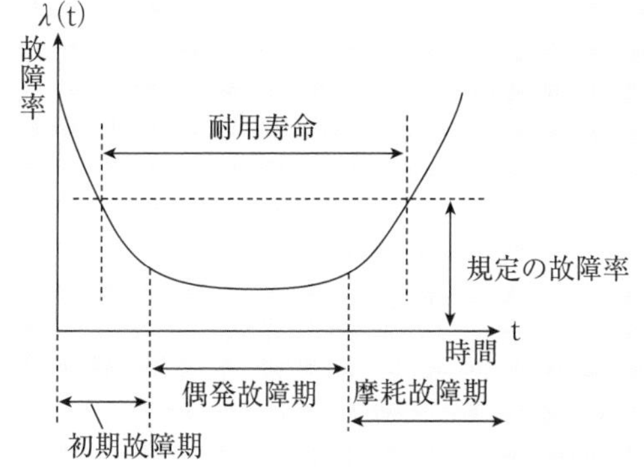

間違えやすい

バスタブ曲線において，初期故障期は機器の使いはじめに故障が多発する期間で，次第に故障回数が減少する。偶発故障期は，初期の故障を直すことによって機器が安定して動作する期間である。摩耗故障期は，ある程度の期間が経過して，故障回数が次第に増加する期間である。一般には，摩耗故障期になると耐用寿命が尽きたと判断する。

●信頼性設計

信頼性設計は，故障が発生しても動作を継続させることを考慮した設計である。

フェールセーフ

フェールセーフは，故障発生時に危険な状態を避けて，安全側に動作するような設計で，デュアルシステムが該当する。

デュアルシステムでは，2つのプロセッサの演算結果を比較し，演算結果が異なれば，いずれかに障害があったものとして障害の発生した系を切り離す。

参考

フェールセーフにおいて，障害の発生した機器を切り離す考え方の一つに多数決論理がある。例えば，複数台（3台以上）であれば処理結果の異なる系を切り離す。また，1台か2台であれば，同じ処理を複数回実行し，最も多い結果を正しいと判断する。

フェールソフト

フェールソフトは，システムの一部に障害が発生しても，できる限りその影響を局所化し，システムの全面停止を避けようとする設計で，デュプレックスシステムやマルチプロセッサシステムが該当する。

デュプレックスシステムでは，主系に障害が発生すると待機系に切り替えて運転を続行する。マルチプロセッサシステムでは，障害の発生したプロセッサを切り離して運転を続行する。

このように，機能の一部が低下しても処理を続行することを，縮退運転（フォールバック）という。

フェールセーフやフェールソフトに似た用語に，フェールオーバ，フェールバックがある。意味が全く異なるので注意する。

用語解説

フェールオーバ

フェールオーバは，障害発生時に代替装置やシステムが処理やデータを引き継ぐ機能である。通常時，複数の装置やシステムが相互に状態を監視しながらデータの同期をとって動作しているが，障害が発生すると，処理とデータが直ちにほかの装置に引き継がれる。

フェールバック

フェールバックは，障害の発生などにより，稼働系から待機系へ処理を引き継いだあと，再度，稼働系・待機系の構成に戻すことである。障害の発生した稼働系が障害から復旧すると，待機系から再び処理を引き継ぐ。

●フールプルーフ

フールプルーフは，不特定多数の利用者がいるプログラムにおいて，意図しない使われ方をしても故障しないような工夫を施すことである。不特定多数が利用するプログラムは，どのような使われ方をするのか予測がつかないので，できる限りの対策を考えておく必要がある。例えばWindowsにおいてファイルを削除するとき，確認メッセージが表示されるようなことである。

●スケールアウトとスケールアップ

スケールアウトは，サーバの数を増やすことでサーバ群全体のパフォーマンスを向上させることである。また，スケールアップは，既存のサーバの性能を強化して性能を向上させることである。いずれも，システム全体として性能を向上させることである。

3.2.3 稼働率と故障率

午後にも出る

Point
- MTBF は動作している時間，MTTR は停止している時間
- 稼働率は可用性（Availability）の尺度の１つ

システムの可用性の尺度に稼働率や故障率がある。稼働率は，ある時点においてシステムが動作している確率で，MTBF と MTTR を用いて次式で表す。

$$稼働率 = \frac{MTBF}{MTBF + MTTR}$$

また，故障率は，単位時間当たりの故障回数である。

● MTBF と MTTR

MTBF(Mean Time Between Failures：平均故障間隔)は，システムが故障せず連続して動作する時間の平均値である。MTBF が大きいほど信頼性が高いので，RASIS の R(信頼性)の指標として使われる。

下図で示すような稼働と修理を繰り返すシステムがあったとき，MTBF は次式で定義する。

稼働中	修理中	稼働中	修理中	稼働中	修理中	…	稼働中	修理中
T_1	D_1	T_2	D_2	T_3	D_3		T_n	D_n

$$MTBF = \frac{T_1 + T_2 + T_3 + \cdots T_n}{n}$$

MTTR(Mean Time To Repair：平均修理時間)は，故障が発生したとき，修理に要する時間の平均値である。修理に要する時間は短いほどよいので，RASIS の最初の S(保守性)の指標に使われる。

上図を用いると，MTTR は次式で定義する。

$$MTTR = \frac{D_1 + D_2 + D_3 + \cdots D_n}{n}$$

参考

可用性を高めたコンピュータの考え方に，フォールトトレラントコンピュータがある。耐故障性を備えたコンピュータという概念で，部品が故障してもその影響を最小限に抑え，システム全体には影響を与えずに処理を続けられるように設計されている。このため，処理中に，故障した部品を修理・交換できるようになっている。具体的には，冗長構成をとるデュプレックスシステム，デュアルシステムなどが該当する。

参考

MTRS

一度の停止でどのくらいの回復時間を要するのかを示す指標を，MTRS (Mean Time to Restore Service：平均サービス回復時間）という。値が小さいほど保守性に優れていると判断できる指標である。MTRS は，次式で計算する。

MTRS ＝総停止時間÷サービス中断回数

稼働率

稼働率は，ある時点でシステムが動作している確率で，RASISのA(可用性)の指標として使われる。稼働率の計算式は，既に示したとおりである。稼働率が1に近いほど，システムの可用性は高いと判断する。全く故障しないときの稼働率は1である。

稼働率を向上させるためには，MTBFを長くし，MTTRを短くすればよい。MTBFを長くする対策には，冗長度の高い構成，自動誤り訂正／命令再試行機能などが有効である。MTTRを短くするには，ジャーナル採取，命令トレース機能，遠隔保守などが有効である。

直列接続の稼働率

次のように装置が直列に接続されているとき，システム全体の稼働率は，個々の装置の稼働率の積になる。図中のα，β，γは各装置の稼働率である。

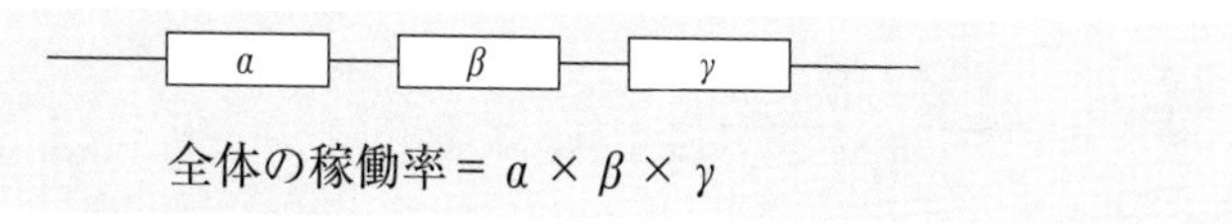

並列接続の稼働率

次のように装置が並列に接続されており，いずれか1つが稼働していればシステム全体として正常とみなす場合の稼働率は，次のようになる。

通常は，装置を多重化することで稼働率を向上させるが，装置自体の信頼性を高めることで稼働率を向上させるという考え方もある。このような対策を，フォールトアボイダンス，あるいはフォールトイントレランスという。

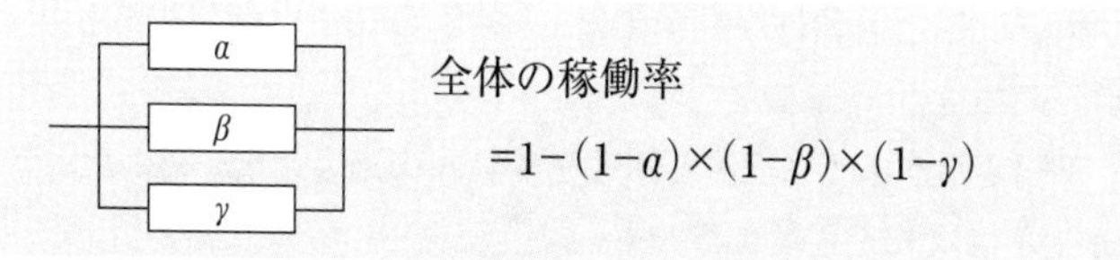

$(1-\alpha)$は，稼働率αの装置が故障している確率(不稼働率ということがある)である。したがって，1から全ての装置が故障している確率を引いた値が，システム全体の稼働率となる。

稼働率の計算

▶ 試験に出る

稼働率の計算は必ず出るといってよい。機器が3～5台程度接続された構成の稼働率を求めさせることが多い。直列部分，並列部分に分離して部分的に稼働率を計算してから，全体の稼働率を計算する。

3台の装置A, B, Cが次のように接続されているときの稼働率を計算する。なお，装置A, B, Cともに稼働率は0.8とし，装置B, Cの並列部分はいずれか1台が稼働していれば正常とみなす。

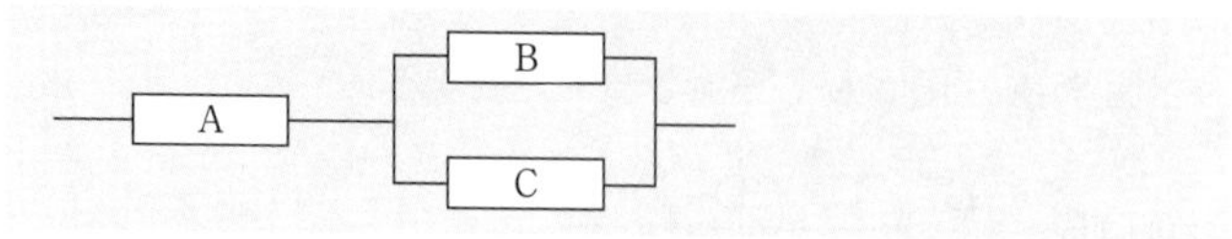

この構成は，装置B，Cの並列接続が装置Aと直列接続になっていると考える。

装置B，Cの並列接続の稼働率

$$= 1 - (1 - 0.8) \times (1 - 0.8) = 0.96$$

システム全体の稼働率

$$= 0.8 \times 0.96 = 0.768$$

●故障率

故障率は，単位時間当たりの故障回数で，次式で定義する。

$$\text{故障率}(\lambda) = \frac{1}{\text{MTBF}}$$

故障率の単位としてFITが使われることがある。1FITは，1時間当たり10^{-9}回故障することを示す。

部品が直列に接続されている機器において，部品の故障率をλ_1，λ_2，λ_3，…，λ_nとしたとき，機器全体の故障率λは，個々の部品の故障率の和になる。

$$\lambda = \lambda_1 + \lambda_2 + \lambda_3 + \cdots + \lambda_n$$

故障率はMTBFの逆数であるが，稼働していない（故障している）割合を指すときもあるので注意する。この場合の故障率は，1から稼働率を引いた値である，MTBFの逆数の故障率と明確に区別するとき，不稼働率ということがある。

●故障率の計算

三つの装置A～Cで構成されるシステムがあるとする。三つの装置の全てが稼働しないとシステムは機能しない。各装置のMTBFは，Aが600時間，Bが900時間，Cが1,800時間である。システム全体のMTBFは何時間かを求めるには次のように考える。

三つの装置の全てが稼働しないとシステムは機能しないので，直列接続である。直列接続でのシステム全体の故障率は，各装置の故障率の和になる。そこで，装置Aの故障率をλ_A，装置Bの故障率をλ_B，装置Cの故障率をλ_Cとすると，全体の故障率λは，次のようになる。

$$\lambda = \lambda_A + \lambda_B + \lambda_C$$
$$= 1/600 + 1/900 + 1/1{,}800$$
$$= 1/300$$

したがって，MTBFは故障率の逆数なので，MTBFは**300**（時間）である。

チェック!　よく出る午前問題で基本事項を確認

日付・正解 Check　／　／　／

問題

［応用情報技術者試験 2019年春期 午前 問13］　難易度 ★★　出題頻度 ★★★

稼働率が等しい装置を直列や並列に組み合わせたとき，システム全体の稼働率の高い順に並べたものはどれか。ここで，各装置の稼働率は0より大きく1未満である。

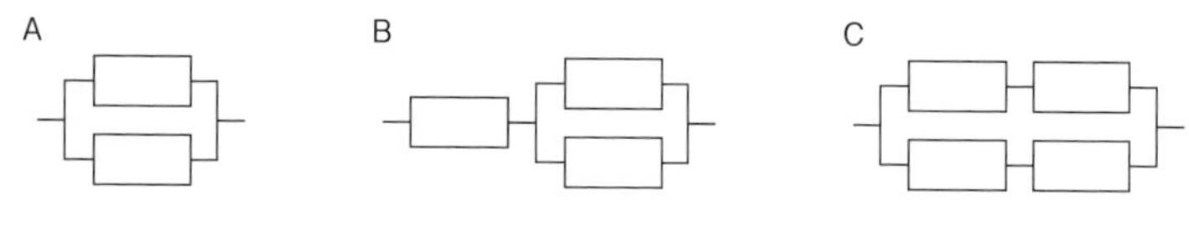

ア　A，B，C　　イ　A，C，B　　ウ　C，A，B　　エ　C，B，A

解説

AとCでは，Cの直列部分（点線部分）を1台と見れば，Aと構成は同じである。しかし，Cの点線部分は直列接続なので，Aの点線部分よりも稼働率は低くなるため，全体の稼働率は，A＞Cとなる。

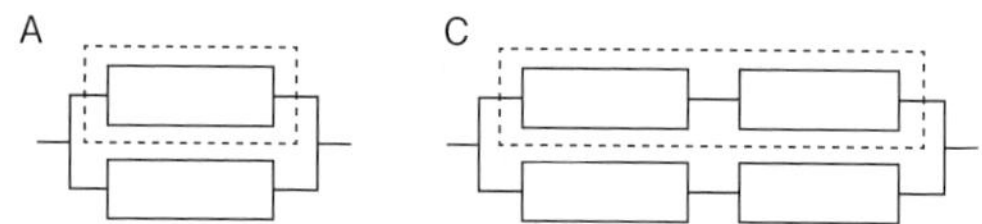

BとCでは，Bは装置が単体で接続されており，並列接続のCより稼働率が低いと考えられるので，全体の稼働率はC＞Bとなる。

以上から，稼働率の高い順に並べると，“A，C，B”となる。

直感的には以上のように考えればよいが，計算して確認しておく。各装置の稼働率をx（0＜x＜1）とする。

Aの稼働率＝ $1-(1-x)^2$

Bの稼働率＝x×Aの稼働率＝ $x\times(1-(1-x)^2)$

C＝ $1-(1-x^2)^2$

まず，A，Cの稼働率の大小を検討する。

$$
\begin{aligned}
\text{Aの稼働率}-\text{Cの稼働率} &= (1-(1-x)^2)-(1-(1-x^2)^2)\\
&= (1-x^2)^2-(1-x)^2\\
&= (1-x)^2(1+x)^2-(1-x)^2\\
&= (1-x)^2((1+x)^2-1)\\
&= (1-x)^2(2x+x^2)\\
&= x(1-x)^2(2+x)>0 \quad (\because\ 1>x>0)
\end{aligned}
$$

以上から，（Aの稼働率－Cの稼働率）＞0なので，Aの稼働率＞Cの稼働率となる。なお，3行目の式中で $(1-x^2)=(1+x)(1-x)$ となることを利用している。

次に，B，Cの稼働率の大小を検討する。

$$
\begin{aligned}
\text{Cの稼働率}-\text{Bの稼働率} &= (1-(1-x^2)^2)-x(1-(1-x)^2)\\
&= x(1-x)^2-(1-x^2)^2+(1-x)\\
&= x(1-x)^2-(1-x)^2(1+x)^2+(1-x)\\
&= (1-x)(x(1-x)-(1-x)(1+x)^2+1)\\
&= (1-x)(x-x^2-(1-x)(1+2x+x^2)+1)\\
&= (1-x)(x-x^2-(1+2x+x^2-x-2x^2-x^3)+1)\\
&= (1-x)(x-x^2-1-2x-x^2+x+2x^2+x^3+1)\\
&= (1-x)x^3>0 \quad (\because\ 0<x<1)
\end{aligned}
$$

以上から，（Cの稼働率－Bの稼働率）＞0なので，Cの稼働率＞Bの稼働率となる。

したがって，稼働率の高い順に並べると，“A，C，B”となる。

正解：イ

演習問題

［応用情報技術者試験 2014年春期午後 問4］

問題

Webシステムの機能向上に関する次の記述を読んで，設問1～4に答えよ。

医薬品商社であるX社は，顧客に医薬品の最新情報を提供することを目的として，Webサイトを開設している。図1に現在のWebサイトのシステム構成を示す。

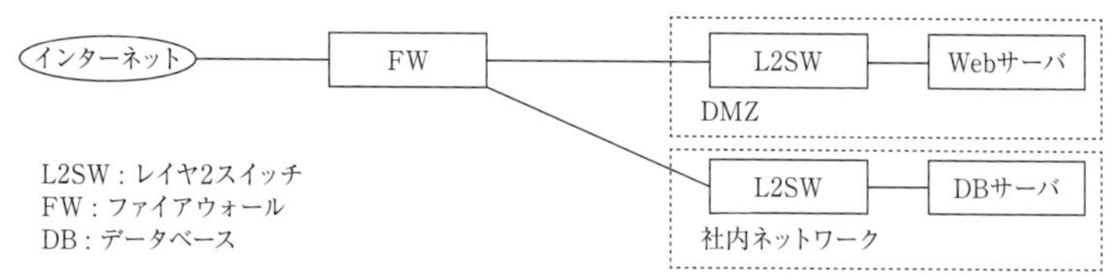

図1　現在のWebサイトのシステム構成

〔現在のシステム構成及びアクセス件数〕

・Webサーバは，クライアントからのアクセスとその検索要求に応じて，社内ネットワークのDBサーバ上のデータベースを検索し，必要な医薬品の情報をクライアントに返す。

・検索の多くは，医薬品の名称や記号から，その成分や効能を調べる内容である。Webサーバは，DBサーバで管理されている医薬品や成分，効能を表すコードを，顧客が理解しやすいように，図やグラフに変換して表示する。DBサーバの検索処理時間は，Webサーバの表示処理時間に比べて極めて短い。

・Webサイトの通常のアクセス件数は，平均毎秒16件である。ただし，特定疾病の流行などによって急増し，通常の100倍以上のアクセスが発生する場合がある。

〔医薬品共同 Webサイトの構築〕

X社は，他の医薬品商社と連携して医薬品の情報を提供することになり，各社のWebサイトをX社のWebサイトに統合し，医薬品共同Webサイト（以下，共同サイトという）として運営することになった。共同サイトの要件は，次のとおりである。

・アクセス件数を，X社単独時の4倍と想定する。
・アクセス時の応答時間は，ネットワークの伝送時間を除き，65ミリ秒以下とする。
・アクセス急増時には“アクセスが集中しておりますので，後ほど閲覧してください。”と表示する。
・24時間連続稼働を実現する。

〔共同サイトのシステム構成案〕

X社システム部のY部長は，部内のWeb担当者Z君に共同サイトの構成案作成を指示し，後日Z君から図2に示す構成案が提出された。

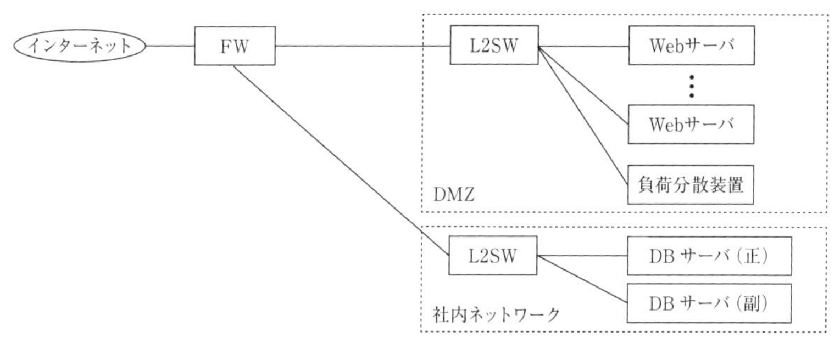

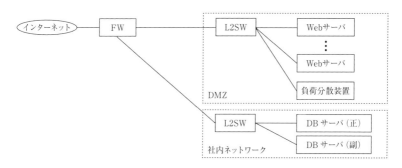

図2　共同サイトの構成案

・Webサーバは，現在と同じ処理能力の機器を利用し，共同サイトの要件を満たすために必要な台数を設置する。
・負荷分散装置が，インターネットからのアクセス要求を監視し，各Webサーバの状況に基づいて，いずれかのWebサーバに振り分ける。
・2台のDBサーバは，クラスタ構成とする。

〔現在のWebサイトの処理能力〕

Z君は，共同サイトの構成案を決定するために，現在のWebサイトの処理能力や稼働率の調査を開始した。現在のWebサイトでは，ネットワークの伝送時間を除くと，1件当たりのアクセス処理時間は，平均50ミリ秒である。

さらに，現在のWebサイトの処理能力を数値化して評価するために，アクセスに対するサイトの応答時間を，窓口が一つのM/M/1待ち行列モデルを適用し，計算することにした。待ち行列モデルの適用については，平均到着率を単位時間当たりのアクセス件数に，平均サービス時間をアクセス処理時間に読み替える。利用率はアクセス件数とアクセス処理時間を乗じた値となる。Z 君は，現在のシステムの利用率，待ち時間，応答時間は，それぞれ0.8，200ミリ秒，250ミリ秒であると計算した。

〔共同サイトの処理能力〕

Z君は，共同サイトのシステム処理能力を数値化して評価することにした。そこで，複数窓口の待ち行列モデルであるM/M/s待ち行列モデルを適用して，共同サイトの利用率と応答時間を計算し，設置が必要なWebサーバの台数を決定することにした。M/M/s待ち行列モデルの利用率と待ち時間比率の関係（図3）と次の式を利用して，必要なサーバ台数を求めることができる。

・利用率＝アクセス件数×アクセス処理時間／サーバ台数
・待ち時間比率＝待ち時間／アクセス処理時間
・応答時間＝待ち時間＋アクセス処理時間

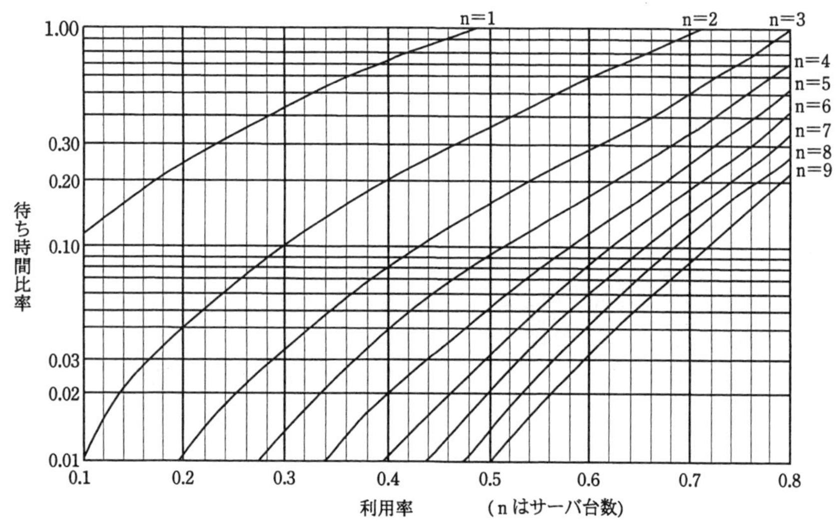

図3　利用率と待ち時間比率の関係

〔処理能力の計算〕

(1)　M/M/s待ち行列モデルでの計算方法を確認する。現在のシステム構成及びアクセス件数のままで，Webサーバを1台追加したとすると，次のように計算できる。

・利用率は［　a　］となるので，図3のサーバ台数が2（n = 2）の曲線と利用率との交点から待ち時間比率が分かる。

・アクセス処理時間が50ミリ秒であることから，待ち時間はおおよそ［　b　］ミリ秒で，応答時間は［　c　］ミリ秒である。

(2) 次に，共同サイトに必要なサーバ台数を決定する。

・サーバ台数をnとすると，利用率は，式［　d　］で計算できる。サーバ台数が2，3，4，5，6…のときの利用率をあらかじめ計算しておく。

・応答時間は共同サイトの要件に従うので，待ち時間は［　e　］ミリ秒以下になり，これらによって待ち時間比率の目標値が分かる。

Z君は，以上の結果をY部長に報告した。

〔共同サイトのシステム構成の見直し〕

Y部長は，共同サイトの構成案と必要サーバ台数の報告内容を確認した後，構成案にアクセス急増時の対応が必要と判断し，Z君に修正案の作成を指示した。

Z君は，負荷分散装置に，振分け先の全てのサーバが稼働しても処理が不能と判断した場合，振分けを中止し，全てのアクセスを特定の1台のサーバに接続させる機能があることを確認した。Z君は，この機能を利用することによって，構成案に①アクセス急増時専用の対策用サーバを追加し，アクセス急増時には全てのアクセスをこのサーバに接続することにした。Z君は修正案を作成し，Y部長に提出した。

設問1　現在のWebサイトの稼働率と，Webサーバの台数をnとしたときの共同サイトの構成案の稼働率を，それぞれ解答群の中から選び，記号で答えよ。なお，FW及び各サーバの稼働率をpとし，L2SW，負荷分散装置及び他のネットワーク機器の稼働率は1とする。

解答群

ア　p^3　　イ　p^4

ウ　$(1-p^2)^2$　　エ　$1-(1-p^n)^2$

オ　$p(1-(1-p)^n)(1-(1-p)^2)$　　カ　$(1-p)(1-p^n)(1-p^2)$

設問2　〔処理能力の計算〕について，(1)，(2)に答えよ。

(1)　本文中の［　a　］～［　e　］に入れる適切な数式又は数値を答えよ。

(2)　図3を利用して，共同サイトの要件を満たすために必要なWebサーバの最少台数を答えよ。

設問3　〔共同サイトのシステム構成の見直し〕について，本文中の下線①の対策用サーバの主な役割を15字以内で述べよ。

設問4　負荷分散装置が備える機能のうち，〔医薬品共同Webサイトの構築〕に挙げた要件を満たすのに直接的に寄与するものを，解答群の中から二つ選び，記号で答えよ。

解答群

ア　アクセス処理を停止しないでWebサーバの増設，保守，修理を可能にする機能

イ　関連のあるアクセスを同じWebサーバに振り分ける機能

ウ　クライアントからのアクセスを接続回数が最も少ないWebサーバに振り分ける機能

エ　故障しているWebサーバを振分けの対象から除外する機能

演習問題・解答

解説

■設問1　解答　現在のWebサイト：ア　共同サイト：オ

現在のWebサイトの稼働率

図1から，FW，DMZのL2SW，Webサーバ，社内ネットワークのL2SW，DBサーバの直列接続となっている。このうち，L2SWの稼働率は1，そのほかの機器の稼働率はpなので，全体の稼働率は次のようになる。

現在のWebサイトの稼働率＝ $p \times p \times p$

＝ $\mathbf{p^3}$（「**ア**」）

Webサーバの台数をnとしたときの共同サイトの構成案の稼働率

図2から，Webサーバはn台の並列接続，DBサーバは2台の並列接続である。そして，FW，Webサーバのn台の並列接続，DBサーバ2台の並列接続が直列接続の構成となっている。なお，L2SW，負荷分散装置及びその他のネットワーク機器の稼働率は1なので，考慮しなくてよい。

Webサーバn台の稼働率＝ $1-\underbrace{(1-p)\times(1-p)\times(1-p)\times\cdots\times(1-p)}_{(1-p)\text{がn個}}$

＝ $1-(1-p)^n$

DBサーバ2台の稼働率＝ $1-(1-p)\times(1-p)$

＝ $1-(1-p)^2$

また，FWの稼働率はpなので，共同サイトの稼働率は，次のようになる。

共同サイトの稼働率＝ $p\times(1-(1-p)^n)\times(1-(1-p)^2)$

＝ $\mathbf{p(1-(1-p)^n)(1-(1-p)^2)}$（「**オ**」）

■設問2　解答　(1)　a：0.4　b：10　c：60　d：3.2／n　e：15
(2)　5

（1）処理能力の計算

●空欄a

利用率は，“利用率＝アクセス件数×アクセス処理時間／サーバ台数”（〔共同サイトの処理能力〕1つ目の黒丸）なので，次のようになる。

利用率＝16（件／秒）×50（ミリ秒／件）／2

＝16（件／秒）×0.05（秒／件）／2

＝**0.4**

●空欄b

待ち時間は，“待ち時間比率＝待ち時間／アクセス処理時間”（〔共同サイトの処理能力〕2つ目の黒丸）によって求めることができる。また，待ち時間比率は，図3から利用率0.4，サーバ台数2の交点から求めることができる。

図3において，利用率0.4でn＝2の交点の待ち時間比率は0.2である。一方，アクセス処理時間は50ミリ秒なので，次式が成立する。

0.2＝待ち時間／50（ミリ秒）
待ち時間＝0.2×50
＝**10**（ミリ秒）

●空欄c

応答時間は，“応答時間＝待ち時間＋アクセス処理時間”（〔共同サイトの処理能力〕3つ目の黒丸）なので，次のようになる。

応答時間＝10（ミリ秒）＋50（ミリ秒）
＝**60**（ミリ秒）

●空欄d

利用率は，“利用率＝アクセス件数×アクセス処理時間／サーバ台数”（〔共同サイトの処理能力〕1つ目の黒丸）で，サーバ台数はnなので次のようになる。ただし，アクセス件数は，“アクセス件数を，X社単独時の4倍と想定する”（〔医薬品共同Webサイトの構築〕1つ目の黒丸）ことから，16件／秒の4倍となる。

利用率＝16（件／秒）×4×50（ミリ秒／件）／n（台）
＝16（件／秒）×4×0.05（秒／件）／n（台）
＝**3.2／n**

●空欄e

“アクセス時の応答時間は，ネットワークの伝送時間を除き，65ミリ秒以下とする”（〔医薬品共同 Webサイトの構築〕2つ目の黒丸），応答時間は“応答時間＝待ち時間＋アクセス処理時間”（〔共同サイトの処理能力〕3つ目の黒丸）で求められるので，次の関係が成立する。

65（ミリ秒）≦待ち時間＋50（ミリ秒）
待ち時間≧65－50＝15（ミリ秒）

以上から，待ち時間は，**15**ミリ秒以下とする必要がある。

(2) 必要なWebサーバの最少台数

“サーバ台数が2，3，4，5，6…のときの利用率をあらかじめ計算しておく”

(〔処理能力の計算〕(2)1つ目の黒丸)に従って，n＝2，3，4，5，6の場合を計算しておく。

```
n＝2　3.2／2＝1.6
n＝3　3.2／3＝1.06666666…
n＝4　3.2／4＝0.8
n＝5　3.2／5＝0.64
n＝6　3.2／6＝0.53333333…
```

さらに，“これらによって待ち時間比率の目標値が分かる”(〔処理能力の計算〕(2)2つ目の黒丸)ので，待ち時間比率を求める。“待ち時間比率＝待ち時間／アクセス処理時間”(〔共同サイトの処理能力〕2つ目の黒丸)から，この場合の待ち時間比率は次のようになる。なお，待ち時間は，空欄eから，15ミリ秒である。

待ち時間比率＝15／50＝0.3

以上の結果を基に，図3から，待ち時間比率が0.3のときの利用率を求める。

```
n＝2　利用率＝0.46
n＝3　利用率＝0.61
n＝4　利用率＝0.66
n＝5　利用率＝0.72
n＝6　利用率＝0.76
```

この結果は，例えば，n＝2のとき，図3では利用率を0.46に抑える必要があるのに対して，計算上の利用率は1.6になってしまうことを示している。n＝3についても，利用率を0.61に抑えないといけないのに，計算上は1.06666666…となってしまう。いずれも，処理能力が不足している。同様に，n＝4についても，利用率を0.66に抑える必要があるのに対して，計算上は0.8になってしまう。

一方，n＝5であると，利用率を0.72に抑える必要があるのに対して，計算上の利用率は0.64なので対応できる。同様に考えて，6台でも対応できる。

したがって，必要なWebサーバの最少台数は“**5**”である。

■設問3　解答　サーバの状況を案内する。

「アクセス急増時には全てのアクセスをこのサーバに接続することにした」のは，「アクセス急増時には“アクセスが集中しておりますので，後ほど閲覧してください。”と表示する」(〔医薬品共同 Webサイトの構築〕3つ目の黒丸)要求を満たすためであると考えられる。

したがって，“**サーバの状況を案内する**”という主旨で15字以内にまとめる。

■設問4　解答　ア，エ

負荷分散装置には，“負荷分散装置が，インターネットからのアクセス要求を監視し，各Webサーバの状況に基づいて，いずれかのWebサーバに振り分ける”（〔共同サイトのシステム構成案〕2つ目の黒丸）機能，“負荷分散装置に，振分け先の全てのサーバが稼働しても処理が不能と判断した場合，振分けを中止し，全てのアクセスを特定の1台のサーバに接続させる”（〔共同サイトのシステム構成の見直し〕）機能がある。

一方，〔医薬品共同Webサイトの構築〕では，4つの要件が示されている。このうち，負荷分散装置の機能が直接的に寄与するものは，“24時間連続稼働を実現する”（4つ目の要件）ことである。1つ目の要件はアクセス件数なので，負荷分散装置とは直接関係ない。2つ目の要件は応答時間なので，サーバの性能であり，負荷分散装置とは直接関係ない。3つ目の要件はメッセージを表示するということで，負荷分散装置がメッセージを表示するかどうかは問題文中からはわからない。

24時間稼働という観点では，Webサーバのどれかに障害が発生したとき，そのWebサーバを切り離して連続稼働させることが必要となる。これに関連する記述は，「エ」である。また，Webサーバを修理，増設，保守をする場合も，連続稼働を止めない機能が必要である。これに関連する記述は「ア」である。一方，「イ」，「ウ」に関連する機能は，本文中には説明がない。

したがって，負荷分散装置が直接的に寄与する機能は，“**アクセス処理を停止しないでWebサーバの増設，保守，修理を可能にする機能**”（「ア」），“**故障しているWebサーバを振分けの対象から除外する機能**”（「エ」）である。

第4章

● テクノロジ系

ソフトウェアとハードウェア

オペレーティングシステム（Operating System：OS）は，コンピュータシステムを効率よく動作させるためのソフトウェアである。基本ソフトウェアということもある。利用者が作成するアプリケーションもソフトウェアであるが，OSの配下で動作する。つまり，ソフトウェアには上下関係がある。第1節では，OSの基本機能（タスク管理，データ管理など）を全体的に学習する。第2節では，出題頻度の高い記憶管理，同期・排他制御について学習する。さらに，第3節では，コンピュータの構成部品や要素とその実装，組込みシステムを構成する部品の役割，部品間の関係を説明する。

理解しておきたい用語・概念

- ☑ タスク管理
- ☑ マルチプログラミング
- ☑ メモリリーク
- ☑ FIFO
- ☑ デッドロック
- ☑ ディスパッチング
- ☑ ラウンドロビン
- ☑ ロールイン／ロールアウト
- ☑ LRU
- ☑ アクチュエータ
- ☑ プリエンプション
- ☑ スプーリング
- ☑ ページング
- ☑ 排他制御
- ☑ センサ

アクセスキー h (小文字のエックス)

4.1 OSの基本機能

OS（Operating System）は，プログラムの実行制御を行うソフトウェアで，資源割当て，スケジューリング，入出力制御，データ管理などのサービスを提供する。基本ソフトウェア，制御プログラムということもある。

4.1.1 タスク管理（プロセス管理）

Point
- タスクは実行状態，実行可能状態，待ち状態を遷移
- ラウンドロビンは優先順位を考えないスケジューリング方式

用語解説

ディスパッチング

ディスパッチングは，タスク管理が，実行可能状態のタスクから優先順位の高いものを選択し，プロセッサを割り当てることである。また，ディスパッチング機能をもつタスク管理のプログラムを，ディスパッチャという。

プリエンプション

プリエンプションは，優先順位の低いタスクが優先順位の高いタスクによって，強制的にプロセッサの使用権を剥奪されることである。

間違えやすい

タスク管理の各状態は次のとおりである。

実行状態

プロセッサの使用権が付与され，実行している状態

実行可能状態

プロセッサの使用権付与を待っている状態

待ち状態

入出力完了待ち，ほかのタスクからの起動待ちなどの状態

タスク（プロセス）は，コンピュータの資源を使用する最小の実行単位である。通常，ジョブ（プログラム）がコンピュータに投入されると，複数のタスクが生成され，タスク管理によって各タスクに対して，プロセッサや主記憶などのシステム資源が適切に割り当てられる。

● タスクの状態遷移

タスク管理（プロセス管理）は，要求に応じてタスクを生成し実行過程を監視する。また，生成されたタスクが不要になると，そのタスクを消滅させる。

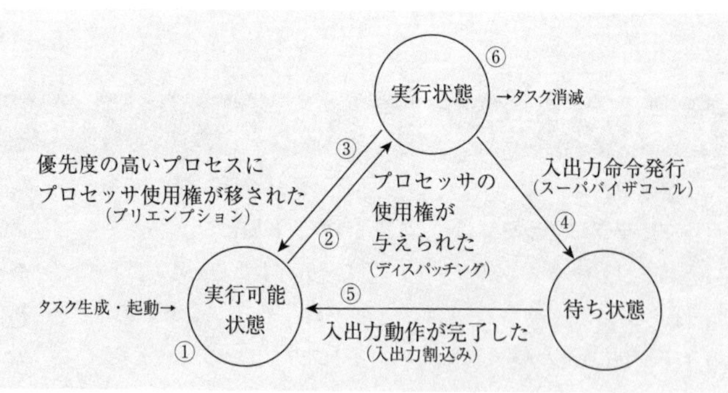

注）通常のタスクは，○番の順位で遷移する。

スケジューリングと優先順位

スケジューリングは，実行するタスクを選び出すことである。このとき，優先順位に従って適切なタスクが選び出される。

スケジューリング方式

基本的には，イベントドリブン方式とタイムスライス方式がある。実際には，この2つを組み合わせた方式が使われる。

イベントドリブン	タスクの状態遷移をトリガ（引き金）としてスケジューリング
タイムスライス	一定時間（タイムクォンタム）ごとにスケジューリングし，タスクを切り替えながらCPU使用権を与える

優先順位

実用的な優先順位の管理方式に，静的優先順位方式と動的優先順位方式がある。

静的優先順位方式	あらかじめ決められた優先順位に従ってスケジューリング。優先順位の低いタスクが実行されない
動的優先順位方式	優先順位を動的に変更することで，スタベーションを防止。優先順位を管理することをエージェントという

ラウンドロビン方式

ラウンドロビン方式（Round Robin：RR）は，実行可能状態となったタスクから順に実行されるが，プロセッサの使用時間が決められていて，使用時間が終了したらプリエンプションされて次のタスクにプロセッサの使用権が与えられる。プリエンプションされたタスクは，実行可能状態の待ち行列の最後に回される。TSSは，ラウンドロビン方式の例である。

TSS（Time Sharing System：時分割システム）は，プロセッサの使用権を微少時間ずつ各端末に与えることによって，見掛け上，同時に複数の端末が使えるようにする方式である。

参考

制御，通信，周辺装置などに組み込んで使うOSをリアルタイムOSという。時間的な制約のある処理を実行するための機能や特性をもつ。組込みシステムの制御用として用いられる。リアルタイム処理を行うため，イベントドリブンプリエンプション方式が基本である。

用語解説

スタベーション

スタベーションは，優先順位の低いタスクがなかなか実行されないこと。

参考

ラウンドロビン方式以外に次のようなスケジューリング方式がある。

到着順方式（First-In First-Out：FIFO）

到着順方式は，タスクが優先順位はもたず，実行可能状態になった順番に実行する方式である。ノンプリエンプティブ方式ともいう。

イベントドリブンプリエンプション方式

イベントドリブンプリエンプション方式は，処理要求の発生時に最優先のタスクを実行し，優先順位の低いタスクの実行を中断する方式。リアルタイム処理に多く使用される。

4.1.2 データ管理と入出力管理

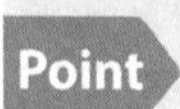

- スプーリングはスループットを向上させる手段
- バッファプールは入出力のための共通バッファ

データ管理は，コンピュータシステムの全てのデータを管理する機能である。プログラムやデータを全てファイルという統一した概念で取り扱うことで，種々の処理プログラムとは独立した共有資源としている。プログラムは，データの取扱いを全てデータ管理に依頼する。データの取扱いを依頼されたデータ管理は，最も適切なアクセスを行い，処理結果をプログラムに返す。

参考

データ管理の機能には，本文で説明する機能のほかに，ファイル管理がある。ファイル管理は，順編成ファイル，直接編成ファイル，索引編成ファイルなど，プログラムで使用する各ファイルについて，共通的なアクセス法を提供する。

なお，装置の制御や入力データの読込み，出力データの書出しなどを行うデータ管理機能の一部を，入出力管理（Input Output Control System：IOCS）という。

●スプーリング

スプーリングは，ジョブの入出力処理をプログラムの実行とは独立に，並行して行う機能である。プログラム実行中に，出力データを直接プリンタなどの低速な装置に出力すると，処理が低速な装置に合わされてしまうため，処理効率が低下する。そこで，比較的高速な磁気ディスクなどに確保されたスプールファイルに出力しておき，プログラム終了後に，出力専用のサービスプログラムで実行結果を出力する。

●デバイスドライバ

デバイスドライバ（ドライバ）は，プリンタやハードディスクなどの周辺機器を動作させるためのソフトウェアである。周辺機器の仕様や制御方法は製品によって大きく異なるため，OSが単独で全ての製品をサポートすることは困難である。そこで，周辺機器メーカが自社製品を制御するためのデバイスドライバを提供し，利用者はそれをOSに組み込んで使用する。

参考

Windows 95以降のWindowsでは，周辺機器を自動的に検出して適切なデバイスドライバをインストールするプラグアンドプレイ機能を搭載しており，利用者がデバイスドライバをインストールする負担を軽減している。

バッファプール

バッファプールは，入出力を行うために主記憶上に確保された共通バッファである。バッファを多数用意し，複数のプログラムで共用することで，プログラムの入出力と処理の並行動作を行う。この結果，処理時間を短縮することができる。

直接メモリアクセス機構

直接メモリアクセス機構(Direct Memory Access：DMA)は，CPUの制御を受けずに，主記憶と入出力装置との間でデータ転送を制御する方式である。

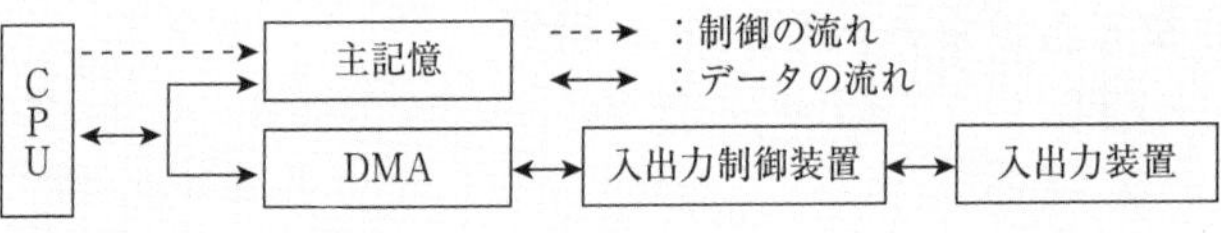

BIOS

BIOS（Basic Input Output System）は，入出力を実行するプログラムをROMにもたせたものである。OSが直接，デバイスを制御するのではなく，BIOSの機能を呼び出すことで制御する。キーボードやハードディスクドライブ，ディスプレイなど基本的なデバイスは，マザーボード上のシステムBIOSにより制御する。

チャネルサブシステム

汎用コンピュータでは，入出力にチャネルサブシステムを使うことが多い。チャネルサブシステムは，入出力専用のコンピュータシステムである。チャネルはデータの経路で，セレクタチャネルとマルチプレクサチャネルが用意されている。セレクタチャネルは高速機器に用いられ，ある時点では1台の装置と入出力を行う。マルチプレクサチャネルは複数の装置との入出力を同時並行的に行う。

用語解説

マザーボード

マザーボードは，CPUやメモリモジュール，ビデオカードなど，コンピュータで利用する電子機器を接続する電子回路基板である。いわば，パソコンの本体であり，全てのパーツが取り付けられるものである。

間違えやすい

通常，BIOSはROMに保存されるが，EEPROMにBIOSを収め，アップグレードを可能にすることも多い。

用語解説

EEPROM

EEPROM（Electrically Erasable and Programmable Read Only Memory）は，給電がなくてもデータが失われない不揮発性メモリの一種で，データを電気的に書き換えられる半導体素子である。ただし，書換えにはデータの一括消去が必要で，部分的な書換えはできない。

間違えやすい

マルチプレクサチャネルには，バイト単位で複数の装置が時分割で使用するバイトマルチプレクサチャネル，ブロック単位で複数の装置が時分割で使用するブロックマルチプレクサチャネルがある。バイトマルチプレクサチャネルはプリンタなど低速な装置，ブロックマルチプレクサチャネルは磁気ディスクなど高速な装置に使用される。

4.1.3 マルチプログラミング

Point
- マルチプログラミングは複数のプログラムを見掛け上同時に実行
- マルチプログラミングの問題ではタイムチャートの作成が必須

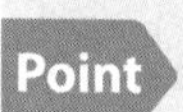

現実には，割込み処理時間などのオーバヘッドがあるため，本文で示したタイムチャートのように理想的にはいかない。

オーバヘッド
オーバヘッドは，OS の走行時間のうち，アプリケーションの処理に直接必要な時間以外の時間である。例えば，プログラムのロード時間，タスクの切替時間，ディスクのアクセス時間などである。

▶試験に出る
タイムチャートを書かないと解けない問題が出題されている。マルチプログラミングの問題は計算では解けないので，タスクの優先順位や実行順序を把握し，慎重にタイムチャートを作成する。

マルチプログラミング（多重プログラミング）は，割込みなどの手法を用い，1 台のプロセッサで，複数のプログラムを見掛け上同時に実行しているように見せる仕組みである。

●タイムチャートの作成例（1）

次の具体例でタイムチャートを作成する。()内の数値は処理時間（ミリ秒）である。

タスク A:CPU(10)→ I/O(20)→ CPU(10)→ I/O(30)→ CPU(10)
タスク B:CPU(5)→ I/O(30)→ CPU(5)→ I/O(20)→ CPU(5)

また，同時実行の条件は次のとおりである。

- 最初はタスク A に CPU が割り当てられる。
- CPU 時間は 5 ミリ秒ごとのラウンドロビン方式でスケジュールされる。
- 2 つのタスクがアクセスする入出力装置（I/O）は異なった装置で，同時処理が可能である。
- 割込み処理に要する時間は無視してよい。
- この 2 つのタスクだけが実行され，ほかにタスクはない。

タイムチャートは次のようになる。タスク A，B で使用する I/O は異なるので，それぞれ，I/O（A），I/O（B）とする。

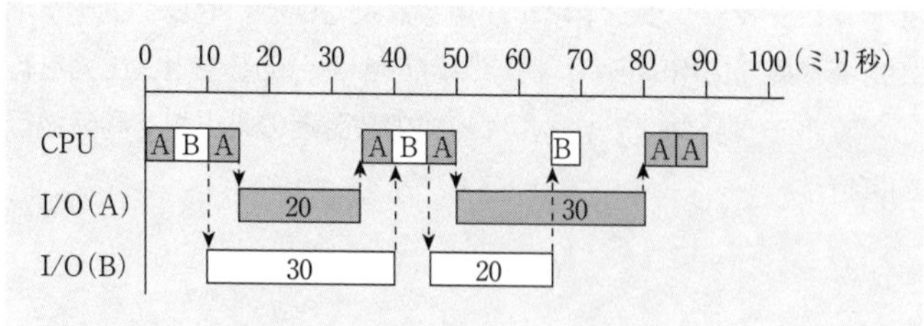

全てのタスクが終了するのは，90 ミリ秒後である。

タイムチャートを作るとき，5 ミリ秒ごとのラウンドロビン方式であることに注意する。タスク A は CPU を 10 ミリ秒必要とするが，5 ミリ秒 CPU を使用すると，割込みが発生してタスク B に CPU の使用権が移る。一方，入出力は，その処理が終了するまで割込みは発生しない。

多重度

多重度には種々の意味があるが，ソフトウェアの分野では，コンピュータシステムにおいて，複数のプログラム（ジョブ，スレッド，プロセス，タスクなど）を実行する場合，同時に並行して実行することができるプログラムの数をいう。

タイムチャートの作成例（2）

次の具体例でタイムチャートを作成する。() 内の数値は処理時間（ミリ秒）である。

タスク A:CPU(20)→I/O(30)→CPU(20)→I/O(40)→CPU(10)

タスク B:CPU(10)→I/O(30)→CPU(20)→I/O(20)→CPU(20)

また，同時実行の条件は次のとおりである。

・タスクの実行優先度は，A の方が B より高い。

・タスク A，B は同一の入出力装置を使用する。

・CPU 処理を実行中のプログラムは，入出力処理を行うまでは実行を中断されない。

・入出力装置（I/O）も入出力処理が終了するまで実行を中断されない。

・CPU 処理の切替え（タスクスイッチ）に必要な時間は無視できる。

実行優先度はプロセッサ (CPU) に対して有効であり，入出力装置は，優先順位に関係なく，先に入出力装置を確保したタスクが解放するまで占有されることに注意する。

マルチタスク（マルチプロセス）

マルチタスクは，複数のタスク（プロセス）を見掛け上，同時に実行させているように見せる仕組みである。プロセッサの処理時間を非常に短い単位に分割し，複数のタスクに順番にプロセッサを割り当てることによって，複数の処理を同時に行っているように見せる。

タスクの実行優先度は A の方が B より高いので，タスク A が先に開始する。

① タスク A が CPU を 20 ミリ秒使用したあと，タスク B が CPU を 10 ミリ秒使用すると同時に，タスク A は I/O を 30 ミリ秒使用する。ms はミリ秒である。

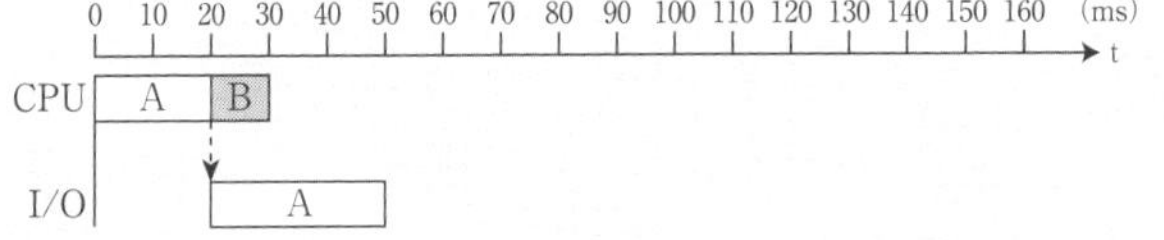

参考

スレッド

スレッドは，プロセスをさらに細分化した処理の単位で，CPU 資源のみが割り当てられ，他の資源（補助記憶など）は親プロセスから継承することで，多重プログラミングを実現する。プロセスをヘビーウェイトプロセス，スレッドをライトウェイトプロセスと呼ぶこともある。

② タスク B が I/O を使おうとするが，タスク A が使用中のため待たされる。一方，タスク A は I/O 使用後，CPU を 20 ミリ秒使用すると同時に，タスク B は I/O を 30 ミリ秒使用する。

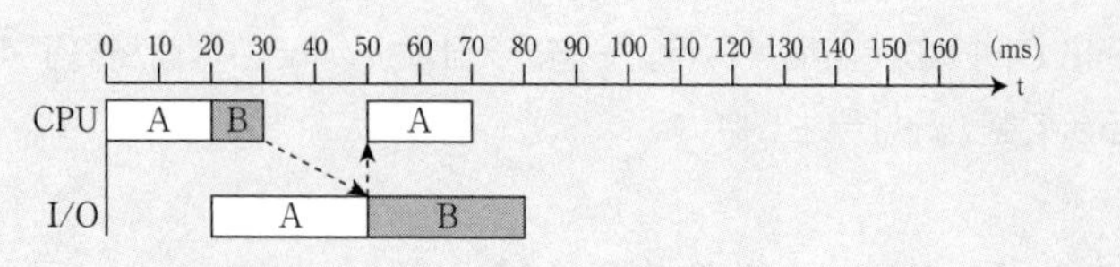

③ タスク A が I/O を使おうとするが，タスク B が使用中のため待たされる。一方，タスク B は I/O 使用後，CPU を 20 ミリ秒使用すると同時に，タスク A は I/O を 40 ミリ秒使用する。

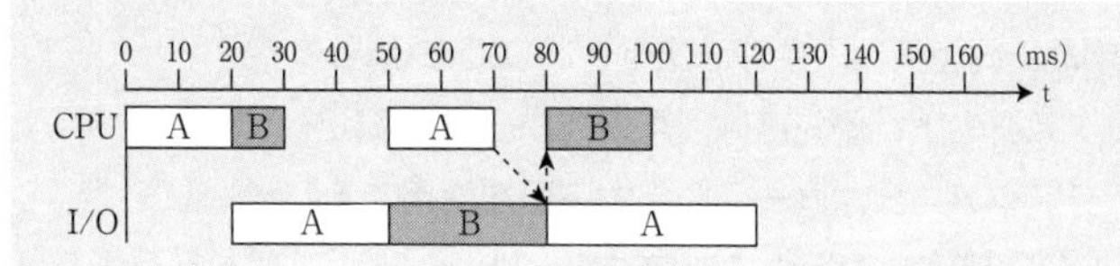

④ タスク B が I/O を使おうとするが，タスク A が使用中のため待たされる。一方，タスク A は I/O 使用後，CPU を 10 ミリ秒使用して終了する。同時にタスク B が I/O を 20 ミリ秒使用後，CPU を 20 ミリ秒使用して終了する。

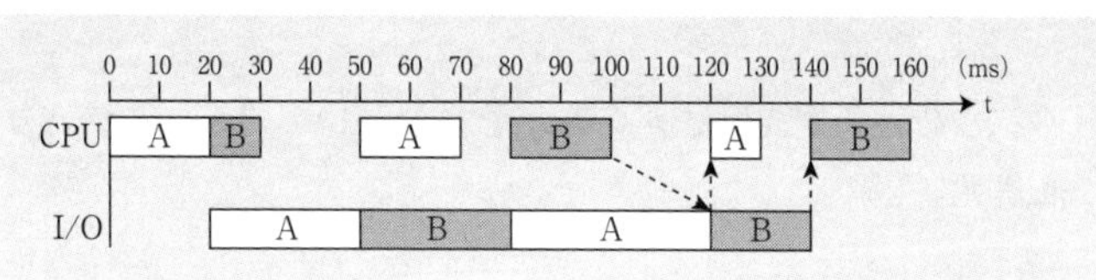

以上から，タスク A は 130 ミリ秒後，タスク B は 160 ミリ秒後に終了することがわかる。

なお，この場合の CPU の使用率は，次のようになる。

CPU の使用時間 ＝タスク A の CPU の使用時間
＋タスク B の CPU の使用時間
＝ 50 ＋ 50 ＝ 100（ms）

タスクの実行時間＝ 160（ms）

CPU の使用率　＝ $\frac{100}{160}$ ＝ 0.625 → 62.5%

▶試験に出る

マルチプログラミングの問題の出題はそれほど多くはないが，出題されるとけっこう面倒である。本文で示したような条件が与えられ，タスク B は何ミリ秒後に終わるかというパターンである。このほか，CPU の使用率を求めさせるものもある。

チェック! よく出る午前問題で基本事項を確認

日付・正解 Check ／ ／ ／

問題 [応用情報技術者試験 2016年秋期午前 問17] 難易度 ★★ 出題頻度 ★★

五つのタスクA～Eの優先度と，各タスクを単独で実行した場合のCPUと入出力装置（I/O）の動作順序と処理時間は，表のとおりである。優先度“高”のタスクAとB～Eのどのタスクを組み合わせれば，組み合わせたタスクが同時に実行を開始してから，両方のタスクの実行が終了するまでの間のCPUの遊休時間をゼロにできるか。ここで，I/Oは競合せず，OSのオーバヘッドは無視できるものとする。また，表の（ ）内の数字は処理時間を表すものとする。

	タスク	優先度	単独実行時の動作順序と処理時間（ミリ秒）
	A	高	CPU (3) → I/O (3) → CPU (3) → I/O (3) → CPU (2)
ア	B	低	CPU (2) → I/O (5) → CPU (2) → I/O (2) → CPU (3)
イ	C	低	CPU (3) → I/O (2) → CPU (2) → I/O (3) → CPU (2)
ウ	D	低	CPU (3) → I/O (2) → CPU (3) → I/O (1) → CPU (4)
エ	E	低	CPU (3) → I/O (4) → CPU (2) → I/O (5) → CPU (2)

解説

オーバヘッドは，OSの走行時間のうち，アプリケーションの処理に直接必要な時間以外の時間である。プログラムのロード時間，タスクの切替え時間，仮想記憶システムにおけるページングの時間などが該当する。オーバヘッドを無視するので，タスクがCPUを使用後，I/Oを使うときの切替え時間は0である。

タスクAがCPUを使用しないとき（I/O使用中）に，CPUを使用する優先度“低”のタスクを調べればよい。入出力装置は異なるので，入出力装置待ちはない。

タスクAは，入出力（I/O）を2回，いずれも3ミリ秒である。優先度“低”のタスクのCPUの使用がちょうど3ミリ秒間で終わるタスクがあれば，CPUの遊休時間はなくなる。そこで，解答群の各タスクの状態を検討する。

ア　タスクAの最初のI/Oが3ミリ秒で，このとき，優先度“低”のタスクBがCPUを使用するが，2ミリ秒である。このため，1ミリ秒のCPUの遊休時間が生ずる。

イ，エ　タスクC，タスクEは，いずれも，2回目のCPU使用時間が2ミリ秒であるため，CPUの遊休時間が発生する。

ウ　最後のCPUの使用時間に4ミリ秒があるが，最後なので，タスクAの完了後であれば，遊休時間はない。

　したがって，両方のタスクの実行が終了するまでの間のCPUの遊休時間をゼロにできるのは，タスクDである。

　直感的には以上のように考えればよいが，タイムチャートを作成して確認する。I/Oは異なるので，入出力待ちはない。そこで，タスクAのタイムチャートを先に書き，そのあとで，優先度“低”のタスクにCPUを割り当てていけばよい。優先度“高”のタスクは，優先度“低”のタスクがCPUを使用していても，CPUを使う状態になれば，優先度“低”のタスクを追い出すことができるからである。

　タスクAのタイムチャートは，次のとおりである。単位はms（ミリ秒）である。

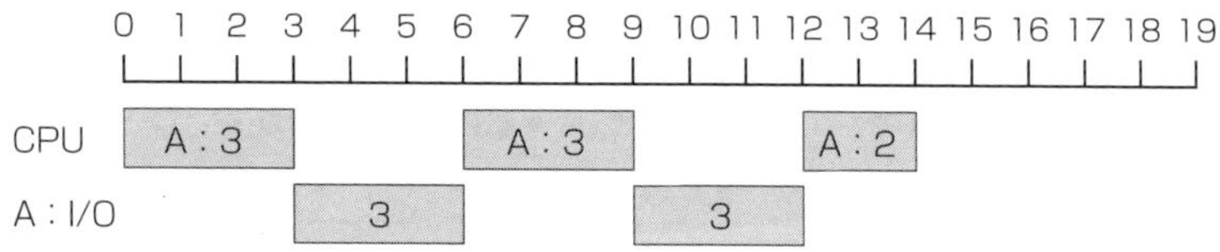

ア

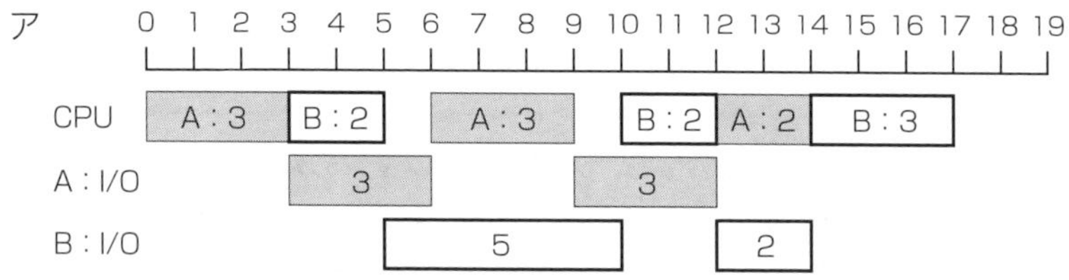

　以上から，CPUの遊休時間は，5～6msの1ms，9～10msの1ms，計2msである。

イ

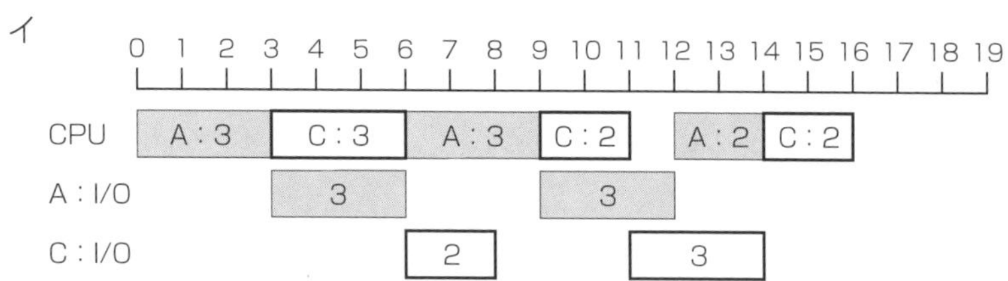

　以上から，CPUの遊休時間は，11～12msの1msである。

ウ

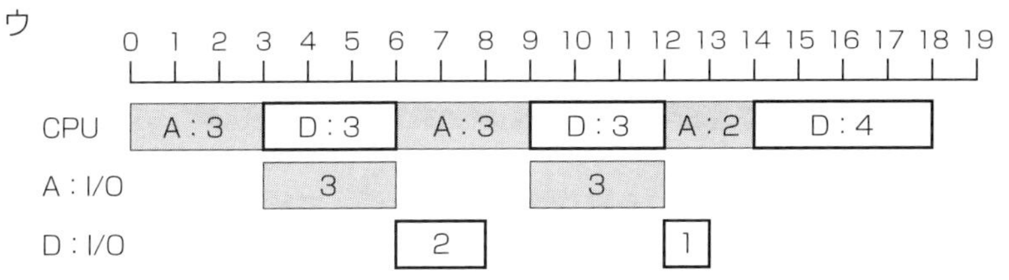

以上から，CPUの遊休時間はない。

エ

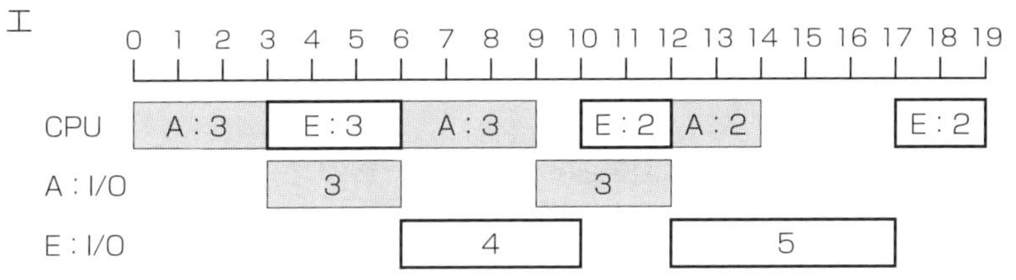

以上から，CPUの遊休時間は，9～10msの1ms，14～17msの3ms，計4msである。

正解：ウ

4.2 記憶管理と同期・排他制御

コンピュータシステムを効率よく動作させるために，主記憶の管理が行われる。また，共有資源のデータに矛盾が発生しないようにするため，同期制御や排他制御が行われる。

4.2.1 実記憶管理

Point
- スワッピングは補助記憶装置と主記憶の内容のジョブ単位の入替え
- フラグメンテーションを解消するにはメモリコンパクションを実行

実記憶管理は，主記憶を効果的に使用するとともに，主記憶の容量の制約をカバーする。このため，補助記憶装置を記憶空間として利用する。

●アドレス空間

アドレスには，物理アドレスと論理アドレスがある。物理アドレスは，主記憶上に割り当てられた実際のアドレスで，絶対番地で参照される。論理アドレスは，プログラム内で相対的に与えられたアドレスで，通常，プログラムの先頭を０番地とする。

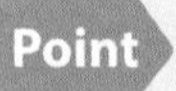
用語解説

実記憶
実記憶は，実際に存在する記憶装置のことで，具体的には，主記憶を指す。原則として，主記憶容量（実記憶容量）以上の容量をもつプログラムは実行できない。そこで，本文に示すような方式が採用されている。

●実記憶の管理方式

主記憶を効率よく使用するため，次のような管理方式が使われている。

オーバレイ方式

オーバレイ方式は，主記憶の容量に制限があるときに用いられる技法である。同時には使用しないモジュールの構造を明らかにし，あるモジュールが必要となったとき，不要となったモジュールと同じ領域にロードする。主となるモジュールだけを主記憶に常駐させ，ほかのモジュールは必要になった時点で，ロードする。例示では，モジュール１，モジュール２，モジュール３のいずれか１つだけが，主記憶上に存在する。

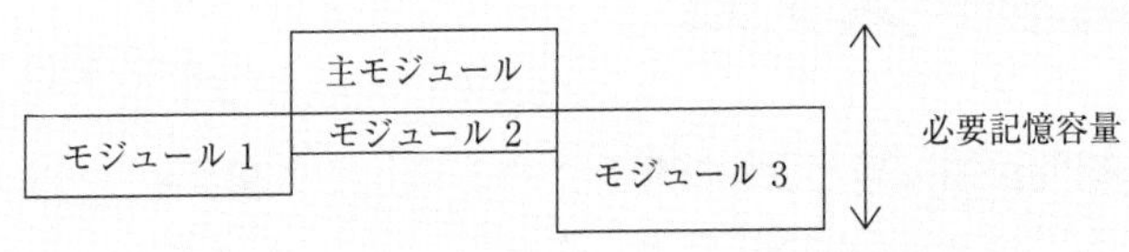

スワッピング方式

スワッピングは，プログラムを補助記憶装置と主記憶との間で入れ替えることである。主記憶から補助記憶装置に移すことをスワップアウト（ロールアウト），補助記憶装置から主記憶にロードすることをスワップイン（ロールイン）という。スワップインとスワップアウトを総称して，スワッピング（スワップイン／スワップアウト，ロールイン／ロールアウト）という。

可変区画方式

可変区画方式は，必要に応じてプログラムの実行領域を主記憶に確保する方式である。可変区画方式では不要となった主記憶領域を解放するが，大きさの異なるプログラムを実行していくと，主記憶が断片化する。この現象をフラグメンテーションという。フラグメンテーションが発生すると，主記憶は空いているけれども，大きなプログラムが実行できないという現象が発生する。そこで，メモリコンパクションが行われる。メモリコンパクションは，主記憶領域の隙間を詰めて，連続した利用可能な主記憶領域を増やすことである。

プログラム1
ガーベジ(空き)
プログラム2
ガーベジ(空き)
プログラム3
ガーベジ(空き)
メモリコンパクション
プログラム1
プログラム2
プログラム3
空き

参考

プログラムの実行に当たって，スタック領域とヒープ領域が確保される。スタック領域は，呼出し命令の引数や一時的な計算結果の格納，サブルーチンからの戻り番地の格納，再帰呼出しのデータの待避などに使われる。ヒープ領域は，プログラムが実行時に動的に使用する領域で，主記憶を複数のプログラムで共通して使用できるように，必要な都度，確保される。いずれも主記憶に確保されるが，使用目的によって使い分けられる。

参考

主記憶領域の管理の方法に，ガーベジコレクションがある。ガーベジコレクションは，2度と使われないことがわかっている主記憶領域を解放し，再利用できるようにすることである。ガーベジコレクションが有効な場合として，メモリリークの解消がある。メモリリークは，アプリケーションが動的に確保した主記憶領域が何らかの理由で解放されないで残ってしまうことである。

4.2.2 仮想記憶システム

■ ページングは補助記憶装置と仮想記憶をページ単位で入替え
■ ページングアルゴリズムにはFIFOとLRU

仮想記憶システムは，実装されている主記憶容量以上の記憶空間を実現する仕組みで，磁気ディスクを仮想記憶として扱う。主記憶の部分を実アドレス空間，仮想記憶の部分を仮想アドレス空間という。

●仮想記憶の実現方式

仮想記憶システムでは，プログラムをページやセグメントに分割し，プログラムの実行に必要な部分だけを実記憶（主記憶）に格納する。このため，仮想アドレスから実アドレスへの変換が必要となる。このアドレス変換を，動的アドレス変換（Dynamic Address Translation：DAT）という。

▶間違えやすい

仮想記憶システムでは，プログラムの作り方によってはスラッシングが多発して，プログラムの実行効率が低下することがある。スラッシングは，仮想記憶において，必要なページが実記憶にない確率が高いため，ページングが多発してコンピュータシステム全体の処理効率が低下することである。

●マッピング方式

マッピングは，仮想記憶にあるプログラムを分割した結果を実記憶に展開することである。分割の考え方に，次の方式がある。

ページング方式

ページング方式は，プログラムを512～4kバイトの固定長のブロック（ページ）に分割する方式である。

セグメント方式

セグメント方式は，プログラムをサブルーチン単位などの論理的に意味のある単位で分割する方式である。このため，実記憶への格納単位は可変長となる。

▶間違えやすい

ページングと4.2.1で説明したスワッピングは，主記憶と補助記憶装置の間でプログラムを入れ替えるという点では似たような概念である。ただし，ページングは仮想記憶における概念であり，スワッピングは実記憶における概念である。また，ページングではプログラムの一部（ページ）が入替えの対象となるが，スワッピングではプログラム全体が入替えの対象となる。

セグメンテーションページング方式

セグメント方式では実記憶への格納単位が可変長であるため，記憶管理が面倒になる。そこで，セグメントをさらに固定長のページに分割したのが，セグメンテーションページング方式である。

●ページングアルゴリズム

ページングアルゴリズムは，実記憶の不要になったページを決定するアルゴリズムである。プログラム実行中に必要なページが実記憶にないと，ページフォールトという割込みが発生し，不要なページを仮想記憶に追い出し（ページアウト），必要なページを仮想記憶から実記憶に読み込む（ページイン）。ページインとページアウトを総称して，ページングという。

ページングアルゴリズムには，次のものがある。

LRU	Least Recently Used 最後に使用されてから経過時間が最長のページを選択
FIFO	First-In First-Out 最も長く実記憶にあるページを選択

例えば，ページの参照順序が“1→2→3→1→5”で，実記憶のページ枠(ワーキングセット)が3である場合，“1→2→3”は順番に実記憶に格納される。次に1ページを参照したときワーキングセットに1ページは存在するので，ページフォールトは発生しない。ところが，5ページを参照したときページフォールトが発生する。

このとき，LRUでは2ページの参照時点が最も古い（参照されてからの経過時間が最も長い）ので，2ページがページアウトされる。FIFOでは1ページが最初に実記憶に格納されているので，1ページがページアウトされる。

ページングの方法

ページングの方法には，デマンドページングとプリページングがある。現実的には，デマンドページングが使われることが多い。

FIFO方式では，ある種のページ参照列に対して，割当て主記憶容量を増やすと，かえってページフォールトの回数が増加する。一方，LRUには，このような性質はないことが確認されている。

用語解説

デマンドページング
デマンドページングは，該当アドレスのメモリ内容が必要となった時点で物理ページに論理ページを割り当てる方式である。ページフォールトの発生に対応して当該ページを主記憶に読み込む。

プリページング
プリページングは，ページが参照される前に，前もって仮想記憶から主記憶にページを読み込んでおく方式である。次にどのページが参照されるかの予測は，一般的には困難なので，デマンドページング方式が多く使われている。

▶試験に出る

ページの参照順序とページングアルゴリズムが与えられ，ページインやページアウトが何回発生するかを答えさせる問題が頻出している。

▶間違えやすい

FIFOでは主記憶に読み込まれてからの経過時間が最も長いページをページアウトし，LRUでは最後に参照されてから経過時間の最も長いページをページアウトすることに気をつける。

●ページングの実例

実記憶に割り当てられるページ数を3とし，ページのアクセス順序が“1，3，2，1，4，5，2，3，4，5”のとき，FIFOとLRUにおけるページの置換えの順序を検討する。

次は，FIFOのページングの手順である。○数字は，現在使用中のページ，主記憶の状態の網掛けは，主記憶に読み込まれてからの経過時間が最も長いページを示す。

参照ページ番号	1→	3→	2→	1→	4→	5→	2→	3→	4→	5
ページイン	↓	↓	↓		↓	↓		↓		
主記憶の状態	①	1	1	①	④	4	4	4	④	4
		③	3	3	3	⑤	5	5	5	⑤
			②	2	2	2	②	③	3	3
ページアウト					↓	↓		↓		
					1	3		2		

次は，LRUのページングの手順である。○数字は，現在使用中のページ，主記憶の状態の網掛けは，最後に参照されてから経過時間の最も長いページを示す。

参考

ページングアルゴリズムには本文で示した方式以外に，OPTがある。OPT（Optimal：最適）はページフォールトが最小となるように将来の情報を利用するが，理論上の話で，現実には不可能である。

参照ページ番号	1→	3→	2→	1→	4→	5→	2→	3→	4→	5
ページイン	↓	↓	↓		↓	↓	↓	↓	↓	↓
主記憶の状態	①	1	1	①	1	1	②	2	2	⑤
		③	3	3	④	4	4	③	3	3
			②	2	2	⑤	5	5	④	4
ページアウト					↓	↓	↓	↓	↓	↓
					3	2	1	4	5	2

ページングアルゴリズムについては，FIFOとLRUが基本的な考え方であるが，理論上，NRU，LFUなどがある。NRU（Not Recently Used）は最近使われたページを残すアルゴリズム，LFU（Least Frequently Used）は一定の期間（時間）内において参照回数の最も少ないページを置換する方式である。

▶試験に出る

ページングアルゴリズムに関する出題は，LRUとFIFOだけなので，これらについてしっかりと把握しておくとよい。さらに，ページ枠が増えればページフォールトの回数は減るように思うが，FIFOでは増えることがあることに注意する。

4.2.3 同期・排他制御

■ 同期制御は複数タスクの処理のタイミングを合わせること
■ 排他制御は共有資源のデータの矛盾をなくすための制御

あるタスクがほかのタスクと資源を共有する場合，ほかのタスクの処理結果を待ったり，ほかのタスクの処理を待たせたりする必要がある。このとき，同期・排他制御が必要となる。

● 同期制御

同期制御は，複数のタスクの実行を矛盾なく行うため，処理のタイミングを合わせることである。

間違えやすい
同期を取るためには，ほかのタスクの処理を待たせることもあるので，同期制御と排他制御は，表裏一体である。

● 排他制御

共有資源に対して，同時に複数のタスクから更新処理を行うとエラーとなる。このような処理部分（同時更新）を，クリティカルセクションという。排他制御は，クリティカルセクション実行中にプリエンプションが発生しないように制御することである。

排他制御の方法の1つに，セマフォがある。セマフォは，初期値を"1"とするセマフォ変数，処理を要求するP操作，処理完了を通告するV操作から成る。あるタスクが共有資源を使うときセマフォ変数をデクリメント（1を減算）し，処理が終了したらインクリメント（1を加算）する。ほかのタスクが共有資源を使用するときはセマフォ変数を参照し，"0"であれば共有資源は使用中と判断して，資源が解放されるのを待つ。

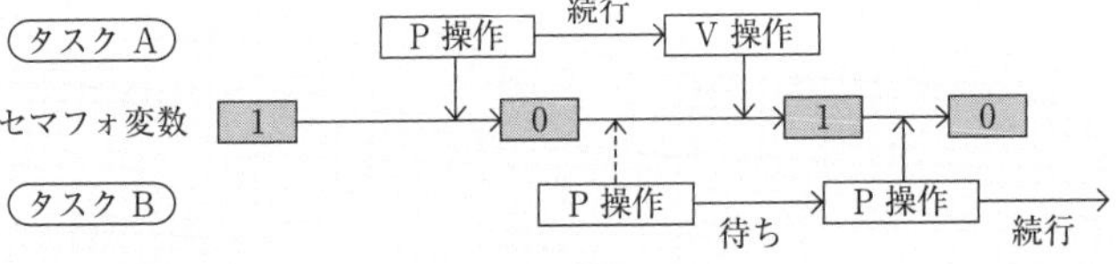

▶試験に出る

デッドロックの概念，デッドロックを発生させないための方法を問う問題が出題されている。デッドロックが発生しないようにするには，①資源の確保の順を全てのタスクで統一，②タスクの起動時に必要な資源を一括して確保するなどの方法がある。

デッドロック

2つのタスクが2つの資源を共有し，それぞれのタスクが2つの共有資源を逆順に排他制御を行うと，タイミングによって2つのタスクともに，ほかのタスクが共有資源を解放するのを待つ状態となる。このような状態を**デッドロック**という。

デッドロックが発生すると，両方のタスクともに処理が進まなくなる。

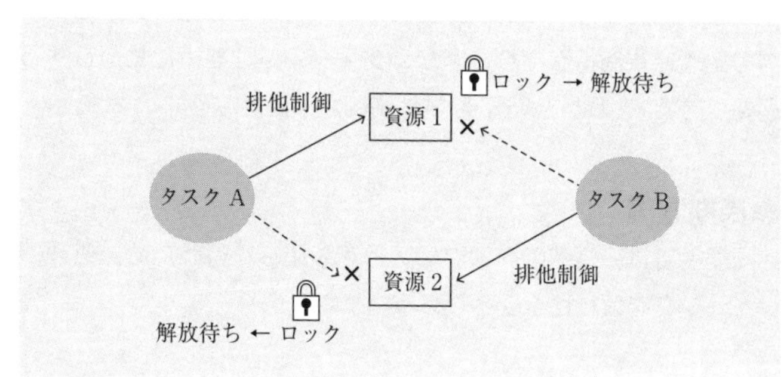

待ちグラフ

待ちグラフは，資源をロックするトランザクション間で，グラフに閉路が生じたときにデッドロックと判断する方法である。直ちにデッドロックを検出できる。

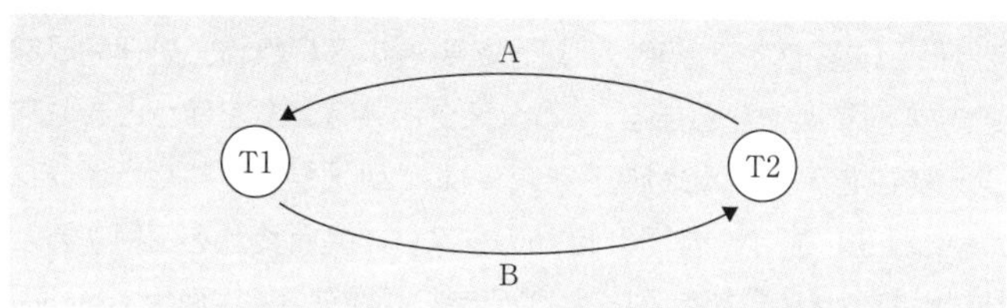

待ちグラフは，トランザクションを節点，資源の枝を重みとする有向グラフで示す。T1（トランザクション1）がロックしている資源Aに対して，T2がロックを掛けようとするとき，T2からT1に有向枝を付ける。一方，T2がロックしている資源Bに対してT1がロックを掛けようとするとき，T1からT2に有向枝を付ける。すると，閉路ができるので，デッドロックが発生したと判断する。

チェック! よく出る午前問題で基本事項を確認

日付・正解 Check ／ ／ ／

問題 1 [応用情報技術者試験 2016 年春期午前 問 17]

難易度 ★ 出題頻度 ★★★

ページング方式の仮想記憶において，あるプログラムを実行したとき，1回のページフォールトの平均処理時間は30ミリ秒であった。ページフォールト発生時の処理時間が次の条件であったとすると，ページアウトを伴わないページインだけの処理の割合は幾らか。

〔ページフォールト発生時の処理時間〕

(1) ページアウトを伴わない場合，ページインの処理時間は20ミリ秒である。

(2) ページアウトを伴う場合，置換えページの選択，ページアウト，ページインの合計処理時間は60ミリ秒である。

ア 0.25　　イ 0.33　　ウ 0.67　　エ 0.75

問題 2 [応用情報技術者試験 2010 年秋期午前 問 19]

難易度 ★★ 出題頻度 ★★★

ほとんどのプログラムの大きさがページサイズの半分以下のシステムにおいて，ページサイズを半分にしたときに予想されるものはどれか。ここで，このシステムは主記憶が不足しがちで，多重度やスループットなどはシステム性能の限界で運用しているものとする。

ア ページサイズが小さくなるので，領域管理などのオーバヘッドが減少する。

イ ページ内に余裕がなくなるので，ページ置換えによってシステム性能が低下する。

ウ ページ内の無駄な空き領域が減少するので，主記憶不足が緩和される。

エ ページフォールトの回数が増加するので，システム性能が低下する。

解説 1

ページアウトを伴わないページインの割合をαとすれば，ページアウトを伴うページインの割合は，$(1-\alpha)$となる。

ページフォールトの平均処理時間が30ミリ秒，ページアウトを伴わないページインの処理時間が20ミリ秒，ページアウトを伴うページインの処理時間が60ミリ秒掛かるので，これらの間に，次の関係がある。

$$30 = 20 \times \alpha + 60 \times (1-\alpha)$$
$$40 \times \alpha = 30$$
$$\therefore \quad \alpha = \mathbf{0.75}$$

正解：エ

解説 2

ページサイズは固定なので，ページの半分は未使用領域であるが使用できない。しかし，ページサイズを半分にすれば，未使用領域が解放されるので，ほかのプログラムが使用できるようになる。すなわち，無駄な空き領域が減少するため，主記憶不足が緩和される。

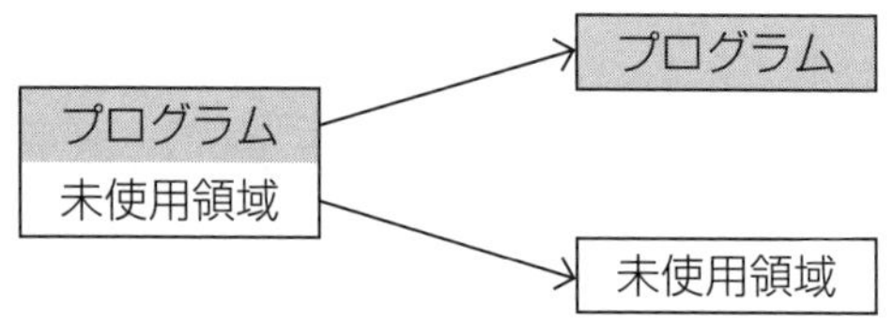

ア　ほとんどのプログラムが現在のページサイズの半分なので，ページサイズを半分にしても，ページングの発生回数はほとんど変わらない。このため，領域管理などのオーバヘッドも変わらない。なお，オーバヘッドは，OSの走行時間のうち，アプリケーションの処理に直接必要な時間以外の時間である。プログラムのロード時間，タスクの切替時間，仮想記憶システムにおけるページングの時間などが該当する。

イ　ページ置換えに作業領域などが必要になるが，ページの空いている領域を使うわけではない。OSが管理している領域を使うため，ページ置換えの効率には影響しない。

エ　「ア」でも説明したとおり，ページングの発生回数はほとんど変わらない。したがって，ページフォールトの回数も変わらないので，システムの性能が低下することはない。

正解：ウ

4.3 ハードウェア

ハードウェアは，機械，装置，設備を指す。具体的には，コンピュータの構成部品の電子回路，機械・制御などの装置である。ここでは，計測・制御の装置やコンピュータの構成部品などを説明する。なお，電子回路については「2.1.4 論理回路」で説明済みである。

4.3.1 計測・制御

Point
- センサは外部からの熱や圧力の物理量を電気量に変換
- アクチュエータはコンピュータが出力した電気信号を物理量に変換

各種の物理量をマイコンに入力するには，最適なセンサが必要である。また，マイコンから外部へ物理量に変換した情報を出力する場合は，最適なアクチュエータが必要である。制御の対象物の動作を定められた目的に従わせるため，常に最適の状態にさせる必要がある。このような制御を最適制御という。

インバータとコンバータ

インバータは直流を交流に，コンバータは交流を直流に変換する回路である。家電製品の多くが，インバータを搭載している。コンセントからの交流をコンバータで直流に変換し，インバータを用いて再度，高周波数の交流に変換する。高周波数にすることで，蛍光灯ではチラツキを抑えたり，エアコンや冷蔵庫ではモータの回転スピードを調整して消費電力を抑えたりするなどの効果がある。

センサ

センサは，自然現象や機械などが示す何らかの情報を，人間や機械（コンピュータ）が扱いやすい信号（データ）に変換する装置である。主なものに，ジャイロセンサ，画像センサ，加速度センサ，光センサ，温度センサ，臭いセンサなどがある。

用語解説

マイコン
マイコン（マイクロコンピュータ）は，CPUとしてマイクロプロセッサを使用した小型コンピュータで，主に，組込みシステムとして使われる。組込みシステムは，特定の機能を実現するために機械や装置などに組み込まれるコンピュータシステムである。

参考

通常，家庭やオフィスには交流（AC）電源が供給されるが，電気製品に組み込まれているほとんどの電子回路は直流（DC）で動作する。このため，ACからDCに変換する必要がある。AC電源は伝送効率がよく，変圧も可能なので送電に使われる。一方，DCは一方向に電気が流れ，無効電力が生じないため使用効率がよい。

ジャイロセンサ

ジャイロセンサ（ジャイロスコープ，ジャイロ）は，物体の角度や角速度を検出する計測器である。船舶や航空機，ロケットの自律航法・慣性航法に使用される。また，カーナビゲーションシステムや自動運転システム，ロボット，スマートフォン，ディジタルカメラ，無人偵察機などでも用いられている。

画像センサ

画像センサは，カメラで捉えた映像を画像処理することで，対象物の特徴量（面積，重心，長さ，位置など）を算出し，データや判定結果を出力するセンサである。画像センサのうち，対象物との距離を画像センサ技術によって測定するセンサを，距離画像センサという。

参考

距離画像センサの方法の1つに，TOFがある。TOF（Time Of Flight）は，投射したレーザが対象まで往復するのにかかる時間から，距離を計測する方式である。

参考

サーミスタという温度変化に対して電気抵抗の変化の大きい抵抗体の特性を利用し，−50℃から150℃程度までの温度を測定するセンサが利用されている。手軽に使えることから，電子体温計などの家電機器に組み込まれ，温度計測に多く用いられている。

●アクチュエータ

アクチュエータは，入力されたエネルギーを物理運動量に変換するもので，機械・電気回路を構成する機械要素である。ロボット制御では，ロボットの関節を動作させるのに利用されている。

●計測

計測は，ある目的に役立てるため，ものの数量的状態を計ることをいう。計測の方法には，GPS測位，基地局測位，無線LANアクセスポイント測位などがある。

GPS測位

GPS（Global Positioning System）測位は，複数の衛星からの電波を受け取り，電波に含まれる情報から発信と受信の時刻差を求め，電波の伝播速度をかけることで，各衛星との距離を割り出し，それを基に緯度及び経度を特定する。

無線LANアクセスポイント測位

無線LANアクセスポイント測位は，GPSが使えないビルの中などで，デバイスの位置を把握する手段として無線LANを活用するものである。接続中あるいは受信中の電波が最も強いアクセスポイントの場所から，デバイスの位置を把握することができる。

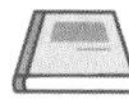
用語解説

基地局測位

GPS測位では，端末組込みのGPSモジュールがバックグラウンドの測位システムに端末の位置情報を送信する。基地局測位では，通信事業者の基地局からモバイル端末までの距離が計算され，端末の位置が判別される。

参考

GPS測位では衛星を使用するため，消費電力が大きくなる。精度は高いが，屋内では使用できない。一方，基地局測位の精度はそれより低くなるが，屋内で使用できる。

4.3.2 エンベデッドの構成部品及び要素と実装

Point
- ASIC は書き換えができないが FPGA は書き換えができる
- SoC は多くの機能を 1 チップに納めた LSI

エンベデッド（組込みシステム）は，産業機器や家電製品などに内蔵され，特定の機能を実現するためのコンピュータシステムである。使われるコンピュータは，マイコンが多い。エアコン，洗濯機，炊飯器，テレビ，ビデオ，ディジタルカメラ，プリンタ，コピー機，携帯電話，自動車，自動販売機など，身の回りの機器には，ほとんどの場合，組込みシステムが使われている。

● カスタム IC

カスタム IC は，利用者の注文に合わせて，ある特定の用途のためだけに設計され，製造される集積回路（Integrated Circuit：IC）である。ASIC や FPGA などがある。

ASIC（Application Specific Integrated Circuit：特定用途向け集積回路）は特定の用途向けに複数機能の回路を 1 つにまとめた IC の総称である。FPGA（Field Programmable Gate Array）は，製造後に購入者や設計者が構成を設定できる IC である。

● システム LSI

システム LSI は，多数の機能を 1 個のチップ上に集積した多機能 LSI である。ポータブルオーディオやディジタルカメラなど，特定用途の電子機器に組み込まれている。組込み分野などで利用され，複数の半導体を組み合わせることによって占有面積を縮小し，システムを小型化しており，高速化，低コスト化などのメリットがある。SoC による具体的な製品がシステム LSI である。

SoC（System on a Chip）は，コンピュータの主要機能を 1 つのチップに詰め込むこと，あるいは，コンピュータの主要機能を搭載したチップのことである。開発期間が長く，完成後の変更も難しいという欠点をもつが，量産化ができれば，半導体の価格

参考

エンベデッドとエンベデッドシステムとは，同義として扱われる。また，組込みシステムを制御するための OS は，組込み OS という。汎用的な OS とは異なり，産業機器や家電製品など，マイコンを中心とした組込みシステムを制御する OS である。

参考

耐タンパ性

耐タンパ性は，内部の情報を不正に読み書きするのを困難にする特性である。IC カードなどの機器や回路の内容を何者かが書き換えようとしたときの物理的な防護力である。例えば，チップ内部を解析しようとすると，内部回路が破壊されるような仕組みである。

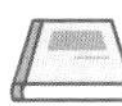
用語解説

LSI と IC

IC は半導体の表面に，微細かつ複雑な電子回路を形成した上で封入した電子部品である。LSI（Large Scale Integration：大規模集積回路）は，IC と同義で用いられることもあるが，多層化・微細化などにより IC よりさらに素子の集積度を高くしたものを指すことが多い。

参考

ウォッチドッグタイマ

ウォッチドッグタイマは，障害検出のためのアラーム時計である。状態や信号を監視し，一定時間変化しない場合を異常状態として検出するタイマである。プログラムが無限ループの状態になっていることを検出するときなどに用いる。

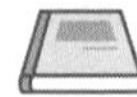
用語解説

コーデック

コーデックは，符号化方式を使ってデータのエンコード（符号化，A/D変換）とデコード（復号，D/A変換）を双方向にできる装置やソフトウェアなどのことである。また，そのためのアルゴリズムを指すこともある。

参考

PWM

Pulse Width Modulation。パルス幅変調。信号の強度（電圧）は一定のままパルス信号を出力する時間（パルス幅）を長くしたり短くしたりすることで電流・電圧を制御する方式である。

が急激に下がる。

●組込みシステムの構成部品

組込みシステムの構成部品には，D/A コンバータ，A/D コンバータ，DSP，MEMS，センサ，アクチュエータなどがある。

D/A変換とA/D変換

D/A 変換は，ディジタルデータをアナログデータに変換することである。D/A 変換を行う装置を，D/A コンバータという。また，A/D 変換は，アナログデータをディジタルデータに変換することである。A/D変換を行う装置を，A/Dコンバータという。これらは，アナログデータとディジタルデータの相互変換を行うときに利用される。

DSP

DSP（Digital Signal Processor）は，ディジタル信号処理専用の 1 チッププロセッサである。積和演算（$\Sigma a_i b_i$）の繰返しを高速に処理する回路構成を採用している。ディジタル方式の携帯電話のコーデックなどの音声処理，輪郭強調などの画像処理などに用いられる。

MEMS（メムス）

MEMS（Micro Electro Mechanical Systems）は，機械要素部品，センサ，アクチュエータ，電子回路を 1 つのシリコン基板，ガラス基板，有機材料などの上に微細加工技術によって集積化したデバイスである。スマートフォンなどの小型ディジタルデバイスに利用されている。

●リーク電流とその防止策

リーク電流は，集積回路において，絶縁されていて本来流れないはずの場所や経路で電流が漏れる現象である。集積回路内の意図しない電流の漏れ出しがリーク電流で，集積回路外へ漏れ出す漏電とは異なる。集積回路などの微細化された半導体の回路内での漏れ出しを指すことが多い。リーク電流は伝導体間の距離が狭くなるにつれて増大していくため，集積回路の超微細化が進んだ現在では，集積回路で消費される電力の半分以上がリーク電流として消費されるようになってしまう。

リーク電流を削減する技術に，パワーゲーティングとクロックゲーティングがある。パワーゲーティングは，使用していない演算回路ブロックへの電源を遮断することでリーク電流を削減する技術である。一方，クロックゲーティングは，回路の不要なスイッチング動作を除いて，電力を最適化する技術である。例えば，動作しない回路ブロックのクロックを遮断する。

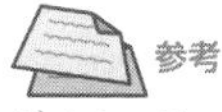
参考

ダイオード

ダイオードは，整流作用をもつ電子素子である。最初のダイオードは2極真空管で，後に半導体素子である半導体ダイオードが開発された。整流作用を利用することで，一定時間ごとに電流の向きが変わる交流電流から一定方向の電流のみを取り出して直流電流とすることができる。

チェック！ よく出る午前問題で基本事項を確認

日付・正解 Check ／ ／ ／

問題 ［応用情報技術者試験 2020 年秋期午前 問 24］ 難易度 ★ 出題頻度 ★★

8ビットD/A変換器を使って，電圧を発生させる。使用するD/A変換器は，最下位の1ビットの変化で10ミリV変化する。データに0を与えたときの出力は0ミリVである。データに16進数で82を与えたときの出力は何ミリVか。

ア 820　　イ 1,024　　ウ 1,300　　エ 1,312

解説

D/A変換器では，2進数の入力値に比例して電圧を発生させる。本問では，最下位の1ビットの変化で10ミリVの出力となるので，次のようになる。

2進数値	10進数	出力電圧（ミリV）
0	0	0
1	1	10
10	2	20
11	3	30
…	…	…

すると，$82_{16} = 1000\ 0010_{2} = 130_{10}$なので，“1,300”ミリVとなる。

正解：ウ

演習問題

[応用情報技術者試験 2018年春期午後 問4]

問題 1

クラウドサービスに関する次の記述を読んで，設問1～4に答えよ。

保険代理店であるC社は，同業の小規模な代理店数社を吸収合併することになった。現在，C社の業務システムは，販売管理，顧客管理，事務支援，保険計上の四つのサブシステムから構成されている。各サブシステムは，ベンダに委託して開発したアプリケーションや市販ソフトウェアを利用しており，その運用については，システム運用を請け負うD社に外部委託している。合併後の業務システムは，C社の業務システムを継続して使用する前提であるが，D社のクラウドサービスの利用を検討することになった。システム部のE部長は，部下のF課長に，費用の削減を目的としたクラウドサービスへの移行案を，既存の業務システムの使い勝手や可用性，セキュリティレベルを維持して策定するように指示した。

〔クラウドサービス移行案の策定〕

F課長は，D社の営業部長からクラウドサービスの内容について説明を受けた。クラウドサービスは，SaaS，PaaS，IaaSの三つのサービス形態があり，それぞれのサービス形態に，パブリッククラウドとプライベートクラウドの二つの提供形態がある。そこで，F課長は既存の業務システムをクラウドサービスに移行する場合，各サブシステムに対して，D社のクラウドサービスの最も適切な利用形態（サービス形態と提供形態の組合せ）を検討し，その結果をクラウドサービス移行案とすることにした。

〔クラウドサービスの利用形態の選定手順〕

F課長は，クラウドサービスの利用形態を選定する手順を図1のように決定した。

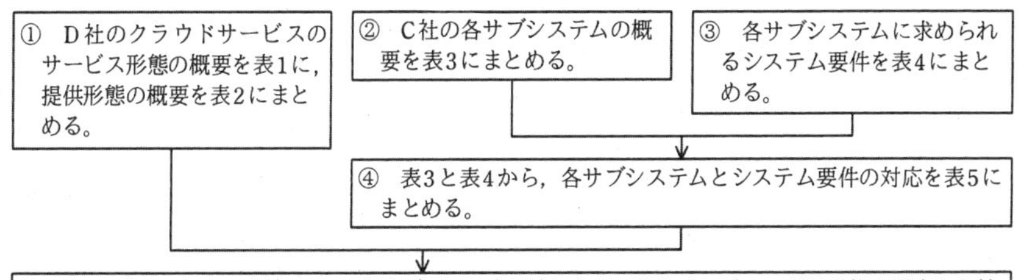

図1　クラウドサービスの利用形態を選定する手順

〔D社クラウドサービスの概要〕

表1と表2は，それぞれ，D社の説明を基にF課長がまとめた，サービス形態の概要と提供形態の概要である

表1　サービス形態の概要

<table>
<tr><td colspan="2" rowspan="2"></td><td colspan="3">サービス形態</td></tr>
<tr><td>IaaS</td><td>PaaS</td><td>SaaS</td></tr>
<tr><td rowspan="2">業務システム</td><td>自社開発アプリケーション</td><td rowspan="4">自社で調達する。</td><td rowspan="2">自社で調達する。</td><td>利用できない。</td></tr>
<tr><td>市販ソフトウェア</td><td rowspan="5">D社が提供する。</td></tr>
<tr><td colspan="2">ミドルウェア</td><td rowspan="4">D社が提供する。</td></tr>
<tr><td colspan="2">OS</td></tr>
<tr><td colspan="2">ハードウェア[1)]</td><td rowspan="3">D社が提供する。</td></tr>
<tr><td colspan="2">自社と接続するためのネットワーク</td></tr>
<tr><td rowspan="2">他のシステム，サブシステムとのデータ連携[2)]</td><td>D社クラウドセンタ内</td><td>プライベートクラウドではD社が提供するが，パブリッククラウドでは利用できない。</td><td rowspan="2">利用できない。</td></tr>
<tr><td>D社クラウドセンタ外</td><td>自社で調達する。[3)]</td><td>利用できない。</td></tr>
</table>

注[1)]　ハードウェアとは，サーバ，ストレージ，ネットワーク回線などのことである。
[2)]　データ連携とは，データの受渡しのことである。
[3)]　保険会社とのデータ連携のために，C社と保険会社が，D社クラウドセンタに接続するためのネットワークを調達することを含む。

表2　提供形態の概要

<table>
<tr><th>提供形態</th><th colspan="2">リソース</th><th>サービス形態</th><th>特徴</th></tr>
<tr><td>プライベートクラウド</td><td>D社と利用契約を結んだリソースを一つの会社で独占的に利用する方式である。</td><td rowspan="2">リソースは全てD社クラウドセンタ内にあり，IP-VPN，専用線などで自社と接続する。</td><td>SaaS
PaaS
IaaS</td><td>他社システムの処理状況の影響を受けない。リソースを同一企業内で使用しているので，サブシステム間の分配を自由に設定できる。パブリッククラウドに比べて高価である。</td></tr>
<tr><td>パブリッククラウド</td><td>リソースを複数の会社で共有する方式である。利用契約分のリソースの独占的な利用を保証されているわけではない。</td><td>SaaS
PaaS</td><td>他社システムの処理状況の影響を受ける。ベストエフォート型のサービスである。プライベートクラウドに比べて安価に利用できる。</td></tr>
</table>

注記　リソースとは，サーバ，ストレージ，ネットワーク回線などのことである。

F課長は，クラウドサービスへの移行費用や5年間の運用費用などを合計してサービス形態ごとのC社での費用を試算したところ，IaaSが最も高価で，SaaSが最も安価になることが分かった。

〔クラウドサービスの選定に向けた検討〕

F課長は，D社の説明を基に，サブシステムごとにクラウドサービスの利用形態を決定するために，既存の各サブシステムの概要を，表3にまとめた。

なお，D社がSaaSで提供している事務支援用ソフトウェアは，C社が事務支援サブシステムで利用している市販ソフトウェアと，使い勝手や可用性，セキュリティレベルがほぼ同じである。

表3　各サブシステムの概要

サブシステム	サブシステムの概要	機能の実現手段	接続システム及び接続サブシステム	稼働の変動[1]
販売管理	支店ごと，担当者ごとに保険の契約状況を管理する。	汎用的な販売管理機能を有する市販ソフトウェアを利用している。	・保険計上 ・顧客管理	有
顧客管理	既存顧客及び見込顧客を管理する。	ベンダに委託して開発したアプリケーションとD社が提供しているOS以外のOSを利用している。	・販売管理	無
事務支援	経理，給与などの一般事務作業を行う。	汎用的な経理機能と給与管理機能を有する市販ソフトウェアを利用している。	なし	無
保険計上	顧客から申込みを受けた保険契約をデータベース登録し，計上する。	保険会社とのデータ連携機能を含め，ベンダに委託して開発したアプリケーションを利用している。	・保険会社のシステム ・販売管理	有

注[1]　月間や，四半期，半期でのデータ量や利用頻度，システム負荷のピークの時間帯の変動の有無

次にF課長は，各サブシステムに求められるシステム要件を表4にまとめた。

表4　システム要件

システム要件	システム要件の説明
データ連携	他のシステム，サブシステムとの間で，データの受渡しをする機能が必要である。
稼働の変動への対応	扱うデータ量や利用頻度などに変動があるシステムで，他サブシステムへの影響の軽減やシステム負荷のピークを考慮した対応が必要である。
共通の業務への対応	一般的な業務は，市販ソフトウェアを利用する必要がある。
独自の業務への対応	ベンダに委託して開発したアプリケーションや，市販ソフトウェアをカスタマイズしたものを利用する必要がある。

F課長は，表3と表4を照らし合わせ，各サブシステムとシステム要件の対応を表5にまとめた。

表5　各サブシステムとシステム要件の対応

	システム要件			
サブシステム	データ連携	稼働の変動への対応	共通の業務への対応	独自の業務への対応
販売管理	○	○	○	×
顧客管理	○	×	×	○
事務支援	×	×	○	×
保険計上	a	b	c	d

注記　○はシステム要件に該当することを，×はシステム要件に該当しないことを表す。

〔クラウドサービスの利用形態の選定〕

F課長は図1に基づき，クラウドサービスの利用形態をサブシステムごとに選定した。サブシステムごとの利用形態を次に示す。

・事務支援サブシステムについては，D社提供の市販ソフトウェアに置き換えることができるので，他の利用形態よりもコストが安いSaaSのパブリッククラウドを選定する。

・保険計上サブシステムは，保険会社とのデータ連携機能を含め，ベンダに委託して開発したアプリケーションを利用している。D社クラウドセンタ外の保険会社のシステムとのデータ連携をシステム要件とすることから，IaaSのプライベートクラウドを選定する。

表6は，F課長がクラウドサービスの利用形態を選定した結果である。

表6 クラウドサービスの利用形態を選定した結果

サブシステム	サービス形態	提供形態
販売管理	PaaS	e
顧客管理	f	プライベートクラウド
事務支援	SaaS	パブリッククラウド
保険計上	IaaS	プライベートクラウド

〔仕様の変更〕

F課長がサブシステムごとにクラウドサービスの利用形態を選定した後に，合併後の営業社員の給与制度を業績連動型に変更することになった。そのため，販売管理サブシステムで管理されている営業社員の契約状況を利用して給与を計算するというシステム仕様の変更が必要となり，F課長は，D社が提供している市販ソフトウェアをカスタマイズして使用することにした。

F課長は，給与計算の仕様を変更したクラウドサービスの利用形態の選定結果を，E部長に提出した。ここで，複数の利用形態が選択可能であったので，費用が安価な利用形態を選択した。

設問1　D社クラウドサービスの内容について，適切なものを解答群の中から全て選び，記号で答えよ。

解答群

ア　D社が提供するOSで稼働しない市販ソフトウェアでは，このサービスを利用できない。

イ　D社が提供するOSで稼働する市販ソフトウェアでも，D社クラウドセンタ外のシステムとのデータ連携が必要な場合はIaaSを利用する必要がある。

ウ　サブシステム間のデータ連携は，PaaSとIaaSの全ての提供形態で利用できる。

エ　市販ソフトウェアをカスタマイズしたものでも，このサービスが利用できる。

オ　パブリッククラウドは利用者がサーバ台数やストレージ容量を選べない。

設問2　表5中の[a]～[d]に入れる適切な記号を，“○”又は“×”で答えよ。

設問3　表6中の[e]，[f]に入れる適切な字句を，表1のサービス形態，表2の提供形態の名称で答えよ。

設問4　〔仕様の変更〕について，(1)，(2)に答えよ。

(1)　F課長が仕様を変更したサブシステムの名称と，選択したクラウドサービスの利用形態（サービス形態と提供形態）を，本文中の名称で答えよ。

(2)　(1)のクラウドサービスの利用形態を選択した理由を30字以内で述べよ。

［応用情報技術者試験 2019 年秋期午後 問 7］

問題2

学習機能付き赤外線リモートコントローラの設計に関する次の記述を読んで，設問1～3に答えよ。

G社は，赤外線リモートコントローラ（以下，赤外線リモコンという）を製造している会社である。今回，複数の異なる機器を1台で操作できる統合型の赤外線リモコン（以下，統合リモコンという）を開発することになった。

統合リモコンには，各種のボタンがあり，このボタンを押して機器を操作する。統合リモコンには，主要メーカの赤外線リモコン及び操作対象の機器の情報があらかじめ登録されており，登録された機器を選択すると，その機器の赤外線リモコンとして使用できる。一方，登録されていない機器については，その機器の赤外線リモコンの信号を解析してボタンごとに登録することによって，その機器の赤外線リモコンとして使用できる。この解析機能・登録機能を学習機能という。

〔赤外線リモコンの信号〕

赤外線リモコンを使用する環境には，蛍光灯，LED照明などからの人工光と，太陽などからの自然光があり，これらの光を外部光という。外部光には，赤外光が含まれていることがある。

赤外線リモコンは，38～40kHzで点滅を繰り返す赤外光を使用する。赤外線リモコンの信号には，連続して点滅を繰り返す状態（以下，ON状態という）と，消灯している状態（以下，OFF状態という）がある。

ON状態とOFF状態それぞれの長さの組合せには，ボタンごとに固有のパターンがある。最初のON状態から最後のON状態までの各状態の長さの組合せを制御パターンという。制御パターンは最大60ミリ秒で完了する。一つの制御パターンの中で，ON状態及びOFF状態の最短時間はそれぞれ350マイクロ秒である。

赤外線リモコンの信号の例を図1に示す。

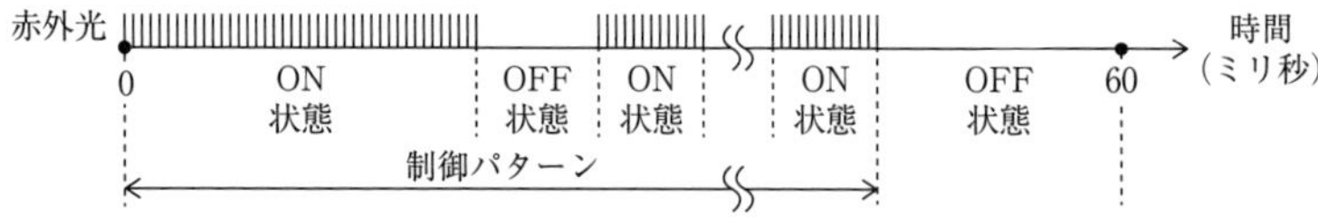

図1　赤外線リモコンの信号の例

赤外線リモコンによって操作される機器は，制御パターンを読み取りその制御パターンに対応した処理を行う。

〔統合リモコンの学習機能における操作〕

学習機能によって一つのボタンを学習させるときの操作は，次のとおりである。

(1)　利用者は，統合リモコンの“特定のボタン”を2秒以上押し続ける。

(2)　利用者は，学習対象の赤外線リモコン（以下，学習対象リモコンという）を操作して，統合リモコンに赤外光を送る。統合リモコンは，解析機能によって赤外光から抽出した制御パターンを登録する。

〔解析機能で使用するハードウェア〕

解析機能では，制御部，赤外線センサ，タイマ及びカウンタを使用する。解析機能で使用するハードウェアの構成を図2に示す。

・赤外線センサは，赤外光から38～40kHzの信号を取り出し，ON状態からOFF状態，又はOFF状態からON状態に遷移したことを制御部に通知する。

・タイマは設定した時間になると，制御部に通知する。

・カウンタは16ビットで1マイクロ秒ごとにカウント値が1加算され，カウント値が65,535に達すると，次のカウントで0に戻る。統合リモコンの解析機能が動作している間は，常にカウントしている。

図2　解析機能で使用するハードウェアの構成

〔制御パターン抽出プログラム〕

制御パターン抽出プログラムは，学習対象リモコンの赤外光を解析して制御パターンを抽出するプログラムで，ON状態の長さ及びOFF状態の長さを，添字が0から始まる配列T[ ]に格納する。配列T[ ]に格納された要素の個数を変数Nに格納する。配列T[ ]及び変数Nは32ビットの符号付き整数型である。

制御パターン抽出プログラムは，イベントを待ち，イベントを受けると，そのイベントに応じた処理を行う。イベントには，OFF状態に遷移したときに赤外線センサから通知されるOFFイベント，ON状態に遷移したときに赤外線センサから通知されるONイベント，及びタイマから通知されるタイマイベントがある。これらのイベントは，FIFO動作するキューに格納される。

ONイベント及びOFFイベントは，同じイベントが連続して通知されることはない。

制御パターン抽出プログラムは，次のように処理する。

・制御パターンの抽出に成功したときは変数rstにTrueを，失敗したときは変数rstにFalseを設定する。
・学習対象リモコンの赤外光が一定時間検出されないときは，変数rstにFalseを設定する。
・最初に通知されたイベントがOFFイベントのときは，変数rstにFalseを設定する。
・最初に通知されたONイベントから一定時間が経過すると，プログラムを終了する。このとき，最後に赤外線センサから通知されたイベントがONイベントの場合は，変数rstにFalseを設定する。
・制御パターンの抽出が成功し，kを0から始まる整数としたとき，T[2 × k]には，[a]状態の長さが，T[2 × k+1]には，[b]状態の長さが格納される。制御パターン抽出プログラムは，表1に示す関数を使用する。

表1 使用する関数の仕様

関数	機能など
startSensor()	赤外線センサを有効にする。以降，赤外線センサは，ONイベント又はOFFイベントを通知する。
stopSensor()	赤外線センサを無効にし，タイマを止める。次にFIFO動作するキューを空にする。以降，赤外線センサからのイベント通知は行われない。
waitEvent()	タイマイベント，ONイベント，及びOFFイベントを待つ。通知されたイベントを戻り値として返す。
setTimer(time)	time（ミリ秒）で指定された時間後，タイマイベントを通知するようにタイマに設定する。既に設定されているときに再度設定すると，新しい設定に置き換わる。
getCount()	カウンタのカウント値を32ビットの符号付き整数型の戻り値として返す。カウンタのカウント値は16ビットであり，上位16ビットは常に0である。

制御パターン抽出プログラムのフローを図3に示す。

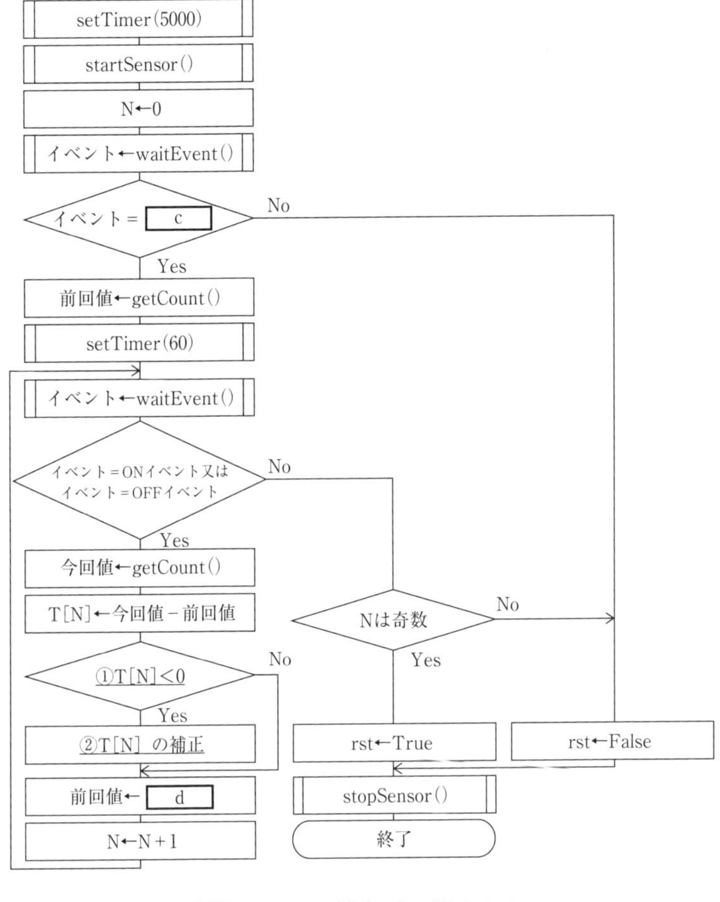

図3 制御パターン抽出プログラムのフロー

設問1　〔赤外線リモコンの信号〕,〔解析機能で使用するハードウェア〕について,(1),(2)に答えよ。

(1)　一つの制御パターンにおいて,ON状態の数とOFF状態の数の合計は最大何個となるか。整数で答えよ。

(2)　自然光などの外部光を含む光を受けた赤外線センサにおいて,38～40kHzの信号成分を取り出すものはどれか。適切な字句を解答群の中から選び,記号で答えよ。

解答群

ア　UVフィルタ	イ　ハイパスフィルタ
ウ　バンドパスフィルタ	エ　ローパスフィルタ

設問2　〔制御パターン抽出プログラム〕について,(1),(2)に答えよ。ここで,イベント待ち以外の処理時間は無視できるものとし,タイマは指定された時間に正確に機能するものとする。

(1)　学習対象リモコンで何も操作が行われないとき,制御パターン抽出プログラムを開始してから終了するまでの時間は何秒か。整数で答えよ。

(2)　本文中の［　a　］,［　b　］に入れる適切な状態名を答えよ。

設問3　図3の制御パターン抽出プログラムのフローについて,(1)～(3)に答えよ。

(1)　図3中の［　c　］に入れる適切なイベント名,及び［　d　］に入れる適切な字句を答えよ。ここで,配列T[ ]の要素の個数は十分に大きいものとする。

(2)　図3中の下線①について,T[N]＜0となるのは,どのような事象が発生したときか。20字以内で答えよ。

(3)　図3中の下線②について,T[N]の補正方法を,20字以内で答えよ。

演習問題・解答

解説 1

■設問1　解答　イ，エ

× ア　D社が提供するのは，IaaS，PaaS，SaaSである。しかし，IaaSについては，OSは“自社で調達する”と記載されているので，D社が提供しないOSでもクラウドサービスのIaaSなら利用できる。

○ イ　サブシステム間のデータ連携は，表1の“D社クラウドセンタ外”では，IaaSにおいて，“自社で調達する”と示されている。注3) も考慮すると，C社がD社とのネットワークを構築して，さらに，IaaSを利用すれば，サブシステム間のデータ連携は可能である。一方，PaaS，SaaSは他システムとの連携は，“利用できない”と記載されている。

× ウ　サブシステム間のデータ連携は，表1では，PaaS，SaaSでは“利用できない”と示されている。

○ エ　市販ソフトウェアは，SaaS以外は“自社で調達する”ことになっている。これはカスタマイズ可能であることを示している。一方，SaaSについては，市販ソフトウェアは“D社が提供する”。しかし，市販ソフトウェアのカスタマイズについては触れていない。このため，IaaS，PaaSであれば，クラウドサービスを利用できる。

× オ　“リソースを複数の会社で共有する方式である。利用契約分のリソースの独占的な利用を保証されているわけではない。”（表2　リソースのパブリッククラウド）の説明から，契約上は一定の容量を確保できるが，保証はしないというということである。

したがって，D社クラウドサービスの内容について，**“イ，エ”**が適切である。

■設問2　解答　a：○，b：○，c：×，d：○

●空欄a

“保険会社とのデータ連携機能を含め，ベンダに委託して開発したアプリケーションを利用している”（表3　保険計上サブシステムの機能の実現手段）ということから，データ連携は“**○**”である。

4

●空欄b

“有”（表3　保険計上サブシステムの稼働の変動）ということから，稼働の変動への対応は“○”である。

●空欄c

“保険会社とのデータ連携機能を含め，ベンダに委託して開発したアプリケーションを利用している”（表3　保険計上サブシステムの機能の実現手段）ことから，汎用的，一般的業務とは考えられないので，共通の業務への対応は“×”である。

●空欄d

“保険会社とのデータ連携機能を含め，ベンダに委託して開発したアプリケーションを利用している”（表3　保険計上サブシステムの機能の実現手段）ことから独自の業務となり，独自の業務への対応は“○”である。

■設問3　解答　e：プライベートクラウド，f：IaaS

販売管理では，表3の“接続システム及び接続サブシステム”の記述から検討する。また，顧客管理では，表3の“機能の実現手段”の記述から検討する。

●空欄e

表3の“接続システム及び接続サブシステム”の記述を見れば明らかなように，保険計上サブシステムと顧客管理サブシステムとのシステム間の接続がある。一方，サービス形態はPaaSを選択している。

そこで，表1を見ると，PaaSは“**プライベートクラウド**”しか選べない。

●空欄f

顧客管理は，“ベンダに委託して開発したアプリケーションとD社が提供しているOS以外のOSを利用している”（表3　顧客管理の機能の実現手段）という記述がある。そこで，表1を参照すると，アプリケーションやOSを自社で調達する（D社が提供する以外とする）必要があるのは，“**IaaS**”である。

■設問4　解答　（1）サブシステムの名称：事務支援サブシステム
サービス形態：PaaS
提供形態：プライベートクラウド
（2）販売管理サブシステムとのデータ連携が必要だから

（1）F課長が仕様を変更したサブシステムの名称と選択したクラウドサービス

“F課長がサブシステムごとにクラウドサービスの利用形態を選定した後に，合併後の営業社員の給与制度を業績連動型に変更することになった。そのため，販売管理サブシステムで管理されている営業社員の契約状況を利用して給与を計算するというシステム仕様の変更が必要となり，F課長は，D社が提供している市販ソフトウェアをカスタマイズして使用することにした”（〔仕様の変更〕）という記述から，D社が提供する市販ソフトウェアを使う事務支援サブシステムに，販売管理サブシステムとのデータ連携が発生することがわかる。

一方，表1から，サブシステム間でデータ連携があるときは，IaaSかPaaSのプライベートクラウドしか選択できない。さらに，“F課長は，クラウドサービスへの移行費用や5年間の運用費用などを合計してサービス形態ごとのC社での費用を試算したところ，IaaSが最も高価で，SaaSが最も安価になることが分かった”（表2の直後）という記述から，IaaSより費用の安いPaaSを選択した。

したがって，サブシステムの名称は“**事務支援サブシステム**”，サービス形態は“**PaaS**”，提供形態は“**プライベートクラウド**”である。

（2）クラウドサービスを選択した理由

PaaSの方が安価であるからという理由と，データ連携ができるからという理由を挙げればよいが，字数が30字と少ない。そこで，重要なポイントとしては，データ連携を挙げておきたい。価格が高くても，データ連携が必要である。二次的な要素として価格がある。

したがって，“**販売管理サブシステムとのデータ連携が必要だから**”という主旨で，30字以内にまとめる。

解説2

■設問1　解答　(1) 171 (個), (2) ウ

（1）一つの制御パターンにおけるON，OFFの個数

“制御パターンは最大60ミリ秒で完了する。一つの制御パターンの中で，ON状態及びOFF状態の最短時間はそれぞれ350マイクロ秒である”（〔赤外線リモコンの信号〕）という記述から，60ミリ秒間に350マイクロ秒が何個取れるかを計算すればよい。また，計算に際しては単位をそろえる必要があり，ミリは10^{-3}，マイクロは10^{-6}である。

$$\text{ON状態とOFF状態の最大数} = \frac{60 \times 10^{-3}}{350 \times 10^{-6}}$$

$$= 171.42\cdots$$

$$\fallingdotseq \mathbf{171}\text{（個）（小数点以下切捨て）}$$

（2）赤外線センサにおいて，38～40kHzの信号成分を取り出すもの

UVフィルタは紫外線を遮断するフィルタ，**ハイパスフィルタ**は高周波を通過させ低周波を遮断するフィルタである。また，**バンドパスフィルタ**は特定の範囲の周波数を通過させるフィルタ，**ローパスフィルタ**は，低周波を通過させ高周波を遮断するフィルタである。

この場合，38～40kHzを取り出すので，“**バンドパスフィルタ**”（「**ウ**」）が適切である。

■設問2　解答　(1) 5 (秒), (2) a：ON, b：OFF

（1）制御パターン抽出プログラムを開始してから終了するまでの時間

“学習対象リモコンの赤外光が一定時間検出されないときは，変数rstにFalseを設定する”（〔制御パターン抽出プログラム〕2つ目の・）ということから，図3のrstをFalseに設定する処理部分を見ると，stopSensor() を呼び出してプログラムを終了している。この部分の処理は空欄cの条件が成立しなかったときの処理で，ループせずにプログラムは終了する。

すると，最大でも，最初にsetTimer() でセットした5000ミリ秒（“**5**秒）でプログラムは終了する。

（2）ON状態OFF状態の長さを格納する配列上の位置

図1で分かるように，赤外線リモコンの信号はON状態→OFF状態→ON状態→……

と変化していく。ON状態の添字は，0，2，4，…，OFF状態の添字は1，3，5，…である。さらに，“最初に通知されたイベントがOFFイベントのときは，変数rstにFalseを設定する”（〔制御パターン抽出プログラム〕3つ目の・）から，最初がOFFイベントならば，配列TのOFF状態の長さは格納しないことからも，T[0]はON状態の長さと分かる。その後は，“ONイベント及びOFFイベントは，同じイベントが連続して通知されることはない”（〔制御パターン抽出プログラム〕）から，ON状態の長さとOFF状態の長さが交互に格納されることも分かる。

したがって，T[2×k]（k＝0，1，2，…）に格納されるのは **“ON”** 状態の長さ（空欄a），T[2×k＋1]に格納されるのは **“OFF”** 状態の長さ（空欄b）である。

4

■設問3　解答　（1）c：ONイベント，d：今回値
（2）カウント値が0に戻ったとき
（3）T[N]に65,536を加算する。

（1）流れ図の穴埋め

●空欄c

“制御パターンの抽出に成功したときは変数rstにTrueを，失敗したときは変数rstにFalseを設定する”（〔制御パターン抽出プログラム〕一つ目の・）から，ここの条件は，イベントがONイベントのとき，Noが成立して変数rstにFalseを設定するときである。

したがって，**“ONイベント”** が適切である。

●空欄d

3つ上の処理で，T[N]に（今回値－前回値）を代入しているのは，前回発生した状態の長さをT[N]に格納する処理である。各状態の長さは，次のイベントが発生してからでないと計算できない。そこで，今回発生した状態の長さを次のイベントが発生したときに計算して格納するために，今回発生した値を前回値に格納しておく。

したがって，**“今回値”** が適切である。

（2）T[N]＜0となる場合

時間の経過を考えれば，通常は，“今回値＞前回値”なので，T[N]が負になることはない。しかし，“カウンタは16ビットで1マイクロ秒ごとにカウント値が1加算され，カウント値が65,535に達すると，次のカウントで0に戻る。統合リモコンの解析機能が動作している間は，常にカウントしている”（図2の直前）という記述から，カウント値が65,535に達するとオーバフローして0に戻る。この状況が発生すると，“今回値＜前回値”となる可能性はある。

したがって，“**カウント値が0に戻ったとき**”という主旨で，20字以内にまとめる。

（3）T[N]の補正の方法

カウンタがオーバフローしたので，オーバフローした分を加えてやればよい。例えば，1桁のカウンタの例で説明する。0，1，2，…，と増え，9になった後は，オーバフローして0となる。前回値が8，今回値が2であったとすると，差は4であるが，計算上は（2－8＝）－6となってしまう。そこで，2に10を加算してから8を引くと，（2＋10－8＝）4となり，正しい値を計算することができる。加算値は，桁数の最大値に1を加算した値である。

したがって，“**T[N]に65,536を加算する。**”という主旨で，20字以内にまとめる。

第5章

● テクノロジ系

ユーザーインタフェースとマルチメディア

コンピュータシステムを効率よく使うためには，適切なユーザーインタフェースを設計する必要がある。また，効率的なデータ処理を行うためには，適切なデータ形式の選択や処理環境の構築を行う必要がある。第１節では，ユーザーインタフェースに関して，考え方や設計技術などを学習する。第２節では，データ形式や処理環境に関して，種類や特徴などについて学習する。

理解しておきたい用語・概念

- ☑ GUI
- ☑ アクセシビリティ
- ☑ コード設計
- ☑ チェック方式
- ☑ コード
- ☑ ユーザビリティ
- ☑ ユニバーサルデザイン
- ☑ Web デザイン
- ☑ 桁別コード
- ☑ ユーザーインタフェース
- ☑ ニューメリックチェック
- ☑ ブロックコード
- ☑ リミットチェック
- ☑ パンくずリスト
- ☑ ニモニックコード

アクセスキー **P**（大文字のピー）

5.1 ユーザーインタフェース

良いシステムとは，ユーザーインタフェースが高度に考慮されているシステムといっても過言ではない。本節では，ユーザーインタフェースを決定する要件，インタフェースを実現する技術の種類，特徴を理解する。

5.1.1 ユーザーインタフェース技術

- ユーザビリティはソフトウェアやWebサイトの使いやすさのこと
- アクセシビリティはどの程度広範囲に利用可能であるかを示す概念

ユーザーインタフェースは，機械とその機械の利用者（通常は人間）の間での情報をやり取りするためのインタフェースである。具体的には，入力するキー操作の機能や，処理結果を返す画面表示や印刷などの機能を指す。

参考

インフォメーションアーキテクチャ

インフォメーションアーキテクチャは，利用者が情報を見つけ，その情報の塊（チャンク）を使用するに当たって，最も効果的な情報構築方法を研究する分野である。効果的に情報を構築・掲載することでユーザビリティの向上を期待することができる。情報アーキテクチャともいう。

●ユーザビリティ

ユーザビリティは，useとableの合成語で，“使えること”が元々の意味である。実際には，ソフトウェアやWebサイトの使いやすさを意味することが多い。ただし，明確な定義はされておらず，使い勝手，使いやすさ，可用性などを含めた概念である。

次は，ヤコブ・ニールセンの「ユーザビリティ10原則」と呼ばれるものである。

① システム状態の視認性を高める
② 実環境に合ったシステムを構築する
③ ユーザにコントロールの主導権と自由度を与える
④ 一貫性と標準化を保持する
⑤ エラーの発生を事前に防止する
⑥ 記憶しなくても，見ればわかるようなデザインを行う
⑦ 柔軟性と効率性を持たせる
⑧ 最小限で美しいデザインを施す
⑨ ユーザによるエラー認識，診断，回復をサポートする
⑩ ヘルプとマニュアルを用意する

ユーザビリティには，利用者が参加する手法と専門家だけで実施する手法がある。

アンケート法（質問書法）

アンケート法は，専門家が用意した質問用紙（アンケート）を利用者に配布し，記入してもらって，回答を分析する方法である。利用者の考え方をアンケートで反映させるので，利用者の参加が必要である。

回顧法

回顧法は，利用者に作業を実行してもらい，作業が終わってから思い出して感想を述べてもらう方法である。利用者の感じ方を反映させるので，利用者の参加が必要である。

思考発話法

思考発話法は，利用者に作業を実行してもらい，作業の実行過程において考えていることを話しながら操作してもらう手法である。利用者の感じ方を反映させるので，利用者の参加が必要である。

認知的ウォークスルー法

認知的ウォークスルー法は，ユーザビリティ専門家が，利用者になったつもりで作業を行い評価する方法である。利用者の作業を必要とせず，専門家だけで実施することができる。

ヒューリスティック評価法

ヒューリスティックは，経験則という意味で，専門家の経験則を指す。ヒューリスティック評価法は，既知の経験則に照らし合わせてインタフェースを評価し，ユーザビリティを明らかにする評価手法である。利用者の参加を必要とせず，専門家だけで実施することができる。

●アクセシビリティ

アクセシビリティは，情報サービスやソフトウェアなどが，どの程度，広範囲に利用可能であるかを示す概念である。高齢者や身体障害者など，ハンディキャップをもつ人にとって，どの程度利用できるかという意味で使われることが多い。特に，Web ペー

参考

ユーザビリティ

ユーザビリティについては，JIS Z 8521:2020では，次のように定義している。

「特定のユーザが特定の利用状況において，システム，製品又はサービスを利用する際に，効果，効率及び満足を伴って特定の目標を達成する度合い」

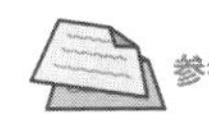

参考

ユーザビリティの評価方法の 1 つに，A/Bテストがある。A/Bテストは，Webページなどのデザインを複数パターンを作成し，それをランダムにユーザーに示し，それぞれを比較することで，評価の高かったパターンを実装するためのテストである。サイトや広告のアクセス数や成約率などのデータを比較し、成果が出ているほうを採用する。

ジについてのアクセシビリティを，Webアクセシビリティという。

●GUI

GUI（Graphical User Interface）は，直感的に識別できるアイコン（絵文字）やプルダウンメニュー，ポップアップメニューなどを用いて，対話処理を行うユーザーインタフェースである。マウスなどのポインティングデバイスを使って，アイコンやメニューを選択する。

参考

GUIにおいては，入力操作を容易にするために，プルダウンメニュー，ポップアップメニュー，ラジオボタン，チェックボックス，リストボックス，テキストボックスなどが用意されている。

プルダウンメニュー

プルダウンメニュー（ドロップダウンメニュー）は，メニューのタイトル部分にマウスカーソルを合わせてマウスのボタンをクリックすると，そこから選択項目の一覧が引き出されたように垂れ下がってくる表示方式のメニューである。

ポップアップメニュー

ポップアップメニューは，マウスのボタンをクリックすると，マウスポインタのある位置に表示されるメニューである。

ラジオボタンとチェックボックス

ラジオボタンは，GUIにおいて，画面に表示された複数の選択項目の中から1つだけを選択するGUI部品である。一方，チェックボックスは，幾つかの項目について，それぞれの項目を選択するかどうかを指定する。

参考

ラジオボタンは，項目の先頭に○が表示される。マウスで○をクリックすると，○の中に点（・）が表示され，その項目が選択される。別の○をクリックすると，その箇所の○に「・」が表示され，最初の「・」は非表示となる。

→
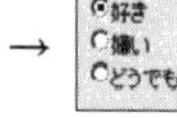

また，チェックボックスは，○ではなく，「□」である。

リストボックスとテキストボックス

リストボックスは，特定の項目を選択することによって表示される一覧形式の項目の中から1つを選ぶものである。テキストボックスは，文字や数字などのテキストを直接入力するための領域である。

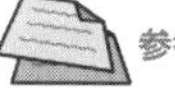
参考

リストボックスにおいて，幾つかの選択項目から1つを選ぶとき，選択項目にないものはテキストボックスに入力するGUI部品を，コンボボックスという。すなわち，コンボボックスは，リストボックスとテキストボックスを組み合わせたものである。

5.1.2 インタフェース設計

Point
- 誤ったデータがシステムに混入しないように入力チェックを実施
- ユニバーサルデザインは誰もが使える施設・製品・情報などのこと

● 入力チェック方式

誤ったデータがシステムに混入しないように，種々のチェックが必要である。主なチェック方式に，ニューメリックチェック（数字検査），フォーマットチェック（形式検査），リミットチェック（限界値検査，範囲検査），組合せチェック（項目の組合せの妥当性検査），照合チェック（基準値との比較検査），バランスチェック，論理チェック，シーケンスチェック（順番検査）などがある。

● コード設計

コードは，本来の名称を使用目的に応じて識別するための略号や記号，符号，暗号などである。電話番号や郵便番号，社員番号，商品番号などが，コードの例である。

桁別コード

桁別コードは，一定の基準で大分類，中分類，小分類というように階層的に分類し，グループごとに連番を割り当てる方式である。体系的にわかりやすく，階層ごとの処理が容易になるとともに，柔軟性に富んだコードとなる。このため，コンピュータ処理に適している。しかし，分類が多いと桁数が長くなるという欠点がある。

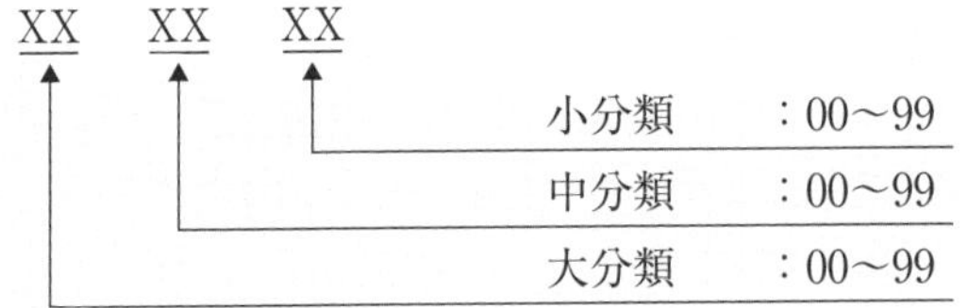

フォーマットチェック
フォーマットチェックは，データの書式が正しいかどうか，文字種が指定された文字だけであることなどを調べる検査である。例えば，桁ずれを起こしていないか，金額ならば数字のみであるか，2進数だったら0と1だけであるかなどの検査である。

バランスチェック
バランスチェックは，論理的に一致するはずの2つの項目の内容や合計が，実際に一致するかどうかを調べることで，入力データに誤りがあるかどうかを調べる検査である。例えば，会計データの貸方と借方が一致しているかどうかなどの検査である。

論理チェック
論理チェックは，データが論理的に正しいかどうかを調べる検査である。例えば，12月31日のように適切な日付であるか，受注日が売上日よりも前であるか，入場者数がチケット販売枚数以下であるかなどの検査である。

シーケンスコード（順番コード）

順番コードは，データの発生順や小さい順に，1，2，3，…と番号を連続的に付与する一連番号である。データの少ないときはよいが，追加があるとき不便である。JIS の都道府県コードは，01（北海道），02（青森県），…，46（鹿児島県），47（沖縄県）と順番に付与されており，順番コードの例である。

デシマルコード

デシマルコード（10 進コード）は，0～9 の 10 進数で，大分類，中分類，小分類を行い，各桁の値で分類するコードで，桁数が足りなければ後ろに追加していく。

次は，日本十進分類法の例で，図書館の図書分類に用いられている。

000	総記
100	哲学
⋮	⋮
500	工学関係
520	建築
524	建築構造力学
524.2	建築材学

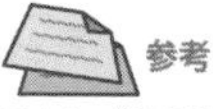
参考

アセンブラ言語の命令コードも，機能を省略して示しているのでニモニックコードの例である。このほか，色を示すのに，黒をBK，白をWHと表記することがある。

ニモニックコード

ニモニックコード（連想コード）は，名称に関連する文字列や略号などをコードに組み込み，コードから内容が連想できるようにしたものである。例えば，情報処理技術者試験の試験区分の FE（基本情報技術者試験），PM（プロジェクトマネージャ試験）などがニモニックコードの例である。

ブロックコード

ブロックコード（区分コード）は，対象となるデータを一定の大きさのブロックに分け，それを上位桁に割り当て，その範囲（ブロック）内で一連番号を付けるもので，JIS の市区町村コードなどがこのコード体系である。シーケンスコードのもつ“途中にコードを追加できない”という欠点をある程度補うことができる。

次は，JIS の市区町村コードの例である。上位 2 桁がブロック番号，下位 3 桁が連番である。

市区町村コード		市区町村名
12	460	安房郡
12	463	安房郡鋸南町
⋮	⋮	⋮
13	201	八王子市
13	202	立川市
⋮	⋮	⋮

フォント

フォント（書体）は，コンピュータを使って文字を表示したり印刷したりする際の文字の形である。また，文字の形をデータとして表したものをフォントと呼ぶ場合もある。フォントには，ビットマップフォントとアウトラインフォントの２種類がある。ビットマップフォントは文字の形をドット（点）の集合として表したフォント，アウトラインフォントは文字の形を基準となる点の座標と輪郭線の集合として表現するフォントである。

Webデザイン

Webデザインは，一般的には，Webサイトの総合的なデザインのことをいう。印刷されたデザインとは異なり，データ容量が大きければ，画面に表示されるまでの時間がかかる。また，Webサイト訪問者がスムーズに閲覧できるように，全体のどこにいるのか，前はどこにいたのか，これからどこにいくのかなどを容易に把握させ，最初の画面（ホーム）に戻りたいなどの要求に応える必要がある。Webデザインにはこのようなナビゲーション機能が不可欠である。このため，Webサイト全体を総合的に捉えて設計する必要があり，表面に現れない部分のサービスも含めて提供する必要がある。

ユニバーサルデザイン

ユニバーサルデザインは，文化・言語・国籍の違い，老若男女といった差異，障害・能力の如何を問わずに利用することができる施設・製品・情報の設計（デザイン）のことである。

参考

パンくずリスト

パンくずリスト（topic path, breadcrumbs list）は，Webサイト上でトップページから現在の階層を順番に並べて表示したものである。Webサイトの利用者が現在位置を容易に把握でき，いつでも前の階層に戻ることができる。なお，節末の「チェック!」にパンくずリストの例題を取り上げた。

参考

ビットマップフォントは描画速度は速いが，拡大・縮小を行った際に輪郭がギザギザに見えるジャギーという現象が発生する。一方，アウトラインフォントは，表示や印刷時に曲線の方程式を計算し，描画する点の配置を決定するので，処理に時間がかかるが，拡大や縮小，変形を繰り返しても文字の形が崩れない。

参考

ユニバーサルデザイン

ユニバーサルデザインは，できるだけ多くの人が利用可能であるデザインにすることが基本的な考え方である。誰もがということでは，バリアフリーとも考えられるが，対象を障害者に限定していないことがバリアフリーとは異なる。

チェック！ よく出る午前問題で基本事項を確認

日付・正解 Check　／　／　／

問題

［応用情報技術者試験 2021 年秋期午前 問 26］　難易度 ★　出題頻度 ★★

利用者が現在閲覧しているWebページに表示する，Webサイトのトップページからそのページまでの経路情報を何と呼ぶか。

ア　サイトマップ　　イ　スクロールバー
ウ　ナビゲーションバー　　エ　パンくずリスト

解説

トップページからそのページまでの経路情報というのは，例えば，次の太字で示した部分である。現在の階層を示している。この場合，現在の状態は，“不正アクセス対策”であるということを示している。これを，パンくずリストという。

トップ>情報公開>サイト管理>**不正アクセス対策** ← パンくずリスト

不正アクセス対策
1. 修正プログラム適用状況
   ・2015年4月
   ・2015年3月

パンくずリスト（breadcrumbs list，topic path）は，Webサイト上でトップページからたどった階層を順番に並べて表記したものである。階層構造になっていて，このリストを全てのページで同じ位置に表示することで，サイトの利用者が現在位置を容易に把握でき，いつでも前の階層に戻れるようになる。階層の区切りには通常，“>”が使われ，図のように，“トップ>情報公開>サイト管理>不正アクセス対策”のように表す。

なお，ナビゲーションバーは，Webサイトにどのようなコンテンツがあるかを表示し，それぞれのコンテンツへ誘導するメニューの役割をもつGUI部品である。サイト内で共通してページの固定位置に配置することで利用者が迷わないように配慮していることが多い。

正解：エ

5.2 マルチメディア

メディアは媒体という意味で，マルチメディアは，複数の媒体を統合したメディアということができる。近年は，音声，画像，文字データなど，複数の情報を統合してコンピュータで取り扱うことが多くなった。

5.2.1 マルチメディア技術

- 静止画のファイル形式には JPEG，GIF，PNG など
- 動画の圧縮方式には MPEG，H.264，H.265 など

マルチメディアは，文字や音声，動画，静止画などの複数の媒体（メディア）を統合し，コンピュータを利用して表現する技術，又はシステムである。通常は，映像や音楽などの動的コンテンツを含むイメージで捉えられている。一般に，マルチメディアデータは大量になることが多く，圧縮技術を用いて圧縮（符号化）することが多い。圧縮することで，ネットワークの負荷を軽減することができる。

● 音声処理

音声処理は，主として，ディジタル化された音声信号をコンピュータ上で処理することである。音声処理に関連する技術に，音声などのアナログ信号をディジタル信号に変換する PCM，楽曲データの記述，保存，伝送などの標準方式の MIDI（ミディ），音声データを記録するファイル形式の WAV（ワブ），音声データを圧縮する方式及びファイル形式の MP3 などがある。

参考

MP3

MP3は，本文に記述した機能の他，動画圧縮形式のMPEG-1で音声を記録するために策定されたものである。

● 静止画像処理

静止画像処理は，写真やデータやイラストなど，静止画をディジタルデータとしてファイル化することである。このファイルを画像ファイルという。JPEG（ジェーペグ），GIF（ジフ/ギフ），PNG（ピング），BMP，TIFF（ティフ），HEIF（ヒーフ），

用語解説

HEIF

High Efficiency Image File Format。HEIFは，JPEGの2倍程度の圧縮率をもつ画像ファイルである。

Exif（イグジフ）など，種々のファイル形式が存在する。主要な画像ファイルについては，多くのグラフィックソフトが処理機能をサポートしている。画像データは，データ量が膨大であることが多く，圧縮をしたり，様式を工夫して効率的に格納している。

●動画処理

動画は，テレビやビデオ映像のように，時とともに変化していく画像である。**動画処理**は，画像の動きをスムーズにするための処理である。動画の動きをスムーズにするには，1 秒間に 30 フレーム程度の画像が必要なため，画像をそのままコンピュータに取り込むには，大容量のメモリが必要である。そこで，画像を圧縮して保存する必要がある。動画の圧縮方式には，MPEG（エムペグ），H.264，H.265（High Efficiency Video Codec：HEVC），AVI（Audio Video Interleave），Motion JPEG などがある。

●情報の圧縮・伸張

圧縮はファイルサイズを小さくするための技術，**伸張**は圧縮したデータを元の状態に復元する技術である。マルチメディアデータはファイルの容量が大きくなりがちで，ファイル形式そのものに圧縮技術を使っているものが多く，その形式で保存することで，容量が小さくなる。

圧縮方法には可逆圧縮と非可逆圧縮がある。**可逆圧縮**は，圧縮した情報を元に戻すと完全に元の情報と同じものになる圧縮方式である。一方，**非可逆圧縮**は，伸張したときに完全な形では元の情報に戻らない圧縮方式で，圧縮率が高くなる。非可逆圧縮は，データ量の多い画像データや音声データに用いられる。

静止画像の圧縮方式である JPEG には，非可逆圧縮方式と可逆圧縮方式が採用されており，非可逆圧縮方式であると 1/10 ～ 1/100 程度まで圧縮でき，圧縮率が非常に高い。

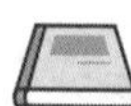

用語解説

Exif

Exchangeable image file format。ディジタルカメラ用の画像ファイルの形式である。TIFF形式で，画像についての情報や撮影日時などの付加情報を記録できる。

H.264

H.264は，ITU-Tによって勧告された動画データの圧縮符号化方式の標準の1つである。また，ISOによって，動画圧縮標準MPEG-4の一部としても勧告されている。

H.265（HEVC）

H.265は，ITU-TとISO/IECのMPEG-H（ディジタルコンテナ標準，動画圧縮標準，音声圧縮標準，そして2つの順応試験標準）プロジェクトが共同で設計したビデオ圧縮規格である。

Motion JPEG

Motion JPEGはそれぞれのフレームをJPEG形式で圧縮／伸張し，連続でこれを表示することで動画とする方式である。

5.2.2 マルチメディア応用

- クリッピングは表示領域外の部分を消去する手法
- AR は現実世界の情報にディジタル合成した情報を重ねたもの

マルチメディアを応用したシステムが数多く見られる。インターネットでは，Web によってグラフィカルな環境が実現したため，各種のマルチメディアコンテンツが利用できるようになった。

●コンピュータグラフィックス

コンピュータグラフィックス（Computer Graphics：CG）は，コンピュータによって画像や映像を作成する技術，又は，この技術により作られた画像や映像のことである。CG による画像や映像は，2D（2 次元）と 3D（3 次元）に分類することができる。

CG の技術要素には，次のようなものがある。

クリッピング

クリッピングは，CG において図形を表示する際，表示領域外の部分を消去する手法である。例えば，ウィンドウの表示領域を越えて図形が描画された場合でも，図形がウィンドウからはみだすことはなく，ウィンドウの境界で切り取られる。

レンダリング

レンダリングは，数値データとして与えられた物体や図形に関する情報を計算によって画像化する手法である。コンピュータのプログラムを用いて画像・映像・音声などを生成する。元となる情報には，物体の形状，物体をとらえる視点，物体表面の質感（テクスチャマッピングに関する情報），光源，シェーディング（陰影付け）などがある。

アンチエイリアシング

アンチエイリアシングは，ある解像度の画像に関してエイリアシングを低減する処理である。コンピュータの表示画面は，ほと

2DCG/3DCG
2DCG（2-Dimensional Computer Graphics）は平面的な絵（2次元）で，奥行きなどの立体感がちょっと判断しづらい。3DCG（3-Dimensional Computer Graphics）は立体的な絵（3次元）で，奥行きなどが判断しやすい。

3DCGにおけるクリッピングでは，画面に現れる部分を定義・設定する。3次元の形状や空間・環境を定義するモデリング，3次元の物体を2次元のスクリーンに映し込むレンダリングなどの処理工程がある。

んどの場合ビットマップ（点の集合）で表示されている。有限個の画素（ピクセル）で表示されるため，斜めの線が階段状に見えたり，1 画素よりも細い線が消えてしまったりする。このような現象を，エイリアシング，ジャギーなどという。このような不自然な画像にならないようにする手法の総称をアンチエイリアシングという。低い解像度で人間の目を巧みにごまかす手法である。

メタボール

メタボールは，3DCG における物体を表現するときに使われる手法である。可視部分の濃度が高く，周辺にいくほど濃度が低くなる球を基本とし，それを連続的に配置して滑らかな面を表現する。

ラジオシティ

ラジオシティは，照明工学分野で開発された，オブジェクト表面で反射した光がさらに別のオブジェクトを照らす光の拡散（反射）をシミュレートするための計算法を CG に応用して，画像を描画（レンダリング）する手法の 1 つである。光の相互反射を利用し，物体の各面の相互の反射を厳密に計算することで，各面のもつ光のエネルギーを算出する。柔らかな間接光の効果を表現できるのが特徴であるが，相互作用を収束計算するため膨大な計算量が必要である。

レイトレーシング

レイトレーシングは，ラジオシティと同様に，レンダリングの手法の 1 つである。視点に届く光線を逆にたどることによって描画する。物体の表面の反射率や透明度・屈折率などを細かく反映させることができるのが特徴である。1 画素ずつ光線の経路を計算するため計算量が多くなるが，その分，高い画質で描画することができる。

▶試験に出る

CG に関連する問題は，1 回おきに，1 問程度出題される。ほとんどの出題が，CG に関する用語の意味を問うものである。特に，クリッピング，レンダリング，アンチエイリアシングの意味を問う問題が多いので，確実に頭に入れておくとよい。

テクスチャマッピング

テクスチャマッピングは，3DCG において，立体画像の表面に質感を与えるための手法である。物体の表面の質感を表現するために画像を貼り付ける。また，貼り付ける画像をテクスチャという。

● VR

VR（Virtual Reality：仮想現実，人工現実）は，コンピュータを用いて人工的に作られた仮想空間を現実かのように体感させる技術である。人間の五感を同時に刺激することで仮想空間にいるにもかかわらず，現実感を与える。人の五感に訴えるため，ヘッドマウントディスプレイ（Head Mounted Display：HMD）のような専用の表示装置を用いた立体視や，データグローブのような特殊な入力装置を使用する。さらに，映像に合わせた応答を人に返すことで，より現実感を高めることができる。

● AR

AR（Augmented Reality：拡張現実）は，現実世界の情報にディジタル合成などによって作られた情報を重ね，人間から見た現実世界を拡張する技術の総称である。VR が CG などで構築された現実感と現実を差し替えるのに対し，AR は現実の一部を改変する点が異なる。例えば，カメラで撮影した画像に説明を追加したり，鏡に映った人に実際には存在しない衣料品を着せたように加工し試着したような映像にしたり，過去の建築物を 3 次元 CG で実際の画像上に再現したりすることなどがある。

ARはArtificial Reality（人工現実，人工現実感）の意味で使われることがある。この場合は，VRと同義である。

● SMIL

SMIL（スマイル）（Synchronized Multimedia Integration Language）は，Web 上でマルチメディアコンテンツを表現するための XML ベースのマークアップ言語である。マルチメディア（動画，静止画，音声，音楽，文字など）の種々の形式のデータの再生を制御して同期させることができる。W3C 標準として勧告されている。どの位置に，どのタイミングで，どのくらいの時間表示するのかなどの制御ができる。通常の HTML と異なり，例えば，“○○秒経過後に，××の位置にコンテンツを表示する”というような制御が可能である。

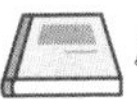

W3C

W3C（World Wide Web Consortium）は，World Wide Webで使用される各種技術の標準化を推進するために設立された標準化団体で，非営利団体である。HTMLやXMLの標準化を行っている。

チェック!　よく出る午前問題で基本事項を確認

日付・正解 Check　／　／　／

問題　[応用情報技術者試験 2015年春期午前 問25]　難易度 ★　出題頻度 ★★

拡張現実（AR：Augmented Reality）の例として，最も適切なものはどれか。

ア　SF映画で都市空間を乗り物が走り回るアニメーションを，3次元空間上に設定した経路に沿って視点を動かして得られる視覚情報を基に作成する。

イ　アバタの操作によって，インターネット上で現実世界を模した空間を動きまわったり，会話したりする。

ウ　実際には存在しない衣料品を仮想的に試着したり，過去の建築物を3次元CGで実際の画像上に再現したりする。

エ　臨場感を高めるために大画面を用いて，振動装置が備わった乗り物に見立てた機器に人間が搭乗し，インタラクティブ性が高いアトラクションを体感できる。

解説

ARについては，本文を参照のこと。

「イ」のアバタは，自分の分身となるキャラクタ，又は，そのサービスの名称である。2DCG/3DCGのビジュアルチャットやWeb上の比較的大規模なインターネットコミュニティで用いられる。マンガ風のキャラクタが使われることが多く，人間だけでなく動物やロボットなどを選択したり，髪型や服装，装飾品などを選んでオリジナルのキャラクタを作成したりできるようになっている場合もある。また，「ウ」以外は，VRの説明である。

正解：ウ

演習問題

[応用情報技術者試験 2012年春期午後 問8]

問題

スマートフォンで利用するアプリケーションの設計に関する次の記述を読んで，設問1～3に答えよ。

X社は，国内旅行を取り扱う旅行代理店である。X社では，旅行者が旅先で利用できる新たなサービスとして，スマートフォン用のアプリケーション（以下，旅先案内アプリという）と，旅先案内アプリが利用するAPIを開発することにした。

旅行者は，X社が旅行の案件ごとに割り振った案件番号を旅先案内アプリに設定することで，旅行の日程情報と近隣情報を入手し，スマートフォン上に表示させることができる。

近隣情報とは，旅行先の付近にあるレストランと観光地に関する情報である。近隣情報には，リスト表示と地図表示の2種類の表示方法が用意されている。旅行者は，当日行きたい場所の近隣情報に，事前にチェックを付けておくことができる。

旅行の日程情報表示の例を図1に，近隣情報のリスト表示と地図表示の例をそれぞれ図2と図3に示す。

日程1日目
10:00　○○県△△市□□町 K駅からL線で出発
12:00　●●県××市△△町 M駅で降りて近くで昼食 その後自由時間
17:00　●●県××市△△町 ホテルチェックイン
日程2日目
10:00　●●県××市△△町 ホテルチェックアウト

図1　日程情報表示

近隣情報　1日目 ●●県××市△△町
☑ レストラン 名称：○○亭 住所：××市△△町 1-2-3 電話：00-0000-0000 分類：和食，定食
□ 観光地 名称：○○神社 住所：××市△△町 4-5-6 電話：00-0000-1111 分類：神社

図2　近隣情報のリスト表示

図3　近隣情報の地図表示

日程情報表示では，時刻，場所及び行動予定を，旅程順にリスト形式で表示する。リストの項目をタッチすると，その項目の場所に関する近隣情報を検索してリスト表示する。

リスト表示では，各項目についてレストランか観光地かの種別，名称，住所，電話番号，分類，及びチェックの有無を示すチェックボックスが表示される。1つの近隣情報が複数の分類に当てはまる場合，分類は“,”で区切って並べて表示される。チェックボックスをタッチすることで，チェックの有無の状態を切り替えることができる。リストの項目のチェックボックス以外の部分をタッチすると，地図表示に遷移する。

地図表示では，リスト表示でタッチした項目と，チェックボックスにチェックのある項目に関する情報が，地図上に吹出しを使って表示される。吹出しの部分をタッチするとWebブラウザが開き，関連するWebページを参照することができる。

ネットワークへのアクセスを最小限に抑えるために，リスト表示のときに検索して入手した近隣情報は地図表示にも引き渡され，吹出しの表示に利用される。

〔旅先案内アプリの開発方針〕

旅先案内アプリの開発では，複数の提供元によるAPIを組み合わせることで新しいサービスを構築する，［　a　］と呼ばれる手法を用いることにした。

旅先案内アプリは，複数の情報にアクセスし，それらを組み合わせて表示する。旅先案内アプリが利用する情報と，それぞれの情報へのアクセス方法を表1に示す。

日程情報と観光地情報はX社のデータベースに保存されている。これらの情報にアクセスするAPIを新規に開発する。旅先案内アプリは，このAPIを利用して，X社のデータベースに保存されている日程情報と観光地情報を取得する。地図情報は，近隣情報の地図表示の際に，背景となる地図を表示するために用いる。Y社はレストラン情報のポータルサイトを運営する広告代理店，Z社はスマートフォン向けの地図情報ライブラリを提供するソフトウェアメーカである。

表1　利用する情報へのアクセス方法

情報		アクセス方法
日程情報		X社のAPIを用いる。
近隣情報	観光地情報	X社のAPIを用いる。
	レストラン情報	Y社が一般に公開しているAPIを用いる。
	チェック情報	スマートフォンの不揮発性メモリを用いる。
地図情報		Z社が一般に公開しているAPIを用いる。

〔レストラン情報検索のAPI〕

レストラン情報の検索に用いるY社のAPIの概要を図4に示す。

(1) サービスの概要
Y社に利用者登録をすると，登録者専用のアクセスキーが発行される。
発行されたアクセスキーと検索条件を指定してAPIを呼び出すと，検索結果を得ることができる。

(2) APIの仕様
アクセスキー，緯度，経度，及び検索半径が指定されると，その指定の範囲内にあるレストラン情報を検索し，結果を返す。
検索結果には，店舗ID，店舗名称，分類，住所，電話番号，緯度，経度，及び店舗のWebページのURLが含まれる。店舗IDとは，店舗を一意に識別する文字列である。

(3) サービスの利用規約（抜粋）
- アクセスキーを，他の利用者に貸与したり譲渡したりしてはならない。アクセスキーを含んだいかなる形式の情報についても同じである。
- APIを利用して作成するサービスでは，APIの実行結果を，できるだけリアルタイムに表示しなければならない。APIの実行結果をリアルタイムに表示できない場合は，APIの実行時刻を画面に表示する必要がある。
- APIの仕様が変更された場合は，API利用者側で対応を取る必要がある。

図4　Y社のAPIの概要

〔近隣情報を取得するAPIの設計〕

当初は，旅先案内アプリがX社，Y社及びZ社のAPIにアクセスし，結果を組み合わせて表示する方式を考えた。しかし，レビュー時の指摘によって，①旅先案内アプリはX社とZ社のAPIにだけアクセスし，Y社のAPIにはX社のAPIの内部処理からアクセスする方式に変更した。

この変更を受けて，新規に開発するX社のAPIは，X社のデータベースから検索した観光地情報と，Y社のAPIから得られたレストラン情報とを組み合わせて近隣情報を作り，結果をXML形式で返すことにした。

X社のAPIのリクエストパラメタを表2に，応答内容を表3に，応答の例を図5に示す。

なお，X社のAPIでは，位置情報は全て緯度・経度で表す。また，Y社のAPI利用時に用いる［　b　］の値はX社のAPIの内部の定数として定義しておき，常にその値を用いることにする。

表2 リクエストパラメタ

パラメタ	説明
id	案件番号
day	日程 1日目なら1, 2日目なら2, n日目ならn
latitude	近隣情報を検索する際の中心の緯度
longitude	近隣情報を検索する際の中心の経度
radius	近隣情報を検索する際の検索半径。単位はm。

表3 応答内容

要素名 (@付きは属性名)	出現 回数	説明
Response	1	応答結果全体を示す。
ViewPoint	0以上	近隣情報
@Category	1	近隣情報の種別。レストランなら0,観光地なら1
id	1	レストランなら店舗ID,観光地なら観光地ID
name	1	名称
property0	1以上	c
property1	1	d
property2	1	e
address	1	住所
tel	1	電話番号
url	1	WebページのURL

```
<?xml version="1.0" encoding="UTF-8"?>
<Response>
   <ViewPoint Category="0">
      <id>A208</id>
      <name>○○亭</name>
         (中略)
      <url>http://www.example.com/index.html</url>
   </ViewPoint>
       (中略)
</Response>
```

図5 応答の例

〔プログラムの改修〕

電波が届かないところでも,近隣情報のリスト表示までは操作ができるようにするために,スマートフォン内部に検索結果のコピーを保存することにした。電波が届かないところでも,検索結果のコピーがあるときにはコピーを参照して画面に表示する。この変更に伴い,②近隣情報の表示項目に変更を加えることにした。

設問1 X社のAPIの設計について,(1),(2)に答えよ。

(1) 本文中の[a],[b]に入れる適切な字句を答えよ。

(2) 表3中の[c]~[e]に入れる適切な字句を答えよ。

設問2　本文中の下線①について，Y社のAPIにはX社のAPIの内部処理からアクセスする方式にした理由を解答群の中から二つ選び，記号で答えよ。

解答群

ア　X社のWebサーバの負荷が軽くなり，負荷分散の効果があるから

イ　Y社のAPIの仕様変更時にアプリケーションの改修をせずに済ませることができるから

ウ　Y社のAPIの，アクセスキーの貸与や譲渡を禁止する利用規約に抵触するおそれがあるから

エ　Y社のAPIは，スマートフォンからのアクセスを受け付けないから

オ　地図情報表示の画面で，地図が表示されるまでの時間が短くなるから

設問3　本文中の下線②について，近隣情報の表示項目にどのような変更を加えたか，変更内容を30字以内で答えよ。

演習問題・解答

解説

■設問1　解答　（1）a：マッシュアップ，b：アクセスキー
（2）c：分類，d：経度，e：緯度　（d，eは順不同）

（1）［　a　］，［　b　］の穴埋め

a　“複数の提供元によるAPIを組み合わせることで新しいサービスを構築する”ことを，“**マッシュアップ**”という。

マッシュアップは，既に提供されているコンテンツやサービスなどを組み合わせ，新しいサービスを作ることである。複数のAPIを組み合わせ，1つのサービスであるかのように見せる。GoogleやYahoo!などが提供する地図サービス，Amazonが提供する商品情報などが該当する。地図自体はGoogleやYahoo!はもっておらず，必要になると地図サイトにアクセスするが，利用者から見れば，1つのサービスの中であるという感覚になる。

b　Y社のAPIを利用するには，“**アクセスキー**”が必要である。アクセスキーの値をAPIの内部で定数として定義しておけば，いつでも，同じアクセスキーでアクセスができる。

（2）［　c　］～［　e　］の穴埋め

表3の応答内容と，図4（2）で説明している検索結果を対比させる。すると，「分類，緯度，経度」が空欄に該当するとわかる。さらに，表3の出現回数をチェックすると，［　c　］は1以上，［　d　］，［　e　］は1なので，これを根拠に，適切な項目を検討する。

c　“分類は<u>“，”で区切って並べて表示</u>される”（図1～図3から2段落目）ということから，分類は複数あると想定される。したがって，“**分類**”が適切である。

d，e　ある店舗に関する情報のうち，経度や緯度が複数あるとは考えにくい。位置を特定するために緯度や経度が必要なので，これらは1つである。したがって，順不同で，“**緯度**”，“**経度**”が入る。

■設問2　解答　イ，ウ

Y社のAPIについては，直接，アクセスすると，問題があるからこのようにしたわけである。そこで，図4の（3）サービスの利用規約（Y社のAPIの利用規約）と対比させる。

ア　アプリケーションで直接Y社のAPIにアクセスした方が，X社のWebサーバを使わないで済むため，負荷分散を図ることができる。

イ　Y社APIへのアクセス用のパラメタは，X社のサーバで生成するので，Y社のAPIの仕様が変更されても，アプリケーションの修正は不要である。X社のサーバの処理を直すだけでよい。"APIの仕様が変更された場合は，API利用者側で対応を取る必要がある"（図4（3）の3つ目の黒丸）ということから，アプリケーションに修正が入ると，全てのスマートフォンのアプリケーションに修正が必要となる。

したがって，この記述は適切である。

ウ　X社がアクセスキーを取得し，このアクセスキーをアプリケーションに組み込んでY社のAPIを直接使用すると，アクセスキーの貸与や譲渡に該当する可能性がある。X社のAPIに組み込んで使用すれば，貸与や譲渡に該当しない。"アクセスキーを，他の利用者に貸与したり譲渡したりしてはならない"（図4（3）の最初の黒丸）という利用規約があるため，これに抵触する可能性がある。

したがって，この記述は適切である。

エ　Y社のAPIが，スマートフォンからのアクセスを受け付けないという記述はない。元々は，アプリケーションから直接，Y社のAPIにアクセスしようという発想があったのだから，スマートフォンからもアクセスできると考えるのが妥当である。

オ　直接，Y社のAPIにアクセスした方が，地図が表示されるまでの時間は短いと考えるのが妥当である。

■設問3　解答　表示項目としてY社のAPIの実行時刻を追加する。

図4（3）の2つ目の黒丸と関連する。できるだけリアルタイムに表示するというのは，情報が刻々と変わるからであると想定される。そして，リアルタイムに表示できないときにAPIの実行時間を表示するのは，その情報は現時点のものではないことを示すためである。このため，APIを実行した時刻を情報として追加する必要がある。

したがって，"**表示項目としてY社のAPIの実行時刻を追加する。**"という主旨で，30字以内にまとめる。

第6章

● テクノロジ系

データベース

データベースは，データの共有化や統合管理，プログラムからの独立性を目的としてデータを体系化し，集中的に蓄積したものである。データベースには使用目的などによって種々の構造が提案されているが，現在の主流は，関係データベース（リレーショナルデータベース）である。関係データベースは，表形式でわかりやすく，データの独立性を高度に実現している。また，関係データベースを操作するための言語として SQL が使われている。

理解しておきたい用語・概念

- ☑ 3 層スキーマ
- ☑ 関係モデル
- ☑ 正規化
- ☑ E-R モデル
- ☑ 整合性制約
- ☑ 選択
- ☑ 射影
- ☑ 結合
- ☑ SQL
- ☑ カーソル機能
- ☑ ロールバック／ロールフォワード
- ☑ 排他制御
- ☑ ACID 特性
- ☑ データウェアハウス
- ☑ リポジトリ

6.1 データベース方式と設計

データベースは，種々の利用者や種々の業務で共通に利用できるようにしたデータの集合体である。本節では，データベース設計のための考え方について説明する。

6.1.1 データモデルと３層スキーマ

- 論理データモデルは階層，ネットワーク，関係の３種類
- ３層スキーマには概念スキーマ，外部スキーマ，内部スキーマ

参考

データベースでは，システムの利用者やプログラムから見たデータの定義（外部スキーマ），論理的なデータ構造（概念スキーマ），物理的なデータ構造（内部スキーマ）の３層を区別することでデータの独立性を高めている。

参考

現在，普及しているRDBとは異なる新しい方式のDBMSを総称して，NoSQLという。データの操作にSQLを用いない（使えない）ことからこのように呼ばれる。

データベース化の対象の構造を抽象化したものがデータモデルである。また，スキーマは，データベースの定義である。

●データモデル

データモデルには，概念データモデル，論理データモデル，物理データモデルがある。

概念データモデルはDBMS（DataBase Management System：データベース管理システム）に依存しないデータモデルで，E-Rモデルが代表例である。

論理データモデルはDBMSに依存するデータモデルである。

物理データモデルは，論理データモデルを，パフォーマンスやセキュリティなどを考慮して，具体的に媒体上に実現したものである。

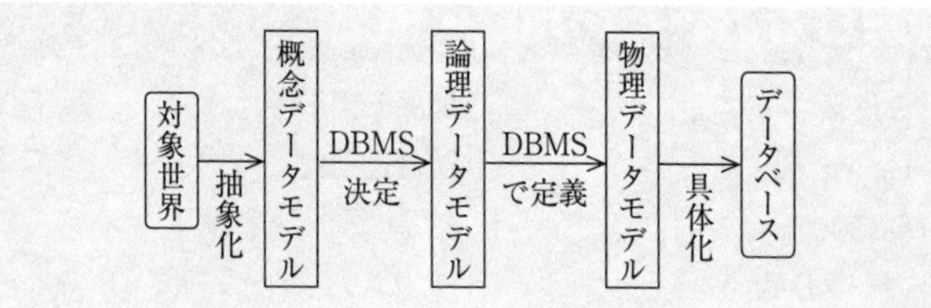

論理データモデル

論理データモデルには，階層モデル，ネットワークモデル，関係モデルがある。

3 つの論理データモデルの概念は，次の図のとおりである。

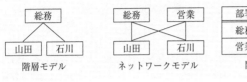

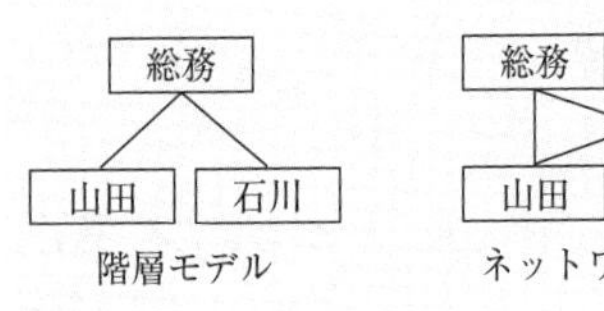

総務　営業
山田　石川
ネットワークモデル

部署	氏名
総務	山田
営業	石川

関係モデル

階層モデル

階層モデルは，1 対多の親子関係のデータ構造（木構造）を表現するデータモデルである。

ネットワークモデル

ネットワークモデル（網モデル）は，多対多の親子関係を表現するデータモデルである。

関係モデル

関係モデル（リレーショナルモデル）は，行と列の 2 次元の表によって表現するデータモデルである。

3層スキーマ

スキーマは，データベースの性質，形式，データの関連性などの定義の集合である。DDL(Data Definition Language：データ定義言語)を用いて記述する。ANSI や CODASYL では，スキーマを 3 階層に分けて定義している。これを，3 層スキーマという。

以下は，ANSI の定義である。

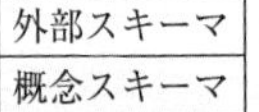

外部スキーマ ⟺ 概念スキーマの一部
概念スキーマ ⟺ 論理データモデル
内部スキーマ ⟺ データベースの物理構造

間違えやすい

網状の構造をもつデータ構造を階層モデルで実現しようとすると，データが重複して冗長となる。

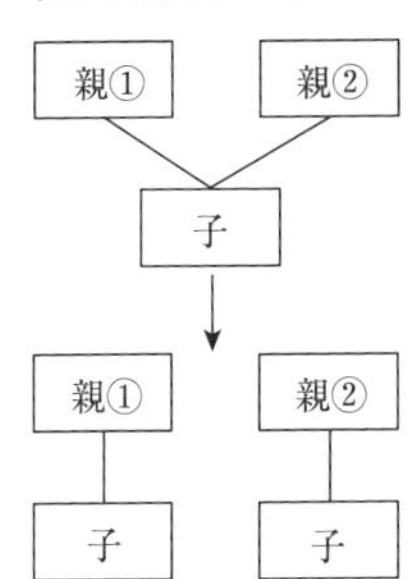

用語解説

外部スキーマ
外部スキーマは，アプリケーションや端末利用者ごとに定義したものである。関係データベースでは，ビュー（仮想表）という。

概念スキーマ
概念スキーマは，データベース全体の定義である。関係データベースでは，表（テーブル）という。

内部スキーマ
内部スキーマは，データの物理的構造の定義である。ハードウェア，パフォーマンス，リカバリ，セキュリティなどを考慮する。

ビュー（仮想表）
関係データベースにおいて，表（テーブル）から必要な項目を表示するためにデータを取り出した仮想的な表である。ビューに対して実際にデータベースに格納されている表を，実表という。

6.1.2 E-R モデル

午後にも出る

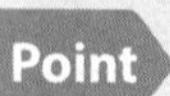

- E-R モデルは DBMS を意識しないデータの表現
- E-R モデルは実体（データ）間の関係を表現

論理データモデルは DBMS を前提としたデータモデルである。しかし，現実の世界では必ずしも，3 つのデータモデルに適合するわけではない。そこで，現実の世界のデータ構造をできるだけ忠実に表現するのに，E-R モデルが使われる。

● E-R モデルと E-R 図

E-R モデル（Entity-Relationship model：実体関連モデル）は，対象世界を抽象化し，エンティティ（Entity：実体）とリレーションシップ（Relationship：関連）を分析する手法である。また，分析結果を図で表現したものを，E-R 図（E-R ダイアグラム）という。E-R 図は，データベースの概念設計に用いる。

● E-R 図の表記法

E-R 図には種々の表記法があるため，情報処理技術者試験でよく用いられるものを示しておく。

記号	名称	説明
□	実体	管理対象の人，もの，場所，事象，概念など
◇	関連	実体の間に存在する相互の関連
⬭	属性	実体や関連のもつデータ項目

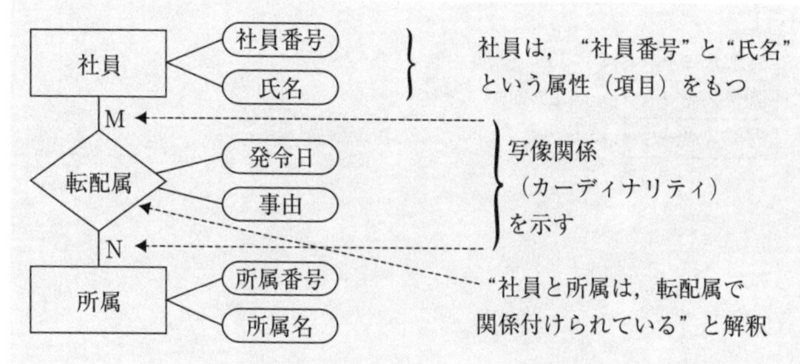

▶間違えやすい

E-R図において，実体や関連は属性（項目）をもつ。属性のうち，各実体や関連を識別するために，1つあるいは複数の属性が選択される。この属性の組を識別子といい，データベースでは，候補キーあるいは主キーという。

写像関係

写像関係(カーディナリティ)は，2つの実体間の対応関係を示すもので，3種類ある。

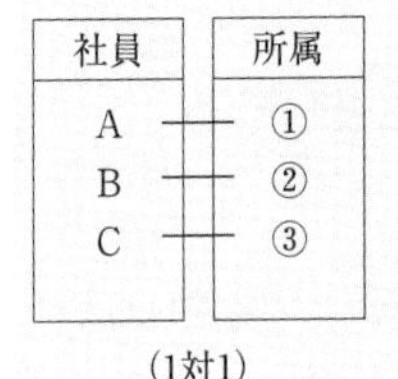

(1対1)

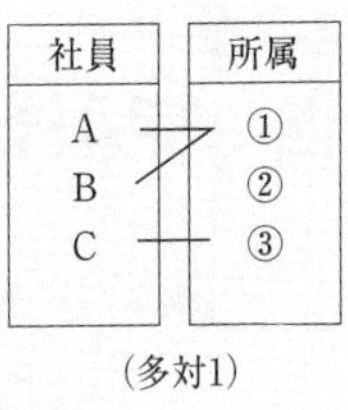

(多対1)

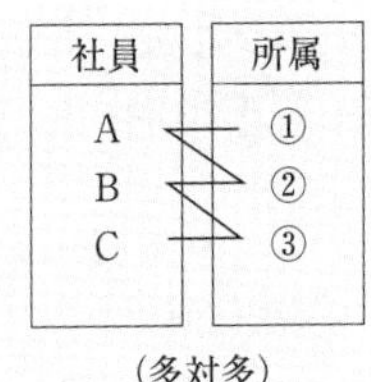

(多対多)

1対1は，2つの実体間において一方を特定すれば，他方を特定できることを表す。上図左側で示すように，社員Aは所属①に属し，所属①には社員Aがいることがわかる。1対多(1対M)あるいは多対1は，“多”の側を特定すれば“1”の側を特定できるが，“1”の側を特定しても対応する“多”の側が複数あるので，“多”の側を特定できないことを表す。上図中央で示すように，所属①に社員Aが所属していることはわかるが，社員Bも所属しているので，所属を特定しても社員を特定できない。多対多（M対N）は，上図右側で示すように，両方の側とも相手を特定できない対応関係である。組織における兼務を想定するとよい。

その他のE-R図

E-R図については，関連を表記しない方法や，関連を□で表現する方法も情報処理技術者試験では使われている。このような図を，バックマン線図という。この表記法では，属性を枠の中に書く。

なお，主キーとなる項目を下線で示すことがある。

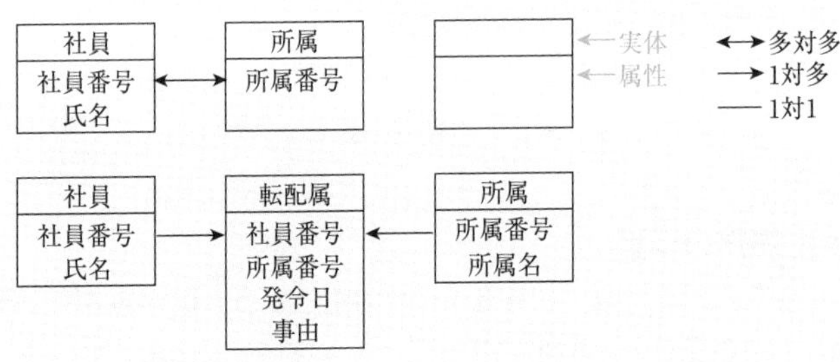

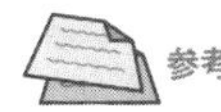

DAとDBA

データベースの管理を行う人材にDA（Data Administrator）とDBA（DataBase Administrator）がある。論理的なデータベース設計，データ項目の管理，データの標準化などを行うのがDA（データ管理者），物理的なデータベースの構築や運用・管理を行うのがDBA（データベース管理者）である。

間違えやすい

E-Rモデルにおいて多対多の関係があると，データベースを構成することができない。このため，間に関連を挟んで，1対多の関係にする操作が行われる。本文のバックマン線図において，“転配属”は，1対多の関係とするために導入した。

試験に出る

午後のE-R図の出題は，バックマン線図を使ったものがほとんどである。バックマン線図の読み方に慣れておく必要がある。

6.1.3 データ正規化

午後にも出る

- 正規化はデータの冗長性を排除すること
- 正規形には第 1 正規形，第 2 正規形，第 3 正規形などがある

表に格納されているデータを高速に取り出す仕組みを，インデックス(索引) という。インデックスを構成する方法の１つに，B⁺木がある。

正規化は，データの冗長性を排除し，関連性の強い属性(項目)をまとめることである。データの冗長性を排除すれば，データの追加や削除，更新に伴う不整合をなくすことができる。

●候補キーと主キー，外部キー

B⁺木インデックス
B⁺木インデックスは，キーを指定することで挿入・検索・削除を効率的に行うことができる木構造の一種である。全てのレコードは木の最下層（葉ノード）に格納され，途中のノードにはキーのみが格納される。

関係データベースでは，キー項目(複数の項目の組合せであってもよい)とそのほかの項目との間で，従属関係が成立しなければならない。このキー項目を，候補キーという。候補キーが幾つかある場合は，用途に応じて 1 組の候補キーを取り出し，主キーとする。主キー項目は，同一表中に，同じ値があってはならない。また，NULL 値(未登録)も許されない。さらに，他の表の主キーになっている項目を外部キーという。外部キーについては，「チェック！」の問題を参照のこと。

●関数従属

候補キーから主キーを除いたものを，代替キーという。

ある項目が決まれば，その項目の値によって別の項目が特定できるとき，関数従属という。例えば，顧客コードが決まれば，顧客名が決まるということである。

一般に，“A が決まれば B が決まる”という関係を“A → B”と記述し，“B は A に関数従属”するという。

データベースの設計では，全ての項目が主キー（候補キー）に対して，関数従属となるように考慮する。

データベースの正規形には，第 1 正規形，第 2 正規形，第 3 正規形，第 4 正規形，第 5 正規形，ボイスコッド正規形があるが，実用的にも試験対策としても，第 1 正規形，第 2 正規形，第 3 正規形を知っていればよい。

●正規化の手順

正規化されていない状態を，非正規形という。概念的には，繰返しのあるレコードを想定すればよい。例えば，次のようなレコードである。下線部は，主キーである。伝票番号が主キーなので，伝票番号の値に重複はないというのが前提である。

				繰返しn回		
伝票番号	日付	顧客番号	顧客名	商品番号	数量	単価

第1正規形

第1正規形は，非正規形のレコードから繰返しを排除したものである。非正規形のレコードにおいて（商品番号，数量，単価）の部分に繰返しがあるので，これを排除する。

ただし，単純に分割すると，伝票番号の同じレコードが複数できてしまうため，商品番号も併せて主キーとする。

伝票番号	日付	顧客番号	顧客名	商品番号	数量	単価

このレコードが，最大nレコードできる。ただし，（伝票番号，商品番号）という主キーの値に重複があってはならない。

第2正規形

第1正規形において，日付や顧客番号，顧客名は伝票番号によって決まるとすると，これらの項目は主キーの一部によって決まるので，部分関数従属という。また，単価も商品番号だけで決まるので，これも，部分関数従属である。一方，数量は，伝票番号と商品番号を併せて決まる項目である。このように，主キーの全てによって決まることを，完全関数従属という。

第2正規形は，第1正規形であって，かつ主キー以外の項目を主キーに対して完全関数従属としたものである。

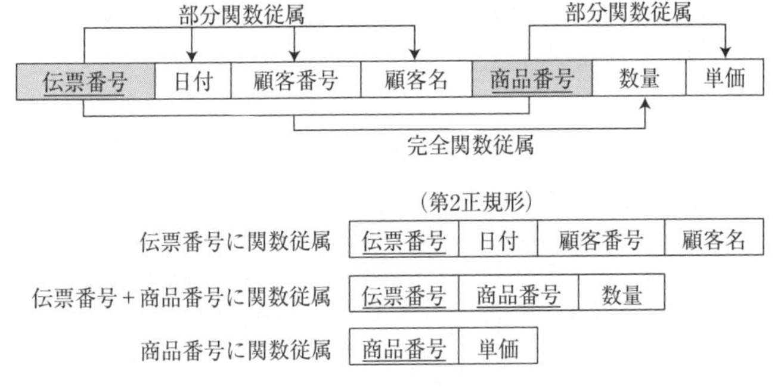

（第2正規形）

伝票番号に関数従属	伝票番号	日付	顧客番号	顧客名
伝票番号＋商品番号に関数従属	伝票番号	商品番号	数量	
商品番号に関数従属	商品番号	単価		

完全関数従属は，「どの非キー属性も，主キーの真部分集合に対して関数従属しない。」と定義される。集合論におけるベン図では，属性yが連結キーの組(x1，x2)に完全関数従属する場合を次のように示す。

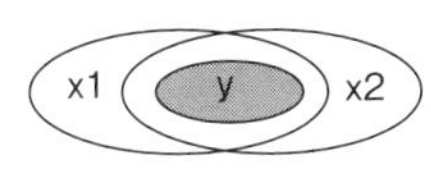

例えば，数量によって単価の割引きがあるような場合，単価は，（商品番号，数量）に完全関数従属となる。

▶間違えやすい

修正が発生しない項目については，第3正規形としないことがある。修正がないので，データの整合性が乱されることはないからである。例えば，書物の著作者の名前が変わらないとすれば，著作者コードを設定せず，名前だけをデータとしてもたせることもできる。

データベースによっては，検索効率を向上させるために，あえて第３正規形を崩すことがある。関係データベースでは，結合に時間がかかるため，結合を極力減らすという考え方である。

試験に出る

非正規形や第１正規形のレコードが与えられ，さらに幾つかの条件が設定され，第３正規形にしたらどのようになるかという問題が頻出している。第１正規形，第２正規形，第３正規形の意味を十分理解しておく必要がある。

第３正規形

第２正規形において，日付や顧客番号，顧客名は主キー(伝票番号)に関数従属であるが，顧客名は顧客番号にも関数従属である。このように，主キー項目から，非キー項目を介して，間接的に関数従属であることを，**推移関数従属**という。

第３正規形は，第２正規形であって，かつ推移関数従属を排除したものである。

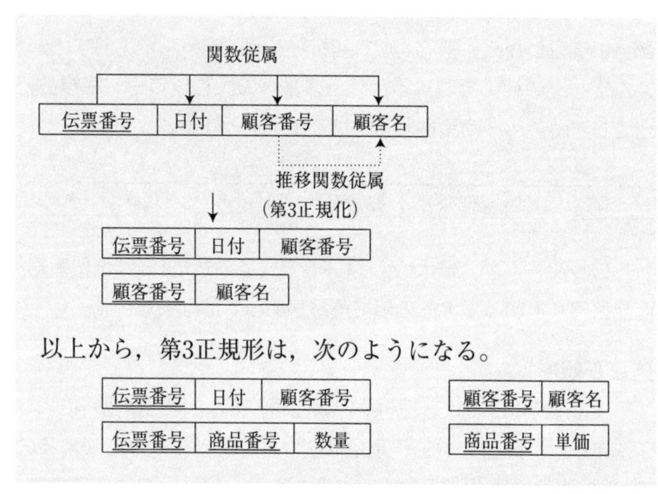

チェック!　よく出る午前問題で基本事項を確認

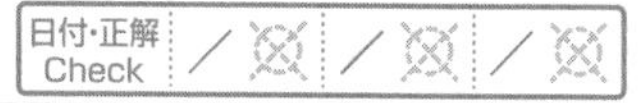

問題　[応用情報技術者試験 2015 年秋期午前 問 27]　難易度 ★　出題頻度 ★★★

社員と年の対応関係をUMLのクラス図で記述する。二つのクラス間の関連が次の条件を満たす場合，a，bに入る多重度の適切な組合せはどれか。ここで，年クラスのインスタンスは毎年存在する。

〔条件〕

(1) 全ての社員は入社年を特定できる。

(2) 年によっては社員が入社しないこともある。

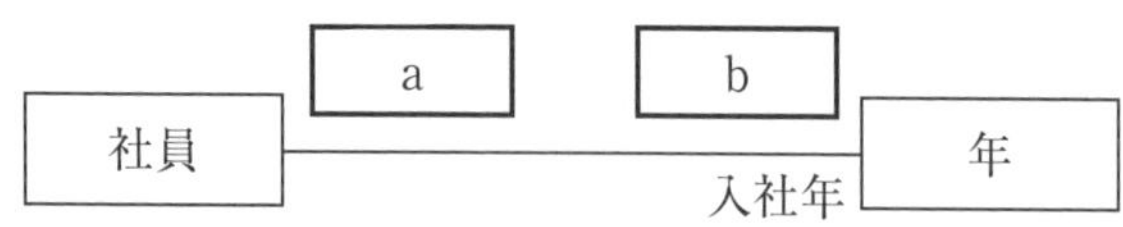

	a	b
ア	0..＊	0..1
イ	0..＊	1..1
ウ	1..＊	0..1
エ	1..＊	1..1

解説

UML（Unified Modeling Language）は，従来から提案されていたオブジェクト指向の方法論を統一したオブジェクトモデリング言語である。言語といっても，一般のプログラム言語ではなく，分析から設計，実装，テストまでを含んだ表記法である。

問題の図は，クラス図と呼ばれる表記で，クラスの関連を示す。クラスの対応関係の記号の意味は，次のとおりである。

記号	意味
n	厳密にn（複数）
n..＊	n以上
n..m	n以上m以下
n..m，k	n以上m以下，又はk
＊	0以上

“全ての社員は入社年を特定できる”（(1) の記述）ので，1人の社員は必ず（入社）年をもつ。すなわち，社員から見れば（入社）年は“**1**”あるいは“**1..1**”（空欄b）である。

一方，“年によっては社員が入社しないこともある”（(2) の記述）ので，（入社）年から見れば，社員は0以上，すなわち，“＊”あるいは“**0..＊**”（空欄a）である。

したがって，a，bに入る多重度の適切な組合せは，“**a：0..＊，b：1..1**”である。

ア　年の側（空欄b）が“0..1”なので，社員によっては，入社年が特定できない（年がない）ことがある。

ウ　社員の側（空欄a）が“1..＊”なので，各年ともに，社員が入社することになる。また，年の側（空欄b）が“0..1”なので，社員によっては，入社年が特定できないことがある。

エ　社員の側（空欄a）が“1..＊”なので，各年ともに，社員が入社することになる。

正解：イ

6.2 関係代数とデータベース言語

関係データベースの操作は，関係代数に基づいて行われる。データベースの定義はDDL，データ操作はDMLを用いる。また，関係データベースのデータベース言語にSQLがある。本節では，関係代数，データベース言語について学習する。

6.2.1 関係代数

Point
- 関係演算には選択，射影，結合などがある
- 集合演算には和，差，積，直積がある

関係データベースでは，ある表から演算によって新しい表を作成することができる。この演算を関係代数という。関係代数には，関係演算と集合演算がある。

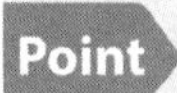

参考

関係演算には，本文で説明する選択，射影，結合の各演算のほか，商演算がある。応用情報技術者試験では，過去に出題されたことがないので割愛した。

試験に出る

選択，射影，結合の意味を問う問題が時々出題される。基本的なことであり，確実に得点できるので，これらの意味を正確に把握しておく。

●関係演算

関係演算には，選択，射影，結合などがある。

番号	氏名
0020	Poirot
0030	Queen

↑選択

番号	氏名
0010	Holmes
0020	Poirot
0030	Queen
0040	Vance

番号	年齢
0010	32
0020	53
0030	45
0040	38

射影 →

年齢
32
53
45
38

結合

番号	氏名	年齢
0010	Holmes	32
0020	Poirot	53
0030	Queen	45
0040	Vance	38

選択

選択は，1 つの表から条件を満たす行を取り出す演算である。

射影

射影は，1 つの表から条件を満たす列を取り出す演算である。

結合

結合は，同じ値をもつ列について，複数の表をつなぎ合わせる演算である。

集合演算

集合演算には，和演算，差演算，積演算(共通演算)，直積演算がある。これらの演算は，集合論の和集合，差集合，積集合，直積集合にそれぞれ対応する。

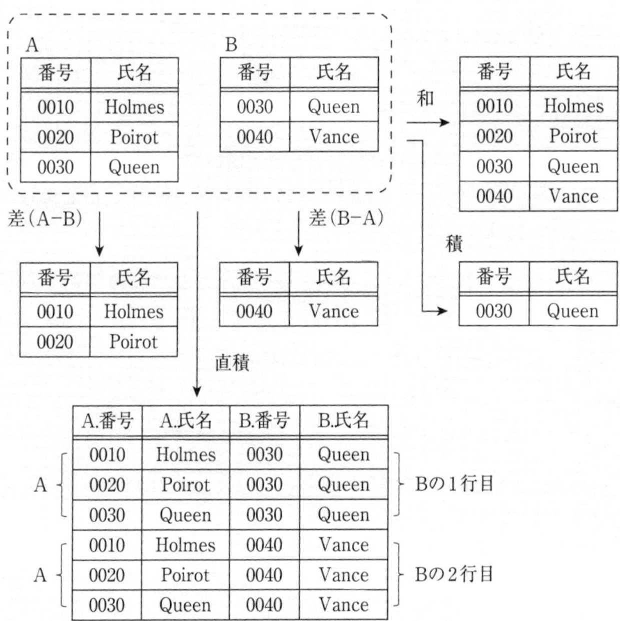

A

番号	氏名
0010	Holmes
0020	Poirot
0030	Queen

B

番号	氏名
0030	Queen
0040	Vance

和

番号	氏名
0010	Holmes
0020	Poirot
0030	Queen
0040	Vance

差(A−B)

番号	氏名
0010	Holmes
0020	Poirot

差(B−A)

番号	氏名
0040	Vance

積

番号	氏名
0030	Queen

直積

A.番号	A.氏名	B.番号	B.氏名
0010	Holmes	0030	Queen
0020	Poirot	0030	Queen
0030	Queen	0030	Queen
0010	Holmes	0040	Vance
0020	Poirot	0040	Vance
0030	Queen	0040	Vance

用語解説

和演算
和演算は，2 つの表のいずれかにある行を取り出すことである。また，両方にある場合は，いずれか 1 行を取り出す。集合演算の和集合に相当する。

差演算
差演算は，引かれる表から引く表にある行を除いたものである。A − B とあれば，A から A と B に共通している行を除く。B − A とあれば，B から A と B に共通している行を除く。集合演算の，差集合に相当する。

積演算
積演算は，2 つの表に共通している行を取り出すことである。集合演算の積集合に相当する。

直積演算
直積演算は，2 つの表の行をかけ合わせることである。列名は，列の前に表名を付けることで，同じ列名となることを防ぐ。なお，直積の部分集合を関係という。

6.2.2 データベース言語とAPI

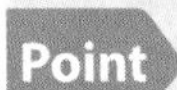

- DDLはデータベースの定義言語，DMLはデータベースの操作言語
- SQLは関係データベース用のデータベース言語

関係データベース言語に，SQLがある。SQLは，DDLとDMLで構成される。なお，SQLは会話型言語であるが，手続き型プログラム言語に組み込んで使用することもできる。

● DDL

DDL(Data Definition Language：データ定義言語)は，データベースの構造や整合性制約を定義する。概念スキーマ及び外部スキーマなどを定義するDDLが提供されている。

親言語方式では，APIを利用する。多くの言語が親言語方式を提供しているが，言語により方法が異なるのは不便なのでインタフェースは標準化されている。

● DML

DML(Data Manipulation Language：データ操作言語)は，データベースにアクセス（検索，更新，削除，追加）するためのデータベース言語である。

DMLには，親言語方式(ホスト言語方式)と独立言語方式がある。親言語方式には，プログラムに直接DMLを記述する埋込み方式と，サブルーチンとして作成したDML群を親プログラムからCALL文で呼び出すモジュール言語方式がある。親言語方式はコンパイラ言語を使うため，コンパイル方式で実行する。独立言語方式は，コマンドを解釈しながら実行するので，インタプリタ方式である。

参考

APIとオープンAPI
API（Application Program Interface）は，アプリケーションからOSの各種機能を利用するためのインタフェースで，プログラムの互換性を維持するうえで重要である。オープンAPIは，APIを他の企業などに公開することである。オープンAPIにより，各企業が保有するデータやサービスを連携させて新たなサービスを提供することができる。

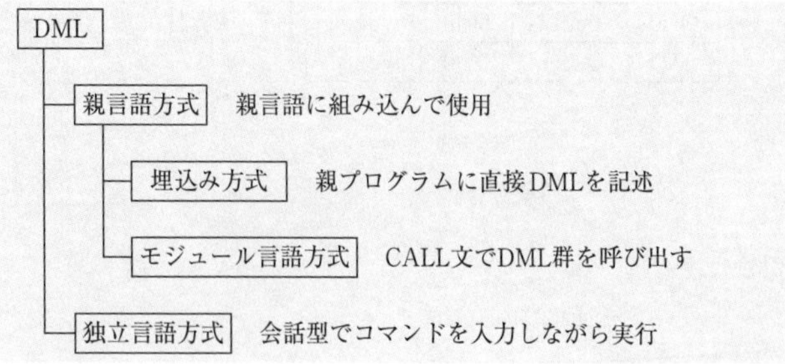

親言語方式は，API(Application Program Interface)を利用している。APIは，アプリケーションからOSの各種機能を利用するための仕組みである。

参考

親言語には，COBOL，Fortran，PL/I，Pascal，Cなどがある。

●カーソル機能

カーソルは，関係データベースの行(レコード)を手続き型プログラム言語で処理するときに用いる機能である。問合せによって得られる導出表は複数行から成るので，これらの行を，手続き型プログラム言語でファイルを処理するのと同じように，1行ずつ親プログラムに渡すことができる。

カーソル操作の一般的な手順は，次のとおりである。なお，下線部は，SQL文である。

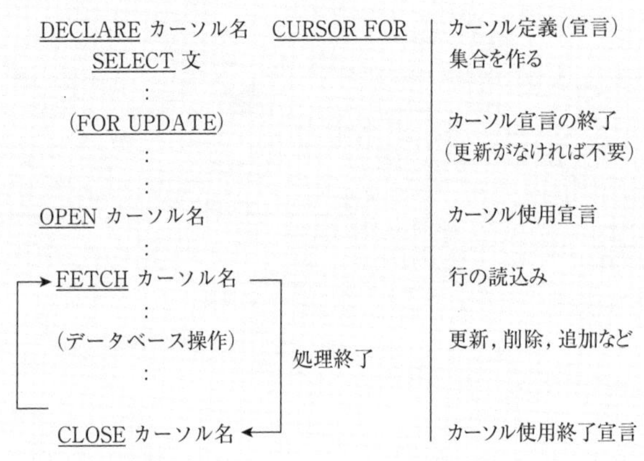
DECLARE カーソル名 CURSOR FOR
SELECT 文
:
(FOR UPDATE)
:
:
OPEN カーソル名
:
FETCH カーソル名
:
(データベース操作)
:
処理終了
CLOSE カーソル名
カーソル定義(宣言)
集合を作る
カーソル宣言の終了
(更新がなければ不要)
カーソル使用宣言
行の読込み
更新，削除，追加など
カーソル使用終了宣言

参考

カーソル宣言の最後のFORは読取りのみのときは省略可能である。更新する場合は，本文のようにUPDATEを記述する。

DECLARE CURSOR文でカーソルを宣言し，SELECT文を記述する。次に，OPEN CURSOR文を実行するとSELECT文が実行され，導出表(結果)が用意され，FETCH文により，1行ずつ親プログラムに渡される。親プログラムでは，必要に応じて，DELETE文やUPDATE文により，行の削除や項目の更新を行うこともできる。全ての処理が完了したら，CLOSE CURSOR文を実行する。

6.2.3 SQL

■ CREATE 文はスキーマの定義に使用
■ SELECT 文は問合せ（検索）に使用

SQL（Structured Query Language）は，関係データベース用のデータベース言語である。SQL-DDL（データ定義言語）と SQL-DML（データ操作言語）から構成される。

● SQL-DDL

SQL-DDL（Data Definition Language：データ定義言語）は，スキーマや表の定義を行う。

SQL	機能
CREATE SCHEMA	スキーマの定義
CREATE TABLE	表の定義
CREATE VIEW	ビューの定義
GRANT	操作の権限を定義
REVOKE	操作の権限を剥奪
DROP	スキーマ，表，ビューの削除

<例：表の定義>

```
CREATE TABLE 社員                              "社員"は表名
(社員番号 CHAR (5) NOT NULL,                   "NOT NULL"
 氏名     CHAR (20) NOT NULL,                  は初期値が必要で
 住所     CHAR (40) NOT NULL,                  あることを示す
 社員種別 CHAR (1) DEFAULT NULL,               初期値はNULL
 PRIMARY KEY (社員番号)                        主キーの指定
 FOREIGN KEY (社員種別)                        外部キーの指定
 REFERENCES 種別表                             参照先の表名
) ;
```

<例：ビュー定義>

```
CREATE VIEW 社員                               "社員"はビュー名
AS SELECT ～                                   必要データを抽出
```

ビュー定義においては，AS に続けて，SELECT 文により，必要なデータを抽出する。

間違えやすい

関係データベースのデータベース言語が SQL，ネットワークデータベースのデータベース言語が NDL（Network Database Language）である。

用語解説

外部キー（FOREIGN KEY）
外部キーは，ある表の属性のうち，別の表では主キーとなっている属性である。本文の例では，社員種別は種別表の主キーであることを示す。外部キーは参照関係を維持するために設定されるもので，社員種別を登録するとき，種別表を参照し，その社員種別が種別表に存在するかどうかをチェックできる。

SQL-DML

SQL-DML（Data Manipulation Language：データ操作言語）は，表に対する操作を行う。カーソル機能については，「6.2.2 データベース言語と API」を参照のこと。

SQL	機能
SELECT	表からデータを抽出
INSERT	表に行を挿入（追加）
DELETE	表から行を削除
UPDATE	列の内容を更新
COMMIT	更新確定
ROLLBACK	更新取消し
カーソル機能	DECLARE，OPEN，FETCH，CLOSE

以下に，SELECT 文，INSERT 文，UPDATE 文，DELETE 文について，簡単な使用例と実行結果を示しておく。

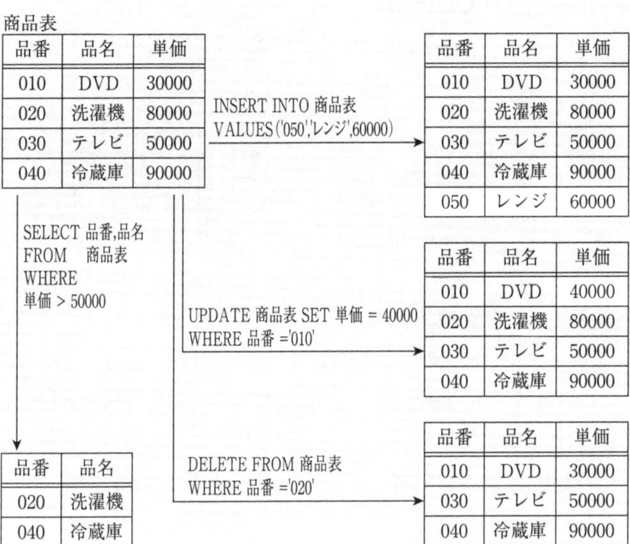

SELECT 文

SELECT 文を使うために必要な句を示しておく。

IN/BETWEEN

WHERE には，AND や OR を使って条件を指定するが，IN は

参考

トランザクション処理では，UPDATE 文や INSERT 文，DELETE 文によってデータベースの更新を行うが，COMMIT 文を実行しないと物理的に更新されない。また，ROLLBACK を実行すると，直前の COMMIT 実行以降の全ての更新がキャンセルされる。

ビューにおける単独の列の更新は可能であるが，以下の句などを使用して生成したビューの更新はできない。

- DISTINCT
- GROUP BY
- HAVING
- 集約関数
- 計算によって求めた値
- 副問合せ

参考

GRANT 文

GRANT文は，スキーマ，表，ビューを定義するとき，必要に応じて操作権限を付与する。GRANT文の一般形式は，次のとおりである。下線部は，そのまま指定することを示す。

GRANT 権限 ON 表名 TO 認可識別子

認可識別子は，権限を付与する利用者を指定する。GRANT文の権限については，節末の問題2を参照のこと。

ORと同等の機能，BETWEENはANDと同等の機能を果たす。

```
① WHERE 単価 IN(30000, 50000)
  WHERE 単価=30000 OR 単価=50000
② WHERE 単価 BETWEEN 30000 AND 50000
  WHERE 単価>=30000 AND 単価<=50000
```

上記①，②それぞれの2つの記述は，同じ条件である。

▶間違えやすい

ASCやDESCを省略した場合は，ASCとみなされる。

ORDER BY

ORDER BYは，特定の列に関して，昇順，又は降順に並べ替えて抽出する。次は，品名について並べ替える例である。

```
SELECT 品名 FROM 商品表 ORDER BY 品名 ASC  ：昇順
SELECT 品名 FROM 商品表 ORDER BY 品名 DESC ：降順
```

▶間違えやすい

SQLで用意されている集約関数には，次のものがある。

SUM：合計を計算
MAX：最大値を選択
MIN ：最小値を選択
AVG：平均を計算
COUNT：条件を満たす行の数を数える

集約関数とGROUP BY

同じ値をもつ行の特定の列について，合計を求める例を示す。

売上表

品番	金額
010	100
020	50
010	200
020	100

```
SELECT 品番, SUM(金額)
FROM 売上表
GROUP BY 品番
```

品番	金額
010	300
020	150

▶間違えやすい

GROUP BYに続いて記述する列名は，SELECTに続く列名のうち，集約関数と計算式以外のものは全て指定する。

品番010の金額の合計，020の金額の合計が抽出される。SUMは，合計を計算する集約関数である。また，次は，社員表に同じ氏名をもつ行が複数あるとき，2件以上の行の重複を排除して抽出する例である。

```
SELECT 氏名 FROM 社員 GROUP BY 氏名 HAVING
COUNT (*) > 1
```

参考

統計情報を基に，データの件数やデータの偏り，分布などを加味してSQLのチューニングを行うオプティマイザを，コストベースオプティマイザ（Cost-Base-Optimizer：CBO）という。データの内容や分布に応じた最適な実行計画やアクセスパスを提供する。

副問合せ

SELECT文中のWHERE句の中にSELECT文を指定できる。このとき，WHERE句の中のSELECT文を，副問合せという。副問合せでは，最初にWHERE句内のSELECT文が評価される。

```
SELECT 品種 FROM 注文表, 明細表, 商品表
WHERE 顧客番号 = 'A100' AND 注文表.番号 = 明細表.番号
    AND 明細表.商品番号 = 商品表.商品番号
```

上記の SELECT 文を副問合せを用いて書き換えると，次のようになる。

```
SELECT 品種 FROM 商品表 WHERE 商品表.商品番号
IN (SELECT 明細表.商品番号 FROM 注文表, 明細表
      WHERE 顧客番号 = 'A100' AND
            注文表.番号 = 明細表.番号)
```

なお，副問合せは IN を用いているため，副問合せの“明細表 . 商品番号”に同じ値があると，1 つだけが抽出されることに注意する。これは，IN が論理演算の OR と同じ機能をもつからである。

▶ 試験に出る

SQL の問題は，午前，午後ともに確実に出題される。午前では，SELECT 文についてだけ理解していればよいが，午後問題では SELECT 文は当然として，CREATE 文も併せて使いこなせるようにしておく必要がある。

チェック! よく出る午前問題で基本事項を確認

日付・正解 Check ／ ／ ／

問題 1 [応用情報技術者試験 2015 年春期午前 問 26] 難易度 ★★ 出題頻度 ★★★

“電話番号”列に NULL を含む“取引先”表に対して，SQL 文を実行した結果の行数は幾つか。

取引先

取引先コード	取引先名	電話番号
1001	A 社	010-1234-xxxx
2001	B 社	020-2345-xxxx
3001	C 社	NULL
4001	D 社	030-3011-xxxx
5001	E 社	(010-4567-xxxx)

〔SQL 文〕

```
SELECT * FROM 取引先 WHERE 電話番号 NOT LIKE '010%'
```

ア 1　　イ 2　　ウ 3　　エ 4

問題 2　［応用情報技術者試験 2019 年春期午前 問 27］　難易度 ★★　出題頻度 ★★

関係データベース管理システム（RDBMS）の表へのアクセスにおいて，特定の利用者だけにアクセス権を与える方法として，適切なものはどれか。

ア　CONNECT 文で接続を許可する。
イ　CREATE ASSERTION 文で表明して制限する。
ウ　CREATE TABLE 文の参照制約で制限する。
エ　GRANT 文で許可する。

解説 1

問題のSELECT文は，NOTがなければ，次のように解釈できる。

① 表“取引先”から（FROM 取引先）
② 列“電話番号”が“010”から始まる行（WHERE 電話番号 LIKE '010%'）
③ 全ての列（*）
④ 抽出する（SELECT）

問題文で与えられた条件（WHERE 電話番号 LIKE '010%'）は，電話番号列の文字列が“010”から始まる行である。SQL文による検索において，特定の文字列を含む行を選択するときは，LIKEを使う。このとき，ワイルドカードに“%”を用いる。

LIKEの一般形式は，次のとおりである。

WHERE 列名 LIKE '文字列パターン'

ワイルドカードは，文字列を指定するとき，任意の長さの文字列を意味する特殊文字である。例えば，次のように解釈する。

・'%ab'　：“ab”で終わる文字列（例）ab，xyab（後方一致）
・'%ab%'　：“ab”を含む文字列　（例）ab，xab，xaby（中間一致）
・'ab%'　：“ab”で始まる文字列（例）ab，abxy（前方一致）

また，任意の１文字を表すのに，“_”を使う。例えば，次のように解釈する。

・'a_ _ _ _'　：aで始まる５文字
・'_ab_'　：４文字の文字列で，左から２番目と３番目の文字はab

なお，UNIXやWindowsにおいてファイル名やディレクトリ名を検索するときは，“*”が任意の長さの任意の文字，“?”が任意の１文字を意味する。

“NOT LIKE '010%'”は，“010”で始まらないもの，すなわち表“取引先”の１行目以外が該当する。ただし，NULL値に関しては，“IS NULL”以外の条件では全て偽（False）を返すため，結果はNULLの値をもつ行を除いた行数となる。

したがって，“電話番号”列にNULLを含む“取引先”表に対して，SQL文を実行した結果の行数は，“**3**”（「ウ」）である。

なお，NOTがない場合の実行結果は，1行である。

正解：ウ

解説 2

表を定義するとき，GRANT文を使って操作権限を付与することができる。GRANT文の一般形式は，次のとおりである。下線部は，そのまま指定することを示す。

GRANT 権限 ON 表名 TO 認可識別子

表名で指定した表に，認可識別子で指定した利用者に対して，権限で指定した処理権限が付与される。権限は“,”で区切って複数指定できる。

処理権限の指定	権限の内容
SELECT	参照（読取り）だけ許可
DELETE	削除だけ許可
INSERT	挿入（追加）だけ許可
UPDATE	更新だけ許可
ALL PRIVILEGES	全ての権限を許可
REFERENCES	外部キー制約をもつテーブルの作成を許可
PUBLIC	全ての利用者にアクセスを許可

次は，利用者“SEA”に対して，“社員表”のSELECT（参照）とINSERT（挿入）の権限を付与する例である。

GRANT SELECT, INSERT ON 社員表 TO SEA

また，権限を取り消すときは，REVOKE文を使用する。REVOKE文は，次のように指定する。

REVOKE INSERT ON 社員表 FROM SEA

“SEA”に対して，INSERT（挿入）権限だけ削除するため，SELECT（参照）権限は残る。

ア　CONNECT文は，データベースにログイン／ログオンを行うためのコマンドである。

イ　CREATE ASSERTION文は，1つ以上の表に対して制約をかける表明（宣言）を定義する文である。

ウ　CREATE TABLE文は，実表を定義する文である。

正解：エ

6.3 トランザクション処理

データベースを操作するには，DBMS が必要である。DBMS は，データ管理機能や排他制御機能，リカバリ機能，整合性を維持する機能，セキュリティ機能などを備えている。

6.3.1 排他制御と保守

Point
- 排他制御はデータベースの完全性を確保するための仕組み
- 排他制御の方法の 1 つにロック法

複数のアプリケーションや端末から，同一のデータベースに同時にアクセスすると，データベースの内容に矛盾が生じたり，処理そのものが行われなかったりすることがある。このような事態を防ぐために，排他制御が行われる。しかし，排他制御の範囲を狭くすると，デッドロックが発生しやすくなる。

用語解説

共有ロック
共有ロックは読取り時に行われるロックで，トランザクションが読取りだけのときに，複数のトランザクションの同時処理を可能とする。ただし，共有ロックが掛けられているときは，書込みはできない。このため，共有ロックが掛けられているときは，占有ロックは掛けられない。

占有ロック
占有ロックはデータの更新が発生するとき行われるロックで，占有ロック中，ロックされたデータベースの部分は，ほかのトランザクションからは使えなくなる。このため，ほかのトランザクションは待ち状態となる。

● 排他制御

排他制御は，あるトランザクションがデータベースのある部分を更新している間，ほかのトランザクションは同じ部分をアクセスできないように制御することである。データベースの完全性(インテグリティ)を確保するために行われる。

排他制御の方法の 1 つに，ロック法がある。ロック法では，トランザクションの状況に応じて，共有ロックと占有ロックを掛ける。

● デッドロック

デッドロックは，互いに占有ロックを掛け合うことで資源が待ち状態となり，トランザクションの処理が進まない状態である。

トランザクションA　トランザクションB
①占有ロック　資源X　②占有ロック
③待ち　資源Y　④待ち

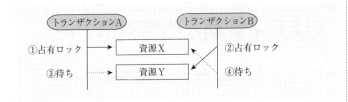

①，②の順で占有ロックが掛けられたあと，トランザクションAが資源Yを確保しようとすると，トランザクションBが占有ロック中なので，待ち状態となる（③）。この状態で，トランザクションBが資源Xを確保しようとすると，トランザクションAが占有ロック中なので待ち状態（④）となり，結果として，両方のトランザクションが待ち状態になり，処理が進まなくなる。

デッドロックが発生すると，DBMSは一方のロックを解除し，再実行させる。なお，資源の占有ロックの順序を同じにすれば，デッドロックは発生しない。

参考

排他制御の方法は本文で説明したロック法以外に，時刻印（タイムスタンプ）を使う方式がある。時刻印方式では，トランザクション開始時に時刻印が与えられる。更新するときは，そのトランザクションの開始時刻とデータの直近に更新された時刻とを比較し，タイムスタンプの一番古いトランザクションを実行し，それ以外のトランザクションをキャンセルする。

● データベースの保守

データベースを利用していくうちに，アクセス効率が劣化してくる。このための対処として，再編成，再構成などが行われる。

再編成

データベースにレコードの追加や削除を長期間繰り返していると，格納位置があふれ域に集中してアクセス時間が長くなることがある。このような場合，アンロードとロードを行うことで，レコード配置の最適化を図ることができる。このことを，再編成という。

参考

アクセス効率が劣化したときの対策に再調整もある。再調整（チューニング）は，バッファサイズやブロックサイズを見直して，データ量とDBMSの機能とのバランスを再検討することである。一般にバッファサイズを大きくすると，入出力の回数が減る。

再構成

データ量の増加などにより，当初意識しなかったアクセスパスが頻繁に使われるようになることがある。そこで，最も頻繁に使われるアクセスパスの処理時間が短くなるようにスキーマを変更する。このことを，再構成という。

6.3.2 セキュリティ管理と障害対策

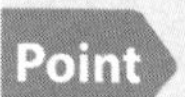

- 整合性制約はデータベースの整合性を保つための仕組み
- 障害からの復旧にはロールバックとロールフォワードで対応

矛盾のない状態にデータベースを保つ考え方が，ACID特性である。また，データの完全性を検証するための考え方が，整合性制約である。また，データベースに障害が発生したときの復旧方法には，ロールバックとロールフォワードがある。

▶間違えやすい

ACID特性のIsolation（独立性）は，隔離性，分離性ということもある。また，Durability（持続性）は，耐久性，永続性ということもある。

ACID特性

データベースは複数の利用者によってアクセスされるため，複数の利用者からのデータベースの更新に備え，データベースの状態を矛盾なく一貫した状態に保つ必要がある。このような管理の考え方が，ACID（アシッド）特性である。

特性/解釈	意味
Atomicity 原子性	トランザクションが完了した時点では，処理が完了しているかまったく行われてないかのいずれかである
Consistency 一貫性	トランザクションの完了状態に関係なく，データベースは一貫性が保たれている
Isolation 独立性	複数のトランザクションを同時に実行しても，別々に実行しても結果は同じである
Durability 持続性	トランザクション完了後は，その結果が維持されなければならない

▶試験に出る

ACID特性や整合性制約に関連する問題が頻出している。ACID特性では，A，C，I，Dそれぞれの意味をしっかりと把握しておく。整合性制約では，参照制約に関する出題がほとんどである。外部キーと主キーの関係について理解しておく。

整合性制約

データベース中のデータが正しい状態を整合状態といい，そのときのデータの完全性を検証するための諸条件を，整合性制約という。整合性制約は，DDLで定義することで，データの登録時や削除時，更新時などにDBMSによってチェックされる。

参照制約（外部キー制約）

参照制約（外部キー制約）は，複数の表の相互関連の整合性に関する制約である。ある表中にほかの表を参照するデータがあるときは，ほかの表に参照されるデータがあらかじめ存在しないといけない。例えば，外部キーに対応する行は，あらかじめ作られていないといけない。

次の例においては，履修表の科目コードと同じ値をもつレコードが，あらかじめ科目表に作られている必要がある。

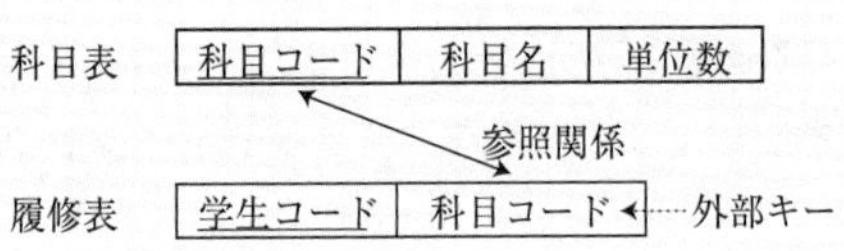

科目表を先に作らないと，履修表は登録できない。この場合，履修表の科目コードが外部キーとなる。

キー制約（主キー制約）

キー制約（主キー制約）は，主キーの値が行を特定でき，NULL値であってはいけないという制約である。すなわち，主キー制約は，表には必ず主キーがあり，主キーが未登録（NULL）であってはいけないという制約である。

検査制約（CHECK制約）

検査制約（CHECK制約）は，データベース中のある項目の値を更新するとき，事前に定義した条件を満たしていなければならないという制約である。

形式制約

形式制約は，データベースの項目のデータ形式（データ型）や桁数が，定義の条件を満たしていなければならないという制約である。

一意制約（UNIQUE制約）

一意制約（UNIQUE制約）は，列の全ての値が一意であるという制約である。指定した列で値が重複することは許されない。ただし，NULLはどの値とも等しいとみなされないので，複数存在することが許される。

用語解説

外部キー
外部キーは，表の属性のうち，ほかの表の主キーとなっている属性である。本文の図においては，履修表の科目コードが科目表の主キーとなっているので，履修表の科目コードが外部キーである。

参考

各制約の例に，次のものがある。

検査制約
月の値は1～12の範囲と定義すれば，更新値が1～12の範囲でないと入力できないという制約である。SQLでは，CHECKを使って指定する。

形式制約
数字項目と定義された項目に，英字の文字列は格納できないという制約である。

参考

本文で示した制約以外に，ドメイン制約（定義域制約）がある。ドメイン制約は，ドメインの取り得る値の範囲に関する制約である。例えば，会員番号は，英大文字から始まるという制約である。ドメイン（定義域）は，ある属性が取り得る値の範囲である。

参考

トランザクションでデータベースの更新をしても，更新内容がバッファに格納されるだけで実更新が行われないことがある。DBMSでは効率的に処理を進めるため，複数のトランザクションによる実更新をまとめて処理するからである。このため，チェックポイント以外では，トランザクションの実行状態とデータベースの内容が必ずしも一致しない。

参考

RTO

RTO（Recovery Time Objective：目標復旧時間）は，災害や事故，障害の発生によるシステム停止時に，あらかじめ決められた一定のレベルに復旧するまでの所要時間である。RTOが0であればすぐに復旧，RTOが1日であれば，1日で復旧できればよいという意味になる。

RPO

RPO（Recovery Point Objective：目標復旧時点）は，災害や事故，障害の発生によるシステム停止時にどの時点まで遡ってデータを回復させるかを示す指標である。RPOが0であれば常に最新のデータに復旧できることを，RPOが1日であれば1日前の状態に復旧できるという意味になる。

●データベース障害の種類

データベースの障害には，システム障害やトランザクション障害，媒体障害がある。これらの障害からデータベースを回復するために，バックアップ，ログ，チェックポイントなどの情報が適宜，採取される。

ログ（ジャーナル）は，データベースのレコードの更新前の内容（更新前情報）と更新後の内容（更新後情報）及びトランザクションを記録したファイルである。

チェックポイントは，データベースの書出しとログの内容を一致させる時点である。このとき，メモリの内容やシステムの実行状態などを書き出したファイルを，チェックポイントファイルという。

●トランザクション障害からの復旧

トランザクション障害は，プログラム障害による論理的な誤動作である。このとき，ログの更新前情報によってトランザクションが実行される前の状態に戻し，トランザクションを再実行する。このような方法を，ロールバック（後退復帰）という。

●媒体障害からの復旧

媒体障害は，磁気ディスクなど，データベース格納媒体の障害である。このとき，同一装置での復旧は不可能なので，代替装置を用意し，次の手順で復旧する。

① 代替装置にバックアップを再ロード

② バックアップ採取時点以降の更新後情報で，データベースの各レコードを順に更新

このような方法を，ロールフォワード（前進復帰）という。

●システム障害からの復旧

システム障害からの復旧は，まず，ウォームスタートを試みる。これは，直前のチェックポイントまでは，データベースの内容が保証されているという前提に基づく方法である。ウォームスタートに失敗したら，コールドスタートを行う。

ウォームスタート

ウォームスタートでは，チェックポイントにおけるトランザクションの状況によってロールバックとロールフォワードを併用する。例えば，トランザクションの状況が次のようであったとする。

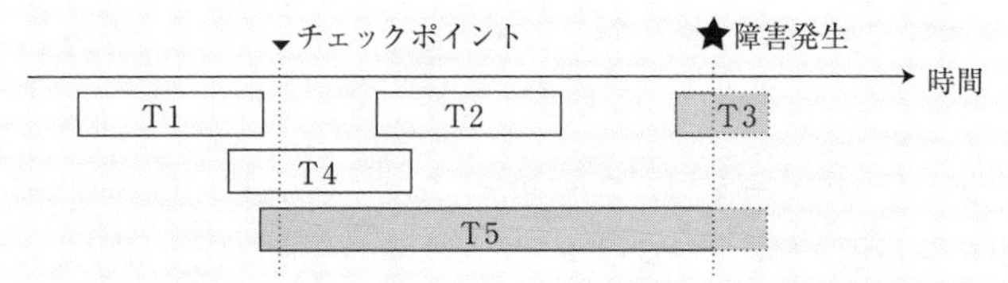

このような状況において，各トランザクションの復旧方法は，次のとおりである。

トランザクション	状況と復旧方法
T1	チェックポイント時点で完了 復旧の必要はない
T2，T4	障害発生時点で完了 更新後情報で上書き（ロールフォワード）
T3，T5	障害発生時点で未完了 更新前情報で上書き（ロールバック） トランザクションを再実行

コールドスタート

ウォームスタートができなかったら，システムを再起動させるしか方法はない。システムを再起動させる方法を，コールドスタートという。この場合は，媒体障害と同じ手順であるが，媒体の交換は不要である。

① バックアップを用いてデータベースをバックアップ採取時点に戻す
② バックアップ採取時点以降の更新後情報で，データベースの各レコードを順に更新

ログの内容が読み取れないなどの状況においては，バックアップ以降に発生したトランザクションを再度，実行する。この方法は確実に復旧できるが，時間がかかる。

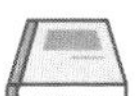
用語解説

ウォームスタート
ウォームスタートは，ソフトウェアリセットによって再起動することである。具体的には，コンピュータの電源オンのまま再起動する。電源オフからの再起動であるコールドスタートと比べ，メモリなどのハードウェアのチェックが省かれるため，再起動が迅速に行われる。

参考

トランザクションがコミット（更新確定）を発行した時点で，トランザクションログをデータベースの更新より先にログファイルに書き出す方式を，WAL（Write Ahead Log：ログ先書出し方式）プロトコルという。更新トランザクションの処理速度が大幅に向上する，障害が発生してもデータベースとWALファイルで復旧が可能であるなどの特徴がある。

▶試験に出る

ロールバックとロールフォワードに関する出題は，ほぼ毎回出題されている。媒体障害時にはロールフォワード，トランザクション障害時にはロールバックを用いることを忘れないようにする。

6.3.3 分散データベース

■ 分散データベースの整合性確保には 2 相コミットが有効
■ レプリケーションはデータベースのコピー

分散データベースは，地理的に離れた複数のコンピュータシステムに接続されたデータベースを，論理的に 1 つのデータベースとして扱う手法である。

●2相コミット

2 相コミット(2 相コミットメント)は，分散データベースの整合性を保つための仕組みである。2 相コミットでは 2 つのフェーズがあり, 第 1 相で同期の要求元（クライアント）が要求先（データベースサーバ）に対して更新の保証処理を依頼する。この時点での各要求先はセキュア状態(中間状態)である。ここで，各要求先は，"COMMIT"か"ROLLBACK"のいずれかを同期の要求元に返し，第 2 相で同期の要求元が各要求先からの応答を判断してコミットするかロールバックするかを決定する。第 1 相で各要求先の 1 つでも"ROLLBACK"を返してくれば，全体をロールバックする。

セキュア状態
セキュア状態は，処理終了(COMMIT) することも，元の状態に戻す(ROLLBACK) ことも可能な状態である。

1つの表に大量のデータを格納するとき，並列処理のために異なったディスクにデータを分割格納することがある。

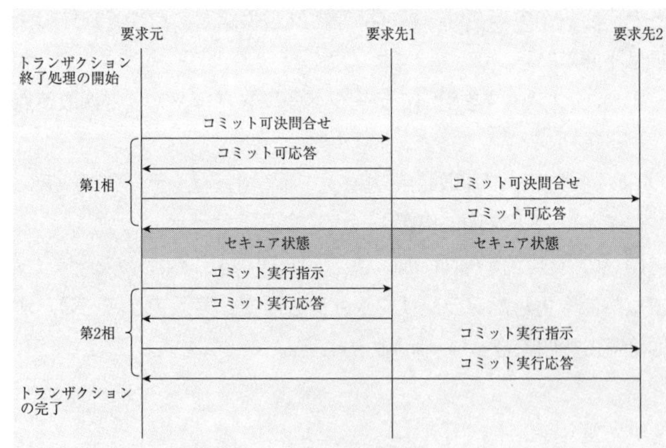

レプリケーション

レプリケーション(レプリカ機能)は，複数のデータベースがネットワークを介してデータのやり取りを行い，互いにデータベースの内容を一致させる機能である。一定時間ごとに，複数のデータベースの内容を一致させるような処理が起動され，コピー(複写)が行われる。

レプリケーションは，かつては通信コストの削減が主な目的であったが，現在は，負荷分散と応答速度の向上，相互バックアップの目的が大きい。マスタデータベースとレプリカ(複写)データベースは，ネットワークを通じて互いにデータを交換しあい，常に内容が一致するようにできているため，1か所でデータを更新すると，マスタと全てのレプリカに自動的に更新内容が伝播する。

レプリケーションは，一時的にデータベースの内容が一致しない状況が発生するため，リアルタイム性の高い業務には不向きである。

Hadoop

Hadoop（Apache Hadoop，ハドゥープ）は，大規模データを効率的に分散処理･管理するためのソフトウェア基盤(ミドルウェア，ソフトウェアライブラリ）である。テラバイト，ペタバイト級大容量データの分析などを高速処理できるため，ビッグデータ活用における主要技術として活用が進んでいる。OSSとして公開されており，誰でもが自由に入手・利用することができる。

CAP定理

CAPは，Consistency（整合性），Availability（可用性），Partition-tolerance（分断耐性）の頭文字をとったもの。CAP定理（ブリュワーの定理）は，分散処理システムのコンピュータ（ノード）間におけるデータ複製に関して，「整合性・可用性・分断耐性の三つの特性を同時に保証することはできず，同時には二つまでである」という定理である。

チェック! よく出る午前問題で基本事項を確認

日付·正解 Check ／ ／ ／

問題 1 ［応用情報技術者試験 2019年秋期午前 問29］ 難易度 ★★ 出題頻度 ★★★

DBMSの媒体障害時の回復法はどれか。

ア 障害発生時，異常終了したトランザクションをロールバックする。
イ 障害発生時点でコミットしていたが，データベースの実更新がされていないトランザクションをロールフォワードする。
ウ 障害発生時点で，まだコミットもアボートもしていなかった全てのトランザクションをロールバックする。
エ バックアップコピーでデータベースを復元し，バックアップ取得以降にコミットした全てのトランザクションをロールフォワードする。

問題 2　［応用情報技術者試験 2019 年秋期午前 問 30］　難易度 ★　出題頻度 ★★★

分散トランザクション管理において，複数サイトのデータベースを更新する場合に用いられる2相コミットプロトコルに関する記述のうち，適切なものはどれか。

ア　主サイトが一部の従サイトからのコミット準備完了メッセージを受け取っていない場合，コミット準備が完了した従サイトに対してだけコミット要求を発行する。
イ　主サイトが一部の従サイトからのコミット準備完了メッセージを受け取っていない場合，全ての従サイトに対して再度コミット準備要求を発行する。
ウ　主サイトが全ての従サイトからコミット準備完了メッセージを受け取った場合，全ての従サイトに対してコミット要求を発行する。
エ　主サイトが全ての従サイトに対してコミット準備要求を発行した場合，従サイトは，コミット準備が完了したときだけ応答メッセージを返す。

解説 1

媒体障害時は，ロールフォワードによって，障害から回復させる。媒体障害時は，同一装置での復旧は不可能なので，代替装置を用意し，次の手順で復旧する。

①　代替装置にバックアップファイルの内容を再ロード
②　バックアップ採取時点以降のログファイルの更新後情報を用いて，データベースの各レコードを順次更新

ア　ロールバックは，トランザクション障害のときに用いる回復法である。
イ　データベースの実更新は行われていないが，コミットが完了しているので，更新後の情報がログファイルに記録されている。更新後情報でデータベースのレコードを置き換えるのでロールフォワードである。ただし，ロールフォワードは媒体障害時だけではなく，この記述のように，システム障害のときも利用できる。この場合は，バックアップを再ロードしていないので，媒体障害時の回復法ではない。
ウ　処理自体は正しいが，ロールバックなので，媒体障害時の回復法ではない。

正解：エ

解説 2

2相コミットは，データベースが分散している（分散データベース）ときの整合性を保つ仕組みで，二つのフェーズ（相）でコミット処理が行われる。第1相では，データベースの

更新を依頼する側（主サイト）が，分散している全てのデータベース（従サイト）に対してコミットの可否を問い合わせる。ここで，主サイトは，コミット（COMMIT，更新確定）かロールバック（ROLLBACK，更新取消）を応答する。この時点では，各従サイトはデータベースの更新を保留しておく。このように，コミットできるが更新を保留している状態を，セキュア状態（中間状態）という。

第2相では，主サイトは応答内容を判断し，コミットかロールバックを各従サイトに指示する。各従サイトのうちの一つでもロールバックを応答すれば，主サイトは全ての従サイトに対してロールバックを指示する。一方，全ての従サイトがコミットを応答すれば，主サイトは全ての従サイトにコミットを指示する。この時点で，全ての従サイトでデータベースの更新が行われる。

次は，分散データベースが2か所（従サイト1，従サイト2）の場合の2相コミットの手順を示したもので，第1相で従サイト2がロールバック（否）を応答した場合の例である。この結果，主サイトはロールバックを応答する。なお，“要求者”は，データベースの利用者で，クライアントと考えればよい。

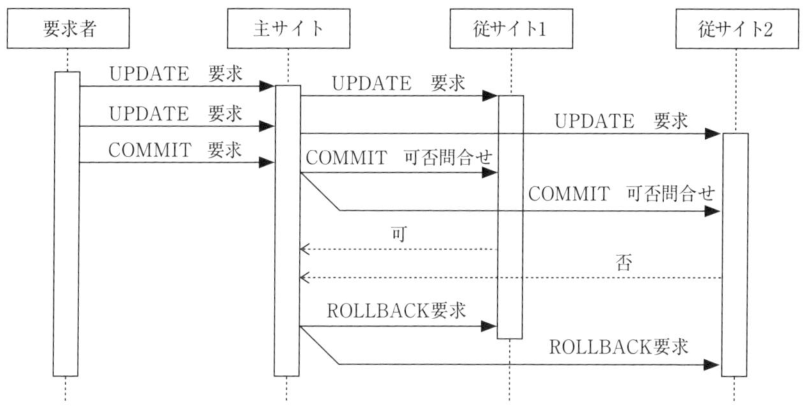

ア　第1相で一部の従サイトから応答が得られないまま一定時間が経過した場合，主サイトはトランザクションを中止する。コミット可を受け取った一部の従サイトだけにコミット要求を出すと，従サイトによってはデータベースが更新されていないという現象が発生し，分散データベースの整合性が取れなくなる。

イ　第1相で一部の従サイトから応答が得られないまま一定時間が経過した場合，主サイトはトランザクションを中止する。このため，主サイトはトランザクションのアボート処理（異常終了処理）を行い，再度，トランザクションを発行する。

エ　各従サイトは，コミット“可”かコミット“否”のいずれかを主サイトに応答する。

正解：ウ

6.4 データベース応用

データベースを応用したシステムに，データウェアハウスがある。データウェアハウスは，意思決定のための全社規模のデータベースで，種々の分析を行うために用意される。

6.4.1 データウェアハウス

Point
- データウェアハウスは意思決定支援のデータベース
- データマイニングは分析手法を提供する技術

データウェアハウスの関連事項については，ほぼ毎回出題されている。データマイニングの意味を問う問題が多い。このほか，データウェアハウスの意味や利用法，OLAPの意味を問う問題が出題されている。

▶間違えやすい

基幹業務で用いるデータベースは，日々，更新が発生する。一方，データウェアハウスは，原則として更新はなく，追加のみである。また，基幹業務システムが直接利用するのは業務系データベースで，データウェアハウスは分析型の処理（OLAP）に使う。

データウェアハウスは，意思決定支援のための全社規模のデータベースである。データを大量に蓄積し，整理し，ビジネス上の意思決定に利用する。情報系データベースということもある。情報系データベースに対して，業務で使用するデータベースを業務系データベース，基幹データベースなどということがある。

データウェアハウスは，過去の実績データを長期間保存して，種々の分析に使う。したがって，データの長期保存が原則で，一定期間ごとにデータが追加される。一方，業務系データベースは，リアルタイムにデータが更新される。

次は，基幹データベースと情報系データベースの比較である。

比較項目	基幹データベース	情報系データベース
対象業務	一般の業務	意思決定
データ追加	あり	あり
データ更新	原則あり	原則なし
処理形態	OLTP	OLAP
主な利用者	実務担当者	経営スタッフ
業務種別	定型業務	非定型業務
データ保有期間	短期間	長期間

OLAP

OLAP(OnLine Analytical Processing)は，エンドユーザが，直接，データベースを検索·集計して問題点や解決策を発見するという分析型アプリケーションの概念である。データアクセスが速く，簡単に分析できる機能の提供を目標としている。DSSなどの考え方である。

DSS(Decision Support System：意思決定支援システム)は，種々の経営情報をシステムに蓄積し，情報を検索・分析・加工することで，意思決定を支援するためのシステムである。

参考

データウェアハウスで利用されるスキーマを，スタースキーマという。1つ又は少数のファクト表（データを格納した表）と幾つかのディメンション表（キーを格納した表）で構成される。

OLTP

OLTP(OnLine Transaction Processing)は，ホストコンピュータにオンライン接続された複数の端末からホストコンピュータにメッセージを送り，そのメッセージに従ってホストコンピュータで一連のデータベースアクセスを含む処理を行い，処理結果を即座に端末に送り返す処理形態である。

参考

データベース中のデータを分析し，データ形式の統一(標準化)，誤りや不足データの補正や補完，重複データの排除をするなどして，データとしての質を高めることをデータクレンジングという。

データマート

データマートは，データウェアハウスから，特定の利用者グループの目的に応じて絞り込んで要約したデータを格納したデータベースである。すなわち，データウェアハウスのサブセット(部分集合)である。

データマイニング

データマイニングは，膨大な量の生データとの対話を通じて，経営やマーケティングにとって必要な傾向や動向，相関関係，パターンなどを，ニューラルネットワークや統計解析などの手法を使って導き出すための技術や手法である。マイニングは，「採掘する」という意味である。例えば，大量の販売実績データを分析して，顧客の購買動向などを導いたりする。

参考

NoSQL

NoSQLは，関係データベースとは異なる新しい方式のDBMSの総称。SQLを使えないことからこのようにいう。SQLが得意とする機能が利用できない代わりに，大規模な並列分散処理や柔軟なスキーマの設定など，関係データベースでは不可能あるいは，苦手な機能を実現したものが多い。Key-Value型データベースなどが提唱されている。

6.4.2 データ資源の管理

Point
- メタデータはデータについて記述したデータ
- リポジトリはメタデータを集中的に格納・管理するデータベース

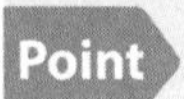
用語解説

データ辞書

データ辞書（データディクショナリ）は，データ項目の名称や意味を登録した辞書である。データベースの重複や同じ意味をもつデータの呼び方が複数存在したり，同じ名称のデータが異なる意味をもったりして，システムが肥大化することを防ぐことができる。

間違えやすい

CASEツールにおいて，システム開発の各工程の設計情報を管理するデータベースも，リポジトリという。システム開発に関する定義情報，設計情報，プログラム，テスト結果などが格納される。

データベースには業務データを格納するが，データ量が多くなると，データの所在や構造，履歴などデータそのものの管理が必要となる。

● IRDS

IRDS（Information Resource Dictionary System：情報資源辞書システム）は，データ辞書を発展させたもので，情報資源全体を管理するために用いる。例えば，システム開発に必要なデータを，CASEツールによってIRDSから呼び出すといった形で利用される。

● メタデータ

メタデータは，データそのものではなく，データについて記述したデータである。データウェアハウスにおいて，格納されているデータの属性，意味内容，格納場所などの情報を格納する。メタデータを集中的に格納･管理するデータベースを，リポジトリという。

通常，データの意味は，それを扱うプログラムやシステムが定義するが，DBMSでは，データとメタデータの両方をデータとして扱う。このため，メタデータも定義しておく必要がある。この定義を記録するのがDD/Dである。

すなわち，メタデータは，データ定義情報としてスキーマに記述されるデータで，大量になれば，階層構造をとることもある。

● リポジトリ

リポジトリは，貯蔵庫とか倉庫といった意味であるが，使われ方は様々で，何を指すかは局面に応じて異なる。データベースでは，メタデータを格納するデータベースという意味で使用される。データディクショナリは，リポジトリの基本機能と解釈されている。

データレイク

従来は，分析の目的に応じてデータを絞り込み，保存していた。しかし，分析してから保存するのでは時間もコストもかかり，分析対象が変わったときにデータ不足となることもある。そこで，データを絞り込まずそのまま保存しておけば，効率よく分析の要求に応えることができる。このような保管方法を，データレイクという。

試験に出る

リポジトリの意味を問う問題が多い。種々の意味で使われる用語であるが，試験では，メタデータを格納するデータベースという解釈と，CASEの設計情報を格納するデータベースという解釈を知っていればよい。

チェック! よく出る午前問題で基本事項を確認

日付・正解 Check　／　／　／

問題 ［応用情報技術者試験 2017 年春期午前 問 30］　難易度 ★★　出題頻度 ★★★

ビッグデータの利用におけるデータマイニングを説明したものはどれか。

ア　蓄積されたデータを分析し，単なる検索だけでは分からない隠れた規則や相関関係を見つけ出すこと

イ　データウェアハウスに格納されたデータの一部を，特定の用途や部門用に切り出して，データベースに格納すること

ウ　データ処理の対象となる情報を基に規定した，データの構造，意味及び操作の枠組みのこと

エ　データを複数のサーバに複製し，性能と可用性を向上させること

解説

データマイニングは，膨大な量の生データと対話を通じて，経営やマーケティングにとって必要な傾向や動向，相関関係，パターンなどを，ニューラルネットワークや統計解析などの手法を使って導き出すための技術や手法である。

それぞれ，「イ」はデータマートの説明，「ウ」はデータモデルの説明，「エ」はクラスタシステムの説明である。

正解：ア

演習問題

［応用情報技術者試験 2015年春期午後 問6］

問題

アクセスログ監査システムの構築に関する次の記述を読んで，設問1～4に答えよ。

K社は，システム開発を請け負う中堅企業である。セキュリティ強化策の一つとして，ファイルサーバのアクセスログを管理するシステム（以下，ログ監査システムという）を構築することになった。

現在のファイルサーバの運用について，次に整理する。

・ファイルサーバの利用者はディレクトリサーバで一元管理されている。
・利用者には，社員，パートナ，アルバイトなどの種別がある。
・利用者はいずれか一つの部署に所属する。
・部署はファイルサーバを1台以上保有している。
・ファイルサーバ上のファイルへのアクセス権は，利用者やその種別，部署，操作ごとに設定される。
・操作には，読取，作成，更新及び削除がある。
・ファイルサーバ上のファイルに対して操作を行うと，操作を行った利用者の情報や操作対象のファイルの絶対パス名，操作の内容がファイルサーバ上にアクセスログとして記録される。
・ファイルサーバのフォルダごとに社外秘や部外秘などの機密レベルが設定されている。

ログ監査システムの機能を表1に，E-R図を図1に示す。

表1　ログ監査システムの機能

機能名	機能概要
アクセスログインポート	各ファイルサーバに記録されたアクセスログにファイルサーバの情報を付与してログ監査システムに取り込む機能
非営業日利用一覧表示	非営業日にファイル操作を行った利用者，操作対象，操作元のIPアドレス，操作日時などを一覧表示する機能
部外者失敗一覧表示	他部署のファイルサーバ上のファイルへの操作のうち，その操作が失敗した利用者，操作対象，操作元のIPアドレス，操作日時などを一覧表示する機能

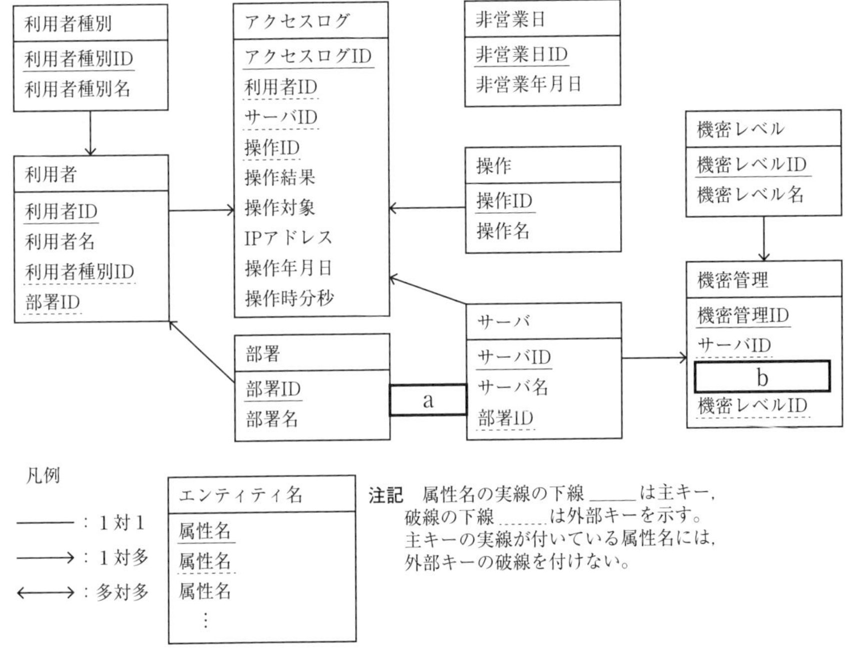

図1　ログ監査システムのE-R図

ログ監査システムでは，E-R図のエンティティ名を表名にし，属性名を列名にして，適切なデータ型と制約で表定義した関係データベースによって，データを管理する。

なお，外部キーには，被参照表の主キーの値かNULLが入る。

〔非営業日利用一覧表示機能の実装〕

非営業日利用一覧表示機能で用いるSQL文を図2に示す。

なお，非営業日表の非営業年月日列には，K社の非営業日となる年月日が格納されている。

```
SELECT AC.*
FROM アクセスログ AC
WHERE [    c    ]
  (SELECT * FROM 非営業日 NS
   WHERE [         d         ])
```

図2　非営業日利用一覧表示機能で用いるSQL文

〔部外者失敗一覧表示機能の実装〕

部外者失敗一覧表示機能で用いるSQL文を図3に示す。

なお，アクセスログ表の操作結果列には，ファイル操作が成功した場合には'S'が，失敗した場合には'F'が入っている。

```
SELECT AC.*
FROM アクセスログ AC
    INNER JOIN 利用者 US ON AC.利用者ID = US.利用者ID
    INNER JOIN サーバ SV ON AC.サーバID = SV.サーバID
WHERE [              e              ]
  AND [              f              ]
```

図3　部外者失敗一覧表示機能で用いるSQL文

〔アクセスログインポート機能の不具合〕

アクセスログインポート機能のシステムテストのために準備したアクセスログの一部が取り込めない，との指摘を受けた。テストで用いたアクセスログを図4に示す。このログはCSV形式であり，先頭行はヘッダ，アの行は操作対象のファイルへの削除権限がない社員（'USR001'）が削除を試みた場合のデータ，イの行はディレクトリサーバにログオンせずにファイル更新を試みた場合のデータ，ウの行は存在しない利用者ID（'ADMIN'）を指定してファイル削除を試みた場合のデータである。

アクセスログ表のデータを確認したところ，[　g　]の行のデータが表に存在しなかった。この問題を解消するために，①テーブル定義の一部を変更することで対応した。

```
"利用者ID", "操作名", "操作結果", "操作対象", "IPアドレス", "操作日時"
'USR001', '削除', 'F', '/home/test1.txt', 192.168.1.98, 2015-4-1 9:30:00    ←―― ア
'', '更新', 'F', '/home/test2.txt', 192.168.1.98, 2015-4-1 10:00:00         ←―― イ
'ADMIN', '削除', 'F', '/home/test3.txt', 192.168.1.98, 2015-4-1 10:30:00    ←―― ウ
```

図4　テストで用いたアクセスログ

設問1　図1のE-R図中の[a]，[b]に入れる適切なエンティティ間の関連及び属性名を答え，E-R図を完成させよ。

なお，エンティティ間の関連及び属性名の表記は，図1の凡例に倣うこと。

設問2　図2中の[c]，[d]に入れる適切な字句又は式を答えよ。
なお，表の列名には必ずその表の別名を付けて答えよ。

設問3　図3中の[e]，[f]に入れる適切な字句又は式を答えよ。
なお，表の列名には必ずその表の別名を付けて答えよ。

設問4　〔アクセスログインポート機能の不具合〕について，(1)，(2) に答えよ。

(1)　本文中の[g]に入れる適切な文字をア〜ウの中から選んで答えよ。

なお，アクセスログ中の空文字（''）はデータベースにNULLとしてインポートされる。

(2)　本文中の下線①の対応内容を，35字以内で述べよ。

演習問題・解答

解説

■設問1　解答　a：→，b：フォルダパス名

●空欄a

“部署はファイルサーバを1台以上保有している”（問題文の冒頭4つ目の黒丸）ので，部署とサーバは1対多である。

したがって，“→”が入る。

なお，“サーバ”エンティティに，“部署”エンティティの主キーである“部署ID”が，外部キーとして設定されているので，外部キー側が“多”となる。

●空欄b

“ファイルサーバのフォルダごとに社外秘や部外秘などの機密レベルが設定されている”（問題文の冒頭8つ目の黒丸）から，“フォルダ”と見当がつく。しかし，階層構造のファイルシステムでは，フォルダ名は同じでもパスが異なることもある。フォルダごとに機密管理を行う必要があるので，厳密には，**“フォルダパス名”**で管理する必要がある。

■設問2　解答　c：EXISTS，d：AC．操作年月日＝NS．非営業年月日

非営業日のアクセスログ表の行を抽出するので，アクセスログ表の“操作年月日”と非営業日表の“非営業年月日”の一致したアクセスログ表の行を抽出する必要がある。

●空欄c

副問合せの直前に入る内容なので，IN，EXISTS，＝，＞，＜などが考えられるが，非営業日は複数あると考えられるので，複数行副問合せのINかEXISTSに限定される。さらに，副問合せのSELECTでは“*”が記述されていることから，“**EXISTS**”が適切である。

●空欄d

抽出条件は，アクセスログ表の“操作年月日”と非営業日表の“非営業年月日”の一致した行を抽出するので，“**AC．操作年月日＝NS．非営業年月日**”が入る。

■設問3　解答　e：AC.操作結果 = 'F'，f：US.部署ID <> SV.部署ID
（e，fは順不同）

JOINは，表を結合することを示す。結合条件はONで記述する。

```
FROM アクセスログ AC
  INNER JOIN 利用者 US ON AC.利用者ID = US.利用者ID
              ：アクセスログ表（AC）と利用者表（US）の利用者IDを結合
  INNER JOIN サーバ SV ON AC.サーバID = SV.サーバID
              ：アクセスログ表（AC）とサーバ表（SV）のサーバIDを結合
```

2つの空欄はWHEREの中にあるので，いずれも抽出条件である。そして，部外者失敗一覧表示機能は，"他部署のファイルサーバ上のファイルへの操作のうち，その操作が失敗した利用者，操作対象，操作元のIPアドレス，操作日時などを一覧表示する機能"(表1　部外者失敗一覧表示の機能概要)である。

すると，抽出条件は，"他部署のファイルサーバの操作"（部外者），"操作の失敗"である。これらの条件はANDで結合されているので，順不同である。

●空欄e

操作の失敗という条件は，"なお，アクセスログ表の操作結果列には，ファイル操作が成功した場合には'S'が，失敗した場合には'F'が入っている"（〔部外者失敗一覧表示機能の実装〕）ことから，"**AC.操作結果 = 'F'**"となる。

●空欄f

部外者という条件は，そのサーバが所属している部署以外の者と考えてよい。これは，利用者表の部署IDとサーバ表の部署IDが異なると考えればよいので，"**US.部署ID <> SV.部署ID**"となる。

■設問4　解答　(1)　g：ウ
(2)　アクセスログ表の利用者ID列に定義された参照制約を削除する。

アクセスログ表の利用者IDは，利用者表の利用者IDの外部キーとなっていることから，参照制約が設定されていると考えられる。しかし，利用者ID"ADMIN"は，"ウの行は存在しない利用者ID（'ADMIN'）を指定してファイル削除を試みた場合のデータである"(〔アクセスログインポート機能の不具合〕）ということである。

(1)　データが表に存在しない行（空欄g）

参照制約が設定されていると，主キー側の表（利用者表）に，利用者ID"ADMIN"があらかじめ登録されている必要がある。しかし，利用者ID"ADMIN"が登録されていなかったので，**“ウ”**の行のデータが表に存在しなかったとわかる。

(2)　対応内容

登録されていない利用者IDであっても登録できるようにするには，参照制約を削除（解除）すればよい。したがって，**“アクセスログ表の利用者ID列に定義された参照制約を削除する。”**という主旨で35字以内にまとめる。

第7章

● テクノロジ系

ネットワーク

インターネット，LANなど，種々のネットワークが構築されている。これらのネットワークを構築する技術を，ネットワークアーキテクチャという。ネットワークアーキテクチャは，ネットワークシステムにおいて標準的に守るべき論理構造や通信規約（プロトコル）を体系化したものである。本章では，標準プロトコル，伝送方式を学習するとともに，現在提供されているネットワークやネットワーク応用システムについて学習する。

理解しておきたい用語・概念

- ☑ OSI基本参照モデル
- ☑ TCP/IP
- ☑ IPアドレス
- ☑ NAT/NAPT
- ☑ Web
- ☑ インターネット
- ☑ SMTP
- ☑ POP
- ☑ CSMA/CD
- ☑ トークンパッシング
- ☑ LAN間接続装置
- ☑ PCM
- ☑ VoIP
- ☑ DNS
- ☑ IPsec

アクセスキー **V**（小文字のブイ）

7.1 通信プロトコル

通信を行う場合，送受信間でプロトコル（通信規約）や通信手順を定めておく必要がある。本節では，OSI や TCP/IP などのプロトコルの階層や各層の機能について学習する。

7.1.1 OSI

Point
- OSI 基本参照モデルは ISO が定めた 7 階層のプロトコル
- 第 3 層はルーティング，第 4 層は通信機能を提供

OSI（Open System Interconnection）は，異機種のコンピュータ間やネットワーク間の接続を容易にするため，ISO が定めたネットワークアーキテクチャである。OSI は基本的な枠組みを示しただけなので，ガイドラインとして 7 つの階層（layer）に分割した OSI 基本参照モデルが示されている。

● OSI 基本参照モデルの階層

OSI 基本参照モデルは，最下位層（第 1 層）から順に，物理層，データリンク層，ネットワーク層，トランスポート層，セション層，プレゼンテーション層，アプリケーション層と積み上げられた構成で，各層の通信機能を実現するプロトコルを規定している。

▶ 試験に出る

OSI基本参照モデルの7層のうち，セション層，ネットワーク層，データリンク層の機能についての出題が多い。これらの層の機能を明確に区別しておく。

	プロセスA				プロセスB
第7層	アプリケーション層	←業務間の情報のやり取り→			アプリケーション層
第6層	プレゼンテーション層	←情報の表現形式→			プレゼンテーション層
第5層	セション層	←会話単位の管理→			セション層
第4層	トランスポート層	←セグメント→			トランスポート層
第3層	ネットワーク層	←パケット→	ネットワーク層	←パケット→	ネットワーク層
第2層	データリンク層	←フレーム→	データリンク層	←フレーム→	データリンク層
第1層	物理層	←ビット→	物理層	←ビット→	物理層
	伝送媒体（通信経路）		中継ノード	伝送媒体（通信経路）	
	ホストA(終端開放型システム)		中継開放型システム		(終端開放型システム) ホストB

7階層の機能

OSI基本参照モデルの各層の機能は，次のとおりである。

物理層

物理層は，物理的な条件や電気的な条件を規定する。モデムやDSUを制御し，通信回線を介してビット単位の伝送を行う。

データリンク層

データリンク層は，隣接したノード間における伝送制御手順を規定し，隣接ノード間のフレーム単位の伝送を保証する。

ネットワーク層

ネットワーク層は，通信経路の選択方式（ルーティング）や中継方式を規定し，パケット単位での伝送を保証する。エンドノード間の通信ルートを選定し，データを中継しながら転送する。

トランスポート層

トランスポート層は，伝送路のデータの転送誤りの検出や回復の制御を規定する。また，通信網の違いを吸収し，信頼性が高く経済的な通信機能を提供する。

セション層

セション層は，会話単位の制御を行う。通信の開始や終了など，エンドユーザ間の会話を正しく行うことができるように，回線の接続・切断などの制御方法を取り決める。

プレゼンテーション層

プレゼンテーション層は，送受信するデータの文字コードや形式，暗号化，圧縮など，データの表現形式を取り決める。

アプリケーション層

アプリケーション層は，エンドユーザ間のデータのレコード形式や内容を規定する。OSIの窓口として，応用プログラムや端末の利用者に対して，通信機能を提供する。

用語解説

DCE
モデム
DSU
端末装置と通信回線とを接続するための回線終端装置をDCEという。アナログ回線ではモデム，ディジタル回線ではDSU（Digital Service Unit）を用いる。

各層の具体例は次のとおりである。

物理層
DTE/DCEインタフェースを管理する層で，V.24やX.21などが対応する。

データリンク層
HDLCやCSMA/CD，トークンパッシングなどの伝送制御手順が対応する。

ネットワーク層
X.25（パケット交換プロトコル）などが対応する。

トランスポート層
コネクション型，コネクションレス型の両方のサービスを提供する。

セション層
全二重・半二重などの通信方式，送信権制御，同期制御，再送などの機能を提供する。

プレゼンテーション層
個々のプロセスで扱うデータ型や符号を共通のものに変換して送信する。このため，アプリケーション層では符号を意識しないで済む。

アプリケーション層
FTAM（ファイル転送），MHS（電子メール），VT（仮想端末），TP（トランザクション処理）などがある。

7.1.2 TCP/IP

午後にも出る

- TCP/IP はインターネットで使われているプロトコル
- IP アドレス(IPv4)は 32 ビットで構成，用途により A ～ E の 5 クラス

TCP/IP(Transmission Control Protocol/Internet Protocol)は，インターネット，LAN，WAN などで使用されているパケット交換用のプロトコルである。OSI基本参照モデルのトランスポート層をカバーする TCP，ネットワーク層をカバーする IP などから構成される。

▶間違えやすい

TCP/IP は OSI のように国際規格ではないが，インターネットの標準的なプロトコルとして使われている。このように，事実上，標準となっていることを，デファクトスタンダードという。

● TCP/IPのプロトコルスタック

TCP/IP と OSI 基本参照モデルの対応関係及び，TCP/IP のプロトコルスタックは，次のとおりである。

OSI基本参照モデル
アプリケーション層
プレゼンテーション層
セション層
トランスポート層
ネットワーク層
データリンク層
物理層

TCP/IP	TCP/IPプロトコルスタック
アプリケーション層	TELNET　FTP　SMTP　POP RPC　SNMP　HTTP　IMAP MIME　NFS　DNS
トランスポート層	TCP　UDP　RSVP
インターネット層	IP　ARP　RARP　ICMP　RIP　OSPF
ネットワークインタフェース層	CSMA/CD　FDDI　PPP トークンパッシング

用語解説

コネクションレス

コネクションレスは，通信相手との間に事前にデータリンクを確立しないでデータを送信する方式である。宛先だけを指定してデータを送信する。コネクションの確立など，データ通信に関係ない手順を行わないため，通信効率がよい。

● インターネット層プロトコル

インターネット層のプロトコルには，コネクションレス型のパケット伝送を行う IP，アドレス解決を行う ARP(アープ) や RARP(ラープ)，ネットワーク内の異常診断と通知を行う ICMP，ルーティングを行う RIP や OSPF などのプロトコルがある。

IP (Internet Protocol)

IP は，IP アドレス，IP パケットのフォーマットなど，IP パケットをコネクションレス型で送受信するのに必要なプロトコルを規定している。

IPアドレス

IPアドレスは，IPネットワーク内のコンピュータなどを識別するために与えられる論理アドレスである。32ビットのIPv4と128ビットのIPv6が規定されているが，現在は，IPv4が主に使われている。

IPv4は，ネットワークの規模に応じてAからEの5種類のクラスに分類される。各クラスは，先頭からのビットパターンで識別する。ネットワーク部は，全世界においてユニークであり，ホスト部は，各ネットワークで独自に体系化する。

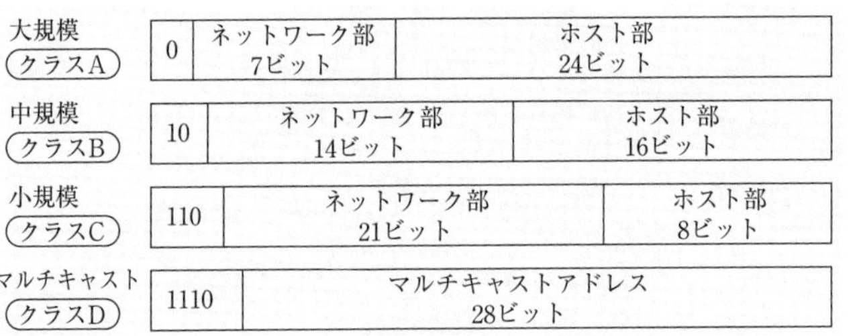

サブネット分割

サブネット分割は，IPアドレスのホスト部をサブネット部とホスト部に分割することである。これによって，IPアドレスを有効に利用することができる。各部のビット数は，ネットワークの規模に応じて決定する。

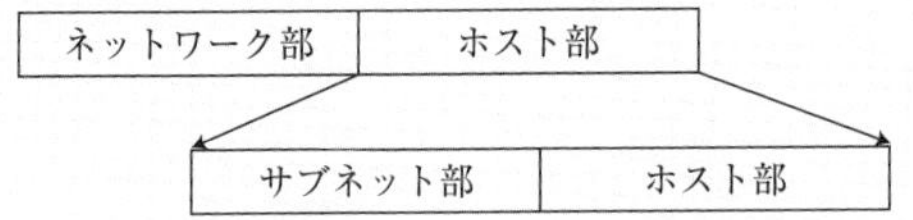

サブネット部も含めてネットワーク部とホスト部に分けるためのビットパターンをサブネットマスクといい，IPアドレスのネットワーク部とそれに続く幾つかのビットを1に設定し，残りのビットを0に設定する。

例えば，クラスCのIPアドレスを[210.30.35.78]としたとき，“210.30.35”がネットワーク部である。ホスト部は“78”(8ビット)であるが，サブネットマスクを[255.255.255.240]とすると，IPアドレスのサブネット部の対応は次のようになる。

IPアドレスのクラスEは，実験的な目的のためにTCP/IP (IPv4) の開発当初から予約されていたもので，実際に使われることはない。なお，クラスEの先頭からのビット列は11110である。

用語解説

マルチキャスト
ブロードキャスト

マルチキャストは，ネットワーク内で選択された複数の端末やグループに対して，同一メッセージを送ることである。また，ネットワーク上の全端末に対して同一メッセージを送ることを，ブロードキャストという。

IPアドレスのホスト部は利用者が自由に設定してよいが，全てのビットが0のビット列と全てのビットが1のビット列は特別な用途に使われるため使うことはできない。全てのビットが0のビット列は，ネットワークを識別するのに使う。また，全てのビットが1のビット列は，ブロードキャストに使う。

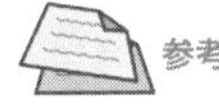
参考

IPアドレスは32ビットのため，そのまま表現すると見づらくなる。そこで，先頭から8ビットずつ10進数で表現する表記法が用いられている。例えば，次のとおりである。

11010010 00011110
00100011 01001110
→ 210.30.35.78

$240_{10} \rightarrow 1111\underline{0000}_2$：サブネットマスク

$78_{10} \rightarrow 0100\underline{1110}_2$：ホストアドレス

240_{10} の下線部分のビット列が全て0なので，サブネット部は上位4ビットと判断でき，78_{10} のホスト部は下位4ビットの $1110_2 = E_{16} = 14_{10}$ となる。

用語解説

ホップ数
ホップ数は，送受信間において経由するルータの数である。

ping（ピング／ピン）
pingは，相手先ホストに対して返答要求を送出するコマンド及びプログラムである。IPネットワークで相互接続されたホスト同士の接続性の確認に使われることが多い。返答が戻るまでのターンアラウンドタイムを調べる機能をもつこともでき，宛先までの到達経路の混み具合の目安とすることもできる。

インターネット層のそのほかのプロトコル

インターネット層のそのほかのプロトコルの概略は，次のとおりである。

プロトコル	説明
ARP	Address Resolution Protocol IPアドレスからMACアドレスを取得
RARP	Reverse Address Resolution Protocol MACアドレスからIPアドレスを取得
ICMP	Internet Control Message Protocol 異常発生の通知や通信経路の診断。pingが使う
RIP（リップ）	Routing Information Protocol 目的ノードまでの最小ホップ数の経路を選択
OSPF	Open Shortest Path First 目的ノードまでの最も効率的な経路を選択
VRRP	Virtual Router Redundancy Protocol ルータの多重化

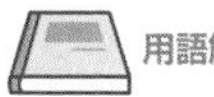

RIPは経由するルータの数で最短経路を決定するが，OSPFは回線速度や料金なども考慮して経路を決定する。

● トランスポート層プロトコル

トランスポート層には，コネクション型データ伝送のTCP，コネクションレス型データ伝送のUDP，ネットワーク資源予約プロトコルのRSVPなどがある。

TCP

TCP（Transmission Control Protocol）は，アプリケーション間に仮想的な通信路を設定し，ポート番号を基にセグメント単位にデータの送受信を行う。ポート番号は，システム内で一意に定められているアプリケーションの番号である。

TCPは，通信の開始から終了までの通信路の信頼性を保持し，データの正常な通信の制御やエラーの検出，回復を行う。このため，送信側とのコネクションを確立してから送信を行うコネクション型の伝送方式をとる。代表的なポート番号としてSMTPの25，POPの110，HTTPの80などがある。

用語解説

コネクション
TCPは仮想的にアプリケーション同士を結ぶ通信路を確保し，相手に確実にデータを送信する制御を行う。この仮想的な通信路をコネクションといい，コネクションを使用する通信を総称してコネクション型通信という。

UDP

UDP（User Datagram Protocol）は，TCPにおける各種の制御を省略し，コネクションの確立を行わないコネクションレス型の伝送方式をとる。信頼性は低いが，オーバヘッドは少ない。

RSVP

RSVP（Resource reSerVation Protocol）は，TCP/IPのパケット交換機能を用いて，リアルタイム通信を行うプロトコルである。通信を開始する前に，通信経路上の全ルータに対して利用する帯域（伝送速度）を指定しておく。

● PPP

PPP（Point to Point Protocol）は，電話などの通信回線を使ってコンピュータ同士をネットワーク接続するときに用いるプロトコルである。2点間を接続してデータ通信を行うときに使用する。認証プロトコルを備えていることから，アクセスポイントへの接続に用いられている。また，光ファイバーによる接続では，EthernetやATMの上位層で2点間の接続を確立するときにも使われている。それぞれ，PPPoE（PPP over Ethernet），PPPoA（PPP over ATM）と呼ばれる。

● IPv6

IPv6（Internet Protocol version 6）は，IPアドレス（IPv4）の枯渇を解決するために策定された128ビットのプロトコルである。IPv6のアドレスは，4桁の16進数を“:”（コロン）で区切って8個並べ，次のように表す。

XXXX:XXXX:XXXX:XXXX:XXXX:XXXX:XXXX:XXXX

IPv4は2^{32}個しか付与できないが，IPv6では2^{128}個まで使えるようになっている。このため，事実上無限であり，全てのIPアドレスがグローバルIPアドレスとなる。また，ユーザ認証，パケットの暗号化，なりすまし防止などの機能がサポートされている。

また，当面，IPv4とIPv6が混在することが予想されるため，次のようにして互換性を確保している。なお，IPv6中の0は，16進数表現である。

TCP/IPネットワークに接続された機器を，ネットワーク経由で管理するときに使われるプロトコルにSNMP（Simple Network Management Protocol）がある。ルータ，ハブなどのネットワーク機器（エージェント）のネットワーク管理情報を，管理システム（マネージャ）に送る。

PPPoE

PPPoE（PPP over Ethernet）は，PPPをイーサネット（LAN）に応用した方式である。光ファイバ，CATVなどの常時接続のインターネット接続サービスを利用するときに使われる。

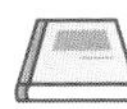

IPoE

IPoE（Internet Protocol over Ethernet）は，ネットワーク終端装置を必要とせず，ISPを経由してインターネットに接続できるため，ネットワーク終端装置での遅延などが発生しにくいので高速な通信が可能である。しかし，IPoEはIPv6にしか対応しておらず，IPv4のIPアドレスを使用したWebサイトには接続できない。

▶試験に出る

IPアドレスに関連する問題は頻出している。最も単純な出題は，IPアドレスのビット数を答えさせる問題である。また，A，B，Cの各クラスのホスト部のビット数を知らないと解けない問題も出題されている。

参考

IPv6環境で通信を行いながらIPv4アドレスでの通信も可能にする技術を，IPv4 over IPv6という。IPv4への接続でもIPv6と同じIPoE方式でインターネット通信ができるようにした技術で，利用するコンテンツがIPv4，IPv6かを問わず，混雑しにくい通信環境を利用できる。

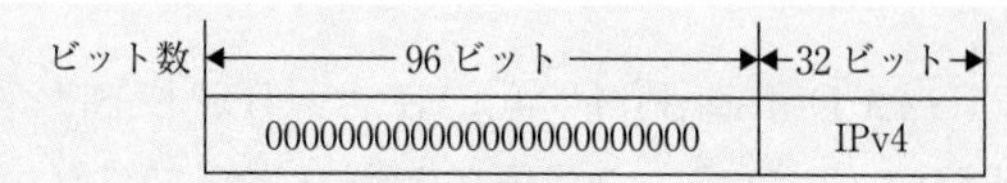

IPv6の主な特徴は，次のとおりである。

- アドレス空間をIPv4の32ビットから128ビットに拡張（IPアドレス不足の解消が可能）
- マルチキャストを標準で定義（ブロードキャストを含む）
- IPのセキュリティ拡張機能であるIPsecは標準機能（IPsecはセキュリティプロトコルの1つ）

IPv6は128ビットなので，IPv4とは表記が異なる。IPv6では，128ビットを先頭から16ビットごとに区切ってこれを16進数に変換し，それらを“:”（コロン）でつなぐ。例えば，“3ffe:2002:500a:c12a:1e12:ff01:fe41:921d”のように表記する。ただし，このままでは長くなってしまうため，次のようなルールで可能な限り短くしている。

参考

IPv6の短縮表記では，例えば，“3ffe:2002:0000:0000:0000:0000:03ab:ff01”は，次のようになる。

3ffe:2002:0:0:0:0:3ab:ff01

↓

3ffe:2002::3ab:ff01

① 各ブロックの先頭の0は，1の位にある0以外は省略できる。
② 値が0のブロックが連続している場合は，これらをまとめて“::”とすることができる。ただし，これは，1つのアドレス中で1か所だけである。2か所以上使うと0:が幾つあるかがわからないからである。

チェック! よく出る午前問題で基本事項を確認

日付・正解 Check ／ ／ ／

問題 ［応用情報技術者試験 2010年春期午前 問36］ 難易度 ★ 出題頻度 ★★★

OSI基本参照モデルにおいて，アプリケーションプロセス間での会話を構成し，同期をとり，データ交換を管理するために必要な手段を提供する層はどれか。

ア アプリケーション層　　イ セション層
ウ トランスポート層　　エ プレゼンテーション層

解説

ア アプリケーション層（第7層）は，エンドユーザ間のデータのレコード形式や内容を規定する。アプリケーションプロセス（データ通信システムの中で業務処理を担当するアプリケーション）や端末の利用者にデータ通信機能を提供する。FTAM，RDA，VT，MHS，TPなどがある。メッセージ（文書）やファイルの転送など，業務に合ったプロトコルを実現するのは，アプリケーション層の機能である。

アプリケーション層のプロトコル	説明
FTAM（エフタム）	(File Transfer, Access and Management) ファイル転送，アクセス，管理
RDA	(Remote Database Access) 遠隔地のデータベースへのアクセス
VT	(Virtual Terminal：仮想端末) システム間の通信機能
MHS	(Message Handling System) メッセージ通信（電子メール）
TP	(Transaction Processing) トランザクション処理の監視・制御

イ　セション層（第5層）は，会話単位の制御を規定する。通信の開始や終了など，エンドユーザ間の会話を正しくできるように，回線の接続・切断などの制御方法を取り決めている。通信方式（全2重，半2重），同期，再送などの機能を提供する。例えば，ひとかたまりのデータ（文書）の送り方（全2重か半2重）などを決定する。また，同期点を設定し，データ転送中に何らかの理由により転送に失敗しても，同期点から転送することで，ロス時間を減らしている。

ウ　トランスポート層（第4層）は，伝送路のデータの転送誤りの検出や，回復の制御を規定する。通信網の違いを吸収し，高信頼で経済的な通信機能を提供する。ネットワーク層が提供する網の品質や速度が不十分な場合や過多な場合に，多重化，分流，連結，誤り制御などを行って，セション層が要求する品質と速度をもつ全2重の透過的な伝送路を提供する。

エ　プレゼンテーション層（第6層）は，送受信するデータの文字コードや形式，暗号化，圧縮などによるデータの表現形式を規定する。OSIでは異機種間での通信を前提としており，個々のプロセスで取り扱っているデータの型や符号は異なる。このため，これらを共通のものに変換して通信する必要がある。この変換及び逆変換機能を提供する。これにより，アプリケーション層は，符号化を意識しないで済む。

　転送するデータの構造はあらかじめ抽象構文と呼ばれる標準的な表現方法で記述し，その構造に従って共通符号化して転送する。この標準的な様式を，転送構文という。

正解：イ

7.2 符号化と伝送

回線を介してデータを送受信するには，1ビットずつに分解して送信したり，受信したビット列を元に戻したりする必要がある。また，正確に送受信できるように，同期制御や誤り制御が行われる。

7.2.1 変調・符号化

Point
- ディジタル伝送ではDSU，アナログ伝送ではモデムが必要
- PCMは音声データのディジタル伝送技術

伝送方式には，アナログ伝送とディジタル伝送がある。アナログ伝送では，通常3.4kHz帯域の音声級回線の利用が基本となっている。端末装置と通信回線とを接続するための回線終端装置（DCE）として，アナログ回線ではモデム，ディジタル回線ではDSU(Digital Service Unit)がある。

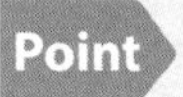
用語解説

DCE
DCE（Data Circuit-terminating Equipment：データ回線終端装置）は，通信回線の終端に接続され，コンピュータと回線とのインタフェースの機能を果たす装置。通信回線から受信した信号を変換してデータ端末へ送信，又はその逆の動作を行う。

DTE
DTE（Data Terminal Equipment：データ端末装置）は，ネットワークに接続されたコンピュータなどの機器の総称である。パソコンや通信端末，電話，FAXなどが該当する。

●アナログ伝送

アナログ伝送で使用するアナログ回線(音声回線)では，300～3,400Hz帯域のアナログ信号を使うが，端末やコンピュータではディジタル信号を使っているため，回線の出入口でディジタル信号からアナログ信号への変換(変調)，あるいはその逆変換(復調)が必要である。この変換を行う装置がモデムである。また，変調や復調を行うことから変復調装置ともいう。

●ディジタル伝送

ディジタル伝送では，送信側のDTEからの信号をDSUが伝送に適した形式に変換する。変換方式は，6ビットのデータ信号の前に同期用のフレームビット，後ろに通信状態を示すステータスビットを付加する。この8ビットの形式をエンベロープ形式といい，エンベロープ形式の信号をベアラ信号という。そして，ベアラ信

号が伝送路を伝送する速度をベアラ速度という。一般に示されている回線速度は，データ部分の速度なので，ベアラ速度はそれよりも速い。

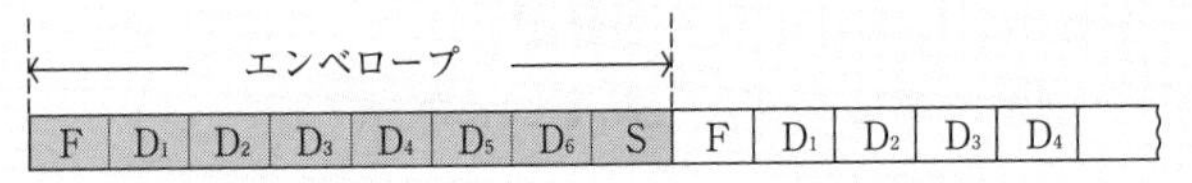

ベアラ速度は，利用者が送るデータのほか，通信上必要となる制御信号などを含んだものを伝送する通信速度である。このため，データのみの通信速度より速い。

PCM（Pulse Code Modulation）

PCM は，アナログの音声データをディジタル符号化する技術である。まず，一定時間ごとの等間隔のパルスに分解する標本化（サンプリング）を行い，次に，標本化で測定された数値を近似値の整数に丸める量子化を行う。最後に，量子化された数値を 2 進数のコードに変換（符号化）する。通常は，8 ビットか 16 ビットに変換する。

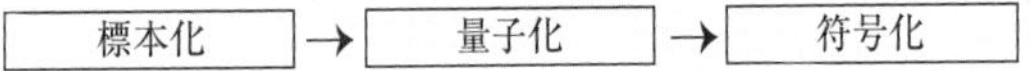

参考

NTT 東日本／西日本のアナログ回線網は，廃止することが決まっている。2024 年 1 月からは，全て IP 網となる。これに伴って，電話に関する幾つかのサービスは終了するが，アナログ電話機（黒電話など）はそのまま使用できる。

受信側では，符号化情報を復号したあと，伸張を行い，元の量子化された振幅を再生し，元のアナログ信号に再生する。この操作のことを，CODEC（COder and DECoder）という。

標本化は，“対象とするアナログ信号の最高周波数を f とすると，2f 以上の周波数で標本化して伝送すれば，元のアナログ信号に復元できる”という考え方（標本化定理）が基になっている。

電話などの通話で，相手の音声を違和感なく聞き取れる周波数は 3.4kHz ≒ 4kHz である。したがって，8kHz（毎秒 8,000 回）で標本化すればよい。そして，量子化した値を 8 ビットコードで符号化する場合に必要なディジタル伝送速度は次のようになる。

伝送速度 ＝ 8 ビット× 8,000 ／秒
＝ 64×10^3bps ＝ 64kbps

7.2.2 同期制御

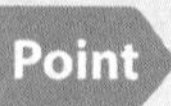

- 調歩同期は 1 文字の伝送に 10 ビットが必要
- SYN 同期やフラグ同期は常に同期がとれている状態

ネットワークを介してデータをやり取りするときに，送信側と受信側でタイミングをとりながらデータを送る必要がある。このタイミングを合わせることを，同期という。

同期制御は，正確なデータ伝送のために，決められた方式によって，送信側と受信側でタイミングをとり，同期の確立と維持を制御することである。同期制御の方式には，1 ビットごとに同期をとるビット同期，ビット同期がとれていることを前提に一連の符号の先頭位置で同期をとるブロック同期がある。ビット同期の方式には調歩同期式，ブロック同期の方式には SYN 同期式，フラグ同期式がある。

● 調歩同期式

調歩同期式（非同期式，スタートストップ方式）は，1 文字（8 ビット）の開始を示すスタートビット“0”（スタートエレメント）と，終わりを示すストップビット“1”（ストップエレメント）を付けて同期をとる方式で，1 文字ずつ受信する。1 文字送るのに 2 ビット余計に使うため，伝送効率が悪く，低速（1,200bps 以下）の回線に用いられる。

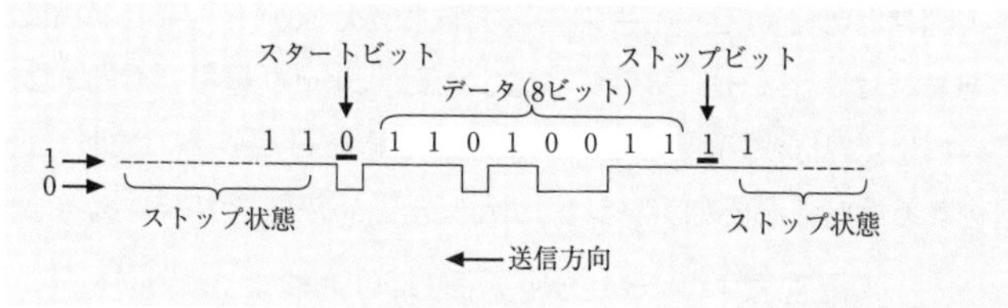

スタートビットは“0”，ストップビットは“1”の状態で，通信していない場合は連続した“1”の状態になっている。受信側は，スタートビットを受信すると，一定の時間間隔（送受信側であらかじめ決

▶ 間違えやすい

調歩同期式では，ビット列（8ビット）の先頭にスタートビット，終わりにストップビットがそれぞれ1ビットずつ付加されるので，1文字は10ビットになる。データの伝送時間の計算をするとき，2ビット付加したのが1文字のビット数ということを忘れないように注意する。

用語解説

bps（bit per second）
1 秒間に伝送できるビット数。“ビット／秒”と表記することもある。

めておく)で8ビット分受信し，最後がストップビットであることを確認する。

SYN同期式

SYN同期式(キャラクタ同期式，同期式，連続同期式)は，データの始まりを示すSYN符号$(00010110)_2$を最初に幾つか送り，受信側はSYN符号が到着すると，その後のデータを8ビットずつ取り出して文字を組み立てる。1文字ごとに同期をとる必要がなく，連続して大量の文字を送ることができる。ベーシック手順で使用されている。

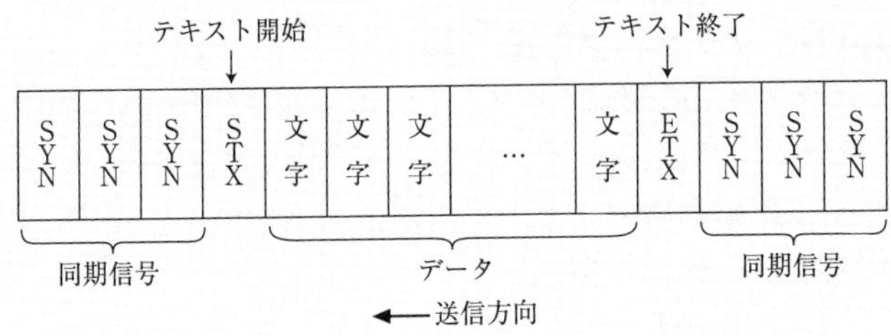

SYN同期式の場合，画像や音声などを送ると，ビット列の中に"00010110"のビット列が含まれている可能性がある。このため，SYNとみなされ，正しく通信ができないことがある。一方，フラグ同期式ではフラグというビット列を用いて，画像や音声など文字データ以外も送れるようにしている。

フラグ同期式

フラグ同期式(フレーム同期式)は，データを伝送していない間でも，一定パターンの同期信号(フラグシーケンス)を送り続ける方式で，常に同期がとれている状態になっている。フラグシーケンスに特殊なビット列を設定しておけば，ブロックの開始と終了を認識することができる。このため，文字の区切りなどを意識する必要がないので，任意のビット列を送信することができる。

SYN同期式より効率がよく，高速の伝送を行う端末に適している。HDLCは，フラグ同期式を採用しており，フラグシーケンスに"01111110"というビットパターンを用いている。

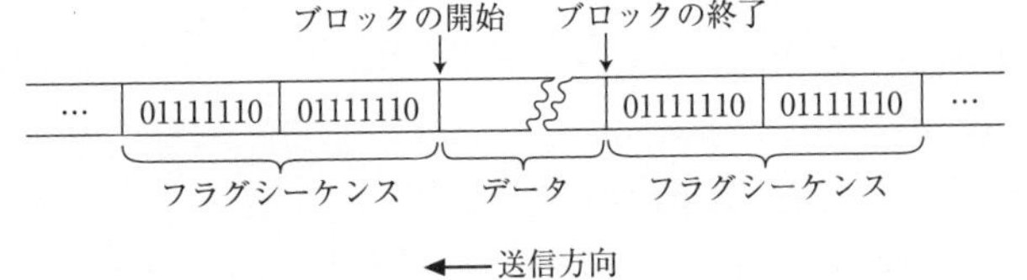

HDLCでは，データ部分において，1であるビットが5つ連続すると，0のビットを挿入する。これによって，フラグシーケンスと同じビットのパターンが出現しないようにしている。

7.2.3 誤り制御

- 水平・垂直パリティチェックは 1 ビットの誤りを検出可能
- CRC 方式では厳密なチェックが可能

誤り制御は，データ伝送上の誤りを検出し，訂正して伝送データの品質を高めることである。誤りを検出する方法に，パリティチェック方式，CRC 方式などがある。

●パリティチェック方式

パリティチェック方式には，LRC(Longitudinal Redundancy Check：水平パリティチェック)と VRC(Vertical Redundancy Check：垂直パリティチェック)がある。実際の伝送では，2 つの方式を併用することが多い。

VRC は，伝送データを 7 単位の文字コードなどで符号化し，8 ビット目にパリティビットを付加するものである。LRC は，伝送データを一定のブロックに分割したとき，そのブロックの最後に付加するものである。

以下は，VRC，LRC ともに偶数パリティの例である。

垂直パリティビット→	b8	1	1	1	0	1	0	0	1	1	0	0
	b7	0	0	0	0	0	0	0	0	0	0	0
	b6	0	1	1	1	1	1	1	1	1	0	0
	b5	0	1	1	1	1	1	1	1	1	1	1
	b4	0	0	0	0	0	0	0	0	1	0	1
	b3	0	0	0	0	1	1	1	1	0	1	1
	b2	1	0	1	1	0	0	1	1	0	1	0
	b1	0	1	0	1	0	1	0	1	0	1	1

（右端の列：水平パリティビット）

←送信方向

●CRC 方式

CRC(Cyclic Redundancy Check：巡回冗長検査)はランダム誤りやバースト誤りを検出できるので，HDLC や CSMA/CD など，フレーム伝送を行う伝送制御手順の誤り制御手順として用いられている。

▶間違えやすい

VRC と LRC を併用すれば 1 ビットの誤りは検出でき，訂正もできる。しかし 2 ビットの誤りは検出できるときもあるが，訂正はできない。

▶間違えやすい

1 であるビットの数が偶数(0 を含む）になるように，1 ビットのパリティビットを付加することを偶数パリティ，1 であるビットの数が奇数になるように 1 ビットのパリティビットを付加することを奇数パリティという。

用語解説

バースト誤り／ランダム誤り

バースト誤りは，一連のデータ列中に連続して複数出現する誤りである。伝送路のノイズなどが原因で複数のビットが連続的に壊れる場合に発生する。ランダム誤りは，データ列中に，ランダムにデータの誤りが発生することである。

任意のビット列を多項式とみなし，それを定められた多項式（生成多項式）で除算し，その余りを固定長の冗長ビットとして伝送単位の最後に付加して伝送する。受信側では受信ビット列を送信側と同じ生成多項式で割り，余りがなければ正常に受信したとみなす。ITU-Tでは，生成多項式として，“$x^{16}+x^{12}+x^5+1$”を勧告している。

なお，任意のビット列を多項式とみなすというのは，ビット列を次のように多項式に対応させることである。

←送信方向	1		1	0		1	0		1	
	2^5		2^4	2^3		2^2	2^1		2^0	
	↓		↓			↓			↓	送信データの
	x^5	+	x^4		+	x^2		+	1	←多項式

用語解説

ITU-T

ITU-T（International Telecommunication Union-Telecommunication sector）は，国際電気通信連合（ITU）において，主に有線の電気通信に関する技術の標準化を担当する部門である。技術標準を審議・策定し，ITU-T勧告として公表する。

チェック! よく出る午前問題で基本事項を確認

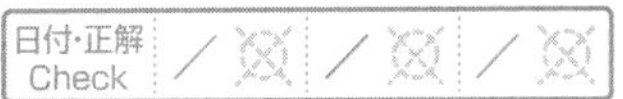

問題 ［応用情報技術者試験 2015年春期午前 問34］ 難易度 ★★ 出題頻度 ★★★

伝送速度64kビット／秒の回線を使ってデータを連続送信したとき，平均して100秒に1回の1ビット誤りが発生した。この回線のビット誤り率は幾らか。

ア　1.95×10^{-8}　　イ　1.56×10^{-7}　　ウ　1.95×10^{-5}　　エ　1.56×10^{-4}

解説

64kビット／秒の回線なので，1秒間に64kビット送信することができる。一方，100秒に1回の1ビット誤りが発生したということは，1秒には1／100（10^{-2}）回のビットの誤りが発生したことになる。すなわち，64k（64×10^3）ビットごとに10^{-2}回のビット誤りが発生したことになるので，ビット誤り率は次のようになる。

$$\text{ビット誤り率}=\frac{10^{-2}}{64\times10^3}=\frac{1}{64}\times10^{-5}$$
$$=0.015625\times10^{-5}$$
$$=1.5625\times10^{-7}$$
$$\fallingdotseq \mathbf{1.56\times10^{-7}}$$（小数点以下第3位を四捨五入）

正解：イ

7.3 ネットワーク

ネットワークは，網状の組織の総称である。コンピュータネットワークは，コンピュータ，サーバ，端末などの情報機器を回線で接続したネットワークである。現在，LAN，WAN，インターネットなど，多くのネットワークが構築されている。

7.3.1 LAN と WAN

午後にも出る

Point
- LAN の制御方式は CSMA/CD，トークンパッシングなど
- ルータはネットワーク層，ブリッジはデータリンク層で LAN を接続

比較的狭い範囲に構築されたネットワークが LAN，広範囲に構築されたネットワークが WAN である。

● WAN

WAN（Wide Area Network）は，電気通信事業者が提供する通信サービスである。専用線，回線交換，パケット交換，フレームリレー，ATM などが提供されている。WAN は，通信速度や伝送品質の面で LAN に比較して劣るが，広範囲をカバーする。

参考

LAN と WAN の中間に位置するネットワークという意味で，MAN（Metropolitan Area Network：都市域網）がある。1 つの都市に範囲を限定したネットワークで，都市部での高速なネットワークの構築に利用される。

● LAN

LAN（Local Area Network）は，同一建物内や敷地内にケーブルを敷設し，複数のコンピュータや端末装置を接続したネットワークである。LAN の標準化は IEEE 802 委員会を中心に行われており，OSI 基本参照モデルのデータリンク層までを規定している。

参考

無線ブロードバンド通信規格の1つにWiMAXがある。WiMAX（Worldwide Interoperability for Microwave Access）は，1台のアンテナで半径約50kmをカバーする，最大75Mビット／秒の長距離の無線規格である。現在，改良版としてWiMAX2，WiMAX2+の規格がある。

OSI基本参照モデル

データリンク層	LLC
	MAC
物理層	

IEEE 802.1 上位層インタフェース		
IEEE 802.2 論理リンク制御		
IEEE 802.3 CSMA/CD	IEEE 802.4 トークンバス	IEEE 802.5 トークンリング

トポロジ

LANのトポロジ（接続形態）には，バス型，リング型，スター型がある。下の概念図において，●はノード（サーバ，クライアントなど）を示す。□の制御装置には，ハブなどの集線装置が使われる。また，■は終端抵抗である。

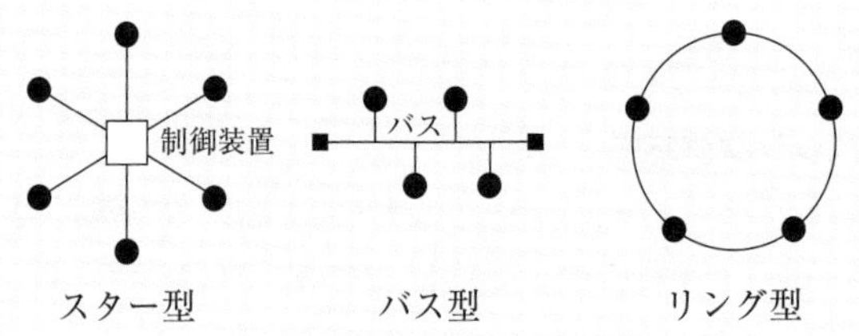

	スター型	バス型	リング型
長所	レイアウトの変更や障害箇所の特定が容易	レイアウトの変更が容易，構成が単純で信頼性が高い	ノードが制御するので信号の増幅が容易，特別な制御装置が不要
短所	制御装置に障害が発生するとネットワークが停止	バス上でトラフィックが輻輳しやすく，パフォーマンスが低下する	ノードが故障するとネットワークが停止，レイアウトの変更が面倒

伝送媒体

LANの伝送媒体には，同軸ケーブルやより対線（ついせん）(ツイストペア線)，光ファイバケーブルがある。なお，下表の耐電磁波については，各媒体の相対的な比較である。

媒体	種類	耐電磁波	用途
同軸ケーブル	細芯同軸（10BASE2に使用） 標準同軸（10BASE5に使用）	普通	支線 幹線
より対線	STP（Shielded Twisted Pair） UTP（UnShielded Twisted Pair）	弱い	支線
光ファイバケーブル	シングルモード（SMF） マルチモード（MMF）	強い	支線 幹線

● LANのアクセス制御方式

LANのアクセス制御方式には，CSMA/CD方式とトークンパッシング方式などがある。

参考

イーサネット

イーサネット(Ethernet)は，Xerox社と旧DEC社が考案したLANの規格で，IEEE 802.3委員会によって標準化された。CSMA/CDを採用したバス型LANとスター型LANで，現在，ほとんどのLANがイーサネットである。

参考

同軸ケーブルは10BASE2，10BASE5で使用されていたケーブルで，現在，LANではほとんど見ることはない。テレビ受信機とアンテナを接続する給電線や，電子機器内部の配線に使用されている。一方，多く利用されているのは，より対線（UTP）である。

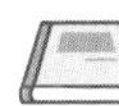

用語解説

SMF

Single Mode optical Fiber。シングルモード光ファイバ。コア径が10μm以下と小さく，ファイバ中を進んでいくレーザ光に1つのモードしか存在せず，伝播に伴う信号波形の劣化が少なく長距離伝送ができる。

MMF

Multi-Mode optical Fiber。マルチモード光ファイバ。コア径が50μmや62.5μmと太く，異なるモードを混在させることができる。信号を多重化できるので，大容量の伝送が可能である。しかし，モード間で伝播速度が異なるため，伝播に伴い信号波形が劣化するので，長距離通信は難しい。

参考

グローバルIPアドレスの数に制限があるとき，IPアドレスを管理するサーバは，クライアントが通信を終えると，IPアドレスを回収し，ほかのコンピュータにIPアドレスを割り当てる。このプロトコルを，DHCP（Dynamic Host Configuration Protocol）という。

用語解説

タイムスロット

タイムスロットは，1本の伝送路で複数回線の信号を同時に送るとき，1つの回線に割り当てられた短い時間間隔である。1本の伝送路を時間で分割し，複数回線を独立して使えるようにしている。このタイムスロットを各機器に割り当てることで，あたかも1つの機器が伝送路を占有しているように見せる。

トークンパッシング方式をバス型LANに適用したのがトークンバス方式，リング型LANに適用したのがトークンリング方式である。トークンバス方式では，各端末に論理的な順位付けをし，その順にトークンを巡回させる。

参考

ネットワークにファイルサーバを接続する例に，NASやSANがある。NAS（Network Attached Storage）は，ネットワークに直接接続して使うファイルサーバ専用機である。SAN(Storage Area Network)は，ストレージ同士，あるいはストレージとコンピュータを結ぶ高速ネットワークである。

CSMA/CD方式

CSMA/CD（Carrier Sense Multiple Access with Collision Detection）方式は，バス型又はスター型LANに用いられるアクセス制御方式である。データを送信しようとする端末（ノード）は，伝送路上にデータがないことを確認したうえで，データを送信する。このとき，伝送路上に他の装置のデータが流れていれば，一定時間待ったあと，再送する。

トークンパッシング方式

トークンパッシング方式は，トークンを常にLAN上に循環させ，各装置はトークンを得ることにより送信権を得て送信を行う。このため，衝突による再送の発生がネットワークの負荷状態によって増加することはない。

伝送遅延の比較

CSMA/CD方式では，トラフィックが少ないうちはあまり衝突は発生しないが，トラフィックが多くなると衝突が多発し，伝送遅延が急激に増加する。一方，トークンパッシング方式では衝突がないので，ネットワークの負荷によって伝送遅延が発生することはない。ただし，トラフィックが多くなると，トークンを捕まえることのできる確率が低くなるため伝送遅延が生ずる。

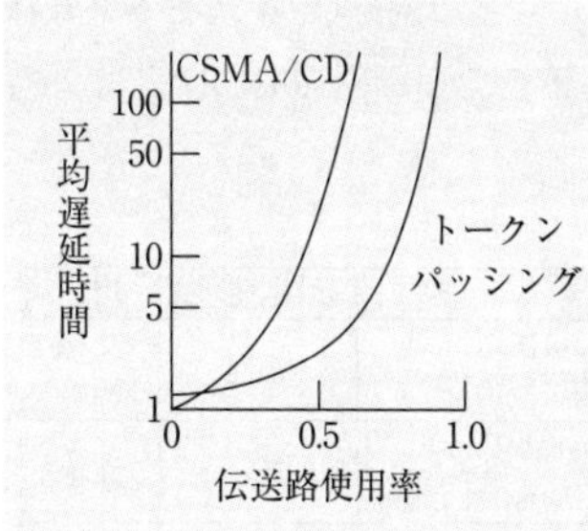

LAN間接続装置

LAN間接続装置は，複数のLANの相互接続や幹線LANと支線LANの接続，プロトコルの異なるネットワーク間の接続など，ネットワーク間を接続する装置である。機能によって，次に示す装置がある。

<table>
<tr><th>OSI基本参照モデル</th><th colspan="2">LAN間接続装置</th></tr>
<tr><td>アプリケーション層</td><td colspan="2" rowspan="4">ゲートウェイ</td></tr>
<tr><td>プレゼンテーション層</td></tr>
<tr><td>セション層</td></tr>
<tr><td>トランスポート層</td></tr>
<tr><td>ネットワーク層</td><td>ルータ</td><td>レイヤ3スイッチ</td></tr>
<tr><td>データリンク層</td><td>ブリッジ</td><td>スイッチングハブ</td></tr>
<tr><td>物理層</td><td>リピータ</td><td>リピータハブ</td></tr>
</table>

リピータ	LANの伝送距離を伸ばすのに使われ，最大4台まで接続可能 制御方式が同じLANに限定される
ブリッジ	宛先のMACアドレスを見て，フィルタリングをする 制御方式が同じLANに限定される 接続されたLANは理論的に1つとみなされる
ルータ	IPアドレスによる通信経路の選択，フィルタリングを行う 制御方式が異なるLANでも接続できる
ゲートウェイ	プロトコルの異なるLANを接続する装置やソフトウェア 通信サーバともいう
ハブ	スイッチングハブ(レイヤ2スイッチ)はブリッジと同等 リピータハブはリピータと同等

LANの規格（IEEE 802規格）

代表的なLANの規格に，IEEE 802委員会の規格がある。下表に示したIEEE 802規格は，全てCSMA/CD方式によるものである。

規格	伝送速度	トポロジ	媒体	セグメント長
10BASE2	10Mbps	バス型	細芯同軸	185m
10BASE5		バス型	標準同軸	500m
10BASE-T		スター型	UTP	100m
100BASE-FX	100Mbps	スター型	MMF	2km
			SMF	20km
100BASE-TX		スター型	UTP	100m
1000BASE-SX	1Gbps	スター型	MMF	550m

用語解説

MACアドレス

MAC（Media Access Control）アドレスは，LANにコンピュータを接続するとき使用するネットワークアダプタに固有に与えられた番号である。全世界のネットワークアダプタにユニークな番号が割り当てられており，これを基にネットワークアダプタ間のデータの送受信が行われる。MACアドレスが有効なのは，1つのLANの中だけである。

間違えやすい

ルータのもつ機能のうち，ルーティングを高速に行うことに特化したルータを，レイヤ3スイッチという。ルーティング処理を高速に行うために，ハードウェアレベルで処理を行っている。このため，ルーティング速度は接続している回線のスピードと同等になる。

参考

ギガビットイーサネット

ギガビットイーサネットは，通信速度が1Gbps（1000Mbps）のイーサネット規格の総称である。UTPケーブルを使用する1000BASE-Tや，光ファイバを使用する1000BASE-LX，1000BASE-LH，1000BASE-SXなど複数の規格がある。

7.3.2 無線 LAN

午後にも出る

- 無線 LAN は IEEE 802 委員会で検討されてきた IEEE 802.11 シリーズが標準
- 無線 LAN の規格には IEEE 802.11g，IEEE 802.11a，IEEE 802.11n など

参考

無線LAN（IEEE 802.11）で使用される機器に関する業界団体であるWi-Fi Allianceは，標準に沿って作られた製品間の相互接続性を認定しており，この認定の名称がWi-Fi（ワイファイ）である。

無線 LAN は，赤外線や電波を伝送媒体とした LAN である。有線 LAN と異なり，ケーブルなどを利用しないため，比較的自由に機器を接続できる。また，移動中であっても，屋外であっても利用範囲内であれば通信が可能である。しかし，利用範囲が 30 ～ 100m 程度と狭く，無線なので，近くで傍受される可能性があり，アクセス制御，暗号化通信機能などの対策が必要である。

●アクセスポイント

無線 LAN におけるアクセスポイントは，無線端末を，相互に接続したり，ほかのネットワークに接続したりする無線中継装置の 1 つである。ブリッジと同じような機能を果たすブリッジタイプ，ルータと同じような機能を果たすルータタイプがあり，ブリッジタイプは，登録された MAC アドレスをもつ無線 LAN カード以外の接続を制限することができる。

▶間違えやすい

次ページの表中，IEEE 802.11n，IEEE 802.11ac，IEEE 802.axを，それぞれ，Wi-Fi4，Wi-Fi5，Wi-Fi6とも呼ぶ。これらは，世代名にあわせた表記法で，Wi-Fi規格の進化に対応する形で数字によってWi-Fiの世代を表す。また，次のようなロゴも用意されている。

Wi-Fi4	
Wi-Fi5	
Wi-Fi6	

●SSID（ESSID）

SSID（Service Set IDentifier）は，IEEE 802.11 規格の無線 LAN におけるアクセスポイントの識別子である。ESSID（Extended Service Set IDentifier）も同じ意味で用いられる。混信を避けるために付けられるネットワーク名のようなもので，最大 32 文字（オクテット）までの英数字を任意に設定できる。無線 LAN に接続しようとする端末は，SSID を一致させる必要がある。

●IEEE 802.11 規格群

IEEE 802.11 は，IEEE（Institute of Electrical and Electronic Engineers：米国電気電子学会）において LAN 技術

の標準を策定している 802 委員会が定めた無線 LAN の規格群である。2.4GHz 帯，5GHz 帯の周波数を使った無線方式について規定している。

次は，IEEE 802.11 の規格群である。

規格	周波数帯	公称の最大通信速度	その他
IEEE 802.11b	2.4GHz	11M ビット／秒	
IEEE 802.11a	5GHz	54M ビット／秒	
IEEE 802.11g	2.4GHz	54M ビット／秒	
IEEE 802.11n	2.4GHz/5GHz	最大 600M ビット／秒	MIMO 方式を採用
IEEE 802.11ac	5GHz	最大6.9G ビット／秒	MIMO 方式を採用
IEEE 802.11ax	2.4GHz/5GHz	最大 9.6G ビット／秒	MIMO 方式を採用

●電波干渉

IEEE 802.11g では，2.4GHz 帯に中心周波数を 5MHz 刻みにして，図で示すように，13 個の無線チャネルを割り当てている。1 個のチャネルの周波数幅は 22MHz で，互いに干渉しない独立した周波数帯域で利用できるチャネルは最大 3 個である。そのチャネルの組合せには“1，6，11”，“2，7，12”，“3，8，13”などがある。アクセスポイントが複数ある場合は，電波干渉が発生しないようにそれぞれ異なるチャネルを設定する必要がある。

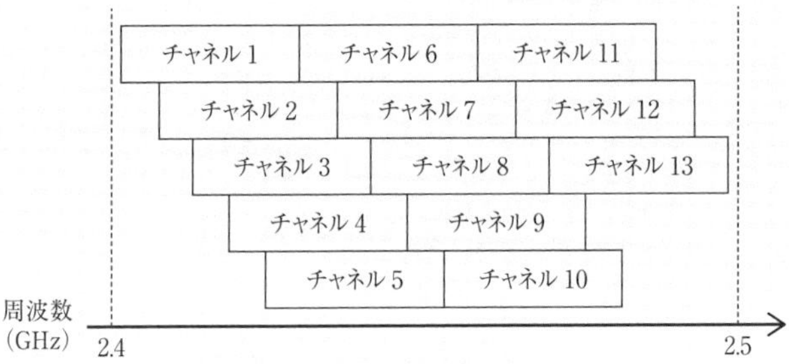

用語解説

MIMO

MIMO（Multiple Input Multiple Output）は，複数のアンテナを組み合わせてデータ送受信の帯域を広げる無線通信技術である。無線LAN（Wi-Fi）の高速化などに応用されている。IEEE 802.11n では，1本（150Mビット／秒）から最大4本（600Mビット／秒）まで同時に通信するアンテナ数を選択できる。

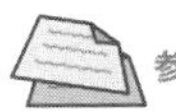
参考

2.4GHz帯を使う無線LANでは，同じ周波数帯を利用する機器が多いため，電波干渉により接続状況が不安定になったり，通信速度が低下したりしやすい。一方，5GHz帯は無線LAN専用の周波数帯のため，近隣住居や他の家電製品の電波干渉を受けにくく，接続状況が安定しやすく，通信速度の向上を見込める。

▶間違えやすい

有線LAN の CSMA/CD 方式とほぼ同じ手順を無線 LAN に適用した方式を，CSMA/CA（Carrier Sense Multiple Access with Collision Avoidance）という。これは，無線 LAN では回線が空いているかどうかの通信状況を確認しにくいため，送信後に受信側から ACK 信号が到達したら送信が成功したものとみなす方式である。

7.3.3 インターネット技術

Point
- インターネットの基本サービスはTELNET，電子メール，FTP
- 電子メール送信プロトコルはSMTP，受信プロトコルはPOP

インターネットは，ほぼ全世界にまたがるコンピュータネットワークで，TCP/IPを使用するコネクションレス型のオープンなネットワークである。電話網とは異なり，通信する手段だけを提供するもので，管理者はその内容については関知しない。利用するに当たっては，インターネットに接続するまでの費用を負担すれば，あとは既存のネットワークが負担してくれるため，通信費用の大幅な軽減となる。

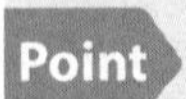

電子メール暗号化方式のプロトコルに，S/MIME（エスマイム）(Secure Multipurpose Internet Mail Extensions）がある。メッセージを，RSAを用いて暗号化して送受信する。S/MIMEで暗号化メールをやり取りするには，受信者側もS/MIMEに対応している必要がある。

●インターネットの基本サービス

インターネットで利用されている主な通信サービスは次のとおりである。これらは，サービスの名称であるが，プロトコルの名称でもある。

TELNET（テルネット）	TELecommunication NETwork（仮想端末プロトコル） 遠隔地にあるコンピュータを遠隔操作するためのプロトコル
FTP	File Transfer Protocol（ファイル転送プロトコル） ホスト間でファイルを転送するプロトコル
SMTP	Simple Mail Transfer Protocol 電子メールを送受信するプロトコル
POP（ポップ）	Post Office Protocol（最新バージョンはPOP3） メールクライアントがメールサーバからメールを取り出すプロトコル
RPC	Remote Procedure Call プログラムの一部の処理を他のコンピュータに任せるためのプロトコル
SNMP	Simple Network Management Protocol ネットワークに接続されているコンピュータを管理するプロトコル
HTTP	HyperText Transfer Protocol ブラウザとWebサーバ間のHTML文書交換プロトコル
IMAP（アイマップ）	Internet Messaging Access Protocol（最新バージョンはIMAP4） POP3の拡張版，選択的にメールを取り出すプロトコル
MIME（マイム）	Multipurpose Internet Mail Extension バイナリデータを送信するための電子メール拡張プロトコル
NTP	Network Time Protocol コンピュータの内部時計を，ネットワークを介して合わせるプロトコル

FTPには，データ転送と制御の二つの異なる機能がある。FTPは二つのコンピュータ間でファイル転送を行うが，別なコンピュータから制御する（例えば，TELNETなどを使う）ことができる。制御機能は，FTP-dataという。

本文で示したインターネットの基本サービス以外に，NNTPがある。
NNTP（Network News Transfer Protocol）はインターネット上で記事の投稿や配信，閲覧などを行うNetNewsのメッセージ転送に用いられるプロトコルである。

● DNS

DNS(Domain Name System) は，IP アドレスとドメイン名が 1 対 1 に対応する性質を利用して，ドメイン名から IP アドレスを検索する仕組みである。ドメイン名は，数値化された IP アドレスを目で見てわかるように表記したものである。

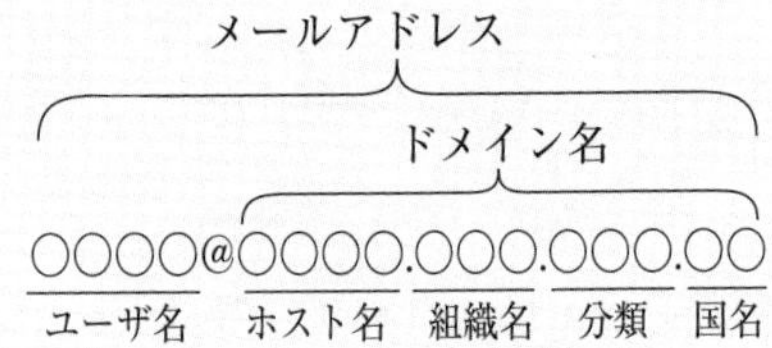

DNS では，1 台のネームサーバが全ての IP アドレスを管理しているのではなく，ドメイン名の階層に沿ってネームサーバが配置され，ツリー構造で管理されている。1 台のネームサーバによって管理されるドメイン名の範囲をゾーンといい，クライアントが要求したネームサーバの範囲外であった場合，さらに上位のネームサーバに問い合わせる。現在，全世界のインターネットのドメイン名，IP アドレス，プロトコルなどの管理は，ICANN(Internet Corporation for Assigned Names and Numbers)が行っている。日本のドメインの管理は，株式会社 日本レジストリサービス(Japan Registry Service Co. Ltd：JPRS)が中心になって行っている。

● URL

URL（Uniform Resource Locator）は，インターネット上の情報資源を統一的にアクセスするための記述方法である。ホームページのアドレスと考えればよい。Webページを参照するとき，“http://www. ～” や “https://www. ～” などと記述されたものである。

URL の構成は，次のとおりである。なお，“member/login” を省略することもできる。省略したときは，“index.html” が仮定される。

DNS はシステムの名称であって，DNS を提供するサーバを，DNS サーバ，あるいはネームサーバという。最上位の DNS サーバ（ルートサーバ）は全世界に 13 台配置されており，負荷分散とバックアップの役割を果たしている。

リゾルバ

リゾルバは，ドメイン名をもとにIP アドレスの情報を検索したり，IP アドレスからドメイン名の情報を検索するなど，名前の解決を行うソフトウェアである。また，外部の不特定のIP アドレスからの問合せに応答するDNS サーバを，オープンリゾルバという。

本文で示したドメイン名の右端（国名）をトップレベルドメインという。ドメイン名の付与の原則は本文で示したとおりであるが，現在，次のような分野別トップレベルドメインも使われている。

.com：商業組織用
.net：ネットワーク用
.org：非営利組織用

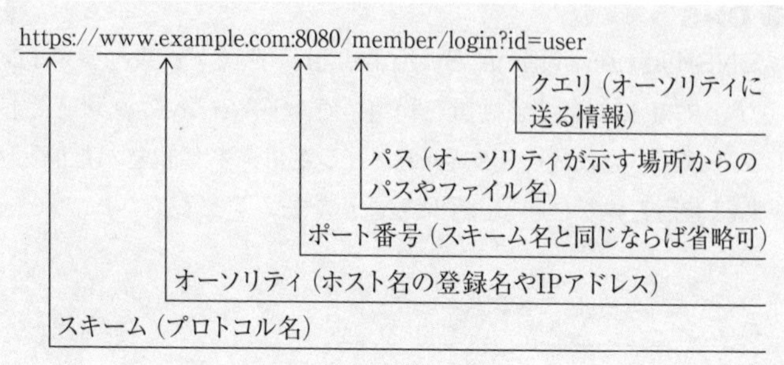

● IPsec

IPsec（Security Architecture for Internet Protocol）は，IPパケットの暗号化と認証を行うセキュリティ技術で，インターネットで標準的に使われている。IPのパケットを全経路で暗号化して送受信するため，TCPやUDPなど，上位のプロトコルを利用するアプリケーションは，IPsecが使われていることを意識する必要はない。IPv4ではオプションであるが，IPv6では標準で実装されている。

なお，IPsecでは共通鍵暗号方式が使われており，共通鍵を事前に交換する必要がある。このため，IKE（Internet Key Exchange）という自動鍵交換プロトコルを用いている。

● インターネットとの接続

インターネットに接続する場合は，通常，ISPを利用する。ISP（Internet Service Provider：インターネット接続サービス事業者）は，利用者から接続料金を徴収し，その対価としてインターネットへの接続や電子メールの利用サービス，Webの公開サービスなどを提供する。

参考

ホストやネットワークなどからインターネットなどの外部回線に接続するとき，複数の経路を利用することをマルチホーミングという。企業などの組織の内部ネットワークからは1つのISPに接続することが多いが，複数のISPと接続しておけば，障害が発生したときの迂回路となる。

● イントラネットとエクストラネット

イントラネットは，インターネットで使用するソフトウェアを利用して構築した企業内ネットワークである。インターネットと同じ操作性で，短期間に安価なシステムを構築できる。

イントラネットを構築すると，インターネットを介して企業外のシステムとの接続が容易になる。

エクストラネットは，イントラネットを企業間に拡大したネットワークである。通常，イントラネットをインターネットに接続して，エクストラネットを構築する。

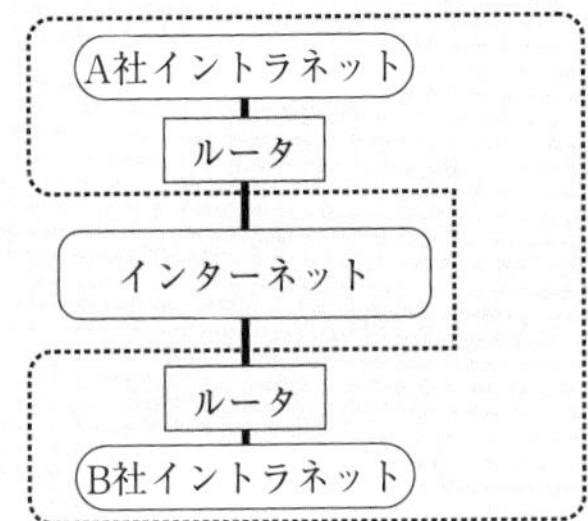

NAT／NAPT

IPアドレス（IPv4）は32ビットしかないため，IPアドレスが不足することが懸念される。このため，プライベートIPアドレスとグローバルIPアドレスという概念が導入されている。プライベートIPアドレスは内部ネットワークだけで有効なIPアドレス，グローバルIPアドレスはインターネットで有効なIPアドレスである。そこで，グローバルIPアドレスとプライベートIPアドレスの相互変換が必要になり，この変換方法に，NATやNAPTがある。NATやNAPTは，プロキシサーバで動作させるのが一般的である。

プライベートIPアドレスについては，インターネット側ではルーティングしないことになっており，組織外へこのアドレスをもつパケットを送出することも禁止されている。

参考

プライベートIPアドレスとして，次のものが推奨されている。

クラスA：10.0.0.0～10.255.255.255
クラスB：172.16.0.0～172.31.255.255
クラスC：192.168.0.0～192.168.255.255

NAT

NAT（ナット）（Network Address Translation）は，プライベートIPアドレスとグローバルIPアドレスを1対1に相互変換する機能である。この機能によって，プライベートIPアドレスしか割り当てられていないホストから，インターネットにアクセスできる。しかし，1つのグローバルIPアドレスを使用してインターネットにアクセスできるホストは，ある時点では1つである。

参考

IPアドレスの不足を補う方式に，CIDRがある。CIDR（Classless Inter-Domain Routing）は，IPアドレスのクラスを一時的に無視し，ネットワーク部に使用するビット数をIPアドレスに含ませる方式である。例えば，192.168.0.0/28のように指定する。/の後ろの数字がネットワーク部のビット数，残りがホスト部のビット数を示す。

NAPT

NAPT（ナプト）（Network Address Port Translation，IPマスカレー

ド）は，プライベートIPアドレスとグローバルIPアドレスの相互変換ということでは，NATと同じ機能を提供する。しかし，ポート番号とプライベートIPアドレスを組み合わせて使用するため，複数のプライベートIPアドレスを，1つのグローバルIPアドレスに対応させることができる。ただし，NAPTでは，ポート番号の変換が行われるため，インターネット側から内部のホストに接続を開始するような使い方はできない。これは，外部からは内部のポート番号が原則として分からないからである。

用語解説

ポート番号

ポート番号は，TCPやUDPを使用するアプリケーションに対して，そのシステム内で一意に設定されている番号である。ポート番号によって，送受信システム内でのアプリケーションを特定することができる。具体的には，HTTPは80，SMTPは25，POPは110などの番号が与えられている。

例えば，2つのプライベートIPアドレスをもつPCがある場合について，NAPTの仕組みを説明する。図中，192から始まる数値はプライベートIPアドレス，wから始まるIPアドレスはグローバルIPアドレス，IPアドレスに続く：以降の数値はポート番号である。

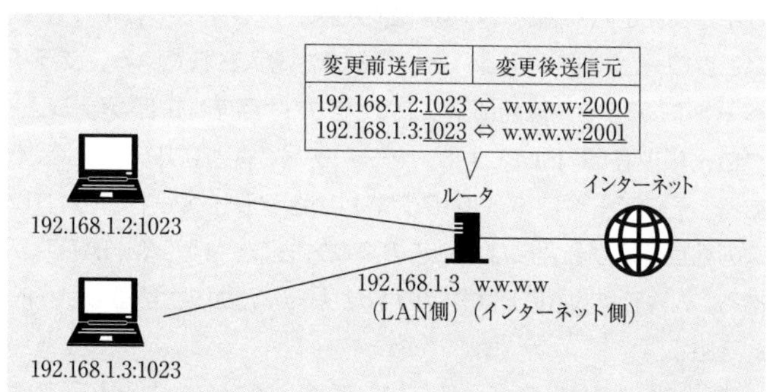

LAN側におけるIPアドレスはそれぞれ異なるが，ポート番号は同じ場合がある。そこで，ルータにおいてポート番号を下線部のように変更することで同じグローバルIPアドレスを割り当てることができる。上図では，プライベートIPアドレスの192.168.1.3は，ルータによってルータのグローバルIPアドレスのw.w.w.wに変換されることを示している。

チェック! よく出る午前問題で基本事項を確認

日付・正解 Check ／ ／ ／

問題 1 [応用情報技術者試験 2019年春期午前 問33] 難易度 ★★ 出題頻度 ★★★

図のようなIPネットワークのLAN環境で，ホストAからホストBにパケットを送信する。LAN1において，パケット内のイーサネットフレームの宛先とIPデータグラムの宛先の組合せとして，適切なものはどれか。ここで，図中のMAC*n*/IP*m*はホスト又はルータがもつインタフェースのMACアドレスとIPアドレスを示す。

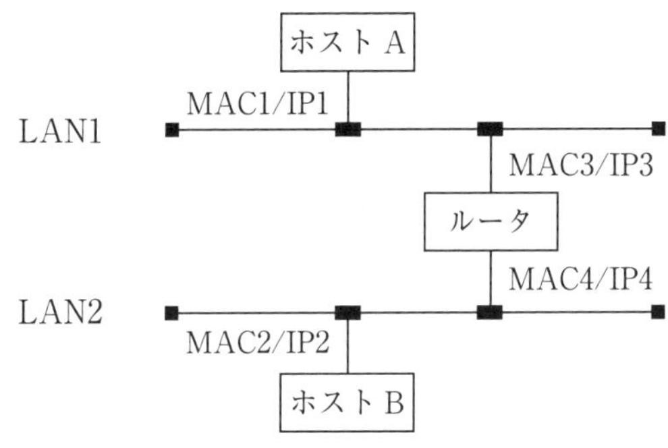

	イーサネットフレームの宛先	IPデータグラムの宛先
ア	MAC2	IP2
イ	MAC2	IP3
ウ	MAC3	IP2
エ	MAC3	IP3

問題 2 [応用情報技術者試験 2011年春期（特別）午前 問34] 難易度 ★ 出題頻度 ★★★

インターネット接続におけるNAPTの説明として，適切なものはどれか。

ア　IPアドレスとMACアドレスとの変換を行う。
イ　プライベートIPアドレスとグローバルIPアドレスとの1対1の変換を行う。
ウ　プライベートIPアドレスとポート番号の組合せと，グローバルIPアドレスとポート番号の組合せとの変換を行う。
エ　ホスト名とIPアドレスとの変換を行う。

解説 1

ルータはネットワーク層でLAN間を接続する装置で，IPデータグラムのIPアドレスを見て，該当のノードにデータを送り届ける。一方，MACアドレスが有効なのは1つのLANの中だけである。ルータで接続されたLANは，別なLANとみなされる。

ホストAは，最終的な送り先のホストBのIPアドレス（IP2）を，IPデータグラムの宛先に設定する必要がある。また，MACアドレスは1つのLANのノード間の送受信に使用されるので，ホストBのMACアドレスは設定できない。この場合，同一LAN内で，ほかのLANにIPデータグラムを送信できるルータのMACアドレス（MAC3）をパケット内のイーサネットフレームの宛先に設定する。

なお，**データグラム**は，パケットとほぼ同じ意味であるが，TCP/IPなどでは，再送制御や受信順の保証などが行われる信頼性の高い通信プロトコルにおけるデータの送受信単位をパケットといい，このような制御が行われない単純なプロトコルにおけるデータの送受信単位をデータグラムという。

正解：ウ

解説 2

NAPT（Network Address Port Translation，IPマスカレード）は，プライベートIPアドレスとグローバルIPアドレスを相互に変換する機能である。IPの上位プロトコルであるTCP／UDPの通信ポート番号を認識し，プライベートIPアドレスとグローバルIPアドレスの対応関係を管理する。このため，1つのグローバルIPアドレスに対して複数のプライベートIPアドレスを同時に対応させることができる。

ア　IPアドレスを基にMACアドレスを得るプロトコルはARP，MACアドレスを基にIPアドレスを得るプロトコルはRARPである。

イ　NATの説明である。

エ　DNSやhostsファイルの説明である。

hostsファイルは，OSのシステムファイルの1つで，TCP/IPネットワーク上のIPアドレスとホスト名の対応を記述するテキストファイルである。IPアドレスとホスト名の変換（名前解決）は，小規模なローカルネットワークではhostsファイルで済ませることもあるが，通常はDNSサーバなどを参照するようにすることが多い。初期状態では，“127.0.0.1 localhost”の1行のみ定義されている。

正解：ウ

7.4 ネットワーク応用

現在，世界規模に拡大しているインターネットは，ネットワークシステムの応用例の一つである。インターネットの新しい利用方法や新しいビジネスが出現している。

7.4.1 ネットワークの利用

Point
- インターネットは世界的規模のネットワークシステム
- CATV はテレビの有線放送サービス

インターネットは，米国国防総省の支援により運用が開始されたARPANET(Advanced Research Project Agency NETwork)を母体として生まれた全世界のネットワークを相互に接続した巨大なネットワークである。当初は学術研究の情報交換を目的としたネットワークであったが，利便性が評価され，次第に商用に使われるようになった。パソコン通信サービスとは異なり，サービスを提供するホストコンピュータが 1 台どこかに設置されているわけではなく，全世界に散在するサーバの集合体である。

● Web

Web は，インターネットで用いられている情報検索システムで，WWW(World Wide Web)の略称である。ハイパテキスト型情報検索を行うクライアントサーバシステムである。Mosaic というブラウザの登場によって，Web が広く使われるようになった。Web は，文字だけでなく画像や音声も扱うことができ，一般への広報·宣伝手段として公共機関や一般企業が Web を利用しており，個人からの情報発信の手段としても使われている。

用語解説

ハイパテキスト
ハイパテキストは，文書の任意の場所に，ほかの文書の位置情報（ハイパリンク）を埋め込んでおき，複数の文書を相互に連結（リンク）できる仕組みである。リンクをたどって，次々と文書を検索できる。WWW もハイパテキストの一つである。

用語解説

PDA

PDA（Personal Digital Assistance）は，手のひらに収まる程度の大きさの情報機器で，パソコンのもつ機能のうちの幾つかを実現している。スマートフォン，Tabletなどが PDAの例である。

●モバイル通信

モバイル通信（モバイルコミュニケーション）は，モバイルを利用して，交換回線やLANなどを介さないでネットワークと接続し，メールの送受信，インターネットへのアクセスなどを行うことである。モバイルは，コンピュータシステムへのリモート接続を前提とする携帯用コンピュータ端末機器の総称である。携帯電話（スマートフォン），PHS，ノートパソコン，PDA などがモバイルの例である。

▶間違えやすい

人工衛星には，科学衛星，実用衛星などの種類がある。科学衛星は，大気や電離層の影響で地上では困難な天体の観測や宇宙線の観測を目的とした衛星である。実用衛星は，通信衛星や放送衛星，気象衛星など，通信や情報収集を目的とした衛星である。

●衛星通信

衛星通信は，人工衛星を使った通信である。赤道上空，約36,000km の静止軌道上に静止衛星を配置し，地球局と衛星を介して通信を行う。衛星は静止しているように見えるが，実際は常に地球の周りを回転しており，回転のスピードが地球の自転と同じ約 24 時間で 1 回転という速さであるため，地球からはいつも同じ位置にあるように見える。

静止衛星は衛星の高度が約 36,000km と高いため，3 基の衛星で地球全体のカバーが可能であるというメリットがある反面，伝送遅延が大きく，大出力を要することから端末機の小型化が困難であるというデメリットがある。

●CATV

CATV（Community Antenna TeleVision：ケーブルテレビ）は，山間部や人口密度の低い地域など，地上波テレビ放送の電波が届きにくい地域でもテレビの視聴を可能にするという目的で開発された。しかし，現在は，多チャンネルの都市型 CATV が普及している。なお，人工衛星からの放送をアンテナで受け，ある地域にサービスする形態も CATV と呼ばれることがある。

CATV は，地上波放送と比較してチャンネル数が多く（100 チャンネル程度），ニュースや映画，音楽番組など，特定のジャンルに特化した番組を配信できることが特徴である。また，CATV を経由したインターネット接続サービスやビデオオンデマンドなども提供されている。

用語解説

ビデオオンデマンド

ビデオオンデマンド（Video On Demand：VOD）は，ケーブルテレビ網や光ファイバ網にコンピュータシステムを組み合わせて，個々のユーザの要求に合わせて，見たいときに見たい映画を放送するシステムである。

7.4.2 通信サービス

Point
- xDSL は電話線を用いて高速通信を行う技術
- FTTH は家庭向けのデータ通信サービス

通信サービスは，電気通信事業者やインターネットサービスプロバイダ（ISP）が提供する固定系又は移動系の WAN サービスやインターネット接続サービスのことで，データ通信だけでなく音声通信もある。

ネットワークシステムを介して，種々の通信サービスが提供されている。これらは，ディジタル網で，種々のデータを，統一したインタフェースで使用できる。また，インターネットや公衆回線を専用線のように使用できる VPN が提供されてきた。

参考

かつてディジタル回線として普及したISDNは2回線あるため，電話とインターネット接続を同時にできるなどの利便性があった。しかし，アナログ回線で高速なADSLや光回線が普及したため，利用者は減少した。また，ADSLは，ISDNの基本インタフェースよりも速度が速いという利点があった。

● 専用線サービス

専用線サービスは，通信事業者から借り受けた専用線による通信サービスである。初期費用などのコストは掛かるが，自組織専用であるため，通信速度の安定性や安全性が非常に高い。また，インターネット接続時に接続回線として使用することもできる。ただし，ネットワークの拡張性に乏しいのが欠点である。

● 回線交換サービス

回線交換サービスは，回線交換機を用いて利用者同士を直通の回線で接続する通信サービスである。電話のように，接続中は回線を占有し，一度に多くの通信を受け付けることができないが，専用線と同じように使うことができる。通話が終われば，他の利用者と接続が可能である。また，送信者からの通信開始要求によって通信を開始する相手選択の回線なので，ダイアリング機能や着信機能が必要である。専用線サービスよりはコストは低いが，次のパケット交換サービスよりはコストが掛かる。

パケット交換サービス

パケット交換サービスは，1本の回線を複数ユーザが共有して用いる方式の通信サービスである。データをパケットという小容量の単位に分割して通信する方式で，少ない回線で複数の通信に対応することができる。また，こま切れでデータを送るので，回線が多少混雑しても不通状態に陥ることは少ない。パケット交換方式は，通信が必要なとき以外は回線を開放することができるため，コストも掛からない。

▶間違えやすい

IP電話とインターネット電話の最大の違いは，利用するネットワークにある。IP電話は音声の伝送にIP電話網という専用のネットワークを利用するが，インターネット電話はインターネットを利用する。スカイプは，インターネット電話の例である。

IP電話

IP電話は，IPネットワーク技術を使った電話である。インターネットがIP網であることから，インターネット電話もほぼ同じ意味で使われている。現在，IP電話に使われている技術は，VoIPを利用したものが多い。プロトコルが標準化されており，相互接続性がよいため，企業の内線電話や専用回線をIP電話に置き換える例が多い。

参考

SDN

SDN (Software Defined Networking) は，ソフトウェアによって柔軟に定義できるネットワーク及びそれを実現する技術全般のことである。ネットワークの装置の配置や配線などの物理的構成からはある程度独立して，目的に応じて仮想的なネットワークを構築できる。

FTTH

FTTH（Fiber To The Home）は，元々は，光ファイバケーブルを住宅まで敷設し，電話やインターネット接続などの各種通信サービスを提供する方式のことであったが，現在は，光ファイバケーブルによる家庭向けのデータ通信サービス全般を指すようになった。

参考

OpenFlow

OpenFlowは，ネットワーク機器を1つの制御装置で集中管理し，複雑な転送制御を行ったり，ネットワーク構成を柔軟に変更したりするのを，ソフトウェアで行う技術である。SDNを実現するための技術の1つである。

xDSL

xDSL（xDigital Subscriber Line：ディジタル加入者線）は，電話線を用いて高速ディジタルデータ通信を実現する技術の総称である。具体的な技術には，上りと下りの速度が異なるADSL（Asymmetric DSL），上下の通信速度が同じSDSL（Symmetric DSL），HDSL（High bitrate DSL），数百mの距離を高速に通信できるVDSL（Very high bitrate DSL）などの方式がある。方式によって，使用する電話線の本数や，上り，下り方向の伝送に用いる周波数帯域などが異なる。インターネットの普及に伴い，ADSLが広く用いられたこともあったが，現在は，光ファイバに置き換えられている。

VPN

VPN（Virtual Private Network）は，インターネットなどのオープンなネットワークをプライベートな専用ネットワークのように利用する方法である。VPNには，IP-VPNとインターネットVPNがある。

IP-VPNは，電気通信事業者の保有する広域IP網を介して構築されるVPNである。専用線を導入するよりコストを抑えることができる。IP-VPNの本来の意味はIP網を利用したVPNということであるが，通常は，インターネットを介さず，電気通信事業者の提供するIP網を使用したものを指す。インターネットを介さないIP-VPNは，セキュリティや通信品質を向上させることができる。

インターネットVPNは，インターネットを介して構築されるVPNである。インターネットVPNでは，インターネットを使うため，回線を維持するための費用が非常に低く，専用線などと比べて極めて低コストで運用することができる。しかし，データが盗聴される可能性が高いため，種々のセキュリティ技術が使われている。

一般的には，コスト面でインターネットVPNの方が優れ，品質や信頼性の面ではIP-VPNの方が優れている。

参考

かつて，インターネットの接続サービスとして広く用いられたADSLサービスは，2024年3月末で終了した。ADSLについては代替サービスがなく，ユーザが自ら他の回線サービスに乗り換えする必要があった。

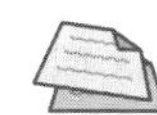
参考

通信サービスには，ベストエフォートという考え方がある。信頼性や高速性を犠牲にすることで，料金を安くする。フレームリレーやインターネットなどでは，トラフィックの増加に伴って，個々の通信のスループットが低下する。しかし，サービス水準を維持する努力はするが，スループット値は保証しない。また，信頼性や通信品質も保証しない。

MPLS-VPN

MPLS（Multi- ProtocolLabel Switching）は，IPネットワーク内でのパケット転送を高速化するレイヤ3スイッチングの技術である。IPヘッダやTCPヘッダなどから転送経路に関する情報を短い固定長のラベルとしてパケットに追加し，複数のルータ間を経由するときの無駄なヘッダ解釈を省略して高速化を図っている。

なお，MPLSで可能なのは，MPLSに対応しているルータだけである。そしてMPLSに対応しているルータをLSR（Label Switching Router）という。

VoIP

VoIP（Voice over IP）は，インターネットなど，IPネットワークを利用して音声信号を送る技術の総称である。ディジタル符号化した音声信号を一定時間ごとにパケット化して送信する。社内LANを使った内線電話やインターネット電話（IP電話）に使われている。

次は，ルータ，PBX，VoIPゲートウェイ，VoIPゲートキーパを使用して，内線用のアナログ電話機とIP電話機を混在させる場合の例を示したものである。

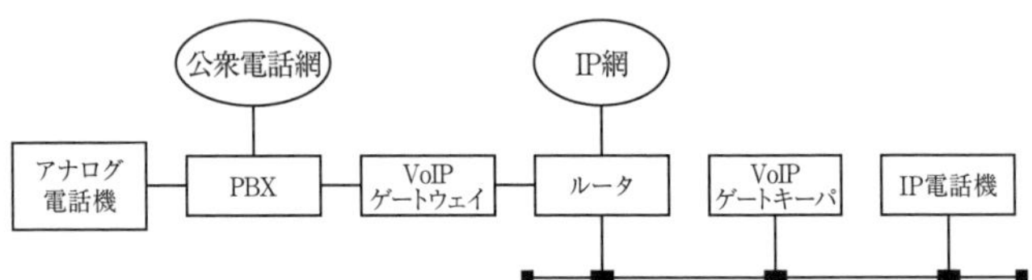

VoIPゲートウェイは，VoIP技術を用い，電話網とIPネットワークを相互接続するゲートウェイである。電話網から入力されるアナログ音声データをディジタルデータに変換し，IPパケットに分割してIPネットワーク上に送信する。同時に，IPネットワーク側から受け取ったIPパケットをアナログ音声に復元し，電話網へ送り出す。

PBX（Private Branch eXchange：構内交換機）は，電話回線を使用する電話機やファクシミリ，又は内線専用電話機を接続して機器相互の交換処理を行ったり，WANに接続して通話やデータ伝送を行ったりする装置である。

VoIPゲートキーパは，電話番号やIP電話のIPアドレスの変換，帯域や呼出し，切断の制御などの機能をもつVoIP装置である。VoIPにおいて仮想的な交換機として機能し，IP電話及びLANに接続して，H.323ゾーン(管理するIP電話網の範囲)を管理する。すなわち，一般のネットワークのルータに相当する。電話機からの呼出しを受けたH.323端末やVoIPゲートウェイ装置は，入力された相手先電話番号情報を基にゲートキーパに接続先VoIPゲートウェイやH.323端末のIPアドレスを問い合わせる。

用語解説

ゲートウェイ

ゲートウェイは，ネットワークとネットワークを接続するためのハードウェアやソフトウェアである。複数のプロトコルやデータ形式を自動的に変換する機能があり，プロトコルの異なるネットワーク間でデータをやり取りできるように制御する。

用語解説

H.323

H.323は，ITU-T（国際電気通信連合・電気通信標準化セクタ）が勧告したインターネット上で扱う動画や音声などのデータをやり取りするためのプロトコルである。ネットワーク上で音声・動画を1対1で送受信するために音声，映像方式，データ圧縮伸張方式などを定めている。テレビ電話などの実装に利用されている。

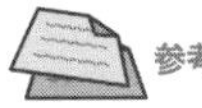
参考

IP電話では，古くからH.323が使われてきたが，現在，SIPも使われている。SIP（Session Initiation Protocol）は，IP電話用の呼制御プロトコルである。H.323との大きな違いは，SIPがインターネット仕様をベースにしている点である。なお，H.323は，SIPより処理が軽いという評価がある。

広域イーサネット

イーサネット（Ethernet）は，標準的に用いられているLANの規格の1つである。現在，特殊な用途を除いては，ほとんどのLANはイーサネットである。イーサネットの接続形態には，バス型LANと，スター型LANの2種類がある。最初に，10Mbpsの10BASE-2，10BASE-5，10BASE-Tの規格が定められ，本来，この規格をイーサネットという。現在，100Mbps，1Gbps，10Gbpsの速度をもつLANも規格化されている。

広域イーサネットは，地理的に離れたLAN間などをイーサネットインタフェースで接続する電気通信サービスである。広域イーサネットを利用して離れた拠点を接続すると，あたかも1つのLANであるかのようなネットワーク構成（フルメッシュ接続）にすることが可能である。

広域イーサネットサービスを利用して遠隔地の拠点を接続する場合，VPNと比較して次のようなメリットが考えられる。

- 通信速度が速く遅延も小さい
- 網構成の自由度が高く拠点の追加・プロトコルの変更などに柔軟に対応
- IP以外の通信プロトコルを利用する場合でもイーサネットへの変換のみで済む
- 安価なVLAN対応のレイヤ2スイッチやレイヤ3スイッチが使用可能

デメリットとしては，以下の点が挙げられる。

- 提供地域が狭くアクセス回線の費用が高くなることがある

参考

NTT東日本／西日本は，2024年1月にアナログ回線からIP網に移行することにしている。一部の機能は使えなくなるけれども，アナログ回線の固定電話はそのまま使用できるとしている。

用語解説

フルメッシュ接続

フルメッシュ接続は，全てのノード間を直接，接続した状態である。例えば，ノードA, B, C, Dがあるとき，フルメッシュ接続であると，A－B間に障害が発生しても，他の回線を迂回して接続できるので，障害に対して堅牢なネットワークを構成できる。

7.4.3 モバイルシステム

- 5G は 4G よりも格段に性能が向上したモバイルシステム
- VoLTE は 3G 携帯電話のデータ通信を高速化した LTE 方式

モバイルシステム（モバイルコンピューティングシステム）は，モバイルコンピューティングを利用した情報通信技術システムである。情報通信技術システム（Information and Communication Technology：ICT システム）は，いつでもどこでもコンピュータが利用できる環境のことである。

参考

2.4GHz帯の電波を用いた最大1Mbpsの通信規格を，BLE（Bluetooth Low Energy：Bluetooth LE）という。Bluetoothの拡張仕様の1つで，ボタン電池1つで数年稼働するとされている。低コストであることから，IoTでの活用が期待されている。

● LTE

LTE（Long Term Evolution）は，携帯電話の通信規格の１つで，第３世代携帯の通信規格（3G）をさらに高速化させたものである。3G を長期的に進化（Long Term Evolution）させるという意味で，3.9G，4G と呼ばれることもある。LTE は，4G へのスムーズな移行を目指すものである。

LTE の最も高度な仕様では，理論上の最高通信速度が下り（基地局→端末）で 100M ビット／秒以上，上り（端末→基地局）で 50M ビット／秒以上となり，家庭向けのブロードバンド回線にほぼ匹敵する高速なデータ通信が可能となる。また，全ての通信をパケット通信として処理するため，音声通話はディジタルデータに変換されてパケット通信に統合される。

なお，本当の意味での 4G（第４世代）通信規格を，LTE-Advanced という。理論上の最高速度は，上り 1.5G ビット／秒，下り 3G ビット／秒である。

参考

キャリアアグリゲーション

キャリアアグリゲーションは，複数の異なる周波数帯の電波を束ね，1つの通信回線として用いることで，高速通信を可能にする技術である。LTEで導入され，LTE-Advanceでは標準的に利用されるようになった。

● WiMAX

WiMAX（Worldwide Interoperability for Microwave Access）は，固定無線通信の標準規格である。見通しのきかない範囲にある端末とも通信できるように配慮されており，半径約 50km をカバーし，最大で 75M ビット／秒の通信が可能である。

建物内部の通信に使うことを想定した無線LANとは異なり，加入者系通信網の末端部分で利用することを想定している。

参考

移動体に移動体通信システムを利用して提供するサービスを，テレマティックスという。電気通信（テレコミュニケーション）と情報処理（インフォマティクス）から作られた造語で，例えば，通信機器を車両に取り付けることで，車のIoT化を図ることができる，

第5世代移動通信システム

第5世代移動通信システム（5th Generation：5G）は，現在の移動通信の中心である4G（LTE）に代わる最新の通信技術である。超高速・大容量通信，多数同時接続，超低遅延という特徴がある。具体的には，最大速度は論理値で上り480Mビット／秒程度，下り20Gビット／秒程度で，4Gより快適に通信を利用できる。

参考

日本最初のMVNOは，2001年の日本通信b-mobileで，DDIポケット（現・ソフトバンク）のPHS網を利用した。イオンモバイル，mineo，nuro，IIJmio，BIGLOBEモバイル，b-mobile，ヤマダニューモバイル,UQモバイル，Y!mobileなどの会社やブランドがMVNOである。

MVNO

MVNO（Mobile Virtual Network Operator：仮想移動体通信事業者）は，無線通信回線設備を開設・運用せずに，自社ブランドで携帯電話やPHSなどの移動体通信サービスを行う事業者である。携帯電話などの無線通信インフラを他社から借り受けてサービスを提供する。無線通信サービスの免許を受けられるのは国ごとに３～４社程度であり，免許を受けた事業者の設備を利用することで，免許のない事業者も無線通信サービスを提供することが可能になる。

VoLTE

VoLTE（Voice over LTE）は，LTEネットワークを利用した通話サービスである。音声通話をデータ通信（パケット通信）として提供する。相手の声がよりクリアに聞こえるほか，操作中の画面のまま着信を受けることも，通話相手と画面を共有することもできる。

よく出る午前問題で基本事項を確認

日付・正解 Check	／	／	／

問題 ［応用情報技術者試験 2016年春期午前 問32］ 難易度 ★★ 出題頻度 ★★★

100Mビット／秒のLANに接続されているブロードバンドルータ経由でインターネットを利用している。FTTHの実効速度が90Mビット／秒で，LANの伝送効率が

80%のときに，LANに接続されたPCでインターネット上の540Mバイトのファイルをダウンロードするのに掛かる時間は，およそ何秒か。ここで，制御情報やブロードバンドルータの遅延時間などは考えず，また，インターネットは十分に高速であるものとする。

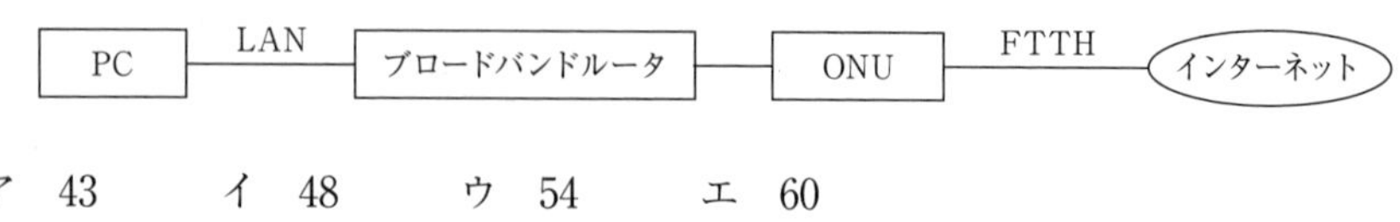

ア 43　　イ 48　　ウ 54　　エ 60

解説

FTTH（Fiber To The Home）は，元々は，光ファイバケーブルを住宅まで敷設し，電話やインターネット接続などの各種通信サービスを提供する方式のことであったが，現在は，光ファイバケーブルによる家庭向けのデータ通信サービス全般を指すようになった。ONU（Optical Network Unit）は，光ファイバケーブル加入者通信網において，パソコンなどの端末機器をネットワークに接続するための装置である。ブロードバンドルータは，家庭などで光ファイバケーブルなどの高速な回線でインターネットに接続する際に使うルータである。

LANの伝送効率が80%（0.8）なので，実効速度は，（100Mビット／秒×0.8 =）80Mビット／秒となる。一方，FTTHの実効速度は，問題文に90Mビット／秒と示されている。

ダウンロードするのに，FTTHとLANと2つの回線を使用するため，遅い方の回線速度で転送される。すると，この場合，ダウンロードの際の実効速度の80Mビット／秒となる。

以上から，ダウンロード時間は，次のようになる。なお，1バイトは8ビットである。

ダウンロード時間

$$= \text{転送データ量} \div \text{実効速度}$$

$$= \frac{540\ (\text{Mバイト}) \times 8\ (\text{ビット／バイト})}{80\ (\text{Mビット／秒})}$$

$$= 54\ (\text{秒})$$（「ウ」）

正解：ウ

演習問題

［応用情報技術者試験 2014 年春期午後 問 5］

問題

サブネットを活用したファイルの保護対策に関する次の記述を読んで，設問1～4に答えよ。

M社は，企業の研修用教材や雑誌などのコンテンツ制作を手掛ける，社員50名程度の企業である。顧客企業から依頼されたコンテンツ制作のために，対象とする企業分野ごとに三つの課を設けている。

社員はコンテンツの制作・編集業務（以下，業務という）のためにPCを利用し，業務で使用するファイルは全て各課のファイルサーバ（以下，FSという）に保管している。業務で使用するファイルはFS上で直接編集し，PCには残さない運用を行っている。PCからFSへのアクセスには，ファイル共有用のCIFS（Common Internet File System）プロトコル（TCPポート445を使用）を用いて，FS上で利用者IDとパスワードによる認証を行っている。

M社のネットワークは複数台のレイヤ2スイッチ（以下，L2SWという）を用いて構成され，PCにはDHCPで192.168.0.64～192.168.0.254の範囲のIPアドレスが付与される。M社のネットワーク構成を図1に示す。

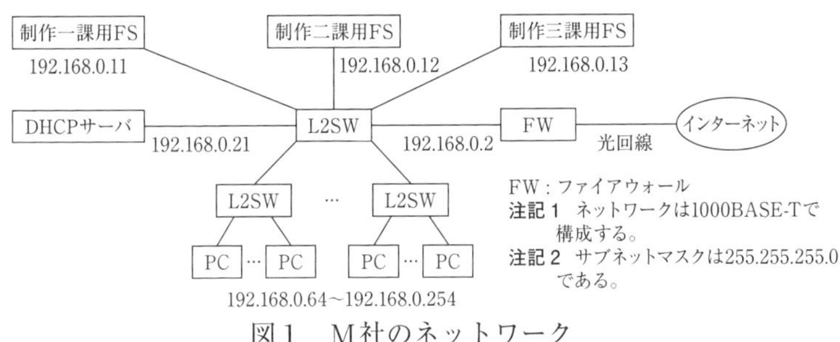

図1　M社のネットワーク

〔業務で使用するファイルの保護対策〕

M社では，情報セキュリティの重要性を考慮し，業務で使用するファイルのアクセス制御と，ファイル消失時における業務継続のために，次の保護対策を行うことにした。

・既存のL2SWを有効に活用しながら，新たにレイヤ3スイッチ（以下，L3SWという）を導入することによって，M社のネットワークを複数のサブネットに分割する。各課のFSは192.168.0.0/24，制作一課のPCは192.168.1.0/24，制作二課のPCは192.168.2.0/24，制作三課のPCは192.168.3.0/24のサブネットに配置する。各PCにはL3SWのDHCPサーバ機能によって，192.168.n.64 ～ 192.168.n.254 のIPアドレスを割り当てる。ここで，nにはPCの配置に対応して，1 ～ 3のいずれかの数値が入る。
・各課に配置されたPCからFSへのアクセスについては，所属する課のFSだけにアクセスできるように制限する。
・PCから各課のFSへのアクセスは，従来どおりCIFSを使用し，FS上で利用者IDとパスワードによる認証を行う。
・各課のFSへの通信は，FSの利用に必要なTCPポートだけに限定し，その他のTCP/UDPポートは遮断する。
・各課のFS上のファイルは，広域イーサネット回線で接続された通信会社N社のバックアップサービス（以下，BSという）を利用して，全て遠隔地にバックアップされるようにする。
・各課のFSからN社のBSへのファイル転送には，セキュアシェルのSCP（Secure Copy）コマンド（TCPポート22を使用）を利用する。

ファイルの保護対策を行うために，M社はネットワーク構成を変更した。変更後のネットワーク構成を図2に示す。

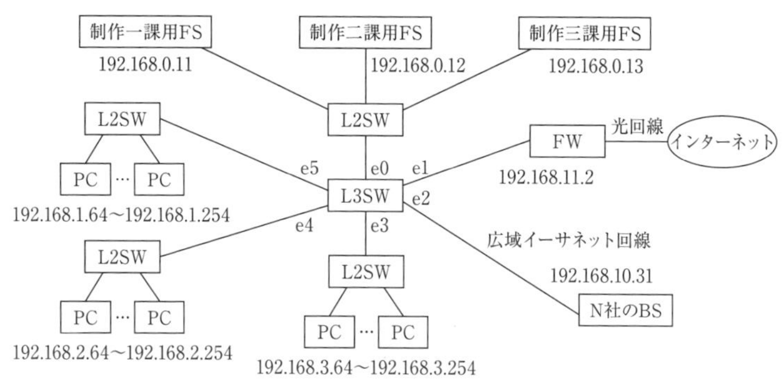

注記　e0～e5は，L3SWのイーサネットインタフェースを示す。

図2　変更後のM社のネットワーク構成

〔L3SWのフィルタリングルールの設計〕

ネットワーク構成の変更とともに，L3SWのフィルタリングルールの設計を行った。

L3SWのフィルタリングルールの設計では，インタフェースに対して，双方向（IN/OUT）のルールを指定する。例えば，制作一課のPCを送信元，制作一課用FSを宛先とするルールを設計する場合，インタフェースe5とe0に対して，L3SWに入る方向（IN）と出る方向（OUT）のルールを追加する必要がある。

設計したL3SWのフィルタリングルールを表1に示す。ここで，インタフェースe0に関するルール及びインターネットアクセスに関するルールは，L3SWで適切に実装されているものとする。

表1　L3SWのフィルタリングルール

インタフェース	方向	送信元IPアドレス	宛先IPアドレス	プロトコル	送信元ポート	宛先ポート	処理
e5	IN	192.168.1.0/24	192,168.0.11	TCP	ANY	445	許可
e5	OUT	192.168.0.11	192.168.1.0/24	TCP	445	ANY	許可
e4	IN	192.168.2.0/24	a	TCP	ANY	445	許可
e4	OUT	a	192.168.2.0/24	TCP	445	ANY	許可
e3	IN	192.168.3.0/24	192.168.0.13	TCP	ANY	445	許可
e3	OUT	192.168.0.13	192.168.3.0/24	TCP	445	ANY	許可
b	c	192.168.0.0/24	192.168.10.31	TCP	d	e	許可
b	f	192.168.10.31	192.168.0.0/24	TCP	e	d	許可
インタフェースe0に関するルールは省略							
インターネットアクセスに関するルールは省略							
ANY	IN/OUT	ANY	ANY	TCP/ UDP	ANY	ANY	遮断

注記1　サブネットマスク長を指定しないIPアドレスはホストIPアドレスを示す。
注記2　ANYは対象が全てのインタフェース，IPアドレス，又はポートであることを示す。

〔保護対策の強化〕

〔業務で使用するファイルの保護対策〕で検討した内容についてレビューを行った。その結果，社内に不正なPCが持ち込まれて社内LANに接続された場合の備えが不足していると指摘された。

そこで，L3SW及びL2SWにIEEE 802.1X対応機種を選定し，PCにクライアント証明書を導入することによって，不正なPCの社内LANへの接続を拒否することにした。

M社では，①図2のネットワーク構成に必要な構成要素を追加した。

〔N社のBSの利用〕

FSのファイルをバックアップするために，追加・変更があったファイルを当日の全作業終了後，翌日の作業開始前までに夜間バッチ処理でN社のBSに転送することにした。各課のFS上のログファイルなどの管理に必要なファイルは，毎日のバックアップとは別の時間帯に，週に1回バックアップする。また，ファイル削除による変更分は，削除から1週間以上経過したファイルを，週に1回バックアップから削除する。

各課のFSに格納されているファイルの総量と，ファイルの追加・変更によって毎日のバックアップが必要な最大量を表2に示す。

表2　各課のFSに格納されているファイルの総量と毎日のバックアップが必要な最大量

	格納されているファイルの総量	毎日のバックアップが必要な最大量
制作一課用FS	1,200Gバイト	10Gバイト
制作二課用FS	800Gバイト	5Gバイト
制作三課用FS	1,600Gバイト	15Gバイト

M社では，②夜間バッチ処理に利用可能な時間帯を考慮し，適切な帯域の広域イーサネット回線を用いてバックアップを行うことにした。

設問1　〔業務で使用するファイルの保護対策〕について，(1)，(2)に答えよ。

(1)　変更後のM社のネットワーク構成において，制作一課のPCにDHCPから割当て可能なIPアドレスの総数を答えよ。

(2)　実施するファイルの保護対策によって，対策実施前と比べて向上が期待される事項を解答群の中から選び，記号で答えよ。

解答群

ア　FSにアクセスする利用者を社員だけに限定できる。

イ　PCがマルウェアに感染してもFS上のファイルは保護される。

ウ　ファイルを社外に持ち出されても暗号化されているので復号できない。

エ　別の課のPCがFS上のファイルにアクセスすることを防ぐ。

設問2　〔L3SWのフィルタリングルールの設計〕について，表1中の［　a　］～［　f　］に入れる適切な字句を答えよ。

設問3　本文中の下線①について，図2に追加すべき構成要素名を10字以内で答えよ。

設問4　本文中の下線②について，夜間バッチ処理を90分以内に終了させたい場合，最低限必要な広域イーサネット回線の帯域を解答群の中から選び，記号で答えよ。ここで，通信に必要なパケットのヘッダなどのファイル転送プロトコルを含めた転送効率は80%とする。1Gバイトは1,000Mバイトとする。

解答群

ア　20Mビット／秒　　イ　40Mビット／秒

ウ　60Mビット／秒　　エ　80Mビット／秒

演習問題・解答

解説

■設問1　解答　(1) 191
(2) エ

(1) 制作一課のPCに割当可能なIPアドレスの数

変更後のM社のネットワーク構成では，制作一課のPCは192.168.1.0/24のサブネットに配置される。"/24"は，IPアドレスの左から24ビットがネットワークアドレスであることを示しているので，ホストアドレスとして使用できるのは8ビットである。

8ビットの2進数は00000000_2(0_{10})～11111111_2(255_{10})の範囲の数値を表すことができるので，256通りのパターンを表すことができるが，全てのビットが"0"と全てのビットが"1"はホストアドレスとして使用できない。したがって，254台のPCの接続が可能である。

一方，DHCPが割り当てることができるIPアドレスは，192.168.1.64～192.168.1.254なので，割当可能なホストアドレスは64～254である。これは，(254－64＋1＝)"191"台である。

(2) 対策実施前と比べて向上が期待される事項

ファイルの保護対策の1つに"各課に配置されたPCからFSへのアクセスについては，所属する課のFSだけにアクセスできるように制限する"(〔業務で使用するファイルの保護対策〕2つ目の黒丸)がある。これは，各課とも，それぞれの専用サーバにしかアクセスできないことを示している。

したがって，"**別の課のPCがFS上のファイルにアクセスすることを防ぐ**"(「エ」)が適切である。

■設問2　解答　a：192.168.0.12，b：e2，c：OUT，d：ANY，e：22，f：IN

●空欄a

1つの目の空欄aの送信元アドレスが192.168.2.0/24であり，これは，制作二課のネットワークアドレスである。このネットワークに属する全てのPCを対象にアクセスを許可するので，ここには，制作二課のFSのIPアドレスが入る。

したがって，"**192.168.0.12**"が適切である。

●空欄b

1つ目の空欄bの送信元IPアドレスが192.168.0.0/24（3つのFSが設置されているネットワーク），宛先IPアドレスが192.168.10.31（N社のBS）である。したがって，インタフェースe0かe2であるが，"インタフェースe0に関するルールは省略"（表1）ということから，"**e2**"が入る。

●空欄c

FSの設置されているネットワークから広域イーサネットに向けた通信なので，"**OUT**"である。

●空欄d

1つの目の空欄dは，どのFSからの通信も可能とするので，"**ANY**"である。

●空欄e

1つ目の空欄eについては，"各課のFSからN社のBSへのファイル転送には，セキュアシェルのSCP（Secure Copy）コマンド（TCPポート22を使用）を利用する"（〔業務で使用するファイルの保護対策〕6つ目の黒丸）から，宛先ポートは"**22**"である。

●空欄f

広域イーサネットからの戻りなので，"**IN**"である。

■設問3　解答　認証サーバ

"L3SW及びL2SWにIEEE 802.1X対応機種を選定し，PCにクライアント証明書を導入することによって，不正なPCの社内LANへの接続を拒否することにした"（〔保護対策の強化〕の記述）から，追加したのはIEEE 802.1X対応機種である。IEEE 802.1Xはネットワークに接続するコンピュータなどの端末を認証するための規約であり，"**認証サーバ**"が適切である。

■設問4　解答　ウ

BSに送信するデータ量を回線速度で割れば，転送時間を求めることができる。また，帯域は，ディジタル回線の場合，回線速度と考えてよい。

BSに送信するデータ量は，表2に与えられている。各課のバックアップのデータ量を合計すればよい。

BSに送信するデータ量＝10(Gバイト)＋5(Gバイト)＋15(Gバイト)
＝30(Gバイト)
→　30×10^3(Mバイト)

回線速度をxMビット／秒とすると，転送効率が80%（0.8）なので，実効的な回線速度は$0.8x$Mビット／秒となる。

以上から，30×10^3(Mバイト）のデータ量を$0.8x$Mビット／秒の速度で90分以内に送信することから，次の関係が成立する。なお，分子のデータ量に8を掛けているのは，バイトをビットに換算するためである。また，右辺で60を掛けているのは，分を秒に換算するためである。

$$\frac{30 \times 10^3(\text{Mバイト}) \times 8(\text{ビット／バイト})}{0.8x\ (\text{Mビット／秒})} \leqq 90(\text{分}) \times 60(\text{秒／分})$$

$0.8x \geqq (30 \times 10^3 \times 8) \div (90 \times 60)$

$x \geqq 55.55\cdots$

したがって，55.6Mビット／秒以上の帯域が必要なので，解答群からは“**60Mビット／秒**”（「ウ」）を選択する。

第8章

● テクノロジ系

セキュリティ

ネットワークを介して情報交換を行うときには，セキュリティを確保する必要がある。漏えい，改ざん，なりすましなどの脅威から安全性を確保するためである。また，コンピュータ犯罪も防止する必要がある。本章では，セキュリティを確保するための技術について学習する。さらに，セキュリティ対策の方法と，セキュリティ関連のガイドライン，ISMS，プライバシーマーク制度について学習する。

理解しておきたい用語・概念

- ☑ 共通鍵暗号方式
- ☑ プロキシサーバ
- ☑ リスク管理
- ☑ ISMS
- ☑ マルウェア
- ☑ 公開鍵暗号方式
- ☑ ファイアウォール
- ☑ IDS/IPS
- ☑ ディジタル署名
- ☑ 脆弱(ぜいじゃく)性
- ☑ バイオメトリクス認証
- ☑ ディジタル証明書
- ☑ WAF
- ☑ 認証
- ☑ SSL/TLS

アクセスキー G (大文字のジー)

8.1 情報セキュリティ

セキュリティは，コンピュータシステムやネットワークの安全性を保つことである。このためには，機密保護対策，マルウェア（ウイルス）対策などが必要である。さらに，プライバシを保護することも必要である。

8.1.1 機密保護

午後にも出る

Point
- 機密保護にはアクセス管理，暗号化，認証などで対処
- 暗号化方式の基本には共通鍵暗号方式と公開鍵暗号方式

以前から行われている機密保護対策が，ユーザIDやパスワードによるアクセス管理である。しかし，これだけでは十分な対策とはならないので，暗号化や認証技術が使われる。

●アクセス管理

アクセス管理は，コンピュータシステムの資源(データなど)を，正当な利用者やプログラム，プロセス，コンピュータネットワーク内のほかのコンピュータシステムに限定してアクセスさせることである。アクセス権限は，あらかじめユーザIDやパスワードをシステム内に登録しておき，利用者が資源やネットワークにアクセスするときに，ユーザIDやパスワードを入力させて識別する。

手段	具体例
個人の知識	パスワードなど
個人の所有物	ＩＤカード，ＩＣカード，光カードなど
個人の特徴	指紋，声紋，手形，網膜パターン，署名など

▶試験に出る

暗号化方式と認証についての出題が頻出している。共通鍵暗号方式，公開鍵暗号方式の特徴や原理をしっかりと理解しておく。さらに，ディジタル署名の原理，適用場面などを併せて理解しておく。

●暗号化

暗号化は，情報を一定の規則で組み替えて第三者にその内容がわからないようにすることである。コンピュータシステムに蓄積されている情報を保護するうえで，有効な手段である。暗号化の鍵(**暗**

号鍵)と復号の鍵（復号鍵)の組合せによって，共通鍵暗号方式と公開鍵暗号方式，ハイブリッド暗号方式がある。

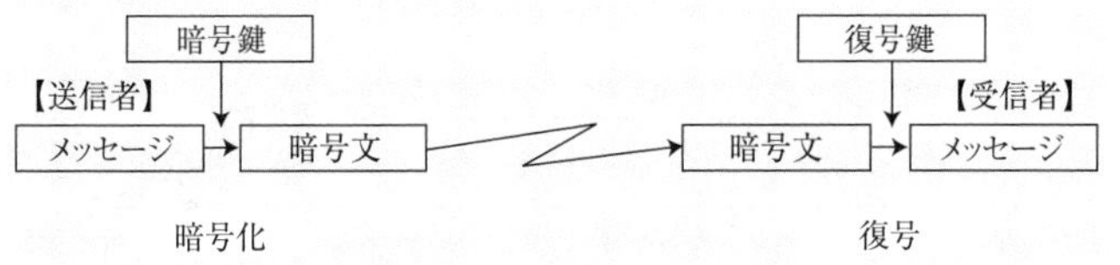

方式	説明
共通鍵暗号方式	暗号鍵と復号鍵が同じ鍵(可逆変換) 暗号鍵と復号鍵を他人に知られないように保管 DES（デス），FEAL（フィール），AES，Kerberos（ケルベロス），IDEAなど
公開鍵暗号方式	暗号鍵を公開し,復号鍵は非公開(非可逆変換) 受信者の公開鍵で暗号化,受信者の秘密鍵で復号 RSA，離散対数暗号(ElGamal（エルガマル)），楕円曲線暗号など

さらに，ハイブリッド暗号方式は，共通鍵暗号方式と公開鍵暗号方式を併用した暗号方式である。共通鍵暗号方式は速度が速いという利点があり，公開鍵暗号方式は鍵の管理・配布が容易という利点がある。ハイブリッド暗号方式は，これら２つの暗号方式の利点を生かした方式である。ハイブリッド暗号方式では，送信者が共通鍵を任意に作り，その鍵を公開鍵暗号方式で送信し，メッセージは共通鍵暗号方式で送受信する。

●認証

認証は，間違いなく正当な利用者であるかどうかを確認することである。

認証対象	説明
相手認証	通信相手が正当かどうかを確認する技術 ユーザIDとパスワードの組合せが多く使われる コールバックや暗号化なども使われる
メッセージ認証	改ざんが加えられたかどうかの検出 メッセージ認証子（誤り検出符号：MAC）を作成 MAC にはハッシュ値が使われることもある
ディジタル認証(署名)	文書の正当性の保証と本人であることの証明 公開鍵暗号方式を利用 送信者の秘密鍵で暗号化,送信者の公開鍵で復号

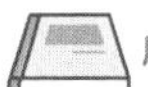
用語解説

メッセージ認証子

メッセージ認証子(Message Authentication Code：MAC）は，メッセージを認証するための短い情報で，送信メッセージに付加して送信される。特定のメッセージから共通鍵暗号方式で暗号化した内容や，ハッシュ関数を使って生成した内容が使われる。

ハッシュ関数

ハッシュ関数は，任意の文字列から固定長の擬似乱数（ハッシュ値）を生成するアルゴリズムである。一方向であるため，ハッシュ値からもとの文字列を再現することは非常に困難である。また異なる文字列から同じハッシュ値を作成することも極めて困難である，認証や改ざんの検知に利用されている。

参考

原像計算困難性／衝突発見困難性

原像計算困難性（一方向）は，ハッシュ値から元のメッセージを復元することができない性質である。また，メッセージが異なるのに，ハッシュ値が同じというケースは論理的にはあり得るが，その確率は非常に小さい。このような性質を，衝突発見困難性という。

8

次の図はディジタル署名の手順の概略である。通常は，送信メッセージに付加して送信する。平文は，暗号化されていない送信メッセージである。

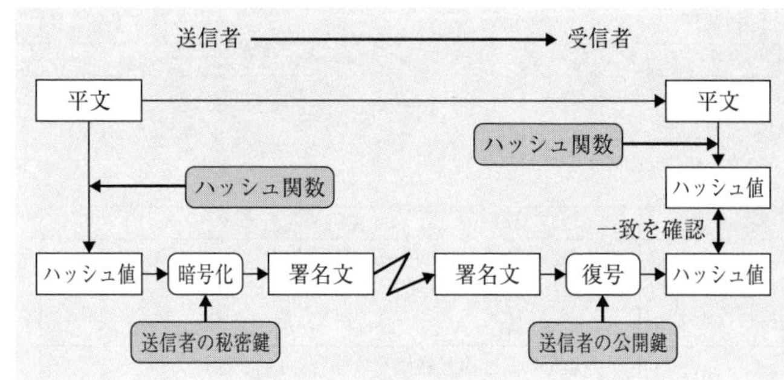

参考

公開鍵暗号方式では，秘密鍵で暗号化したメッセージは，対になる公開鍵でしか復号できない。このため，第三者が，公開鍵で復号できる暗号を作れないことから，改ざんを検出することができる。

用語解説

改ざん

改ざんは，文書，記録などの全部又は一部が，正当でない時期に，正当でない形式や内容などに変更されることである。故意の場合も過失の場合もともに含み，悪意があるかどうかは問わない。

ディジタル署名は，本人認証機能とメッセージ認証機能をもつ。本人認証は，送信者の正当性を確認することである。送信者が自分の秘密鍵（署名用の鍵）で平文を暗号化し，受信者が送信者の公開鍵で復号できれば，送信者が正当であることが確認できる。暗号化できるのは，その公開鍵と対になる秘密鍵だけであり，その秘密鍵は送信者しかもっていないからである。

メッセージ認証は，メッセージやファイルに対して改ざんが行われているかどうかを検出することである。送信者は，平文からハッシュ関数を用いてハッシュ値を作成する。このハッシュ値を，ディジタル署名の方式で受信者に送信する。受信者は，送信者と同じハッシュ関数で平文からハッシュ値を作成し，復号したハッシュ値と比較する。比較の結果，一致していれば，改ざんがなかったことが確認できる。これは，ハッシュ関数は一方向であるため，ハッシュ値から平文を作成できず，異なる平文から同じハッシュ値が作成される確率が非常に小さいからである。

バイオメトリック認証

バイオメトリック認証（生体認証）は，指紋や虹彩など，人体の特徴に基づいて個人を認証する技術あるいはシステムである。認証に当たっては，個人識別番号を入力し，あらかじめ登録しておいた認証用の個人データを検索し，センサなどで読み取った入力データと照合して本人であることを確認する。指紋，声紋，網膜パターン，虹彩パターン，手のひらなどの静脈パターン，手の大きさ，署名をするときのペンの速度や筆圧などが人体データとして使われる。

生体認証の精度は，主にFRRとFARで表される。FRR（False Rejection Rate：本人拒否率）は，本人が誤って拒否される割合である。FAR（False Acceptance Rate：他人受入率）は，他人を誤って受け入れる（なりすまされる）割合である。

FRRが高いほど，本人であるにもかかわらず，認証を拒否される率が高くなる。また，FARが高くなるほど，第三者を本人として認証してしまう率が高くなる。このため，なりすましがしやすくなり詐欺を働きやすくなる。

生体認証装置の精度を高くする（FARを小さくする）と，セキュリティ面は向上するが，チェックが厳しくなるのでFRRが大きくなり，使い勝手は悪くなる。逆に利便性を高めるために精度を低くする（FRRを小さくする）と，FARが大きくなる。利便性を向上させるため，FRRは小さく，セキュリティのためにFARも小さくというのが理想であるが，両立することはできない。また，FARを0にすることはできない。

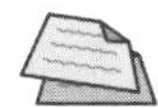

インターネット上でクレジットカード決済をより安全に行うための本人認証の仕組みを3Dセキュアという。ビザ・インターナショナルが開発した，世界標準の本人認証方法である。VISA，MasterCard，JCB，American Express，Diners Clubの国際ブランド各社が推奨する。3Dセキュア2.0では，リスクベース認証が導入されている。

リスクベース認証

リスクベース認証は，利用者のアクセス履歴などを基に，不正のリスクを判定し，高リスクと判定された場合は追加認証などを行うことでなりすましを防ぐ認証技術である。例えば，インターネットバンキングの口座開設，オンラインショッピングの会員登録などで設定を求められる秘密の質問が該当する。

秘密の質問は，“母親の旧姓は？”，“ペットの名前は？”など，登録者本人しか知らない質問と答えを登録しておくものである。IDやパスワードなどの認証情報を第三者が入手した場合，正規の利用者となりすましの利用者との区別ができないことがある。そこで，リスクベース認証を併用することで，万一認証情報が外部に流出したとしても，正規の利用者との行動パターンの違いなどを基にリスクを判定し，不正なアクセスを水際で防ぐことが可能になる。行動パターンの違いとは，例えば，IDやパスワードは正しいが，いつもと異なるIPアドレス（端末）からのアクセスがあったような場合である。

SAML（サムエル）

SAML（Security Assertion Markup Language）は，異なるインターネットドメイン間で利用者認証を行うためのXMLをベースにした標準規格である。SAMLを利用することで，複数のクラウドサービスへのシングルサインオンを実現する。

シングルサインオン

シングルサインオンは，一度の利用者認証で複数のシステムやソフトウェア，サービスなどを利用できるようにすることである。利用者は認証サーバに1回ログインするだけで，SAML対応している各種サービスを利用することができるようになる。

多要素認証
多要素認証は，利用者の本人認証時に複数の要素を用いて確認することである。通常，IDとパスワードの組合せが使われているが，これらを他人に取得されてしまうと，なりすまされる可能性が高くなる。このため，IDとパスワード以外に，別の認証要素を組み合わせることで，なりすましのリスク低減を図る。

BASIC（ベーシック）認証
BASIC認証（基本認証）は，HTTPが標準で備えているもので，インターネット上で利用者を識別して正当性を検証する最も基本的な方式である。アクセスが制限されたWebサイトなどにおいて，ユーザ名とパスワードを入力することでアクセスの可否を検証する。

検証局
検証局（Validation Authority：VA）は，CRLを集中的に管理する機関で，ディジタル証明書の発行は行わず，検証機能に特化している。クライアントからの問合せに対し，認証局の公開鍵で署名の正当性を検証したり，ディジタル証明書の有効期限を確認したりする。

▶試験に出る
最近，認証方式の意味を問う出題が多い。リスクベース認証，2要素認証，多要素認証，パスワード認証などについて，確実に理解しておきたい。さらに，バイオメトリック認証についても，指紋や虹彩が多く使われることも知っておきたい。

2要素認証

2要素認証は，いかなる利用条件でのアクセスの要求においても，ハードウェアトークンとパスワードを併用するなど，常に2つの認証方式を併用することによって，不正アクセスに対する安全性を高める方式である。一般的に採用されることが多いのは，パスワードによる知識要素と，所有要素又は生体要素を組み合わせるものである。2要素認証を拡張した方式が，多要素認証である。

その他の認証方式

その他の認証方式には，パスワード認証，BASIC認証，SSL/TLS認証，RADIUS（ラディウス）認証などがある。これらの方式は，いかなる利用条件でのアクセスの要求においても認証方法を変更せずに，同一の手順によって普段どおりにシステムにアクセスできるようにするもので，可用性を高める目的で利用される。

●認証局とディジタル証明書

認証局（Certificate Authority：CA）は，暗号通信などで必要となるディジタル証明書を発行する機関である。

ディジタル証明書（公開鍵証明書，電子証明書）は，公開鍵が正当であることを，第三者である認証局が証明するものである。公開鍵の正当性を第三者である認証局が認証し，その証明書を発行することによって，通信当事者が公開鍵の正当性を認識する。ディジタル証明書には有効期限が示されており，有効期間内は認証局によって管理され，保管される。また，認証局は，発行したディジタル証明書の有効期限が切れた場合や，何らかの理由で使用できなくなった場合は，破棄したことを示すため，CRL（Certificate Revocation List：証明書失効リスト）を公開する。

●OCSP

OCSP（Online Certificate Status Protocol）は，ディジタル証明書の有効性をユーザがリアルタイムに調べるためのプロトコルである。ユーザからの問合せに対し，各地に分散している検証局や認証局に置かれたCRLを参照して，有効かどうかを応答する。何らかの理由により有効期限前に失効している場合，その理由などを速やかに知ることができる。

8.1.2 脅威・脆弱性とサイバー攻撃手法

- 脅威は情報資産に影響を与え損失を招く直接的な原因
- サイバー攻撃は情報システムへの外部からの不正な行為

脅威は，情報資産に影響を与え，損失を招く直接的な原因である。災害，誤操作，コンピュータ犯罪，サイバーテロなどがある。

脆弱性は，情報システムや組織が抱えている脅威に対する弱さの度合いである。情報の管理状態，管理環境，管理体制などや，組織の内部統制や情報システムのコントロール機能の状況などに，脅威を実現しやすくしたり，損失を拡大させたりする誘因が潜在していれば，これらを，脆弱性という。具体的には，ソフトウェアのバグ，耐震構造でない施設・設備などである。

用語解説

情報資産

情報資産は，資産として価値のある情報である。情報システム，データ，ハードウェア，ソフトウェア，ネットワーク，記憶媒体，施設・設備，人材，ドキュメント（文書），企業のイメージなどである。

●脅威の種類

脅威には，次のものがある。

物理的脅威

物理的脅威は，直接的に情報資産が被害を受ける脅威である。事故，災害，故障，破壊，盗難，不正侵入などが該当する。

技術的脅威

技術的脅威は，IT技術による脅威である。不正アクセス，盗聴，なりすまし，改ざん，エラー，クラッキングなどが該当する。

人的脅威

人的脅威は，直接，人が関わる脅威である。誤操作，紛失，破損，盗み見，不正利用，ソーシャルエンジニアリングなどが該当する。

参考

マルウェアの多くが，トロイの木馬型と呼ばれる動作をする。トロイの木馬は，プログラムの中に本来の処理に影響を与えないように特殊な命令を隠しておき，本来の目的を果たしながら無許可の機能を実行するものである。

●マルウェア

マルウェアは，コンピュータウイルス，ワーム，スパイウェアなど，悪意をもったソフトウェアの総称である。遠隔地のコンピュータに侵入したり攻撃したりするソフトウェア，コンピュータウイルスのようにコンピュータに侵入してほかのコンピュータ

参考

マルウェアで使用される技法やツールをまとめたパッケージをルートキットという。ルートキットは，コンピュータに侵入してほかのコンピュータへのウイルスの感染活動や破壊活動を行ったり，情報を外部に漏えいさせたりする。

への感染活動や破壊活動を行ったり，情報を外部に漏えいさせたりする有害なソフトウェアである。

マルウェアには，次のようなものがある。

種類	説明
マクロウイルス	ワープロソフトや表計算ソフトのマクロ機能を悪用して作成されたコンピュータウイルス。
ワーム	ネットワークに接続されたコンピュータ間を，自己複製しながら移動するプログラム。ワームの増殖がネットワークに大きな負荷をかけ，ネットワークを使用不可にすることもある。
ボット	コンピュータに感染するだけではなく，攻撃者によって遠隔地から操作ができ，機能拡張なども行うように作られた悪質なプログラム。その振舞いがロボットに似ていることから，ボットと呼ばれる。
ランサムウェア（身代金型ウイルス）	感染したコンピュータをロックしたり，ファイルを暗号化することで使用不可能にし，元に戻すことと引き替えに何らかの代償を要求するプログラム。
バックドア	一度侵入に成功した攻撃者が，あとから何回も侵入するために仕掛けておく秘密の入り口。
スパイウェア	パソコンの利用者の行動や個人情報などを収集したり，プロセッサの空き時間を利用して計算を行ったりするアプリケーション。収集したデータはスパイウェアの作成元に送られる。

●サイバー攻撃手法

サイバー攻撃手法は，コンピュータシステムやネットワークに不正に侵入し，データの破壊や搾取，改ざんなどを行ったり，システムを使用不能にしたりする攻撃の総称である。

辞書攻撃

辞書攻撃は，辞書に掲載されている言葉や人名などを組み合わせてパスワードを盗む攻撃である。辞書攻撃の対策としては，パスワードをランダムな文字列に設定する。

ブルートフォース攻撃

ブルートフォース攻撃（総当たり攻撃）は，文字の組合せを全て試してパスワードを盗む攻撃である。ブルートフォース攻撃の対策には，ハードウェアトークンなどを使用して定期的にパスワードを変更する，ログインの試行回数に制限を設けるなどがある。

参考

クラッキング

クラッキング（クラック）は，悪意を持ってネットワークに接続されたLANやサーバなどへ侵入し，Webページの改ざんやシステムの破壊，情報を盗んだりすることである。例えば，パスワードを盗むことを，パスワードクラックという。

ソーシャルエンジニアリング

ソーシャルエンジニアリング（ソーシャリング）は，ネットワークの管理者や利用者などから盗み聞きや盗み見をしたり，話術や緊急事態を装って聞き出したりすることでパスワードなどのセキュリティ上重要な情報を入手することである。

耐タンパ性

耐タンパ性は，内部情報・構造の解析を目的とした攻撃（サイドチャネル攻撃）から安全性を確保する特性である。ソフトウェアではデバッガ妨害処理，冗長処理の挿入，難読化などで実現し，ハードウェアでは漏えい電磁波対策，シャーシの堅牢化，分解時における自己破壊機構などで実現する。タンパは，情報不正取得，改ざんの意味である。

リバースブルートフォース攻撃

リバースブルートフォース攻撃は，パスワードを固定して ID の文字の組合せを試して ID とパスワードの組合せを盗む攻撃である。通常，パスワードを複数回誤ると，アカウントロックがかかるが，パスワードを固定して ID を繰り返し変更してもアカウントロックがかからないことを利用している。

レインボー攻撃

レインボー攻撃は，あらかじめパスワードとなり得る適当な文字列のハッシュ値を計算してテーブル化しておくことで，ターゲットとなるパスワードのハッシュ値と比較し，本来のパスワードを推察する攻撃である。

パスワードリスト攻撃

パスワードリスト攻撃は，悪意をもつ第三者が何らかの手法によりあらかじめ入手してリスト化した ID・パスワードを利用して Web サイトにアクセスを試み，結果として利用者のアカウントで不正にログインする攻撃である。これは，複数のサイトで同じ ID・パスワードの組合せを使用している利用者が多いという傾向を悪用したものである。

DNSキャッシュポイズニング

DNS キャッシュポイズニングは，DNS サーバの脆弱性を利用して偽の情報を DNS サーバに記憶させ，その DNS サーバの利用者に影響を与える攻撃である。例えば，ホスト名と IP アドレスの対応を本来の情報とは異なるものにして，特定のサイトに到達できないようにしたり，別のサイトに誘導したりする攻撃である。

SQLインジェクション

SQL インジェクションは，データベースと連動した Web サイトにおいて，データベースの問合せや操作を行うプログラムに，パラメタとして SQL 文の断片を与えることで，データベースを改ざんしたり不正に情報を入手したりする攻撃である。

ゼロデイ攻撃

ゼロデイ攻撃は，セキュリティホールを狙った攻撃が，セキュリティホールの修正プログラムが提供される前に行われることを

参考

本文に示したマルウェアには，ほかにクロスサイトスクリプティングがある。クロスサイトスクリプティング（Cross Site Scripting：XSS）は，攻撃者が用意したスクリプト（簡易プログラム）を，閲覧者のWebブラウザを介して送り込み，閲覧者のWebブラウザ上でスクリプトを実行させる攻撃である。

参考

クッキー

クッキー（cookie）は，Webサーバがブラウザを通じてクライアントに一時的にデータを書き込んで保存させる仕組みである。クライアントから同じWebサーバにアクセスがあったとき，クッキーの情報を戻してもらうことで，通信相手を特定する。クッキーはクライアント側で保存・管理する。

いう。未対策のコンピュータが攻撃されるため，防御ができない。

用語解説

標的型攻撃
標的型攻撃は，特定の個人や組織，情報を狙ったサイバー攻撃である。アカウントの乗っ取り，コンピュータシステムへの侵入・遠隔操作などの手法が用いられ，個人情報や機密情報の窃取，特定のシステムの破壊，Webサイトの改ざんなどが行われる。特定の個人や組織を狙った攻撃なので，一般的な防御対策ができないことが多い。

水飲み場型攻撃

水飲み場型攻撃は，標的型攻撃の手法の 1 つで，標的の組織や個人がよく利用すると思われる Web サイトを改ざんし，アクセスした利用者がマルウェアを導入するように仕込む攻撃である。サバンナなどで肉食獣が池の周囲などで待ち伏せし，水を飲みに現れた草食獣を狙い撃ちにする様子になぞらえている。通常，標的対象のみが感染するマルウェアが用いられ，標的以外の第三者がアクセスしても何も起こらないため，脅威の存在や Web サイトの改ざんなどが発見しにくくなっている。

IPスプーフィング

IP スプーフィングは，発信者が IP アドレスを偽造することによって，攻撃者及び攻撃そのものの存在を隠蔽しようとする意図をもった攻撃である。スプーフィングには，なりすます，だますという意味がある。

セッションハイジャック

セッションハイジャックは，クライアントとサーバの正規のセッションに割り込んで，そのセッションを奪い取る攻撃である。セッションハイジャックに成功すると，サーバになりすます，あるいはクライアントになりすますことが可能になる。セッションハイジャックを防止するには，セッション ID を推測困難なものにするなどの対策が有効である。

セッションハイジャックの中で，通信を行う 2 者の間に割り込んで，両者が交換する公開情報を自分のものとすりかえることにより，気づかれることなく盗聴したり，通信内容に介入したりする攻撃を，中間者攻撃（Man-in-the-middle 攻撃）という。

参考

クリックジャッキング
透明に設定した悪意のあるボタンやリンクを埋め込んでおき，そのボタンなどを閲覧者にクリックさせることで，閲覧者が意図しない操作を実行させる攻撃をクリックジャッキングという。

フットプリンティング
攻撃者が攻撃を行う前に，攻撃対象となるコンピュータやネットワークの弱点や攻撃の足掛かりとなる情報を得るために行う事前調査を，フットプリンティングという。調査する情報には，IPアドレス，OSの種類，サービスの種類，ネットワーク構成などがある。

SEOポイズニング

SEO（Search Engine Optimization：検索エンジン最適化）ポイズニングは，検索エンジンでの検索結果をより上位に現れるように Web ページを書き換えたり，リンクを集めたりすることである。

8.1.3 防御の仕組みとセキュリティプロトコル

- ファイアウォールは外からの不正侵入を防止
- 代表的なセキュリティプロトコルには TLS，PGP

組織内のネットワークのセキュリティを確保するために，種々の対策が採られている。対策例に，外部からの不正侵入を防御するファイアウォールや，やり取りするメッセージの認証を行い，送信者が正当であるかどうかを確認する DNSSEC，SPF などがある。

ファイアウォールとその仕組み

ファイアウォールは，インターネットなどの外部ネットワークに接続された組織内 LAN などのネットワークシステムに対して，外部からの不正なアクセスを遮断するために設けられるシステムである。ルータ配下にファイアウォールとしてサーバを配置し，内外のネットワークのやり取りを全てこのサーバ（ファイアウォール）経由で行うようにする。サーバは，利用者によって使用可能なサービスを制限したり，外部からのアクセスを識別し，ネットワーク上のやり取りの記録を残したりすることで，外部からの不正アクセスを防止する。

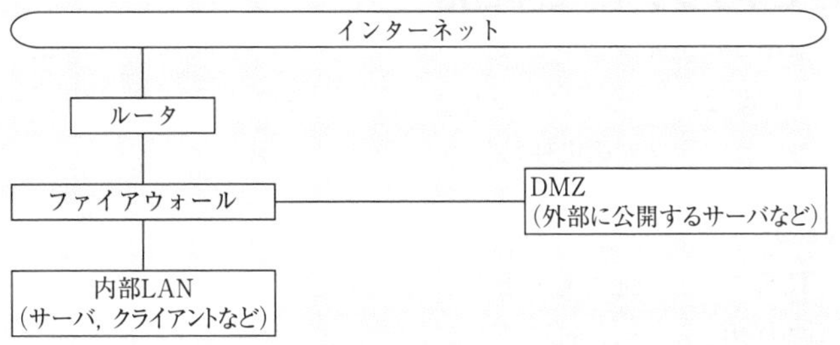

DMZ（DeMilitarized Zone：非武装地帯）は，不正アクセスを防ぐファイアウォールの内側にあって，外部（インターネット）とも内部の LAN とも切り離された区域である。DMZ 内の公開

参考

ファイアウォールの実現方法には次のものがある。

パケットフィルタリング方式

パケットフィルタリング方式は，送信元や送信先のIPアドレス（IP），ポート番号，通信の方向などでIPパケットの通過や遮断を判定する方式である。アプリケーションゲートウェイ方式と比較して，低コストで設置できるがセキュリティレベルは低い。

アプリケーションゲートウェイ方式

アプリケーションゲートウェイ方式は，ファイアウォール上のアプリケーション層で通信を中継することで，内部と外部を直接，通信できないようにし，アプリケーションに応じた通信の中継を行う方式である。ユーザ認証やメールアドレスによる制御ができる。

サーバを乗っ取られても内部のLANは安全である。

●プロキシサーバ

プロキシサーバ(代理サーバ)は,内部ネットワークからインターネットに接続するとき，セキュリティ確保と高速アクセスを実現するために設置されるサーバである。外部から内部ネットワークへの不正な侵入を防ぐとともに，内部ネットワークから外部のインターネットへのアクセスを中継，管理する。また，Webにアクセスするとき，インターネットから送られてきたデータを一時的にプロキシサーバにキャッシュする機能ももつ。次回以降，同じWebにアクセスしたとき，キャッシュ機能により，プロキシサーバで折り返すことで，Webへのアクセスを高速化することができる。

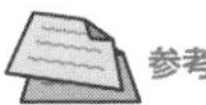

参考

サイバーキルチェーン

サイバーキルチェーンは，サイバー攻撃のプロセスを“偵察”，“武器化”，“配送”，“攻撃”，“インストール”，“遠隔操作”，“目的実行”の7段階に分け，各段階に応じた対策を講じるための指針である。例えば，武器化はマルウェアの作成を阻止，目的実行は情報の摂取や改ざんなど，当初の目的を実行することを阻止するようなことである。

●リバースプロキシ

リバースプロキシは，特定のサーバの代理としてそのサーバへの要求を中継するプロキシサーバである。サーバにアクセスするときは，全てリバースプロキシを経由するため，サーバが直接アクセスされることがなくなる。社内LANなどの内部ネットワークとインターネットとの接点に置かれ，外部からWebサーバなどネットワーク内部へのアクセスを中継するもので，その様子が通常のプロキシサーバの内部から外部へのアクセスを中継する動作と反対であることから，リバースプロキシと呼ばれる。

●セキュリティプロトコル

セキュリティプロトコルは，セキュリティ確保のためのプロトコルである。Webのセキュリティ対策に使われるTLS,電子メールセキュリティ対策に使われるPGPなどがある。

用語解説

認証局

認証局（Certificate Authority：CA）は，電子取引などで公開鍵暗号技術に基づくディジタル署名を利用するとき，公開鍵が正当であることを保証する機関である。インターネットを利用した取引の増大によって，第三者が公開鍵の正当性を証明する必要が出てきたため，認証局が公開鍵の正当性を保証するようになった。

TLS

TLS（Transport Layer Security）は，ブラウザとWebサーバ間のプロトコルである。公開鍵暗号方式と共通鍵暗号方式を組み合わせて,認証と暗号化の機能を実現している。認証局によるディジタル証明書発行の仕組みにより，ブラウザがWebサーバを認証し，サーバのなりすましを防止する。一方，ブラウザが暗号鍵を作成することで，盗聴を防止する。

次図は，TLS の手順の概略である。

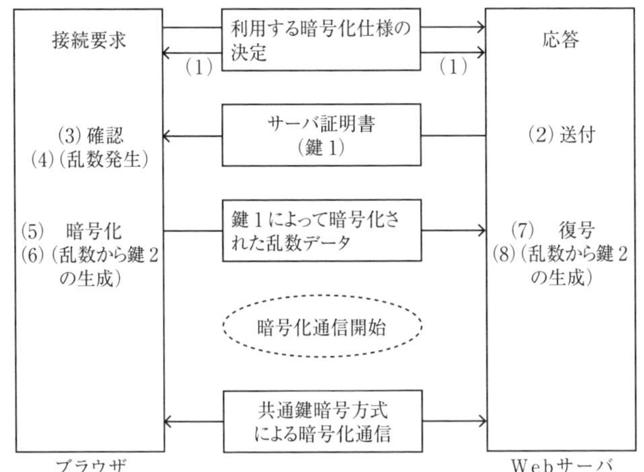

Web サーバがブラウザから TLS のリクエスト（接続要求）を受け取ったあとの手順は，次のとおりである。

(1) Web サーバとブラウザで使用する暗号化仕様の決定
(2) Web サーバはブラウザにサーバ証明書（サーバの公開鍵証明書）を送信
(3) ブラウザはサーバ証明書を確認（認証）し，Web サーバの公開鍵（上図の鍵 1）を入手
(4) ブラウザは共通鍵を生成するための乱数を作成
(5) ブラウザは Web サーバの公開鍵（上図の鍵 1）で乱数を暗号化して Web サーバに送信
(6) ブラウザは乱数から共通鍵（上図の鍵 2）を生成
(7) Web サーバは暗号化された乱数を Web サーバの秘密鍵で復号して入手
(8) Web サーバは乱数から共通鍵を生成（上図の鍵 2）

以降は，ブラウザとサーバが作成した共通鍵（鍵 2）を使って，共通鍵暗号方式による暗号通信が行われる。

PGP

PGP（Pretty Good Privacy）は，インターネットで使われる公開鍵暗号方式の暗号技術，又は暗号化のためのプログラムで，電子メールなどに使われている。ディジタル署名の仕組みを採用

SSL3.0 の次のバージョンが TLS1.0 と呼ばれる。SSL と TLS の間には互換性はないが，大枠の仕組みはほとんど同じである。既に，SSL という名称が普及しているため，実際には TLS を指していても SSL と表記したり，SSL/TLS，TLS/SSL などと併記したりすることが多い。

参考

フォレンジック

フォレンジックは，サーバやパソコンのログ，使用者の履歴，アプリケーションの動作内容や通信内容を保存・検証し，コンピュータシステムの利用状況を証拠として活用する技術の総称である。不正アクセスが生じた際の原因追究に使用されるとともに，不正行為に対する抑止力ともなる。

しているため，改ざんも検知できる。

PGPでは，メッセージ本体に共通鍵を添付し，メッセージ本体は共通鍵暗号方式で暗号化し，共通鍵は公開鍵暗号方式で暗号化する。受信者は，送られてきた共通鍵を自分の秘密鍵で復号し，復号した共通鍵でメッセージ本体を復号する。鍵の配送という共通鍵暗号方式の問題点を解決している。

参考

SMTPには認証機能がなかったので，POPの認証機能と組み合わせる手法も使われている。その1つが，POP before SMTPである。これは，POPサーバにアクセスしないとSMTPサーバが送信メールを受け取らない仕組みである。SMTPサーバの不正使用を防ぐため，POPサーバで認証を行ってからSMTPサーバがメールの送信を受け付ける。

SMTP-AUTH

SMTP-AUTH（エスエムティーピー オース）（SMTP Authentication：SMTP認証）は，SMTPに認証機能を追加したプロトコルで，メール送信時に使用する。元々，SMTPには認証機能はなかったので，認証機能が追加された。SMTPサーバは，クライアントがアクセスしてきた場合に利用者認証を行い，認証に成功したとき電子メールを受け付ける。

SPF

SPF（Sender Policy Framework）は，電子メールの送信ドメイン認証方式の1つで，差出人のメールアドレスがほかのドメインになりすましていないかどうかを検出する仕組みである。SPFでは，メールヘッダから差出人アドレスに格納されたドメイン名を読み取り，正しいメールサーバから送信されているかどうかを検査する。

このため，メールアドレスを詐称しているフィッシングメールなどに効果はあるが，差出人アドレスを詐称していない迷惑メールには無力である。

DNSSEC

DNSSEC（デイーエヌエスセキユリテイ）（DNS Security Extension）は，サーバとクライアント間のメッセージが改ざんされていないことを確認する方式である。メッセージのハッシュ値を公開鍵暗号方式で暗号化して送信し，届いたメッセージからハッシュ値を求め，復号したハッシュ値と一致すれば，改ざんされていないことが確認できる。

公開鍵基盤

公開鍵基盤（Public Key Infrastructure：PKI）は，公開鍵暗号方式を用いた技術と製品全般を指す概念である。RSAや楕円曲線暗号などの公開鍵暗号技術，TLSを組み込んだWebサーバやブラウザ，S/MIMEやPGPなどを使った暗号化電子メール，ディジタル証明書を発行する認証局などを含む。

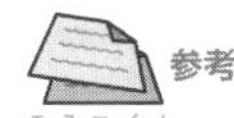

参考

S/MIME（エスマイム）

S/MIME（Security Multipurpose Internet Mail Extension）は，電子メールの暗号方式のプロトコルである。メッセージを，RSAを用いて暗号化して送受信する。S/MIMEを使用するには，認証局が発行した証明書が必要である。

チャレンジレスポンス方式

チャレンジレスポンス方式は，認証を行うサーバが，クライアントなどの認証される側を認証する方式である。認証される側が認証サーバに対して接続を要求すると，認証サーバは，毎回，ランダムな要求文字列（チャレンジ）を認証される側に送信する。一方，認証される側は，チャレンジに対してハッシュ値を生成する，暗号化技術により暗号化するなど，あらかじめ認証サーバと取り決めておいた方式で応答文字列（レスポンス）を生成して返す。レスポンスを受け取った認証サーバは，そのレスポンスを検証することで，認証される側を認証する。なお，ハッシュ値を生成する場合は，一方向関数などによって行われ，レスポンスだけを入手しても元の内容を復元できないようになっている。

この方式は，ネットワーク上にパスワードなどの認証情報を流さないため，認証情報の漏えいを防止することができる。また，認証情報が漏えいしないため，パスワードのリプレイ攻撃を防止することができる。

次は，暗号化方式によるチャレンジレスポンス方式の手順である。

(1) 認証サーバは，任意の情報を含む文字列（チャレンジコード）をクライアントに送信する。
(2) クライアントは，あらかじめ認証サーバとの間で定めたルールに基づき，受け取った文字列から新たな文字列（レスポンスコード）を生成し認証サーバに返送する。
(3) 認証サーバは，返送されてきたレスポンスコードが正しいことを確認する。

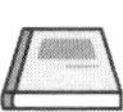

用語解説

リプレイ攻撃

リプレイ攻撃（反射攻撃）は，利用者の確認に用いられる認証データの送受信を盗聴し，それを認証サーバに送ることでシステムに不正にログインしようとする攻撃である。

8.1.4 セキュリティ実装技術

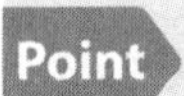

■ 認証サーバはユーザ名やパスワードなどを管理
■ IDS は不正侵入を検知，IPS は不正侵入を防止

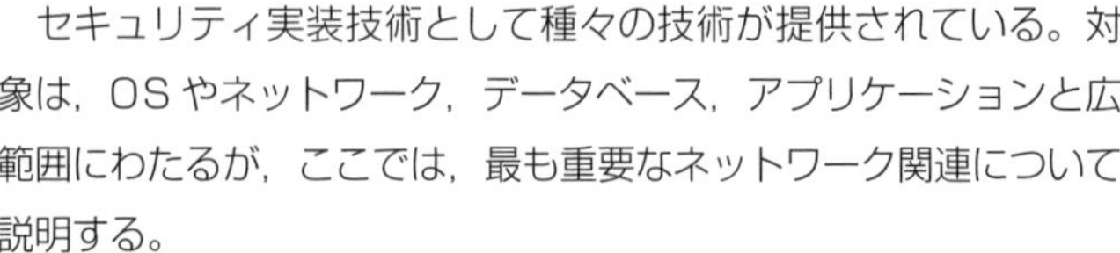

セキュリティ実装技術として種々の技術が提供されている。対象は，OS やネットワーク，データベース，アプリケーションと広範囲にわたるが，ここでは，最も重要なネットワーク関連について説明する。

●認証サーバ

認証サーバは，利用者のユーザ名やパスワードの確認のほか，記録，課金なども含めた機能を提供するサーバである。インターネットなどのネットワーク上でディジタル証明書の発行，管理なども行う。組織内のイントラネットでは，利用者が社員であることが証明できればよい場合など，外部の認証機関に依頼するまでもないケースでは，認証サーバが公開鍵証明書を発行する。アクセスサーバと認証サーバ間の通信のプロトコルには，事実上の標準である RADIUS（Remote Authentication Dial In User Service）が使用される。

参考

RADIUS，Diameter（ダイアメーター）

RADIUSは，ダイヤルアップユーザの認証システムで，認証情報を集中管理する。リモートユーザがユーザ名とパスワードをリモートアクセスサーバへ送信すると，リモートアクセスサーバは，ユーザ名とパスワードをRADIUSプロトコルを使用してRADIUSサーバに転送する。RADIUSサーバは，認証要求を検証し，妥当なものであれば認証情報を返送する。なお，RADIUSの機能を強化したものは，Diameterと呼ばれる。

●IDS

IDS（Intrusion Detection System：侵入検知システム）は，ネットワークやネットワークに接続されているコンピュータの状況を常時監視し，不正アクセスが発生したと思われる時点でアクセスを遮断するようにファイアウォールに指示したり，管理者に警告をしたりするシステムである。IDS は，DoS 攻撃など，ファイアウォールでは防ぐことのできない不正アクセスの検出に有効で，ファイアウォールと組み合わせた使用が一般的となっている。IDS には，ネットワークの境界などに設置する専用の機器（アプライアンス）の形で提供されるネットワーク型 IDS，サーバに導入するソフトウェアなどの形で提供されるホスト型 IDS がある。

参考

C++言語などのプログラム言語で書かれたプログラムは，プログラムが確保したメモリサイズを超えて文字列が入力されると領域があふれて（オーバフロー）しまい，予期しない動作が起きる。このことを利用して誤動作を起こさせるような攻撃を，バッファオーバフロー攻撃という。

● IPS

IPS（Intrusion Prevention System：侵入防止システム）は，サーバやネットワークへの不正侵入を防止する。IDSが不正侵入を検知すると警告をするだけであるのに対して，IPSは，不正侵入を防御（ブロック）する。IDSと同様に，ネットワーク型IPS，ホスト型IPSがあり，ホスト型IPSでは，アクセスログの改ざんを防止したり，OSが提供する機能よりも細かいレベルのアクセス制御を実現したりすることができる。

● ハニーポット

ハニーポットは，セキュリティ的に問題のあるサーバやネットワークをわざと公開して徹底的に監視・調査し，攻撃者の手法や侵入者の行動を研究することである。元々ははちみつ（honey）が入ったつぼ（pot）のことを指し，悪意をもったハッカー（侵入者，攻撃者）をおびき寄せることを意味する。

● アプリケーションゲートウェイ

アプリケーションゲートウェイは，ファイアウォールの方式の1つで，通信を中継するプロキシ（代理）プログラムを使い，組織内ネットワークとインターネットを切り離す方式である。アプリケーション層プロトコル（FTP，SMTP，POPなど）ごとにきめ細かい制御ができる反面，プログラムが各プロトコルに対応している必要がある。

● WAF

WAF（Web Application Firewall：ワフ）は，Webアプリケーションのやり取りを管理することで不正侵入を防御するファイアウォールである。一般的なファイアウォールがネットワーク層で管理するのに対して，WAFはアプリケーション層で管理を行う。プログラムに渡される入力内容などを直接検査することによって，不正とみなされたアクセス要求を遮断する。ブラウザとWebサーバを仲介し，ブラウザとの直接的なやり取りをWAFが受けもつ。このため，SQLインジェクションなどを攻撃とみなして拒絶することができる。

参考

ファーストパーティクッキー
サードパーティクッキー

訪れたWebサイトが発行したクッキー（cookie）をファーストパーティクッキー，訪れたWebサイト内で別なWebページを参照するときのように，そのWebサイト以外の場所から発行されるクッキーをサードパーティクッキーという。

参考

本文で説明したセキュリティ実装技術のほかに，NAT，NAPT（IPマスカレード），VPNなどがある。また，無線LANにおいても，WEP，WPAなどの暗号化方式，特定の端末以外の接続を拒否するMACアドレスフィルタリングなどの技術が使われている。

参考

ポートスキャン

ポートスキャンは，ネットワークに接続されているサーバのTCPポートやUDPのポートに接続を試み，攻撃に使えそうなサービスを特定することである。

参考

VDI

VDI（Virtual Desktop Infrastructure）は，デスクトップ環境を仮想化してサーバ上に集約する機能である。端末の機能は必要最小限にとどめ，アプリケーション，データをサーバ上に集約し，処理を行う仕組みである。端末がインターネット上のサイトと直接的な通信を行わなくなるので，セキュリティ上の効果は高い。

参考

サンドボックス

サンドボックスは，外部から受け取ったプログラムを保護された領域で動作させることによってシステムが不正に操作されるのを防ぐ仕組みである。サンドボックス内で実行されるプログラムは，ほかのプログラムやデータなどを操作できない状態で動作する。

用語解説

TKIP

TKIP（Temporal Key Integrity Protocol）は，通信を行う端末のMACアドレスや擬似乱数などを元に一時的な暗号鍵を生成し，一定量の通信が行われると破棄し，新たな鍵を生成する方式である。暗号解読の危険性が指摘されたWEPの弱点を克服した。

参考

WPA3

WPA3（Wi-Fi Protected Access 3）は，基本的な仕様はWPA2と同等であるが，幾つかの機能が拡張・強化されている。大きな特徴は，SAE（Simultaneous Authentication of Equals）と呼ばれる仕組みを用いて，暗号化に利用する鍵を生成する仕組みが備わっている点である。

● IPsec

IPsec（アイピーセック）（Security Architecture for Internet Protocol）は，インターネットで暗号通信を行うためのOSI基本参照モデルのネットワーク層（第3層）のプロトコルである。IPパケットを全経路で暗号化して送受信するため，TCPやUDPなど上位のプロトコルを利用するアプリケーションは，IPsecが使われていることを意識する必要はない。IPv4ではオプションであるが，IPv6では標準で実装されている。

IPsecは，なりすましや改ざんを防止するAH（Authentication Header），暗号化を行うESP（Encapsulated Security Payload），公開鍵暗号による暗号鍵の交換・共有を行うIKE（Internet Key Exchange）など，幾つかの技術要素を組み合わせている。

● HTTPS

HTTPS（HTTP over SSL/TLS）は，HTTPにSSL/TLSによるデータの暗号化機能を付加したプロトコルである。Webサーバとブラウザの間の通信を暗号化し，プライバシに関わる情報やクレジットカード番号などを安全にやり取りすることができる。Webにおける暗号化の事実上の標準となっている。

多くのWebブラウザでは，SSL/TLSで通信を行う際には，URLの表示欄に鍵マークが表示され，アドレスのhttp://～の表示がhttps://～のように“s”が付加される。

● WPA

WPA（Wi-Fi Protected Access）は，無線LANの業界団体Wi-Fi Allianceが策定した無線LANの暗号化方式の規格である。無線LAN標準の暗号化システムとして採用されていたWEPの弱点を補強し，セキュリティ強度を向上させている。暗号鍵を一定時間ごとに自動的に更新するTKIPと呼ばれる暗号プロトコルを採用するなどの改善が加えられている。さらに，WPAの暗号強度を強めたものを，WPA2という。WPA2（Wi-Fi Protected Access 2）は，より強力な暗号化アルゴリズムであるAESに対応している。

チェック! よく出る午前問題で基本事項を確認

日付・正解 Check ／ ／ ／

問題 1 ［応用情報技術者試験 2016年春期午前 問40］ 難易度 ★ 出題頻度 ★★★

WAFの説明として，適切なものはどれか。

ア　DMZに設置されているWebサーバへ外部から実際に侵入を試みる。
イ　WebサーバのCPU負荷を軽減するために，TLSによる暗号化と復号の処理をWebサーバではなく専用のハードウェアで行う。
ウ　システム管理者が質問に答える形式で，自組織の情報セキュリティ対策のレベルを診断する。
エ　特徴的なパターンが含まれるかなどWebアプリケーションへの通信内容を検査して，不正な操作を遮断する。

問題 2 ［応用情報技術者試験 2020年秋期午前 問42］ 難易度 ★ 出題頻度 ★★★

暗号方式に関する記述のうち，適切なものはどれか。

ア　AESは公開鍵暗号方式，RSAは共通鍵暗号方式の一種である。
イ　共通鍵暗号方式では，暗号化及び復号に同一の鍵を使用する。
ウ　公開鍵暗号方式を通信内容の秘匿に使用する場合は，暗号化に使用する鍵を秘密にして，復号に使用する鍵を公開する。
エ　ディジタル署名に公開鍵暗号方式が使用されることはなく，共通鍵暗号方式が使用される。

解説 1

WAF（Web Application Firewall）は，Webアプリケーションへの外部からの攻撃・侵入を検知・防止するシステムである。Webサーバとインターネットなどの外部ネットワークとの間に設置され，サーバへのアクセスを監視し，攻撃とみなされるアクセスパターンを検知するとブロックする。専用のハードウェアとして実装されたもの，ゲートウェイなどのサーバ上で動作させるソフトウェア，Webサーバ自体に組み込むモジュールの形になっているものがある。通過するパケットのIPアドレスやポート番号だけでなくペイロード部（データ部分）をチェックすることで，Webアプリケーションに対するこれらの攻撃を検知し，遮断することが可能なファイアウォールである。

ア　ペネトレーションテストの説明である。
イ　SSL/TLSアクセラレータの説明である。
ウ　IPAが提供している，情報セキュリティ対策ベンチマークの説明である。

正解：エ

解説 2

暗号方式には，暗号化に使用する鍵（暗号鍵）と復号に使用する鍵（復号鍵）に同じものを使用し，鍵を非公開とする共通鍵暗号方式と，暗号鍵を公開し，復号鍵を非公開とする公開鍵暗号方式がある。

ア　AES（Advanced Encryption Standard）は，DESに代わる暗号方式として米国が公募した共通鍵暗号方式である。ブロック長は128ビット，鍵のサイズは128，192，256ビットから選択する。RSA（Rivest-Shamir-Adleman）は，マサチューセッツ工科大学のRivest，Shamir，Adlemanらによって提唱された公開鍵暗号方式である。暗号化と復号に，べき乗剰余計算を行う。大きな整数を素因数分解することの難しさに，安全性の根拠を置いている。
　この記述は，AESとRSAの暗号方式が逆である。
イ　共通鍵暗号方式は，暗号鍵と復号鍵に同じものを使用する。このため，共通鍵暗号方式と呼ばれる。
ウ　公開鍵暗号方式で通信内容を秘匿するためには，暗号鍵を公開し，復号鍵を秘密（非公開）にする。秘密鍵で暗号化すると，公開鍵で復号されてしまうため，内容を読み取られてしまう。
　この記述は，暗号鍵と復号鍵の使い方が逆である。
エ　ディジタル署名は，メッセージを送信者の秘密鍵で暗号化し，送信者の公開鍵で復号する。このことから，ディジタル署名は，公開鍵暗号方式を使用したものである。

正解：イ

8.2 情報セキュリティ管理

セキュリティを確保するためには，リスク管理が必要である。リスク管理を含めて，セキュリティを確保するためのガイドラインが提案されている。また，ISMS 認証を受ける組織が増えている。

8.2.1 情報セキュリティ対策

- 情報セキュリティ対策は機密性，完全性，可用性を維持すること
- 情報セキュリティポリシはセキュリティ対策の基本的な考え方

情報セキュリティ対策は，機密性（Confidentiality），完全性（Integrity），可用性（Availability）を維持することである。したがって，全てのセキュリティ対策は，これらを意識して実施する必要がある。

参考

機密性（Confidentiality），完全性（Integrity），可用性（Availability）の英単語の頭文字をつなげたものを，C.I.A. ということがある。また，可用性は，保全性ということもある。

要素	内容
機密性	情報にアクセスすることを許可された者のみアクセスできるようにすること
完全性	情報及びその処理の方法が正確及び完全であること
可用性	許可された者が必要なときに情報にアクセスできるようにすること

そして，情報セキュリティの対策方法には，人的セキュリティ対策，技術的セキュリティ対策，物理的セキュリティ対策がある。情報セキュリティ対策は，どれか 1 つに絞って行うのではなく，バランスよく実施することで，セキュリティ対策の効果が期待できる。

● 人的セキュリティ対策

人的セキュリティ対策は，組織の全員が遵守すべきセキュリティに対する事項を定めるとともに，十分な教育や周知を行うなど，人的な対策を行うことである。例えば，雇用契約や委託契約のセキュリティ対策，セキュリティに関する教育・訓練，事故や誤動作への対処などのように，人間の故意やミスにかかわるセキュリティ対策である。

参考

情報セキュリティの向上は利便性の向上とは必ずしも相容れないものなので，利用者の理解が得にくい場合がある。このため，十分な教育及び啓発ができるように必要な対策を人的セキュリティ対策として定める必要がある。

物理的セキュリティ対策

物理的セキュリティ対策は，建物や設備，サーバ，執務室，役職員などが利用するパソコンなどの管理について，物理的な対策を講じることである。すなわち，窃盗，破壊行為，自然災害，不安定な環境条件（電気，温度，湿度）から情報資産を保護することである。例えば，耐震設備，防火設備，電源設備，回線設備，入退室管理設備（IC カード，バイオメトリック認証など）の設置，電源ケーブルや通信ケーブルの保護などが物理的セキュリティ対策の例である。

技術的セキュリティ対策

技術的セキュリティ対策は，コンピュータなどの管理，アクセス制御，不正プログラム対策，不正アクセス対策などの技術的な対策である。物理的セキュリティ対策，人的セキュリティ対策以外のものが，技術的セキュリティ対策と考えてもよい。例えば，ファイアウォール，暗号化，アクセス制御，パスワード運用などが技術的セキュリティ対策の例である。

情報セキュリティポリシ

情報セキュリティポリシ（セキュリティポリシ）は，企業が情報を保護するに当たっての目的や意図，基本方針をわかりやすく明文化したものである。組織の全員（派遣などで受け入れている外部の要員も含む）が遵守すべきことを宣言する。

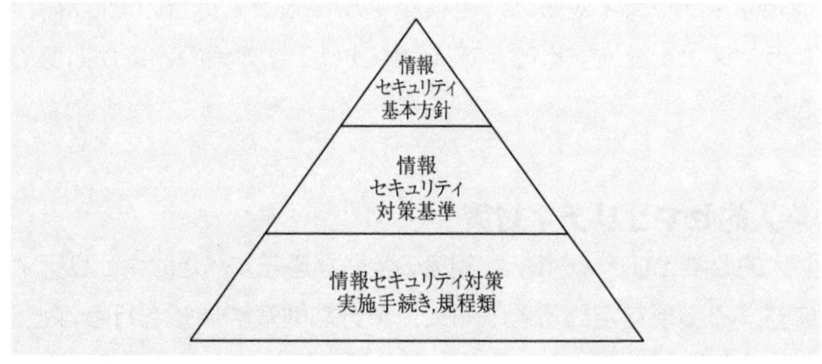

なお，基本方針と対策基準を合わせて情報セキュリティポリシという。

参考

コンテンツフィルタリング
コンテンツフィルタリングは，インターネットなどのネットワークを介して出入りする情報を監視し，コンテンツ（内容）に問題があれば接続を拒否・遮断する技術である。

TPM
TPM（Trusted Platform Module：セキュリティチップ）は，セキュリティを実現するための耐タンパ性をもつセキュリティチップである。通常は，PCなどのマザーボードに直付けされており，CPUから内部バス経由でアクセスできる補助プロセッサとして働く。

用語解説

情報セキュリティ基本方針
情報セキュリティ基本方針は，経営者の情報保護に関する考え方を示すもので，組織が情報を保護するための方法論を簡潔にまとめたものである。事業の特徴，組織，その所在地，資産及び技術などを考慮したうえで，経営の最高責任者の名前で公表される。

情報セキュリティ対策基準
情報セキュリティ対策基準は，情報セキュリティ基本方針を受け，セキュリティ対策の対象とその対策法を定めたガイドラインである。情報システムの利用者から見れば，遵守すべきセキュリティ規定項目を定義したものとなる。

8.2.2 リスクマネジメント

Point
- リスクアセスメントはリスクを特定，分析，評価すること
- リスク対応にはリスクコントロールとリスクファイナンシング

リスクマネジメントは，組織におけるリスクに対応したり，受容したりする一連のプロセスである。リスクマネジメントは，大きくは，リスクアセスメントとリスク対応のプロセスから構成される。

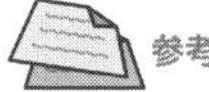
参考
損害が発生する確率だけがあって利益を得る可能性がないリスクを純粋リスク，損害と利益のいずれが発生するかわからないリスクを投機的リスクという。リスクマネジメントでは，純粋リスクを対象とする。具体的には，地震，水害，火災，事故，盗難などである。

● リスクの種類

リスクは，"損害のチャンス，損害の可能性，現実の結果の期待からの偏差，全ての結果について期待と異なる確率"である。ある標準から離れている度合いが大きければ大きいほどリスクも大きくなる。この場合の標準は，組織内で制定したセキュリティ標準であってもよいし，既成の標準であってもよい。

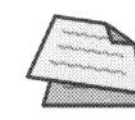
参考
リスクの分類の一つに，リスクレベルがある。概略的には，リスクの大きさや水準（レベル）のことであるが，JIS Q 27000:2019では，「結果とその起こりやすさの組合せとして表現される，リスクの大きさ。」と定義している。

リスクの種類	説明
オペレーショナルリスク	内部の人間による情報漏えいなど，内部プロセス・人・システムが不適切であること，あるいは機能しないことから生じる損失にかかるリスク
サプライチェーンリスク	部品供給元からの部品供給が遅れた，予定外の機能が実装されていたなど，情報機器やシステムなどの納入者（サプライヤ）の原因により発生するリスク
外部サービス利用のリスク	外部のクラウドサービスに不備があり，個人情報が漏えいするなど，外部サービスを利用することで発生するリスク
SNSによる情報発信リスク	不適切な情報発信をSNS上で行った結果の炎上など，SNSで情報発信を行うことで発生するリスク

用語解説
リスク基準
リスク基準は，リスクを適切な手法で対処するため，各リスクの大きさに優先順位を付けて，客観的に管理するための基準である。受容基準，セキュリティアセスメントを再実施するための基準がある。

● リスクアセスメント

リスクアセスメントは，情報資産の分析や脅威分析，脆弱性分析を行って，セキュリティリスクを識別・評価し，リスク管理の範囲や処理方法を検討することである。

リスクアセスメントの一般的な手順は，次のとおりである。

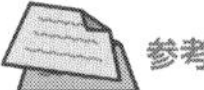
参考

リスクが顕在化したときの被害を回避したり，損失を軽減したりする取組みを，リスクヘッジという。広く一般に，危険を避けることを意味し，死亡，事故，失業など，不慮の事態に備えて保険に入ることもリスクヘッジの一種である。

参考

サイバーセキュリティ経営ガイドライン

サイバーセキュリティ経営ガイドラインは，サイバー攻撃から企業を守るために，経営者が認識する必要のある3原則と，CIOなどの情報セキュリティ対策の責任者に指示すべき重要10項目について，経済産業省とIPAが公表したものである。なお，IPAは，独立行政法人情報処理推進機構（Information-technology Promotion Agency）のことである。

1. リスク特定
   リスクを発見し，認識し，記述するプロセス
2. リスク分析
   リスクの特質を理解し，リスクレベルを決定するプロセス
3. リスク評価
   リスク（とその大きさ）が受容可能か（許容可能か）を決定するためにリスク分析の結果をリスク基準と比較するプロセス

●リスク対応

リスク評価結果に基づき，セキュリティを維持するために具体的な対策を決定する。リスク対応には，リスクコントロールとリスクファイナンシングがある。また，リスクマネジメントの指針に，JIS Q 31000がある。

リスクコントロール

リスクコントロールは，リスクがもたらす損失を最小限に食い止めるため，事前に備えるリスク処理方法である。

種類	内　容
リスク回避	リスクを発生させる情報資産との関係を絶つ （例）リスクを発生させる可能性のある情報化は止める
損失防止	損失の発生頻度を減少させる（脅威の実現に影響する脆弱性への対応） （例）認証技術を利用した入退室管理
損失削減	損失の度合いを小さくする（損失拡大に影響する脆弱性への対処） （例）消火器やスプリンクラの設置，避難訓練
リスク分散	損失を受ける情報資産を分散し，損失規模を軽減させる （例）分散処理，冗長構成
リスク集約	損失を受ける情報資源を集中させ，効率的なリスク処理を行う （例）ファイアウォール（外部と内部の接続点を1つにする）
リスク移転	契約を通じてリスクを第三者に移転 （例）アウトソーシング

リスクファイナンシング

リスクファイナンシングは，リスクが発生したときの損失や，排除しきれないリスクに対しての損失に備える資金的な対処である。リスク保有とリスク移転がある。

リスク保有は，リスクに対して企業が自己負担する資金的対応方法で，小さいリスクやリスク移転ができない場合に適用される。

リスク移転は，保険会社などの第三者に資金的なリスクを移転させることである。発生頻度は極めて少ないが，発生した場合の資金的な負担が大きい場合に適用される。いわゆる保険である。

JIS Q 31000

JIS Q 31000（リスクマネジメントー指針）は，組織のリスクに焦点を当て，組織経営のためのリスクマネジメントを明確にし，様々な分野で共通するリスクマネジメントプロセスを標準化したものである。リスクマネジメントの国際規格であるISO 31000を基に策定された。

参考

あるリスクに対して組織が何らかの対応をした結果，残るリスクの大きさのことを，残留リスクという。なお，2009年に国際標準規格として発行された「ISO Guide 73」（リスクマネジメントー用語）では，「リスク対応後に残るリスク」と定義している。

●情報セキュリティ組織・機関

不正アクセスによる被害受付の対応，再発防止のための提言，情報セキュリティに関する啓発活動などを行うため，多くの情報セキュリティ組織・機関が設立されている。

CSIRT（シーサート）/PSIRT（ピーサート）

CSIRT(Computer Security Incident Response Team)は，企業や行政機関などに設置される組織で，コンピュータシステムやネットワークに保安上の問題につながる事象が発生した際に対応する組織である。

一方，PSIRT（Product Security Incident Response Team）は，自社で製造・開発する製品やサービスを対象に，セキュリティレベルの向上やインシデント発生時の対応を行う組織である。

JPCERT/CC（ジェーピーサート シーシー）

JPCERT/CC（JaPan Computer Emergency Response Team / Coordination Center：コンピュータ緊急対応センター）は，インターネットを介した不正アクセスに関する情報を収集・公開する団体で，セキュリティ問題に関して教育・啓蒙活動も行っている。

JPCERT/CCでは，不正アクセスなどの攻撃の総称をインシデント（セキュリティインシデント）と呼び，次のように説明している。

参考

JPCERT/CCでは，インシデントを次の6つのタイプに分類している。

- Scan：プローブ，スキャン，そのほかの不審なアクセス
- Abuse：サーバプログラムの機能を悪用した不正中継
- Forged：送信ヘッダを詐称した電子メールの配送
- Intrusion：システムへの侵入
- DoS：サービス運用妨害につながる攻撃
- Other：その他

参考

標的型サイバー攻撃の被害の発生が予見され，その対策の対応遅延が社会や産業に重大な影響を及ぼすと判断される組織，標的型サイバー攻撃の連鎖の元となっていると考えられる組織などに対して支援を行う組織を，J-CRAT（ジェイクラート）（Cyber Rescue and Advice Team against targeted attack of Japan：サイバーレスキュー隊）という。

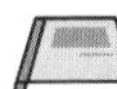
用語解説

DoS

DoS（Denial of Service）は，大量の不正アクセスによってサーバをサービス停止などの状況に追い込むことである。大量のメールを送信して，メールサーバをダウンさせるようなメール爆弾などがDoSの例である。

用語解説

CIO

CIO（Chief Information Officer：最高情報責任者）は，情報システムの最高責任者である。経営戦略に沿った情報戦略やIT投資計画の策定などに責任をもち，情報システム部門の責任者を兼ねるケースも多い。

CISO

CISO（Chief Information Security Officer：最高情報セキュリティ責任者）は，企業内で情報セキュリティを統括する担当役員の1つである。情報セキュリティポリシの策定やセキュリティ事故が発生した際の対処の指揮など，組織内の情報セキュリティの管理を行う。

コンピュータセキュリティに関係する人為的事象で，意図的および偶発的なもの（その疑いがある場合）を含む。例えば，リソースの不正使用，サービス妨害行為，データの破壊，意図しない情報の開示や，さらにそれらに至るための行為（事象）などがある。

JVN

JVN（Japan Vulnerability Notes）は，日本で使用されているソフトウェアなどの脆弱性関連情報とその対策情報を提供し，情報セキュリティ対策に資することを目的とする脆弱性対策情報ポータルサイトである。JVNでは，脆弱性関連情報とその対策，製品開発者の対応状況を公開している。JPCERT/IPAにより共同で運営されている。

情報セキュリティ委員会

情報セキュリティ委員会は，企業・組織における情報セキュリティマネジメントの最高意思決定機関である。CIOあるいはCISOを中心とした組織横断型の委員会である。CIOやCISOが主催し，経営者や各部門長などの責任者が出席し，情報セキュリティポリシなど，組織全体の基本方針を定める。

SOC

SOC（Security Operation Center）は，顧客や自組織を対象として，情報セキュリティ機器やサーバ，コンピュータネットワークなどを監視し，これらの機器が生成するログ（ジャーナル）を分析し，サイバー攻撃の検出・通知を行う組織である。

内閣サイバーセキュリティセンター／サイバーセキュリティ戦略本部

内閣サイバーセキュリティセンター（National center of Incident readiness and Strategy for Cybersecurity：NISC）は，政府の情報セキュリティ関連施策を推進する機関で，情報セキュリティに関する基本戦略の立案や，政府機関のセキュリティ対策の推進・支援などを行う。サイバーセキュリティ基本法に基づき，内閣官房に設置された。また，国レベルのセキュリティ組織が，サイバーセキュリティ戦略本部である。内閣官房長官を本部長とし，サイバーセキュリティ戦略案の作成などを行っている。

8.2.3 ISMS とプライバシーマーク

午後にも出る

Point
- ISMS は組織が情報を適切に管理するための包括的な枠組み
- プライバシーマークは個人情報保護を適切に行う企業に付与

個人情報保護の具体的な取組みを評価するために，ISMS がガイドラインとして定められている。また，個人情報保護に関して積極的かつ適切な保護措置を講ずる体制を整えている組織を認証する手段として，プライバシーマーク制度が運用されている。

● ISMS

ISMS（Information Security Management System）は，企業などの組織が，情報を適切に管理し，機密を守るための包括的な枠組みである。コンピュータシステムのセキュリティ対策だけでなく，情報を扱う際の基本的な方針（情報セキュリティポリシ）や，これに基づいた計画の立案，具体的な計画の実施・運用，一定期間ごとの方針・計画の見直しまで含めたトータルなリスクマネジメント体系である。英国規格協会（British Standards Institution：BSI）が ISMS の標準規格を策定し，ほぼ同じものが ISO によって国際的に標準化された。国内ではこの規格に沿ったガイドラインが JIS 規格として標準化されている。JIPDEC（ジプデック）（Japan Institute of Promotion of Digital Economy and Community：一般財団法人 日本情報経済社会推進協会）が，企業の ISMS が ISO/IEC 27001 に準拠していることを認証する ISMS 適合性評価制度を運用している。

ISMS の歴史的経緯は，次のとおりである。

英国規格	国際規格	JIS規格	内容概略
BS 7799-2	ISO/IEC 27001	JIS Q 27001	ISMS要求事項
BS 7799-1 ↓ BS ISO/IEC 27002	ISO/IEC 17799 ↓ ISO/IEC 27002	JIS X 5080 ↓ JIS Q 27002	ISMS実践のための規範

▶試験に出る

セキュリティ関係の認証を受ける組織が増加している。これに伴って，ISMS の認証やプライバシーマークに関連する出題が増えている。

▶間違えやすい

ISO/IEC 17799 と ISO/IEC 27002

イギリスのBSIが制定したITセキュリティ管理実施基準（BS 7799）の一部を，国際的なITセキュリティ管理実施基準として制定したものがISO/IEC 17799（JIS X 5080）である。なお，現在は，ISO/IEC 27002（JIS Q 27002）となっている。規格番号の変更により，JIS X 5080は廃止された。

ISMS適合性評価制度の認証を受けることを希望する企業は，JIPDECの指定した審査機関に認定取得の申請を行う。審査機関によって認定されると，JIPDECによって認定済み事業者として登録される。審査機関には一般財団法人日本品質保証機構 ISO審査本部や，一般財団法人日本規格協会 審査登録事業部などがある。

ISMSは，PDCAサイクルで表すことができる。ISMSのPDCAサイクルについて，JIS Q 27001:2006から引用しておく。

用語解説

PDCA

PDCAは，Plan（計画），Do（実行），Check（点検），Act（処置）の頭文字の合成語である。PDCAサイクルは，ソフトウェアでいえば，計画(P)，開発(D)，運用(C)，保守（A）を繰り返すことである。

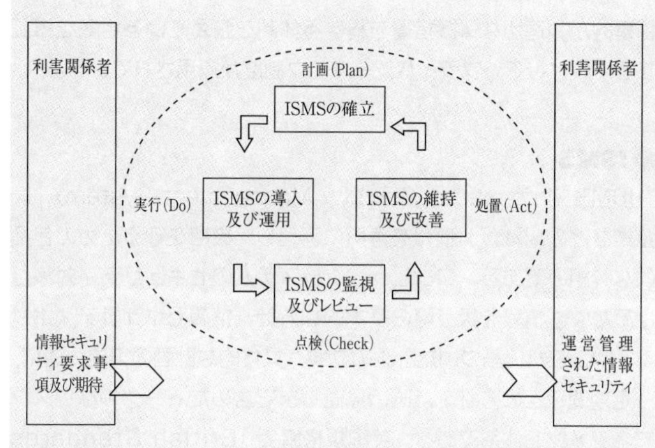

出典：JIS Q 27001：2006「図1 － ISMSプロセスに適用されるPDCAモデル」

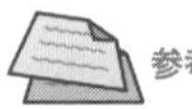

参考

情報セキュリティ監査人は，情報セキュリティポリシ策定時に設定したリスクコントロール水準が維持できていることを，定期的に点検・評価し，情報セキュリティポリシの遵守状況やその内容を監査する。これを情報セキュリティ監査という。

●プライバシーマーク

プライバシーマークは，個人情報の取扱いについて適切な保護措置を講ずる体制を整備している事業者に対して付与するものである。経済産業省の指導の下，JIPDECが付与する。プライバシーマーク制度は，事業者の個人情報保護に関する取組みの適切性を第三者である外部の専門家（JIPDEC）が評価するものである。事業者の個人情報保護に関する適切性をマークによって外部に知らせるとともに，事業者に対して個人情報保護に取り組むインセンティブを与える。

認定を受けると，次のようなプライバシーマークが付与される。

プライバシーマーク制度を格上げし，日本の国家規格としたものが，JIS Q 15001（個人情報保護マネジメントシステム―要求事項）である。ISO 9000 シリーズなどと同様に，個人情報を管理するためのマネジメントシステムを規定している。2 年ごとの審査を受けること，及び継続的な活動が必要である。

● ISO 15408

ISO 15408 は，ISO が制定した情報セキュリティ技術の評価基準に関する国際規格である。日本では，JIS X 5070 として規格化されている。評価対象は，情報システムや製品に組み込まれている情報セキュリティ技術である。ISO 15408 の基になった規格が CC である。ISO 15408 はそのまま翻訳されて，JIS X 5070 となっている。

ISO 15408（JIS X 5070）では，評価保証レベル（Evaluation Assurance Level：EAL）を最低の 1 から最高の 7 まで規定しており，上位レベルは，下位レベルで定義されている評価内容を含む。ただし，EAL はセキュリティ機能の強度を表すものではなく，仕様どおりに実装されているかどうかを厳格に表すものである。

次は，EAL のレベルである。

レベル	概略
EAL1	機能テストの保証
EAL2	構造テストの保証
EAL3	系統的テスト及び確認の保証
EAL4	系統的計画，テスト，レビューの保証
EAL5	準形式的設計及びテストの保証
EAL6	準形式的設計の検証及びテストの保証
EAL7	形式的設計の検証及びテストの保証

情報セキュリティガバナンス

情報セキュリティガバナンスは，「企業における情報セキュリティガバナンスのあり方に関する研究会報告書」において，“コーポレート・ガバナンスと，それを支えるメカニズムである内部統制の仕組みを，情報セキュリティの観点から企業内に構築・運用すること”と定義される。JIS Q 27014（ISO/IEC 27014）で規定している。

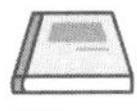

CC

CC（Common Criteria：セキュリティ共通評価基準）は，情報技術に関するセキュリティの評価基準である。国際間のセキュリティ評価認証書の相互運用を実現するために，国内及び地域内でのセキュリティ評価基準を定めている。

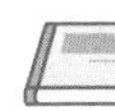

準形式的設計は，自然言語で設計結果を記述することである。仕様に曖昧さの入り込む可能性が高い。形式的設計は，プログラム言語のように文法的に曖昧さをなくした言語で設計結果を記述することである。論理的な表記ができるように記法が定義されており，事象を明確に定義することができる。

チェック! よく出る午前問題で基本事項を確認

日付・正解 Check　／　／　／

問題　［応用情報技術者試験 2013 年秋期午前 問 40］　難易度 ★　出題頻度 ★★★

ISMSにおいて定義することが求められている情報セキュリティ基本方針に関する記述のうち，適切なものはどれか。

ア　重要な基本方針を定めた機密文書であり，社内の関係者以外の目に触れないようにする。
イ　情報セキュリティの基本方針を述べたものであり，ビジネス環境や技術が変化しても変更してはならない。
ウ　情報セキュリティのための経営陣の方向性及び支持を規定する。
エ　特定のシステムについてリスク分析を行い，そのセキュリティ対策とシステム運用の詳細を記述する。

解説

情報セキュリティ基本方針は，経営者の情報保護に関する考え方を示すもので，企業が情報をどのように保護していくかについて簡潔にまとめたものである。事業の特徴，組織，その所在地，資産及び技術などを考慮したうえで，経営の最高責任者の名前で公表される。

ア　情報セキュリティ基本方針は，機密文書ではない。積極的に公表して，全社一丸となって，セキュリティの対策に努める必要がある。
イ　基本方針ではあるが，ビジネス環境や技術が変化してくれば，対策も変わってくる。したがって，状況に応じて，変更していく必要がある。
エ　情報セキュリティポリシは，全社的に推進すべきことを定めている。特定のシステムのリスク分析ではない。

正解：ウ

演習問題

［応用情報技術者試験 2014 年秋期午後 問 1］

問題

ネットワークやWebアプリケーションプログラムのセキュリティに関する次の記述を読んで，設問1～4に答えよ。

X社は，中堅の機械部品メーカである。X社では，部品製造に関わる特許情報や顧客情報を取り扱うので，社内のネットワークセキュリティを強化している。社内のネットワークの内部セグメントには，内部メールサーバ，内部Webサーバ，ファイルサーバなど社内業務を支援する各種サーバが配置されている。また，DMZには，インターネット向けのメール転送サーバ，DNSサーバ，Webサーバ，プロキシサーバが配置されている。Webサーバでは，製品情報や特定顧客向けの部品情報の検索システムを社外に提供しており，内部Webサーバやファイルサーバでは，特許情報や顧客情報の検索システムを社内に提供している。X社のネットワーク構成を図1に示す。

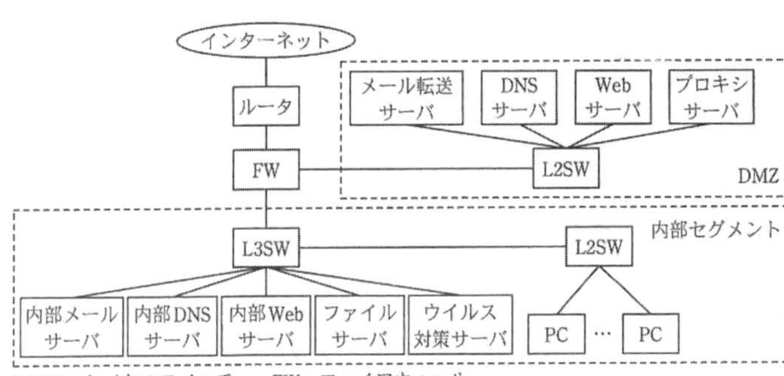

図1　X社のネットワーク構成

先日，同業他社の社外向けWebサイトが外部からの攻撃を受けるというセキュリティインシデントが発生したことを聞いた情報システム部のY部長は，特にFWに関するネットワークセキュリティの強化を検討するように部下のZさんに指示した。

X社の社内ネットワークのセキュリティ要件を図2に示す。

1. 共通事項
   1.1 社内の通信機器やサーバがインターネットと通信する場合には，FWなどの装置を用いてアクセス制御を行うこと。
   1.2 業務上必要がない通信は全て禁止すること。
   1.3 インターネットに公開する社内サーバは必要最小限にとどめること。
2. Web
   2.1 社内のPCから社外Webサイトへの HTTP通信（HTTPSを含む。以下同じ）は，プロキシサーバ経由で行うこと。
   2.2 社外から社内への HTTP通信は，インターネットから Webサーバへの HTTP通信だけを許可すること。
   2.3 Webアプリケーションプログラムの脆弱性を悪用した攻撃を防ぐために，インターネットから Webサーバにアクセスする通信は，あらかじめ定められた一連の手続の HTTP通信だけを許可すること。
3. 電子メール
   3.1 社内のPC間のメール通信は，内部メールサーバを介して行うこと。
   3.2 内部セグメントとDMZの間のメール通信は，内部メールサーバとメール転送サーバの間だけを許可すること。
   3.3 社内と社外の間のメール通信は，メール転送サーバとインターネットの間だけを許可すること。
4. DNS
（以下省略）

図2　X社の社内ネットワークのセキュリティ要件（抜粋）

Zさんは，①FWによるIPアドレスやポート番号を用いたパケットフィルタリングだけでは外部からの攻撃を十分に防ぐことができないと考えた。そこで，より高度なセキュリティ製品の追加導入を検討するために，IDS，IPSやWAFの基本的な機能について調査した。調査の結果，IDSは，X社の外部からの［ a ］ことができ，IPSは，X社の外部からの［ b ］ことができ，一方，WAFは，［ c ］ことができるということが分かった。

この結果から，Zさんは，次の二つの案を考えた。
案1：社内ネットワークのルータとFWの間にネットワーク型のIPSを導入する。
案2：セキュリティ強化の対象とするサーバにWAFを導入する。

今回，［ d ］を目的とする場合には案1を，［ e ］を目的とする場合には案2を選択することがそれぞれ有効であると分かった。

特に案2のWAFは，ブラックリストや②ホワイトリストの情報を有効に活用することで，社内のネットワークのセキュリティ要件2.3を満たすことができる。

Zさんは，それぞれの案について，費用面や運用面での課題の比較検討も行い，結果を取りまとめてY部長に報告した。これを受けてY部長は，案2を採用することを決め，具体的な実施策を検討するようにZさんに指示した。

設問1　本文中の下線①において，FWでは防げない攻撃を解答群の中から全て選び，記号で答えよ。

解答群

ア　DNSサーバを狙った，外部からの不正アクセス攻撃

イ　WebサーバのWebアプリケーションプログラムの脆弱性を悪用した攻撃

ウ　内部Webサーバを狙った，外部からの不正アクセス攻撃

エ　ファイルサーバを狙った，外部からの不正アクセス攻撃

オ　プロキシサーバを狙った，外部からのポートスキャンを悪用した攻撃

設問2　本文中の［　a　］～［　c　］に入れる最も適切な字句を解答群の中から選び，記号で答えよ。

解答群

ア　IPパケットの中身を暗号化して盗聴や改ざんを防止する

イ　IPパケットの中身を調べて不正な挙動を検出し遮断する

ウ　IPパケットの中身を調べて不正な挙動を検出する

エ　Webアプリケーションプログラムとのやり取りに特化した監視や防御をする

オ　Webアプリケーションプログラムとのやり取りを暗号化して盗聴や改ざんを防止する

カ　電子メールに対してウイルスチェックを行う

設問3　本文中の［　d　］，［　e　］に入れる最も適切な字句を解答群の中から選び，記号で答えよ。

解答群

ア　PCに対するウイルス感染チェック

イ　WebサーバのWebアプリケーションプログラムの脆弱性を悪用した攻撃の検出や防御

ウ　外部からの不正アクセス攻撃の検出や防御をX社の社内ネットワーク全体に対して行うこと

エ　内部からの不正アクセス攻撃の検出や防御をX社の社内ネットワーク全体に対して行うこと

オ　内部メールサーバに対する不正アクセス攻撃の検出や防御

設問4　本文中の下線②のホワイトリストに，どのような通信パターンを登録する必要があるか。図2中の字句を用いて30字以内で述べよ。

演習問題・解答

解説

IDS（Intrusion Detection System：侵入検知システム）は，不正アクセスを検知するシステムの構築技術である。不正アクセスやサービス拒否攻撃（DoS）に関するデータベースをもち，事前に設定した不正アクセス検出ルールに基づく事象を通知する。IDSには，ネットワーク単位に不正アクセスの有無を監視するネットワーク監視型IDS（Network IDS：NIDS），ホスト（端末）を監視するホスト監視型IDS（Host IDS：HIDS）がある。ホスト監視型IDSは，ネットワークに接続されているサーバと端末に個々にインストールする。

IPS（Intrusion Prevention System：侵入防止システム）は，サーバやネットワークへの不正侵入を阻止するシステムの構築技術である。ネットワークの境界などに設置する専用の機器（アプライアンス）やサーバに導入するソフトウェアなどの形で提供される。IPSには，ホスト監視型IPS（Host IPS：HIPS）とネットワーク監視型IPS（Network IPS：NIPS）がある。HIPSは，サーバにインストールするソフトウェアの形で提供され，バッファオーバフローを利用した不正侵入をOSレベルで防いだり，一般ユーザによる管理者権限の取得ができないようにしたり，アクセスログの改ざんを防止するなどの機能をもつ。NIPSは，IDSの機能を拡張し，侵入を検知したら接続の遮断などの防御をリアルタイムに行う機能をもつ。ワームやDoS攻撃などのパケットがもつ特徴的なパターンが記憶されており，該当する接続を検知するとこれを遮断し，管理者へ通知したり記録をとったりする。

WAF（Web Application Firewall）は，Webアプリケーションへの外部からの攻撃・侵入を検知・防止するシステムである。Webサーバとインターネットなどの外部ネットワークとの間に設置され，サーバへのアクセスを監視し，攻撃とみなされるアクセスパターンを検知するとブロックする。専用のハードウェアとして実装されたもの，ゲートウェイなどのサーバ上で動作させるソフトウェア，Webサーバ自体に組み込むモジュールの形になっているものがある。

ホワイトリストは，対象を選別して受け入れたり拒絶したりする仕組みの1つで，受け入れる対象を列挙したリストのことである。ホワイトリストに記録されているパケットだけを通過させ，それ以外のパケットは拒絶する。逆に，リストに記録されているパケットだけを拒絶し，それ以外のパケットを通過させるためのリストを，ブラックリストという。

■設問1　解答　ア，イ

パケットフィルタリング方式は，パケットのヘッダの内容をチェックして，通過させるパケットと遮断させるパケットを識別する。パケットヘッダの情報には，宛先と送信元のIPアドレス，宛先と送信元のポート番号などがある。ヘッダだけのチェックなので，データの内容には関知しない。

ア　DMZに設定されるDNSサーバは，外部からの問合せに対応する必要がある。このため，外部のIPアドレスで制限することができない。また，ポート番号は固定（TCP/UDP53）なので，問合せのパケットを通過させる必要がある。このため，パケットの遮断は難しい。

イ　アプリケーションプログラムの脆弱性を狙った攻撃は，パケットのデータ部分に攻撃内容が記述される。このため，パケットの遮断は難しい。なお，アプリケーションプログラムはOSI基本参照モデルのアプリケーション層であるのに対して，パケットフィルタリングはトランスポート層なので，チェックできないと考えてもよい。

ウ，エ　内部のWebサーバやファイルサーバは社内に情報提供をしているので，ポート番号を公開しなければ，外部からの攻撃を遮断できる。

オ　使用していないポート番号を公開しなければ，ポートスキャンに対応できる。

したがって，パケットフィルタリング方式のFWで防ぐことができない攻撃は，“DNSサーバを狙った，外部からの不正アクセス攻撃”（「ア」）と，“WebサーバのWebアプリケーションプログラムの脆弱性を悪用した攻撃”（「イ」）である。

■設問2　解答　a：ウ，b：イ，c：エ

IDSとIPSの相違点は，IDSは不正なパケットを検知するのに対して，IPSは不正なパケットを遮断する点である。いずれも，アプリケーション層での処理はできないため，Webアプリケーションとのやり取りはできない。一方，WAFはアプリケーション層で動作するため，Webアプリケーションとのやり取りができる。

解答群の記述のうち，IDS，IPS，WAFいずれも暗号化機能はもたないため，「ア，オ」は検討の対象外である。また，ウイルスチェック機能ももたないため，「カ」も検討の対象外である。

●空欄a

IDSなので，パケットの不正な挙動などを検出する。したがって，“IPパケットの中身を調べて不正な挙動を検出する”（「ウ」）が適切である。なお，解答群の記述の“IPパケットの中身”は，この場合，IPパケットのヘッダを指していると考えられる。

●空欄b

IPSなので，パケットの不正な挙動を検出し遮断する。したがって，“IPパケットの中身を調べて不正な挙動を検出し遮断する”（「イ」）が適切である。なお，解答群の記述の“IPパケットの中身”は，IDSと同様，IPパケットのヘッダを指している。

●空欄c

WAFなので，Webアプリケーションプログラムとやり取りする。したがって，“Webアプリケーションプログラムとのやり取りに特化した監視や防御をする”（「エ」）が適切である。

■設問3　解答　d：ウ，e：イ

案1はIPSの導入，案2はWAFの導入である。いずれも，外部からの不正侵入を検出し防御するのが目的なので，内部から外部への不正アクセスはチェックしない。また，内部のやり取りは，FWを通らないので検討の対象外である。このため，「エ，オ」は検討の対象外である。また，IPS，WAFともにウイルスチェックは行わないので，「ア」も検討の対象外である。

●空欄d

案1はIPSの導入である。IPSはWebアプリケーションプログラムとはやり取りしないので，“外部からの不正アクセス攻撃の検出や防御をX社の社内ネットワーク全体に対して行うこと”（「ウ」）が適切である。

●空欄e

案2はWAFの導入である。WAFはWebアプリケーションプログラムとやり取りするので，“WebサーバのWebアプリケーションプログラムの脆弱性を悪用した攻撃の検出や防御”（「イ」）が適切である。

■設問4　解答　あらかじめ定められた一連の手続のHTTP通信

案2を採用することにより，ホワイトリストの情報を有効に活用でき，要件2.3を満たすことができる。ホワイトリストは，許可されたパケットだけを通過させるので，要件2.3の記述からは，HTTP通信だけを許可するような設定となる。

したがって，設問文の“図2中の字句を用いて”ということから，“あらかじめ定められた一連の手続のHTTP通信”という主旨で30字以内にまとめる。

第9章

● テクノロジ系

システム開発技術

システム開発は，基本計画，外部設計，内部設計，プログラム設計の設計工程と，プログラミング，テストの開発工程を経て，運用に供される。さらに，運用中のシステムに機能改善や機能追加などの改良を加えながら利用される。この一連の流れを，システムのライフサイクルという。本章では，システム開発における開発手法，要求分析技法，設計技法，テスト技法など，システム開発における技術的事項について学習する。

理解しておきたい用語・概念

- ☑ ウォータフォールモデル
- ☑ プロトタイピングモデル
- ☑ スパイラルモデル
- ☑ オブジェクト指向
- ☑ アジャイル
- ☑ FP 法
- ☑ CASE
- ☑ DFD
- ☑ E-R モデル
- ☑ UML
- ☑ リバースエンジニアリング
- ☑ ホワイトボックステスト
- ☑ ブラックボックステスト
- ☑ レビュー
- ☑ モデレータ

アクセスキー b (小文字のビー)

9.1 開発環境と開発手法

効率的なシステム開発を行うには，各種設計技法やテスト技法を熟知し，駆使することが必要である。そして，ソフトウェアパッケージやツールなどの開発環境も使用できることが望ましい。

9.1.1 システム開発の手順

- システム設計の工程はトップダウン方式
- テストの工程はボトムアップ方式

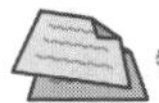

参考

システム開発においては，種々のソフトウェアパッケージも利用される。ERP，CRM，CTIなどの業務支援ソフトウェアパッケージのほか，システム開発や運用を支援するものもある。例えば，エディタ，言語プロセッサ，CASE，ワープロソフト，表計算ソフトなどである。

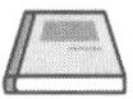

用語解説

CTI

CTI（Computer Telephony Integration）は，コンピュータの情報処理機能と電話交換機の通信機能を組み合わせることで，営業時間外の電話に対する自動音声応答など，電話とコンピュータを組み合わせて，高度な電話サービスを提供するものである。

●システム開発工程

システム開発工程において，設計・テスト計画工程はトップダウン方式，テストはボトムアップ方式で行う。一般的な設計・テスト計画工程とテスト工程は，次のとおりである。また，点線矢印は，設計・テスト計画工程とテスト工程の対応である。例えば，“⑧システム統合テスト”の設計は，“②システム設計”で実施する。

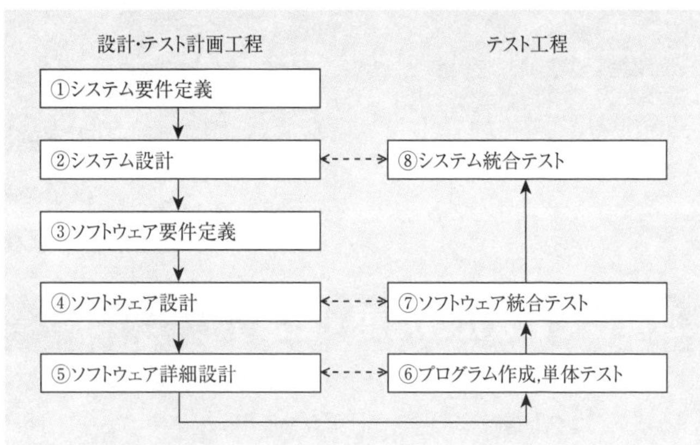

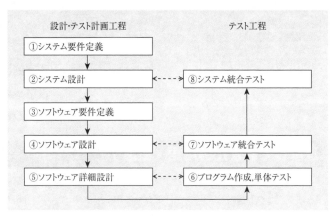

各工程の主な作業は，次のとおりである。

①システム要件定義

システム境界の定義，システム要件の定義，システム要件の評価，システム要件の共同レビューなどを実施する。

②システム設計

利用者文書（暫定版）の作成，システム設計の評価，システム方式設計の共同レビューなどを実施する。

③ソフトウェア要件定義

ソフトウェア境界の定義，ソフトウェア要件の定義，ソフトウェア要件の評価，ソフトウェア要件の共同レビューなどを実施する。

なお，ソフトウェア境界とは，ソフトウェアの実現する機能の範囲・境界を指す。

④ソフトウェア設計

入出力設計，利用者文書（暫定版）の作成，ソフトウェア設計の評価，ソフトウェア設計の共同レビューなどを実施する。

⑤ソフトウェア詳細設計

ソフトウェアコンポーネントの詳細設計，ソフトウェアインタフェースの詳細設計，データベースの詳細設計，利用者文書の更新，ソフトウェアユニットの要求事項の定義，ソフトウェア統合のための要求事項の更新，ソフトウェア詳細設計及び要求事項の評価，ソフトウェア詳細設計の共同レビューなどを実施する。

⑥プログラム作成及び単体テスト

ソフトウェアユニットの作成，テスト手順書作成，テストデータの作成，ソフトウェアユニットのテストの実施，利用者文書の更新，ソフトウェア統合テスト要求事項の更新，ソフトウェアコード及びテスト結果の評価などを実施する。

⑦ソフトウェア統合テスト

ソフトウェア統合テストの実施，利用者文書の更新，ソフトウェア統合テストの評価，ソフトウェア統合の共同レビューなどを実施する。

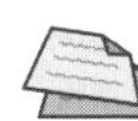
参考

ソフトウェア詳細設計では，デザインパターンが使われることがある。デザインパターンは，プログラム設計時に起こる典型的な問題とそれに対する解決策を整理し，再利用できるようにパターン化してまとめたものである。オブジェクト指向とパターン化との相性がよいため，オブジェクト指向プログラミングの分野で用いられることが多い。

参考

業務分析や要件定義に用いられる手法に次のものがある。
①ヒアリング
②ユースケース
③モックアップ及びプロトタイプ
④ DFD
⑤ E-R 図
⑥ UML
⑦ユーザストーリ（エンドユーザの観点からのソフトウェアの機能）
など

⑧システム統合テスト

システム統合テストの実施，利用者文書の更新，システム統合テストの評価，システム統合テストの共同レビューなどを実施する。

●テスト設計とインタフェース設計

プログラムのテスト作業では，まず，個々のソフトウェアユニットが仕様どおりに機能しているかを確認する**ソフトウェアユニットテスト（単体テスト）**が行われる。ソフトウェアユニットテストによって個々のソフトウェアユニットが問題なく機能すると確認されると，ソフトウェアユニットを統合した**ソフトウェア統合テスト**によってインタフェースが確認される。ソフトウェア統合テストで問題がないと確認されたら，システムが全体として予定どおりの機能を満たしているかどうかを確認する**システム統合テスト**が行われる。

さらに利用者に試用してもらい，利用者の要望が正確に満たされているかどうかを確認する承認テストが行われる。これら一連のテストを経てシステムが完成する。

テストの実施に際しては，設計段階でテスト設計を行う必要があることは既に説明したが，さらに，各ソフトウェアのインタフェース設計も必要である。

インタフェース設計

インタフェース設計では，ソフトウェア要件定義書を基に，操作性，応答性，視認性，ハードウェア及びソフトウェアの機能，処理方法を考慮して，入出力装置を介して取り扱われるデータに関する物理設計を行う。

インタフェース設計の目標は，利用者がなるべく直観的にソフトウェアを使えるようにすることである。

参考

通常，ソフトウェアユニットテストでは，ブラックボックステストとホワイトボックステストが併用されるが，そのほかのテストでは，ブラックボックステストが使われる。

ソフトウェアユニットテスト（単体テスト）の設計

ソフトウェアユニットテストでは，ソフトウェア詳細設計書で提示された要件を全て満たしているかどうかを確認するために，テストの範囲，テスト計画，テスト方式を定義し，ソフトウェアユニットテスト仕様書を作成する。

ソフトウェアユニットテストの対象は，通常，関数やメソッドである。後述するソフトウェア統合テストは，ソフトウェア開発の比較的あとの段階で，開発者とは異なるメンバによって実施されることが多いのに対して，ソフトウェアユニットテストは，コード作成時などの早い段階で，開発者によって実施されることが多い。

ソフトウェア統合テストの設計

ソフトウェア統合テストでは，ソフトウェア要件定義で提示された要件を全て満たしているかどうかを確認するために，テストの範囲，テスト計画，テスト方式を定義し，ソフトウェア統合テスト仕様書を作成する。

ソフトウェア統合テストでは，個々の機能を果たすための部品（ソフトウェアユニット）を組み合わせて，データの受渡しがうまく行われているか，コードの記述様式はそろっているか，データを授受するタイミングはずれていないかなどの点を確認する。

リーンソフトウェア開発は，具体的なプラクティス（実践手順）や体系的なフレームワークの形ではなく，プラクティスを各分野・現場に合わせて作り出す際の手助けとなる「7 つの原則」として提示されるアジャイル開発プラクティスを実践する考え方である。7 つの原則は，次のとおりである。中心となるのは，原則 1 の「ムダをなくす」である。

(1) ムダをなくす	(2) 品質を作り込む
(3) 知識を作り出す	(4) 決定を遅らせる
(5) できるだけ早く提供する	(6) 人を尊重する
(7) 全体を最適化する	

さらに，7 つの原則を実現するために，「無駄を認識する」「フィードバック」「モチベーション」など，「22 の思考ツール」が提案されている。

ソフトウェアのテストとそのテスト設計の工程との関連を問う出題がある。本文で示したテスト工程とそのテスト設計との対応を整理しておくとよい。

参考

主観的情報・客観的情報をもとに，分析・結合し，判断・評価し，意見・印象などを記述することを，アセスメントという。また，事業目標達成に向けた強みと弱みを明らかにし，改善の機会やリスクを特定するための活動を，プロセスアセスメントという。プロセスアセスメントについては，JIS X 33002 で規定している。

9.1.2 開発環境

Point
- CASE ツールはシステム開発工程を支援
- リエンジニアリングは再利用技術の 1 つ

システム開発における各工程の設計情報をデータベース化することで，システム開発の後半になればなるほど，自動化ができる。これを実現したのが，CASE である。また，ソフトウェアを再利用することで，信頼性の高いシステムを構築できる。

● CASE

CASE（Computer Aided Software Engineering）は，システム開発や保守作業の自動化を支援するソフトウェアである。ソフトウェア開発において，要求仕様や設計情報など，開発に必要な情報を，DFD などのダイアグラムで表現することで，システム開発を工学的に取り扱うことができる。

システム開発工程の各種情報は，リポジトリと呼ばれる共通データベースに蓄積し，一元管理する。設計情報の一元管理により，整合性や完全性のチェック，開発工程の自動化などを，コンピュータによって支援する。さらに，保守の面でも，システムの変更に対する影響の分析に使用できる。

CASE では，前工程で入力したデータと同じ情報を後工程で再度入力する必要がなくなる。また，データの追加があったときは，整合性が完全にチェックされる。したがって，後工程になればなるほど工程の自動化ができる。

CASE は，支援する範囲に対応して，統合 CASE，上流 CASE，下流 CASE，保守 CASE などに分類される。

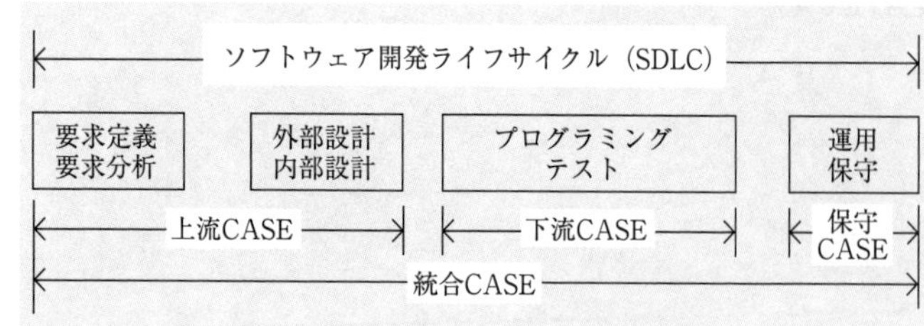

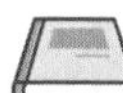
用語解説

上流 CASE
上流 CASE は，システム開発工程の上流工程を支援する。要求定義・分析，ダイアグラムの作成，プロトタイピングなど。

下流 CASE
下流 CASE は，システム開発工程の下流工程を支援する。プログラミング，画面作成，帳票作成，ファイル／データベース設計など。

保守 CASE
保守 CASE は，保守工程を支援する。リバースエンジニアリング，ソースプログラムの解析・修正・再構造化など。

統合 CASE
統合 CASE は，システム開発工程の全工程を支援する。

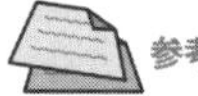
参考

9.1.1の「システム開発工程」で説明した開発工程の名称と，CASEにおける開発工程の名称が異なっている。9.1.1での開発工程の名称は技術者試験でのみ使われており，あまり一般的ではない。本文中のCASEツールでの名称は，一般的に使われている。

リエンジニアリング

リエンジニアリング(再エンジニアリング)は，対象システムを分析し，同等あるいはそれ以上の機能をもつ新システムを構築することである。

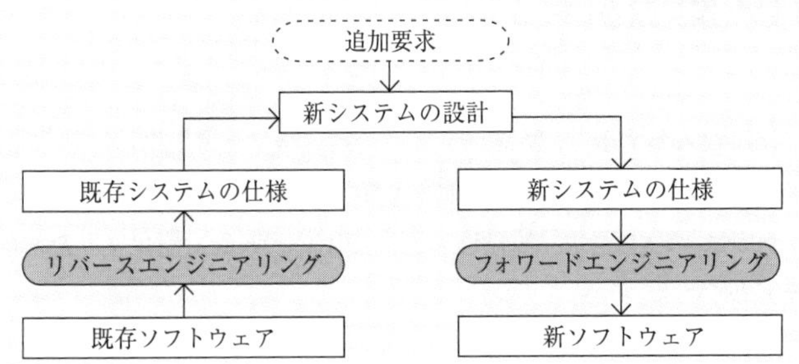

リバースエンジニアリング(逆エンジニアリング)は，ソースプログラムからシステムの仕様を導き出す技術である。また，リバースエンジニアリングで導き出したシステムの仕様に，新たな要求を加えて新しいシステムを構築するのが，フォワードエンジニアリングである。そして，リバースエンジニアリングとフォワードエンジニアリングを含む再利用技術が，リエンジニアリングである。

アジャイルソフトウェア開発

アジャイルは，迅速な，素早いという意味で，アジャイルソフトウェア開発は，効率的なシステム開発手法の総称である。以前から提案されてきたシステム開発技法よりも柔軟にプロジェクトを進めることを目的としている。

アジャイルソフトウェア開発の一つに，XPがある。XP(eXtreme Programming)は，ユーザの要求や仕様の変更リスクを軽減するため，顧客や開発者間のコミュニケーションを重視し，ペアプログラミング（1台のコンピュータを2人で使う）やリファクタリング（コードの手直し）などを取り入れている。

参考

アジャイル開発を効果的に進めるため，タスクボード，ニコニコカレンダー，朝会などが使われる。タスクボードは，チームが行うべき作業（タスク）を可視化することである。ニコニコカレンダー（ニコカレ）は，メンバの気持ちややる気を可視化することである。朝会は，毎朝，時間を決めて行われる短い会議である。

9.1.3 プロセスモデルとコストモデル

午後にも出る

Point
- プロセスモデルはシステム開発の手順のモデル
- コストモデルは費用見積りのモデル

プロセスモデルは，ソフトウェア開発工程をモデル化したもので，ソフトウェア開発手順の指針の１つである。コストモデルは，ソフトウェアの生産や品質管理など，費用(工数)を計量化するためのモデルである。

試験に出る

ウォータフォールモデル，プロトタイピングモデル，スパイラルモデルの特徴を問う出題が時々ある。これらのプロセスモデルの長所や短所を的確に押さえておく。また，RAD に関する出題もある。

参考

DevOps（デブオプス）

DevOpsは，開発チーム (Development) と運用チーム (Operations) が連携して協力する開発手法である。ビジネス要求に対して，より柔軟に，スピーディーに対応できるシステムを作り上げることを目標としている。

● プロセスモデル

プロセスモデルの代表的な例に，ウォータフォールモデル，プロトタイピングモデル，スパイラルモデル，RAD などがある。

ウォータフォールモデル

ウォータフォールモデルは，ソフトウェアの開発工程の段階を，上流から下流に向けて作業を進めていくモデルである。全体像が把握しやすく，プロジェクト管理がしやすいという評価はあるが，後戻りが発生すると，開発効率が低下する。このため，各工程の成果物(設計書など)を検証するレビューが，各工程の終了時に実施される。

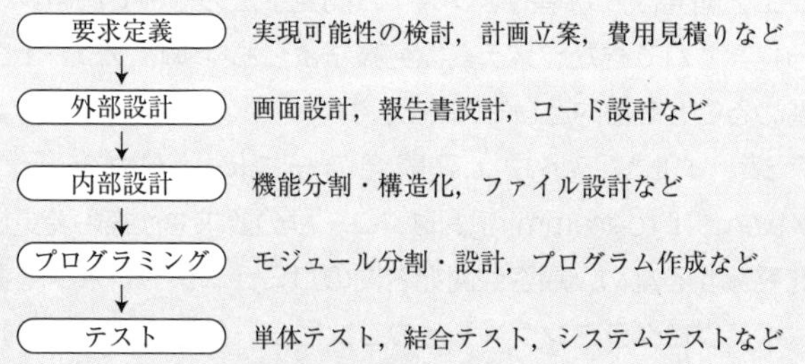

上図のウォータフォールモデルのシステム開発工程の分類は，一般的に行われている分類である。9.1.1 のシステム要件定義に要求定義が該当し，9.1.1 のシステム設計，ソフトウェア設計が，

それぞれ，外部設計，内部設計に該当する。また，9.1.1 のソフトウェア詳細設計がプログラミングに該当すると考えればよい。

プロトタイピングモデル

プロトタイピングモデルは，システム開発の早い段階でユーザが要求を目で見える形で確認できるように，プロトタイプ(試作品)を作成する技法である。比較的小規模のシステム開発に適合するという評価があるが，大規模システムにも適用できる。

早い段階からユーザの要求を取り入れるため，最終段階での食い違いを大幅に減らすことはできるが，ユーザの意見を取り入れすぎると，一般的でないシステムになってしまう可能性がある。

スパイラルモデル

スパイラルモデルは，全体を独立性の高い部分に分割し，部分ごとにシステムを開発していく方法である。各部分については，ウォータフォールモデルやプロトタイピングモデルが適宜，採用される。

スパイラルモデルでは，同時に開発する規模を抑制できるため，開発要員の安定的確保が可能で，部分ごとにユーザの確認を得ながら開発するため，最終調整が比較的スムーズにいくという特徴をもつ。

RAD

RAD（Rapid Application Development）は，短期間での開発を重視した開発技法の一つである。開発期間を数か月と限定し，少数のシステム作成者とユーザから成るグループが，CASE や各種の開発環境を駆使し，その間に最大限の成果を上げるようにした方法である。

RAD は，次のような手順で作業を進める。

①システムアナリストがユーザ要件を基にシステム仕様を作成
②システムエンジニアがプロトタイプを作成
③プロトタイプをユーザに試用させて評価と確認
④ユーザがプロトタイプに満足するまで，①～③を繰り返す

このようなアプローチはスパイラルアプローチと呼ばれ，作業が無制限に続かないように，一定の期限を設定する。この設定された期限を，タイムボックスという。

参考

継続的インテグレーション

継続的インテグレーションは，システム開発において，ビルド（構築）やテスト，インスペクションを継続的に実行していくことで，問題を早期に発見し，品質の向上や納期の短縮を図る手法である。特に，1990年代後半以降のシステム開発においては，継続的インテグレーションをサポートするソフトウェアを使用して，半自動化する傾向が強まってきた。

間違えやすい

スパイラルモデルに似たプロセスモデルに，インクリメンタルモデルがある。スパイラルモデルではサブシステムの開発が逐次的であるのに対して，インクリメンタルモデルでは，サブシステムの開発が並列進行する。

参考

契約内容に着目したモデルとして契約モデルがある。契約モデルは，開発工程を作業ごとに分割し，分割された作業ごとに受注者と発注者との間で契約を交わしながら開発を進める方法である。全体のコストの見通しが立ちにくいため，一般のユーザには不向きで，官公庁をクライアント(顧客)とするシステム開発に適合するという評価がある。

コストモデル

コストモデルの代表的な例に，FP法，COCOMOがある。

FP法

FP法（Function Point Method：ファンクションポイント法）は，プログラムの機能に着目して開発規模を推定する方法である。ユーザにとって必要なのは，ソフトウェアのステップではなく，ソフトウェアが出力する情報であるという考え方に基づくものである。

FP法では，機能を5つに分類し，各機能について3つのレベルの複雑度により評価した値（Function Point：FP）を算出する。さらに，過去の実績値から導いた1FP当たりの工数で，システムの工数を見積もる。

5つの機能とFPの計算方法の概略を次に示す。

P_1：外部入力数のファンクションポイント

P_2：外部出力数のファンクションポイント

P_3：外部照会数のファンクションポイント

P_4：内部論理ファイル数のファンクションポイント

P_5：外部インタフェースファイル数のファンクションポイント

$$FP = (P_1 + P_2 + P_3 + P_4 + P_5) \times C \quad (C：補正係数)$$

$$P_i = W_{1i} \times I_{1i} + W_{2i} \times I_{2i} + W_{3i} \times I_{3i} \quad (i=1,\ 2,\ 3,\ 4,\ 5)$$

ここで，W_{1i}，W_{2i}，W_{3i}は各複雑度の重み付け，I_{1i}は複雑度が単純レベルの個数，I_{2i}は複雑度が中レベルの個数，I_{3i}は複雑度が高レベルの個数を示す。

COCOMO

COCOMO（ココモ）（COnstructive COst MOdel）は，ソフトウェアの開発ステップ数からソフトウェアの開発工数を，経験値（過去の統計値）を基に算出する方法である。しかし，ステップ数をどのように見積もるかという問題がある。

COCOMOでは，ソフトウェアを初級COCOMO，中級COCOMO，上級COCOMOの3階層に分類し，各分類において，プロジェクトの開発モードを小規模，中規模，大規模の3段階に分類する。

▶試験に出る

FP法についての出題が増えている。FP法の概念を問う問題も出題されているが，実際にファンクションポイントを計算させる問題も多い。

▶間違えやすい

COCOMOでは，プログラマの作業工数をP，開発期間をTとすると，次の関係が成立するとしている。

$P = a \times (KLOC)^b$
$(a > 0,\ b > 1,$
KLOC：キロステップ)

$T = c \times P^d \quad (c > 0,\ 0 < d < 1)$

なお，a, b, c, dは，COCOMOの階層と開発モードによって決まる係数である。

COCOMOは，分析・設計工程の見積りが不可能なため，組織全体の開発能力の成熟度や，開発・テストの繰返しに適していないという問題があった。そこで，COCOMOを拡張し，FP法やCMMの概念を取り入れたCOCOMO IIが提唱された。

チェック! よく出る午前問題で基本事項を確認

問題 ［応用情報技術者試験 2015年秋期午前 問49］ 難易度 ★ 出題頻度 ★★★

エクストリームプログラミング（XP）におけるリファクタリングの説明はどれか。

ア　外部から見た動作を変えずにプログラムをより良く作り直すこと
イ　コーチがチームメンバの意識を高めること
ウ　プログラミングとテストを繰り返し行うこと
エ　プログラムを作成するよりも先にテストケースを考えること

解説

リファクタリングは，外部から見た動作を変えずに，ソースコードの内部構造を変えることをいう。プログラムは，途中での設計変更やバグ修正などで次第に冗長で読みにくいものとなっていくことが多い。リファクタリングはこれらの問題点を解決し，将来の仕様変更に柔軟に対応できるようなソースコードの手直しなど，ソースコードの品質を向上させるために実施する。

イ　援護の説明である。XPでは管理者の活動として援護が義務付けられている。
ウ　継続的インテグレーションの説明である。継続的インテグレーション（Continuous Integration：CI）は，モジュール単体のテストや品質チェックをはじめ，関連する周辺のモジュール全体も含めてテストや品質チェックを頻繁に実施することで早期に問題を発見しようという試みである。
エ　テスト駆動開発の説明である。テスト駆動開発は，プログラムに必要な各機能について最初にテストコードを書き（このことを“テストファースト”という），そのテストが動作する必要最低限の実装を行ったあと，ソースコードのリファクタリングを行う。

正解：ア

9.2 要求分析・設計技法

要求定義やソフトウェア設計の結果を表現する技法が種々提案されている。本節では，代表的なソフトウェア要求モデルと設計技法について学習する。また，オブジェクト指向設計の関連用語について概観しておく。

9.2.1 ソフトウェア要求モデル

午後にも出る

Point
- DFD は4つの記号から構成される要求定義技法
- UML はオブジェクト指向の設計技法を統合した表記法

参考

モデル／モデリング（モデル化）

モデルは，模範，手本など，標準となるものである。モデリングは，複数の物体や事象について，共通する特徴や性質を抽出し，各物体や事象の枝葉末節の部分や固有の特徴や性質を簡略化した抽象的な模型（モデル）を作成することをいう。

▶試験に出る

DFD に関する出題は，午前・午後ともに出題されている。ただし，午前問題では，DFD の記号の意味，簡単な DFD の解釈などが中心で，それほど難しくはない。また，午後問題でも，さほど高度な分析力は要求されない。DFD に慣れておけばよい。

ソフトウェア要求モデルは，ソフトウェア要求分析の技法に対して具体的なモデルを適用したものである。また，UML は，分析から設計まで，広範囲をカバーしている。

●機能階層モデル

機能階層モデルは，機能を中心に段階的に詳細化しながら階層的な構成の要求モデルを作成する。システムがもつ機能を階層的に分割しながら要求モデルを作成するため，ウォータフォールモデルに最適なモデルとなる。

●データフローモデル

データフローモデルは，入力，処理（機能），記憶，出力の観点から，システムの機能を分析する技法である。タイミング制御を伴わない業務に適用しやすい。分析結果は，データフローダイアグラム（Data Flow Diagram：**DFD**）で表現する。

記号	名称	用途
□（長方形）	データ源泉	データの発生源（源泉）
	データ吸収	データの行き先（吸収）
○	処理（プロセス）	データの加工
→	データフロー	データの流れ
＝（二重線）	データストア	データの蓄積（ファイル）

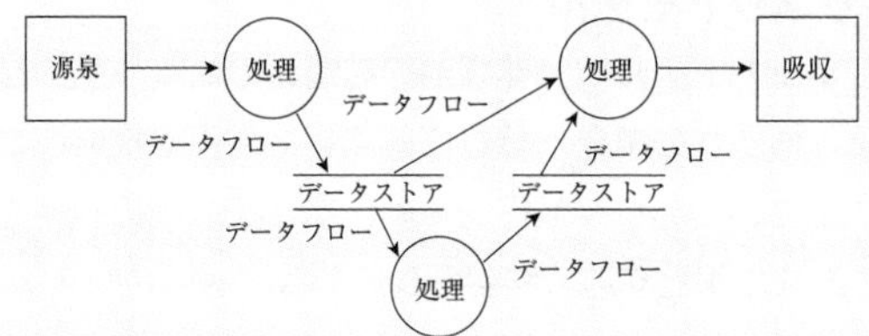

● データ指向モデル

データ指向モデルは，システムの機能ではなくデータの分析を中心に進める要求モデルである。データモデルには，E-R モデル，抽象データモデル，オブジェクト指向モデルがある。

E-R モデル

E-R モデルは，外界の対象に対して，実体（エンティティ）と関連（リレーションシップ）をE-R 図によって表現する。実体は，対象を構成する要素，関連は実体間の関係である。また，実体と関連を構成する要素を，属性（アトリビュート）という。関係データベースの設計に利用される。なお，E-Rモデルについては，「6.1.2　E-R モデル」で具体例を示している。

抽象データモデル

抽象データモデルは，外界の対象に対して，対象を構成するデータと操作を一緒に（カプセル化）したうえでモデル化したものである。カプセル化したデータと操作を抽象データといい，外部からはデータの内部構造やデータの操作は一切見えないようにする。このことを，情報隠ぺいという。

参考

情報隠ぺいによってソフトウェアの独立性が向上し，部品化が可能となり，再利用に最適となる。

オブジェクト指向モデル

オブジェクト指向モデルは，抽象データをさらに発展させた要求モデルで，データと操作を一体化してモデル化したものである。データ構造における共通の特性を，クラスという概念によってモデル化する。

用語解説

クラス

クラスは，複数のオブジェクトに共通するデータや操作を定義したものである。

参考

ペトリネットについては，イメージがわかっていればよいので，見方を説明しておく。P_1 と P_7 の条件を満たしたため，t_1 の機能が動作し P_2 に遷移した。トークンが記述されている P_2 が処理結果である。このあと，P_2 が条件を満たせば t_2 の機能が動作し，P_3 と P_7 に遷移する。遷移したあとは，P_3 と P_7 にトークンが移動する。

●ペトリネットモデル

ペトリネットモデルは，非同期的な情報の流れや制御を示すのに用いる。何らかの事象とそれに対応した作用や状態についてモデル化するものであり，並行的に動作する機能間の同期をモデル化することを主眼とする。制御系システムに適用しやすい。

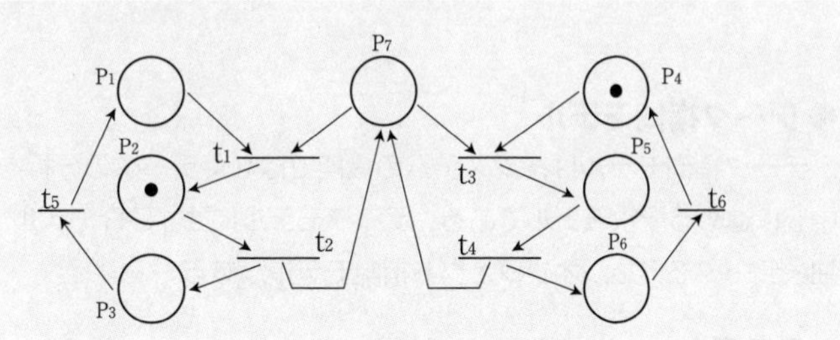

記号	読み方	意味
○	プレース	事象や条件を表現（処理）
→	アーク	状態の遷移
•	トークン	事象の発生や条件を満足したことを表現
—	トランジション	事象や条件に伴う作用（機能）

●UML

UML（Unified Modeling Language）は，オブジェクト指向システムを定義，視覚化，文書化するために用いる言語で，分析から設計までをカバーする表記方法を提供する。従来，個別に提案されてきた，オブジェクト指向による設計技法を統合したものである。ただし，言語といっても一般のプログラム言語ではなく，システムの表記法が主である。

UML で定義する主な図式は，次のとおりである。

名称	表現内容
ユースケース図	システムが提供する機能
クラス図	クラス構造（データ構造）
ステートマシン図	オブジェクトの状態遷移
アクティビティ図	アルゴリズム（流れ図と同等）
シーケンス図	オブジェクト間の相互作用（メッセージシーケンス）
コミュニケーション図	オブジェクト間の相互作用やオブジェクトの構造，関連
配置図	ソフトウェア，ハードウェアの接続関係

参考

ユースケース図において，システム外の要素（利用者や外部の別のシステムなど）を表すものをアクターという。ユースケース図では，アクターとユースケース（アクターがシステムを使ってできること）をそれぞれ記述し，それらの間を関連と呼ばれる線で結ぶ。次は，ユースケース図の概略である。

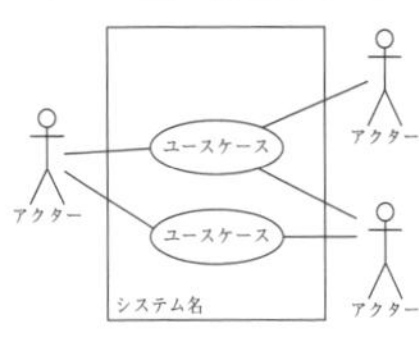

●プロセス中心アプローチ／データ中心アプローチ

システム開発をするには，対象となる業務を認識することが必要であるが，何に着目して認識するかにより，プロセス中心アプローチとデータ中心アプローチがある。

プロセス中心アプローチ

プロセス中心アプローチは業務処理に着目する考え方で，コンピュータが導入された初期の頃は唯一のアプローチであったため，特に名称はなかった。

プロセス中心アプローチでは，対象業務を構成する機能を中心とし，入力データをどのように出力に変換するかを検討し，情報処理システムを構築する。このため，プロセスフローと呼ばれる処理手順を示す図が重要で，プログラムが処理機能の中心的な役割を果たしている。

DOAに対して，プロセス中心アプローチをPOA（Process Oriented Approach）ということがある。

データ中心アプローチ

データ中心アプローチ（Data Oriented Approach：DOA）は，情報システムを構築する際，要求定義や設計段階において，データ項目やデータの流れに重点をおいて開発を進める手法である。

業務処理は，環境の変化やユーザの考え方で，処理内容は変化する。このため，業務処理に基づいて設計したシステムは頻繁に保守が必要となる。しかし，企業などに必要なデータの変動は少ない。そこで，変動の少ないデータに基づいてシステムを設計するという考え方である。データベースを用いるシステムに利用されることが多い。

オブジェクト指向モデルやE-Rモデルなどが，DOAの例である。

DOAにおける一般的なアプローチは，次のとおりである。

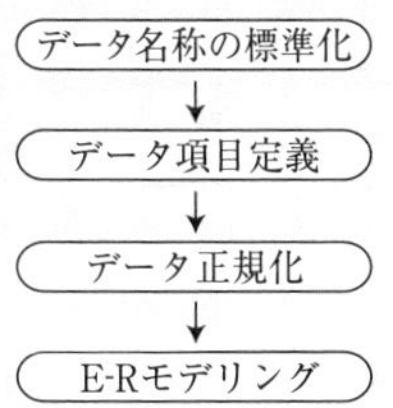

▶試験に出る

DOAについては，正誤問題が出題される。"DOAに関して適切な記述はどれか"という形式である。データベースの論理設計では，特定の業務単位で設計を行うのではなく，まず，全体を見渡しながら設計する。このあと，業務単位に設計するというのが基本である。また，午後問題で，DOAという用語を答えさせる問題が出されたことがある。

9.2.2 オブジェクト指向設計

午後にも出る

Point
- カプセル化はデータ（属性）と操作（メソッド）を一体化すること
- クラスでは複数のオブジェクトに共通する機能や性質を定義

オブジェクト指向は，オブジェクトを部品として扱い，設計作業やプログラミングの生産効率を向上させる考え方である。

●オブジェクト

オブジェクトは，オブジェクト指向プログラミングにおいて，プログラムを構成する基本的なモジュールである。機能や性質（属性）をモデル化（抽象化）し，属性とこれに対する操作（機能，メソッド）を一体化（カプセル化）したものである。

●クラス

クラスは，幾つかのオブジェクトに共通する属性と操作を定義したものである。これにより，同じような属性と操作をもつオブジェクト群をまとめて扱うことが容易になる。同じ属性と操作をもつオブジェクトは同じクラスに分類され，それらが階層関係にある場合は，下位のクラスに上位のクラスの属性や操作を継承させることができる。

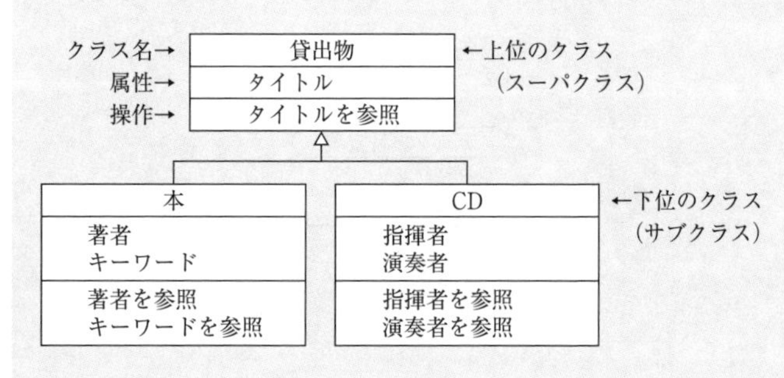

“本”クラスは，スーパクラスの属性と操作を継承するので，“タイトル”という属性も含んでいる。“貸出物”クラス，“本”クラス，

用語解説

継承（インヘリタンス）
継承は，下位のクラス（サブクラス，派生クラス）が上位のクラス（スーパクラス，基底クラス）のもつ属性や機能を受け継ぐことである。あるクラスを定義するとき，共通の機能や性質についてはスーパクラスを指定することでその属性を継承することができ，サブクラスでは，それと異なる部分だけを定義すればよい。継承によって，既存プログラムの再利用が可能となり，開発生産性の大幅な向上につながる。

▶間違えやすい

オブジェクト指向言語であるC++では，多重継承が許されている。しかし，多重継承を行うと，クラスの継承が繁雑になるため，Javaでは単一継承だけが許されている。多重継承とは，あるサブクラスにスーパクラスが複数存在することである。

“CD”クラスはそれぞれオブジェクトである。

継承の性質を利用すれば，例えば，“地図”を追加しようとしたとき，“タイトル”に関連する事項はスーパクラスに定義されているので，“地図”に特有の部分だけを作り込めばよい。

オブジェクトとインスタンス

オブジェクト指向プログラミングでは，あるクラスの定義に従って，実際に作られたオブジェクトをインスタンスという。ひな形であるオブジェクトに対して，値をもち，実際に動作するオブジェクトである。

例えば，1 辺が 5cm と 10cm の正三角形を描くことを考える。正三角形クラスは，“3 辺が等しい”という属性と“描く”という操作（メソッド）をもつ。プログラムの実行時は，“1 辺が 5cm”と“1 辺が 10cm”という 2 つのインスタンスを作る。

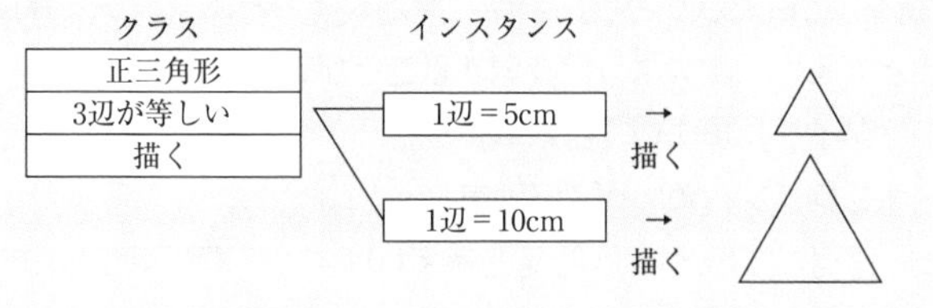

汎化－特化構造

汎化－特化構造（is-a 関係）は，クラスの階層構造を表現するのに用いる。汎化は下位クラスの共通する性質をまとめて抽象化すること，特化は上位クラスの性質を幾つかに分解して具現化することである。そこで，次の関係で示される。

特化されたクラス is-a 汎化されたクラス

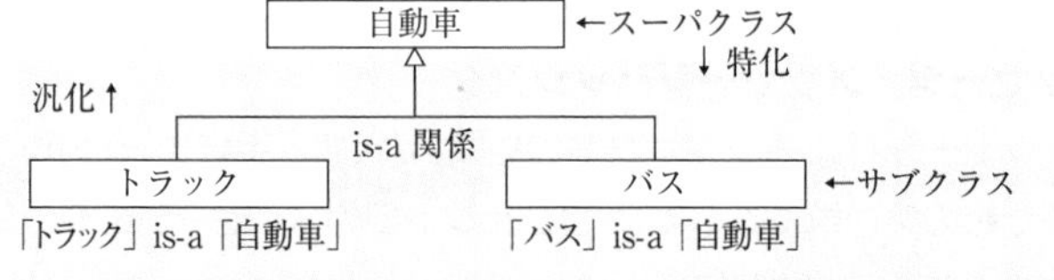

例えば，上図で示すトラックやバスは，自動車の性質をもっているとすると，次の関係で示すことができる。

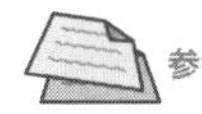

参考

メソッド

メソッドは，オブジェクト指向において，各オブジェクトがもっている自身に対する操作である。オブジェクトは“データ”と“手続き”から構成されており，“手続き”に相当する。前ページの図中の“操作”が該当する。また，“属性”はデータに該当する。

間違えやすい

オブジェクトは，属性（データ）と操作（メソッド）を記述したものである。利用者はオブジェクトの使用方法だけを知っていればよく，データを直接操作することはない。クラスは，幾つかのオブジェクトに共通する情報をもつオブジェクトである。

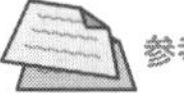

参考

継承の性質を利用すれば，サブクラスに属するクラスは，スーパクラスと異なる部分だけを定義すればよい。プログラミングレベルでいえば，異なる部分だけを作成すればよい。このように，異なる部分だけをプログラミングすることを，差分プログラミングという。

「トラック」is-a「自動車」

「バス」is-a「自動車」

● 集約－分解構造

集約－分解構造（part-of 関係）は，オブジェクト間の関係を表現するのに使われる。集約は下位オブジェクトの共通する部分をまとめて抽象化すること，分解は上位オブジェクトの部分を幾つかに分解することである。そこで，次の関係で示される。

分解されたオブジェクト part-of 集約されたオブジェクト

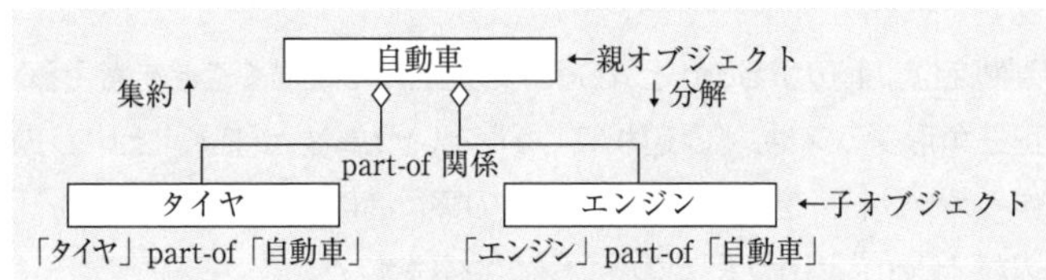

参考

強い集約関係があるとき，コンポジションという。このとき，全体側を◆で表現する。部分側のインスタンスの存在は全体側に依存し，部分側のみで存在することはできない。例えば，本文の図で，「タイヤ」は「自動車」の部分なので，コンポジションとみてもよい。

例えば，上図で示すように，自動車がタイヤとエンジンで構成されるとすると，次のように表現することができる。

「タイヤ」part-of「自動車」

「エンジン」part-of「自動車」

なお，子オブジェクトは部品と考えればよく，再利用が可能である。

● オブジェクト指向に関する用語

以下に，オブジェクト指向に関する用語を説明する。

参考

抽象クラスは，内容のないメソッドが1つ以上含まれているクラスと言い換えてもよい。メソッド名だけを定義しているので，この抽象クラスを継承したサブクラスは，メソッドをオーバライドして具体的に内容を定義する。結果として，サブクラスがメソッド名を継承することになる。

抽象クラス

抽象クラスは，オブジェクトをもたないクラスである。抽象クラスは，継承され，サブクラスでオーバライドされることによって当該メソッドを実装し，はじめてインスタンス化される。

メッセージ／メッセージパッシング

メッセージは，オブジェクトの振舞い（状態，手続き）を動作させるための処理単位である。オブジェクト間のメッセージのやり取りによって，手続きが実行される。

あるオブジェクトがメッセージを送信すると,対応するオブジェクトがそのメッセージを受信して,自分の振舞い(動作,機能)を実行する。このようなメッセージのやり取りを,メッセージパッシングという。

ポリモーフィズム(ポリモルフィズム)

ポリモーフィズム(多相性,多様性,多態性)は,メッセージパッシングにおいて,複数の異なるオブジェクトに対して同じメッセージを送信しても,メッセージを受け取ったオブジェクトが,それぞれ固有の処理をすることである。

委譲

委譲(デリゲーション)は,自オブジェクトに依頼されたメッセージを,ほかのオブジェクトに処理を委ねることである。継承と似たような概念であるが,委譲を使うと,委譲先を実行時に変更することができ,継承よりも,より柔軟な構造を作ることができる。関係が動的に変わるような場合は,その処理を継承ではなく,委譲によって実現する。

オーバライド

オーバライドは,スーパクラスで定義されている操作を,サブクラスの仕様に合わせて再定義(操作名は同じで,動作を再定義)することである。オーバライドにより,同じ操作名を呼び出すだけで,各サブクラス固有の操作を利用できる。このように,同じ操作名でも結果が異なるので,ポリモーフィズムである。

オーバロード

オーバロードは,同じメソッド名で引数の型や個数の異なる様々なバージョンを定義できる機能である。すなわち,メソッドを多重定義することである。例えば,データを印刷するとき,オーバロードがなければ,表示するデータの型によって別々のメソッドを用意しなければならないが,オーバロード機能があれば,1つのメソッドだけ用意すればよい。

参考

オブジェクト指向プログラムにおいて,メッセージとメソッドを関連付ける方法に,静的結合と動的結合がある。静的結合は,実行前(コンパイル時)に結び付ける。動的結合は,実行時に結び付ける。動的結合によって,ポリモーフィズムを実現することができる。

▶試験に出る

オブジェクト指向については,午後問題でオブジェクト指向設計の問題が出題される。継承,ポリモーフィズムなどの概念をしっかり把握しておく。また,午前問題では,カプセル化,継承の概念を問う問題が多い。

9.2.3 ソフトウェア設計技法

午後にも出る

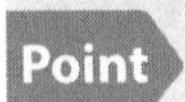

- 構造化設計技法にはSTS分割，TR分割などがある
- JSP（ジャクソン法）は，データ構造に着目した設計技法

ソフトウェアを，プロセスとデータに分けてモデル化したとき，プロセス中心に設計を進める方法が構造化設計技法である。また，データを中心に設計を進める方法がジャクソン法などで，入出力データの構造が決まれば，プログラムの構造も決まるという考え方に基づく。

●構造化設計技法

構造化設計技法は，機能を段階的に詳細化するアプローチである。

STS分割

STS分割(源泉／変換／吸収分割)は，プログラム構造を，源泉(Source：入力)，変換(Transform：処理)，吸収(Sink：出力)に分割し，それぞれを1つのモジュールとして定義する。分割の基準は，最大抽象入力点と最大抽象出力点である。

STSに分割したあとは，3つのモジュールを制御する親モジュールを上位に位置付ける。また，必要ならばモジュール構造をさらに階層化するが，階層化についての規約はないので，ほかの適切な技法を用いる。

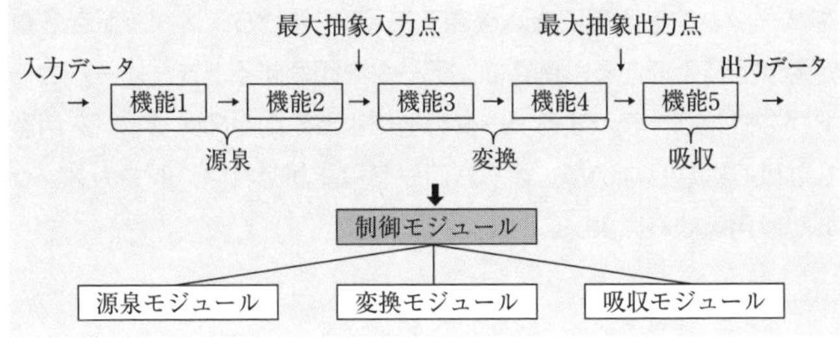

用語解説

最大抽象入力点
入力データが最大に抽象化される点で，入力データが形を変えて，もはや入力データとはいえなくなる点である。

最大抽象出力点
出力データが最大に抽象化される点で，機能の構造から遡って，出力データとしてはじめて認識できる点である。

TR分割

TR分割(TRansaction分割：トランザクション分割)は，分岐するデータの流れに対して，トランザクションごとに分割したものをモジュールとする技法である。

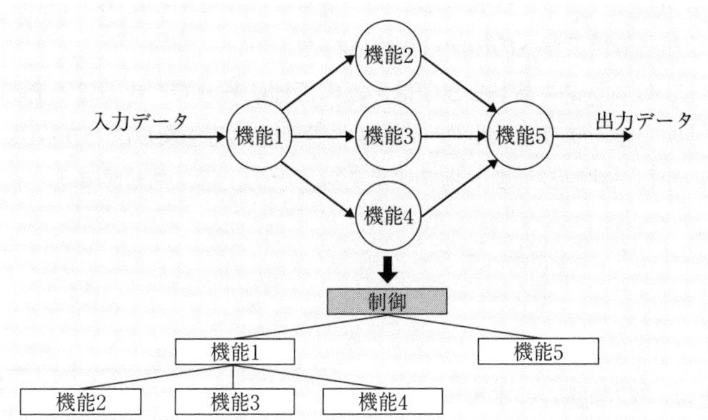

●ジャクソン法

ジャクソン法(Jackson Structured Programming：JSP)は，データ構造に着目したソフトウェア設計技法である。入出力データの構造を明確にすれば，プロセスは必然的に決まるという考え方で，入力データの構造と出力データの構造とを対比させながら，プログラムの処理構造を導き出す。

JSPでは，データ構造とプログラム構造を木構造で表現する。データ構造を階層的に表現でき，木構造で表現された各データ構造に繰返し，連接，選択の記号を書き込む。

以下は，JSPの基本構造である。

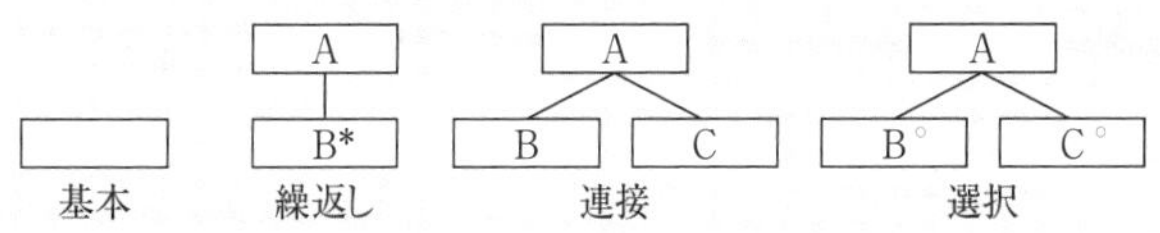

JSPは，構造一致のプログラムに適用できる。構造一致は，入力データと出力データの構造が対応していることである。一方，構造不一致の場合は，中間ファイルを作成したり，主記憶中でデータの並び順を変えたりして，構造一致となるように変換する必要がある。

間違えやすい

JSPにおける基本構造の処理内容は，次のとおりである。

繰返し：Aは，Bを複数回繰り返す。

連接：Aは，B，Cの順に処理を行う。

選択：Aは，BとCのいずれかの処理を行う。

参考

オブジェクト指向における差分プログラミングの手法は，ソフトウェアの再利用を促進した。既存のクラス階層をライブラリとして登録しておき，差分プログラミングによって作成したオブジェクトだけをライブラリとして登録すればよい。このような特性によって，オブジェクト指向プログラミングでは，新規にプログラムを開発する機会よりも，プログラムを再利用する機会の方が多くなる。

●オブジェクト指向設計技法

オブジェクト指向設計では，オブジェクト指向分析で作成したソフトウェアモデルに対して，現実のコンピュータの環境に合わせた実装のために具体的な設計を行う。このとき，オブジェクト指向のライフサイクルがラウンドトリップ型であるため，設計工程から分析工程への後戻りが許される。

なお，ラウンドトリップは，どの工程にも分岐できることである。ウォータフォールモデルでは，原則として後戻りはできない。しかし，オブジェクト指向設計では，どの工程にも分岐することができる。

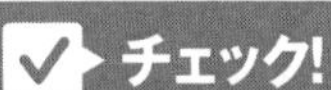

チェック! よく出る午前問題で基本事項を確認

日付・正解 Check

問題　［応用情報技術者試験 2016年秋期午前 問46］　難易度 ★　出題頻度 ★★★

UMLのユースケース図の説明はどれか。

ア　外部からのトリガに応じて，オブジェクトの状態がどのように遷移するかを表現する。
イ　クラスと関連から構成され，システムの静的な構造を表現する。
ウ　システムとアクタの相互作用を表現する。
エ　データの流れに注目してシステムの機能を表現する。

解説

ユースケースは，システムの機能的要求を把握するための技法である。ビジネス目標や機能に関するシナリオにおいて，アクターと呼ばれるユーザとシステムのやり取りを描いたものである。アクターはエンドユーザの場合もあるし，別のシステムの場合もある。ユースケースでは技術専門用語をなるべく使わず，エンドユーザやそのビジネスの専門家に分かりやすい用語を用いる。ユースケースを図に表したものが，ユースケース図である。

ユースケース図は，システムが提供する機能を表現するもので，システム，アクター，ユースケース，ユースケース関係で構成する。システムは，開発（分析）対象のシステムである。アクターは，システム外にあり，システムとのやり取りを行う人や物である。ユースケースは，システムが提供する機能である。ユースケース関係は，アクターとユースケースの関係である。

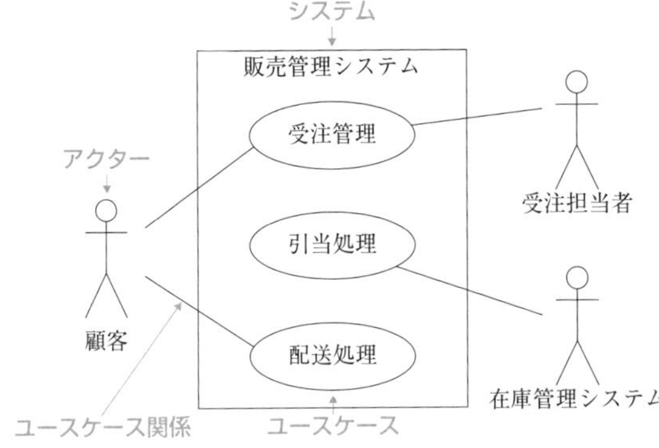

したがって，ユースケース図は，“**システムとアクターの相互作用を表現している**”。

ア　ステートチャート図の説明である。
イ　クラス図の説明である。
エ　DFD（Data Flow Diagram）の説明である。

正解：ウ

9.3 テスト・レビューの方法

ソフトウェアの品質を保証するため，設計段階ではレビューを実施する。また，プログラミングの段階では，テストを実施する。本節では，テストやレビューの手法について学習する。

9.3.1 テスト技法

午後にも出る

- 外部仕様のテストにはブラックボックステストを適用
- アルゴリズムのテストにはホワイトボックステストを適用

テスト技法には，ブラックボックステストとホワイトボックステストがある。

また，ウォータフォールモデルにおけるテスト工程では，次の順序でテストが実施される。

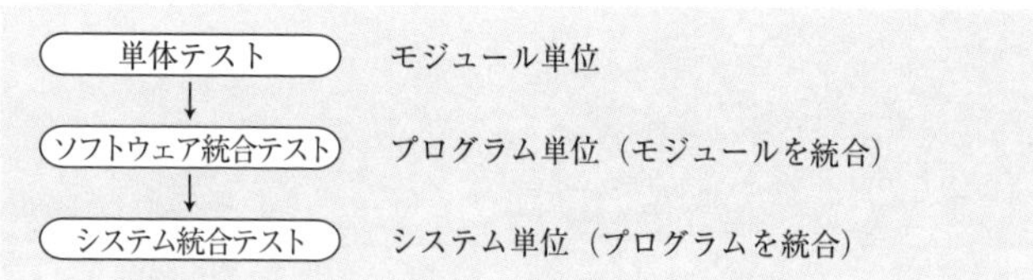

午前問題では，ソフトウェア統合テストを「結合テスト」，システム統合テストを「システムテスト」と表現することがあるので注意する。

●ブラックボックステスト

ブラックボックステストは，プログラム構造や論理などプログラム内部については検討せず，その設計内容から機能とデータの関係を考慮してテストデータを作成し，テストを行う方法である。ユーザの立場から見た機能のテストに向いているが，外部仕様に現れないプログラム内部の特殊な処理はテストができない。

ブラックボックステストは，テストの全工程において使われる。

参考

システム統合テストの1つに，負荷テスト（ストレステスト）がある。負荷テストでは，ハードウェアやソフトウェアに短時間に大量のデータを与えたり，一定時間内に最大件数のデータを与えたりするなど高い負荷をかけて，製品が正常に機能するかどうか調べる。

種類	内容
同値分割	データをクラス分けし，各クラスの代表値を選択
限界値分析	各クラスの境界値を選択
因果グラフ	入出力の関係を決定表に表し，全ケースを網羅
エラー推測	経験と勘から起こりそうなケースを選択

同値分割や限界値分析では，入力データのとる値の範囲を分析し，同じ意味をもつ範囲を 1 つのクラスとして幾つかのクラスに分割し適切な値を選択する。クラス分割では，入力データとして正しい範囲と誤っている範囲を決定する。このとき，正しい範囲のテストデータを有効同値クラス，誤ったデータの範囲を無効同値クラスという。

エラーデータの範囲	正常データの範囲	エラーデータの範囲
無効同値クラス	有効同値クラス	無効同値クラス
−∞　　−1	0　　50	51　　+∞

上図のように 0 ～ 50 の整数を有効とするとき，同値分割は，各クラスを代表する値を選択する。例えば，−20，25，100 などである。一方，限界値分析は，各クラスの境界がテストデータとなるような値を選択する。例えば，−1，0，50，51 である。

▶試験に出る

ブラックボックステストについては，概念を問う問題も出題されるが，同値分割や限界値分析によるテストデータを答えさせるものが多い。同値分割はクラスを代表する値，限界値分析はクラスの境界値のデータを選択する。

● ホワイトボックステスト

ホワイトボックステストは，プログラムの制御の流れに着目し，プログラムのステップの重要な部分を通るようなテストデータを作成し，テストを行う方法である。プログラムの内部構造や論理を詳細に調べ，プログラマの立場から見た詳細な機能のテストを行うことはできる。しかし，仕様にありながらプログラムで実現されていない機能は，テストデータとして選択されないため，エラーが発見されないときがある。ホワイトボックステストは，主に，単体テストで使われる。

種類	内容
命令網羅	各命令を1回は通るようなデータを選択
判定条件網羅（分岐網羅）	判定結果の真偽を1回は実行するようなデータを選択
条件網羅（分岐条件網羅）	複数条件において，判定条件のすべての真偽の組合せを選択
判定条件／条件網羅	判定条件網羅と条件網羅の組合せ
複数条件網羅	すべての条件の組合せを選択

グレーボックステスト

グレーボックステストは，プログラムの内部構造を理解した上でブラックボックステストを行うテスト法である。ホワイトボックステストとブラックボックステストの中間的なテスト法であり，通常のブラックボックステストよりも詳細な確認を行うことができる。

参考

ファジング

ファジングは，ファズ（予測不可能な入力データ）を与えることで意図的に例外を発生させ，その例外の挙動を確認するテスト方法である。テスト技法には，自動化あるいは半自動化されたブラックボックステストやグレーボックステストを用いる。

例えば，次に示すようなアルゴリズムについて，テスト方法の違いを説明する。

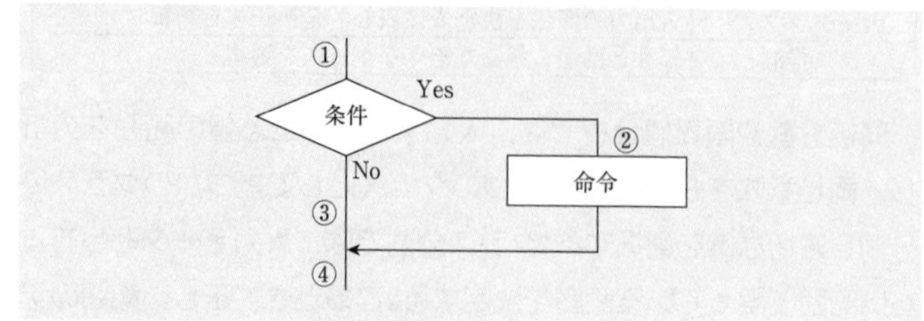

命令網羅と判定条件網羅

命令網羅は，全ての命令を少なくとも1回は実行するようにテストケースを設計する。したがって，「①→②→④」を通るテストデータを作成する。

判定条件網羅（分岐網羅）は，判定結果の真偽の組合せを満たすようにテストケースを設計するので，条件が成立（Yes）と不成立（No）となるデータを選択する。

条件網羅と判定条件／条件網羅及び複数条件網羅

これらのテストは，条件が複数条件であったときに用いる方法である。例えば，条件が“x and y”であったとする。

番号	x	y	x and y	条件網羅	判定条件／条件網羅	複数条件網羅
(1)	真	真	真		●	●
(2)	真	偽	偽	●	●	●
(3)	偽	真	偽	●	●	●
(4)	偽	偽	偽			●

判定が複数条件であったとき，真偽の組合せは表で示すように4通りとなる。条件網羅（分岐条件網羅）は，全ての判定条件について，その結果の真偽の組合せをテストする。すなわち，(2)，(3)を選択する。しかし，条件網羅では，“x and y”の結果はいずれも“偽”となり，真の場合がテストされない。そこで，(1)を追加し，番号（1），（2），（3）をテストするのが，判定条件／条件網羅である。さらに（4）を追加して，全ての場合をテストするのが，複数条件網羅である。

▶試験に出る

ホワイトボックステストについては，命令網羅と判定条件網羅のテストデータを答えさせる問題が多い。条件網羅，判定条件／条件網羅，複数条件網羅については，概念を問う問題が多い。

●ソフトウェア統合テスト

複数のモジュールからプログラムが構成されているとき，各モジュールは，ブラックボックステストとホワイトボックステストを併用して単体テストを行う。さらに，単体テストが完了したモジュールは，ソフトウェア統合テストを行う。

ソフトウェア統合テストの方法には，次のものがある。

種類	説明
一斉テスト	単体テストを省略し，一挙に統合
ビッグバンテスト	単体テストの完了したモジュールを一挙に統合
トップダウンテスト	上位モジュールから下位モジュールへと順次テスト スタブが必要
ボトムアップテスト	下位モジュールから上位モジュールへと順次テスト ドライバが必要
サンドイッチテスト	下位モジュールはボトムアップテスト，上位モジュールはトップダウンテスト

トップダウンテストでは，テストの初期において各モジュールを並行してテストするのが困難であるが，上位モジュールのインタフェースは繰返しテストができるので，エラーの発見効率が高いという評価がある。新規開発のシステムのテストに有効である。

ボトムアップテストでは，テストの初期の頃から各モジュールを並行してテストができ，工数を短縮できるが，ドライバの作成が面倒，上位モジュールのインタフェースが完全にテストできないという欠点をもつ。既存システムを改修して新システムを開発するのに有効である。

サンドイッチテスト(折衷テスト)は，トップダウンテストとボトムアップテストを併用するため，中間に位置するモジュールが最後にテストされる。現実的なテストで，多くのシステム開発の場で採用されている。

運用・保守段階で適用されるテスト技法に，リグレッションテストがある。リグレッションテスト(退行テスト，回帰テスト)は，既存のソフトウェアに対して，仕様変更やバグなどによる修正を行ったとき，修正のない機能に影響はないか，修正によって新しいエラーが発生していないかを検証する。

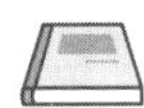
用語解説

スタブ
スタブは，テストモジュールの下位モジュールの機能をシミュレートする。

ドライバ
ドライバは，テストモジュールの上位モジュールの機能をシミュレートする。

9.3.2 レビュー手法

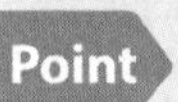

■ レビューは問題点を次工程に持ち込まないために実施
■ インスペクションはモデレータという進行役の下で実施

パスアラウンド

パスアラウンドは，レビュー対象となる成果物を電子メールなどで複数のレビューアに配布・回覧し，フィードバックを求める方法である。回覧式，配布式，集中式（掲示板式）などの方法がある。

レビューは，ソフトウェア開発において，問題点を次工程に持ち込まないように，現工程において内容を確認するために行われるミーティング（会議）である。そのほか，進捗状況の把握，問題点に対する対応の策定なども，レビューの目的である。

レビューは，利用される段階によって，デザインレビュー，ウォークスルー，インスペクションなどがある。

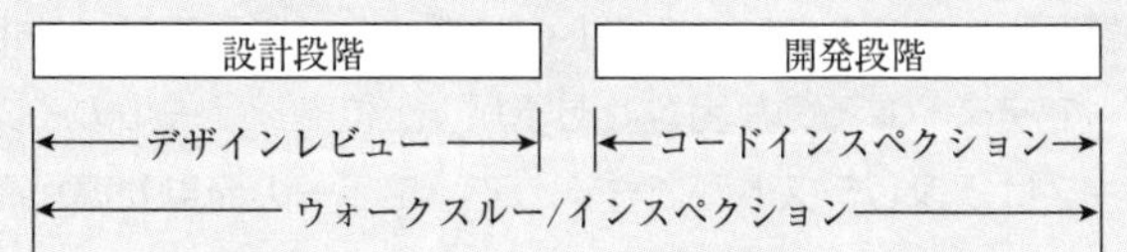

● レビューの留意点

レビューにおける留意事項を整理する。

項目	留意事項など
目的	エラーの検出が目的（解決策は別途）
参加人数	4～6人程度（多すぎると意見がまとまらない）
資料	事前配布（参加者はあらかじめ資料を検討しておく）
開催時期	資料が完成した直後
時間の目安	1～2時間/回（2時間を超えるようなら後日）
責任の所在	参加者全員の同意が前提（参加者の連帯責任）
参加回数	2回程度/日（これ以上は集中できない）
参加資格	検討対象の知識のある人
管理者の出席	原則として禁止（能力評価につながる）
エラー検出者	参加者
記録方法	検出されたエラーは必ず文書化
修正方法	資料作成者またはプログラム作成者
その他	誤りの修正は2日程度のうちに実施 重大なエラーの場合，修正後，再レビュー 検出された問題点はすべて解決する

間違えやすい

レビューにおいては，管理者は出席すべきではないといわれている。エラーが多く発見されると，担当者の能力評価につながってしまう可能性があるというのがその理由である。また，レビューの参加者も担当者に気を使うあまり，意見を言わなくなる可能性もある。

●デザインレビュー

デザインレビューは，システム開発の各工程の成果物である各種設計書の評価を行うための検討会である。成果物に入り込んだ欠陥の早期発見と除去を目的とし，設計段階の要所要所で作業工程に組み込まれる。検査対象物に対して，前提となった仕様を正しく実現しているかの観点から，検査，点検する。上司や管理者が出席すると設計者の評価につながるので，出席すべきではないとされている。

デザインレビューでは，システム構造，外部インタフェース，コンポーネント間のインタフェースなどの検証が主になる。また，抽出した問題点と今後の対策，参加者名，レビューの実施状況などを記述したデザインレビュー報告書（レビューチェックリスト）を作成する。

●ウォークスルー／インスペクション

ウォークスルーやインスペクションの目的は，エラーの早期発見である。エラーをできるだけ早い時期に検出することで，システムの品質向上と開発の生産性の向上が期待できる。ウォークスルーは相互検証という性格をもち，多くの場合，資料作成者が進行役を務める。一方，インスペクションは，モデレータといわれるエラー管理者の下に組織的に実施される。モデレータは，各工程の成果物に対する評価能力をもったインスペクタと呼ばれるレビューアを選出する。ウォークスルーやインスペクションで指摘された問題点は，プロジェクト全体に周知徹底させ，設計書などの修正も確実に実施する。

ウォークスルーやインスペクションは，ソフトウェア開発工程の全工程に対応できる品質管理技法であるが，主として，ソフトウェア設計段階で行われることが多い。また，インスペクションでのレビュー対象は，ソースコードやテスト仕様書などである。ソースコードを1行1行チェックしながら，品質を評価する。このような，ソースコードに対するインスペクションを，コードインスペクションという。

本文で説明したレビュー手法以外に，ラウンドロビンレビューがある。ラウンドロビンレビューは，レビューの参加者が持ち回りで進行役を務めながら，全体としてレビューを進めていく方法である。責任者を参加者が持ち回りで務めるため，参加者全員の意欲が高まる。

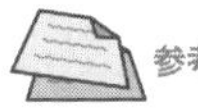

内部設計は外部設計の結果を基に行われるので，内部設計書のデザインレビューでは，外部設計書と一貫性が保たれているかの検証が重要である。

試験に出る

ウォークスルーとインスペクションの違いを指摘する出題が多い。キーワードは，“モデレータ”である。また，レビューは“エラーの検出”が目的であり，解決策は別途検討会を設定する。解決策も一緒に検討すると，レビューが解決策の検討に終始する可能性が高くなる。

9.3.3 テスト管理手法

午後にも出る

Point
- 信頼度成長曲線はS字カーブを描く
- JIS X 25010は，ソフトウェアの品質保証のガイドライン

テスト管理の手法として，信頼度成長モデルやエラー埋込みモデルなどが提案されている。また，ソフトウェアを含めた品質保証のためのガイドラインとして，JIS X 25010（ISO/IEC 25010）がある。

▶間違えやすい

信頼度成長モデル

欠陥除去の確実性を科学的に裏付ける方法が信頼度成長モデルである。信頼度成長モデルは，時間とともにエラーが徐々に除去されることで信頼性が向上（成長）する経過を，数式を用いてモデル化したものである。

▶試験に出る

標準的な成長曲線と実際のバグ累積曲線を示し，ソフトウェアの品質を答えさせる問題が多く出題されている。ほぼ同じようなカーブを描いても，標準を下回っていれば，“ソフトウェアの品質がよいからエラーが出ない”のではなく，“テストデータが悪いからエラーが出ない”と判断する。逆に，標準以上であれば，“バグの検出率が高いからテストが早く終わる”のではなく，“ソフトウェアの品質が悪いからバグが多発している”と判断する。

●信頼度成長モデル

プログラムの信頼性予測をエラーの数に着目して定量的に予測するモデルを，**信頼度成長モデル**という。これは，プログラムのエラーの検出数の累計と時間は，成長曲線で近似できるというものである。

成長曲線（バグ曲線）は，最初は緩慢な上昇が続き，ある時期から急激に増加し，次第に飽和状態（S字カーブ）となる。この変化は，エラーの検出率は，最初は小さいが，次第に多くなり，再び検出率が小さくなることを示している。テストによってエラーを検出するので，最終段階でエラーがなくなっていくはずである。したがって，テスト期間が経過すると，累積エラー件数は一定値に近づき，この一定値をエラー総数とみなすことにより，残存エラー件数を推測する。

次は，成長曲線の例である。

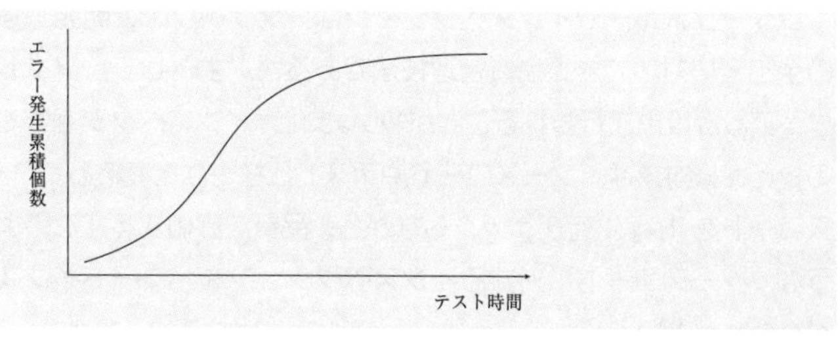

成長曲線の例に，**ロジスティック曲線**や**ゴンペルツ曲線**がある。

エラー埋込みモデル

エラー埋込みモデル（エラーばらまきモデル，バグ埋込み法）は，意図的にプログラム中にエラーを埋め込み，埋め込んだエラーとそのうちの発見されたエラーの割合を比例配分して全体のエラーを予測する方法である。この方法は，その後改善され，エラーをプログラムの中にばらまくのではなく，2つの独立したテストグループが同一のプログラムをテストすることによって発見されるエラーの数から推定する方法になっている。

2つの独立したテストグループA，Bが，あるシステムについて一定期間並行してテストを行い，それぞれN_A個及びN_B個のエラーを検出し，このうち，共通のエラーはN_{AB}個であったとすると，このシステムの総エラー数Nは次式で表される。

$$N=(N_A \times N_B)/N_{AB}$$

JIS X 25010

JIS X 25010(ISO/IEC 25010)は，ソフトウェアの品質を示すガイドラインで，8つの品質特性と31の副特性を定めている。

品質特性	品質特性の定義／副特性
機能適合性	機能と目的が一致していること
	機能完全性，機能正確性，機能適切性
性能効率性	実行時間が速く資源を有効に活用していること
	時間効率性，資源効率性，容量満足性
互換性	他システムや別のコンポーネントとやり取りが容易であること
	共存性，相互運用性
使用性	使用目的や機能がわかりやすく運用がしやすいこと
	適切度認識性，習得性，運用操作性，ユーザエラー防止性，ユーザインタフェース快美性，アクセシビリティ
信頼性	定められた状態で定められた機能を果たし障害からの回復が容易であること
	成熟性，可用性，障害許容性（耐故障性），回復性
セキュリティ	製品又はシステムが情報及びデータを保護していること
	機密性，インテグリティ，否認防止性，責任追跡性，真正性
保守性	追加や修正（変更）が容易であること
	モジュール性，再利用性，解析性，修正性，試験性
移植性	他の環境に移すのが容易であること
	適応性，設置性，置換性

参考

本文中のNは次のように考える。

Aのバグ検出率＝α

Bのバグ検出率＝β

と置く。

$\alpha=N_A/N$

$\beta=N_B/N$

$\alpha\beta=N_{AB}/N$

以上から，次のようになる。

$N_{AB}/N=(N_A/N)\times(N_B/N)$

$\therefore N=(N_A \times N_B)/N_{AB}$

用語解説

ユーザインタフェース快美性

ユーザインタフェース快美性については，JIS Q 25010において，「ユーザインタフェースが，利用者にとって楽しく，満足のいく対話を可能にする度合い。」と定義している。

間違えやすい

JIS X 25010は，JIS X 0129-1で定めていた6つの品質特性と27の副特性を拡張し，8つの品質特性と31の副特性を定めた。JIS X 25010はJIS X 0129-1の後継規格で，2013年に制定された。

●設計における品質保証

設計における品質保証には，欠陥防止と欠陥除去の２つの考え方がある。設計や製作の過程で，成果物に欠陥が入り込むのを防止するのが欠陥防止，成果物に入り込んだ欠陥を早期に検出し除去するのが欠陥除去である。設計内容からエラーを検出するレビューは，欠陥除去に該当する。

●QC方式（Quality Control）

QC方式は品質管理のことで，生産現場において古くから活用されている方法である。この方式がソフトウェアの生産にも導入され，SWQC（SoftWare Quality Control）として定着した。ソフトウェアのQC技法として，QC七つ道具，新QC七つ道具がある。

QC七つ道具は主として定量的なデータの分析に使われ，新QC七つ道具は言語データに代表される定性的なデータの分析に使われる。

「12.5.2 IE・OR」に，もう少し詳細な説明がある。

QC七つ道具には，パレート図，特性要因図，ヒストグラム，チェックシート，散布図，管理図，層別がある。新QC七つ道具には，親和図法，連関図法，系統図法，マトリックス図法，マトリックスデータ解析法，アローダイアグラム法，PDPC法がある。

チェック!　よく出る午前問題で基本事項を確認

日付・正解 Check　／　／　／

問題 1　［応用情報技術者試験 2019年秋期午前 問48］　難易度 ★　出題頻度 ★★★

作業成果物の作成者以外の参加者がモデレータとしてレビューを主導する役割を受け持つこと，並びに公式な記録及び分析を行うことが特徴のレビュー技法はどれか。

ア　インスペクション　　　イ　ウォークスルー
ウ　パスアラウンド　　　　エ　ペアプログラミング

問題 2　［応用情報技術者試験 2021年春期午前 問48］　難易度 ★　出題頻度 ★★★

あるプログラムについて，流れ図で示される部分に関するテストを，命令網羅で実施する場合，最小のテストケース数は幾つか。ここで，各判定条件は流れ図に示された部分の先行する命令の結果から影響を受けないものとする。

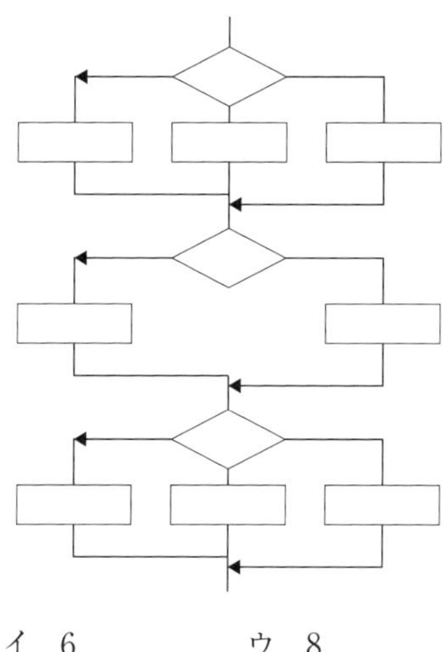

ア 3　　イ 6　　ウ 8　　エ 18

解説 1

ア インスペクションは，モデレータというレビューの責任者が，目的と範囲を明確にしたうえで主催し，組織的に実施されるレビューである。このため，モデレータは，会議の進行役としての訓練を受けている必要がある。そして，モデレータから指名された人が資料の説明を行う。また，発見されたエラーは，プロジェクト全体に周知徹底される。会議の議長や書記もモデレータが行う。

イ ウォークスルーは，システム開発工程の各工程の最終段階で行われる複数のプロジェクトメンバによる成果物の検討会である。設計書やプログラムの内容を参加者の間でチェックする。エラーを早期に発見することを目的とし，品質向上を促進するだけではなく，システム全体の生産性向上を図る。ウォークスルーでは，資料作成者が進行役を担当することが多い。インスペクションとの違いは，レビューを受ける人（資料作成者）が会議を主催し，管理者は原則として参加しない点である。

ウ パスアラウンドは，レビュー対象となる成果物を電子メールなどで複数のレビューアに配布・回覧し，フィードバックを求める方法である。回覧式，配布式，集中式（掲示板式）などの方法がある。

エ ペアプログラミングは，1台の開発用のコンピュータを2人で共有してプログラムを作成することである。1人で作業しているとケアレスミスやバグの発生の確率は高いが，共同でプログラムを作成することにより，このような事態を防止することができる。

正解：ア

解説 2

命令網羅は，ホワイトボックステストの一つで，プログラムの全ての命令を少なくとも1回は実行するようにテストケースを設計する基準である。

流れ図から分かるように，最初の判定条件で3通り，2番目の判定条件で2通り，3番目の判定条件で3通りに分岐するテストデータを作成すればよい。それぞれの判定条件は独立で，一つ目の判定条件の結果が二つ目，三つ目の判定条件の結果に影響することはないので，一つ目の判定条件で3通りに分岐するテストケースを作成すれば，あとは，2番目の判定条件，3番目の判定条件にも使用できるようなテストケースとする。

したがって，各判定条件のうちの最大分岐数である3通りのテストケースを作成すればよい。

例えば，各判断条件が次のようであったとき，A＝−1，A＝0，A＝1という3通りのテストケースを作成すればよい。

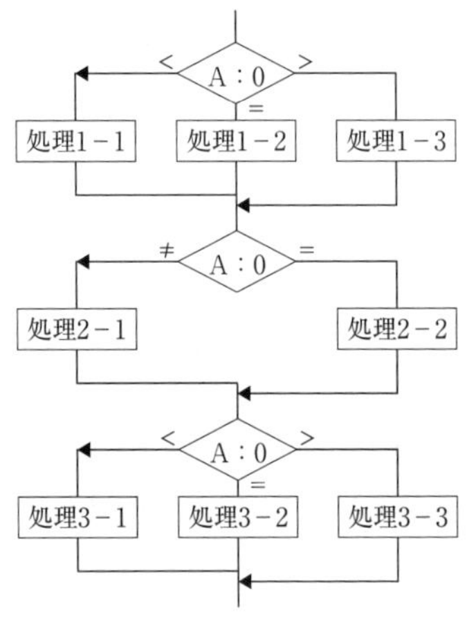

A＝−1であれば“処理1−1→処理2−1→処理3−1”がテストでき，A＝0であれば，“処理1−2→処理2−2→処理3−2”がテストできる。また，A＝1であれば，“処理1−3→処理2−1→処理3−3”がテストできる。これで，全ての処理をテストすることができる。

正解：ア

演習問題

［応用情報技術者試験 2012 年秋期午後 問 8］

問題

ディジタルオーディオプレーヤのオブジェクト指向設計に関する次の記述を読んで設問1～3に答えよ。

M社は，ディジタルオーディオプレーヤを開発している。ディジタルオーディオプレーヤを制御するソフトウェアは，UMLを使用して設計している。現行のディジタルオーディオプレーヤのクラス図を図1に示す。

M社では，このディジタルオーディオプレーヤに，音声フォーマットの追加，曲名の表示方法の追加，及び倍速再生の追加を行うことになった。

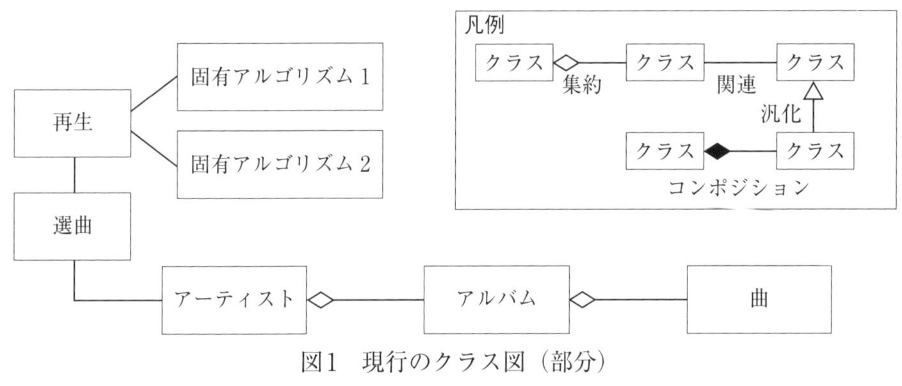

図1　現行のクラス図（部分）

〔音声フォーマットの追加〕

現在の仕様では，再生可能な音声フォーマットは2種類あり，それぞれ固有アルゴリズム1，2で対応している。固有アルゴリズムは音声フォーマットごとに開発する必要がある。

今回の修正では，新たな音声フォーマットを1種類追加して，固有アルゴリズム3で対応することになった。また，再生アルゴリズムクラスとフォーマット識別クラスを追加して，今後更に音声フォーマットを追加するときには，フォーマット識別クラスの修正と固有アルゴリズムクラスの追加だけで対応できるようにした。再生アルゴリズムクラスは，各固有アルゴリズムクラスの抽象クラスとなる。フォーマット識別クラスは，再生に使用する固有アルゴリズムを決定する。

〔曲名の表示方法の追加〕

現在の仕様では，選曲のために曲名などを表示する選曲画面がある。最初にアーティスト一覧を表示し，アーティストを選択するとアルバム一覧を表示する。アルバムを選択すると曲名一覧を表示する。

今回の修正では，ユーザの多様な検索に対応するために，様々な曲情報（アーティスト，アルバム，ジャンル，リリース年）を組み合わせて曲を検索できるようにした。図2に修正後の選曲画面の表示例を示す。

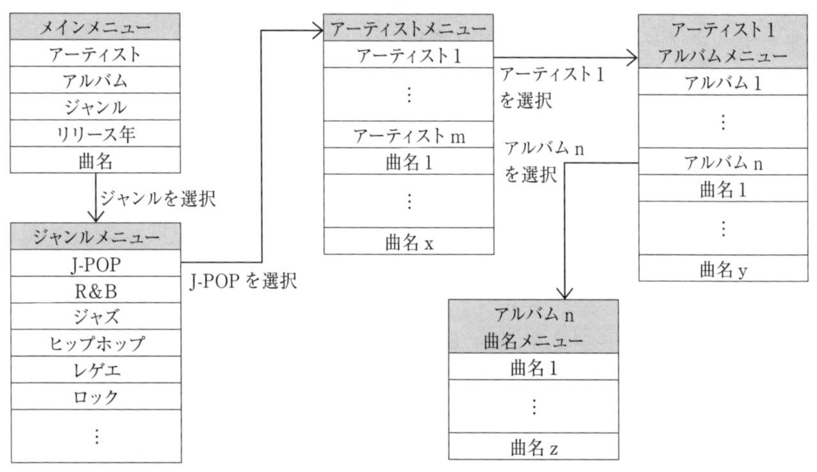

図2　修正後の選曲画面の表示例

図2の画面を実現するために次のように設計した。各画面をフォルダに相当させた。フォルダの中にはフォルダと曲を格納することができる。そのフォルダの中に更にフォルダと曲を格納することができる。フォルダと曲を同一インタフェースで扱えるように，抽象クラスであるコンポーネントクラスを追加した。また，フォルダクラスとコンポーネントクラスを使用して，フォルダの再帰的なデータ構造を実現した。

〔倍速再生の追加〕

通常再生の他に，2倍速再生と3倍速再生を追加して，三つの再生モードに対応することになった。倍速再生の追加に伴い，再生機能の仕様を次のように整理した。

・曲名を選択して選曲ボタンを押すと選択済みとなる。選曲ボタンは，停止しているときだけ有効で，繰り返して複数の曲名を選択することができる。また，選択済みの曲名を再選択すると選択解除となる。
・停止しているときに再生ボタンを押すと再生を開始する。このとき，選択済みの曲がない場合は停止のまま何もしない。再生とは，通常再生，2倍速再生，3倍速再生の総称である。再生を開始するときは，必ず通常再生から開始する。再生しているときに再生ボタンを押しても何もしない。
・再生しているときにモードボタンを押すたびに，通常再生，2倍速再生，3倍速再生の順番に再生モードが切り替わる。3倍速再生の次は通常再生に戻る。
・再生しているときに一時停止ボタンを押すと，再生を中断して一時停止となる。一時停止しているときに再生ボタンを押すと，中断したところから通常再生で再開する。一時停止又は停止しているときに一時停止ボタンを押しても何もしない。
・選択済みの曲全ての再生を終了すると停止となる。
・停止しているとき以外に停止ボタンを押すと停止となる。停止しているときに停止ボタンを押しても何もしない。

〔クラス図とステートマシン図〕

追加機能に対応して修正したクラス図と再生機能のステートマシン図を，それぞれ図3，図4として作成した。レビューで，ステートマシン図の再生ボタンの状態遷移について，<u>①再生機能の仕様と異なる点を指摘された</u>。

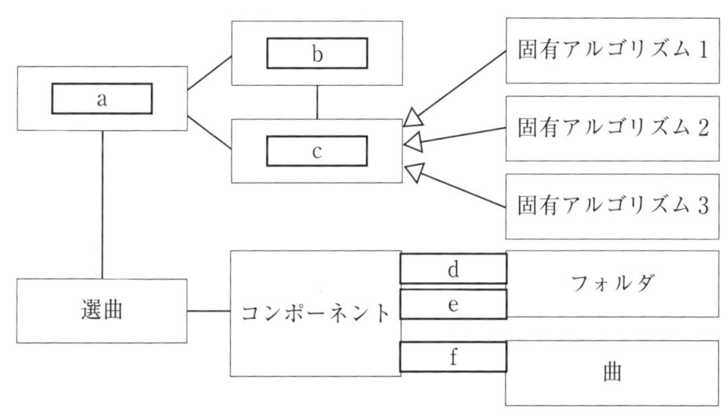

図3　修正後のクラス図

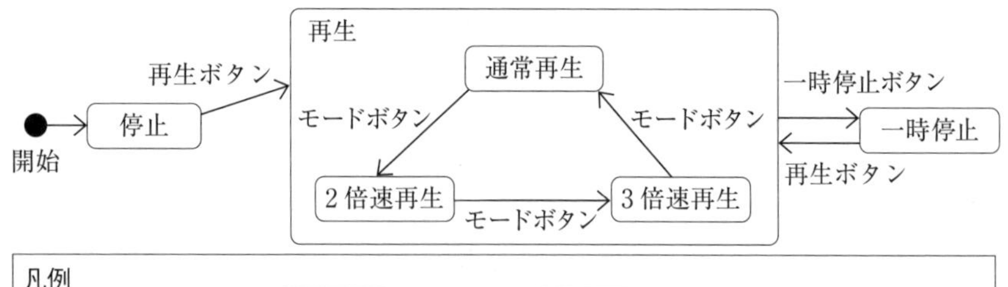

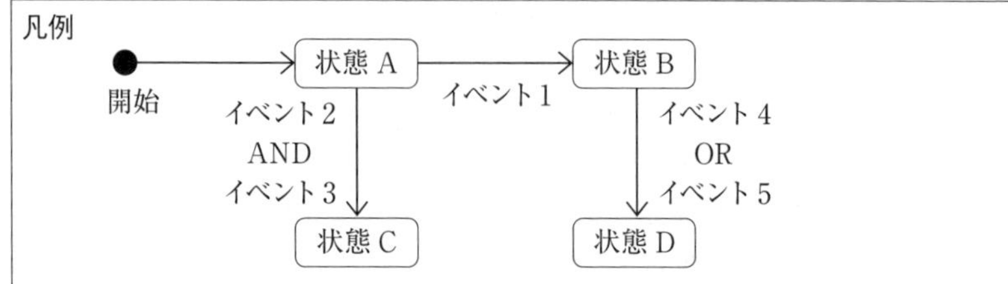

状態Aのときにイベント1が発生すると状態Bに状態遷移する。
状態Aのときにイベント2とイベント3が同時に発生すると状態Cに状態遷移する。
状態Bのときにイベント4又はイベント5が発生すると状態Dに状態遷移する。
二つ以上の状態を一つの状態にまとめて記載することができる。
イベント発生に対して何もしないものはステートマシン図に記載しない。

図4　再生機能のステートマシン図（作成中）

設問1　図3について，(1)，(2) に答えよ。

(1) [a]～[c]に入れる適切なクラス名を本文又は図1中の字句を用いて答えよ。

(2) [d]～[f]に入れる適切な図を解答群の中から選び，記号で答えよ。解答は，重複して選んでもよい。

解答群

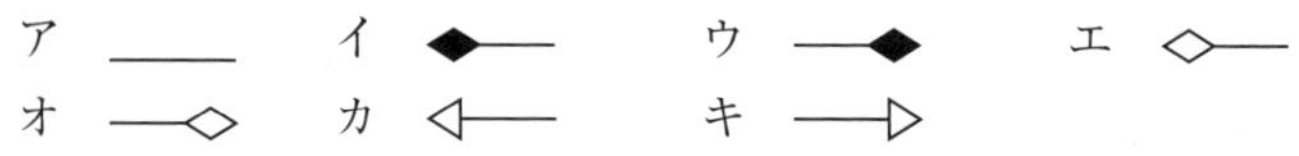

設問2　本文中の下線①について，指摘内容を30字以内で述べよ。

設問3　図4について凡例に倣い，選曲ボタン，停止ボタン，全曲再生終了のイベントが発生したときの状態遷移をステートマシン図に追加せよ。ここで，設問2の指摘内容は考慮しなくてよい。

演習問題・解答

解説

■設問1　解答　(1) a：再生，b：フォーマット識別，c：再生アルゴリズム
(2) d：オ，e：カ（d，eは順不同），f：カ

(1) [a]～[c]の穴埋め

追加したクラスは，フォーマット識別クラスと再生アルゴリズムクラスである。再生クラスは，そのまま，修正後にも反映される。このことから，空欄には，再生クラス，フォーマット識別クラス，再生アルゴリズムクラスが入る。

再生クラスは，今後は修正しないということで，フォーマット識別クラスと再生アルゴリズムクラスのスーパクラスとなる。したがって，空欄aには，“再生”クラスが入る。

“再生アルゴリズムクラスは，各固有アルゴリズムクラスの抽象クラスとなる。フォーマット識別クラスは，再生に使用する固有アルゴリズムを決定する”（〔音声フォーマットの追加〕）から，各固有アルゴリズムを集約した空欄cが“再生アルゴリズム”クラスとなるので，空欄bが“フォーマット識別”クラスとなる。

(2) [d]～[f]の穴埋め

d，e　図2の画面を実現するために，“各画面をフォルダに相当させた”（〔曲名の表示方法の追加〕），“フォルダと曲を同一インタフェースで扱えるように，抽象クラスであるコンポーネントクラスを追加した”（〔曲名の表示方法の追加〕）という記述から，フォルダクラスは，コンポーネントクラスの部分クラスである。したがって，空欄d，eのいずれかに“◁—”（「カ」）が入る。

さらに，“フォルダクラスとコンポーネントクラスを使用して，フォルダの再帰的なデータ構造を実現した”（〔曲名の表示方法の追加〕）という記述から，コンポーネントクラスが，フォルダクラスの部分クラスともなる。この関係は，フォルダクラスが存在しなくてもコンポーネントクラスは存在するので，コンポジションではない。したがって，残りの空欄には“—◇”（「オ」）が入る。

なお，空欄d，eは，順不同である。

f　“フォルダと曲を同一インタフェースで扱えるように，抽象クラスであるコンポーネントクラスを追加した”（〔曲名の表示方法の追加〕）という記述から，曲クラスは，コンポーネントクラスのサブクラスである。したがって，“◁—”（「カ」）が入る。

■設問2　解答　再生を開始するときに，通常再生から開始となっていない。

“再生を開始するときは，必ず通常再生から開始する”（〔倍速再生の追加〕2つ目の黒丸）という記述に対して，図4では，再生ボタンを押したとき（停止状態からと一時停止状態の2か所）は，いずれも，“再生”状態になることはわかるが，通常再生，2倍速再生，3倍速再生のどれに状態が遷移するのかわからない。このため，再生ボタンを押しても，“通常再生”になるのかどうかわからない。

したがって，指摘内容は，“再生を開始するときに，通常再生から開始となっていない”という主旨で30字以内にまとめる。

■設問3

（太字·太線部分が追加した内容）

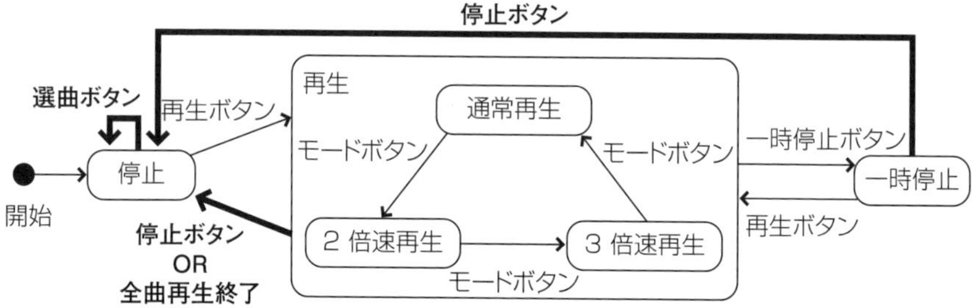

〔倍速再生の追加〕の記述の中から，選曲ボタン，停止ボタン，全曲再生終了イベントに関連する内容を検討する。

（1）選曲ボタンについて

“曲名を選択して選曲ボタンを押すと選択済みとなる。選曲ボタンは，停止しているときだけ有効で，繰り返して複数の曲名を選択することができる”（1つ目の黒丸）から，“停止”状態から“選曲ボタン”を押すと，再び，“停止”状態となる（戻る）遷移が必要である。したがって，選曲ボタンを押したとき，“停止→停止”という遷移が必要である。

（2）停止ボタンについて

“停止しているとき以外に停止ボタンを押すと停止となる。停止しているときに停止ボタンを押しても何もしない”（最後の黒丸）から，停止ボタンを押したとき，“一時停止→停止”，“再生→停止”という遷移が必要である。

なお，選曲ボタンと同様，“停止→停止”という遷移も考えられるが，選曲ボタンの場合は状態が変わるので“停止→停止”という遷移が必要であるが，停止ボタンについては，状態が変わらないので不要である。

(3) 全曲再生終了イベントについて

“選択済みの曲全ての再生を終了すると停止となる”（最後から2つ目の黒丸）から，“再生→停止”という遷移が必要である。

第10章

● テクノロジ系

ソフトウェア開発管理技術

システム開発は，基本計画，外部設計，内部設計，プログラム設計の設計工程と，プログラミング，テストの開発工程を経て，運用される。さらに，運用中のシステムに機能改善や機能追加などの改良を加えながら利用される。この一連の流れを，システムのライフサイクルという。本章では，システム開発の構築に必要な技術を学習するとともに，運用技術，ソフトウェア開発管理技術について学習する。

理解しておきたい用語・概念

- ☑ 再利用技術
- ☑ モジュール強度
- ☑ 予防保守
- ☑ IT ガバナンス
- ☑ モジュールの独立性
- ☑ プログラミングパラダイム
- ☑ 事後保守
- ☑ ヘルプデスク
- ☑ SLCP
- ☑ モジュール結合度
- ☑ ガントチャート
- ☑ システム監査
- ☑ CAAT
- ☑ CMMI
- ☑ TCO

アクセスキー **x** (小文字のエックス)

10.1 アプリケーションシステムの構築

アプリケーションシステムを構築するには，種々の技術が必要である。本節では，基本的事項として，再利用技術，モジュール設計，プログラミング手法について学習する。

10.1.1 再利用技術

Point
- 再利用技術はソフトウェアを再利用するための技術
- 再利用技術はオブジェクト指向設計に有効

再利用技術（リユーステクノロジ）は，ソフトウェアという生産物を再利用する技術である。モジュール化（部品化）もその 1 つである。また，「9.1.2　開発環境」で説明したリバースエンジニアリングも再利用技術の 1 つである。さらに，オブジェクト指向による設計も，同様である。

再利用技術は，ソフトウェアという生産物を再利用する技術である。一方，自動化は，作業を再利用することなので，本質的に同じと考えられている。再利用技術が定着した背景には，再利用することで，生産性の改善効果が極めて大きいからである。

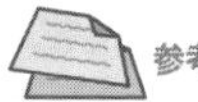

IDE

IDE（Integrated Development Environment：統合開発環境）は，エディタやコンパイラ，リンカ，デバッグツールなど，一連のプログラミング作業を効率よくできるように，一つのインタフェースにまとめられた環境である。GUI環境に対応した製品がほとんどである。

●再利用技術と自動化技術

ソフトウェアの再利用は，“ソフトウェアの開発に必要とされる知識を何らかの形で標準化し，これを繰返し利用し，そのソフトウェアの知識から新たなソフトウェアを創造すること”と定義できる。

標準化の形式は，大きく 2 つに分類できる。1 つは，ソフトウェアそのものを標準化して再利用することである。ソフトウェアのデータ構造や機能を標準化し，標準パッケージとする。さらに，細かなモジュール群に展開した標準部品の形式にして，繰返し使用する。部品は，“標準化されたソフトウェアを，再利用する際の単位”である。概念的には，モジュールあるいはサブルーチンが該当する。もう 1 つは，ソフトウェアを作り上げる過程を標準化し，これを自動化するツールを提供するものである。一般には，前者を狭義の再利用技術，後者を自動化技術として区別している。

●部品による再利用

部品による再利用では，どのような部品を作ったらよいかという方針である部品化方式(標準部品)，部品を格納するための部品ライブラリ，及び部品を有効利用するための部品化環境の構築が必要である。

しかし，部品化を促進しても，登録しにくい，検索しにくい，部品を組み合わせにくいということでは結果的に再利用されなくなる。このため，部品作成支援ツールや部品検索支援ツール，部品結合支援ツールなどが提供されている。

参考

既に提供されているコンテンツやサービスなどを組み合わせ，新しいサービスを作ることを，マッシュアップという。複数のAPIを組み合わせ，1つのサービスであるかのように見せる。GoogleやYahoo!などが提供する地図サービス，Amazonが提供する商品情報などが該当する。

●生成による再利用

生成による再利用は，リエンジニアリングである。リエンジニアリングは，“対象システムを調べ，新しい形に変更し，かつそれを実現する”ことである。リエンジニアリングは，リバースエンジニアリングとフォワードエンジニアリングを伴う。リバースエンジニアリングは，既存ソフトウェアからシステムの仕様を導き出すことである。フォワードエンジニアリングは，システムの仕様からソフトウェアを作り出すことで，ウォータフォール型の開発技法を伴うものである。場合によっては，既存のシステムでは満たされない新しい要求に対する修正を含む。

参考

特別なコメントが記述されたソースコードファイルの集合，またはバイナリファイルの集合から，プログラマやエンドユーザーまたはその両方を対象としたドキュメントを生成するプログラミングツールを，ドキュメンテーションジェネレーターという。

●オブジェクト指向設計での再利用

オブジェクト指向設計では，カプセル化による情報隠ぺいが基本である。カプセル化により，データとプロセスの関係は強固になり，データの局所性が高くなる。この結果，データが変更されても，影響を受けるプロセスの範囲が限定される。また，データ構造の変更は，プロセスを介してデータを使う側には見えにくくなる。このような，データの局所性が高い構造は，ソフトウェアの再利用に適した構造となる。

▶間違えやすい

本文で説明していない再利用技術の方法に，再構造化がある。ソフトウェアの再構造化は，アセンブラ言語や高水準言語で作成された構造化されていないプログラムを，構造化プログラミングの形態に変換することである。再構造化のツールは幾つか発表されており，CASEツールにこの機能を含むものもある。また，再構造化の考え方はプログラムだけではなく，データや設計，要求仕様などにも応用できる。

10.1.2 モジュール設計

■ モジュール分割はモジュールの独立性を高めるための手段
■ 独立性を高めるにはモジュール強度を強く，モジュール結合度を弱く

参考
モジュールの独立性が高いというのは，モジュール同士の関係性が薄いとうことである。独立性が高いと，あるモジュールについて修正を加えたとき，他のモジュールへの修正が極力少なくなるようなことである。

プログラムをモジュールに分割することで，プログラム全体がわかりやすくなる。このとき，モジュールの独立性を高めるように配慮する。モジュールの独立性の評価尺度に，モジュール強度とモジュール結合度がある。

強度	独立性	結合度
強	高	弱
▽	▽	△
弱	低	強

● モジュール強度（結束性）

モジュール強度は，モジュール内部の関連性の強さを示す尺度で，モジュールの機能のまとまりが適切になるように配慮する。モジュール内部の関連性が強いほど，モジュールの独立性は高くなる。

▶試験に出る
モジュール強度や結合度に関する出題が頻出している。強度や結合度の分類を，独立性の高い順に列挙できるようにしておく。余裕があれば，機能的強度，情報的強度，データ結合，スタンプ結合の意味を理解しておくとよい。

強度の種類	内容	強度	独立性
暗合的強度	プログラムを単純に分割し，重複する機能をまとめたもので，内部の機能間の関連はない	弱	低
論理的強度	複数の機能をもち，引数の値によって処理を選択		
時間的強度	特定の時期に逐次的に実行する機能をまとめたもの 初期処理モジュールなど		
手順的強度	複数の逐次的な処理をまとめたもので，各機能は独立して実行できない		
連絡的強度	手順的強度において，各機能間でデータの受渡しがあるもの（共通領域を参照）		
情報的強度	同一データ構造を使う機能をまとめたもので，機能ごとに入り口点と出口点をもつ		
機能的強度	1つの機能からなるモジュールで，命令はすべて1つの機能を実現するためにある	強	高

●モジュール結合度

モジュール結合度は，モジュール間の関連性の強さを示す尺度で，モジュール間の関係が単純になるように配慮する。モジュール結合度が弱いほど，モジュールの独立性は高くなる。

結合度の種類	内容	結合度	独立性
内容結合	外部宣言していないデータをほかのモジュールが直接，参照・更新	強	低
共通結合	複数のモジュールが共通領域のデータ構造を共有して参照・更新		
外部結合	外部宣言されたデータを複数のモジュールで共有 必要なデータのみを外部宣言		
制御結合	機能コードを受け渡し，呼ばれたモジュールの実行を制御する		
スタンプ結合	データの構造体を受け渡す 呼ばれたモジュールは構造体の一部を使用		
データ結合	処理に必要なデータのみを受け渡す モジュール間での機能的な関係はない	弱	高

モジュール結合度は，通常は，データ結合が最も弱いとされているが，さらに弱い結合度として，呼出しをするだけでデータの受け渡しは行わないメッセージ結合や，通信を行わない無結合が定義されることもある。

●領域評価

領域評価は，モジュール間で，制御領域と影響領域を適切に配分することである。制御領域は，上位モジュールが下位モジュールの呼出しを制御する範囲である。影響領域は，あるモジュールで設定した条件によって動作が変わるモジュールを含んだ領域である。モジュール構造の最適化を図るためには，モジュールの影響領域が，制御領域の中に含まれるようにする。

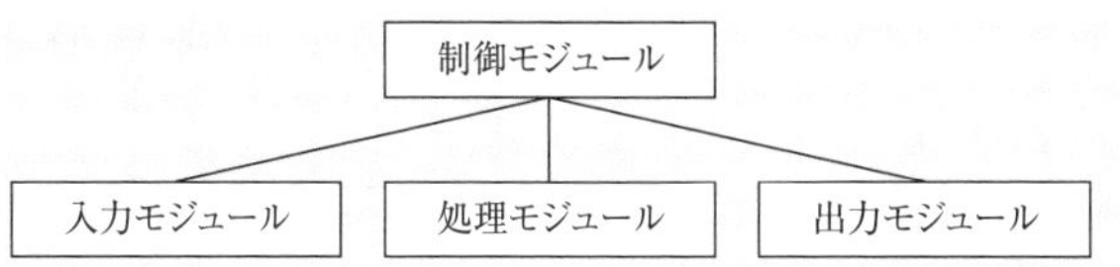

例えば，入力モジュールでエラーとなったデータを表示するのに，エラーフラグのようなものをもたせ，制御モジュール経由で出力モジュールに渡して表示するのではなく，入力モジュールの下位モジュールとしてエラー表示モジュールを配置するのが適切であるということである。

10.1.3 プログラミング手法

Point
- パラダイムは考え方の枠組みや価値観（物の見方や捉え方）という意味
- NSチャートは構造化チャートの一つ

参考
プログラミングパラダイムはプログラミングをするうえでの規範という意味で，プログラム言語の種類に依存する面が強い。このため，言語によって最適なプログラミングパラダイムが存在する。

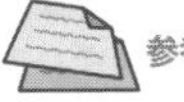
用語解説
関数
関数は，与えられた文字や数値に対して特定の処理を行い，結果を返す機能である。表計算ソフトやデータベースソフトでは，多くの関数を備えている。例えば，平均，最大，最小などの統計関数，三角関数などの数学関数，日付関数，論理関数などがある。

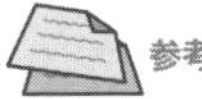
参考
副作用とは，同じように呼び出しても同じ結果が返ってくるとは限らない処理のことをいう。関数型プログラミングパラダイムでは，副作用を基本的に排除するため，プログラミングがシンプルなものになるという特徴がある。

プログラミング作業の中から規則的な指針が発見されたり，論理的な背景に基づいて新しい考え方が生み出されたりしてきた。ソフトウェア工学では，これらの成果を，プログラミングパラダイムとして体系的に構成している。

●手続型プログラミングパラダイム

手続型プログラミングパラダイムは，対象とする問題の解決を手続きによって記述する方式である。手続きによる手順のことをアルゴリズムという。代表的なプログラム言語は，COBOL，Fortran，C，Pascalなどである。いずれも，コンピュータが実行する処理手順に対して，1文(命令)ずつ記述する。

手続型プログラミングパラダイムでは，構造化チャートを用いた構造化プログラミングが使われている。

●関数型プログラミングパラダイム

関数型プログラミングパラダイムは，対象とする問題の解決を関数によって記述する方式である。関数は，定義域に値を与えると，値域に値を返す。

手続型プログラミングパラダイムでは，プログラムの実行とともに主記憶に確保されている領域の値が変化する。このことを，動的な副作用を伴うという。一方，関数型プログラミングパラダイムでは，関数に入力データの処理をさせ，関数値を出力するので，副作用を伴わない。また，関数を組み合わせてプログラミングを行うため，計算の手順を記述する必要がない。対応するプログラム言語はLisp，APLなどである。

●論理型プログラミングパラダイム

論理型プログラミングパラダイムは，対象とする問題の解決を，事実と推論規則を用いた“論理”で記述する方式である。論理式と推論機構により，副作用を伴わない。「～ならば，～である」という推論関係を用いて論理関係を表現することができれば，論理型プログラミングパラダイムが使える。

論理型プログラミングパラダイムでは，入力と出力の関係を論理式によって記述し，計算（推論）の結果は，成功か失敗のいずれかの状態をとる。しかし，成功しても，その結果が最適かどうかの判断は行わない。対応する言語は，Prolog（プロログ）である。

論理型プログラミングパラダイムでは，ユニフィケーションとバックトラッキングが基本的な制御機構である。

制御機構	説明
ユニフィケーション	パターンマッチングの機能 推論の規則と，質問のパターンを比較すること
バックトラッキング	自動検索機能 ユニフィケーションに失敗すると，最初に戻り別の規則と比較

●オブジェクト指向プログラミングパラダイム

オブジェクト指向プログラミングパラダイムは，オブジェクトの状態とその振舞い（動作）を記述する方式である。オブジェクトの構成とその動作を決定したうえでプログラミングを行う。オブジェクトはあるクラスに属し，クラスごとに動作を記述する。クラスは階層構造をもち，継承により，上位のクラスとの違いだけを作ればよいという差分プログラミングが可能となる。対応するプログラム言語には，C＋＋（シープラスプラス）やC＃（シーシャープ），Java（ジャバ），Ruby（ルビー），Python（パイソン）などがある。

●構造化チャート

構造化チャートは，構造化プログラミングで示された基本制御構造を表現するプログラム図式である。従来，流れ図（フローチャート）が用いられてきたが，流れ図では矢印が書けるため，構造化の制約を守ることができない。そこで，チャートの表記そのもの

参考

オブジェクト指向プログラミングパラダイムでは，抽象化されたオブジェクトに対して，具体的なある値をもつインスタンスを生成する。これを，インスタンス機能という。また，データ（属性）とメソッド（サービス，処理）を一体化するカプセル化機能をもつ。カプセル化によって，オブジェクト指向プログラミングにおける生産性と信頼性は大幅に向上する。

用語解説

構造化プログラミング
構造化定理を用いてプログラミングを行うとともに，できるだけgoto文を使わずにプログラミングを進めるための技法である。

構造化定理
プログラム設計において，連接，選択，繰返しの3つの基本制御構造を用いることで，全てのアルゴリズムを表現できるというものである。

参考

構造化プログラミングの流れを表現するために開発されたのが構造化チャートである。種々の構造化チャートが提案されているが，企業や国によって開発されたため多くの記法がある。代表的なものに，HCP（NTT），PAD（日立），SPD（NEC），YAC（富士通），HIPO（IBM）などがある。

に構造化の制約を与えようとする着想である。

NSチャート

NSチャート（Nassi-Shneiderman chart）は，次のような特徴をもつ。

・矢線を使用しない論理的表現
・1つの入り口と1つの出口をもつ
・視覚的な表現なので理解しやすい
・基本制御構造しか表現できない

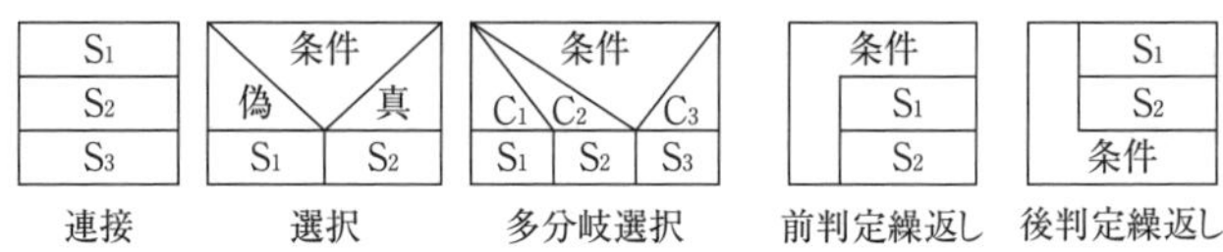

チェック! よく出る午前問題で基本事項を確認

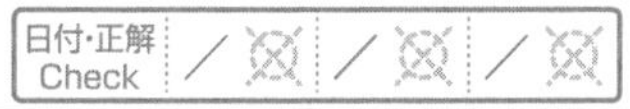

問題 1 ［応用情報技術者試験 2016年春期午前 問47］ 難易度 ★★ 出題頻度 ★★★

モジュールの結合度が最も低い，データの受渡し方法はどれか。

ア　単一のデータ項目を大域的データで受け渡す。
イ　単一のデータ項目を引数で受け渡す。
ウ　データ構造を大域的データで受け渡す。
エ　データ構造を引数で受け渡す。

問題 2 ［応用情報技術者試験 2016年秋期午前 問47］ 難易度 ★★ 出題頻度 ★★

オブジェクト指向言語のクラスに関する記述のうち，適切なものはどれか。

ア　インスタンス変数には共有データが保存されているので，クラス全体で使用できる。
イ　オブジェクトに共通する性質を定義したものがクラスであり，クラスを集めたものがクラスライブラリである。
ウ　オブジェクトはクラスによって定義され，クラスにはメソッドと呼ばれる共有データが保存されている。
エ　スーパクラスはサブクラスから独立して定義し，サブクラスの性質を継承する。

解説 1

モジュール結合度は，モジュール間の関係で，モジュール結合度が弱いほど，モジュール独立性は高まる。

モジュール結合度は，その強弱によって６段階に分類される。

強弱	モジュール結合度	内容	解答群
弱	データ結合	処理に必要なデータのみを受け渡す	イ
	スタンプ結合	データの構造体を受け渡す	エ
	制御結合	パラメタを受け渡し，モジュールの実行順序を制御	—
	外部結合	外部宣言したデータを共有	ア
	共通結合	共通領域に定義したデータを共有	ウ
強	内容結合	外部宣言せずにほかのモジュールが直接参照・変更	—

ア　外部結合の説明である。

イ　データ結合の説明である。

ウ　共通結合の説明である。

エ　スタンプ結合の説明である。

したがって，モジュールの結合度が最も低い，データの受渡し方法は，“**単一のデータ項目を引数で受け渡す**”である。

正解：イ

解説 2

ア　インスタンス（実体）は，抽象化されたクラスに対して，具体的なある値をもって生成されたオブジェクトである。ひな形であるオブジェクトに対して，実際に実行するモジュールと考えればよい。インスタンス変数は，オブジェクト（インスタンス）に属する変数で，インスタンスによって値が異なる。このため，クラス全体で共有することはできない。

イ　クラスは，幾つかのオブジェクトに共通する振舞い（メソッド，操作，機能）や性質（属性）を定義したものである。これにより，同じような機能や性質をもつオブジェクト群をまとめて扱うことが容易になる。クラスは，オブジェクトのひな形である。クラスライブラリは，あらかじめ定義されているクラスの集まりである。

ウ　クラスがオブジェクトを定義することは正しいが，メソッドは，クラス内で定義される関数又は手続きで，オブジェクトの状態の変化とメッセージ転送に関して，オブジェクトがどのように動作し反応するかを定義する。すなわち，オブジェクトの振舞いのことであって，（共有）データではない。

エ　継承（インヘリタンス）は，オブジェクト指向設計において，上位のクラス（基底クラス，スーパクラス）で定義した性質（データやメソッド）を下位のクラス（サブクラス，派生クラス）が継承する性質である。これによって，サブクラスでは同じ性質を定義する必要がなくなる。

したがって，オブジェクト指向言語のクラスに関して，“**オブジェクトに共通する性質を定義したものがクラスであり，クラスを集めたものがクラスライブラリである**”が適切である。

正解：イ

10.2 システム構築の関連知識

システムを構築するには多くの知識や経験が必要である。プロジェクト管理，品質計画・管理・評価，工程管理，構成管理，ドキュメント管理，コスト管理，リスク管理などの知識や経験である。

10.2.1 開発管理

- 工程管理にはアローダイアグラムやガントチャートを利用
- トレンドチャートでは費用と進捗を同時に管理が可能

開発管理に必要な事項は数多くある。品質計画·管理·評価，工程管理，ソフトウェアの生産性，開発体制などである。

● 品質計画・管理・評価

ソフトウェアのテストは欠陥を除去し，設計上の品質を維持するために実施される。さらに，高い品質のソフトウェアを作る技術の１つに，QFD(Quality Function Deployment：品質機能展開)がある。QFDは，利用者の要求する品質を具体的に評価できる品質特性に置き換え，サブシステムやモジュールに展開することである。

● 工程管理・進捗管理

工程管理·進捗管理には，アローダイアグラムやガントチャートが使われる。ガントチャートは，日程計画を立て，作業の進行状況を管理，把握(予定と実績の差異の把握)するのに用いる。

次ページの図はガントチャートの例である。

なお，アローダイアグラムについては，「1.3.2　PERTとPDM」で説明済みである。

▶試験に出る

ガントチャートの特徴を問う出題がある。ガントチャートは作業の予実績を比較して作業の進捗状況を把握するための図式で，作業の関連は表現できない。一方，アローダイアグラムは，作業の関連と作業の所要日数を表現できるため，大規模なプロジェクトの日程計画に使われる。

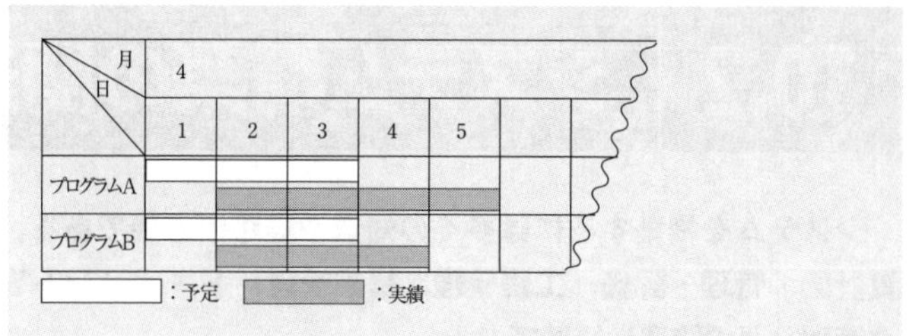

見積り手法

開発規模の見積り法については，種々の提案がなされている。

トップダウン見積り法

トップダウン見積り法は，開発規模がわかっているという前提で，全工数を工程別に案分する方法である。ビジネス分野に限らず，多くの分野に適用可能である。

類似法

類似法は，過去に経験した類似のシステムについてのデータを基にして，システムの相違点を調べ，同じ部分については過去のデータを使い，異なった部分は経験から推定する方法である。

標準値法

標準値法（ボトムアップ見積り法，標準タスク法）は，単位作業量の基準値を決めておき，作業項目を単位作業項目まで分解し，その積算で全体の作業量を見積もる方法である。単位作業量の把握は，WBS（Work Breakdown Structure：作業分解構造）に基づいて行う。

用語解説

WBS

WBSは，プロジェクトマネジメントで利用される計画手法の1つで，プロジェクトの各作業を細かい単位に分割し，分割した作業を階層構造で管理する。作業全体の把握が容易であり，分割した作業の作業量を把握して，その作業量を積算して全体の作業量を見積もる。

その他の見積り手法

FP法，COCOMOなどの方法が提案されている。これらについては，「9.1.3　プロセスモデルとコストモデル」で説明済みである。

10.2.2 システム監査

午後にも出る

■ システム監査は情報システムを評価し，助言・勧告すること
■ システム監査基準は属性，実施，報告で構成

システム監査は，システム監査人が，コンピュータを中心とする情報システムを総合的に点検・評価し，関係者に助言・勧告することである。システム監査の基準は，システム監査基準（経済産業省，令和５年４月26日）に示されている。なお，I．の属性とは根本的な性質・特徴というような意味である。

基準	内容
Ⅰ．監査の属性に係わる基準	1　監査に係わる権限と責任等の明確化 2　専門的能力の保持と向上 3　ニーズの把握と品質の確保 4　監査の独立性と客観性の保持 5　監査能力及び正当な注意と秘密の保持
Ⅱ．監査の実施に係わる基準	6　監査計画の策定 7　監査計画の種類 8　監査証拠の入手と評価 9　監査調書の作成と保管 10 監査の結論の形成
Ⅲ．監査の報告に関する基準	11 監査報告書の作成と報告 12 改善提案のフォローアップ

●システム監査人

システム監査人は，被監査部門から独立した第三者で，次の知識及び能力をもち，システム監査に従事する者である。

- ・情報システムの基本的知識
- ・システム監査の知識
- ・システム監査の実施能力
- ・システム監査の実施に当たっての関連知識

●CAAT

システム監査には，従来，質問書やインタビュー，レビューなどが人手によって行われていた。現在は，コンピュータを利用し

▶間違えやすい

システム監査基準は概略的な内容を示しているだけで，具体的な内容はシステム管理基準に示されている。システム管理基準では，国際規格の考え方を含めITガバナンスとITマネジメントについて示している。

▶間違えやすい

システム監査人は被監査部門から独立した第三者で，被監査部門に対して直接命令することはできない。このため，システム監査人は，問題点や課題となる事項を指摘するが，改善するかどうかを判断するのは，情報システム部門やエンドユーザなどの各担当部署である。また，システム監査人は，監査結果を監査の依頼人に報告する必要がある。

用語解説

フォローアップ（改善指導）

フォローアップは，システム監査のあと，システム監査人が監査対象部門に対して行う改善の指導である。ただし，監査人が行うのは指導（フォロー）に留まり，改善活動自体は監査対象部門が主体となって実施する。

たコンピュータ支援監査技法（Computer Assisted Auditing Technique：CAAT）が行われている。

技法＼機能	システムのテスト	稼働中オンラインの分析	プログラムロジックの分析	プログラムの検証	データの抽出	稼働中オンラインからのデータ抽出
テストデータ法	○					
監査プログラム法					○	
監査モジュール法					○	○
ITF法(ミニカンパニ法)	○	○				
並行シミュレーション法	○		○			
スナップショット法			○			
トレーシング法			○			
コード比較法				○		

テストデータ法

テストデータ法は，テストデータを作成して監査対象プログラムに入力し，期待した結果が得られるかどうかを確認する方法である。

ITF法

ITF法(Integrated Test Facility法，ミニカンパニ法)は，監査対象ファイルの中に監査人用の口座(ミニカンパニ)を設け，実稼働中にテストデータを流し，その口座に各種の操作をして処理の正確性を確認する方法である。なお，ITF法を統合テスト法ということもある。

スナップショット法

スナップショット法は，システムにルーチンを組み込み，条件を満たすデータが通過する際に，その時点の主記憶の内容を出力させる方法である。

トレーシング法

トレーシング法は，特定のトランザクションの処理を追跡し，監査対象プログラムの実行順序の情報を得てプログラムの論理的な正確性を検証する方法である。

コード比較法

コード比較法は，あらかじめシステム監査人によって検証され

用語解説

監査プログラム法
監査プログラム法(汎用監査ソフトウェア法，監査ソフトウェア法)は，監査人の指定した基準に従って，ファイルからデータを抽出し，データを検証してレポートを作成する方法である。

監査モジュール法
監査モジュール法(組込み監査モジュール法)は，指定された条件に合ったデータの抽出と記録を行うモジュールを作成し，それを本番プログラムに組み込んでおくことで，本番処理中に監査用データの抽出を行う方法である。

並行シミュレーション法
並行シミュレーション法は，監査人がテストプログラム(並行シミュレーションプログラム)を用意し，監査対象のプログラムと同じデータを入力して両者の結果を比較する方法である。

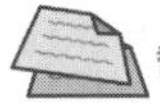
参考

事後のシステム監査ができる仕組みを監査証跡という。監査証跡は，事象の発生から，その事象に対する最終結果に至るまでの過程を追跡できる仕組みである。ログ(ジャーナル)が該当する。

参考

監査結果の裏付けとするために，収集し，分析した情報を文書化したものを監査証拠という。監査人の監査意見表明の根拠となる。実施した監査の内容が正当であったことを明らかにする証拠となるもので，適用した監査手続の内容及びその結果の文書である。

たプログラムと，監査対象プログラムとをコーディングのレベルで1行ずつ比較し，監査対象プログラムの改ざんの有無を確認する方法である。

伝統的な監査技法

監査手続の適用に当たっては，CAATのほか，伝統的監査技法と呼ばれる，チェックリスト法，ドキュメントレビュー法，インタビュー法，ウォークスルー法，突合・照合法，現地調査法，コンピュータ支援監査技法などが利用できる。代表的な方法について，システム監査基準（平成30年4月20日）から引用しておく。

なお，システム監査基準の最新版でも伝統的な監査技法は示されているが，各監査技法の定義については記述されていない。

チェックリスト法

チェックリスト法は，システム監査人が，あらかじめ監査対象に応じて調整して作成したチェックリスト（通例，チェックリスト形式の質問書）に対して，関係者から回答を求める技法をいう。

インタビュー法

インタビュー法は，監査対象の実態を確かめるために，システム監査人が，直接，関係者に口頭で問い合わせ，回答を入手する技法をいう。

現地調査法

現地調査法は，システム監査人が，被監査部門等に直接赴き，対象業務の流れ等の状況を，自ら観察・調査する技法をいう。

突合・照合法

突合・照合法は，関連する複数の証拠資料間を突き合わせること，記録された最終結果について，原始資料まで遡ってその起因となった事象と突き合わせる技法をいう。

参考

本文で説明した監査技法のほか，ドキュメントレビュー法，ウォークスルー法がある。ドキュメントレビュー法は，監査対象の状況に関する監査証拠を入手するために，システム監査人が，関連する資料及び文書類を入手し，内容を点検する技法をいう。
また，ウォークスルー法は，データの生成から入力，処理，出力，活用までのプロセス，及び組み込まれているコントロールを，書面上で，又は実際に追跡する技法をいう。

10.2.3 内部統制

Point
- 内部統制は企業内部のチェックの仕組み
- IT ガバナンスはIT 戦略をコントロールする組織能力

用語解説

内部統制の基本的要素
内部統制の基本的要素は，統制環境リスクの評価と対応，統制活動，情報と伝達，モニタリング（監視活動）及びITへの対応である。これらの基本的要素を整備することで，内部統制の目的を達することができるようになる。

参考

相互牽制
相互牽制（職務分掌）は，内部統制の観点から，担当者間で互いにチェックさせることで，業務における不正や誤りが発生するリスクを減らすために，担当者の役割を決めることである。例えば1つの取引を2人以上の担当者（あるいは2つ以上の課や係）で記帳し，一方の記帳の誤りや不正を他方の記帳との照合によって自動的に発見するような仕組みである。

内部統制は，業務の有効性と効率性，財務報告の信頼性，事業活動にかかわる法令などの遵守，資産の保全などを目的として，業務に組み込まれ，組織内の全ての者によって遂行されるプロセスである。すなわち，会社自らが，業務の適正性を確保するために社内に構築する仕組みである。内部統制の目的を達成するため，経営者は内部統制の基本的要素が組み込まれたプロセスを整備し，そのプロセスを適切に運用していく必要がある。

● コントロール

コントロール（統制）は，チェックの仕組みである。コントロールには，内部と外部のチェックの仕組みがある。内部統制は，組織内部に設定されるチェックの仕組みである。外部統制は，法律や監督官庁による規制など，組織外部からのものである。

分業体系化された組織において，権限委譲の合理性を確保するために，各分権組織での活動をチェックする内部統制と，法律や行政指導などの組織外部からのチェックの仕組みの概念を総称してコントロールという。

● ITガバナンス

IT ガバナンスは，企業が競争優位性を保つために，IT 戦略の策定・実行をコントロール（統制）し，あるべき方向へ導く組織能力である。システム監査の目的は，IT ガバナンスの実現に寄与することである。

システム監査は，組織体の情報システムにまつわるリスクに対するコントロールがリスクアセスメントに基づいて適切に整備・運用されているかを，検証又は評価することである。システム監査では，独立かつ専門的な立場のシステム監査人が保証を与え，あるいは助言を行う。したがって，システム監査人は，システム監査結果の保証を与え助言することは要求されているが，システムの企画・開発・運用，保守に責任は負わない。

参考

COSO フレームワーク（コーソー/コソ）
米国のCOSO(the Committee of Sponsoring Organization of the Treadway Commission：トレッドウェイ委員会組織委員会）では，内部統制の基本要素は，「統制環境」，「リスク評価」，「統制活動」，「情報と伝達」，「監視活動」の5つとしている。

● 法令遵守状況の評価・改善

情報システムの構築，運用は，業務システムにかかわる法令を遵守して行わなければならない。このため，適切なタイミングと方法で法令，基準，自社内外の行動規範の遵守状況を継続的に評価し，改善していく必要がある。そして，内部統制を整備することが法令遵守の体制を確立するうえで有効である。

チェック!　よく出る午前問題で基本事項を確認

日付・正解 Check　／　／　／

問題 1　[応用情報技術者試験 2019 年春期午前 問 58]　難易度 ★★　出題頻度 ★★★

システム監査における“監査手続”として，最も適切なものはどれか。

ア　監査計画の立案や監査業務の進捗管理を行うための手順
イ　監査結果を受けて，監査報告書に監査人の結論や指摘事項を記述する手順
ウ　監査項目について，十分かつ適切な証拠を入手するための手順
エ　監査テーマに合わせて，監査チームを編成する手順

問題 2　[応用情報技術者試験 2015 年秋期午前 問 60]　難易度 ★★　出題頻度 ★★★

営業債権管理業務に関する内部統制のうち，適切なものはどれか。

ア　売掛金回収条件の設定は，営業部門ではなく，審査部門が行っている。
イ　売掛金の消込み入力と承認処理は，販売を担当した営業部門が行っている。
ウ　顧客ごとの与信限度の決定は，審査部門ではなく，営業部門の責任者が行っている。
エ　値引き・割戻し処理は，取引先の実態を熟知している営業部門の担当者が行っている。

解説 1

システム監査は，組織体の情報システムにまつわるリスクに対するコントロールがリスクアセスメントに基づいて適切に整備・運用されているかを，独立かつ専門的な立場のシステム監査人が検証又は評価することによって，保証を与えあるいは助言を行い，ITガバナンスの実現に寄与することにある。

ITガバナンスは，「組織体のガバナンスの構成要素で，取締役会等がステークホルダーのニーズに基づき，組織体の価値及び組織体への信頼を向上させるために，組織体におけるITシステムの利活用のあるべき姿を示すIT戦略と方針の策定及びその実現のための活動」（「システム管理基準」，令和５年４月26日）である。なお，ITは，Information Technology（情報技術）の省略形である。

監査手続は，監査項目について，十分な監査証拠を入手するための手続である。監査証拠は，システム監査人の監査意見を立証するために必要な証拠資料や事実である。

ア　監査計画の立案は，監査の実施前に行われるべき事項である。また，進捗管理は，監査の実施に伴って発生するものなので，予備調査や本調査の手続で実施される。

イ　監査報告書作成の手続である。

エ　監査チームは，監査を行う１人以上の集団である。監査チームの結成は，監査手続に先立って行われるので，監査計画の手続である。

正解：ウ

解説 2

債権は，ある人が，別人に対してお金の支払いなどの特定の要求をできる権利である。債権をもつ人を債権者，債権によって要求を受ける人を債務者という。営業債権は，企業の営業上の債権で，売掛金のことである。

営業債権管理は，売掛金回収の条件設定，消込みや承認，顧客ごとの与信限度の決定，値引き・割戻しなど，企業の売掛金の管理全般を指す。営業債権管理を営業部門が行うと，顧客との馴れ合いなどにより，売掛金が正しく回収されないことがある。回収自体は営業部門が行ってもよいが，条件などの設定は，営業部門以外の適切な部門（審査部門など）の専門家が行う必要がある。

正解：ア

10.3 システム運用・保守

システムが稼働すると運用・保守が始まる。運用・保守は開発したシステムを実際に稼働させる場面であり，SDLC（システム開発ライフサイクル）の中では最も大きな割合を占める。さらに，運用においては，ソフトウェアの管理も必要である。

10.3.1 システムの運用

- TCO はシステムのコスト管理の一つ
- ヘルプデスクはトラブル時などの問合せ窓口

システムの運用では，コスト管理，ユーザ管理，資源管理，設備管理などが行われる。

●コスト管理

システムを運用するには，費用(コスト)が必要である。そこで，コストを正確に把握し，無駄なコストを削減する必要がある。コスト管理では，TCO(Total Cost of Ownership:システム総コスト)が用いられる。

TCO は，コンピュータの導入費用だけでなく，運用·保守，教育など，導入後にかかる費用を含めたシステムの総経費である。

費用の種類	説明／例
初期費用	･システム導入時に一時的に必要な費用 ･機械設備費，端末設備費，ネットワーク設備費，基本ソフトウェア購入費，パッケージソフトウェア購入費，ソフトウェア開発費など
定常費用 (ランニングコスト)	･システム運用中，定常的に必要な費用 ･リース料，回線使用料，消耗品費，人件費，ネットワーク設備費，基本ソフトウェア利用費，パッケージソフトウェア利用費，保守費など

▶試験に出る

TCOが議論されるのは，コンピュータにかかる費用が増大傾向にあるからである。このため，応用情報技術者試験をはじめとして，多くの試験区分で出題されている。用語の概念だけでも，確実に理解しておく。

適切なコスト管理を行うためには，以下の事項に留意する。

予実管理

予算と使用実績を比較し，適正な予算配分をするための資料とする。

原価管理と配賦，課金

固定費や変動費などの原価管理を行う。また，間接経費については，関連部署で案分（配賦）したり，必要があれば，受益者負担とし，システムの使用料を徴収（課金）したりするなどの対策をとる。

▶間違えやすい

受益者負担の課金方法の1つに，逓減課金がある。逓減課金（ていげん）は，使用時間が長い場合や，利用者数が多いと課金の単価が逓減される課金方式である。このため，総額は，使用時間や利用人数が多くなると増加率が鈍くなる。

資源管理

資源には，ハードウェア資源，ソフトウェア資源，データ資源，ネットワーク資源がある。資源管理は，業務システムの安定稼働を継続するために，情報資源を適切に管理することである。

ハードウェア資源管理

ハードウェア資源管理は，システムの性能にかかわる情報を定期的に収集し，稼働状況の傾向を把握することである。具体的には，プロセッサの使用率や使用時間，入出力チャネルの使用率，プリンタの使用状況，通信制御装置の使用率，主記憶の使用率，仮想記憶の使用率，端末装置の使用率などである。

用語解説

JCL

JCL（Job Control Language：ジョブ制御言語）は，プログラム実行時に，システムに対して実行するジョブの名前や使用する装置などを指示する言語である。

ソフトウェア資源管理

ソフトウェア資源管理は，障害状況の整理・分析，障害復旧，変更管理などを行うことである。具体的には，JCL，運用マニュアル，障害状況レポート，ライブラリ（プログラム），バージョン，バックアップ，その他文書類などである。

データ資源管理

データ資源管理は，システム内で使用されるデータを組織全体から見て，管理・調整することである。データ資源管理では，完全性の確保や機密保護が重要である。

ネットワーク資源管理

ネットワーク資源管理は，ネットワークを構成する機器の管理を行うことである。具体的には，CCU(Communication Control Unit：通信制御装置)，DCE(Data Circuit terminating Equipment：回線終端装置)などである。ネットワーク資源管理はハードウェア資源管理の一環として実施されるが，通信回線は，電気通信事業者を含めた管理体制が必要である。

参考

英国政府が策定したコンピュータシステムの運用・管理業務に関する体系的なガイドラインを，ITIL（Information Technology Infrastructure Library）という。

●ハードウェア／ソフトウェアの入手方法

ハードウェアやソフトウェアの入手方法に，買い取り，レンタル，リースがある。

比較項目	買い取り	レンタル	リース
契約形態	売買契約	賃貸借契約	賃貸借契約(資金貸付)
購入資金	要	不要	不要
解約方法	−	事前通知と加算金	中途解約不可
料金	−	リースより高い	レンタルより安い
製品内容	原則として新品	新品・中古	原則として新品
減価償却	法定耐用年数で償却	−	−
経理処理	減価償却分が経費	全額経費	全額経費
税金	固定資産税	レンタル会社が負担	リース会社が負担

リースは，リース会社から借用するという考え方である。高額な商品をリース会社に購入してもらい，実際に使う人（借手）はリース会社にリース料を支払う。

契約上は，売買契約ではなく，一定期間借用するという契約である。借用期間（リース期間）は物品によって異なり，3～7年である。契約期間の間，原則として均一のリース料金を支払う。ローンとは異なり，金利という概念はない。しかし実際には，金利を払っているのと同じである。原則として途中解約ができない点がレンタルとは異なる。途中解約したいときは，残りの期間のリース料を借手が負担する。

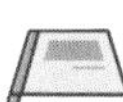
用語解説

減価償却

減価償却は，経費を計算する際に，固定資産の取得原価（購入したときの価格）を一定の方法で費用化し，固定資産の価額（価値）を減らしていく手続きである。なぜ，減価償却を行うかというと，設備などの固定資産の費用を1回で支払うと，企業の利益を圧迫するため，費用を一定期間で分散して払うという考え方をするためである。

▶間違えやすい

リースにおいて修繕費は原則として借手の負担となる。物品によっては，損害保険などに入っている場合もあり，保険料がリース料に上乗せされていることもある。

ヘルプデスク

ヘルプデスクは，ユーザがコンピュータシステム利用時に発生したトラブルに対応する窓口である。通常は，システム運用管理者が担当する。

ヘルプデスクは，次の順序で対応する。

参考

システム運用において，運用者側と利用者側との間でサービス内容などについて取り交わす契約を，SLA（Service Level Agreement）という。課金項目，問合せ受付時間，障害からの復旧時間などの項目が盛り込まれる。

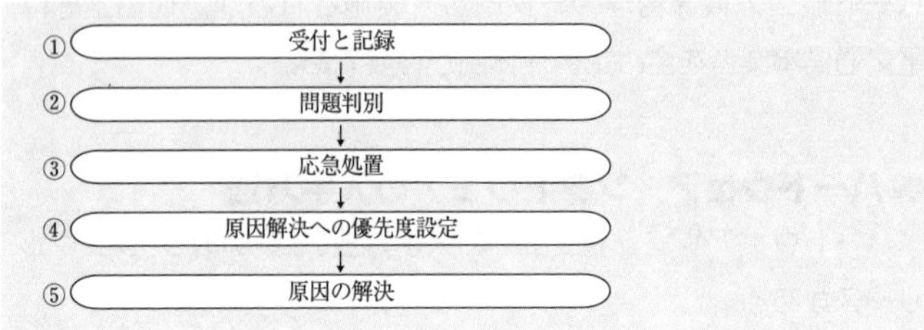

ユーザ管理

ユーザ管理は，システムを利用する利用者を管理することである。これは，セキュリティ管理の基本でもある。システムを利用できるようにするため，システム管理者は，利用者に対してユーザIDを発行する。ユーザIDは，システムの利用者が正当な利用者であるかどうかを確認する手段である。また，利用者の認証のため，パスワードの管理も必要である。パスワードは，利用者が間違いなく本人であることを確認する手段である。

- パスワードは利用者が個人で管理するのが原則。定期的に自分の責任において変更する
- パスワードは，利用者がいつでも変更できるようにしておく
- 資格を失った人（例えば，退職者）が利用できないように，ユーザIDとパスワードの再利用は避ける

設備管理

設備管理は，コンピュータシステムの安定的稼働を目指して，安定した電源や空調の供給，防災，防犯対策を行うことである。電源供給関係では，自家発電装置，UPS（Uninterruptible Power Supply：無停電電源装置），CVCF（Constant-Voltage Constant-Frequency：定電圧定周波装置）などを装備する。

参考

設備には，UPSやCVCF以外に，AVRもある。AVR（Automatic Voltage Regulator：自動電圧調整器，定電圧装置）は，コンピュータに安定した電源を提供するための装置である。

10.3.2 システム・ソフトウェアの保守

- 保守の形態には，予防保守，事後保守などがある
- 保守の方法には，活性保守，遠隔保守などがある

保守は，運用中のシステム(ハードウェアやソフトウェア)が所定の機能を保持し，正常に実行できるように維持管理する作業である。

●保守形態

保守には，予防保守と事後保守がある。これらは主としてハードウェアの保守である。

参考

保守時間の短縮を目的とした方法に，ツールレス保守がある。ツールレス保守は，ツール（専用工具）を使用しないで保守作業が可能なように設計されたハードウェアの保守である。例えば，サーバ内部の基板などをモジュール化し，取付けをレバー式にするなどである。

予防保守

予防保守(計画保守)は，比較的余裕のあるときに計画を立てて行う保守である。装置が劣化しないようにチェックしたり，障害が発生しそうな兆候が見えた装置を入れ替えたりする。また，利用者の要求に対応するために行われることもある。予防保守はシステムの停止を未然に防ぐ対策として意義があり，MTBF（平均故障間隔）の向上に役立つ。

予防保守には，日常的に行われる日常保守，定期的に行われる定期保守がある。日常保守では，システムの稼働を止めることなく実施できる活性保守の仕組みが作られていることもある。また，システムが分散している場合などは，遠隔保守が利用されることもある。

保守は，単に情報システムを監視するだけではない。システムの内容を正しく把握し，利用者の要求やクレームなどに的確に応対する必要がある。このため，保守担当者には，非常に高度な能力が要求される。

事後保守

事後保守は，稼働中のシステムに予期せぬ事態が発生した場合に行う保守である。障害が発生したら即座に対応するため，保守要員を常駐させることもある。

事後保守には，システムが通常とは異なる動作をしたときに行われる臨時保守，障害が発生したときに行われる緊急保守がある。

臨時保守は，機器の稼働音がおかしいとか，性能が極端に悪化したなど，障害の兆候が見えたときに行われるもので，障害を未然に防ぐことが目的である。

用語解説

フォールトトレラントコンピュータ

フォールトトレラントコンピュータは，フォールトトレランス技術を用いたコンピュータシステムである。フォールトトレランス（耐故障性）は，ハードウェアやソフトウェアの一部に障害が発生しても，あらかじめ定められた機能を維持する能力である。コンピュータシステムを冗長構成とし，障害が発生すると，障害の発生した機器を切り離し，システム全体としては運転を続行する。デュアルシステムやデュプレックスシステムがその例である。

●保守方法

保守はシステムを停止させて行うのが一般的であるが，中断が許されない場合や，遠隔地にシステムがあるようなときは，活性保守や遠隔保守が行われる。

活性保守

活性保守（**オンライン保守**）は，システムの運用を停止することなく，部品や装置単位を交換することである。ノンストップを前提とするシステムでは，必須の機能である。フォールトトレラントコンピュータでは，プリント基板，電源など，構成要素（部品）が徹底的に二重化されており，障害が発生すると，容易に部品を交換できる構造になっている。

遠隔保守

遠隔保守は，保守センタを設置して，そこで通信回線を介してシステムを監視する方法である。障害が発生すると，保守センタ内の監視装置が警告音を鳴らしたりして障害を通知する。また，遠隔地にある利用者のコンピュータシステムを，コンピュータメーカの保守センタにあるコンピュータと通信回線で結び，障害情報の分析を遠隔操作で行うこともある。

ハードウェアやソフトウェアの機能を維持するために保守契約を結ぶことがある。利用者はメーカや販売店と契約することによって特別な保守サービスを受けることができる。サービス内容はメーカによって異なるが，一般的なサービスより充実している。例えば24時間の電話サポートや，オンサイトサービス，製品の代替サービスなどである。

●ソフトウェアの保守

ソフトウェアの保守作業には，その目的から，**修正作業**，**変更作業**，**改良作業**がある。

作業	作業内容
修正作業	プログラムの誤りや，処理・手続きなどの仕様の誤りなど（バグ）への対応。緊急性が高い
変更作業	法律の改正や金利の変更，年号の変更など外部要因による変化への対応。緊急性が高い
改良作業	ユーザからの機能追加の要求，不十分と評価を受けた機能の改良。優先順位は低いが工数がかかる

さらに，OSのバージョンアップが行われると，従来動作していたアプリケーションソフトウェアが動作しなくなることがある。このため，OSをバージョンアップしたときには，インストールされているアプリケーションソフトウェアが動作するかどうかの確認が必要である。

ソフトウェア保守については，次の４つの保守について，JIS X 0161（ISO/IEC 14764）に規定されている。

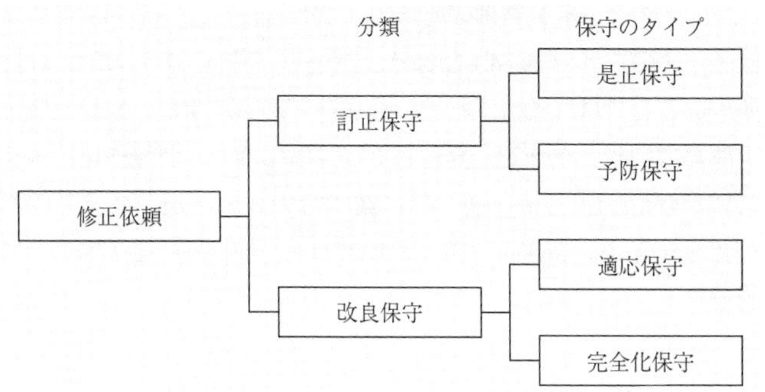

修正依頼（変更依頼）は保守対象となるソフトウェア製品への変更提案を特定するために使われる総称用語，改良保守は新しい要求を満たすための既存のソフトウェア製品への修正である。

是正保守

是正保守は，ソフトウェア製品の引渡し後に発見された問題を訂正するために行う修正である。

予防保守

予防保守は，引渡し後ソフトウェア製品の潜在的な障害が運用障害になる前に発見し，是正を行うための修正である。

適応保守

適応保守は，引渡し後，変化した又は変化している環境において，ソフトウェア製品を使用できるように保ち続けるために実施するソフトウェア製品の修正である。

完全化保守

完全化保守は，引渡し後のソフトウェア製品の潜在的な障害が，故障として現れる前に，検出して訂正するための修正である。

JIS X 0161

JIS X 0161は，ソフトウェアライフサイクルに関する規格JIS X 0160に規定した保守プロセスをさらに詳細に定めた規格である。この規格は，様々なタイプの保守を定義しているが，特に規定しない限り，ソフトウェア保守を意味している。

JIS X 0161では，訂正保守についての定義はない。図における改良保守と同じレベルということで考えると，「不都合な機能やバグなどの修正」と考えてよい。

データの障害対策に，バックアップ方式がある。バックアップ方式には，全ての内容をバックアップするフルバックアップ方式，フルバックアップを行ったあと，更新のあった部分のみをバックアップする差分バックアップ方式がある。さらに，前回のバックアップのあと，更新のあった部分のみをバックアップする増分バックアップ方式がある。

本文で挙げた保守以外に，JIS X 0161では緊急保守も定義している。緊急保守は，是正保守実施までシステム運用を確保するための，計画外で一時的な修正である。緊急保守は，是正保守の一部であるとも規定している。

10.3.3 ソフトウェア開発管理

Point
- CMMIはプロセス成熟度の統合的指針
- SLCPはソフトウェアの取得者と供給者に共通の尺度を提供

参考

クロス開発
クロス開発は，ソフトウェアを開発する環境をもたないコンピュータで動作するソフトウェアを，ほかのコンピュータで開発する方法である。コンピュータで制御されている家電製品や携帯電話の組込みソフト，家庭用ゲーム機のゲームソフトなどの開発に用いられる。

ソフトウェア開発管理の方法の1つに，プロセス成熟度を評価するための指針（CMMI）がある。ただし，ここでいうプロセスは，処理のことではなく，工程という意味である。また，ソフトウェア開発プロジェクトで，発注者と受注者の間で，開発作業に対する誤解がないように，種々の作業内容の詳細を規定するものがSLCPである。CMMI，SLCPいずれも，ソフトウェア管理の技術である。

●CMMとCMMI

CMMI（Capability Maturity Model Integration：能力成熟度モデル統合）は，組織がプロセスを適切に管理できるようになることを目的として，遵守するべき指針を体系化したものである。組織のもつ開発プロセスの標準化と合理化を推進し，製品やサービスの開発，調達，保守活動の組織能力を改善するガイドラインを提供する。そして，CMMIの基になったのが，CMMである。

CMM（Capability Maturity Model：能力成熟度モデル）は，ソフトウェア開発能力の成熟度を測る指針で，CMMIと区別するために，SW-CMM（CMM for Software）と呼ばれていた。その後さらに改良が加えられ，現在，CMMI V1.3が運用されている。CMMI V1.3には，システムやソフトウェアの「開発のためのCMMI」（CMMI-DEV），「調達のためのCMMI」（CMMI-ACQ），「サービスのためのCMMI」（CMMI-SVC）の3種類がある。

CMMIは，プロセスの成熟度を，次の5段階で評価する。

成熟度	説明
初期段階	何もルールがない状態(混沌としており,行き当たりばったりで,一部の英雄的なメンバに依存した状態)
再現可能段階	同様のプロジェクトであれば,反復してプロセスを実行できる状態(プロジェクト管理・プロセスの規則が存在)
定義段階	プロセスが標準ビジネスプロセスとして明示的に定義され,関係者の承認を受けている状態(組織全体で制度化された状態)
管理段階	定量的に管理された状態(計測できる状態),プロセス管理が実施され,タスク(作業内容)を定量的に計測できる状態
最適化段階	最適化している状態(プロセスを改善する状態),継続的に自らのプロセスを最適化し改善している状態

● SLCP

SLCP(Software Life Cycle Process)は,ソフトウェアの開発から運用・保守に至るまでのライフサイクルを可視化し,ソフトウェアの取得者と供給者に共通の尺度を提供することを目的とした国際規格(ISO/IEC 12207)である。日本では,共通フレームというガイドラインが提供されている。

共通フレーム(Software Life Cycle Process-Japan Common Frame:SLCP-JCF)は,システム開発取引にかかわる作業項目,内容を網羅的,かつ体系的に整備・記述している。SLCP-JCFでは,システム開発を行ううえで必要な作業を,まず大きな枠であるプロセスで区切り,プロセス内の作業項目をアクティビティで分割,各アクティビティ内の作業内容をタスクと定義している。

プロセスはシステム開発作業を役割の観点でまとめたもの,アクティビティは相関の強いタスクをまとめたタスクの集合である。

● アジャイル開発

アジャイルは“俊敏な,素早い”という意味の英単語である。効率的なシステム開発手法などを総称して,アジャイル開発という。以前から提案されてきたウォータフォールモデル,プロトタイピングモデル,スパイラルモデルよりも柔軟にプロジェクトを進めることができる。

SLCP-JCFは,ISO/IEC 12207を基に作成されたが,国内のユーザ,ベンダ,学識経験者が日本のソフトウェア産業の特性を考慮し,企画プロセス,システム監査プロセスなどを加えている。

コンプライアンス

コンプライアンス(法令遵守)は,法律や規則などのごく基本的なルールに従って活動を行うことをいう。特に,企業活動にコンプライアンスが求められている。今日,CSR(Corporate Social Responsibility:企業の社会的責任)とともに非常に重視されている。

アジャイル開発では,イテレーションという短い反復の単位で,分析,設計,実装,テストの一連の活動を行う。短い期間で区切ることで,開発の工程管理がしやすくなり,計画の変更に対応しやすくなるという利点がある。さらに,イテレーションの最後に,ふりかえり(レトロスペクティブ)という,活動や状況についての話し合いが行われる。

10

アジャイル開発の1つに，XPがある。XP(eXtreme Programming)は，利用者の要求や仕様の変更リスクを軽減するために，利用者や開発者間のコミュニケーションを重視し，コーディングとテスト，ペアプログラミング，リファクタリングに重点を置いて短期間のリリースを繰り返して開発を進めていくソフトウェア開発方法論である。XPは10人程度までの少人数のチームによる開発に適するといわれているが，提唱者は，漸進的にソフトウェアを成長させることを目指せば，大規模システムの開発も可能としている。

次は，アジャイルシステム開発の考え方で，アジャイル宣言と呼ばれている。

・プロセスやツールよりも，個人との相互作用
・包括的なドキュメントよりも，動作するソフトウェア
・契約交渉よりも，ユーザとの協調
・計画に従うよりも，変化に対応

ペアプログラミング

ペアプログラミングは，1台の開発用のコンピュータを2人で共有してプログラムを作成することである。1人で作業していると，ケアレスミスやバグの発生の確率は高いが，共同でプログラムを作成することにより，このようなことを防ぐことができる。例えば，1人がキーボードでコードを入力し，もう1人は傍らでどのようなコードにすべきか一緒に検討したり，誤りを指摘したりする。前者をドライバ，後者をナビゲータ（オブザーバー）ということがある。

ドライバとナビゲータの役割は固定的なものではなく，一定の時間（例えば30分から1時間）の経過や，作業の区切り（例えば単体テストを実行するタイミング）ごとに入れ替わるのがよいとされる。また，ペアを組むスタッフの組合せは固定せずに，できれば毎日異なるメンバの組合せでペアを組むのがよいとされる。このように，ドライバとナビゲータを固定させないプログラミングの方式を，ピンポンペアプログラミングという。

参考

チームのムード，メンバの気持ちややる気を可視化するためのツールで，カレンダーに，その日の気持ちを表すシールなどを貼ったりする活動を，ニコニコカレンダー（ニコカレ）という。気持ちなどを表す意味で1日の終わりなどに実施される。
また，毎朝，時間を決めて実施される関係者同士の短いミーティングを朝会という。チーム内の情報共有を目的に実施される。

リファクタリング

リファクタリングは，プログラムの機能は変えずに，内部構造を整理し書き直すことである。仕様変更などに伴い，プログラム

が冗長化することが多いので，仕様変更に柔軟に対応できるように手直しする。

参考

イテレーション終了時にその活動や状況についてメンバ間で話し合い，次の活動への施策を考える活動を，ふりかえり（レトロスペクティブ）という。

イテレーション

イテレーションは，アジャイル開発における反復の単位で，分析，設計，実装，テストの一連の活動を含む。アジャイル開発では，概ね数週間程度ごとにこの開発サイクルを繰り返して次第に完成度を高めていく。短い期間で区切ることで，開発の工程管理がしやすくなったり，計画の変更に対応しやすくなったりするという利点がある。

スクラム

スクラムは，ソフトウェア開発におけるアジャイル開発手法の1つで，メンバが日々直接会ってお互いにコミュニケーションをとり，プロジェクトにおける規律を守ることである。例えば，毎日決めた時刻にチームメンバが集まって開発の状況を共有し，問題が拡大したり，状況が悪化したりするのを避けるための活動を，日時スクラムという。

参考

ベロシティ

チームの開発速度を表すもので，一つのサイクル（スプリント）当たりに提供できる作業量をストーリポイントで表す。見積もったストーリポイントは，ベロシティを用いてスケジュールに反映する。

ストーリポイント

ユーザストーリを実装するのに必要なコストを見積もるための単位で，スキルや経験の違いによる見積もりの差異をなくすために用いられる。

ユーザストーリ

開発チームメンバが日常的な作業を行う理由とその背景を記述したものである。システムを開発する際に必要なプロジェクトの要求事項のことで，ユーザの要望や役割，ゴール（目的）などの内容が含まれる。

タスクボード

タスクボード（カンバン）は，タスクの実施状況を可視化して，いつでも確認できるようにする活動である。

プラクティス

プラクティスは，ペアプログラミング，日次ミーティング，ファシリテータなどの開発プロジェクトの適用技術，開発プロセス，組織運営などの指針である。どのような状況下で，どのプラクティスをどのように活用すればよいのかというノウハウがあれば，開発プロジェクトを円滑に進めるための有効な手段になる。

バーンダウンチャート

バーンダウンチャートは，残された片づけるべき作業の量と時間を表現したグラフである。バーンダウンチャートでは，縦軸に残作業量，横軸に時間を割り当てて残りの作業量をグラフで表す。このため，時間が進むと残りの作業量が減っていくので，右肩下がりのグラフになる。

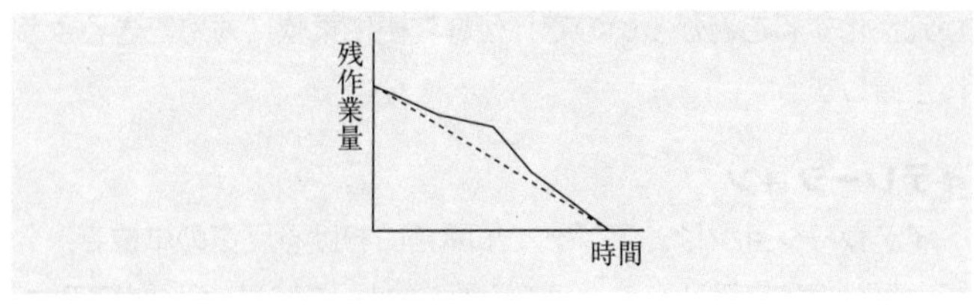

プロジェクトの構成と成果物

プロジェクトの人の役割には，プロダクトオーナ（責任者），スクラムマスタ（プロジェクトリーダ），開発メンバ（開発者），アジャイルコーチがある。また，成果物には，プロダクトバックログ（全体の実行計画），スプリントバックログ（スプリントごとの実行計画），インクリメントがある。なお，**スプリント**は，４週間以下のタイムボックスで，この期間内に開発チームは要求事項を完成させ，動作するリリース判断可能なインクリメントを作る。このことから，スプリントは４週間以内の短いプロジェクトとも考えることができる。スプリントが終了したら，状況を正確に把握し，速やかに新しいスプリントを開始する。

用語解説

インクリメント
インクリメントは，過去に作ったものと今回のスプリントで完成したプロダクトバックログ項目を合わせたものである。すなわち，完成の定義を満たしており，リリースしようと思えばリリースできるプロダクトのことを指す。

プロダクトオーナは，プロダクト（製品，サービス）の開発の方向性を定め，プロダクトの価値を最大化することに責任をもっており，顧客のニーズを基にシステムの機能や要件を優先順に記述したプロダクトバックログを作成し管理する役割をもつ。

スクラムマスタは，全体の進行状況を管理する役割をもつが，直接的な関与はしない。主な作業は，チーム内外の組織間調整と外部妨害に対処することである。さらに，開発チームのメンバがスクラムにおいて，進め方を理解し，自律的に協働できているかを管理する。従来のプロジェクトマネージャがこの役割を担うことが多いが，プロジェクトそのものを管理するわけではない。

参考

バックログは，残務，積み残しという意味で，実施すべきとされながら，未処理，未着手のまま放置されている作業や業務，案件などである。ただし，アジャイルでは，**プロダクトバックログ**は，チーム及びプロダクトで定めている目標を達成するために必要なタスクリストである。また，**スプリントバックログ**は，特定のスプリント期間中に完了させるタスクをリストアップしたものである。

開発メンバは，実際に開発を行う。スクラムでは，開発チームは各メンバが協力し，全体として同じゴールを目指す。開発チームの人数は５人から９人が適当とされ，実装とテストの能力をもつ。チームは，作業プロセスと作業結果の責任ももち，自らチーム内の管理を行う。

アジャイルコーチは，組織がアジャイルな方法で成果を出せるようにするため，組織や技術，プロダクトなど複数の観点に基づいて支援する役割である。

●フィーチャ駆動開発

フィーチャ駆動開発（Feature Driven Development：FDD）は，アジャイルソフトウェア開発工程の考え方で，業界における幾つかのベストプラクティス（最善の方法）を混合したものである。これらは全て顧客のために提供するということで，実際に動作するソフトウェアを短期間に繰り返し適切な間隔で提供する。ユーザ機能駆動開発ともいう。

AACS

AACS（Advanced Access Content System）は，次世代光ディスク（ブルーレイディスク，HD DVD）で採用された映像コンテンツの著作権保護技術の1つで，違法コピーを防ぐための技術である。なお，媒体に依存しないのでメモリーカードなどにも適用できる。

●ライセンス管理

無許可ソフトウェアの使用禁止や違法コピーの法的リスクなどに対応するため，ソフトウェア導入状況の正確な把握が求められる。導入されたソフトウェアのライセンスを管理することによって，契約・法令などを遵守（コンプライアンス）し，違反することなく，ソフトウェアを使用できる。結果的には，企業の信頼性も向上する。

ライセンス（使用許諾）は，購入したソフトウェアを使用する権利である。ソフトウェアを購入すると，そのソフトウェアを使用するための契約書が添付されているので，その契約書に同意する場合に限り，契約書に定められた使用方法の範囲でそのソフトウェアの使用が認められる。このような，ライセンスによる契約をライセンス契約という。

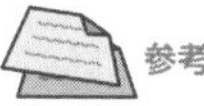

CPRM

CPRM(Content Protection for Recordable Media）は，DVDなどの記録メディアに対する著作権保護技術である。記録メディアへのコピーを一度に制限する。

●知的財産権管理

知的財産権は，特許権や著作権など，人間の知的な創作活動の結果として生まれた発明や表現を保護するための財産権である。知的財産は無形であるため，知的財産を正確に識別し管理することが困難であるが，企業など，多くの組織では，活動の一環として，知的財産権の管理が必要である。

知的財産は組織全体に関係する経営資源であるため，関連する部門（研究開発部，知的財産部，法務部，経理部など）は，それぞれ知的財産管理のために多くの情報を必要とする。そこで，種々の情報は組織全体で一元管理され，整合性を確保する必要がある。このための手段として，文書管理システムが導入されていることが多い。

知的財産権戦略として，特許化されていない技術を特許出願せずにノウハウとして秘匿することもある。例えば，セキュリティ分野のソフトウェアで，アルゴリズムを公開したくない場合などである。特許は技術の公開が原則なので，他社に模倣される可能性がある。

よく出る午前問題で基本事項を確認

日付・正解 Check　／　／　／

問題 [応用情報技術者試験 2015年秋期午前 問50]　難易度 ★★　出題頻度 ★★★

共通フレームをプロジェクトに適用する場合の考え方のうち，適切なものはどれか。

ア　JIS規格に基づいているので，個々のプロジェクトの都合でアクティビティやタスクを変えずに，そのまま適用する。
イ　共通フレームで規定しているプロセスの実施順序に合わせて，作業手順を決めて適用する。
ウ　共通フレームで推奨している開発モデル，技法やツールを取捨選択して適用する。
エ　プロジェクトの特性や開発モデルに合わせて，アクティビティやタスクを取捨選択して適用する。

解説

共通フレームは，システムの構想・企画，開発，運用・保守，廃棄における標準的な作業の範囲とその内容・項目を分類したもので，実際のシステム開発・運用の作業や手順を定めたものではない。本来の目的は，実際の作業を共通フレームで策定するのではなく，ユーザ／ベンダ独自の開発方法・プロセスを，共通フレームの体系に対応させることにより，相互にどの役割を担っているのかを理解したり，異なるベンダの見積りを比較したりすることである。このため，プロジェクトの開発手順や開発モデル，技法，開発ツールを具体的に規定しているわけではなく，プロセスやアクティビティ，タスクをプロジェクトに合わせて取捨選択する。

ア　国際規格のISO/IEC 12207をそのまま翻訳してJIS規格としたのが，JIS X 0160である。共通フレームは，JIS X 0160ベースに作成されたが，日本独自の作業を追加している。このJIS規格に基づいてはいるが，個々のプロジェクトの都合に応じて，アクティビティやタスクを取捨選択することになる。
イ　共通フレームでは標準的なプロセスや実施手順を規定している。このため，プロジェクトの都合によってプロセスや実施順序を取捨選択する。
ウ　共通フレームでは，開発モデルや技法，ツールについて具体的に規定しているわけではない。

正解：エ

演習問題

［応用情報技術者試験 2015 年春期午後 問 11］

問題

財務会計システムの運用の監査に関する次の記述を読んで，設問1～6に答えよ。

H社は，部品メーカであり，原材料を仕入れて自社工場で製造し，主に組立てメーカに販売している。H社では，財務会計システムのコントロールの運用状況について，監査室による監査が実施されることになった。

財務会計システムは，2年前に導入したシステムである。財務会計システムに関連する販売システム，製造システム，購買システムなど（以下，関連システムという）は，全て自社で開発したものである。財務会計システムは，関連システムからのインタフェースによる自動仕訳と手作業による仕訳入力の機能で構成されている。

財務会計システムの処理概要を図1に示す。

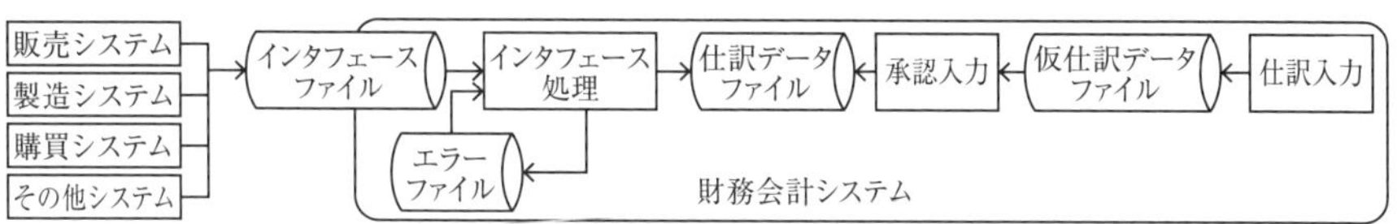

図1　財務会計システムの処理概要

〔財務会計システムの予備調査〕

監査室が，財務会計システムに関する予備調査によって入手した情報は，次のとおりである。

(1) 関連システムからのインタフェースによる自動仕訳

① 財務会計システムには，仕訳の基礎情報となるトランザクションデータが各関連システムからインタフェースファイルとして提供される。

② インタフェースファイルは，日次の夜間バッチ処理のインタフェース処理に取り込まれる。インタフェース処理は，必要な項目のチェックを行い，仕訳データを生成して，仕訳データファイルに格納する。

③ チェックでエラーが発見されれば，トランザクション単位でエラーデータと

して，エラーファイルに格納される。財務会計システムには，エラーファイルの内容を確認できる照会画面がないので，エラーの詳細は翌日の朝に情報システム部から経理部に通知される。財務会計システムのマスタが最新でないことが原因でエラーデータが発生した場合には，財務会計システムのマスタ変更を経理部が行う。ただし，エラーとなったデータの修正が必要な場合は，経理部で対応できないので，情報システム部が対応している。

④　エラーファイル内のエラーデータは，翌日のインタフェース処理に再度取り込まれ，処理される。

なお，日次の夜間バッチ処理はジョブ数，ファイル数が多く，日によって実行ジョブも異なり，複雑である。そこで，ジョブの実行を自動化するために，ジョブ管理ツールを利用している。このジョブ管理ツールへの登録，ジョブの実行，異常メッセージの管理などは，情報システム部が行っている。

(2) 手作業による仕訳入力

手作業による仕訳入力は，仕訳の基礎となる資料に基づいて経理部の担当者が行う。ここで入力されたデータは，一旦，仮仕訳データとして仮仕訳データファイルに格納される。経理課長がシステム上で仮仕訳データの承認を行うことによって，仕訳データファイルに格納される。

なお，手作業による仕訳入力に関するアクセスは，各担当者に個別に付与されたIDに入力権限及び承認権眼を設定することでコントロールされている。

(3) 月次処理

①　翌月の第7営業日までに，当月の仕訳入力業務を全て完了させている。

②　経理部は，入力された仕訳が全て承認されているかを確かめるために，［　　I　　］が残っていないことを確認する。

③　経理部は，当月の仕訳入力業務が全て完了したことを確認した後，財務会計システムで確定処理を行う。これ以降は，当月の仕訳入力ができなくなる。

(4) 財務レポート作成・出力

財務会計システムで確定した月次の財務数値を基に，数十ページの財務レポートが作成・出力され，月次の経営会議で報告される。財務レポートは，経理部が簡易ツールを操作して，出力の都度，対象データ種別，対象期間，対象科目を設定して出力される。

〔監査要点の検討〕

監査室では，財務会計システムの予備調査で入手した情報に基づいてリスクを洗い出し，監査要点について検討し，“監査要点一覧”にまとめた。その抜粋を表1に示す。

なお，財務会計システムに関するプログラムの正確性については，別途，開発・プログラム保守に関する監査を実施する計画なので，今回の監査では対象外とする。

表1　監査要点一覧（抜粋）

項番	リスク	監査要点
(1)	インタフェース処理が正常に実行されない。	①　ジョブ管理ツールに，ジョブスケジュールが適切に登録されているか。 ②　バッチジョブの実行に際しては，［ a ］され，検出された事項は全て適切に対応されているか。
(2)	正当性のない手作業入力が行われる。	①　手作業による仕訳入力及び承認は，適切であるか。特に，［ b ］の両方が一つのIDに設定されていないことに注意する。
(3)	全ての仕訳が仕訳データファイルに格納されずに確定処理が行われる。	①　経理部は，手作業による全ての仕訳入力が仕訳データファイルに反映されていることを確認しているか。 ②　情報システム部は，インタフェース処理で発生した［ c ］が全て処理されていることを確認しているか。
(4)	財務レポートが正確に，網羅的に出力されない。	①　財務レポート出力のタイミングは適切であるか。 ②　財務レポート出力の操作は，適切に行われているか。

設問1　表1中の［ a ］に入れる適切な字句を15字以内で答えよ。

設問2　表1中の［ b ］に入れる適切な字句を10字以内で答えよ。

設問3　表1項番（3）の監査要点①に対して，経理部が実施しているコントロールとして，本文中の［ I ］に入れる適切な字句を10字以内で答えよ。

設問4　表1中の［ c ］に入れる適切な字句を10字以内で答えよ。

設問5　表1項番（4）の監査要点①について，どのようなタイミングで財務レポートを出力すべきか。適切なタイミングを10字以内で答えよ。

設問6　表1項番（4）の監査要点②について，経理部が操作時にチェックすべき項目を，三つ答えよ。

演習問題・解答

解説

■設問1　解答　a：異常メッセージが監視

インタフェース処理が正常に実行されないことについては，“チェックでエラーが発見されれば，トランザクション単位でエラーデータとして，エラーファイルに格納される。財務会計システムには，エラーファイルの内容を確認できる照会画面がないので，エラーの詳細は翌日の朝に情報システム部から経理部に通知される。財務会計システムのマスタが最新でないことが原因でエラーデータが発生した場合には，財務会計システムのマスタ変更を経理部が行う”（〔財務会計システムの予備調査〕(1)③）という記述から，エラーがあれば，エラーファイルに格納され，翌日に修正されることがわかる。

以上から，監査要点としては，エラーファイルの内容が確実に監視されているかどうかである。あとは，文章がうまくつながるようにすればよい。

したがって，“異常メッセージが監視”という主旨で15字以内にまとめる。

■設問2　解答　b：入力権限と承認権限

手作業入力については，“手作業による仕訳入力は，仕訳の基礎となる資料に基づいて経理部の担当者が行う。ここで入力されたデータは，一旦，仮仕訳データとして仮仕訳データファイルに格納される。経理課長がシステム上で仮仕訳データの承認を行うことによって，仕訳データファイルに格納される”（〔財務会計システムの予備調査〕(2)）という記述から，入力者と承認者を分けている。これは，不正や入力ミスを防止するための対策である。

空欄に続く“両方が一つのIDに設定されていないことに注意する”という記述から，権限のことと見当がつく。入力権限と承認権限が分離されているかどうかが監査要点である。

したがって，“入力権限と承認権限”という主旨で10字以内にまとめる。

■設問3　解答　l：仮仕訳データ

仕訳については，“手作業による仕訳入力は，仕訳の基礎となる資料に基づいて経理部の担当者が行う。ここで入力されたデータは，一旦，仮仕訳データとして仮仕訳データファイルに格納される。経理課長がシステム上で仮仕訳データの承認を行うことによって，仕訳データファイルに格納される”（〔財務会計システムの予備調査〕(2)）という記述から，仕訳データを入力したあと，承認される必要があるとわかる。このとき，全てのデータが承認されていることの確認が必要である。

以上から，空欄には承認対象のデータ（仮仕訳データ）が入る。

したがって，“仮仕訳データ”という主旨で10字以内にまとめる。

■設問4　解答　c：エラーデータ

全ての仕訳が仕訳データファイルに格納されずに確定処理が行われるのは，異常メッセージの見落としなどが考えられる。“エラーファイル内のエラーデータは，翌日のインタフェース処理に再度取り込まれ，処理される”（〔財務会計システムの予備調査〕(1)④）から，この空欄には，エラーデータが入ると見当がつく。

したがって，“エラーデータ”という主旨で10字以内にまとめる。

■設問5　解答　確定処理後

財務レポートの出力タイミングについては，“財務会計システムで確定した月次の財務数値を基に，数十ページの財務レポートが作成・出力され，月次の経営会議で報告される。財務レポートは，経理部が簡易ツールを操作して，出力の都度，対象データ種別，対象期間，対象科目を設定して出力される”（〔財務会計システムの予備調査〕(4)）と記述されている。具体的には，“経理部は，当月の仕訳入力業務が全て完了したことを確認した後，財務会計システムで確定処理を行う。これ以降は，当月の仕訳入力ができなくなる”（〔財務会計システムの予備調査〕(3)③）という記述からわかるように，確定処理後に財務レポートを出力する。

したがって，“確定処理後”という主旨で10字以内にまとめる。

■設問6　解答　①：対象データ種別
②：対象期間
③：対象科目

財務レポートの出力の操作については，“財務会計システムで確定した月次の財務数値を基に，数十ページの財務レポートが作成・出力され，月次の経営会議で報告される。財務レポートは，経理部が簡易ツールを操作して，出力の都度，対象データ種別，対象期間，対象科目を設定して出力される”（〔財務会計システムの予備調査〕(4)）という記述から，経理部が操作時にチェックすべき項目は，“対象データ種別”，“対象期間”，“対象科目”とわかる。

第11章

● マネジメント系

マネジメント

システム開発や運用・保守などを行うに際しては，プロジェクトマネジメント，スコープマネジメント，サービスマネジメント，リスクマネジメントなど，多くのマネジメントの対象がある。マネジメントは管理と訳されることが多いが，マネジメントを適切に行うためには，単に監視しているだけではなく，高度な管理能力が必要である。第1節では，システム開発に関連して，プロジェクトマネジメントについて学習する。また，第2節では，システム運用・保守に関連して，サービスマネジメントについて学習する。

理解しておきたい用語・概念

☑ スコープ
☑ WBS
☑ QC七つ道具
☑ リスクファイナンス
☑ ITIL
☑ スコープマネジメント
☑ ワークパッケージ
☑ リスクマネジメント
☑ サービスマネジメント
☑ SLA
☑ EVM
☑ PMBOK
☑ リスクコントロール
☑ JIS Q 20000シリーズ
☑ UPS

アクセスキー **F** (大文字のエフ)

11.1 プロジェクトマネジメント

プロジェクトマネジメントは，プロジェクト計画を策定し，計画を実行に移し，進捗と成果を管理することである。知識，スキル，ツール，技法などを駆使して，作業の監視と軌道修正を継続的に行うことが重要である。

11.1.1 スコープとWBS

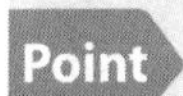

- プロジェクトスコープは成果物とそれを作成するのに必要な作業
- WBSは作業を細分化し構造的に示したもの

プロジェクトマネジメントの指針の1つに，PMBOK（ピンボック）がある。PMBOKでは，スコープ，時間（スケジュール），コスト，品質，人的資源，コミュニケーション，リスク，調達，ステークホルダ，統合の10の観点（知識エリアという）でマネジメントを行う必要があるとしている。

プロジェクトの立ち上げに際して，プロジェクトの基本事項（目的・目標・主要成果物，概略予算・見積り，体制など）を定義した文書を，プロジェクト憲章という。プロジェクトマネージャが草案を作成し，ステークホルダに申請して承認を受ける。

スコープは，プロジェクトやプログラム，ネットワークなどで，活動や動作などの対象となる範囲や領域である。プロジェクトマネジメントにおけるプロジェクトスコープは，そのプロジェクトが提供する成果物及びそれを創出するために必要な作業を指す。

●プロジェクトスコープマネジメント

プロジェクトスコープマネジメントでは，プロジェクトに含まれるものの範囲を明確にして，プロジェクトの進行過程全般にわたってその内容を管理する。このために，まず，スコープ計画，スコープ定義が必要になる。スコープをどのように定義するかは，プロジェクトのスケジュール，予算，品質など全ての要素に影響を与える。また，スコープ定義がいい加減であると，プロジェクトの進行の途中で，大きな手戻りや追加の作業が発生し，予定した成果を上げられず，不満足なプロジェクトになってしまう可能性がある。

スコープ計画，スコープ定義に続いて，WBSを作成する。WBSを作成することで，プロジェクトのコストの見積りやプロジェクトの作業範囲などが明確になり，作業スケジュールを正確に立案することができる。

WBSの作成に続いて，スコープ検証，スコープコントロールが行われる。プロジェクト開始時にスコープ計画を立案するが，プロジェクトの進行とともにスコープは変化することがある。そこで，プロジェクトが進行している間も，常に評価し，見直す必要がある。これは，PDCAサイクルであり，このPDCAサイクルをスコープマネジメントという。

なお，PDCAは，Plan（計画），Do（実行），Check（点検），Act（処置）の頭文字を組み合わせた用語で，PDCAサイクルは，計画，実行，点検，処置の各工程をこの順番で繰り返すことを意味する。プロジェクトスコープマネジメントでは，スコープ計画がP，定義がD，検証がC，コントロールがAに相当する。

EVM

EVM（Earned Value Management：アーンドバリュー管理）は，プロジェクト全体のスケジュールの遅れやコストの超過を可視化する進捗管理手法である。アーンドバリュー（EV）を統一的な尺度として用いることで，プロジェクトのパフォーマンス（コスト，スケジュール）を定量的に測定・分析し，一元的な管理を行う。

EVMは，作業の進捗や達成度を金額で表現する。例えば，“スケジュールが5日遅れている”という代わりに，“スケジュールが100万円分遅れている”のように表現する。このため，スケジュールや発生コストを客観的に把握することができ，プロジェクトの早期から傾向を把握することが可能で，完了の時期や最終コストを高い精度で予測できる。

EVMでは，PV，BAC，EV，AC，EACの指数を用いる。

PV（Planned Value：出来高計画値）は，ある時点における費用の総額の予測値である。すなわち，ある時点での完了予定の作業に対する予算である。BAC（Budget At Completion：完成時総予算）は，プロジェクトの完了時点におけるPVである。すなわち，プロジェクトの総予算である。EV（Earned Value：出来高実績値）は，作業の実績値の累計で，完了済みの作業に対する予算である。人件費などの金額で換算することが多い。AC（Actual Cost：コスト実績値）は，費用の実績値の累計である。

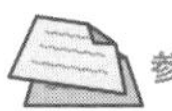

パラメトリック見積法

パラメトリック見積法（係数見積法）は，過去の実績や経験から，開発する機能の難易度を数値化して係数とし，開発する期間を定量的に見積もる方法である。経験値が高く，正確な係数を算出している場合は，見積精度が高くなる。

ISO 21500

ISO 21500:2012（プロジェクトマネジメントの手引）は，プロジェクトマネジメントに関する用語，コンセプト，プロセスの定義について，国際的に共通する理解を，基本ガイドラインとしてまとめたものである。JIS Q 21500:2018としてJIS化されている。

参考

ある時点において，EV＜PVであれば，プロジェクトの進捗が予定より遅れていることを示す。また，PV＜ACであれば，コストが予算を上回っていることを示す。

参考

EACを求める式の意味を補足する。(BAC－EV)は，残りの作業の予算である。また，CPI(EV/AC)は今までの作業のコスト効率である。したがって，(BAC－EV)/CPIは残りの作業の実コストの予測値となる。この値に，今までの作業の実コスト(AC)を加算することで，最終的な総実コスト(EAC)の予測値を求めることができる。

すなわち，ある時点までに行った作業によって発生した実際の費用である。**EAC**（Estimate At Completion：完成時総コスト見積り）は，完成するまでの実際の総コストで，あとで説明するCPIを用いて次式で表すことができる。

EAC＝AC＋(BAC－EV)／CPI

例えば，下図においてはPVに対してACが上回っている。これは，ある作業の計画値（PV）に対して実際の費用（AC）が上回っているので，コストが超過していることを示す。また，PVに対してEVが下回っている。これは，ある作業の計画値に対して現在完了した作業の計画値が下回っているので，作業が遅れていることを示している。PVとEVの差（図のA）は，進捗の遅れを金額で表したものとなる。

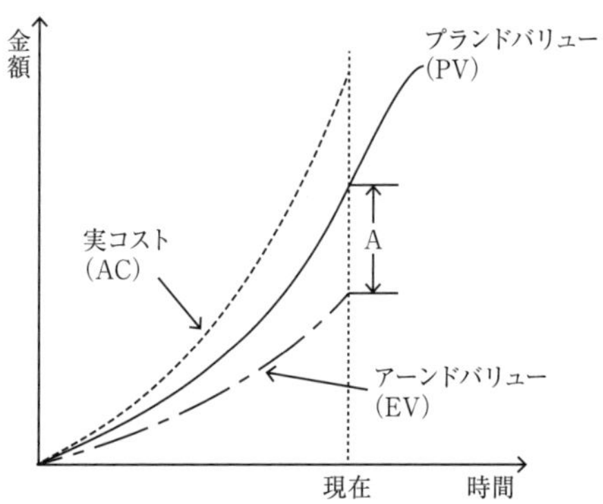

EVMでは，主にPV（出来高計画値），EV（出来高実績値），AC（コスト実績値）を用いてプロジェクトの進捗を管理する。PV，EV及びACから，次の式で，コストとスケジュールのそれぞれに関する効率指数を算出できる。

CPI（コスト効率指数）＝EV ／ AC

SPI（スケジュール効率指数）＝EV ／ PV

参考

例えば，予算（BAC）が4千万円，予定期間が1年の開発プロジェクトにおいて，半年が経過した時点でEVが1千万円，PVが2千万円，ACが3千万円であったとき，プロジェクトが今後も同じコスト効率で実行される場合，EACは次のようになる。

CPI＝1/3
EAC＝3+(4-1)/(1/3)
＝12(千万円)

CPI（Cost Performance Index：**コスト効率指数**）は，投入したコストに対して，どの程度の成果を上げているかを表す指数である。コスト効率がよい場合には1より大きな値，よくない場合には1より小さな値となる。**SPI**（Schedule Performance

Index：スケジュール効率指数）は，予定に対する進捗度を表す指標である。作業効率がよい場合には 1 より大きな値，よくない場合には 1 より小さな値となる。

WBS

WBS（Work Breakdown Structure：作業分解構造）は，システム開発の成果物や機能などを細分化したものである。一般に，システム開発では，開発計画の進展に応じて次のように成果物や機能をブレークダウンする。

- システム開発全体の大枠
- 各工程における機能や作業概略
- 各作業の具体的な内容

ブレークダウンが終わったら，それぞれの部分を構成するのに必要な作業（1 つとは限らない）を検討し，最下層に配置する。このような，個々の部分を構成する一連の作業のかたまりを，ワークパッケージといい，WBS のそれぞれのワークパッケージに担当する人員と責任者を配置していけば，プロジェクトの組織図を作成することができる。この組織図を，OBS（Organization Breakdown Structure）という。さらに，ワークパッケージの作業時間を積み上げると，工数を把握することができる。

WBS を作成することで，次のようなメリットが期待できる。

- コストの見積りやその根拠が明確になる
- 開発作業の構成と範囲，作業責任が明確になる
- 各作業単位の実績把握や作業計画が容易になる

次は，WBS のイメージである。

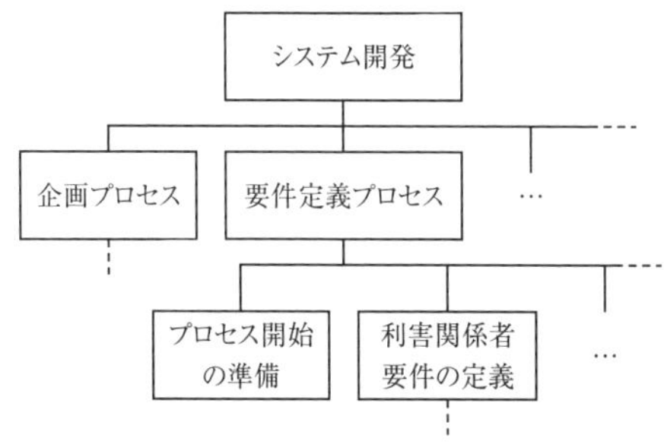

参考

WBSの結果を基に，工数や費用を見積もる方法を，標準タスク法という。標準タスク法では，WBSによって分解された作業の工数や費用をボトムアップ的に積み上げていく。個々の作業の工数や費用は過去の実績などから判断する。

11.1.2 管理の知識体系と品質マネジメント

■ PMBOK（ピンボック）はプロジェクトマネジメントの知識体系
■ 品質管理では QC 七つ道具などを使用

PMBOK では，プロジェクトにおける品質マネジメントを，「プロジェクトのニーズを確実に満足させるためのプロセスであり，品質方針，目標および責任を定め，それらを達成するために，品質計画，品質保証，品質管理，および，品質改善を実施していくこと」と定義している。

●PMBOK

PMBOK（ピンボック）（Project Management Body of Knowledge：プロジェクトマネジメントの基礎知識体系）は，米国標準規格として採用されたプロジェクト管理の規格である。

PMBOK では，プロジェクトを遂行するに当たって，知識エリアと呼ばれるスコープ（プロジェクトの目的と範囲），時間（スケジュール），コスト，品質，人的資源，コミュニケーション，リスク，調達，ステークホルダ，統合管理の 10 の観点でマネジメントを行う必要があるとしている。適用分野をまたがった標準知識体系を定めることによって，プロジェクトマネジメントに共通概念・用語を設定している。

PMBOK を基にした国際規格に，ISO 10006（プロジェクトマネジメントにおける品質の指針）がある。これは，ISO 9000 シリーズの支援ガイドライン規格で，日本では，JIS Q 10006 として JIS 規格となっている。これらは，プロジェクト管理の重要な機能，組織及び技法を強調することを目的に，PMBOK を簡潔にまとめ直したものである。

参考

PMBOKに準拠した国際資格に，PMP（Project Management Professional）がある。PMBOKの知識体系に準拠して行われる試験で，プロジェクトマネジメントに関する体系化されたアプローチ，方法論，事例に関する知識を問われ，合格するとPMPの認定が与えられる。

●ISO 21500：2012（JIS Q 21500：2018）

ISO 21500：2012（JIS Q 21500：2018）（Guidance on project management：プロジェクトマネジメントの手引）

は，プロジェクトマネジメントに関する用語，コンセプト，プロセスの定義について，国際的に共通する理解を，基本ガイドラインとしてまとめたものである。プロジェクトマネジメントの包括的な手引きとして，プロジェクトマネジメントを適切に実践するための概念とプロセスがまとめられている。現在，ISO 21500では，認証制度・認証基準・認証機関による審査はなく，プロジェクトマネジメントに関する包括的なガイドライン，ガイダンス規格となっている。

PMBOKはプロジェクトマネジメントの知識体系として，具体的なマネジメント手法を提供している。一方，ISO 21500は，ガイドラインであり，プロジェクトマネジメント実運用への展開については，PMBOKを参考にすることが望ましいと考えられている。

このガイドラインでは，10のサブジェクトグループ，5つのプロセス群で，プロジェクトマネジメントプロセスを整理している。10のサブジェクトグループは，「統合」，「ステークホルダ」，「スコープ」，「資源」，「時間」，「コスト」，「リスク」，「品質」，「調達」，「コミュニケーション」である。また，5つのプロセス群は，「立ち上げ」，「計画」，「実行」，「管理」，「終結」である。

各プロセスの目的をJIS Q 21500から引用しておく。

プロセス群	目的
立ち上げ	立ち上げのプロセスは，プロジェクトフェーズ又はプロジェクトを開始するために使用し，プロジェクトフェーズ又はプロジェクトの目標を定義し，プロジェクトマネージャがプロジェクト作業を進める許可を得るために使用する。
計画	計画のプロセスは，計画の詳細を作成するために使用される。ここでいう詳細とは，プロジェクトの実行をマネジメントすること及びプロジェクトパフォーマンスの測定及び管理をすることができるようなベースラインを確定するために十分であることが望ましい。
実行	実行のプロセスは，プロジェクトマネジメントの活動を遂行し，プロジェクトの全体計画に従ってプロジェクトの成果物の提示を支援するために使用する。
管理	管理のプロセスは，プロジェクトの計画に照らしてプロジェクトパフォーマンスを監視し，測定し，管理するために使用する。その結果，プロジェクトの目標を達成するため必要なときは，予防及び是正処置をとり，変更要求を行うことがある。
終結	終結のプロセスは，プロジェクトフェーズ又はプロジェクトが完了したことを正式に確定するために使用し，必要に応じて考慮し，実行するように得た教訓を提供するために使用する。

10のサブジェクトグループと5つのプロセス群の関係を，JIS Q 21500：2018から引用しておく。

用語解説

ステークホルダ

ステークホルダは，企業や行政などの組織やその組織の活動に，直接・間接的に利害関係をもつ関係者である。プロジェクトでは，プロジェクトスポンサ（発注者），プロジェクトマネージャ，プロジェクトチーム（作業者，外注業者），ユーザ（顧客）などが該当する。

プロセス群及び対象群に関連するプロジェクトマネジメントのプロセス

対象群	プロセス群				
知識エリア	立ち上げ	計画	実行	管理	終結
統合	・プロジェクト憲章の作成	・プロジェクト全体計画の作成	・プロジェクト作業の指示	・プロジェクト作業の管理 ・変更の管理	・プロジェクトフェーズ又はプロジェクトの終結 ・得た教訓の収集
ステークホルダ	・ステークホルダの特定		・ステークホルダのマネジメント		
スコープ		・スコープの定義 ・WBSの作成 ・活動の定義		・スコープの管理	
資源	・プロジェクトチームの編成	・資源の見積り ・プロジェクト組織の定義	・プロジェクトチームの開発	・資源の管理 ・プロジェクトチームのマネジメント	
時間		・活動の順序付け ・活動期間の見積り ・スケジュールの作成		・スケジュールの管理	
コスト		・コストの見積り ・予算の作成		・コストの管理	
リスク		・リスクの特定 ・リスクの評価	・リスクへの対応	・リスクの管理	
品質		・品質の計画	・品質保証の遂行	・品質管理の遂行	
調達		・調達の計画	・供給者の選定	・調達の運営管理	
コミュニケーション		・コミュニケーションの計画	・情報の配布	・コミュニケーションのマネジメント	

注記　この表の目的は，活動を実施するための時系列を規定するものではなく，対象群とプロセス群を対応付けることである。

●品質計画

品質計画は，どのように品質マネジメントを進めていくかの方針を策定し，計画書にまとめていくプロセスである。まとめた結果は，品質マネジメント計画書として作成される。品質マネジメント計画書には，品質を保証・改善していくための組織構造や責任分担，手順，経営資源などを定義する。また，同時に，品質測定基準を策定する。品質測定基準は，品質管理の対象と品質の測定基準など，品質マネジメントの運用基準を定義したものである。例えば，プログラムのテストであれば，バグの発生率などの基準である。

参考

プロジェクトメンバの教育技法の1つにインバスケットがある。インバスケットは，管理者が業務上使っている決裁箱のことで，研修では，管理者向けの意思決定の研修技法を指す。案件処理のための討議法で，特定の管理者の立場に立って，インバスケット（未処理箱）にある報告書や伝言，手紙，申請書などを設定し，時間内に必要な処理を行う。日常の管理業務の模擬体験演習で，時間内に適切な判断を行う能力，重要度の判断などの能力を高める。

●品質保証

品質保証は，品質マネジメント活動全般を監視し，無駄をなくしていくためのプロセスである。プロジェクトの活動が適切なプロセスを踏んで行われているかを監視し，無駄を排除するためにプロセスの見直しを継続的に行う。

品質保証プロセスでは，品質計画ツールと技法，品質管理などを使って品質改善についてまとめる。まとめるときの手段として，デザインレビューを使うことが多い。

●品質管理

品質管理（QC：Quality Control）は，成果物の品質を確認するプロセスである。プロジェクトのあらゆる活動結果が適正かどうかを判断するために，結果を監視し，問題があれば必要に応じて対応していく。品質管理を行うに当たって，QC七つ道具などが使われる。

以下，QC七つ道具の概略を示す。なお，「12.5.2 IE・OR」で詳細を説明する。

名称	概略
特性要因図	品質に影響を与える要因を分析
パレート図	品質に大きな影響を与える要因を発見
ヒストグラム	品質に影響を与える要因の発生頻度を見る
散布図	品質に影響を与える2つの要因の相関関係を見る
チェックシート	品質に影響を与える要因に漏れがないかを検査
層別	品質を分類して違いを明確に見る
管理図	品質が安定しているかどうかを見る

参考

プログラムの品質管理では，あらかじめテストケースを設定し，バグ数を予測する。一方，実際のバグ数を実測して，成長曲線に近似しているかどうかで品質を評価する。

11.1.3 リスクマネジメント

午後にも出る

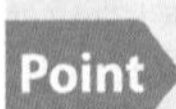

- リスクマネジメントはリスクを経済的に抑えること
- リスク分析はリスクの影響度合いを分析すること

リスクマネジメント（リスク管理）は，リスクを分析し，経済的に許容できる範囲でその影響を最小限に抑えようとコントロールすることである。考えられるリスクをあらかじめ予測し，それをコントロールすることで，最も効果的・経済的にリスクに対処していこうとするものである。

● リスクマネジメントの対象

リスクマネジメントでは，純粋リスクだけを対象とする。具体的には，地震，水害，台風などの自然災害，火災，事故，盗難，故障など人間の不注意による人災のように，不定期に発生し，損害だけが残るものである。したがって，あらかじめリスクの存在や危険性を想定し，対策を講じておかなければ手遅れになってしまう可能性がある。

参考

リスクには，純粋リスク以外に，投機的リスクがある。投機的リスクは，利益と損害のいずれが発生するかわからないリスクである。株式投資などが該当する。株式投資では，市場変動によって利益を得たり損害を被ったりする。

● リスク分析

リスク分析は，情報システムを利用することによって発生する可能性のあるリスクを洗い出し，その影響度合いを分析することである。そこで，保護すべき情報資産を明らかにし，脅威により情報資産に損失が発生する可能性を評価する。リスク分析では，費用対効果を考慮する必要がある。リスク対策にかける費用が効果に見合うかどうかが評価のポイントである。

リスク分析の一般的な手順は，次のとおりである。

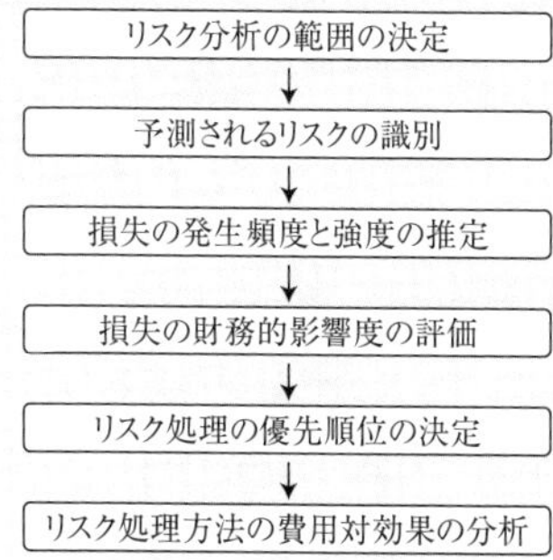

なお，リスク対策は優先順位の高いものから実施していく必要があるため，対象を決定してから費用対効果を分析することに注意する。システム開発では，費用対効果を分析してから開発対象を決定するというアプローチが多いが，リスク対策では逆のアプローチになる。

● リスクマネジメントの手順

リスク分析によって識別したリスクについて，適切なリスク処理方法を選定し，実施，運用，監視，評価·改善していく。これは，PDCA サイクルである。

なお，一般に，純粋リスクは，除去するか移転するかのいずれかの対策をとる。また，投機的リスクは，回避するか保有するかのいずれかの対策をとる。

次は，リスクマネジメントの一般的な手順である。

① リスクの識別(リスク分析) → リスクの識別,確認,測定

② リスク処理方法の選定 → リスク処理方法(技術)の検討

③ 実施·運用 → ツールミックスの選定

④ 評価·改善 → リスク処理の成果の評価

● リスク対策

リスク分析の結果から明らかになったリスクに対処する必要がある場合，その対処方法には，リスクそのものを抑えるリスクコ

参考

一般に，純粋リスクは除去か移転で対処，投機的リスクは回避か保有で対処するのが基本である。しかしその組合せも重要である。このように，リスクの対処法を組み合わせることを，ツールミックスという。

参考

コンティンジェンシプラン(コンティンジェンシ計画)
自然災害や事故，テロなどの予期せぬ事態に遭遇したとき，受ける被害を最小化し，速やかに復旧させるための緊急事態対応計画である。リスク対応計画の一部で，ある事象が発生したときにその事象に対応した対策が採られる。

用語解説

脅威／脆弱性（ぜいじゃく）

脅威は，情報資産に影響を与え，損失を招く直接的な原因である。災害，誤操作，コンピュータ犯罪，サイバーテロなどである。また，脆弱性は，脅威の実現を容易にする管理体制の不備である。ソフトウェアのバグ，耐震構造となっていない建物などである。

参考

現在，PMBOKは第6版を基に技術者試験が行われているが，第7版が発表されている。第7版は第6版から大きく変更されており，第6版に比べて内容が大幅にコンパクトになっている。第7版では，成果物から「価値／価値提供」に焦点が当てられる。また，五つのプロセス群がなくなり，「プロジェクトにおける12の原則」が新たに設定されている。ただし，当面，第6版レベルの学習で十分，対応できる。

ントロールと，資金面で対処しようとするリスクファイナンスがある。

リスクコントロール

PMBOKガイド第6版によれば，プロジェクトのリスクには，脅威となるマイナスのリスクと，好機となるプラスのリスクがある。PMBOKでは，プロジェクトにプラスの影響を与えるリスク（好機）への対応戦略には，第5版まででは，活用，共有，強化，受容の4種類があるとしていたが，第6版では，エスカレーションが追加された。

(1) エスカレーション

当該リスクがプロジェクト外部にあるか，対応策がプロジェクトマネージャ権限を越えている場合に，上位者へ報告する。

(2) 活用

好機を逃さないように，不確実な事象（プラスのリスク）が確実に起こるように不確実性を取り除く。

(3) 共有

好機を捉える能力の高い第三者に実行権を与える。

(4) 強化

好機の発生確率やプラスの影響を増加させる。

(5) 受容（保有）

積極的な利用はしないが，好機が実現したときにはその利益を享受する。対策費用が予想されるメリット金額を下回っているときなどに採用される。

一方，プロジェクトにマイナスの影響を与えるリスク（脅威）への対応戦略には，回避，転嫁，軽減，受容の4種類があるとしていたが，エスカレーションが追加された。

(1) エスカレーション

当該リスクがプロジェクト外部にあるか，対応策がプロジェクトマネージャ権限を越えている場合に，上位者へ報告する。

(2) 回避

脅威発生の要因を停止あるいは全く別の方法に変更することにより，リスクが発生する可能性を取り去ることである。外部との接続を断ちWeb上での公開を停止してしまうなどの対策がある。リスクを保有することによって得られる利益に対して，保有することによるリスクのほうが極端に大きな場合に有効である。

(3) 転嫁（移転）

リスクを他者などに移すことである。保険を掛ける，社内の情報システムの運用を他者に委託するなどの対策がある。しかし，リスクが全て移転できるとは限らない。多くの場合，金銭的なリスクなどのリスクの一部のみが移転できる。

(4) 軽減

脆弱性に対して情報セキュリティ対策を採用することで，脅威の発生の可能性を下げることである。情報の暗号化やバイオメトリック認証技術を利用した入退室管理，従業員に対する情報セキュリティ教育を実施するなどの対策がある。

(5) 受容（保有）

リスクのもつ影響力が小さいため，特にリスクを低減するためのセキュリティ対策を行わず，許容範囲内として受容することである。

リスク分析の手法

リスク分析の手法を大別すると，定量的リスク分析と定性的リスク分析がある。

定量的リスク分析法

定量的リスク分析法は，リスクを金額などの数値で評価する方法である。結果が数値で表されるのでわかりやすいというメリットはあるが，係数となる数値自体の検証ができていない場合が多く，結果が大雑把になりやすい。

分析ツールには，感度分析，期待金額価値（Expected Monetary Value：EMV）分析，モンテカルロ法などがある。感度分析は，ある要素（変数・パラメータ）が現状あるいは予測値から変動したとき，最終的な利益やキャッシュフローなどにどの程度の影響を与えるかを見る分析法である。リスクとなる幾つかの事象のうち，インパクトがある事象を検知するための手段である。感度分析の結果は，トルネード図で表す。トルネード図は，リスク影響が大きい順に並べる。

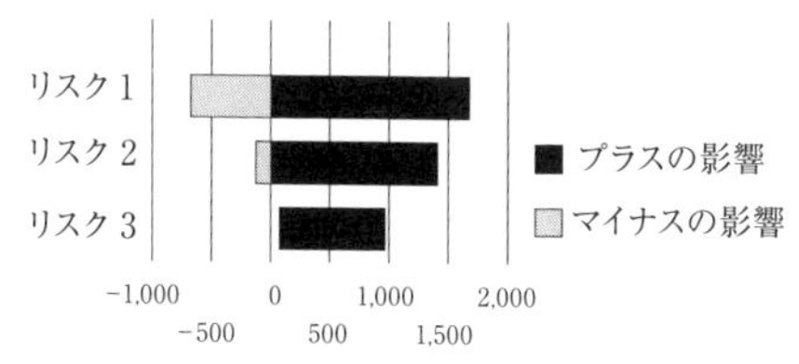

用語解説

EMV

EMVは，リスクが顕在化したときの影響金額に発生確率を乗じて求める。リスクは好機と脅威に分けられるので，プラスの結果をもたらすリスクは正の値，マイナスの結果をもたらすリスクは負の値で表す。

EMV＝リスク事象発生時の影響金額×リスク事象の発生確率

モンテカルロ法

モンテカルロ法は，n回のシミュレーションを行い，ある事象がm回起これば，その事象の起こる確率はm/n近似できる。試行回数nが大きくなるほど，よい近似値となる。

参考

トルネード図は，図の形が竜巻（トルネード）のように見えることから，このように呼ばれる。感度分析の変数を1つずつ，取り得る変動幅で動かした結果を，変動幅の大きい順に棒グラフで並べている。

定性的リスク分析法

定性的リスク分析法は，リスクの大きさや影響度の順位など，相対的な数値で表す手法である。定量的リスク分析法と異なり，金額表示がされないので納得を得られないということもあるが，素人にも考えやすいというメリットがある。質問に回答してもらう質問書法，質問書の回答にウェイトをつけておき，それを集計する得点法などがある。

チェック! よく出る午前問題で基本事項を確認

日付・正解 Check ／ ／ ／

問題 ［応用情報技術者試験 2017 年秋期午前 問 51］ 難易度 ★★ 出題頻度 ★★★

ソフトウェア開発プロジェクトで行う構成管理の対象項目はどれか。

ア 開発作業の進捗状況　　イ 成果物に対するレビューの実施結果
ウ プログラムのバージョン　　エ プロジェクト組織の編成

解説

ソフトウェア構成管理（Software Configuration Management：SCM）は，ソフトウェア開発プロジェクトをその成果物を通して制御・管理する方法論である。ソースコードや文書などの成果物の変更履歴を管理し，製品のバージョンやリビジョンに個々の成果物のどのバージョンが対応しているかを識別し，任意のバージョンの製品を再現可能とする。

したがって，構成管理の対象項目は，“**プログラムのバージョン**”である。

ア 進捗管理で実施する。
イ 品質管理で実施する。
エ 組織計画で実施する。

正解：ウ

11.2 サービスマネジメント

サービスマネジメント（IT サービスマネジメント）は，顧客要件を満たす品質の高い IT サービスの計画・開発・提供・維持に必要なプロセスを構築していくアプローチである。IT のライフサイクル（企画から構築，導入，運用）全てが対象である。

11.2.1 ITIL と SLA

- ITIL はサービスマネジメントのベストプラクティスのフレームワーク
- SLA はサービスを提供する側が利用者に保証するサービスの契約

高品質で安定した IT サービスの計画・開発・提供・維持に必要なプロセスを，SLA における定義と合致するように構築していくサービスマネジメントのアプローチが注目されている。

用語解説

ベストプラクティス

ベストプラクティスは，最良の業務の進め方のことをいう。組織の改革を進める場合，広く世の中で行われている最良の実務慣行をうまく取り入れると効率がよい。また，他社のベストプラクティスを見本として，その経営手法をまねることをベンチマーキングという。

▶試験に出る

1989年にまとめられたITILはこれまで2001年にITILv2が改訂版としてリリースされ，2007年にITILv3が，2011年にITIL 2011 edition，2019年にITIL4が発表された。ただし，情報処理技術者試験で各バージョンの違いを問われることはなく，JIS Q 20000からの出題が主である。

● ITIL

ITIL（Information Technology Infrastructure Library）は，英国政府が策定したコンピュータシステムの運用・管理業務に関する体系的なガイドラインである。運用管理業務を大きく 5 つのステージに分類し，それぞれを幾つかのプロセスと機能に分割して模範的な事例を示している。

ITIL は IT サービスマネジメントに関するベストプラクティス集であり，ITIL をベースに制定された国際規格が ISO/IEC 20000（ISO/IEC 20000-1，ISO/IEC 20000-2）である。ISO/IEC 20000 は，IT サービスを顧客に提供する組織だけではなく，組織内のユーザを対象にした IT サービス部門にも適用可能な規格である。対応する JIS 規格は，JIS Q 20000-1，JIS Q 20000-2 である。

次の図は，JIS Q 20000-1 が定義する運用プロセスとそれを細分化したものである。□で囲ってあるものは，プロセスグループである。

運用の計画及び管理	関係及び合意	サービスの設計・構築及び移行降
	・一般 ・事業関係者管理 ・サービスレベル管理 ・供給者管理	・変更管理 ・サービスの設計及び移行 ・リリース及び展開管理

サービスポートフォリオ	供給及び需要	解決及び実現	サービス保証
・サービスの提供 ・サービスの計画 ・サービスライフサイクルに関与する関係者の管理 ・サービスカタログ管理 ・資産管理 ・構成管理	・サービスの予算業務及び会計業務 ・需要管理 ・容量・能力管理	・インシデント管理 ・サービス要求管理 ・問題管理	・サービス可用性管理 ・サービス継続管理 ・情報セキュリティ管理

また，主なプロセスと機能の内容は，次のとおりである。

プロセス又は機能	内容
インシデント管理	インシデントの影響の最小化，迅速な回復
問題管理	インシデントを引き起こす根本的原因の分析
構成管理	IT サービスを構成するソフトウェア，ハードウェア，ネットワーク，ドキュメントなど，構成品目（CI）の把握，CMDB というデータベースを持つ
変更管理	IT 環境変更時の標準手法，手順，変更の影響の把握
リリース及び展開管理	ソフトウェア，ハードウェアのリリース手順
サービスレベル管理	サービス提供者がサービスの品質について継続的・定期的に点検・検証し品質を維持
容量・能力管理	環境の変動を捉えたリソース（資源）の最適化
サービス継続管理	障害時のビジネスの中断を最小限に抑制
サービス可用性管理	サービス停止を最小限に抑制（障害の予防）

用語解説

インシデント

インシデントは，システム運用や情報管理などについての脅威となる事象である。例えば，ウイルス感染や不正アクセス，情報漏えい，迷惑メール送信，DoS攻撃などがインシデントである。

用語解説

CI

CI（Configuration Item：構成アイテム）は，構成管理の基本管理単位となる概念で，製品／システムを構成する要素として認識・区分された部品やユニット，ソフトウェア，ドキュメントなどをいう。

参考

CMDB

CMDB（Configuration Management DataBase）は，構成管理において，製品やシステムを構成するCI，及びCI同士の関係に関する情報を登録・管理するデータベースである。

▶試験に出る

主なプロセスや機能の内容を問う出題が，ほぼ，毎回出題される。特に，インシデント管理，問題管理，変更管理，サービスレベル管理に関するものが多い。本文の表に示した主なプロセス又は機能について，把握しておく。

●サービスデスク

サービスデスクは，利用者がコンピュータシステムを使用中に発生したトラブルに対応するための窓口である。厳密には，サービスデスクは，単に顧客や利用者の問合せ窓口という位置付けではなく，サービスレベルを管理するなど，ほかの分野と密接に関連しながらサービスを提供する。この点が，ヘルプデスクやコールセンタとは異なる。

サービスデスクには，その形態や設置場所などによって，ローカルサービスデスク，中央サービスデスク，バーチャルサービスデスク，フォロー・ザ・サンがある。

ローカルサービスデスクは，利用者のローカルサイト内に設置されたサービスデスクである。利用者に物理的に近い場所にあるため，オンサイトサポートが容易になり，利用者の問題点や改善点がわかりやすくなるというメリットがある。

中央サービスデスクは，サービスデスクを 1 拠点又は少数の場所に集中することによって，サービス要員を効率的に配置したり，大量のコールに対応したりすることができる。運営のコストを低くでき，情報の集約・管理がしやすく，ローカルサービスデスクに比べて業務効率が高くなるというメリットがある。

バーチャルサービスデスクは，サービス要員は複数の地域や部門に分散しているが，通信技術を利用することによって，単一のサービスデスクであるかのようなサービスが提供できる。中央サービスデスクのメリットに加え，世界各地に拠点を設置し 24 時間体制ができ，また災害時にも拠点が分散しているためサービスを継続できるというメリットがある。

フォロー・ザ・サン（Follow the Sun）は，分散拠点のサービス要員を含めた全員を中央で統括して管理することによって，統制の取れたサービスを提供する。「太陽の動きに合わせて，常に安定したサービスを提供する」という考えに基づいており，同じ拠点で 24 時間運用を行うより安価で品質もある程度保証することができる。異なるタイムゾーンのグループ間で，コール，インシデント，問題，サービス要求の受渡しが行われる。

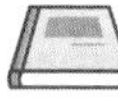
用語解説

コールセンタ

コールセンタは，商品の注文受付や苦情処理等の問合せを，主に電話ベースで専門に処理する窓口（施設）である。問合せに対して正確な受付・記録が重要視され，問合せに対する回答機能はもたない。

クラウドサービスの利用

JIS Q 20000では，HaaS，IaaS，PaaS，SaaSなどのクラウドサービスの提供者（サプライヤ）との契約についても言及している。

HaaS（ハース）(Hardware as a Service)は，サーバ，ストレージ，ネットワーク回線など，システム構築に必要なハードウェアを提供するサービスである。IaaSと同義という考え方もあるが，IaaSがOSをインストールして提供する場合があるのに対して，OSを含まないサービスとして区分される。

IaaS（イアース）(Infrastructure as a Service)は，OSやアプリケーションを含め，利用者が任意のソフトウェアを用意して実行可能にするサービスである。

PaaS（パース）(Platform as a Service)は，サービスプロバイダによってサポートされるプログラミング言語やツールを用いて，利用者が用意したアプリケーションをクラウドプラットフォーム上で利用するサービスである。

SLA

SLA（Service Level Agreement）は，サービス提供者や受託事業者が顧客に提供するサービスについて，サービス内容を記載した契約である。例えば，通信サービス事業者との契約では，技術サポート契約，ビジネスパートナー契約，保守契約などが該当し，契約書には，評価基準や問題発生時の取決めなどについても記述されるのが一般的である。回線の最低通信速度やネットワーク内の平均遅延時間，利用不能時間の上限など，サービス品質の保証項目，それらを実現できなかった場合の利用料金の減額に関する規定などをサービス契約に含める。

SLAでは，サービスの範囲について，例えば，「○○システムの稼働時間は，営業日の午前8時から午後7時まで」，「××データは，毎日バックアップする」というようなことを決める。また，品質評価の指標では，サービス品質を測る方法を定義する。例えば，稼働率を指標として使う場合は，サービスの範囲として決めた時間（営業日の午前8時から午後7時まで）のうち，実際にシステムを利用できた時間の比率というように定義する。

FaaS

FaaS（ファース）（Function as a Service）は，PaaS同様，アプリケーション実行環境をサービスとして提供する。ただし，PaaSでは受信したリクエストを解析してから処理を実行し，結果をレスポンスとして出力するところまで開発する必要があるのに対して，FaaSでは，実行したい処理の部分だけをプログラム中で機能として実装すればよい。

SaaS

SaaS（サース）（Software as a Service）は，Webブラウザやクライアントを介して，クラウドプラットフォーム上で稼働するWebメールなどのアプリケーションにアクセスして利用するサービスである。

SLAは本来，電気通信事業者やアプリケーションサービスを提供する事業者などがサービス利用企業と取り決めるケースが多いが，組織内（システム部門と利用部門）やグループ内（システム子会社と事業会社）でSLAを取り決めることもある。

ITIL，SLAについては，午前，午後ともに，出題が多い。特に，午後問題では，SLAやJIS Q 20000の知識を整理しておけばかなりの高得点になる。午後問題のテーマは，SLAやJIS Q 20000しか出題されないといってもよいほどである。

11.2.2 ファシリティマネジメント

■ ファシリティマネジメントは施設を戦略的に管理
■ 電源設備管理の対象は自家発電装置や予備電源，UPS など

ファシリティは，土地や建物などの設備という意味である。ファシリティマネジメントは，直訳すれば，設備の管理ということになるが，戦略的な管理業務全体を指す。

ファシリティマネジメントの範囲は，設備管理（電源，空調など），施設管理，施設・設備の維持保全などである。

参考

戦略的

戦略的とは，組織などを運営していくこと（本文では，ファシリティマネジメント）について，将来を見通して，計画的に効果的な対策を立案することである。

●ファシリティマネジメントの意味と目的

ファシリティマネジメントは，「企業・団体等が組織活動のために施設とその環境を総合的に企画，管理，活用する経営活動」（JFMA：Japan Facility Management Association，社団法人　日本ファシリティマネジメント協会）である。すなわち，土地，建物，建物内のオフィスや IT 環境などの最適化を図ろうということである。

例えば，収納棚に積まれた紙の資料の収納量を調査し，電子化することでオフィススペースを削減することができる。また，会議室の使用状況を調査し，使用頻度と人数に合わせた会議スペースの調整を行うことで，執務スペースを増やすことができる。ただし，これらの活動は思いついたときに行うのではなく，ファシリティマネジメントの一環として，計画・実行・点検・処置のサイクル（PDCA サイクル）を繰り返す必要がある。

参考

ファシリティマネジメントを業務とする企業が増加している。これらの企業では，情報システム部門向けとして，IT資産管理システム，ネットワーク接続管理システム，電源管理システム，機器管理システムなどを提供している。

●設備管理

設備管理の対象には，電源設備や空調設備，水冷設備などがある。情報処理システムを安全で安定的に運用するためには，コンピュータセンタの設備を一定の水準に保つ必要がある。

電源設備

電源設備は必要な電力を安定的に供給する電源で，主電源装置，予備電源装置がある。主電源装置は，電気機器に必要な電力を安定的に供給する電源である。機器を常時，運転可能な状態に保つ役割を果たす。主電源装置には，CVCF，AVR などの機器が使われる。予備電源装置は，停電や設備の故障などで主電源装置からの電力の供給が停止したとき，電力の供給を継続するための蓄電池や自家発電装置，UPS などである。蓄電池や UPS では，通常は，主電源から受電して蓄電している。

UPS（Uninterruptible Power Supply：無停電電源装置）は，瞬間的な電源電圧の低下（瞬断）や，突然の停電に対処する予備電源装置である。電源が切れてから，バッテリによって 5 〜 120 分程度動作する。

自家発電装置は，主電源停電時にバックアップの役割を果たす。起動に時間がかかるので，停電後直ちにコンピュータシステムに電源を供給することはできず，安定した電源を供給できるようになるまで，UPS で電源を供給するという相互補完の関係にある。また，規模も大きく高価であるため，短時間の停電対策には適さない。

予備電源受電は，通常の商用電源が供給されないときに電力を使うために蓄電しておくことである。電力会社から受電する際に，予備電源装置が予備の電力を蓄えておき，照明などの停電対策に使用される。

用語解説

CVCF

CVCF（Constant Voltage Constant Frequency：定電圧定周波数装置）は，安定的な電圧や周波数の電源を提供する装置である。停電時には，電源供給を休止する。バッテリを用いて，瞬断に対応できるものもある。

AVR

AVR（Automatic Voltage Regulator：自動電圧調整器）は，安定的な電圧を提供する装置である。電力の瞬断に対応する機能はもたない。

空調設備と水冷設備

空調設備や水冷設備は，機器の温度や湿度を調整するために使う装置である。情報処理システムの機器は，メーカの設定した温度，湿度の下で安定的に稼働する。このため，機器に合わせて温度や湿度を調整する必要がある。

● 防災設備

防災設備は，情報システムを災害（火災，水害，地震など）から守るための設備である。火災を発見するために自動火災報知器を設置したり，消火するために窒素消火設備を備えておいたりする必要がある。コンピュータの設備は電気を使うため，水を使用する消火設備は使えない。また，かつては，二酸化炭素消火設備やハロン消火設備が使われていたが，有害性が指摘され，現在は使用上の制約がある。

地震や台風など，広域災害対策には，地震の強さに感応して電源を落とし，機器を守る装置がある。また，アンカーボルトによる機器の床固定やフリーアクセス床の固定，フレキシブル継手などによる振動の吸収によって安全を確保する設備，機器類の転倒防止設備などがある。

なお，火災や地震などの災害に対処するのに，遠隔地に稼働中のシステムと同じシステムを設置しておくバックアップセンタを確保するような対策もある。

●防犯設備

防犯設備は，情報やデータを人為的破壊活動や盗難から守るために，部外者の侵入を防ぐ設備である。モニタテレビや入退室管理装置などが防犯設備の例である。

モニタテレビは，屋内外に設置し建物やコンピュータ室に近づく不審人物を監視したり，コンピュータ室内の死角となる場所を監視したりするのに使う。また，入退室管理装置は，コンピュータ室に入ることのできる人を限定するために，身分証明書として磁気カードを使ったり，暗証番号や指紋，声紋，網膜などにより解錠したりして，特定個人の判別をする装置である。

●保管設備

保管設備は，データを種々の災害から守るために，データ保管庫など，媒体を保管する設備である。耐水，耐火の金庫と同じように考えればよい。保管設備には，盗難を防止するためのセキュリティ機能，災害などからデータを守るための防災機能（耐火，耐震構造）も備えている必要がある。

本文で説明した設備以外にも，通信設備の管理がある。具体的には，MDFやIDFによる管理である。MDF（Main Distribution Frame：主配線盤，主配電盤）は，集合住宅やビルなどで，外部に通じる通信回線を全て収容し，集中的に管理する集線装置である。MDFは共用部に設置される。IDF（Intermediate Distribution Frame：中間配線盤）は，建物内に設置される通信回線の配電盤で，MDFと各戸の間に設置され，両者の通信を中継する。

24時間稼働させる必要のあるシステムでは，通信機器やサーバを外部の専門業者の建物内に設置することもある。このように，機器類を外部の専門業者の建物内に設置することを，ハウジングという。

温室効果ガス排出量の算定・報告をする際に用いられる国際的な枠組みを，GHGプロトコルという。GHGプロトコル（Greenhouse Gasプロトコル）は，1997年に採択された京都議定書に基づいて定められており，Scope1～3までの区分が設けられている。原料調達から消費・廃棄まで，サプライチェーン全体の排出量を基準にしている。

チェック! よく出る午前問題で基本事項を確認

日付・正解 Check ／ ／ ／

問題 [応用情報技術者試験 2016年春期午前 問55] 難易度 ★ 出題頻度 ★★★

ITILにおけるサービスデスクを配置する方法の一つである"フォロー・ザ・サン"の説明はどれか。

ア インターネット技術を利用して，単一のサービスデスクであるかのようにして運用する。
イ スタッフを物理的に一か所に集約し，複数のサービスデスクを単一の場所に統合する。
ウ 地理的に分散した二つ以上のサービスデスクを組み合わせて，24時間体制でサービスを提供する。
エ 夜間帯にサービスデスクで受け付けたインシデントを昼間帯のシフトリーダがフォローする。

解説

サービスデスク（ヘルプデスク）は，利用者がコンピュータシステムを使用中に発生したトラブルに対応するための窓口である。厳密には，サービスデスクは，単に，顧客や利用者の問合せ窓口という位置付けではなく，サービスレベルを管理するなどのITIL（Information Technology Infrastructure Library）のほかの分野と密接に関連しながらサービスを提供する。この点が，ヘルプデスクやコールセンタとは異なる。

フォロー・ザ・サン（Follow The Sun）は，24時間365日のサービスを途切れることなく提供するために，世界中のサービスデスクやサポート・グループを活用するサービスデスクである。異なるタイムゾーンのグループ間で，問合せ，インシデント，問題，サービス要求の受け渡しが行われる。中央での統括管理によって24時間365日の統一のとれたサービスを提供するのが特徴である。

ア バーチャルサービスデスクの説明である。
イ 中央サービスデスクの説明である。
エ フォロー・ザ・サンは，24時間体制のサポートが特徴であるため，この記述は誤りである。一般に，どのようなサービスデスクでもこのような形態を採用している。

正解：ウ

演習問題

[応用情報技術者試験 2013 年秋期午後 問 9]

問題 1

プロジェクトの人的資源管理に関する次の記述を読んで，設問1，2に答えよ。

D社は，首都圏近郊の不動産会社と提携して，不動産情報サイトを運営している不動産情報サービス会社である。D社は，一般利用者向けのサービス向上を狙いとして，地図情報サービスとの連携対応，スマートフォン対応などの開発を，半年前から行っている。

今回，提携先における不動産情報登録業務の利便性と情報鮮度の向上を図ることにした。同業務に必要な画面の大きさと携帯性を併せもつ，カメラ付きのタブレット型PC（以下，タブレットという）から，写真を含む物件情報の登録・更新を行う機能を追加開発するプロジェクト（以下，追加開発プロジェクトという）を立ち上げた。追加開発プロジェクトは，提携先からの強い要望によって，6か月での完了が必須となっている。また，投入できるコストや人員も限られている。プロジェクトマネージャに任命された開発部のE主任は，追加開発プロジェクトの人的資源計画の策定に着手した。

〔プロジェクトメンバの要求〕

E主任は，追加開発プロジェクトで重要となるスキルを次のように列挙した。

(1)　不動産会社における，物件情報の収集と登録・更新の業務知識

(2)　タブレット特有の操作や入出力などのユーザインタフェース（以下，UIという）設計のノウハウ

(3)　最近実用段階に入った，Webアプリケーションによるカメラ制御と写真取込み機能（以下，Webアプリによるカメラ制御という）の実装方法や制約などの知識

E主任は，追加開発プロジェクトのスケジュールを作成し，工数を見積もり，これらのスキル要件を加味したメンバの選定依頼を，開発部の要員調整会議に提出した。

〔メンバの選定と追加開発プロジェクトへの指示〕

要員調整会議を踏まえた社内外との調整の結果，E主任の指定したそれぞれの重要

スキルを保有した，次のメンバが選定された。

- 営業部Fさん：不動産会社から転職してきたベテランの営業員で，物件オーナから様々な情報を聞き出すのが得意である。また，情報の登録・更新の業務にも詳しい。ただし，システム開発に携わった経験はなく，追加開発プロジェクトで予定している成果物を作成した経験もない。
- 社外の技術者N氏：現在行っているスマートフォン対応の開発に，ソフトハウスM社のリーダとして参画して，高い評価を得ている技術者である。業種は異なるが，他社でのタブレット対応の実績がある。ただし，スマートフォン対応の開発との兼務になるので，担当することができるのは，成果物のレビューや参考資料作成などの支援的な作業に限られる。
- 開発部G君：開発部の若手プログラマで，最新の技術動向に詳しい。インターネット上の有用な情報を収集して，新しい技術を社内のシステムに取り込んだ実績が多数ある。

また，開発部の中堅SEであるH君もメンバとして選定された。H君は，PC画面であれば，UI設計に精通しているので，外部設計を1人で期限内に何とか完了できる。しかし，タブレットUI設計については，H君を含め，社内にノウハウをもつ者はいない。

写真入力画面以外の内部設計・製造・テスト（以下，開発1という）は，請負契約でM社に発注することが決定し，責任者はN氏となる予定である。Webアプリによるカメラ制御は，D社では利用した実績がない。D社と取引のあるベンダ各社にも利用実績がないので，写真入力画面と，サーバに送付した画像を他の画面から参照するためのAPIの開発（以下，開発2という）は，社内で行うことにした。

なお，要員の選定の際に，追加開発プロジェクトに次の指示が与えられた。

- 利用実績がない技術に対しては，相応の準備工程を置いて，実現性を担保すること
- 近々発足する複数のプロジェクトでタブレット対応が予定されているので，それらのプロジェクトで活用できるような成果を社内に残すこと

〔工程とスケジュールの考慮〕

E主任が，N氏に，外部設計準備として，①タブレットUI設計標準の作成を打診したところ，“他社でタブレット対応を行った際は，設計標準がなく，2か月間試行錯誤を重ねて苦労した。今回はそのノウハウがあるので，スマートフォン対応向けに作成した資料をタブレット対応向けに書き直すことで作成可能である。”との回答を得た。

E主任は，タブレットUI設計標準の作成に加えて，外部設計におけるUIに関するレビュー，及びH君への支援もN氏に依頼することにした。

Webアプリによるカメラ制御は，追加開発プロジェクトの鍵になる技術である。D社で利用した実績がないので，E主任は，開発準備の工程を追加してG君に②ある作業を割り当て，外部設計開始直後から作業させることにした。

E主任は，これらの検討結果を，図1のスケジュールに反映させた。

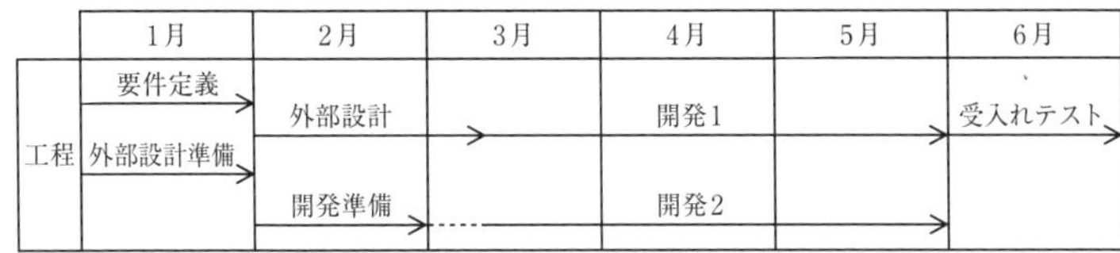

図1　追加開発プロジェクトのスケジュール

〔責任分担の整理〕

D社では，中規模・小規模のシステム開発を複数並行して進めることが多い。プロジェクトのメンバは，開発部員と社内の他部門や社外要員との混成になることが多く，上下関係が役職と逆転する体制になる場合もある。そのような状況を踏まえて，開発部では，プロジェクトの作業ごとの役割，責任，権限レベルを明示するために，責任分担マトリックスの一種であるRACIチャートの作成を必須としている。

なお，D社では，PMBOKを参考に，プロジェクトでの実用性を考慮し，RACIの略号を次のように定義し直している。

R（Responsible）実行責任：作業を実際に行い，成果物などを作成する。

A（Accountable）説明責任：作業を計画し，作業の進捗や成果物の品質を管理し，作業の結果に責任を負う。

C（Consult）相談対応：作業に直接携わらないが，作業の遂行に役立つ助言や支援，補助的な作業を行う。

I（Inform）情報提供：作業の結果，進捗の状況，他の作業のために必要な情報などの，情報の提供を受ける。

これまでの検討結果を基に，E主任は表1のRACIチャートを作成した。

表1 追加開発プロジェクトのRACIチャート

工程	作業内容	E主任	Fさん	N氏	G君	H君	M社プログラマ
		プロジェクトメンバ					
要件定義	業務フロー作成	A	R	−	−	−	−
	要件定義書作成	A	C	−	−	R	−
外部設計準備	タブレットUI設計標準作成	A	−	R	−	I	−
外部設計	画面・UI設計	A	−	C	I	R	−
開発準備	（省略）	A	−	−	R	−	−
開発1	内部設計・製造・テスト	I	−	A	−	−	R
開発2	内部設計・製造・テスト	ア	−	イ	ウ	−	−
受入れテスト	ケース作成，実施	A	C	−	−	R	−

E主任は，メンバ全員を集めた追加開発プロジェクトのキックオフ会議を開催し，表1のRACIチャートを使って，各工程の作業内容と責任分担を全員に説明した。

設問1 〔工程とスケジュールの考慮〕について，(1) ～ (3) に答えよ。

(1) E主任は，本文中の下線①の資料を作成することによって，外部設計の工程で懸念される問題を回避しようと考えた。その問題とは何か。30字以内で述べよ。

(2) E主任が，N氏に，本文中の下線①の資料の作成を依頼したのは，外部設計を行うため以外にもう一つ，追加開発プロジェクトに与えられた指示に対応するための狙いがある。それは何か。30字以内で述べよ。

(3) 本文中の下線②はどのような作業か，30字以内で述べよ。

設問2 〔責任分担の整理〕について，(1) ～ (3) に答えよ。

(1) 表1中の［ア］～［ウ］に入れる適切な略号を，それぞれR，A，C，Iの中から一つ選び，答えよ。ただし，該当するものがない場合は“−”と答えよ。

(2) 表1の分担の作業に対し，現状では明らかにスキルが不足しており，その対応策がまだ講じられていないメンバは誰か。また，不足しているスキルは何か。それぞれ本文，又は表中の呼び名と字句を用いて答えよ。

(3) “外部設計”工程でのN氏の作業について，D社はM社とどのような形態の契約を締結すべきか。表1の分担を参考に解答群の中から選び，記号で答えよ。

解答群

ア 開発1の請負契約とは別の請負契約　イ 開発1の請負契約に含める

ウ 準委任契約　エ 派遣契約

［応用情報技術者試験 2014年秋期午後 問10］

問題2

販売管理システムの問題管理に関する次の記述を読んで，設問1～3に答えよ。

M社は，西日本の複数の地域で営業を展開している食品流通卸業者である。

M社は，基幹システムである販売管理システムを5年前に再構築した。取引量の多い食品スーパー数社との協業によるインターネット経由の共通EDIの導入をきっかけに，それまでの地域別の分散システムを，単一システムに統合した。その際にサーバや周辺機器も全面刷新し，食品スーパーからのPOSデータ連携を新たに始め，取扱いデータ量の大幅な増加に対応できるように，新規に多数のハードディスクドライブ（以下，ディスクという）を導入した。

再構築後の3年間は，目立った障害もなく安定して稼働したが，一昨年度と昨年度に1度ずつディスク障害が発生し，ディスクを交換した。今年度は，上半期に既に2度ディスクを交換している。

販売管理システムの運用及びサービスデスクは，情報システム部の運用課が担っている。先月から問題管理を担当することになったN君は，情報システム部長の指示を受けて，ディスク障害についての調査を開始した。

情報システム部長の今回の指示は，先日行われたシステム監査の報告会が契機となっている。システム監査において，販売管理システムのディスク障害の対応についてはインシデントの管理に終始しているので，予防処置について検討するようにとの指摘を受けていた。

〔運用課の問題管理手順〕

運用課では，これまでに発生した問題に関して，事象の詳細，問題を調査・分析して［　a　］を特定した経緯と結果，暫定的な解決策（以下，暫定策という），恒久的な解決策（以下，恒久策という）などの項目を問題管理データベースに記録して，新たに問題が発生した際の調査及び診断に使用している。

N君はまず，運用課での問題管理手順を確認した。

- 問題の特定は，サービスデスクからの問題の通知によることが多いが，異常を示すシステムメッセージのメール通知など，サービスデスクを経由しない場合もある。特定した問題は，問題管理データベースに記録する。
- 記録した問題を分類し，緊急度と影響度を評価して優先度を割り当てる。
- 問題の［　a　］を特定するための調査及び診断を行う。初めに，問題管理データベースから［　b　］を参照して，過去に特定された問題でないか確認する。

調査及び診断の結果，問題に対する暫定策又は恒久策は，問題管理データベースに，[b]として記録する。

・問題の恒久策実施のために，何らかの変更が必要な場合，変更要求（RFC）を発行する。

・問題の恒久策が有効で，再発防止を確認できたら，問題を終了する。

・問題のうち重大なものは，将来に向けた学習のためのレビューを行う。

上述の内容をフロー図にまとめると図1のとおりとなる。

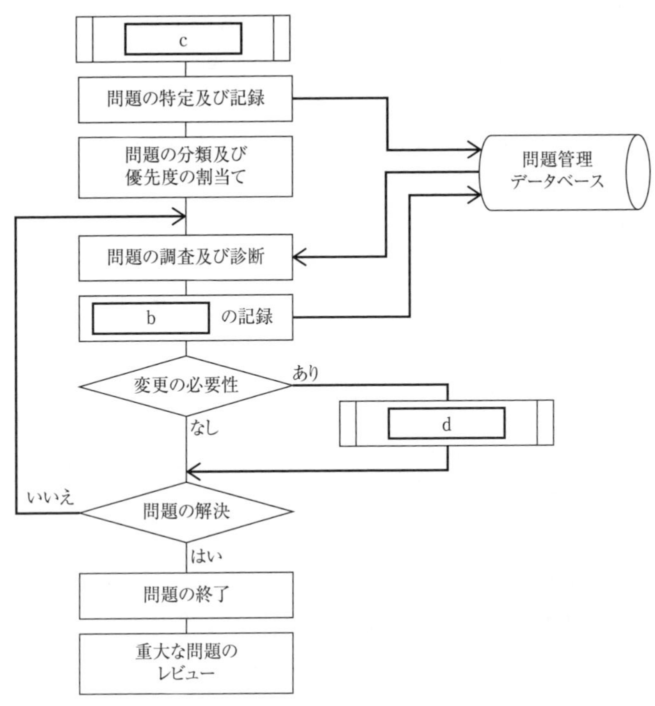

図1　運用課の問題管理フロー図

〔ディスク障害の記録の確認〕

N君は，問題管理データベースを参照し，これまでのディスク障害の記録を調査した。記録の内容はいずれも類似しており，障害の事象は，RAIDコントローラがディスクの書込み時のエラーを検出したというもので，分析の結果は，ディスクの経年不良となっていた。恒久策として，障害を起こしたディスクを交換すると記載されていた。交換後，データ再構築処理の完了を確認して，問題は終了とされていた。

N君は，①ディスク障害の問題に対して，障害を起こしたディスクの交換は恒久策にはならないと考えた。

〔ディスクの運用管理の確認〕

続いてN君は，販売管理システムを中心に，M社でのディスクの運用管理について，運用課メンバへのヒアリングなどの調査を行い，次の情報を得た。

・販売管理システムのディスク装置は，ホットスワップ対応機器によるRAID6構成を採っており，同一構成内で2台までのディスク障害であれば，システムを停止せずにディスクの交換が可能である。これまでに発生したディスク障害では，即時の対応を重視し，定期保守を待たず，日中，システムを停止せずにディスクを交換し，(原文より) データ再構築処理を行っていた。なお，販売管理システムの定期保守は，週次に，システムを停止して実施している。

・販売管理システム再構築時に多数導入したディスクは，M社がそれまで使用してきた，メインフレームにも用いられる高信頼性モデルではなく，PCなどにも使用される汎用のモデルであった。機器単体では，高信頼性モデルの半分程度の寿命と言われている。

・N君は，これまでに確認した，機器メーカや利用者からの報告などから，販売管理システムのディスクのように，同一の製造ロットで，同じように使用されているディスクは，障害も同時期に起こす確率が高いという情報を得ていた。また，これまで障害回復として実施していた，RAID6構成でシステムを停止せずにディスク交換した場合のデータ再構築処理は，高頻度のディスクアクセスを伴うので，機器に対する負荷が高く，二次的な障害の危険性が増すという情報も得ていた。

・N君が，販売管理システムのシステムメッセージを記録したログを調べると，ディスクの読取りエラーや書込みエラーの障害が発生したディスクに，障害の兆候を示す不良セクタの代替処理発生のメッセージが，障害発生の数日前から頻発していた。販売管理システムのメッセージ監視機能は，ディスクの読取りエラーと書込みエラーのエラーメッセージを検出すると問題管理担当者にメールで通知する設定になっているが，不良セクタの代替処理発生のメッセージを検出してもメールで通知する設定にはなっていなかった。

N君は，情報システム部長に，販売管理システムのディスクについては，これまでの，ディスク障害が発生してから交換するやり方を改め，②障害の兆候を検出して，障害が発生する前に交換する方式を提案しようと考えた。また，同時に，③障害の兆候を検出したディスクの交換の実施時期についての改善も必要と考えた。

設問1 〔運用課の問題管理手順〕について，(1)，(2) に答えよ。

(1) 本文中の［ a ］に入れる適切な字句を，5字以内で答えよ。

(2) 本文及び図1中の［ b ］～［ d ］に入れる適切な字句を解答群の中から選び，記号で答えよ。

なお，［ c ］及び［ d ］には，サービスマネジメントのプロセス名称が入る。

解答群

ア　インシデント及びサービス要求管理

イ　既知の誤り　　ウ　キャパシティ管理

エ　記録　　オ　構成管理

カ　暫定策　　キ　情報セキュリティ管理

ク　変更管理　　ケ　リリース及び展開管理

設問2 本文中の下線①で，N君が，ディスク交換は恒久策にならないと考えたのはなぜか。40字以内で述べよ。

設問3 〔ディスクの運用管理の確認〕について，(1)，(2) に答えよ。

(1) 本文中の下線②を実現するために必要となる，販売管理システムのメッセージ監視機能の設定に関する変更点を40字以内で述べよ。

(2) 本文中の下線③について，N君が考えた改善とはどのようなことか。30字以内で述べよ。

演習問題・解答

解説 1

■設問1　解答　(1) タブレットUI設計のノウハウ不足による遅延が発生する。
(2) タブレットUI設計のノウハウを，文書として残す。
(3) Webアプリによるカメラ制御の実現性の調査

(1)　下線①を行うに至った問題点

タブレットUIの設計標準があれば，ある程度の技術力と理解力で，誰でもがタブレットUIの設計ができるようになる。このようなことを考えたのは，社内に，タブレットUIのノウハウがないからである。このため，試行錯誤によるスケジュールの遅延が予想される。

したがって，"タブレットUI設計のノウハウ不足による遅延が発生する。"という主旨で，30字以内にまとめる。

(2)　下線①の資料作成を依頼した理由

現在，タブレットUIに精通している人材が社内にはいない。しかし，"近々発足する複数のプロジェクトでタブレット対応が予定されているので，それらのプロジェクトで活用できるような成果を社内に残すこと"（〔メンバの選定と追加開発プロジェクトへの指示〕）という指示がある。このため，近々発足するプロジェクトで今回のノウハウを生かすため，文書化しておく必要がある。

したがって，"タブレットUI設計のノウハウを，文書として残す。"という主旨で，30字以内にまとめる。

(3)　下線②の作業

Webアプリによるカメラ制御は，D社で利用したことがなく，D社と取引のあるベンダ各社にも利用実績がないので，APIはD社で開発することにした。このため，技術情報を入手し，実現の可能性を調査する必要がある。

したがって，"Webアプリによるカメラ制御の実現性の調査"という主旨で，30字以内にまとめる。

■設問2　解答　(1) ア：A，イ：I，ウ：R
(2) メンバ：Fさん，不足しているスキル：業務フロー作成
(3) ウ

（1）　空欄ア～ウ

ア　開発2（APIの開発）はD社内で行うため，プロジェクトマネージャであるE主任は直接作業に携わることから，“R”か“A”が該当する。マネージャという立場を考慮すれば，“A”が適切である。

イ　N氏は社外の技術者であり，ソフトハウスM社のリーダである。M社は，開発2には参加しないが，ノウハウの提供は求められている。N氏の役割は，“担当することができるのは，成果物のレビューや参考資料作成などの支援的な作業に限られる”である。したがって，“I”に該当する。

ウ　G君はD社の開発部の若手プログラマである。当然，開発2の作業は行い，実際にプログラムを作成することになる。したがって，“R”に該当する。

（2）　スキルが不足しており未対応なメンバ

営業部Fさんは，“システム開発に携わった経験はなく，追加開発プロジェクトで予定している成果物を作成した経験もない”ということである。しかし，表1では，要件定義の業務フロー作成では“R”となっており，Fさんの現状では“C”が適切である。

したがって，該当メンバは“Fさん”，不足しているスキルは“業務フロー作成”の能力である。

（3）　適切な契約形態

ウォータフォール型のシステム開発では，“要件定義→外部設計→開発（内部設計，プログラム設計，プログラム開発，単体テスト，結合テスト，システムテスト）→導入テスト”と工程が進んでいく。

これらの工程において，開発工程以外の工程については，利用者側（D社）が主体となって行われる工程が含まれる。開発側（M社）が請負契約であると，仕事の完成責任を負うことになる。しかし，利用者側が主体となって実施する工程についてまで完成責任を負うという方式は，開発側の立場からは受け入れることが困難である。このようなことから，大規模なシステム開発においては，工程ごとに準委任契約と請負契約を使い分ける多段階契約方式が採用されている。

このようなことから，外部設計は，“準委任契約”（「ウ」）が適切である。

なお，完成責任がないということでは，派遣でもよいが，設問文の“表1の分担を参考に”という記述に気をつける。開発1全体のリーダがN氏（開発1の役割が“A”）となっているため，N氏はM社の社員に命令ができなくなる。M社はN氏以外のリーダを設定する必要がある。

解説2

■設問1　解答　(1) a：根本原因
(2) b：イ，c：ア，d：ク

(1)　問題管理データベースに記録する内容

問題管理における“問題”は，ITサービスの品質低下をもたらしている状態，又は，もたらす可能性のある状態を引き起こしている“根本原因”のことを意味する。問題管理は，ITサービスの品質低下をもたらしている，又は，品質低下をもたらす可能性のある状態を引き起こしている根本原因を認識し，特定し，迅速な解決を可能にするためのプロセスである。この結果を基に，問題管理データベース（既知のエラーデータベース）に既知の誤りとして登録したり，ワークアラウンド（応急対策，回避策）を提供したりする。

したがって，“根本原因”が適切である。

(2)　運用課の問題管理の手順

●空欄b

空欄bは本文に2か所，図1に1か所あるが，本文の1つ目の空欄bから解答の見当をつけるとよい。

“問題管理データベースから［　b　］を参照して，過去に特定された問題でないか確認する”という記述は，過去にも同じような現象があったかどうかを問題管理データベースから検索することを意味している。これは，(1)で説明した，既知の誤りを問題管理データベースから検索することである。

したがって，“既知の誤り”（「イ」）が適切である。

●空欄c

問題管理プロセスに，“問題”を渡すプロセスである。問題文では，“問題の特定は，サービスデスクからの問題の通知によることが多いが，異常を示すシステムメッセージのメール通知など，サービスデスクを経由しない場合もある。特定した問題は，問題管理データベースに記録する”（〔運用課の問題管理手順〕1つ目の黒丸）の部分の記述がヒントである。ところが，サービスデスクはプロセスではなく機能である。また，解答群には，サービスデスクがない。そこで，“異常を示すシステムメッセージのメール通知など，サービスデスクを経由しない場合もある”という記述から，見当をつける。

システムメッセージのメール通知などを行うのは，インシデント管理である。インシデント管理は，システムの異常終了や構成機器の障害発生などのように，サービスの中断やサービス品質の低下につながるような事象が発生したとき，サービスの中断時間を最小限に抑え，速やかに回復することを目的とするプロセスである。ITIL（IT

Infrastructure Library）では，インシデント管理では暫定的な対応までで，恒久的な問題解決は，問題管理プロセスで行うとしている。

インシデントは，ITサービスの品質を阻害する，又は阻害する可能性のある事象である。例えば，ユーザからのトラブル報告や問合せ，システム障害などが該当する。

したがって，解答群では，“インシデント及びサービス要求管理”（「ア」）が適切である。

なお，サービス要求は，情報や助言，又は標準的な変更やITサービスへのアクセスに対するユーザからの要求のことで，サービスデスクで処理をする。サービス要求の例に，パスワードリセット，新規ユーザの登録，アプリケーションのインストールなどがある。また，ITILでは，インシデント管理とサービス要求は別のプロセスとして定義しているが，ISO／IEC 20000では，解答群に示されているとおり，“インシデント及びサービス要求管理”として定義している。

●空欄d

変更の要求がある場合に，問題管理に後続するプロセスである。問題管理は，システムの不具合を生じさせる根本原因を特定し，インシデントを最小限に抑えるとともに，インシデントの再発を防止するための対応である。発生した問題点を速やかに解決し，インシデントの発生を最小限に抑えることも重要であるが，それ以上に，再発を事前に防ぐことが望まれる。IT構成の変更が必要な場合，ITILでは勝手に変更してはいけないとしている。RFC（Request For Change：変更要求書）を作成し，“変更管理”に従って変更する必要がある。インシデントの根本原因を取り除くためには，IT構成の変更が必要になることが多く，このために作成するのがRFCである。

したがって，“変更管理”（「ク」）が適切である。

■設問2　解答　故障したディスクを交換しても，ほかのディスクが故障する可能性があるから

“分析の結果は，ディスクの経年不良となっていた。恒久策として，障害を起こしたディスクを交換すると記載されていた。交換後，データ再構築処理の完了を確認して，問題は終了とされていた”（〔ディスク障害の記録の確認〕）という記述から，障害の発生したディスクのみ交換，交換完了後は，ほかのディスクはチェックしていないことがわかる。

ディスクは同時期に導入しており，ほかのディスクも経年不良を起こしている，あるいは，起こる可能性が高い。このため，同じような障害が今後も発生する可能性があり，恒久的な対策とは言い難い。

したがって，“故障したディスクを交換しても，ほかのディスクが故障する可能性があるから”という主旨で40字以内にまとめる。

■設問3　解答　(1) 不良セクタの代替処理発生のメッセージの検出をメールで通知する。
(2) ディスク交換を定期保守時のシステム停止中に実施する。

(1)　障害が発生する前にディスクを交換する方法

“ディスクの読取りエラーや書込みエラーの障害が発生したディスクに，障害の兆候を示す不良セクタの代替処理発生のメッセージが，障害発生の数日前から頻発していた。販売管理システムのメッセージ監視機能は，ディスクの読取りエラーと書込みエラーのエラーメッセージを検出すると問題管理担当者にメールで通知する設定になっているが，不良セクタの代替処理発生のメッセージを検出してもメールで通知する設定にはなっていなかった”(〔ディスクの運用管理の確認〕4つ目の黒丸)の記述から，不良セクタの代替処理については，運用管理者に通知していなかった。このため，障害が発生するかもしれないという情報が，運用管理者に通知されなかったわけである。そこで，不良セクタ代替処理発生も，ほかの障害と同様，運用管理者にメールで知らせるようにすればよい。

したがって，“不良セクタの代替処理発生のメッセージの検出をメールで通知する”という主旨で40字以内にまとめる。

(2)　ディスク交換時期の改善

“これまで障害回復として実施していた，RAID6構成でシステムを停止せずにディスク交換した場合のデータ再構築処理は，高頻度のディスクアクセスを伴うので，機器に対する負荷が高く，二次的な障害の危険性が増すという情報も得ていた”(〔ディスクの運用管理の確認〕3つ目の黒丸)という記述から，システムを停止せずにディスクを交換すると，二次的な障害の危険性が高まることがわかる。そこで，システムを停止したときに，ディスクを交換することを検討する。そして，システムを停止するのは，“販売管理システムの定期保守は，週次に，システムを停止して実施している”(〔ディスク運用管理の確認〕1つ目の黒丸)から，週次の定期保守時とわかる。

したがって，“ディスク交換を定期保守時のシステム停止中に実施する”という主旨で30字以内にまとめる。

第12章

● ストラテジ系

ストラテジ

ストラテジは経営戦略のことで，企業がビジョンを実現するために中長期的にとるべき事業展開上の指針，方法，目標を示すものである。ビジョンよりも具体的で，競争に勝つための手段を明示する。第１節では，とるべき戦略の考え方，第２節では，経営戦略やマーケティングなど，経営戦略マネジメント，第３節では，技術と市場ニーズを結びつけるための技術開発戦略，第４節では，ビジネスシステムやエンジニアリングシステム，第５節では，企業活動に必要な知識について学習する。さらに，第６節では，IT に必要な法律，第７節では，標準化について学習する。

理解しておきたい用語・概念

- ☑ エンタープライズアーキテクチャ
- ☑ SWOT 分析
- ☑ PPM
- ☑ バリューチェーン分析
- ☑ M&A
- ☑ ベンチマーキング
- ☑ マーケティング
- ☑ CRM
- ☑ ERP
- ☑ EC
- ☑ 損益分岐点
- ☑ 知的財産権
- ☑ 著作権
- ☑ 労働者派遣
- ☑ 個人情報保護法

アクセスキー **Y** (大文字のワイ)

12.1 情報システム戦略とシステム企画

情報システム戦略は，経営資源の 1 つである情報を有効活用するために立案される経営戦略と具体的な中長期の経営計画である。そして，情報を有効活用するため，最初に実施されるのがシステム企画である。

12.1.1 全体最適化計画とシステム化計画

Point
- 全体最適化計画は業務とシステムが進むべき方向を示すこと
- システム化計画は全体最適化計画を基に計画を立案

用語解説

IT ガバナンス
ITガバナンスは，企業が競争優位性の構築を目的にIT戦略の策定・実行を統制し，あるべき方向へと導く組織能力である。

ナレッジマネジメント
ナレッジマネジメントは，個人のもつ知識や情報を組織全体で共有し，有効に活用することで業績を上げようという経営手法である。この場合の知識・情報とは単なるデータである形式知だけではなく，経験則や仕事のノウハウなどの暗黙知までを含んだ概念である。

全体最適化計画は，組織全体として業務とシステムが進むべき方向を示す計画である。全体最適化目標，IT ガバナンスの方針，経営戦略との整合性，情報システムのあるべき姿（To-be モデル），組織や業務の変更方針，情報セキュリティ基本方針などが検討される。

システム化計画は，全体最適化計画に基づき，各部門において個別に作られたルールや情報システムを統合化し，効率性や有効性を向上させるための計画である。業務固有のルール・規制・関連法規，社内外利害関係者（ステークホルダ）との調整と合意，システム構築・運用のための標準化方針・品質方針，外部資源の活用，システム管理基準などが検討される。

全体システム化計画に従って，個別システム化計画を立案する。個別システムには，企業全体又は事業活動の統合管理を実現するシステムと，企業間の一体運営に資するシステムがあるが，いずれも，企業の戦略性の向上を目的とする。ERP，SCM，CRM，SFA，KMS（Knowledge Management System：ナレッジマネジメントシステム）などの概念が基になる。

●ビジネスモデルとビジネスプロセスモデル

ビジネスモデルは，ビジネスコンセプトを具体化するための枠組みで，利益を生み出すビジネスの手順のひな形である。IT（Information Technology：情報通信技術）の発展によって，コンピュータやインターネットを組み合わせることで，より差別化を推進できることから，積極的に取り組む企業が増えている。例えば，販売力強化のために，従来の受注方式に加えてインターネットによる受注を行い代金決済をオンラインで行うようなことである。

また，業務の流れを細分化したものをビジネスプロセスという。業務には，受注，部品調達，生産，配送，販売や，これらの業務を支援する会計や人事などがあり，これらの業務を細分化したのがプロセスである。これらのプロセスをどのように改善・改革するかを考え，整合性のある計画にしたものがビジネスプロセスモデルである。

参考

ビッグデータ

ビッグデータは，市販されているDBMSや従来のデータ処理アプリケーションでは処理することが困難なほど巨大で複雑なデータ集合の集積物を表す用語である。総務省では，“事業に役立つ知見を導出するためのデータ”と定義している。

BYOD

BYOD（Bring Your Own Device）は，従業員が個人保有の携帯用機器を職場に持ち込み，業務に使用することである。企業側は端末購入費や通信費の一部などのコストを削減することができ，社員側は同種の端末を2台持ちする必要がなくなる。

●業務モデル

業務モデルは，情報システムの全体計画の土台になるもので，業務を抽象化して表現したものである。事務処理では，UML やDFD，E-R ダイアグラムなどが使われる。業務モデルを定義する主な目的は，達成すべき経営課題と関係する業務の関連を把握すること，業務と情報サブシステムの整合性を図るためである。

●情報システムモデル

情報システムモデルは，個々のビジネスプロセス間の連携を円滑にするための情報システム群である。個々のビジネスプロセスの改善・改革を効果的に行うためには，ビジネスプロセス間の連携を強化し，情報が円滑に流れるようにする必要がある。このような役割を果たすシステムをまとめたものが，情報システムモデルである。例えば，インターネット受注システム，豊富な商品を顧客に提供するための商品データベースシステム，クレジット会社との連携システムなどが該当する。

参考

全体最適化やシステム企画の指針の1つに，システム管理基準がある。組織が経営戦略に基づき情報システム戦略を立案し，その情報システムの企画・開発・運用・保守の過程で，効果的な情報システム投資のための，また，リスクを低減するための実践規範である。

12.1.2 エンタープライズアーキテクチャ（EA）

Point
- EA は組織の全体最適化を実現するための概念
- EA の構成要素は BA，DA，AA，TA

エンタープライズアーキテクチャ（Enterprise Architecture：EA）は，組織の業務と情報システムを連携させて全体最適化を実現するための文書や図表，管理体制・手法を包含した概念である。文書や図表が，組織の業務と情報システムの全体像を表す設計図に相当し，設計図を使って業務や情報システムを改善していくための仕組みが管理体制・手法に相当する。

参考

全体最適化を図る方法に，プログラムマネジメントがある。プログラムマネジメントは，複数のプロジェクトをマネジメントすることを指す。複数のプロジェクト相互の関係を最適化して，全体としてプロジェクトの使命を達成するように統合する活動である。

●アーキテクチャモデル

EA では，全体最適化を図るためのアーキテクチャモデルを作成し，目標を明確に定めることが必要である。アーキテクチャモデルは，業務とシステムの構成要素を記述したモデルで，組織全体として業務プロセス，業務に利用する情報，情報システムの構成，利用する情報技術などの領域（ビジネス，データ，アプリケーション，テクノロジ）のアーキテクチャを整理し，システム全体の現状と理想像を表現する。

用語解説

DMM

DMM は，業務機能を階層的に３×３のマトリックスで示し，業務・システムの対象範囲を明らかにしたものである。３×３のマトリックスは，中央にターゲットとする業務機能を記入し，左上から時計回りの順にサブ業務機能を記入していく。

WFA

WFA は，業務の流れと業務の担当組織やシステム，それに伴う入出力データを示すダイアグラム（図）である。DFD で整理した業務機能の中で行われている業務手順を可視化する。

●EA の構成要素

EA を構成する要素は，ビジネス（業務）アーキテクチャ，データ（情報）アーキテクチャ，アプリケーションアーキテクチャ，テクノロジ（技術）アーキテクチャの４つのカテゴリに分類される。

ビジネスアーキテクチャ（Business Architecture：BA）は，組織の目標や業務を体系化したアーキテクチャである。業務説明書，DMM（Diamond Mandala Matrix：機能構成図），DFD，WFA（Work Flow Architecture：業務流れ図）などが使われる。

データアーキテクチャ（Data Architecture：DA）は，組織の目標や業務に必要となるデータの構成，データ間の関連を体系化したアーキテクチャである。データ定義表，UMLのクラス図，E-R図などが使われる。

アプリケーションアーキテクチャ（Application Architecture：AA）は，組織の目標を実現するための業務と，それを実現するアプリケーションの関係を体系化したアーキテクチャである。情報システム関連図，情報システム機能構成図，SOA（Service Oriented Architecture：サービス指向アーキテクチャ）などが使われる。

テクノロジアーキテクチャ（Technology Architecture：TA）は業務を実現するためのハードウェア，ソフトウェア，ネットワークなどの技術を体系化したアーキテクチャである。ハードウェア構成図，ソフトウェア構成図，ネットワーク構成図などが使われる。

用語解説

SOA

SOAは，大規模なシステムをサービスの集まりとして構築する設計手法である。サービスは，外部から標準化された手順によって呼び出すことができるひとまとまりのソフトウェアの集まりである。コンポーネント（部品）を組み合わせてシステムを構築すると考えればよい。

● EAI

EAIはEAで用いられる手法の1つである。EAI（Enterprise Application Integration）は，企業内の複数のシステムを連携させ，データやプロセスを統合させること，あるいはそのためのミドルウェアの総称である。

参考

EAIは，データベースや個別の業務アプリケーションなどがそれぞれ採用しているデータ形式を変換し，相互に受渡しができるような機能を提供する。

● その他EAで用いられる手法

さらに，EAでは，次のような手法が使われる。

手法など	説明
ザックマンフレームワーク（ザックマンモデル）	・EAを考えるためのフレームワーク ・組織という複雑な構造物を体系的に記述・観測できるように各要素の範囲や関係を分類・整理したもの
As-is（アズイズ）モデル	・対象の現在の状況を表現するモデル（現状モデル） ・EAでは最初に現状を分析してAs-isモデルを描き，次に目標とする理想モデル（To-be）を描く
To-be（トゥービー）モデル	・As-isモデルに現状課題，経営者課題，ベストプラクティスと外部要件（経済環境や法的環境）を加味したもの（理想モデル）
EA参照モデル	・EAを策定するためのひな形 ・政策業務参照モデル，業績測定参照モデル，データ参照モデル，サービスコンポーネント参照モデル，技術参照モデルが政府から提供されている

用語解説

フレームワーク

フレームワークは，枠組み，構造，組織という意味の英単語である。全社的な組織構造の中に情報システム関連の組織を組み込み，位置付けと使命を明確にするとともに，情報システムの統制についての要件を定義し，明確化する。

12.1.3 要求分析・要件定義・調達

- 要件定義には業務要件定義，機能要件定義，非機能要件定義がある
- ファブレスは生産設備をもたず外部に生産を委託

参考

要求分析を行う方法に，現状指向型と目的指向型のアプローチがある。現状指向型アプローチは，現状の分析からアプローチする手法で，既存システムを改善して新システムを作成する場合に有効である。目的指向型アプローチは，目的の設定からアプローチする手法で，新システムを最初から構築する場合に有効である。

参考

ベンダ企業に対し，導入システムの概要や提案依頼事項，調達条件などを明示し，提案書の提出を依頼するための文書が，RFPである。ベンダ企業では，RFPを元にシステム構成，開発手法などを検討し，提案書を作成し，依頼元に対して提案する。

参考

製品やサービスを購入する際に，環境を考慮し，さらに，本当に必要かどうかを検討し，環境への負荷ができるだけ少ないものを選んで製品やサービスを購入することを，グリーン購入という。

要求分析は，新たなシステムやシステム更新に際しての調査・定義に関わる工程である要求項目の洗い出し，分析，システム化ニーズの整理，前提条件や制約条件の整理という手順で実施される。要求分析の手法に，アンケート，インタビュー，親和図，機能分析，構造分析，データフローモデル，ペトリネットモデル，E-R モデルなどがある。

要件定義は，システムやソフトウェアの開発において，実装すべき機能や満たすべき性能などを明確にしていく作業である。システムや業務全体の枠組み，システム化の範囲と機能を明らかにするために実施される。

● RFPとRFI

RFP（Request For Proposal：提案依頼書）は，発注側がベンダ企業（受注側）に対し，導入システムの概要や提案依頼事項（要件定義），調達条件などを明示し，提案書の提出を依頼するための文書である。

RFI（Request For Information：情報提供依頼）は，提案依頼書（RFP）の作成に先立って，考えうる手段や技術動向に関する情報を集めるために，ベンダ企業に対しシステム化の目的や業務概要を明示し，情報提供を依頼することである。

● 要件定義

要件定義には，業務上実現すべき要件である業務要件定義と，業務要件を実現するために必要な情報システムの機能を明らかにする機能要件定義，パフォーマンスや信頼性（品質），移行要件などの非機能要件定義（機能要件以外の要件）がある。

要件定義では，構造化分析手法，オブジェクト指向分析手法が使われる。構造化分析手法では，入力データから出力データを作成するためのロジックを記述したプロセス仕様，DFD，DD（Data Dictionary：データ辞書），決定表（デシジョンテーブル），デシジョンツリーなどが使われる。また，オブジェクト指向分析手法では，UML などが使われる。

要件定義は，データベースを用いたデータ中心アプローチで行われることが多い。

●調達

調達は，品物や金銭，サービス，労働力などを用意することである。一般的な調達の手順は，RFP を発行して調達予定先から提案書を受け取り，提案内容を評価して調達先を決定する。そして，調達先が決定したら，調達先と契約を締結する。

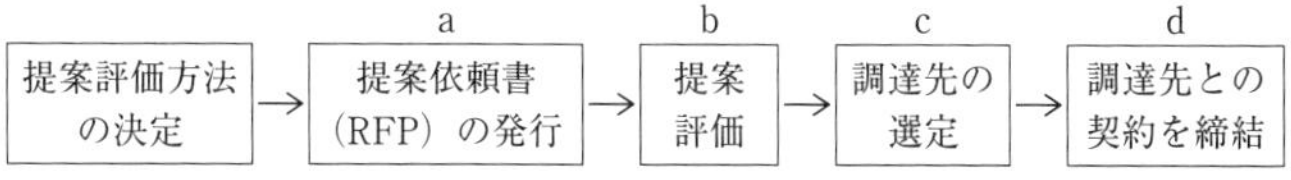

調達の方法の一つに入札がある。入札は，物品の売買，工事の請負などに際して契約希望者が複数ある場合，金額などを文書で表示させ最も有利な内容を提示した者と契約することである。複数の者が契約をしようと競争するので，競争入札ともいう。

●ファブレスとファウンドリ

半導体の調達方法に，ファブレスやファウンドリなどがある。ファブレスは，自社で生産設備をもたず，外部の協力企業に生産委託してその製品を自社ブランドで販売する企業である。ファウンドリ（専業ファブ）は，半導体の生産設備だけをもつ企業である。自らは回路設計を行わず，ファブレス企業や設計と製造の両方を行う企業からの依頼に応じて半導体の委託生産を行う。ファウンドリは，半導体（LSI）を生産する工場なので，LSI 製造を外部に委託する場合の委託先として適切である。

半導体の設計，製造，販売に関して，次のような分類がある。網部は，該当の事業を営むことを示す。

データ中心アプローチ

データ中心アプローチ（Data Oriented Approach：DOA）は，業務で扱うデータ構造や流れに着目して，システム設計を行う手法である。

一般的な競争入札（一般競争入札）には，大別して，仕様を詳細に提示して価格のみについての競争を行うもの（最低価格落札方式）と，価格以外の要素についての提案を受けて，それらの評価を加えて競争を行うもの（総合評価落札方式）との2種類がある。

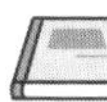

総合評価落札方式

総合評価落札方式は，品質を高めるための新しい技術やノウハウなど，価格に加えて価格以外の要素を含めて総合的に評価する落札方式である。この方式では，価格と品質の両方を評価することにより，総合的に優れた調達が可能になる。

IDM

IDM（Integrated Device Manufacturer）は，自社で半導体製品の企画，設計から製造までを一貫して行い，それを自社ブランドで販売する。

IP プロバイダ

IP（Intellectual Property）プロバイダは，商号や商標の使用権とともに，一定地域内での商品の独占販売権を与える企業である。

用語解説

デザインハウス
デザインハウスは，半導体の設計のみを行う企業である。

	設計	製造	販売
IDM			
IPプロバイダ			
ファブレス			
デザインハウス			
ファウンドリ			

チェック！　よく出る午前問題で基本事項を確認

日付・正解 Check　／　／　／

問題 1　［応用情報技術者試験 2016年春期午前 問63］　難易度 ★★　出題頻度 ★★★

SOAを説明したものはどれか。

ア　企業改革において既存の組織やビジネスルールを抜本的に見直し，業務フロー，管理機構，情報システムを再構築する手法のこと
イ　企業の経営資源を有効に活用して経営の効率を向上させるために，基幹業務を部門ごとではなく統合的に管理するための業務システムのこと
ウ　発注者とITアウトソーシングサービス提供者との間で，サービスの品質について合意した文書のこと
エ　ビジネスプロセスの構成要素とそれを支援するIT基盤を，ソフトウェア部品であるサービスとして提供するシステムアーキテクチャのこと

問題 2　［応用情報技術者試験 2017年秋期午前 問61］　難易度 ★★　出題頻度 ★★★

エンタープライズアーキテクチャにおいて，業務と情報システムの理想を表すモデルはどれか。

ア　EA参照モデル　　　イ　To-Beモデル
ウ　ザックマンモデル　　エ　データモデル

問題 3 [応用情報技術者試験 2015 年秋期午前 問 65] 難易度 ★★ 出題頻度 ★★★

情報システムの調達の際に作成されるRFIの説明はどれか。

ア 調達者から供給者候補に対して，システム化の目的や業務内容などを示し，情報の提供を依頼すること
イ 調達者から供給者候補に対して，対象システムや調達条件などを示し，提案書の提出を依頼すること
ウ 調達者から供給者に対して，契約内容で取り決めた内容に関して，変更を要請すること
エ 調達者から供給者に対して，双方の役割分担などを確認し，契約の締結を要請すること

解説 1

SOA（Service Oriented Architecture）は，サービスの集まりとしてシステムを構築する手法である。ここでいうサービスは，標準化された手順によって，外部から呼び出すことのできるソフトウェアの集合という意味で，一定の機能を提供するソフトウェア群である。アプリケーションに，ほかのソフトウェアとの連携機能をもたせたものと考えればよい。

したがって，SOAは，“**ビジネスプロセスの構成要素とそれを支援するIT基盤を，ソフトウェア部品であるサービスとして提供するシステムアーキテクチャのこと**”である。

ア BPR（Business Process Reengineering）の説明である。
イ ERP（Enterprise Resource Planning）の説明である。
ウ SLA（Service Level Agreement）の説明である。

正解：エ

解説 2

エンタープライズアーキテクチャにおける理想モデル（To-Beモデル）は，対象の理想的な将来像・目標を表現するモデルである。エンタープライズアーキテクチャでは，ビジネスアーキテクチャ，データアーキテクチャ，アプリケーションアーキテクチャ，テクノロジアーキテクチャの４つの体系で，現状を分析した現状モデル（As-Isモデル）を最初に整理し，このあと，To-Beモデルを作成する。

ア　EA参照モデルは，EAを策定するためのひな形である。
イ　To-Beモデルは，あるべき姿（理想型）を表すモデルである。As-Isモデルに現状課題，経営者課題，ベストプラクティスと外部要件（経済環境や法的環境）などを加味したものである。
ウ　ザックマンモデル（ザックマンフレームワーク）は，EAを考えるためのフレームワーク（枠組み，骨組み）である。
エ　データモデルは，ビジネスや情報システム，データベース管理システム（DataBase Management System：DBMS）において，抽象的な形式でデータを表現したものと，その表現規約である。

正解：イ

解説 3

RFI（Request For Information：情報提供依頼）は，RFP（Request for Proposal）の作成に先立って，考え得る手段や技術動向に関する情報を集めるために，ベンダ企業に対しシステム化の目的や業務概要を明示し，情報提供を依頼すること，あるいは，依頼を示した文書である。RFIを発行することによって発注前に相手にどのような技術・経験があるのかを確認することが可能となり，これをもとに自社の要求を取りまとめたRFPが発行される。

したがって，RFIは，“**調達者から供給者候補に対して，システム化の目的や業務内容などを示し，情報の提供を依頼すること**”である。

イ　RFP（Request for Proposal：提案依頼書）の説明である。
ウ　RFC（Request for Change：変更要求書）の説明である。
エ　SOW（Statement of Work：作業範囲記述書）の説明である。

正解：ア

12.2 経営戦略マネジメント

経営戦略は，組織の中・長期的な方針・計画・戦略，マネジメントは，管理の手法である。経営戦略マネジメントは，経営戦略の各種手法やシステムを利用し，競争に勝つためのマネジメントである。

12.2.1 経営戦略手法

午後にも出る

- SWOT 分析は強み，弱み，機会，脅威の４つの軸で評価
- PPM において利益のほとんどを花形と問題児につぎ込む

経営戦略は，企業が競争環境の中で自らの経営目的・経営目標を達成するための方針や計画全般である。組織が将来にわたって存続し，成長し続けるためには，変化する環境に適合していく必要がある。

●競争戦略と差別化戦略

競争戦略は，自社の競争力を実際の市場競争に活かし運用することで，競合企業の競争力を低下させ，自社の市場支配を確立させるための戦略である。競争戦略の基本的な考え方は，次の４つである。

戦略	概要
リーダ戦略（全方位戦略）	利潤，名声の維持・向上と最適市場シェアの確保を目標として，市場内の全ての顧客をターゲットにした全方位戦略をとる。
フォロア戦略	目標とする企業の戦略を観察し，迅速に模倣することによって，開発や広告のコストを抑制し，市場での存続を図る。
ニッチャー戦略	潜在的な需要がありながら，大手企業が参入してこないような専門特化した市場に，限られた経営資源を集中する。
チャレンジャ戦略	上位企業の市場シェアを奪うことを目標に，製品，サービス，販売促進，流通チャネルなどのあらゆる面での差別化戦略をとる。

参考

販売価格の決定法の1つに，コストプラス価格決定法がある。製造コスト（仕入コスト）とマーケティングコスト（広告宣伝費など）に，一定のマージン（利益分）を加算したものを価格とする価格決定法である。

参考

差別化の対策には，①商品・サービスそのもの，②提供方法・付帯サービス，③顧客対応力，の3つがある。多少高価であっても，品質のよいものを提供することは①の対策である。

●コアコンピタンス

コアコンピタンスは，企業がもっている独自の強みや，他社にはマネできない技術（経営資源）である。製品などの“もの”ではなく，能力，ノウハウ，企業力などである。組織的学習に基づいて形成される組織の知識が，組織の潜在能力（ケイパビリティ）を高め，コアコンピタンスとなる。

参考

伝統的な金融取引（借入，預金，債券売買，外国為替，株式売買など）や実物商品・債券取引の相場変動によるリスクを回避させたり，リスクを覚悟して高い収益性を追求したりするために開発された金融商品の総称を，デリバティブ（金融派生商品）という。

参考

組織が自社の業務の一部を外部の専門業者に企画・設計・運営まで一括して委託することBPO（Business Process Outsourcing）という。従来のアウトソーシングと異なるのは，業務の委託範囲が広く，関連する業務全体をまとめてアウトソーシングをする点である。

SWOT分析

SWOT（スウォット）分析（Strength, Weakness, Opportunity, Threat）は，主にマーケティング戦略や企業戦略立案で使われる分析のフレームワークで，組織の強み（Strength，目標達成に貢献する組織や個人の特質），弱み（Weakness，目標達成の障害となる組織や個人の特質），機会（Opportunity，目標達成に貢献する外部の特質），脅威（Threat，目標達成の障害となる外部の特質）の４つのカテゴリから評価する手法である。この４つのカテゴリから事業の課題，市場との関係や影響などを判断する。

SWOT分析における“強み・弱み”に関わる項目は，資源（財務，知的財産，立地），顧客サービス，効率性，競争上の優位，品質，価格，ブランドなどである。“機会・脅威”に関わる項目は，政治・法令，市場トレンド，経済状況，科学技術，競合他社の行為などである。

PPM

PPM（Product Portfolio Management：プロダクトポートフォリオマネジメント）は，市場占有率と市場成長率の２つの軸によって製品を位置付け，市場戦略決定資料とする手法である。縦軸が市場成長率で，上方に行くほど市場成長率が高い。横軸が市場占有率で，右に行くほど市場占有率が高い。

午前，午後ともに，SWOTに関する出題がある。午前問題ではSWOTの概念について問うものがほとんどであるが，午後問題では，企業を取り巻く環境が幾つか記述され，その記述がSWOTのどれに該当するかを問うものが多い。例えば，自社の製品と同等の製品が安く販売されるのは脅威である。

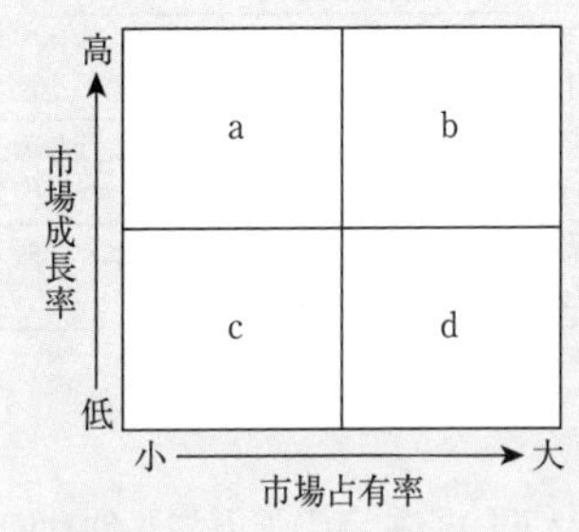

以上のように４分割したとき，製品の位置付けによって次のように判断する。

位置	名称	判断
a	問題児 (problem child)	競争に勝つような市場占有率になれば花形になる可能性を秘めているが,競争に負ければ,負け犬となって撤退を余儀なくされる。そこで,金のなる木からの資金を投入して,競争に勝つような対策をとる。
b	花形 (star)	企業にとって今後の主力商品になる可能性をもつ。しかし,競争が激しいため,新規の投資も必要で,利益は出ているけれどもキャッシュフローの面ではプラスとは限らない。多くの資金を必要とする。
c	負け犬(dog)	将来にわたって期待できない。撤退も考えながら対策をとる。
d	金のなる木 (cash cow)	今後の成長は期待できないが,安定的に収益を見込むことができる。花形と異なり,新規の投資が必要ないため,多くの利益を生み出す。この利益を,資金を多く必要とする花形と問題児につぎ込むとよい。

参考

チェンジマネジメント

チェンジマネジメントは，組織における種々の事柄の変革を推進，加速させ，経営を成功に導くというマネジメントの手法である。チェンジマネジメントでは，従来の方法に固執する構成員に対して，目的や意図を，経営者が自ら説得に当たる。

●バリューチェーン分析

バリューチェーン（価値連鎖）は，連続的に価値を付け加えながら，付加価値の高い製品を顧客に提供するという概念である。付加価値の連鎖という意味で使われる。バリューチェーン分析は，バリューチェーンの活動（業務）ごとにコストや強み・弱みを明確にすることである。提唱者のマイケル・ポーターによれば，バリューチェーンの概念は，５つの主要活動（購買物流，製造，出荷物流，マーケティング·販売，サービス）と４つの支援活動（全般管理，人事労務管理，技術開発，調達活動）で構成され，個々の事情に即して活動を細分化することができるとしている。

参考

分析手法には，バランススコアカードもある。バランススコアカード（Balanced Scorecard：BSC）は，“財務の視点”，“顧客の視点”，製品の品質や業務内容などの“内部業務プロセスの視点”，組織の知的資産（アイデアやノウハウなどのナレッジ）や従業員の意識・能力の“学習と成長の視点”の4つの視点から現状を総合的に評価する。

●ベンチマーキング

ベンチマーキングは，経営や業務·ビジネスプロセスのパフォーマンスを改善するため，他の組織から優れた実践方法（ベストプラクティス）を探し出して分析し，それを指標（ベンチマーク）に自社の活動を測定・評価して変革を進める経営改善手法である。

参考

目標とビジョンを達成するためのシナリオを戦略マップという。目的を達成するために洗い出した行動の因果関係や関連を図式化したもので，戦略の全体像を把握することができる。

●ファイブフォース分析

ファイブフォース分析は，業界の収益性を決める５つの競争要因から業界の構造分析を行う手法である。“供給企業の交渉力”，“買い手の交渉力”，“競争企業間の敵対関係”の３つの内的要因，“新規参入業者の脅威”，“代替品の脅威”の２つの外的要因から業界全体の魅力度を測る。

● M & A（エムアンドエー）

M&A（Mergers and Acquisitions：合併と買収）は，企業の合併・買収を総称した概念である。新規事業や市場への参入，企業グループの再編，経営が不振な企業の救済などを目的として実施される。いわば，事業の多角化を目的とする企業買収・合併のことである。

● 成長マトリックス

成長マトリックスは，事業を拡大するうえで今後の成長戦略の方向性を分析・評価するための手法である。製品と市場を軸にした２次元の表を作り，成長戦略を４つに分類する。企業戦略やマーケティングなどに利用される。

		製品	
		既存	新規
市場	既存	市場浸透	新製品開発
	新規	新市場開拓	多角化

市場浸透戦略は他社との競争に勝つことによって，市場シェアを高める戦略で，宣伝や広告，値引きなどによって市場シェアを拡大する。新製品開発戦略は新しい製品を現在の顧客へ投入することで成長を図る戦略で，新機能を追加したり，デザインを変更したりするなどして販売する。また，新市場開拓戦略は，現状の製品を新しい顧客へと広げることで成長を図る戦略である。一方，多角化戦略は，新しい分野に進出して，新しい商品を投入して成長を図る戦略で，リスキーな成長戦略である。

ファイブフォース分析における“代替品の脅威”は，例えば，自社の類似品で価格の安い商品が出現したときなどに発生する。

間違えやすい

M&Aに似たような概念に，アライアンスがある。アライアンス（Alliance：企業間提携）は，企業間の連携や共同行動を指す概念である。競争関係にある企業がアライアンスを実施すると，互いの競争ロスがなくなり，共通の競争相手に対する競争力が高まる。

参考

提供される物やサービスを買い取るのではなく，利用権を借りて利用した期間に応じて対価を支払う方式をサブスクリプションサービスという。定額制と同じ意味で用いられることもある。コンピュータのソフトウェアの利用形態として採用されることが多い。

参考

クラウドファンディング

クラウドファンディングは，クリエイターや起業家が製品・サービスの開発，アイデアの実現などの目的のために，インターネットを通じて不特定多数の人から資金の出資や協力を募ることである。群衆（crowd）と資金調達（funding）を組み合わせた造語である。

12.2.2 マーケティング

- マーケティングミックスの要素は 4P
- ライフタイムバリューは企業が顧客から生涯に獲得する価値

マーケティングは，販売活動においてどのような製品が望まれているかなど，消費者の潜在的な嗜好を調査することである。最初は，買い手の行動を調査・分析することから始まった。これは，AIDA（アイーダ）理論と呼ばれ，買い手の行動を，Attention（認知），Interest（興味），Desire（欲求），Action（行動）の４つのプロセスに分類したものである。

さらに，アイーダ理論にM（Memory：記憶）を加えたものをAIDMA（アイドマ），S（Satisfaction：満足）を加えたものをAIDAS（アイダス），C（Conviction：確信）を加えたものをAIDCA（アイドカ）という。

●マーケティングミックス

マーケティングミックスは，企業が標的市場で目標を達成するために，様々なマーケティング要素を戦略的に組み合わせることである。一般に，企業が行うマーケティング活動には，商品政策（どのような商品を生産し，販売するか），価格政策（販売価格の設定），販売組織，広告・宣伝，市場情報収集，新規事業（新しい価値の創造）などがある。これらの諸要素を統合した戦略が，マーケティングミックスで，主要なマーケティング要素を4Pという。

要素	意味／具体例
プロダクト （Product）	商品,製品 品質,機能,デザイン,パッケージ,ブランド,アフターサービスなど
プライス （Price）	価格 定価,値引き,支払条件など
プロモーション （Promotion）	広告,販売促進 セールス,広告,対面販売,インターネットマーケティングなど
プレイス （Place）	マーケティングチャネル 流通範囲,在庫,立地,配送など

ただし，価格設定については，企業が競争優位に立つためにある程度の自由は認められるが，不健全な過当競争を防ぎ，公正な

用語解説

マーケティング

マーケティングは，顧客満足を基に，売れる仕組みを考える活動である。長期的な視点から顧客支持を得ることを目的とした活動で，顧客にとって価値のある製品やサービスを提供するために必要な全ての要素をコントロールする役割を担う。結果として，顧客からの信頼を得ることで，継続的に成長する。

参考

外部環境の市場と競合の分析からKSF（Key Success Factors：成功要因）を見つけ，自社の戦略に活かす分析をするフレームワークを3C分析という。3Cは，自社（Company），市場又は顧客（Customer），競合（Competitor）の頭文字である。

参考

本文で示した4Pに対して4Cという考え方もある。次は，対応関係である。

プロダクト⇔顧客価値（Customer Value）
プライス⇔顧客の経費（Cost）
プロモーション⇔顧客とのコミュニケーション（Communication）
プレイス⇔顧客利便性（Convenience）

参考

Webマーケティングにおいて，情報が口コミで徐々に拡大していくように仕掛けるマーケティング手法を，バイラルマーケティングという。バイラル（viral）は「ウイルス性の」という意味で，人から人へ情報が伝わっていく様子を示す。

▶間違えやすい

新規顧客の獲得には，既存顧客維持の5倍程度のコストが必要であるという考え方から，LTVが注目されている。利益最大化を考えた場合，固定客やリピータ，得意先などの既存顧客からの売上を重視する方が効率的であるという考え方である。

参考

集団相手のマーケティングではなく，個別の顧客のニーズに1対1の関係で対応するマーケティング手法を，ワントゥワンマーケティングという。このため，顧客の購入履歴や嗜好などの詳細データの収集・保有が必要不可欠である。

自由競争を守るため，法律の規制を受ける。例えば，独占禁止法（正式には「私的独占の禁止及び公正取引の確保に関する法律」），景品表示法（正式には「不当景品類及び不当表示防止法」），不正競争防止法などである。

●プロモーションとマーケティングリサーチ

プロモーションは，商品（サービス）の販売，認知，理解，好感度，ブランドロイヤリティの促進・向上のための一切の活動である。企業から消費者に情報を提供することで，商品（サービス）を消費者に知らせ，かつ購買まで結び付ける。プロモーションに対して，消費者から企業が情報を得ることを，マーケティングリサーチという。

マーケティングリサーチは，マーケティングにおける情報収集活動である。企業が，商品（サービス）を提供するために，消費者の要望を知り，消費者にあった商品（サービス）を創造することで，様々な経営資源を効率的に運用することができる。

●ライフタイムバリュー

ライフタイムバリュー（Life Time Value：LTV，顧客生涯価値）は，1人（1社）の顧客が取引を始めてから終わるまでの期間（顧客ライフサイクル）を通じて，その顧客が企業やブランドにもたらす利益を累計して算出したマーケティングの成果指標である。市場活動にかかわる人から消費者を見て，将来にわたって顧客からどれだけ収入を得るのか予測する。顧客の経済状態は購買行動に大きく影響を与えるため，その生涯価値を測ることは重要である。

●コモディティ化

コモディティ化（汎用化）は，商品の品質，機能，形状など，競争における差別化特性がなくなり，顧客から見ると商品に違いを見出すことのできない状態になることである。つまり，どの商品を買っても同じ状態のことである。

CEM

CEM（Customer Experience Management：顧客体験管理，CXM）は，顧客と良い関係を構築して利益を上げるという考え方である。顧客が商品を購入する経過や利用シーンを想定し，顧客の期待に応えることで，その企業や商品に愛着をもち，継続利用してくれる（ロイヤルカスタマー）ように顧客を育てることを目的としたマーケティング手法である。データでは読み取りにくい心情や，感情に焦点を当てた概念である。

カスタマーエクスペリエンス

カスタマーエクスペリエンス（Customer Experience：顧客体験，CX）は，ある商品やサービスの利用における顧客視点での体験のことである。商品やサービスの機能や性能・価格などの目に見える価値だけではなく，購入までの過程・使用の過程，購入後のフォローなどの過程における経験のような感情的価値（満足度や感動の程度）の訴求を重視する管理手法である。

マスカスタマイゼーション

マスカスタマイゼーションは，大量生産・大量販売をしながらきめ細かな仕様・機能の取込みなどにより，顧客１人ひとりの好みに応じた製品やサービスを提供することである。個々の顧客のニーズや好みを把握し，低コストで提供することを目指すという大量生産の経済性と個別対応処理とを融合させる方式である。セミオーダやイージーオーダのスーツがこの例である。

RMF分析

RFM分析（Recency, Frequency, Monetary Analysis）は，マーケティング分析の手法の一つで，顧客の購買行動，購買履歴から優良顧客のセグメンテーションなどを行う顧客分析手法である。RMF分析では，Recency（最新購買日），Frequency（購買頻度），Monetary（累積購買金額）の観点から指標化し，各指標に重み付けしたうえで合算してランキングを作成する。どの程度，自社商品を購入してくれているかを表す指標として使われる。

参考

広告費に対してどれだけの売上が得られたかを示す指標を，ROAS（Return On Advertising Spend）という。広告費1円当たりの売上額を把握でき，広告費の回収率も分かる。ROASが高いほど，広告の費用対効果が高いと判断できる。

$$\text{ROAS} = \frac{\text{広告からの売上}}{\text{広告費}} \times 100\ (\%)$$

12.2.3 経営管理システム

- CRMは顧客に対して誰もが適切に対応できるという概念
- ERPは経営資源の最適化を計画するという概念

経営管理は，企業が目標に向かって効率的に機能するように組織を統合し，調整することである。経営管理と組織は表裏一体の関係にあり，「組織なくして管理なし」といわれている。また，企業経営に必要な経営資源として，従来，「ヒト・モノ・カネ」の3つが挙げられていたが，現在は，「情報」も経営資源の1つになっている。

参考

本文で説明した経営管理システム以外に，ナレッジマネジメントがある。ナレッジマネジメントは，個人のもつ知識や情報（ナレッジ）を組織全体で共有し，有効に活用することで業績を上げようという経営手法である。

経営管理を支援するために，多くの考え方やシステム，ソフトウェアパッケージなどが提供されている。

● CRM

CRM（Customer Relationship Management）は，顧客と接する機会のある全ての部門で顧客情報と接触履歴を共有・管理し，どのような問合せがあっても常に最適な対応ができるようにしようという概念である。電話，FAX，Web，電子メールなど，全てのチャネルを統合し，顧客との関係（リレーション）の場面を増やし，個々の顧客に合わせたサービスを提供することで，顧客の拡大を図る。

参考

情報通信技術によって企業の営業部門を効率化するという概念，あるいは，そのための情報システムをSFA（Sales Force Automation：営業支援システム）という。例えば，顧客別に接触した過去の履歴を共有することで新たな商談につなげたり，担当者が代わってもスムーズに引継ぎができるようになったりする。

● SCM

SCM（Supply Chain Management）は，生産，在庫，購買，販売，物流などの全ての情報をリアルタイムに交換することによって，サプライチェーン全体の効率を大幅に向上させる経営手法である。サプライチェーンは，「供給の鎖」という意味で，物流を意味する。

参考

オムニチャネル

オムニチャネルは，実店舗やオンラインストアをはじめとするあらゆる販売チャネルや流通チャネルを統合すること，及び，このような統合販売チャネルの構築によってどのような販売チャネルからも同じように商品を購入できる環境を実現することである。

● ERP

ERP（Enterprise Resource Planning：企業資源計画）は，

企業内の業務の情報を横断的に把握し，経営資源の最適化を計画するという概念である。ERP の概念をパッケージ化したものを，ERP パッケージという。ERP パッケージは，生産管理，会計，販売管理，人事・給与など，業種を問わず共通的な業務を 1 つのデータベースで統合したソフトウェアパッケージである。

● SECI モデル

知識創造（SECI モデル）は，「暗黙知と形式知の相互作用の中から生み出される知」で，共同化（Socialization），表出化（Externalization），連結化（Combination），内面化（Internalization）の４つのプロセスを繰り返しながら，組織として戦略的に知識を創造し，マネジメントすることを目指す。

共同化は共体験などによって暗黙知を獲得・伝達するプロセス，表出化は得られた暗黙知を共有できるよう形式知に変換するプロセスである。また，連結化は形式知同士を組み合わせて新たな形式知を創造するプロセス，内面化は利用可能となった形式知を基に個人が実践を行いその知識を体得するプロセスである。

ナレッジマネジメントにおいては，SECI モデルを活用してある個人の暗黙知を組織にとっての形式知に変換し，次の段階として，組織の形式知が別の個人の暗黙知になることが望ましいといわれる。

参考

計画された事業やプロジェクトなどが実現可能か，実施することに意義や妥当性があるかを多角的に調査・検討することを，フィージビリティスタディという。これによる検討内容は，市場調査，技術的検討，コスト積算，資金調査，経済・財務分析，社会調査，組織運用体制など，多岐の事項にわたる。

用語解説

暗黙知

暗黙知は，経験的に使っている知識ではあるが言葉で説明できない知識である。例えば，微細な音の聞き分け方，覚えた顔を見分けるときに何をしているかなどである。

形式知

形式知は，明示的なもので論理的な伝達・表現手段によって伝達することが可能なものである。暗黙知としての身体動作は説明しにくいが，形式知では認識の過程を言葉で表すことができる。

参考

KPI

KPI（Key Performance Indicator：重要業績評価指標）は，企業の目標やビジネス戦略を実現するために設定する具体的な指標（目標値）である。例えば，物流コストを10%削減しようという目標であれば，「商品の在庫日数を7日以内にしよう」とか「誤出荷率を3%以内にしよう」という数値目標である。

チェック!　よく出る午前問題で基本事項を確認

日付・正解 Check　／　／　／

問題 1

［応用情報技術者試験 2018 年春期午前 問 67］　難易度 ★★　出題頻度 ★★★

PPMにおいて，投資用の資金源と位置付けられる事業はどれか。

ア　市場成長率が高く，相対的市場占有率が高い事業
イ　市場成長率が高く，相対的市場占有率が低い事業
ウ　市場成長率が低く，相対的市場占有率が高い事業
エ　市場成長率が低く，相対的市場占有率が低い事業

問題 2

［応用情報技術者試験 2017 年春期午前 問 67］　難易度 ★★　出題頻度 ★★

SCMの目的はどれか。

ア　顧客情報や購買履歴，クレームなどを一元管理し，きめ細かな顧客対応を行うことによって，良好な顧客関係の構築を目的とする。
イ　顧客情報や商談スケジュール，進捗状況などの商談状況を一元管理することによって，営業活動の効率向上を目的とする。
ウ　生産，販売，在庫管理，財務会計，人事管理など基幹業務のあらゆる情報を統合管理することによって，経営効率の向上を目的とする。
エ　複数の企業や組織にまたがる調達から販売までの業務プロセス全ての情報を統合的に管理することによって，コスト低減や納期短縮などを目的とする。

問題 3

［応用情報技術試験 2019 年春期午前 問 67］　難易度 ★　出題頻度 ★★★

コアコンピタンスに該当するものはどれか。

ア　主な事業ドメインの高い成長率
イ　競合他社よりも効率性が高い生産システム
ウ　参入を予定している事業分野の競合状況
エ　収益性が高い事業分野での市場シェア

解説 1

プロダクトポートフォリオマネジメント（Product Portfolio Management：PPM）は，相対的市場占有率と市場成長率の２つの軸によって製品を位置付け，市場戦略決定資料とすることである。詳細については，本文を参照のこと。

ア　花形の説明である。
イ　問題児の説明である。
ウ　金のなる木の説明である。
エ　負け犬の説明である。

投資用の資金源となるのは“金のなる木（成長率：低，占有率：高）”に位置する事業である。

正解：ウ

解説 2

SCM（Supply Chain Management：サプライチェーンマネジメント）は，調達・製造・物流・販売という商品流通の各段階で取引先と販売・計画情報を共有することで，在庫を極限まで削減するとともに，流通経路を効率化し，結果として，顧客満足を維持・向上させるという概念である。

SCMでは，生産を中心に据えた中期的な計画を策定するため，複数の工場での生産や物流の効率化を目指した生産・物流計画，工場における生産計画，納期回答，需要予測を行う。さらに，実行計画を策定するため，輸送管理，倉庫管理，受注管理も行う。これらの計画・管理によって，生産・物流計画を実施するための最適化を図ることができ，倉庫管理や配送など，物流が効率化され，コストの削減を図ることができる。

ア　CRM（Customer Relationship Management）の目的である。
イ　SFA（Sales Force Automation）の目的である。
ウ　ERP（Enterprise Resource Planning：企業資源計画）の目的である。

正解：エ

解説 3

コアコンピタンスは，企業がもっている独自の強みや他社にはまねできない技術（経営資源）である。能力，ノウハウ，企業力などを指し，製品などの“もの”は含まれない。組織的学習に基づいて形成される組織の知識が，組織の潜在能力（ケイパビリティ）を高め，コアコンピタンスとなる。

ア，ウ　事業ドメインの置かれている外部環境であり，自社の技術やノウハウではない。

エ　自社の市場シェアが高いことは自社の強みではあるが，事業活動の結果として市場シェアが高くなるのであって，技術やノウハウではない。

正解：イ

12.3 技術戦略マネジメント

技術開発戦略は，何を開発するのか，開発された技術からどのように利益を得るかについての戦略である。企業は，自社の保有する資源，自社を取り巻く環境，自社の企業戦略と照らし合わせて技術開発戦略を立案する。

12.3.1 技術開発戦略の立案

- MOT は企業が持続的発展のために技術の可能性を事業に結び付けること
- イノベーションは新しい価値を創造すること

企業の持続的発展のためには，技術開発への投資とともにイノベーション（新しい価値の創造）を促進し，技術と市場ニーズとを結び付けて事業を成功へ導く技術開発戦略が重要で，経営戦略や事業戦略と技術開発戦略との連携が重要である。

用語解説

イノベーション

イノベーションは，新しいものを生産したり，既存のものを新しい方法で生産したりすることである。イノベーションの例に，創造的活動による新製品開発，新生産方法の導入，新マーケットの開拓，新たな資源の獲得・供給源の獲得，組織の改革などがある。

● MOT

MOT（Management of Technology：技術経営）は，技術力を基盤として事業を行う企業・組織が，持続的発展のために，技術がもつ可能性を見極めて事業に結び付け，経済的価値を創出していく経営管理手法である。

● ラディカルイノベーション

ラディカルイノベーションは，従来とは全く異なる価値基準をもたらすほどの急進的な革新を指す。イノベーションの中では最も程度の大きいものを指す。

● プロダクトイノベーション

プロダクトイノベーション（製品革新）は，革新的な新しいプロダクト（製品，商品）を開発すること，あるいは，革新的な機能・性能を実現するための革新的な素材，部品を開発することである。

参考

オープンイノベーション

オープンイノベーションは，自社だけでなく他の企業や大学・研究機関，地方自治体，起業家などの異業種，異分野がもつ革新的なアイディアを募集し，革新的な商品（新製品）やサービス，又はビジネスモデルを開発するイノベーションを指す。

参考

プロセスイノベーション
プロセスイノベーションは，製品やサービスの製造工程や作業過程のプロセスを変革することで，効率化による時間・原価低減や品質向上などで競争力を高めるイノベーションを指す。

●インクリメンタルイノベーション

インクリメンタルイノベーションは，既存製品の部分的な改良を積み重ねることである。マイナーチェンジであり，イノベーションの中でも程度の小さいものを指す。

●イノベータ理論

イノベータ理論は，革新的（イノベーション）な新商品・サービスなどの普及に関する理論のことである。この理論では，革新的な新商品を受け入れる消費者層をその受け入れる順番の早いものから，イノベータ（革新者），アーリーアダプタ（初期採用者），アーリーマジョリティ（前期追随者），レイトマジョリティ（後期追随者），ラガード（遅滞者）の5つに分類している。

参考

革新的な商品を市場に浸透させていくためには，イノベータとアーリーアダプタの2つの層が重要とされている。しかし，上位2つの層で受け入れられても，アーリーマジョリティ以下で構成される市場に普及させるのが難しい。キャズム理論では，このアーリーアダプタとアーリーマジョリティの間に存在する溝を，キャズムと呼んでいる。

●技術のSカーブ

技術のSカーブ（Sカーブ理論）は，技術開発の進展と製品性能の成長の関係を表すグラフである。技術開発の初期は製品性能はゆっくりと向上するが，次第に性能の向上の幅が大きくなる。しかし，技術開発が成熟段階に入ると性能向上は鈍化していく。この技術開発と製品性能の関係がS字で表される。技術の成長の過程には，導入期，成長期，成熟期，衰退期がある。

導入期は，新規技術が基礎研究段階として成長している時期で，その新規技術に対する信頼性や将来性はかなり流動的である。また，基礎的な技術であった場合，将来，具体的にどのように応用されるかという点でも選択肢が多い。

成長期は，ある一定の期間やレベルで新規技術に対して信頼性が生まれる時期で，加速的に進化していく。すると，市場ニーズに応じた応用研究も進み，隙間市場に企業が製品を送り込んでいく。

成熟期は，市場が飽和し，新規技術に対する応用研究やそれに応じた隙間市場も飽和していく時期で，新規参入企業の数は減少する。当該技術の開発及び改良がボトルネックとなり，拡大に歯止めがかかる。

衰退期には，当該技術に変わって，さらに改良を施された新規技術が開発され，当該市場は衰退していく。

参考

価値創出の三要素
技術開発を経済的価値へ結び付けるために必要な要素は，技術・製品価値創造（Value Creation），価値実現（Value Delivery），価値利益化（Value Capture）である。

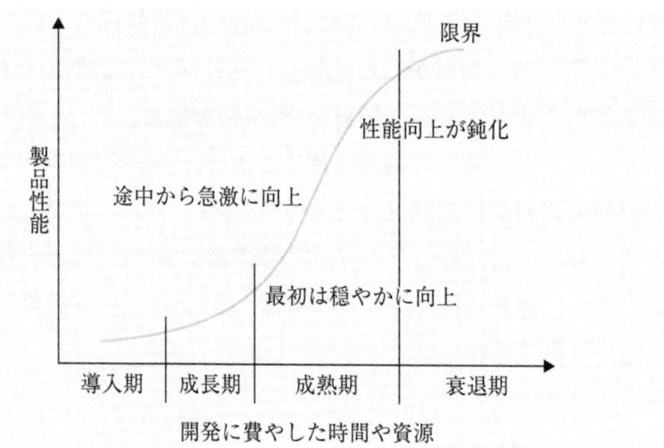

●技術経営における課題

技術を基にしたイノベーションを実現するために，研究・開発から産業化までの各段階における障壁を表す言葉に，魔の川，死の谷，ダーウィンの海がある。

魔の川は，研究・開発プロジェクトが基礎的な研究から出発して製品化を目指す開発段階へと進めるかどうかの関門である。

死の谷は，研究戦略，技術経営，プロジェクトマネジメントなどにおいて，研究・開発が次の段階に発展しない状況やその難関・障壁となっている状態である。主に，資金調達の問題から実用化に至らないときに使われていたが，資金以外のリソースの不足や法律，制度などによって研究開発の結果が製品化に活用できない状態を指すこともある。

ダーウィンの海は，事業化したものを産業化するときの障害である。生産体制の不備，マーケティング能力の不足などが原因である。

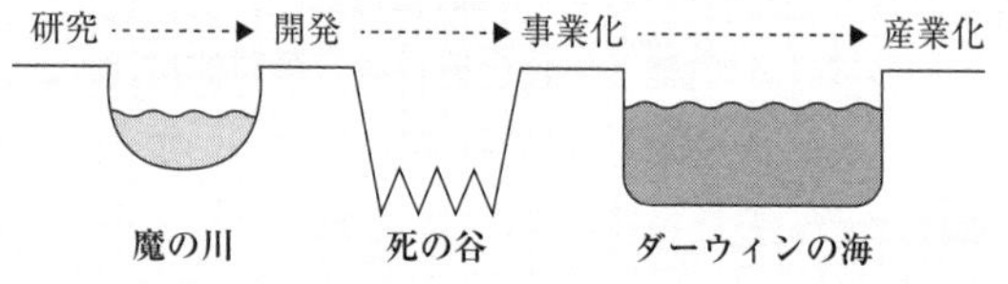

参考

ダーウィンの海は，事業化と産業化の間に存在する障壁である。事業を成功させるには，競争優位を構築し，競合他社との生き残り競争に勝つことが必要とされる。常に進化しながら市場や顧客の要求（変化）に対応しなければ自然淘汰されることから，ダーウィンの海と呼ばれる。

●コア技術

コアは核という意味で，コア技術（コアコンピタンス）は，企業の核となる技術である。商品の品質の高さや技術力の高さ，生産力の高さなどを指すのではなく，他社がまねできないような技術基盤を指す。例えば，特許を思い浮かべればよい。コア技術が形成されると，技術の選択と集中が進み，投資効率が上がり，新しい事業開発や技術開発がしやすくなる，明確な技術戦略が立てられるなどの効用が生まれるようになる。競合他社がまねできないような，自動車エンジンのアイドリングストップ技術のようなものが該当する。

▶試験に出る

近年，イノベーションやTLOに関する出題が多い。イノベーションの種類や意味，TLOの役割などを把握しておく。さらに，一般によく使われるようになった，魔の川，死の谷，ダーウィンの海の意味を押さえておきたい。

TLOとTLO法

TLO（Technology Licensing Organization）法（正式には「大学等における技術に関する研究成果の民間事業者への移転の促進に関する法律」）は，大学や国の試験研究機関などにおける技術に関する研究成果を，TLOを介して民間事業者への効率的な技術移転を促進することにより，新たな事業分野の開拓，産業技術の向上，大学などの研究活動の活性化を図る目的で制定された法律である。

TLOは，大学や国立研究所の研究成果を企業に技術移転して事業化を目指す機関である。事業化によって得た収入を新たな研究資金に充当することを目指している。

CVC

CVC（Corporate Venture Capital）は，投資事業を本業としない事業会社によって，主に未上場の新興企業（ベンチャー企業）に出資や支援を行うこと，又は，組織のことである。種々の分野のベンチャー企業に投資する一般的なベンチャーキャピタルとは異なり，あくまで自社の事業内容と関連性があり，本業の収益につながると思われるベンチャー企業に投資する。

用語解説

ベンチャーキャピタル

ベンチャーキャピタルは，ベンチャー企業などの未上場企業に対して出資を行う投資会社（機関）を指す。投資先の企業が成長した後で，事業を売却して，キャピタルゲイン（投資による利益）を得ることを目的とする。

なお，ベンチャー企業（新興企業）は，革新的なアイデアや技術をもとにして，大企業では実現しにくい新しいサービスやビジネスを展開する企業を指す。通常は，小規模から中規模であることが多い。

12.3.2 技術開発計画

■ コンカレントエンジニアリングは作業工程を並行して進めること
■ ロードマップは目標達成までの大まかな計画

企業等では経営戦略や技術開発戦略に基づいて，技術開発計画を立案する。技術開発計画では，技術開発投資計画，技術開発拠点計画，人材計画，経営資源の最適配分，投資対効果，知的財産管理などについて検討する必要がある。

●コンカレントエンジニアリング

コンカレントエンジニアリング（コンカレント開発，コラボレーション，サイマルティニアスエンジニアリング）は，製品の開発過程において，企画，設計，製造，生産，販売，サービスなどの各工程を並列に進行させることである。開発期間の短縮，開発コストの削減が期待できる。

前工程の作業が完了する前に，後工程で表面化する問題が発見できるため，それを反映した設計変更などの対応を即座に行うことができる。また，前工程の進行状況や決定事項を後工程の作業者が常に把握するので，前もって適切な対応をとることができる。

参考

コンカレントエンジニアリングには，各部門の情報を互いに共有できるシステムやネットワークが欠かせない。設計データ，情報技術，営業情報などを必要なタイミングで通知することが必要である。

●パイロット生産

パイロット生産は，試験的に新製品を生産することである。開発完了後，生産準備段階における量産の開始に先立って，量産と同じ生産手段によって外注を含む全工程でパイロット生産が行われることが多い。パイロット生産によって，生産準備ができているかどうかの確認ができる。

●技術開発のロードマップ

技術開発の具体的なシナリオとして，科学的裏付けとコンセンサスのとれた未来像を時系列で描くロードマップを作成する。ロードマップは，未来予測の一種で，具体的な達成目標を掲げたうえで，

参考

ロードマップに記載されている内容は，予定であり，企業戦略に応じて随時，改定される。

目標を達成するために必要な事項，困難が予想される事項などを列挙し，優先順位を付けたうえで達成までの大まかなスケジュールの全体像を時系列で表現したものである。

種類	特徴
技術ロードマップ	理論上の技術を具体化するときのロードマップ
製品応用ロードマップ	技術を製品として実現するためのロードマップ
特許取得ロードマップ	特許を取得するためのロードマップ

チェック!　よく出る午前問題で基本事項を確認

日付・正解 Check　／　／　／

問題 1　[応用情報技術者試験 2019年春期午前 問70]　難易度 ★★　出題頻度 ★★★

オープンイノベーションに関する事例として，適切なものはどれか。

ア　社外からアイディアを募集し，新サービスの開発に活用した。
イ　社内の製造部と企画部で共同プロジェクトを設置し，新規製品を開発した。
ウ　物流システムを変更し，効率的な販売を行えるようにした。
エ　ブランド向上を図るために，自社製品の革新性についてWebに掲載した。

問題 2　[応用情報技術者試験 2019年秋期午前 問70]　難易度 ★　出題頻度 ★★

TLO（Technology Licensing Organization）の役割として，適切なものはどれか。

ア　TLO自らが研究開発して取得した特許の，企業へのライセンス
イ　企業から大学への委託研究の問合せ及び申込みの受付
ウ　新規事業又は市場への参入のための，企業の合併又は買収の支援
エ　大学の研究成果の特許化及び企業への技術移転の促進

解説 1

イノベーションは，新しいものを生産したり，既存のものを新しい方法で生産したりすることである。イノベーションの例に，創造的活動による新製品開発，新生産方法の導入，新マーケットの開拓，新たな資源の獲得・供給源の獲得，組織の改革などを挙げることができる。

オープンイノベーションは，自社だけでなく企業や大学・研究機関，地方自治体，起業家などの異業種，異分野がもつ革新的なアイディアを募集し，革新的な商品（新製品）やサービス，又はビジネスモデルを開発するイノベーションを指す。オープンイノベーションに対して，自社の中だけで研究者を囲い込み研究開発を行うイノベーションを，クローズドイノベーションという。

イ　新規製品の開発ということで，新製品開発（プロダクトイノベーション）の例である。また，企業内部のイノベーションということでは，クローズドイノベーションである。

ウ　手続き(プロセス)を変更したので，新生産方式(プロセスイノベーション)の例である。

エ　コーポレートブランディングの説明である。

正解：ア

解説 2

TLO（Technology Licensing Organization）は，大学や国立研究所の研究成果を企業に技術移転して事業化を目指す機関である。事業化によって得た収入を新たな研究資金に充当することを目指している。

ア　研究開発は，TLOの関連する大学や研究機関で行われる。TLOは大学や研究機関の研究成果を特許化し，企業にライセンスを与える役割をもつ。

イ　研究開発はTLOが実施計画を作成し，大学や研究機関が行う。企業からの委託研究を受け付けることはない。

ウ　TLOは，企業へ技術移転をするための事業化に出資することはあるが，企業の合併や買収の支援は行わない。

正解：エ

12.4 ビジネスインダストリ

インダストリは，各業種において，職種，専門分野の知っておくべき知識，特に業界に特化した事象や業界特有の動向，法律などである。本節では，ビジネス分野，エンジニアリング分野，e-ビジネス分野について学習する。

12.4.1 ビジネスシステム

Point
- IoTは様々な物体（モノ）に通信機能をもたせる技術
- 電子政府は情報技術を活用した行政サービスの提供

ビジネスシステムは，企業活動における一連のコンピュータシステムを指す。企業において，販売管理，生産管理，在庫管理，顧客管理など，業務の合理化を目的とした種々のシステムがある。

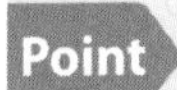
参考

公共情報システム
公共情報システムは，行政，医療，エネルギー（原子力，電気，ガス，水道），通信，運輸，交通管制，防災，防衛など，公共の福祉などに寄与することを目的として構築されたシステムである。スマートグリッド（次世代伝送網），GPS（全地球測位システム）応用システム，ETC（自動料金支払システム）などがある。

Society 5.0（ソサエティ）
Society 5.0は，仮想空間と現実空間を高度に融合させたシステムにより実現する超スマート社会のことである。狩猟社会（Society 1.0），農耕社会（Society 2.0），工業社会（Society 3.0），情報社会（Society 4.0）に続く未来社会の姿として，内閣府が発表した第5期科学技術基本計画で提唱された。

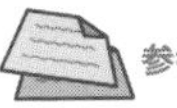

●流通情報システム

流通情報システムは，小売業，卸売業，物流業などの流通企業が使う情報システムである。POS，在庫管理システム，顧客管理システム，経営管理システムなどがある。

●物流情報システム

物流情報システムは，生産から販売までの物流を迅速かつ効率的に行うことを支援するシステムである。輸送や荷役機器の制御，輸送や保管に伴う手続きの処理，情報提供サービスなどにおいて，迅速で正確な処理，輸送の進行状況や在庫状況に関する情報把握，流通経費の節減などが可能となる。国際貨物や国内貨物の管理などに使われている。宅配便業者の宅配便管理のシステムなどが，流通情報システムの例である。

●IoT

IoT（Internet of Things：モノのインターネット）は，コンピュータなどの情報・通信機器だけでなく，従来インターネットに接続されていなかった様々な物体（センサ機器，住宅·建物，車，家電製品，電子機器など）に通信機能をもたせ，インターネットに接続したり相互に通信したりすることにより，自動認識や自動制御，遠隔計測などを行うことである。

スマートハウスは，IoT の 1 つであり，家の中にある多くの設備や家電製品がインターネットに接続されている状態を指す。例えば，エアコンを切り忘れたまま外出した場合，これまでは制御するためには一度帰宅する必要があったが，IoT なら遠隔操作での対応が可能である。

IoT デバイスの省電力化の方法に，エネルギーハーベスティングがある。エネルギーハーベスティング（環境発電技術）は，周りの環境から熱や振動など様々な形態の密度の低いエネルギーを収穫（ハーベスト）して，電気エネルギーに変換する技術である。

CDN

CDN（Contents Delivery Network）は，ファイルサイズの大きいデジタルコンテンツをネットワーク経由で配信するために最適化されたネットワークである。アクセスする利用者の地理的に最も近い地点に配布されたサーバやネットワークを介して素早く配信する技術やサービスである。利用者のネットワーク位置に応じた最適な配布ポイントを指示することで，大容量のコンテンツをスムーズに配信できるようになる。

電子政府

電子政府は，情報技術を活用して行政サービスの提供，行政活動の効率化などを行う仕組みで，その実現が重点政策課題の 1 つとされている。

具体的には，以下の点に取り組んでいくこととされている。

- インターネット等による行政情報の提供
- 国民・住民の，企業・国・自治体との間の手続きの電子化
- ワンストップサービスの実現

参考

行政システム

行政システムは，行政で使われている情報システムである。e-Gov（電子政府），電子自治体，電子申請，電子調達，LGWAN（総合行政ネットワーク），EDINET（電子書類開示システム），地域気象観測システム（アメダス），緊急速報，住民基本台帳ネットワークシステムなどがある。

フィルタバブル

フィルタバブルは，インターネット上の検索エンジンやSNSを通して得られる情報が，検索エンジンやSNSの利用履歴が提供するアルゴリズムによってそれぞれの利用者向けに最適化された情報となるように不要な情報を遮断する機能（フィルタ）である。この機能により，自分の意に沿わない新しい情報が届かなくなるというリスクが指摘されている。

12.4.2 エンジニアリングシステム

- CAD はコンピュータによる設計支援システム
- FA は工場や生産現場の自動化

参考
生産自動化によるメリットに，単純労働の削減，人件費の抑制，危険作業の減少（危険防止），コストダウン，多品種少量生産への対応，コンピュータ導入による迅速・正確な処理が可能などを挙げることができる。

エンジニアリングは「工学」という意味であるが，エンジニアリングシステムといった場合，一般的には，生産自動化のためのシステムを指す。

●生産管理システム

生産管理は，生産目標を効率的に達成するため，生産過程の手順を計画し，実施を統制し，生産工程全体の適正化を図ることである。すなわち，生産のマネジメントである。生産管理システムは，生産管理を支援するシステムである。

生産工程は次の流れが一般的で，エンジニアリングシステムは，これらの工程を支援する。

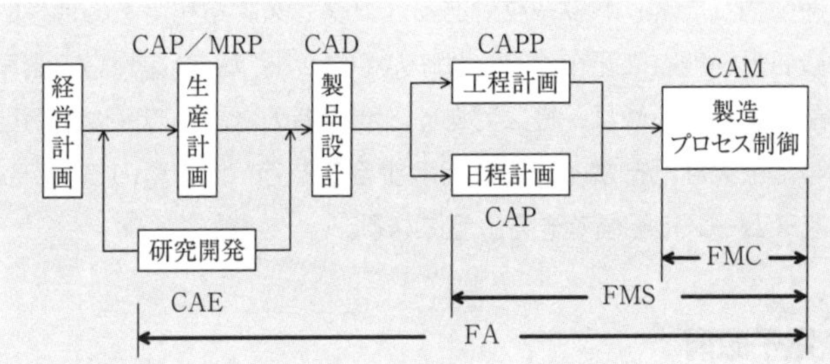

CAD（Computer Aided Design） コンピュータ支援設計
CAE（Computer Aided Engineering） コンピュータ支援エンジニアリング
CAM（Computer Aided Manufacturing） コンピュータ支援生産
CAP（Computer Aided Planning） コンピュータ支援計画立案
CAPP（Computer Aided Process Planning） コンピュータ支援工程計画立案
FA（Factory Automation） 生産自動化
FMC（Flexible Manufacturing Cell） フレキシブル生産セル
FMS（Flexible Manufacturing System） フレキシブル生産システム
MRP（Material Requirement Planning） 資材所要量計画

経営計画については，1970年代に経営管理のためのMIS（Management Information System：経営情報システム）が導入された。MISは，経営者が業務上の判断を行う際に必要な情報を必要なときに提供するシステムを目指したが，満足な結果を提供することができなかった。なお，MISの考え方は，DSS，SISに受け継がれた。

CAD/CAM

CADは，コンピュータを利用して，会話型で製品の設計作業を支援するシステムである。機械設計やプリント基盤設計，建築設計，プラント設計など，多くの分野で利用されている。CAMは，CADで得られた結果から，工場の生産ラインの制御にコンピュータを用いて製造を行うことである。

FMC/FMS

FMCは，セルの工程を自動化するものである。セルは，製造における加工，組立てなどの単位である。FMSは，複数のFMCを自動搬送装置や自動倉庫と結合し，コンピュータで統合制御するシステムである。スケジュールや設備の変更に容易に対応できるので，多品種少量生産に適合した自動生産システムである。

CAP/CAPP

CAPは，生産計画に基づいて，作業の日程や使用する機械の割当てなどを行うものである。CAPPは，CADによって決定した部品形状から，各部品及び製品の加工手順の決定や加工機械の選択，加工時間の算出などにコンピュータを利用するシステムである。

● FA

FAは，ロボットや工作機械などを用いて，工場や生産現場を自動化することである。製造，検査，工程管理の各部門を対象としている。

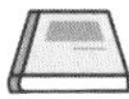
用語解説

SIS

SIS（Strategic Information System：戦略情報システム）は，1980年代に，DSS（Decision Support System：意思決定支援システム）の発展形として提唱されたシステムである。他企業との差別化，競争力の強化を目的とする情報を提供する。企業間でネットワークを構築することもある。

参考

CADデータは，STEP（Standard for The Exchange of Product model data）として，ISO規格（ISO 10303）となっている。STEPでは，解釈に違いが出ないようにあらゆる情報を細かく分類し，それぞれについて厳密な定義をしている。

参考

CADのモデル

CADでは，ワイヤフレームモデルやサーフェイスモデル，ソリッドモデルなどを用いて設計対象を表現する。
ワイヤフレームモデルは，3次元の形状表現の方法で，頂点と稜線で表現する。サーフェイスモデルは，ワイヤの間に面を張る。2面の交線や断面を求めることができる。ソリッドモデルは，面の内部の実体を表現する。円筒などの単純なものは確実に表現できるが，自由画面をモデル化することは困難である。

狭義でのFAは，加工品搬入，自動加工，検査，自動組立て，倉庫搬入などの生産工程を自動化しようとするものである。このような観点からは，CAD/CAM/CAEを包含する概念である。一方，広義でのFAは，受注，設計，製造，出荷に至るまでをネットワークで結合した工場自動化システムを指す。これは，後述するCIMの概念である。

参考

MRPの一般的な手順は，次のとおりである。
①総所要量計算
②純所要量（正味所要量）計算
③ロット編成計算
④先行計算（見込み在庫など）
⑤勧告オーダ（発注量計算）
⑥進度訂正勧告（手配計画・指示）

●MRP

MRPは，生産計画に従い，部品表や在庫データを用いて資材の所要量を算出することである。製造組織において，必要な資材の品目，必要な時間や場所，必要な数量をどのように調達するかを計画し，コンピュータを用いてその計画を決定する。MRPでは，部品構成表を用いて基準生産計画を立て，手持ち在庫量，製品仕掛数，発注残数，調達期間（リードタイム）などの情報を基に，製造指示のための計画を作り上げる。

参考

製造工程の把握や管理，作業者への指示や支援などを行うシステムをMESという。MES（Manufacturing Execution System：製造実行システム）は，生産計画に基づき，作業のスケジュールの立案，作業者への指示，作業手順に関する情報を提供する。また，設備や原材料，仕掛品などの在庫状況などをリアルタイムに提供する。

●PDM

PDM（Product Data Management）は，設計から製造全般にわたるエンジニアリングデータを統合・一元管理するシステムである。CADデータなどの図面データや仕様書などの文書データの管理，設計に関するデータの管理，製品を構成する部品の構成データの管理，購買・資材システムとの連携，設計・生産のスケジュールの把握と効率化などの機能がある。

●CAE

CAEは，工業製品の設計･開発工程を支援するシステムである。CAD/CAMを包含し，設計から製造までを支援する。CAEの概念は，設計・生産業務だけでなく，製品のシミュレーションやテストまでを含む。このため，設計期間の短縮，設計工数の削減，製品や製造手順の標準化の促進などを図ることができる。さらに，従来，試作・実験のために使っていた資源をほかの部分に配分できるようにすることで，最終的な品質の向上を図ることができる場合がある。

● CIM

CIM（Computer Integrated Manufacturing：コンピュータ統合生産）は，コンピュータにより統合された製造手法である。設計（CAD），製造（CAM），エンジニアリング（CAE）の各分野で，設計製造現場のシステム化だけではなく，資材の受発注管理，生産管理，工数管理など，製造業の全ての部分を，コンピュータシステムによって一元管理しようとするものである。CIMはFAより広い概念で，FA，CAD/CAM/CAEなどは，CIMを構成する要素である。

CIMを導入することで，各種製造ラインが設計変更に柔軟に対応できるようになる。結果として，多品種少量生産に適した製造システムの構築が可能になる。

参考

FAやCIMでは，かつては，ネットワークプロトコルとしてMAP（Manufacturing Automation Protocol）の標準化が行われたが，普及には至らなかった。現在はTCP/IPを使うことが多い。

参考

双方向の通信機能をもつ電力計を，スマートメーターという。工場などの電力消費状況をリアルタイムで把握することができる。このほか，家電製品のエアコンや照明などの機器に接続することで，電力の利用状況をリアルタイムに把握できる。

● POPシステム

POP（Point of Production：生産時点情報管理）システムは，工場で発生する加工の進捗情報や機械の稼働状況，仕掛品の在庫状況などの生産情報をリアルタイムに収集し，管理するためのシステムである。POPシステムにより，計画の消化率や余裕状態も管理でき，管理者は先行・遅延の工程のバランスを再編成することができる。

参考

現在，引き取りカンバンや生産指示カンバンは，ITを利用した電子カンバン（eカンバン）に進化している。電子カンバンは，工場内での部品や材料の動きを管理する技術と組み合わせたメッセージシステムである。

● カンバン方式

カンバン方式は，トヨタ自動車が考案したJIT（Just In Time）実現のための生産管理手法である。カンバンは，部品名，数量などを書いた札で，これを工程間で回すことで生産を管理する。カンバンは，後工程から前工程への部品運搬指示用の引き取りカンバンと，生産指示用の生産指示カンバンに大別される。部品を使用するごとにこれらのカンバンを回すことで，後工程は必要な部品を必要なときに必要なだけ引き取り，前工程は引き取られた量だけ生産補充する。

カンバン方式のように，必要なものを必要なときに必要な量だけ生産・供給する生産システムをJITシステムという。

参考

紙の長所とされる視認性や携帯性をもつ表示媒体のうち，表示内容を電気的に書き換えられるものを，電子ペーパーという。省電力かつ高い視認性，薄くてフレキシブルな特徴をもつため，電子書籍リーダやデジタルサイネージ（電子かんばん）に使われている。

12.4.3 e-ビジネスとソリューションビジネス

Point
- B to C は企業と消費者の取引，B to B は企業間の取引
- EDI は企業間取引の様式と手順の規約

参考

インターネットを利用したビジネス一般を，ドットコムビジネス（.com Business）という。.comは，米国の企業を表すドメイン名で，インターネット上で事業を展開する企業を.comカンパニという。ドメイン名に.comを使用することから，このように呼ばれる。

e-ビジネスは，インターネットとコンピュータを活用したビジネス形態の総称である。電子商取引（Electronic Commerce：EC）よりさらに進んだ企業の包括的な電子化構想である。社内での連絡やデータ管理から取引先との商談まで，業務の全てをネットワーク化された情報システムで行おうという戦略である。

C to Cの例に，オークション（競売・競り売り）がある。オークションは，1つの商品に対して，購入希望者同士が購入希望金額を提示しあい，最も高い金額をつけた希望者が購入できるという仕組みである。Yahoo!オークションなどに代表されるインターネットオークションが盛んである。

●EC

EC（Electronic Commerce：電子商取引）は，商品やサービスの販売を店舗や従来型の通信販売で行うのではなく，インターネットなどを介して行う方法である。小規模資本で開業できるとともに，無店舗，少人数経営により，運営コストを低く抑えることができる。また，顧客別に異なる情報の提供が可能になる。

ECにおける取引の概念に，次のものがある。

概念	説明
B to B	Business to Business。企業間取引，EDIが該当
B to C	Business to Consumer。企業・消費者間取引，オンラインショップが該当
B to E	Business to Employee。企業・従業員間取引，社員への福利厚生が該当
B to G	Business to Government。企業・行政間取引，電子入札が該当
C to C	Consumer to Consumer。消費者間取引，オークションが該当
G to C	Government to Consumer。行政・消費者間取引，住基ネットが該当
O to O	Online to Offline。

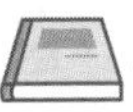
用語解説

O to O

O to O（Online to Offline）は，オンライン（インターネット）のサービスを利用する顧客を，オフラインである実世界の店舗に誘導して購買を促すことである。実在する店舗（Offline）での集客アップや購買促進につなげる仕組みである。

●電子決済システム

電子決済は，ネットワークを介して支払いの指示を行うもので，クレジットカードやデビットカード，電子マネーなどが使用される。

●フィンテック

フィンテックは，金融（Finance）と技術（Technology）を組み合わせた造語で，スマートフォンを使う決済や資産運用，ビッ

グデータ，人工知能（AI）などの最新技術を駆使した金融サービスである。近年では，クラウドやスマートフォンなどの最新のITを活用し，金融機関が従来提供してこなかったようなサービスをベンチャー企業が提供することが多くなってきた。

●電子マネー

電子マネーは，貨幣の価値を電子化して，現金と同じように店舗で買物をしたりインターネットショッピングができたりするものである。電子マネーには，SuicaやPASMO，Edy，nanaco，WAONなどのようにカードに埋め込んだICチップに貨幣情報を記録するICカード型電子マネーと，オランダのデジキャッシュ社のeキャッシュやMillicent（日本ではKDDコミュニケーションズが運営）などのように，インターネットサーバ上に貨幣情報を記録するネットワーク型電子マネーがある。

参考
ネットワーク型電子マネーには，本文で説明したもののほか，NTTが発行している電子マネーもある。

●ソーシャルメディアとガイドライン

ソーシャルメディアは，誰もが参加できる広範的な情報発信技術を用いて，社会的相互性を通じて広がっていくように設計されたメディアである。双方向のコミュニケーションができることが特長である。利用者の発信した情報や利用者間のつながりによってコンテンツを作り出す要素をも持ったWebサイトやネットサービスなどを総称する用語で，電子掲示板（Bulletin Board System：BBS）やブログ，Wiki，SNS（Facebook，X（旧称：Twitter），LINEなど），動画共有サイト，動画配信サービス，ショッピングサイトの購入者評価欄などが含まれる。

ソーシャルメディアガイドラインは，組織の構成員がソーシャルメディアに関わるうえでの守るべき義務や心がけたい道徳をまとめた行動指針で，構成員の過ちにより組織自体に被害が及ぶことを予防する目的で作成される。

参考
ロングテール
ロングテールは，インターネットを使った商品販売において，実店舗では陳列されないような販売機会の少ない商品でも，数多くそろえることで十分な売上を確保できるという経済理論である。

アフィリエイト
アフィリエイトは，インターネットを利用した広告宣伝の1つで，成果報酬型の広告である。ウェブサイトやメールマガジンなどの閲覧者がウェブサイトに掲載している広告主の商品あるいはサービスなどを購入したとき，広告主は利益に応じて広告を掲載したウェブサイトに成功報酬を支払う。

●レコメンデーション

レコメンデーションは，ECサイトにおいて，個々の顧客の購入履歴を分析し，新たに購入が見込まれる商品を自動的に推奨する機能である。レコメンドは，推薦する，推奨するなどの意味が

参考
預託された個人情報を，情報を活用したい他の事業者に適切に提供する事業者を，情報銀行という。情報銀行は，個人の同意に基づいて提供されたデータを蓄積し，複数の事業者が共有することで，精度の高い大量の情報を活用できるようになった。

ある。

レコメンデーションの技術には，ルールベース，コンテンツベース，協調フィルタリング，ハイブリッドタイプがある。ルールベースは，サイト側で一定のルールを定めてそれに該当するコンテンツを表示させる。例えば，「セール商品」，「新着情報」など，売り出したい商品をレコメンドする。協調フィルタリングは，多くの顧客の購入行動を蓄積し，購入行動が類似した顧客がまだ購入していないものを，相関分析などにより推論して薦める方法である。アマゾンの「この商品を買った人はこんな商品も買っています」が有名である。ハイブリッドタイプは，複数のレコメンデーションの技術を組み合わせたものである。

● ソリューションビジネス

ソリューションは，問題の解決，解明という意味である。ソリューションビジネスは，ビジネス上の問題点を明示し，それを実際に解決する施策を提供することである。IT においては，システムの不便さを解決する方法を提示したりすることである。

SaaS

SaaS（サース）（Software as a Service）は，ソフトウェアが提供する機能のうち，利用者が必要とするものだけを利用できるようにしたソフトウェアサービスの形態である。利用者は必要な機能のみを必要なときに利用でき，利用する機能に応じて料金を支払う。

ASPサービス

ASP サービスは，インターネットを通じて顧客にビジネス用アプリケーションをレンタルするサービスである。また，ASP サービスを提供する事業者を，ASP（Application Service Provider）という。顧客は，主にブラウザから ASP のサーバにインストールされたアプリケーションを利用する。一般的に，このようなサービスの形態を ASP サービスというが，企業を対象としたサービスに限定して，ASP サービスということもある。

● EDI

EDI（Electronic Data Interchange：電子データ交換）は，

用語解説

コンテンツベース

コンテンツベースのレコメンデーションは，あらかじめ設定した属性（カテゴリ，色，価格など）とWeb参照者が選んだものとの関連性を分析し，似たものをレコメンドする。例えば，「この記事にアクセスしたらこの記事を表示する」のような関連付けである。

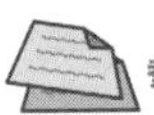
参考

SaaSに似たサービスに，IaaS，PaaSなどがある。IaaS（Infrastructure as a Service）は，ハードウェアが提供され，OSやアプリケーションは利用者が用意する。PaaS（Platform as a Service）は，ハードウェアとOSが提供され，アプリケーションは利用者が用意する。

参考

本文で説明したもののほか，ソリューションビジネスにはSOAもある。SOAは部品化と似ているが，部品化よりも機能を細分化している。

参考

パブリッククラウド，プライベートクラウド

パブリッククラウドは，一般利用者を対象に提供されるクラウドサービスである。一方，プライベートクラウドは，企業が自社内でクラウドコンピューティングのシステムを構築し，企業内の部門やグループ会社などに対して提供するサービスである。

企業間での商取引をコンピュータネットワークによる電子データの交換で行うために，商取引データのフォーマット（様式）とその手順を定めたものである。個々の企業だけでなく，参加企業全体のコスト削減，効率化，迅速化，正確性の向上などを目的としている。国際的な標準プロトコルとして，EDIFACT が使われている。

EDI は，次の 4 レベルで構成される。

取引基本規約

取引基本規約（第 4 レベル）は，業務に関連する基本的な契約である。受発注の方法や検収の時期と方法，担保責任や代金支払方法などの基本契約事項やデータ交換協定などを取り決める。

業務運用規約

業務運用規約（第 3 レベル）は，EDI の運用方法にかかわる取決めである。EDI を実施するために必要な運用にかかわる技術的な諸事項，業務処理の方法に関することが決められる。

情報表現規約

情報表現規約（第 2 レベル）は，交換データを送受信者間のコンピュータが理解するのに必要なデータ（データフォーマット）の記述方法の取決め（ビジネスプロトコル）である。シンタックスルール（構文規則），標準メッセージ，データエレメントから構成される。

情報伝達規約

情報伝達規約（第 1 レベル）は，コンピュータ間通信にかかわる取決め（通信プロトコル）である。TCP/IP や JCA 手順，全銀協手順などが該当する。

● デジタルツイン

デジタルツインは，サイバー空間（デジタル空間）上に実際の製品や製造工程を再現したシステムである。検証したい物理的なモノや空間を，デジタル上にも再現し（デジタル上の双子を作り），仮想的なシミュレーションを行うことをいう。

用語解説

EDIFACT

EDIFACT（Electronic Data Interchange For Administration, Commerce and Transport）は，国際連合が EDI の国際標準として策定した電子文書の標準交換フォーマットである。シンタックスルールや標準メッセージを定めている。正式には，UN/EDIFACT（United Nations EDIFACT）という。

データエレメント

データエレメント（データ項目一覧）は，標準メッセージで使われるデータ項目の名称や属性，最大桁数，意味を定義している。すなわち，帳票上のデータを電子データに置きかえるための規約である。

参考

複数の企業が提供するサービスを集積し，一つのサービスとして利用できるようにしたサービス形態を，アグリゲーションサービスという。インターネットバンキングなどに預金者が保有する異なる金融機関の複数の口座の情報を，単一のコンピュータのスクリーンに集約して表示するようなサービスの総称である。

参考

RFIDタグのプレートの大きさは，用途によって異なる。大きいものでは，SuicaやPASMOがある。また，比較的小さいものは，衣類や電化製品などの商品に取り付けて使用される。RFIDタグには，取り付けた商品の商品情報などが書き込まれている。

●RFID

RFID（Radio Frequency Identification）は，電波を利用した認識システムである。RFIDタグという微小なICチップが埋め込まれているプレート（タグ）を，非接触式で読み書きする。バーコードに代わる商品識別・管理技術として研究が進められてきたが，現在は，IT化・自動化を推進するうえでの基盤技術として注目されている。具体的な例に，Suica，ICOCA，PASMOなどの乗車カード，Edy，iDなどの電子マネーのほか，社員証やセキュリティロックなどの認証用にも使われている。

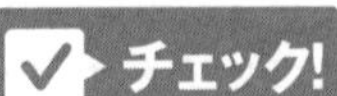

チェック!　よく出る午前問題で基本事項を確認

日付・正解 Check　／　／　／

問題1　[応用情報技術者試験 2015年春期午前 問70]　難易度 ★　出題頻度 ★★★

IoT（Internet of Things）の実用例として，**適切でないもの**はどれか。

ア　インターネットにおけるセキュリティの問題を回避する目的で，サーバに接続せず，単独でファイルの管理や演算処理，印刷処理などの作業を行うコンピュータ

イ　大型の機械などにセンサと通信機能を内蔵して，稼働状況や故障箇所，交換が必要な部品などを，製造元がインターネットを介してリアルタイムに把握できるシステム

ウ　自動車同士及び自動車と路側機が通信することによって，自動車の位置情報をリアルタイムに収集して，渋滞情報を配信するシステム

エ　検針員に代わって，電力会社と通信して電力使用量を申告する電力メータ

問題2　[応用情報技術者試験 2015年春期午前 問71]　難易度 ★★　出題頻度 ★★★

ある期間の生産計画において，図の部品表で表される製品Aの需要量が10個であるとき，部品Dの正味所要量は何個か。ここで，ユニットBの在庫残が5個，部品Dの在庫残が25個あり，他の在庫残，仕掛残，注文残，引当残などはないものとする。

レベル0		レベル1		レベル2	
品名	数量（個）	品名	数量（個）	品名	数量（個）
製品A	1	ユニットB	4	部品D	3
				部品E	1
		ユニットC	1	部品D	1
				部品F	2

ア　80　　イ　90　　ウ　95　　エ　105

解説 1

IoT（Internet of Things：モノのインターネット）は，コンピュータなどの情報・通信機器だけでなく，世の中に存在する様々な物体（モノ）に通信機能をもたせ，インターネットに接続したり相互に通信することにより，自動認識や自動制御，遠隔計測などを行うことである。大型の機械などにセンサと通信機能を内蔵して稼働状況や故障箇所，交換が必要な部品などを製造元がリアルタイムに把握できるシステムや，自動車の位置情報をリアルタイムに集約して渋滞情報を配信するシステム，人間の検針員に代わって電力メータが電力会社と通信して電力使用量を申告するスマートメーターなどが考案されている。

ここでいうモノは，スマートフォンのようにIPアドレスをもつものや，IPアドレスをもつセンサから検知可能なRFID（Radio Frequency Identification）タグを付けた商品，IPアドレスをもった機器に格納されたコンテンツのことである。

なお，「ア」の記述は，スタンドアローンのコンピュータの説明である。

正解：ア

解説 2

製品Aを1個製造するのに，ユニットBが4個，ユニットCが1個必要なので，製品Aを10個製造するには，ユニットBが40個，ユニットCが10個必要である。しかし，ユニットBの在庫が5個あるので，実際に必要なユニット数は，次のようになる。

製品Aを10個→ユニットBが35個→部品Dが（35×3＝）105個必要
→ユニットCが10個→部品Dが（10×1＝）10個必要

以上から，部品Dは115個必要であるが，在庫が25個あるので，正味所要量は（115－25）＝**90**個（「イ」）である。

正解：イ

12.5 企業活動

企業活動は，新しい製品やサービスを企画し，生産し，それを販売する活動である。そして，これらの活動を直接担当する部門がライン部門，活動に必要な人や資金を管理して，ライン部門の支援を行う部門がスタッフ部門である。

12.5.1 経営・組織論

Point
- PDCAは事業活動の計画，実行，点検，処置のサイクル
- CIOは情報システムの最高責任者

経営・組織論は，企業の経営問題を中心として扱う分野である。適切な経営を行うには，適切な組織を作り上げていく必要がある。そして，企業は，組織を常に点検し，必要があれば，修正を繰り返す。

●PDCA

PDCAは，Plan（計画），Do（実行），Check（点検），Act（処置）の頭文字の合成語で，事業活動の計画，実行，評価，改善のサイクルを表す。例えば，組織のPDCAといえば，トップが方針を計画し（P），方針の下に事業活動を実行し（D），ミスやトラブルがないことを評価し（C），不都合があれば改善する（A）という手順である。すなわち，継続的改善を行っていくという概念である。

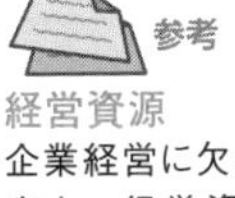

経営資源
企業経営に欠かせない要素を，経営資源という。経営資源には，昔から言われてきた"ヒト"（人材），"モノ"（生産設備，情報機器など），"カネ"（資金）の3要素と，近年は，"情報"（資料やデータ）が追加されている。

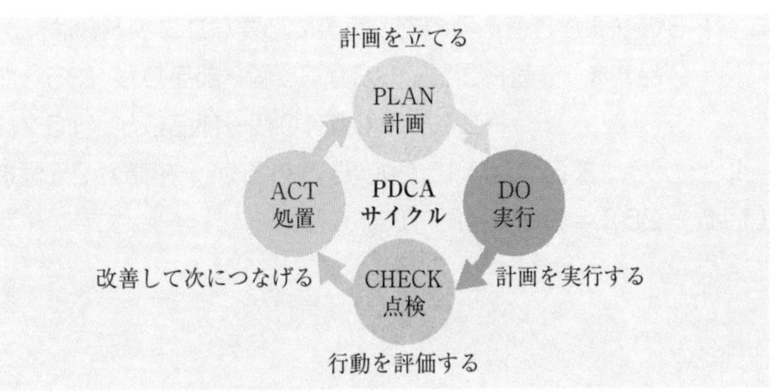

組織形態

組織形態は，必要に応じて，種々の形態をとる。大企業で多く見ることのできる組織形態に，事業部制やカンパニ制がある。また，事業部制やカンパニ制はある程度固定的であるのに対して，作業ごとに結成されるプロジェクト制もある。

事業部制組織

事業部制組織は，大規模な企業で採用されている組織で，事業内容ごとに編成された組織（事業部）が本社の下に配置された組織形態である。事業部は本社から自立し，独自に製品の製造や販売を行う。このため，事業部には，短期的に職務遂行に関する権限が与えられる。一方，本社は事業部を全般的に管理し，事業部の主要な人事の決定，業務の評価，全社的な基本方針の評価などの権限をもつ。

カンパニ制

カンパニ制は，事業部制において，各事業部をあたかも独立した会社のように分け，事業を運営する組織形態である。カンパニ制は内部組織にもかかわらず，あたかも独立した会社のように自律的な経営がなされることを狙っている。このため，ヒト，モノ，カネ，情報の経営資源を各カンパニに分配し，独立採算を徹底するとともに，権限も大幅に委譲する。

プロジェクト制

プロジェクト制は，一定の時間的制約の中で，日程や費用，技術的に明確に定められた目標の達成を目指し，目標を達成したら解散する組織である。すなわち，特定の目的を達成するために，臨時に結成される組織である。このため，プロジェクトには，原則として同じものはない。

経営層の分類

企業を運営するために，CEOやCIOなどの責任者（経営者）が存在する。通常は，取締役が兼任する。

会社を小さな組織（6～7人程度）に分けて独立採算を徹底させ，各部門は“時間当たり採算”という独自指標の向上を目指す組織を，アメーバ組織という。京セラが始めた経営管理手法である。一般には，部や課の下に複数のアメーバがぶら下がる形になる。

企業の組織形態の1つにライン／スタッフ組織がある。ライン部門の主な業務は，営業・販売，生産，研究・開発などである。また，スタッフ部門の主な業務は，総務，人事，経理・財務，企画などである。ライン／スタッフ組織では，ライン部門が現業部門で，スタッフ部門が管理部門である。

本文で説明した組織のほかに，職能別組織などがある。職能別組織は，生産，販売，総務など，部門ごとに構成されている組織である。各部門の長は，自分の管理している部門の決定権をもつと同時に，自分の担当職能については，他部門であっても命令権をもつ。

CEO

CEO（Chief Executive Officer：最高経営責任者）は，経営方針や企業戦略の決定を行う責任者である。CEOが企業グループ全体の戦略決定や対外折衝を担い，経営の最終責任を負うのに対し，後述するCOOは決められた戦略に従って運営面の実務を行う。

参考

CEO, CIO, COO, CISO, CPO以外に，CFOという責任者も存在する。CFO（Chief Financial Officer：最高財務責任者）は，企業などの組織体において，経理面の最高責任者である。米国型企業における役職名で，日本企業の財務部長や財務本部長と，ほぼ同じ意味である。

COO

COO（Chief Operating Officer：最高執行責任者）は，CEOの決定したことを実践していく責任者である。

CIO

CIO（Chief Information Officer：最高情報責任者，情報統括役員）は，情報システムの最高責任者である。通常，情報システム部門を統括する役員がCIOとなる。企業経営の中で情報資源を活用するために，情報化戦略を立案する責任をもつ。

CISOとCPO

CISO（シーソー）（Chief Information Security Officer：最高情報セキュリティ責任者）は，企業の情報セキュリティの管理と掌握を担当する役員クラスの役職である。CPO（Chief Privacy Officer：最高プライバシー責任者）は，企業が管理する消費者，社員などの個人情報を保護する役員クラスの役職である。

参考

コーポレートブランド

コーポレートブランドは，ステークホルダが，その会社・グループに対して抱くイメージを決定付けるものである。製品やサービスのブランドではなく，企業名そのものに対するブランドのことで，企業ブランドと呼ばれることも多い。ブランドの価値は，消費者一人ひとりが抱く経験や感想などによって築かれていく。

● コーポレートガバナンス

コーポレートガバナンス（企業統治）は，企業における意思決定の仕組みである。企業の運営や活動は，株主をはじめ，顧客，従業員，取引先，金融機関，地域住民など，多くの利害関係者（ステークホルダ）によって成り立っている。このため，経営者が勝手な行動をしないようにするため，相互の利害関係を円滑に調整しながら経営を方向付けていく必要がある。この考え方として，コーポレートガバナンスが提唱された。

● CSR

CSR（Corporate Social Responsibility：企業の社会的責任）

は，企業が利益を追求するだけではなく，組織活動が社会へ与える影響に責任をもち，あらゆるステークホルダからの要求に対して，適切な意思決定を行うことを指す概念である。企業にとって，ステークホルダそれぞれとの関係をこれまで以上に大切にし，具体的かつ実効性のある行動をとることが重要である。

IR

IR（Investor Relations）は，投資家やアナリストに対して，企業の経営状況を正確かつ迅速に，また，継続的に公表することである。企業は，IR活動を通じて投資家などと意見交換することでお互いの理解を深め，信頼関係を構築し，資本市場での正当な評価を得ることができる。一方，外部からの厳しい評価を受けることで，経営の質を高めることができる。

BCP

BCP（Business Continuity Plan：事業継続計画）は，企業が自然災害，大火災，テロ攻撃などの緊急事態に遭遇したとき，事業資産の損害を最小限にとどめながら中核となる事業の継続，あるいは早期復旧を図るための方針や手続きを示した計画である。BCPは，BCMに含まれる概念である。

裁量労働制

裁量労働制は，労働時間の制約を受けず，業績に応じて給与が支払われる労働形態である。業務の性質上，業務遂行の手段や方法，時間配分などを，大幅に労働者の裁量に委ねる必要がある業務に適用される。専門業務型と企画業務型とがあり，適用業務の範囲は，厚生労働省が定めた業務に限定されている。この制度が適用された場合，労働者は，実際の労働時間とは関係なく，労使であらかじめ定めた時間を働いたものとみなされるというみなし労働時間制となる。

IT関係の業務では，「情報処理システムの分析・設計などの業務」が該当する。また，IT以外では，記事の取材や編集を行う業務，公認会計士，弁護士，建築士などが該当する。

参考

CSRの具体的な例には，コンプライアンス（法令遵守），コーポレートガバナンス（企業統治），ディスクロージャ（情報開示）などがある。これらは，企業が社会に対して果たすべき責任と考えられている。

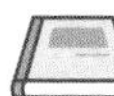
用語解説

BCM

BCM（Business Continuity Management：事業継続管理）は，企業が事業継続に取り組むうえで，BCPの策定から，その導入・運用・見直しという継続的改善を含む包括的・統合的な事業継続のためのマネジメントである。

参考

労働時間を提供する代わりに給料をもらうという労働形態が一般的であるが，労働時間が把握しづらい一部の職種には，みなし労働時間という制度が適用されることがある。裁量労働制もこの例である。1日外出するような営業担当者もみなし労働時間制を適用する場合がある。

参考

ダイバーシティ

ダイバーシティは，多様な人材を積極的に活用しようという考え方である。性別や人種の違いに限らず，年齢，性格，学歴，価値観などの多様性を受け入れ，広く人材を活用することで生産性を高めようとするマネジメントである。

●行動科学

経営における行動科学は，リーダシップ，コミュニケーション，モチベーション，ネゴシエーションなどに焦点を合わせることが多い。

リーダシップ

リーダシップは，集団の目標達成の過程の中で，コミュニケーションのプロセスを通して行使される対人的影響力である。

リーダシップをP（Performance：目標達成能力）とM（Maintenance：集団維持能力）の2つの能力要素で構成されるとし，2つの能力の大小によって，4つのリーダシップタイプ（PM型，Pm型，pM型，pm型）を提示し，PとMが共に高い状態（PM型）のリーダシップが望ましいという理論を，PM理論という。

SL理論

SL理論（Situational Leadership Theory）は，リーダシップ条件適応理論の1つで，部下の成熟度によって有効なリーダシップスタイルが異なるという前提に基づく理論である。組織は発足当時，構成員や仕組みの成熟度が低いので，リーダが仕事本位のリーダシップで引っ張っていく。成熟度が上がるにつれ，リーダと構成員の人間関係が培われ，仕事本位から人間関係本位のリーダシップに移行していく。さらに成熟度が進むと，構成員は自主的に行動でき，リーダシップは仕事本位，人間関係本位のいずれもが弱まっていく。

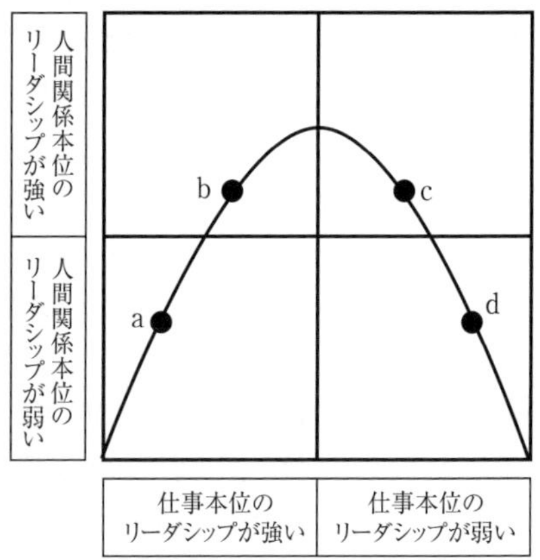

参考

グループダイナミックス

グループダイナミックスは，集団内のコミュニケーションや凝集性，集団圧力などを主要な研究対象とする行動科学の1分野である。集団において，人の行動や思考は，集団から影響を受け，また，相手に対しても影響を与えるという集団特性のことを指す。

間違えやすい

リーダシップのPは，目標設定や計画立案，メンバへの指示などにより目標を達成する能力，Mはメンバ間の人間関係を良好に保ち，集団のまとまりを維持する能力を指す。また，大文字（P，M）は能力が強いこと，小文字（p，m）は能力が弱いことを示す。

参考

リーダシップ論には，本文の他，リーダシップ特性論，状況即応理論などがある。リーダシップ特性論（特性理論）は「リーダは作られるものではなく，生まれながらもつ特質である」という考え方，状況即応理論は「良いリーダシップとはチームの状況によって行動を変えるべき」という考え方である。

a － 教示的リーダシップ（部下の成熟度が低い場合）：具体的に指示し事細かに監督
b － 説得的リーダシップ（部下が成熟度を高めてきた場合）：こちらの考えを説明し疑問に応答
c － 参加的リーダシップ（さらに部下の成熟度が高まった場合）：考えを合わせて決められるように指導
d － 委任的リーダシップ（部下が完全に自立性を高めてきた場合）：仕事遂行の責任を委譲

コミュニケーション

コミュニケーションは，伝達，報道，意思の疎通という意味がある。つまり，コミュニケーションは自分の考えていることを相手に伝えることである。コミュニケーションの手段は言語を用いるのが一般的であるが，ジェスチャなど非言語的コミュニケーションもある。コミュニケーションのための技法として，資料調査，アンケート調査，インタビュー，観察調査，プレゼンテーション，会議（レビューを含む），文書化などが実施されている。

会議の場において，中立の立場で合意形成や相互理解に向けて深い議論がなされるよう調整する役割を負った人を，ファシリテータという。議論に対して中立な立場を保ちながら話し合いに介入して論点を明確にする。

モチベーション

モチベーション（動機付け）は，誰かが，第三者に何かをさせようとして行う行動で，他人に何らかの具体的なアクションを起こさせるようにすることである。やる気を出させるだけではなく，やる気を一定の方向へ向けて動かすことも含む。

企業がDX（Digital Transformation：デジタル化）を自主的に取り組めるように，デジタル技術による経営ビジョンの策定・公表という経営者に求められる対応を経済産業省が取りまとめたものを，デジタルガバナンス・コードという。最新版は，デジタルガバナンス・コード2.0である。

ネゴシエーション

ネゴシエーションは，交渉するという意味である。従来，日本企業では，事前の根回しで物事を決めることが多くあったが，国際的な取引が増えた現在，根回しなどの日本流の交渉術だけではなく，現場での交渉力（ネゴシエーション）が求められるようになった。

12.5.2 IE・OR

午後にも出る

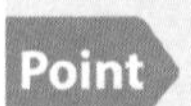

■ QC 七つ道具は定量的なデータの分析に利用
■ 在庫管理の方式には定期発注法，定量発注法など

IE（Industrial Engineering：インダストリアルエンジニアリング）は，「経営目的を定め，それを実現するために，環境（社会環境及び自然環境）との調和を図りながら，人，物（機械，設備，原材料，補助材料及びエネルギー），金及び情報を最適に設計し，運用し，統制する工学的な技術・技法の体系」（JIS Z 8141）である。OR（Operations Research：オペレーションズリサーチ）は，「科学的方法および用具を体系の運営方策に関する問題に適用して方策の決定者に問題の解を提供する技術」（JIS Z 8121）である。

間違えやすい

JIS規格のORの定義はわかりづらいので，補足しておく。ORは，数学的・統計的モデル，アルゴリズムを利用することで，複雑なシステムの分析などにおける意思決定を支援し，また意思決定の根拠を他人に説明するための数学的手法である。

参考

デシジョンツリー

デシジョンツリーは，取り得る選択肢や起こりうる事象全てを樹形図の形で洗い出し，それぞれの選択肢の期待値を比較検討した上で，実際にとるべき選択肢を決定する手法である。□は決定すべき点（決定点），○は不確定な事象を示す点（不確定点）という。

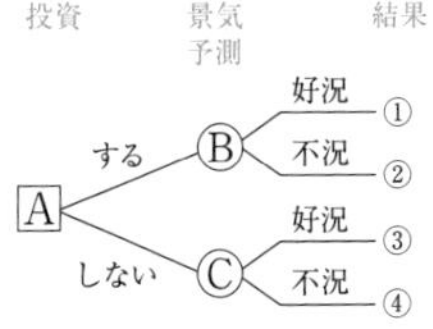

● 品質管理手法

品質管理（Quality Control：QC）は，顧客に提供する商品及びサービスの質を向上するための企業の一連の活動体系である。そして，QC 活動を，製造部門だけではなく，サービス部門や管理部門など，全社的に広げた活動を，TQC（Total Quality Control）という。さらに，TQC を発展させたものが TQM（Total Quality Management）である。

代表的な QC 手法として，QC 七つ道具と新 QC 七つ道具を取り上げる。

QC 七つ道具

QC 七つ道具は，定量的なデータの分析に使われる。図を使って視覚的に表すことで，問題点が直感的にわかり，また，説明も簡単にできるようになる。

QC 七つ道具の概略は，次のとおりである。

名称	概略
特性要因図	品質と，それに影響を及ぼすと思われる要因との関連を系統的に網羅した図。品質に影響を与えている要因を追究するときに利用
パレート図	数量の多い項目から順にその累積を折れ線グラフで示し，項目の実数は棒グラフで表す。重要なもの，原因などを選ぶのに利用
ヒストグラム	範囲をいくつかの区間に分け，各区間のデータの出現頻度を棒グラフで表す。データの分布の形やバラツキを把握するのに利用
散布図	座標上の点のバラツキ具合から，2つの項目間の特性（例えば，原因と結果）の相関関係の有無やその強さを示すときに利用
チェックシート	項目別にデータをとったり，確認漏れをなくすために利用。チェックするだけで簡単に結果がわかるような図や表の総称
層別	得られたデータや調査結果などを，項目別に分けるときに利用。項目間の違いが一目でわかるような図や表の総称
管理図	品質が安定な状態にあるかどうかを調べるため，または，品質を安定な状態に保持するために利用

参考

層別は，多くのものを特徴などによって，幾つかのグループに分けることである。問題点をより具体化することができる。これは，ツールというよりも方法論である。また，JIS規格では，グラフ（円，棒，折れ線など）もQC七つ道具に含まれている。このため，七つではなく八つ定義されることになる。

以下，QC七つ道具（散布図，層別以外）の例を示す。

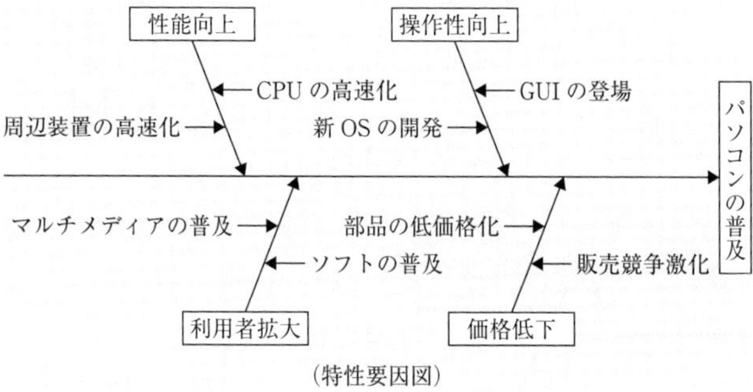

（特性要因図）

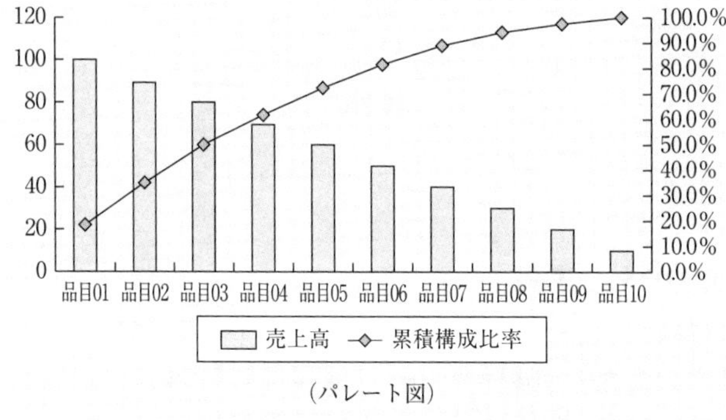

（パレート図）

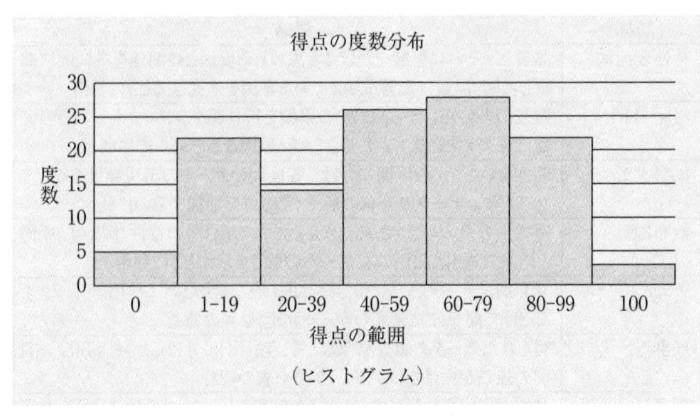

（ヒストグラム）

時間帯	チェック	度数
9:00 ～ 10:00	正 正 正 正 正 正	30（ 33）
10:00 ～ 11:00	正 正 正 正	20（ 22）
11:00 ～ 12:00	正 正 正	15（ 17）
12:00 ～ 13:00	正 正 正 正 正	25（ 28）
合計		90（100）

（チェックシート）

図が与えられて名称を答えるという出題は，ほとんどない。特徴が文章で与えられ，正解の記述を選ぶというのがほとんどである。本文では図を示したので，各図の特徴をしっかりと押さえておく。

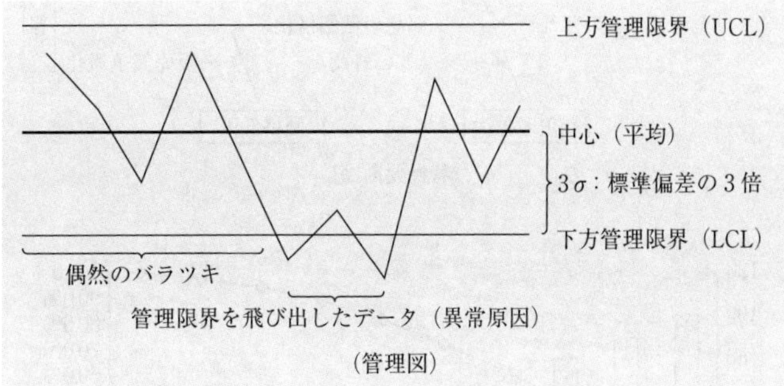

（管理図）

●新 QC 七つ道具

新 QC 七つ道具は，言語データに代表される定性的なデータを取り扱う手法で，問題解決の対策，計画などを考えるときに用いる。

新 QC 七つ道具の概略は，次のとおりである。

名称	概略
連関図法	ランダムに提起された事柄や問題などの因果関係を明らかにし，解決を図ったり，問題や原因を特定したりするときに利用
親和図法	あまり整理されていない事象や考えがまとまっていない事象を分析し，同じような内容をグルーピングするときに利用
系統図法	目的を達成するため，系統的な考え方で手段を展開しながら，最適な手段を探すときに利用
マトリックス図法	2つのカテゴリに分けられた要素を行と列にあてはめ，要素間の関係を明らかにするときに利用
マトリックスデータ解析法	マトリックス図法において要素間の関連が数値データで把握できたとき，計算により定量的に整理するのに利用
PDPC法	Process Decision Program Chart 目的を達成するためのプロセスを，できる限り望ましい方向へと導く方策を事前に検討しておくときに利用
アローダイアグラム法	種々の作業の相互関係を表すことができ，日程計画の作成と作業の進行状況を管理・把握するときに利用

参考

デルファイ法

デルファイ法は，長期未来予測や技術予測に用いられる論理予測手段である。デルファイ法は，多くの人（専門家であることが多い）の意見をアンケートにより収集・分析し，その結果を集約して見せ，再度アンケートをとるというフィードバックの特徴を活用したものである。

以下，新 QC 七つ道具の例を示す。

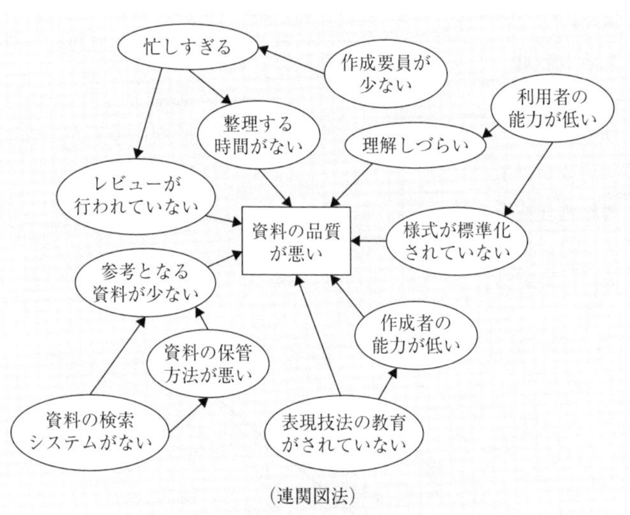

（連関図法）

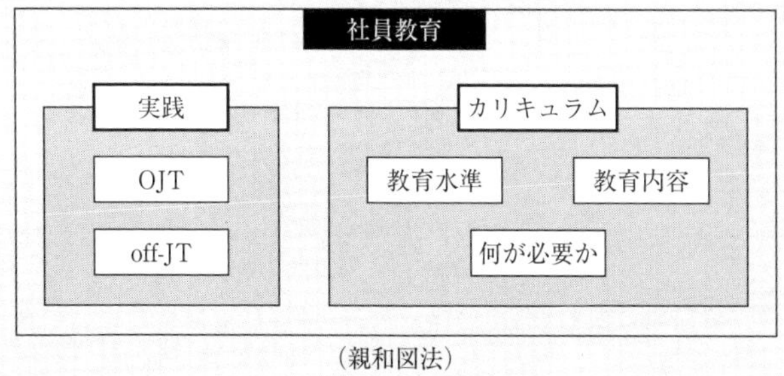

（親和図法）

参考

連関図には，ある問題に対して，その原因，その原因に関連する原因を矢印で結んでいく**原因結果型連関図**と，目的を達成するための手段を追求していく**目的手段型連関図**がある。本文の連関図は，原因結果型連関図の例である。連関図において，⬭→⬭は，原因→結果の関係がある。また，▭は，最終的な結果（問題点）である。

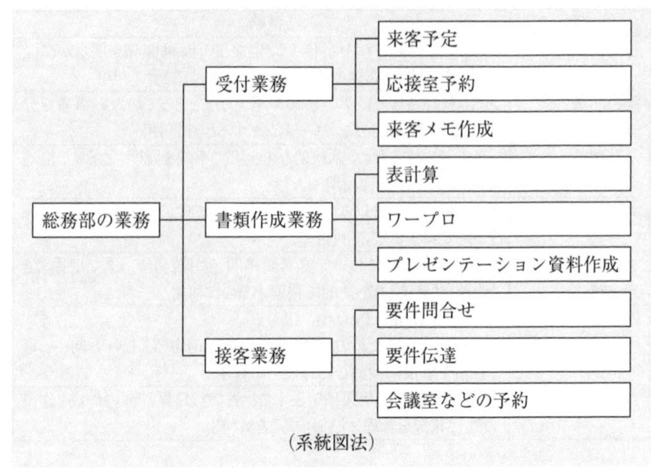

（系統図法）

職務内容＼区分	技術系	事務系
電話の応対	◎	◎
接客	△	○
ワープロ	△	◎
表計算ソフト		◎
情報処理技術	◎	○
プレゼンテーション	◎	△
事務処理の流れ	△	◎

◎：必須
○：時間に余裕があれば
△：希望者のみ

（マトリックス図法）

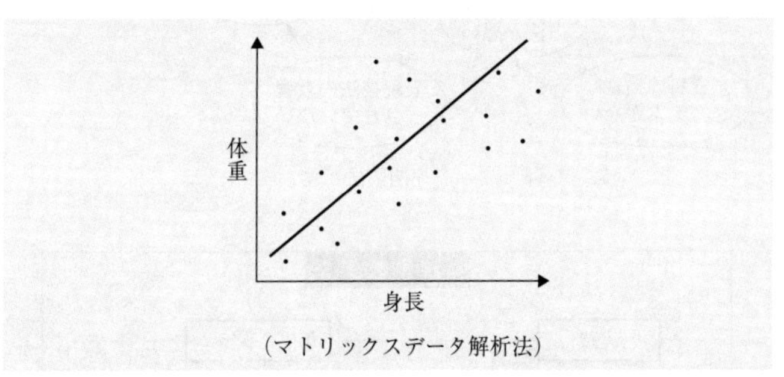

（マトリックスデータ解析法）

▶試験に出る

図が与えられて名称を答えるという出題は，ほとんどない。特徴が文章で与えられ，正解の記述を選ぶというのがほとんどである。本文では図を示したので，各図の特徴をしっかりと押さえておく。

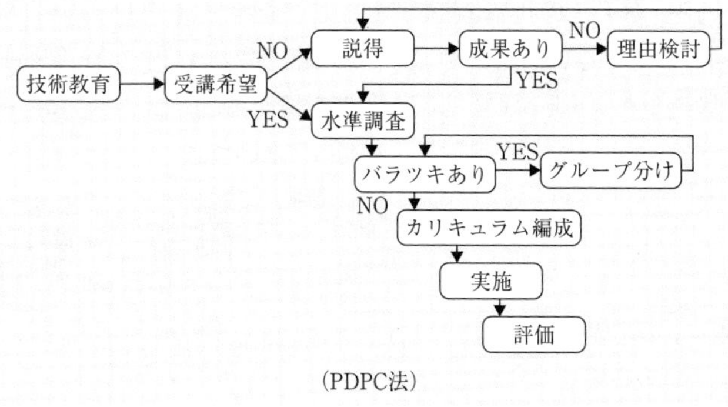

（PDPC法）

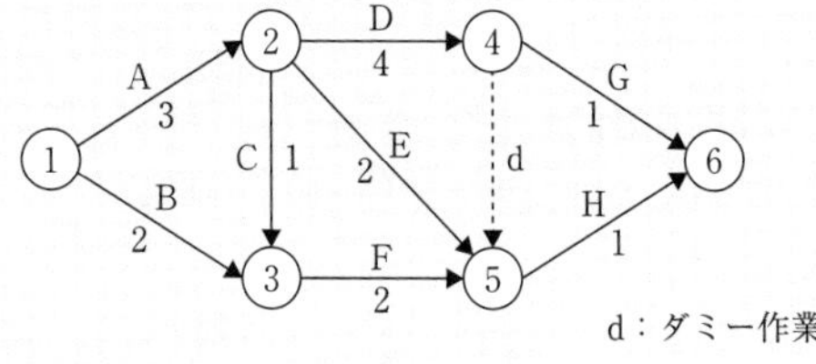

（アローダイアグラム法）

●線形計画法

線形計画法（Linear Programming：LP）は，有限な資源を有効に活用して，工場の生産計画を立てたり，流通業者の輸送計画を立てたりするときに使われる手法である。制約条件の付いた場合に，最大利益を求める問題として表すことができる。

線形計画法について，具体的に例題を解いてみる。例えば，条件が，次のように与えられたとする。

> ある工場で製品A，Bを生産している。製品Aを1トン製造するのに，原料P，Qをそれぞれ4トン，9トン必要とし，製品Bについてもそれぞれ8トン，6トン必要とする。また，製品A，Bの1トン当たりの利益は，それぞれ2万円，3万円である。原料Pが40トン，Qが54トンしかないとき，製品A，Bの合計の利益が最大となる生産量を求める。ここで，製品A，Bの生産量をそれぞれxトン，yトンとする。

条件は，製品Aを1トン製造するのに，原料P，Qをそれぞれ4トン，9トン必要とし，製品Bについてもそれぞれ8トン，6トン必要とする。また，製品A，Bは，1トン当たりそれぞれ

参考

LP問題を手計算で解くには，2変数の場合はグラフを使って解くが，3変数以上になった場合は，シンプレックス法を使う。シンプレックス法では，シンプレックス表（タブロー）を用いて線形計画問題を解く。

2万円，3万円の利益を生む。しかし，原料Pは40トン，Qは54トンしかない。そこで，製品Aの製造量をx（トン），製品Bの製造量をy（トン）として，条件を整理する。このように，生産するための幾つかの制限を，**制約条件**という。

	製品A 製造量 （xトン）	製品B 製造量 （yトン）	最大 供給量
原料Pの必要量	4トン	8トン	40トン
原料Qの必要量	9トン	6トン	54トン
製品1トン当たり利益	2（万円）	3（万円）	最大化

整理した結果を横方向に見て，原料P，原料Qについての制約条件式を作る。（c）式は，非負条件（負でないこと，すなわち0以上）という。

$4x + 8y \leqq 40$　…　（a）（原料Pに関する制約条件式）
$9x + 6y \leqq 54$　…　（b）（原料Qに関する制約条件式）
$x \geqq 0,\ y \geqq 0$　…　（c）（非負条件：製造量なので負数にはならない）

（a），（b），（c）の各制約条件式において，利益を最大にする式Zは次のようになる。この式を，目的関数という。

$Z = 2x + 3y$　…　（d）（目的関数）

これらの関係から，（a），（b），（c），（d）の各式を満たすx，yを求めることになる。

（a），（b），（c）を満たす領域は，次のグラフのグレーの網掛け部分である。各直線は，（a），（b）の各式を等式にしたもので，次のようになる。

（a）：$4x+8y = 40 \rightarrow x+2y = 10 \rightarrow y = -\frac{1}{2}x+5$

（b）：$9x+6y = 54 \rightarrow 3x+2y = 18 \rightarrow y = -\frac{3}{2}x+9$

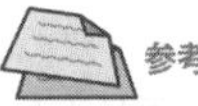
参考

線形計画法の問題を手計算で解くには，2変数の場合，本文で示したようにグラフを使って解く。3変数以上の場合は，シンプレックス法と呼ばれる方法を用いる。ただし，シンプレックス法で時間内に解くのはかなり難しいため，過去に出題されたことはない。このため，シンプレックス法はLP問題を解くための方法であることを知っていればよい。

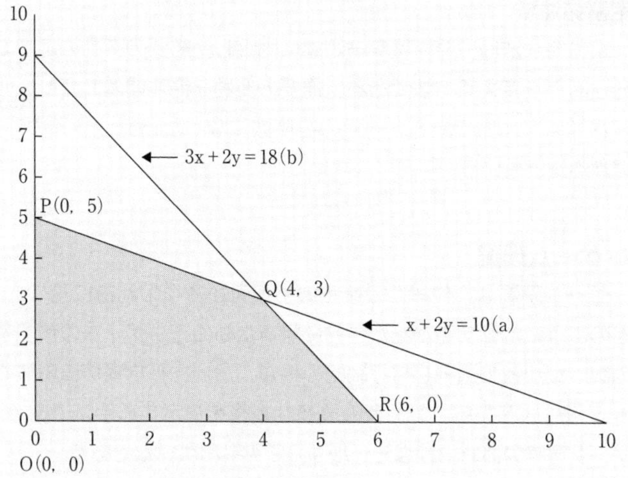

グレーの網掛け部分の頂点のいずれかが目的関数の最大値を与える。そこで，各頂点の座標値を目的関数に代入する。

O (0, 0)：$Z = 2 \times 0 + 3 \times 0 = 0$
P (0, 5)：$Z = 2 \times 0 + 3 \times 5 = 15$
Q (4, 3)：$Z = 2 \times 4 + 3 \times 3 = 17$（最大利益）
R (6, 0)：$Z = 2 \times 6 + 3 \times 0 = 12$

したがって，製品Aを4トン，製品Bを3トン生産したとき，利益が17万円と最大になる。

▶試験に出る

各頂点のいずれかが最大値の組を表すことの証明は割愛するので覚えておく。実際の出題では，2つの直線の交点が最大値を示す点であることが多い。このため，解答に当たっては，2つの直線の連立方程式を解く必要があることが多い。

在庫管理

在庫管理は，倉庫などに積まれている過剰在庫を減らしたり，在庫品の不足を起こさないように適切な対策をとったりすることである。すなわち，生産量と需要とのバランスをとることである。需要の変動や発注時点などを考慮した在庫管理の方法として，定期発注法と定量発注法がある。

定期発注法

定期発注法は，発注時期を固定し，需要の変動に応じて発注数量を変える方法である。需要の変動を発注量に吸収させる考え方である。発注間隔の期間に需要がどう変動するかを考慮して発注数量を決定するため，需要の変動の影響を受ける程度が，定量発注法より少ない。

参考

定量発注法においては，在庫維持費と発注経費の和を最小にする観点から発注数量が決定される。このような発注数量を，経済的発注量(Economic Order Quantity：EOQ）という。EOQは，次式で算出する。

$$EOQ = \sqrt{2MK / CP}$$

M：1年間の確定需要量
K：1回当たりの発注費用
C：在庫維持比率（在庫額1円当たりの在庫維持費）
P：購入単価

参考

発注から納品までの期間を調達期間（リードタイム）という。調達期間が長い商品は，調達期間の間に在庫切れを起こさないように発注量を適正に判断する必要がある。単価が高い商品の在庫切れは，機会損失が大きい。

参考

1回の戦略の実施に当たって，幾つかある戦略から確率分布に従って複数の戦略をとる方策を，混合戦略という。このため，取り得る戦略は無数にある。いずれかに決定しなければならない場合は，混合戦略は採用しない。

参考

1回の戦略の選択において，相手の出方によって1つの特定の戦略を選択することを，純粋戦略という。

参考

利得表の各行の損失の最大値を求め，さらにその中で最小値を選択するという考え方をミニマックス原理という。これは最大の損失を最小にするという考え方である。また，各行の最大値を求め，さらにその中で最大値を選択するという考え方を，マクシマックス原理という。これは，楽観的な選択といわれる。

定量発注法

定量発注法は，発注量を一定量に固定し，需要の変動に応じて発注時点を変える方法である。需要の変動を発注間隔の変動に吸収させる考え方である。一定の在庫数になったら発注するので，発注点法ともいう。

●ゲーム理論

ゲーム理論は，ゲームの複数の参加者が各々の利益に基づき，どのように行動するかを数学的に扱ったもので，ゲームの参加者の数，参加者の選択し得る戦略の種類，選択された戦略に応じて得る利益などから，参加者の最適な戦略を決定する手法である。ゲーム理論の最も単純なモデルは，２人零和ゲームである。

２人零和ゲームは，参加者が２人で，参加者のとる方策は自動的に決まってしまうというものである。

次のゲームを考える。これは，利得表といい，Ａの各戦略についての利益を示したものである。白い部分は，Ａが戦略１をとったとき，Ｂが戦略１をとれば，Ａの利益は－３であることを示す。

		Bの戦略		
		1	2	3
Aの戦略	1	−3	6	−2
	2	2	2	1
	3	5	−4	−2

ここで，Ａ，Ｂともに，最小の利益を最大にするような戦略をとるものとする。Ａから見ると，最小利益は，戦略１が－３，戦略２が１，戦略３が－４なので，このうちの最大利益となる戦略２を選択することになる。このように，考えうる最小の利益の場合から最大の場合を選ぶという考え方を，マクシミン原理という。

●ナッシュ均衡

ナッシュ均衡は，ゲームの全ての参加者が相互に他者の戦略を考慮に入れつつ，自己の利益を最大化するような戦略を実行したときに成立する均衡状態をいう。例えば，次の利得表を考える。表の各セルにおいて，左側の数値がA社のシェア，右側の数値がB社のシェアとする。

単位 %

		B社	
		戦略b1	戦略b2
A社	戦略a1	40, 20	50, 30
	戦略a2	30, 10	25, 25

表の例であれば，B社がどちらの戦略を選択しても，A社はa1を選択した方が大きなシェアを取れる。逆に，A社がどちらの戦略を選択しても，B社はb2を選択した方が大きなシェアを取れる。したがって，a1とb2で互いの戦略は確定する。

参考

B社がb1を選択した場合，A社はシェア40となるa1を選択する。また，B社がb2を選択した場合，A社はシェア50となるa1を選択する。どちらにしても，a1を選択することになる。同様に考えて，B社はb2を選択することになる。結果的に互いの戦略が確定することになる。

OC曲線

品質や性能を保証するために統計的な手法やシミュレーションが使われる。そして，統計的な手法の1つにOC曲線がある。

OC曲線（Operating Characteristic curve：検査特性曲線）は，抜取検査で，ロットの品質とその合格の確率との関係を示す曲線である。抜取検査方式の性質を示す曲線で，通常，横軸にロットの品質を，縦軸に合格の確率を目盛る。

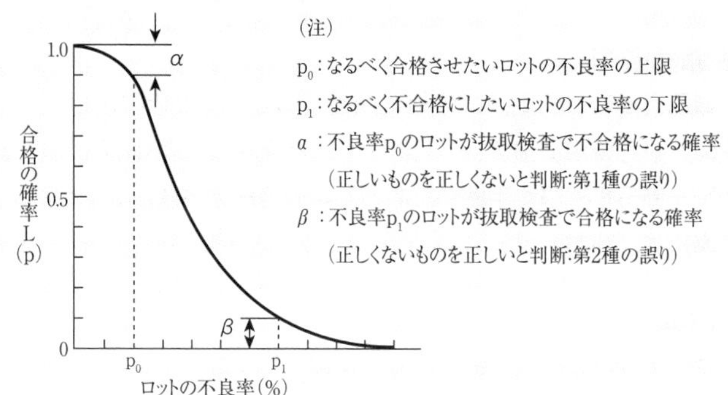

1.0
0.5
0
α
β
合格の確率L(p)
p_0
p_1
ロットの不良率(%)
(注)
p_0：なるべく合格させたいロットの不良率の上限
p_1：なるべく不合格にしたいロットの不良率の下限
α：不良率p_0のロットが抜取検査で不合格になる確率
(正しいものを正しくないと判断：第1種の誤り)
β：不良率p_1のロットが抜取検査で合格になる確率
(正しくないものを正しいと判断：第2種の誤り)

間違えやすい

抜取検査方式が決まれば，それに対応してOC曲線が決まる。OC曲線を検討することで，その抜取検査方式のもつ検査の厳しさを把握することができる。

間違えやすい

第1種の誤りは，正しいものを正しくないと判断するため，供給側（生産者）が損失を被ることになるので，生産者危険という。また，第2種の誤りは，正しくないものを正しいと判断するため，製品の受入れ側（消費者）が損失を被ることになるので，消費者危険という。

12.5.3 会計・財務

午後にも出る

Point
- 財務会計ではB/SとP/Lが基本的な財務諸表
- 損益分岐点売上高は営業利益が0となる売上高

企業会計には，財務会計と管理会計がある。財務会計は，株主，債権者など，企業の外部関係者に会計情報を報告する処理である。このとき，必要となるのが，B/SとP/Lである。また，管理会計は，企業内部の関係者に会計情報を提供するための処理である。損益分岐点分析や原価分析，棚卸評価などがある。

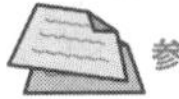

参考

いつでも支払手段に当てることのできる現金，預金，有価証券などを，資金という。なお，定期預金，貯蓄性保険，有価証券も資金ではあるが，即時に換金できないので，通常，資金繰りでの資金には含めない。

● B/SとP/L

B/S（Balance Sheet：貸借対照表）は，企業の一時点における財政状態を示すもので，資産や負債，資本の関係を示す。P/L（Profit and Loss statement：損益計算書）は，1会計年度の経営成績を示すもので，費用や収益（売上）などの関係を示す。残高試算表の資産を示すのがB/S，収益を示すのがP/Lで，収益から費用を引いたものが純利益である。B/Sの純利益は資本の増加があったことを意味し，P/Lの純利益と等しくなる。

用語解説

残高試算表

残高試算表は，決算を行うに当たり，取引内容が正確かどうかをチェックするために作成される表である。全ての勘定科目について，損益計算書と貸借対照表の区別なく貸借に並べる。このとき，借方と貸方の金額の合計は一致する。

● 減価償却

減価償却は，固定資産の取得原価（購入したときの価格）を一定の方法で費用に割り当てて計上し，その分，固定資産の価額（価値）を減らしていく手続きである。減価償却の方法には，定額法，定率法などがある。

定額法

定額法は，毎期，一定額を減価償却費として計上する方法である。毎期の減価償却額は，次式で計算する。

毎期の減価償却額＝取得原価×償却率

定額法の償却率は，（1／耐用年数）で計算する。例えば，耐用年数が10年であれば，償却率は0.1である。なお，耐用年数は，物品ごとに法律で定められている。

定率法

定率法は，帳簿価格（未償却残高）に一定の償却率をかけて，毎期の減価償却費を計上する方法である。未償却残高は次第に減少するので，償却額も減少する。なお，償却率は，耐用年数によって物品ごとに法律で定められている。

● 損益分岐点分析

損益分岐点は，売上高と総費用（変動費＋固定費）が等しくなる売上高又は数量である。売上高で示すときは損益分岐点売上高，数量で示すときは損益分岐点販売数量というが，単に損益分岐点といった場合，会計上は損益分岐点売上高を指す。損益分岐点の売上高を下回ると損失（赤字）となり，上回ると利益が出る（黒字）ことになる。このように，損益分岐点を使った経営分析の方法を，損益分岐点分析という。

損益分岐点分析では，横軸に売上高と販売数量，縦軸に収益と費用を目盛り，売上高線と固定費線，総費用線を引く。売上高と収益は比例するので，売上高線の傾きは 45 度となる。固定費は一定なので，固定費線は x 軸に平行な直線となる。さらに，変動費は，売上高に比例するので直線となるが，固定費との和を求め，総費用線として引く。

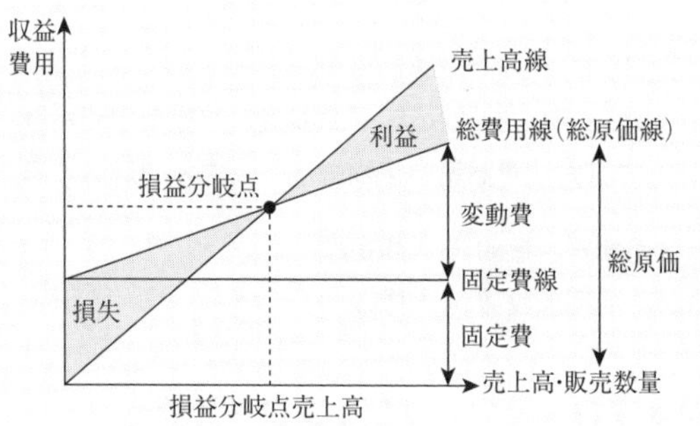

以上の手順によって，売上高線と総費用線が交差した点が損益分岐点となり，このときの売上高が，損益分岐点売上高である。

$$損益分岐点売上高 = \frac{固定費}{1-変動費／売上高} = \frac{固定費}{1-変動費率} = \frac{固定費}{限界利益率}$$

減価償却では，資産が残っていることを示すため，備忘価額として1円を帳簿に残す必要がある。定額法では毎期の償却費は同額であるが，最後の期の償却費は1円少ない額となる。定率法においても同様で，備忘価額1円を帳簿に残す必要がある。

間違えやすい

損益分岐点分析における利益は，営業利益であることに注意する。売上総利益から販売費及び一般管理費を引いたもの（売上総利益は売上高から売上原価を引いたもの）が，営業利益である。なお，一般的に利益といった場合，経常利益を指す。経常利益は，次式で計算する。

経常利益＝営業利益
＋営業外収益
－営業外費用

売上高から変動費を引いたものを限界利益という。販売単価100万円の商品の変動費が70万円であれば，限界利益は30万円となる。

限界利益が高いほど会社には最終的な利益が残りやすく，利益を出しているかどうかを判断する際には，限界利益は売上高よりも重要な指標になる。

12

棚卸評価

棚卸評価は，棚卸資産の実際量（在庫金額）を確かめることである。棚卸資産は，販売することで現金となったり製品の製造のために消費されたりする資産である。

棚卸評価には，先入先出法，後入先出法，移動平均法，総平均法がある。

先入先出法

先入先出法（First In First Out：FIFO）は，入庫の古い順に出庫，すなわち，入庫の新しいものが残っているとみなして在庫金額を評価する方法である。

後入先出法

後入先出法（Last In First Out：LIFO）は，入庫の新しい順に出庫，すなわち，入庫の古いものが残っているとみなして在庫金額を評価する方法である。

移動平均法

移動平均法は，入庫の都度，在庫数と入庫数で新しい単価（平均単価）を計算する方法である。平均単価は，次式で計算する。

$$平均単価 = \frac{在庫金額 + 入庫金額}{在庫数 + 入庫数}$$

総平均法

総平均法は，期首，期中を問わず，入庫価格，数量を全て合計し，平均単価を計算する方法である。平均単価は，次式で計算する。

$$平均単価 = \frac{前期繰越金額 + 入庫金額}{前期繰越数 + 入庫数}$$

キャッシュフローとキャッシュフロー計算書

キャッシュフローは，資金の流れ，若しくはその結果としての資金の増減を指す。キャッシュフロー計算書は，企業の一定期間の現金の流れを分析し，その増加・減少の原因を明示しようとするものである。すなわち，純現金収支の増減額を表したものである。数値がプラスであればキャッシュの流入を表し，マイナスであればキャッシュの流出を表す。

▶間違えやすい

棚卸評価の結果は，経済状況によって変化する。インフレ傾向（単価が次第に上がる）にあるときは，先入先出法での評価が最も高くなる。一方，デフレ傾向（単価が次第に下がる）にあるときは，後入先出法での評価が最も高くなる。

参考

製品の製造に必要な費用を，製造原価という。一般に，原価の発生形態から，材料費，労務費，経費に分類できる。原価を製品との関連で，その発生が直接的に認識されるかどうかによって，直接費と間接費に分類できる。直接費は特定の製品ごとに直接計算できる原価，間接費は製品ごとに直接計算できない原価で，一定の基準の下に，各製品に割り当てる。これを，製造間接費の配賦という。

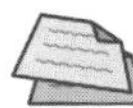

参考

キャッシュフロー計算書は，その源泉となる活動により以下の3つの区分に分けられる。

- 営業活動によるキャッシュフロー計算書
- 投資活動によるキャッシュフロー計算書
- 財務活動によるキャッシュフロー計算書

なお，営業活動キャッシュフローと投資活動キャッシュフローを併せたものをフリーキャッシュフローという。

正味現在価値法

正味現在価値（Net Present Value：NPV）法は，投資などを行う際に，各期のキャッシュフローに年利を考慮し，現在価値に換算した累計額（正味現在価値）がプラスならその投資を採用し，マイナスならば却下するという方法である。

現在価値（Present Value：PV）は，将来の収入又は支出をある割引率で複利計算により現在の価値に換算した値である。現在価値は，将来価値をA，割引率をr，期間をnとして，次のように計算する。

$$PV（現在価値）=\frac{A}{(1+r)^{n}}$$

例えば，3年後の1,000万円を，10%の割引率（年）で考えると，3年後の1,000万円の現在価値は次のようになる。

$$P=\frac{1{,}000万円}{(1+0.1)^{3}}=\frac{1{,}000万円}{1.331}\fallingdotseq 751万円$$

NPVは，一連のキャッシュフローについて個別に現在価値を計算し，その値を累積して計算する。

記号を次のようにし，NPVの計算式を導く。

C_t：t年後の名目利益（名目キャッシュフロー）	n：対象期間
r：年利	I：初期投資額

t年後の現在価値は，t年後の名目の価値を$(1+r)^t$で割ればよいので，C_tは次のようになる。

$$C_t の現在価値=\frac{C_t}{(1+r)^{t}}$$

したがって，全体の現在価値（NPV）は，次のようになる。

$$NPV=-I+\frac{C_1}{(1+r)^{1}}+\frac{C_2}{(1+r)^{2}}+\cdots+\frac{C_{n-1}}{(1+r)^{n-1}}+\frac{C_n}{(1+r)^{n}}$$

例えば，現在価値（PV）4,000万円の設備に3,700万円の投資をしている場合，NPVは次のようになる。

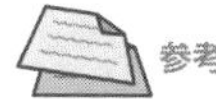
参考

NPVは，投資によってどれだけの利益が得られるのかを示す指標で，投資の意思決定をするために用いられる。理論的には，NPV＝0ならそのプロジェクトに投資しても利益は出ないということであり，NPVが0以上なら有利で，大きいほどよいとされる。また，割引率は，金利（利息）と考えればよい。

▶試験に出る

NPVに関する計算問題の出題は少ない。しかし，NPVの概念を問う問題の出題頻度は高い。まず，NPVの概念は確実に把握しておく。計算問題については，出題されるとかなり面倒な計算になるので慎重に計算する必要がある。

参考

本文で示したNPV法以外に，投資の評価方法として，回収期間法がある。回収期間法は，投資額が何年で回収されるかを算定し，その期間（通常は年数）によって投資案を評価する。投資によって生み出されるキャッシュフローの累計額が投資額と等しくなる期間を年（投資回収年数）で求め，想定した期間内であれば投資を行い，そうでなければ見送る。

NPV ＝現在価値（Present Value：PV）－必要な投資額
　　＝ 4,000 － 3,700 ＝ 300（万円）

投資を行うかどうかは，投資額を上回る価値があるかどうかで判断する。すなわち，NPV が正ならば投資，負ならば投資を行わない。通常は，将来価値から PV を計算し，その PV から投資額を差し引いてNPV を計算する。1 年後の将来価値が 4,200 万円，その収益率（割引率）が 5% とすると，PV は次のように 4,000 万円となり，投資額が 3,700 万円であると，NPV は 300 万円となる。この場合は，投資を行うと判断する。

PV ＝ 4,200 ÷ (1 ＋ 0.05) ＝ 4,000（万円）

なお，NPV についてはわかりづらいので，節末の「チェック！」において，具体例で示しておく。

用語解説

ROI

ROI(Return On Investment：投資利益率）は，投資した資本に対して得られる利益の割合で，企業の事業や資産，設備の収益性を示す指標である。投資に見合った利益を生み出しているかどうかを判断するために使われる。

$$\text{ROI} = \frac{\text{利益}}{\text{投下資本}}$$

参考

投資額が何年で回収されるかを計算し，その期間（年数）によって投資を行うかどうかを判断する方法を，PBP（Pay Back Period method：回収期間法）という。投資効果を評価する方法の一つである。

●財務諸表の分析

B/S と P/L の内容から，ROA や ROE，ROI などを算出することで，企業の経営状態を把握することができる。

ROA

ROA（Return On Assets：総資産利益率）は，会社の資産がどれだけ利益を生み出しているかを示す指標で，日本の企業では，5% を超えていれば優秀とされている。

$$\text{ROA} = \frac{\text{利益}}{\text{総資産}} \times 100\ (\%)$$

ROE

ROE（Return On Equity：自己資本利益率）は，株主に対する収益還元に重点を置いて，株主資本（自己資本）に対してどれだけ利益を生み出したかを表す指標で，株式の投資尺度として用いられている。

$$\text{ROE} = \frac{\text{利益}}{\text{自己資本}} \times 100\ (\%)$$

チェック! よく出る午前問題で基本事項を確認

日付・正解 Check ／ ／ ／

問題 1 [応用情報技術者試験 2020 年 10 月午前 問 68]

難易度 ★　出題頻度 ★★

現在の動向から未来を予測したり，システム分析に使用したりする手法であり，専門的知識や経験を有する複数の人にアンケート調査を行い，その結果を互いに参照した上で調査を繰り返して，集団としての意見を収束させる手法はどれか。

ア　因果関係分析法　　イ　クロスセクション法
ウ　時系列回帰分析法　　エ　デルファイ法

問題 2 [応用情報技術者試験 2020 年春期午前 問 77]

難易度 ★★　出題頻度 ★★★

損益計算資料から求められる損益分岐点売上高は，何百万円か。

単位　百万円

売上高	500
材料費（変動費）	200
外注費（変動費）	100
製造固定費	100
総利益	100
販売固定費	80
利益	20

ア　225　　イ　300　　ウ　450　　エ　480

問題 3 [応用情報技術者試験 2023 年春期午前 問 77]

難易度 ★★　出題頻度 ★★★

会社の固定費が150百万円，変動費率が60%のとき，利益50百万円が得られる売上高は何百万円か。

ア　333　　イ　425　　ウ　458　　エ　500

問題 4　[応用情報技術者試験 2019 年春期午前 問 64]　難易度 ★★★　出題頻度 ★★

投資効果を正味現在価値法で評価するとき，最も投資効果が大きい（又は損失が小さい）シナリオはどれか。ここで，期間は3年間，割引率は5%とし，各シナリオのキャッシュフローは表のとおりとする。

単位　万円

シナリオ	投資額	回収額		
		1年目	2年目	3年目
A	220	40	80	120
B	220	120	80	40
C	220	80	80	80
投資をしない	0	0	0	0

ア　A　　イ　B　　ウ　C　　エ　投資をしない

解説 1

ア　因果関係分析法は，幾つかのマーケティング要因の間に因果関係を想定したモデルを設け，それが妥当であるかどうか，また，それぞれの関係の強弱の程度はどうかを明らかにする方法である。

イ　クロスセクション法は，時間の経過につれて変動していく現象を，ある一時点で横断的に取ったデータを分析する方法である。時系列分析とは対比的な分析概念である。特定の事象に対する影響因子の相互関係を分析するというもので，例えば，年齢という因子が特定の事象にどのように影響を与えているかというような分析概念である。なお，単に，企業間，業界間など分析対象と同一のグループに属する他社との比較分析を行うことを指してクロスセクション分析ということもある。

ウ　時系列回帰分析法は，過去から現在に掛けて，時間経過で得られた統計量（時系列データ）を基に回帰分析を行う方法である。回帰分析は，2組の観測値の系列の間に，どのような関係があるかをみて予測を行う手法である。

エ　デルファイ法は，長期未来予測や技術予測に用いられる論理予測手段である。多くの人（専門家であることが多い）の意見をアンケートにより収集・分析し，その結果を集約して見せ，再度アンケートをとるというフィードバックの特徴を活用したものである。また，直感的な手法なので，非連続的な技術の変化を対象とした調査に有効であり，会議などで生じがちな雰囲気に左右されるような弊害を避けることができ，多数意見と相違する場合はその理由などを添付することにより，貴重な意見を得ることができるなどの特徴がある。このため，質問項目の設定が，重要である。

正解：エ

解説 2

損益分岐点の式に，損益計算資料に与えられている売上高500百万円，変動費の合計300百万円，固定費の合計180百万円を代入する。固定費，変動費はそれぞれ2つずつあることに気をつける。

$$損益分岐点=\frac{180}{1-\dfrac{300}{500}}=\frac{180}{0.4}=450（百万円）$$

なお，次のように考えてもよい。

固定費の総額は，180百万円，変動費の総額は，300百万円である。

ここで，損益分岐点は売上高から変動費を引いた金額が固定費と同じになった点（営業利益が0となったときの売上高）である。変動費は売上高に比例し増減する費用なので，損益分岐点の売上高をxとすると，次のような関係が成立する。

$500:(500-300)=x:180$

$500:200=x:180$

$\therefore\ x=500\times180\div200=450$（百万円）

正解：ウ

解説 3

売上高，固定費，変動費，利益に間には，次の関係が成立する。

利益＝売上高－総費用

＝売上高－（固定費＋変動費）…　(1)

変動費率は，売上高に対する変動費の割合で，次式で計算できる。

$$変動費率=\frac{変動費}{売上高}\ \rightarrow\ 変動費=売上高\times変動費率$$

売上高をx（百万円）とすると，変動費率が60%（＝0.6）と与えられているので，変動費は，次のようになる。

変動費＝x×0.6

＝0.6x

(1)式に，利益＝50（百万円），売上高＝x，固定費＝150（百万円），変動費＝

0.6x（百万円）を代入する。

$$50 = x - (150 + 0.6x)$$
$$= 0.4x - 150$$
$$\therefore\ 0.4x = 200$$
$$x = \mathbf{500}\text{（百万円）}$$

正解：エ

解説 4

各シナリオについて，回収額が投資額を上回るかどうかを計算して確認する必要はあるが，回収額の合計が同じなので，より早く大きな金額を受け取れた方が現在価値の合計が高くなる。したがって，投資効果は高い方から，B，C，Aの順となる。ただし，投資額を上回っているかどうかの検討が必要である。このため，NPVが正であることを確認する必要がある。負であれば，"投資をしない"（「エ」）を選ぶ必要がある。

Bについて NPVを計算すればよいが，参考に，A，Cも併せて計算しておく。計算途中の除算において，割り切れないときには，小数点第3位を四捨五入して，小数点第2位までを示している。このため，$(1+0.05)^n$の計算結果は，次の値を使用した。

$$(1+0.05)^1 = 1.05$$
$$(1+0.05)^2 = 1.1025 \fallingdotseq 1.10$$
$$(1+0.05)^3 = 1.157625 \fallingdotseq 1.16$$

$$\text{シナリオA} = \frac{40\text{万}}{(1+0.5)^1} + \frac{80\text{万}}{(1+0.5)^2} + \frac{120\text{万}}{(1+0.5)^3} - 220\text{万}$$
$$\fallingdotseq 38.10 + 72.73 + 103.45 - 220 = -5.72\text{（万円）}$$

$$\text{シナリオB} = \frac{120\text{万}}{(1+0.5)^1} + \frac{80\text{万}}{(1+0.5)^2} + \frac{40\text{万}}{(1+0.5)^3} - 220\text{万}$$
$$\fallingdotseq 114.29 + 72.73 + 34.48 - 220 = 1.5\text{（万円）}$$

$$\text{シナリオC} = \frac{80\text{万}}{(1+0.5)^1} + \frac{80\text{万}}{(1+0.5)^2} + \frac{80\text{万}}{(1+0.5)^3} - 220\text{万}$$
$$\fallingdotseq 76.19 + 72.73 + 68.97 - 220 = -2.11\text{（万円）}$$

以上から，Bは正（1.5万円）となるので，シナリオBが最も有利となる。

正解：イ

12.6 法務

法務は，司法関係の事務の業務である。本節では，企業法務について学習する。企業法務は，企業経営にかかわる法律上の業務の総称である。例えば，契約書の作成，特許及び商標の調査，出願などである。

12.6.1 知的財産権

- 産業財産権や著作権などは知的財産権
- 著作権の種類は著作財産権と著作者人格権

知的財産は，人間の創造的活動によって得られた財産である。知的財産権には，発明や著作など人間が行った知的成果に対する権利と，営業上の信用が形となった商標などの無体財産に対する権利がある。

次は，知的財産権の種類とその知的財産権を保護する法律の対応である。

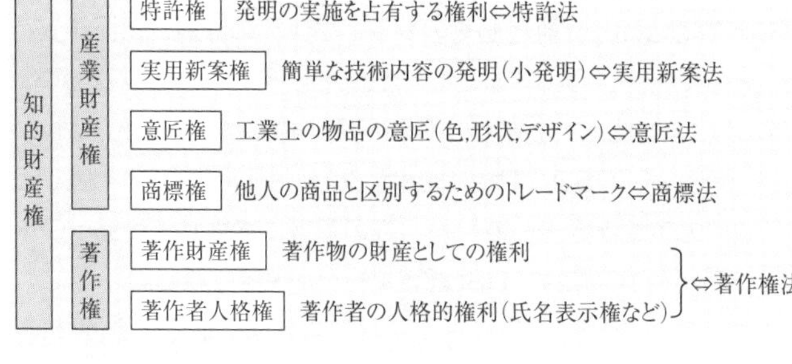

間違えやすい

著作権は，広義には，著作物を創作したことにより著作者に発生する権利である。本文の図では黒網掛けの著作権である。狭義には，財産としての著作権で白地で示した著作財産権である。また，著作物の創作者ではないが著作物の伝達に重要な役割を果たす実演家，レコード製作者，放送事業者，有線放送事業者などに認められる権利を著作隣接権という。

間違えやすい

著作権には，財産としての著作財産権と著作者人格権がある。著作者人格権は，公表権，氏名表示権，同一性保持権のように，著作者の人的利益をいう。著作財産権は譲渡できるが，著作者人格権は譲渡できない。

著作権法

著作権法は，文芸，学術，美術又は音楽に関する創造性ある表現の著作物の保護を目的とした法律である。IT 関連では，ソースプログラム，オブジェクトプログラム，データベース，設計書などの文書などが保護の対象となる。また，データベースは，デー

参考

著作権の原始的帰属（著作物に関する権利の帰属先）は，創作した著作者であるとするのが，著作権法の原則である。ただし，業務で作成した場合は，その作成者の所属する法人に帰属する。また，派遣先で作成した場合も，作成者本人ではなく，派遣先の法人となる。

タの内容，データを検索するプログラムについて，別々の著作権が与えられる。ただし，誰が作成しても同じようになる創作性のないプログラムは，保護の対象外である。

なお，プログラムを作成するためのプログラム言語，規約（プログラム言語の文法），解法（アルゴリズム）は著作権の対象外である。

●不正競争防止法

用語解説

トレードシークレット

トレードシークレットは，事業活動上有利となる秘密情報で，技術上，営業上の財産的価値のあるものである。各種製造技術，設計図，研究開発の各種ドキュメント，実験データ，ソフトウェアなど技術情報，顧客リスト，仕入先リスト，販売マニュアルなどである。

不正競争防止法は，他人の氏名などを無断で使用するといった不正競争を防止し，国民経済の健全な発展に寄与することを目的とした法律である。有名人の氏名，商号，商標，商品の容器や包装などの表示と同一の物，あるいは類似の物の使用に対して，差止請求権や損害賠償請求権が認められている。また，企業の未公開の技術や顧客情報など，企業の営業上の秘密（企業秘密，トレードシークレット）の保護もこの法律の目的である。特許が内容を公開したうえで権利を保護するのに対し，トレードシークレットは，未公開で保護する。

●OSS

参考

OSDの10項目は，次のとおりである。

①再頒布の自由
②ソースコードを入手できる
③派生ソフトウェアに元と同じライセンスを適用
④作者のソースコードの完全性を維持
⑤個人やグループに対する差別の禁止
⑥利用する分野に対する差別の禁止
⑦ライセンスの分配
⑧特定製品でのみ有効なライセンスの禁止
⑨他のソフトウェアを制限するライセンスの禁止
⑩ライセンスは技術中立

OSS（Open Source Software：オープンソース，オープンソースソフトウェア）は，インターネットなどを通じてソースコードを無償で公開し，誰でもそのソフトウェアの改良，再配布を行うことができるようにすること，あるいは，そのようなソフトウェアである。OSSについては，OSI（Open Source Initiative）という団体が，OSD（The Open Source Definition）という10項目の定義を発表している。この定義に準拠しているソフトウェアライセンスには，OSI認定マークが付与される。

なお，OSIと同様，フリーライセンスを推奨している団体に，GNUがある。GNU（グヌー）（GNU is Not UNIX）は，UNIX互換のフリーソフトウェアを開発するために発足したソフトウェア開発プロジェクトである。

12.6.2 セキュリティ関連法規

- 不正アクセス禁止法は不正アクセス行為そのものを禁止する法律
- 個人情報は生存している人の情報で外国人の情報も含む

セキュリティ確保のために多くの法律が定められている。しかし，いずれも完璧ではなく，法改正が望まれている。

● 不正アクセス禁止法

不正アクセス禁止法（正式には「不正アクセス行為の禁止等に関する法律」）は，他人のパスワードやユーザIDを無断で使用し，企業や政府のコンピュータに不正にアクセスすることを禁止するための法律で，次のような行為を禁止している。

- ・他人のユーザIDやパスワードを無断で使用
- ・セキュリティホールを利用して侵入
- ・他人のユーザIDやパスワードを無断で第三者に提供

従来は刑法の「電子計算機損壊等業務妨害罪」でこのような行為を取り締まっていたが，コンピュータに不正アクセスしても，明白な業務妨害がなければ法律の適用ができなかった。この法律では，不正アクセスという行為自体が禁止され，罰則規定も設けられた。

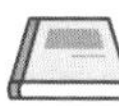

用語解説

刑法

刑法は，犯罪とそれに対する刑罰を定める法律である。コンピュータ犯罪の関連では，電磁的記録不正作出罪，電子計算機損壊等業務妨害罪，電子計算機使用詐欺罪，コンピュータウイルス作成罪などがある。電磁的記録不正作出罪は，事務処理を誤らせる目的で記録を不正に作成する行為である。

● サイバーセキュリティ基本法

サイバーセキュリティ基本法は，国のサイバーセキュリティに関する施策についての基本理念や国の責任範囲を明らかにし，施策の基本的事項の取り組みや体制の設置などを求める法律である。サイバーセキュリティ基本法では，サイバーセキュリティを，「電子的方式，磁気的方式その他人の知覚によっては認識することができない方式（以下この条において『電磁的方式』という。）により記録され，又は発信され，伝送され，若しくは受信される情報の漏えい，滅失又は毀損の防止その他の当該情報の安全管理のために必要な措置並びに情報システム及び情報通信ネットワークの

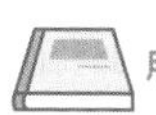

用語解説

サイバーセキュリティ

サイバーセキュリティは，サイバー攻撃に対して防御することである。コンピュータへの不正侵入，データの改ざんや破壊，情報漏えい，コンピュータウイルスの感染などから，コンピュータやネットワークの安全を確保する。

安全性及び信頼性の確保のために必要な措置（情報通信ネットワーク又は電磁的方式で作られた記録に係る記録媒体（以下『電磁的記録媒体』という。）を通じた電子計算機に対する不正な活動による被害の防止のために必要な措置を含む。）が講じられ，その状態が適切に維持管理されていることをいう。」（第２条）と定義している。

●マイナンバーとマイナンバー法

マイナンバーは，国民１人ひとりがもつ12桁の番号で，住民票をもつ人全員に付与されている。これは一生使うものなので，何らかの不正行為などに使われるおそれがなければ，番号は変更されない。外国籍の人でも，住民票があればマイナンバーは付与される。

マイナンバー法（正式には「行政手続における特定の個人を識別するための番号利用等に関する法律」）は，国民１人ひとりと企業や官公庁などの法人に唯一無二の番号を割り当て，社会保障や納税，防災に関する情報を一元的に管理するマイナンバー制度を導入するための法律である。

用語解説

オプトイン
オプトインは，メールマガジンの配信やサービスの利用などについて，利用することを事前に承諾することである。例えば，「今後，お知らせのメールを受信する」という趣旨の条項にユーザが承諾した場合に，メールを配信するなどの方式である。

●特定電子メール法

特定電子メール法（正式には「特定電子メールの送信の適正化等に関する法律」）は，無差別かつ大量に短時間に送信される広告など，迷惑メールを規制し，インターネットなどを良好な環境に保つため施行された法律である。制定後，実効性の強化のため，特定電子メール（広告宣伝メール）の範囲拡大や架空アドレスあての送信の禁止が定められ，さらに，原則としてあらかじめ同意した者に対してのみ送信が認められるオプトイン規制が導入されている。

▶間違えやすい

個人情報保護法においては，名刺はそれ1枚で個人を特定できる個人情報であると解釈される。また，企業の代表者の住所や氏名などの個人情報は，不特定多数に向けて公開されている情報であっても法律による保護の対象となる。

●個人情報保護法

個人情報保護法（正式には「個人情報の保護に関する法律」）は，個人情報の取扱いを規定した法律である。基本原則，国，地方公共団体及び独立行政法人の責務，個人情報の保護に関する施策（個人情報の保護に関する基本方針，国の施策，地方公共団体の施策，独立行政法人の施策，国及び地方公共団体の協力)，個人情報取扱事業者の義務などから構成される。

個人情報保護法では，個人情報を次のように定義している。

第2条 この法律において「個人情報」とは，生存する個人に関する情報であって，次の各号のいずれかに該当するものをいう。

一 当該情報に含まれる氏名，生年月日その他の記述等（文書，図画若しくは電磁的記録（電磁的方式（電子的方式，磁気的方式その他人の知覚によっては認識することができない方式をいう。次項第二号において同じ。）で作られる記録をいう。以下同じ。）に記載され，若しくは記録され，又は音声，動作その他の方法を用いて表された一切の事項（個人識別符号を除く。）をいう。以下同じ。）により特定の個人を識別することができるもの（他の情報と容易に照合することができ，それにより特定の個人を識別することができることとなるものを含む。）

二 個人識別符号が含まれるもの

●プロバイダ責任法

プロバイダ責任法（正式には「特定電気通信役務提供者の損害賠償責任の制限及び発信者情報の開示に関する法律」)は，インターネット上に公開されている情報によりプライバシーや著作権などの侵害があった場合に，プロバイダが負う損害賠償責任の範囲を規定した法律である。特定電気通信役務提供者は，基本的にはプロバイダのことである。

プロバイダ責任法では，権利侵害の被害が発生した場合でも，その事実を知らなければプロバイダは被害者に対して賠償責任を負わなくてもよいとしているが，該当する情報の公開停止・削除などの措置をとった場合の情報発信者に対する責任の範囲も規定している。

●通信傍受法

通信傍受法（正式には，「犯罪捜査のための通信傍受に関する法律」）は，組織的犯罪（銃器，薬物，密入国，組織的な殺人）対策関連法案の中の１つである。組織的犯罪を摘発するために，捜査機関による通信（電話，FAX，電子メールをはじめとするコンピュータ通信一般）傍受を限定的に認めるものである。しかし，

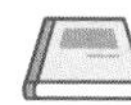

プロバイダ

プロバイダ(Internet Service Provider：ISP，インターネットサービスプロバイダ)は，インターネットに接続するためのサービスを提供する事業者である。インターネットに接続するには，ISPとの契約が必要である。

要配慮個人情報

要配慮個人情報は，取扱に特に配慮を要するもので取得に制限があり，オプトアウト（情報主体の許可なし）による第三者提供は認められていない。具体的には，人種，信条，社会的身分，病歴，犯罪の経歴，犯罪の被害にあった事実，身体障害・知的障害・精神障害等があること，健康診断等の結果，保健指導・診療・調剤に関する情報，逮捕・差押えなどの刑事事件に関する手続が行われたこと（犯罪の経歴を除く），少年の保護事件に関する手続が行われたこと，ゲノム情報などである。

参考

本文で説明した法律以外に，**電子署名認証法**がある。電子署名認証法（正式には，「電子署名及び認証業務に関する法律」）は，電子商取引を安全に行うために，公開鍵を政府が保証し，電子署名に署名や捺印と同等の法的根拠を与えている。

この法律は電話盗聴を前提にして作られているため，電子メールやFAXなどにそのまま適用するには，制度面，運用面で様々な矛盾があること，盗聴捜査の乱用に対する防止策が不十分であること，憲法21条（通信の自由の保障）に反するなど，反対意見も各方面で根強くある。

このため，傍受するに当たっては傍受令状を裁判所から入手する必要がある。また，傍受してよい通信は，傍受令状に記載された通信のみである。

12.6.3 労働関連・取引関連法規

- 派遣契約では業務上の指揮は派遣先が行うが，雇用契約は派遣元と締結
- 下請法では物品の受領日から 60 日以内に支払うことを規定

労働者の保護を目的として，労働者派遣法，労働基準法などが定められている。また，取引を円滑にするため，下請法などが定められている。

●労働者派遣法

労働者派遣法（正式には，「労働者派遣事業の適切な運営の確保及び派遣労働者の保護等に関する法律」）は，派遣労働者の保護を目的とした法律である。派遣契約では，派遣労働者の作業場所（所在地を含む），派遣期間，就業開始・終了時刻，休憩時間，休日，業務内容などについて契約書で定めることになっている。また，作業上のリーダなど，直接指揮をとる者についての情報も契約書に記述することになっている。派遣の対象となる業務には，一部を除いて制限はないが，同じ業務で最長 3 年，同じ部署で最長 3 年という期間制限がある。このため，1 つの部署で 1 人の派遣労働者が働ける期間が 3 年となる。この結果，派遣労働者は，異なる部署であれば，3 年を過ぎても派遣労働者として働き続けることができる。一方で，労働者の雇用の安定を図るため，派遣会社に対し，派遣期間が上限の 3 年に達した労働者について，直接雇用するよう派遣先に依頼することや，新たな派遣先を提供することなどを義務付けている。さらに，派遣会社に計画的な教育訓練を行うことを義務付けているほか，悪質な業者を排除するため，全ての派遣事業が厚生労働大臣による「許可制」となっている。

一方，派遣先の立場からは，同一の事業所における派遣労働者の継続的な受入れは，3 年を上限としているが，期間経過日の 1 か月前までに事業所の従業員過半数労働組合（労働組合がなければ従業員過半数代表者）などから意見を聴取すれば，さらに 3 年間延長が可能である。そのあとも，同様に何度でも延長が可能で

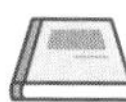
用語解説

労働者派遣
労働者派遣は，派遣元事業主（派遣会社）が，自己の雇用する労働者を派遣先の指揮命令を受けてこの派遣先のために労働に従事させることである。

参考

基本的にどのような業務でも派遣できるが，港湾運送業務，建設業務，警備業務，病院・診療所などにおける医療関連業務，弁護士・社会保険労務士などのいわゆる「士」業務については，派遣法の適用範囲から除かれ派遣が禁止されている。

▶間違えやすい

派遣契約では，派遣された労働者が作成したプログラム著作物の著作権は，派遣先に帰属する。また，派遣終了後に，プログラムに何らかの欠陥が発見されたとしても，その責任を派遣元に追及することはできない。

ある。

次は，派遣労働者，派遣元，派遣先の関係を示したものである。

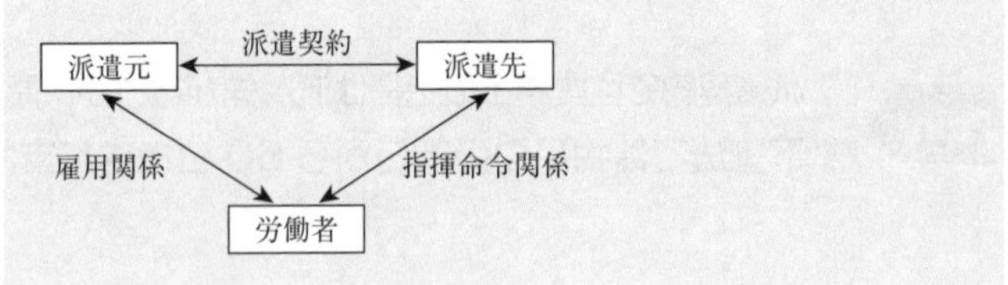

●労働基準法

労働基準法は，労働条件の最低基準を定めた法律である。労働基準法第 36 条において，1 年間の残業時間（労働時間の延長及び休日労働）などについて，労働組合（労働者の過半数で組織する），労働組合がない場合は，労働者の過半数を代表する者と書面による協定（通称「さぶろく協定」という）が必要であるとしている。労働基準法では，労働時間の延長時間や休日・深夜労働については，割増賃金を支払うように規定している。

▶間違えやすい

請負契約に対して，派遣契約は，作業内容の契約である。このため，作業の指揮命令は派遣先の責任者から受ける。一方，雇用契約は派遣元にあるので，雇用関係と指揮命令関係は一致しない。

▶間違えやすい

委任契約の例に，診療契約（医者による患者の診断），弁護士依頼契約，不動産取引仲介契約などがある。IT関係では，要求分析やシステム設計などは準委任契約，プログラム開発などは請負契約となることが多い。

●請負契約と委任契約

業務委託契約には，請負と委任がある。請負契約は，請負人がある仕事を完成させ，注文者がその仕事の結果に対して一定の報酬を支払うという契約である。仕事を完成して注文者に引き渡すことが，請負人の基本的義務であると同時に，代金の支払があるまでは，請負人は完成した仕事の引渡しを拒む権利（留置権）がある。請負は作業自体を受注するので，発注者の発注条件を満たす製品を納品すれば，どこで作業してもかまわない。また，作業を受注するので，雇用関係と指揮命令関係は一致する。

一方，委任契約は，法律行為をなすことを相手に委託することである。また，法律行為でない事務作業などを委託する契約を，準委任契約という。準委任契約では，委任契約の規則が準用される。委任，準委任とも，業務の遂行を目的としており，受託側に仕事を完成して引き渡す義務はなく，作業のために必要な指揮命令は受託側の責任者が行う。また，作業場所の制約は受けない。

経済産業省がまとめた取引・契約モデルの情報システム・モデ

ル取引・契約書では，情報システムを一括請負方式ではなく，多段階的契約（工程ごとに見積り·契約を行うこと）を推奨している。基本的には，内部設計，ソフトウェア実装，単体テスト，結合テストについては請負，要件定義，外部設計，システムテストについては，準委任を推奨している。

●偽装請負

偽装請負は，契約上などでは請負という形をとっているが，実態は労働者を注文主の管理下へ常駐させ，注文主の指揮命令の下に業務をさせる行為を指す。労働者派遣か請負かは，契約形式ではなく実態に即して判断され，労働者と注文者との間に指揮命令関係があれば，労働者派遣と判断される。

参考

仮想通貨
仮想通貨は，紙幣や硬貨のような現物をもたず，電子データのみでやり取りされる通貨である。主にインターネット上での取引に用いられ，特定の国家による価値の保証はない。インターネット上で，価値を持った電子データとしてネット送金や決済に使われている。

●下請法

下請法（正式には，「下請代金支払遅延防止法」）は，親事業者（発注側）の下請事業者（受注側）に対する取引を公正にし，下請事業者の利益を保護することを目的とした法律である。親事業者による受領拒否，下請代金の支払遅延・減額，返品，買いたたきなどの下請取引における不公正な取引方法を規制している。

下請法では，下請代金の支払遅延について，物品などを受け取った日（受領日）から60日以内に下請代金の支払をしなければならないと規定している。受け取った物品などの社内検査が済んでいないことを理由に，支払を引き延ばしてはならない。

参考

下請法では，支払日が金融機関の休業日であったときに，下請事業者の同意を得ずに翌営業日に支払を延ばすことも禁止している。また，金融機関の休業日による順延が認められるのは，2日以内で，あらかじめ親事業者と下請事業者との間で書面で合意しているときである。

なお，親事業者と下請事業者の関係は，資本金の額で決まる。ただし，作業内容によって，親事業者と下請事業者の定義は異なる。物品の製造・修理委託，及びプログラムの作成委託，運送・物品の倉庫における保管委託，情報処理委託の場合は定義1，情報成果物作成委託や役務提供委託の場合は定義2に従う。

		親事業者	下請事業者
定義1	資本金	3億円超	3億円以下
		1,000万円超3億円以下	1,000万円以下
		親事業者	下請事業者
定義2	資本金	5,000万円超	5,000万円以下
		1,000万円超5,000万円以下	1,000万円以下

参考
商品の購入代金やサービスの利用料を毎回請求するのではなく，一定期間利用することができる権利に対して料金を請求するビジネスモデルをサブスクリプション（サブスク）という。ソフトウェアを月単位，あるいは年単位で契約して料金を支払うと，その期間は対象のソフトウェアを利用できる。音楽配信，動画配信などでも行われている。

参考
本文で説明したソフトウェアの契約以外に，サーバにインストールしたソフトウェアをクライアントで読み込んで使用するサーバライセンス，パッケージの包装を開いた時点で使用契約に同意したとみなすシュリンクラップ契約などがある。

参考
国家公務員法，地方公務員法，国立大学法人法，弁護士法，電気通信事業法，電波法，技術士法，刑法など多くの法律で，守秘義務について規定している。職業では，国家公務員，地方公務員，医師，弁護士，薬剤師，医薬品販売業者，助産師など，多岐にわたる。

●ソフトウェア契約

ソフトウェアを使用するには，ライセンス契約が一般的である。ソフトウェアの利用形態や販売方式によって，種々のライセンス契約がある。

ライセンス（使用許諾）は，購入したソフトウェアを使用する権利である。ソフトウェアを購入すると，そのソフトウェアを使用するための契約書が添付されているので，その契約書に同意する場合に限り，契約書に定められた使用方法の範囲でそのソフトウェアの使用が認められる。このような，ライセンスによる契約をライセンス契約という。ライセンス契約は，1ライセンスで1人の利用者が1台のコンピュータで使用するのが一般的であるが，企業や学校など，特定の場所と使用人数を決めたサイトライセンスもある。

サイトライセンスは，ソフトウェアの本数で契約するのではなく，使用場所（サイト）に応じてライセンス料を決める方式である。企業や学校などが大量にソフトウェアパッケージを導入するときに採用される。サイトライセンス契約では，決められた範囲内であれば，複製は自由である。

また，大量に同じソフトウェアを購入するときは，ボリュームライセンス契約がある。ボリュームライセンスは，ソフトウェアのライセンスを必要な本数（許諾数）分，一括して契約する方法である。一括購入するので，購入費用の低減を図ることができる。

●守秘義務

守秘義務（Non Disclosure Agreement：NDA）は，業務上・職務上知り得た秘密をほかに漏らしてはならないという義務である。医師や弁護士，カウンセラーなど，業務上個人の秘密を知り得る立場にある仕事に対しては，守秘義務が徹底される。公務員や国家試験に合格して就く職については，法律で守秘義務が定められている。一般社会でも，一般労働契約や委任契約などを締結した当事者がこれらの契約に基づいて負う民事上の守秘義務もある。

12.6.4 その他の法律とガイドライン・技術者倫理

■ PL法は製品の使用者が身体的損害を受けたときの保証を定めた法律
■ コンプライアンスはCSR（企業の社会的責任）の具体例の1つ

今まで，幾つかの法律を取り上げたが，IT関係でも多くの法律が定められている。さらに，技術者は，組織内で定めた規範，ガイドライン，取扱基準などを遵守し，自らの行動に注意する必要がある。

●デジタル社会形成基本法

デジタル社会形成基本法は，デジタル社会の形成に関して、基本理念や施策策定の基本方針，国・自治体・事業者の責務，デジタル庁の設置，重点計画の作成について定めた法律である。2000年に成立したIT基本法の廃止を受けて2021年に制定された。行政サービスのデジタル化，暮らしや産業のデジタル化，デジタルデバイドへの対応を目的とした法律である。

参考

デジタル社会形成基本法の制定以前には，IT基本法が定められていた。IT基本法（正式には「高度情報通信ネットワーク社会形成基本法」という）は，世界最高水準のネットワークを構築・普及させることで全ての国民がその恩恵を授受できることを目的としていた。

●製造物責任法

製造物責任法（Product Liability：PL法）は，製造物の欠陥により，生命，身体，又は財産に被害が生じた場合に，製造業者が負う責任賠償を定めた法律である。ただし，輸入品については，輸入業者が責任を負う。

対象となる製造物とは，製造あるいは加工されたもの（動産）が対象で，加工されていない農林畜水産物，鉱物，電気などの無体エネルギ（ガソリンやガスは対象），ソフトウェア，データ，サービスなどは対象外である。ただし，ソフトウェアであっても，IC，ファームウェアなどの製品に組み込まれている場合は，PL法の対象となる。

参考

PL法において，製造物を引き渡したとき，科学・技術的に発見できない内容の欠陥であれば，製造者は損害賠償責任を問われない。さらに，製造物の引渡しから10年を経過した場合，損害あるいは賠償責任者を特定してから3年を経過した場合も同様である。

●リサイクル法と資源有効利用促進法

リサイクル法は，資源，廃棄などの分別回収・再資源化・再利用について定めた法律で，対象によって幾つかの法律に分かれている。このうち，PCの再資源化を規定しているのが，**資源有効利用促進法**（**パソコンリサイクル法**，正式には「**資源の有効な利用の促進に関する法律**」）である。

資源有効利用促進法では，使用済みPCなどが廃棄される際には，メーカの責任において回収・再資源化を行うことが義務付けられている。パソコンリサイクル法の対象となるのは，パソコン本体とディスプレイ，ノートパソコン，ディスプレイ一体型パソコンなどで，ワープロ専用機やプリンタ・スキャナなどの周辺機器は対象外である。リサイクル料金が上乗せされて販売される機種には，筐体に「PCリサイクルマーク」のシールが貼ってある。

電気通信事業法では，サービスを行う事業者を種類分けし，規制内容などを個別に定めている。電気通信事業の公共性を確保するため，検閲の禁止，通信の秘密保持，サービスの差別的取扱いの禁止，非常事態や公共の利益のための優先順位の選定などである。一方，電気通信事業に競争原理を導入し，大幅な規制緩和を図っている。

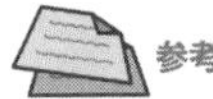

RoHS指令（ローズ）

RoHS指令（Restriction of the use of certain Hazardous Substances in electrical and electronic equipment：電気・電子機器における特定有害物質の使用制限）は，Restriction of the use of certain（使用制限），Hazardous Substances（有害な物質），In electrical and electronic equipment（電気・電子機器の中の）の合成語で，電気・電子機器における特定有害物質の使用制限に関するEUの法律である。

●電気通信事業法

電気通信事業法は，電気通信サービスの円滑な提供の確保，利用者の利益の保護，電気通信の健全な発達と国民の利便の確保を図るために制定された法律である。

電気通信事業法では，電気通信事業者を，届出電気通信事業者と登録電気通信事業者に分類している。**届出電気通信事業者**は，次の条件の①，②のいずれかを満たす電気通信事業者である。

① 電機通信回線設備を設置する事業者
- 端末系伝送設備が1つの市町村（特別区・政令指定都市では「区」の区域にとどまること）
- 中継系伝送設備が1つの都道府県の区域にとどまること

② 電機通信回線設備をもたない事業者

また，**登録電気通信事業者**は，届出電気通信事業者の要件のうち，①の要件を超える回線設備をもつ事業者である。

●技術者倫理と集団思考

技術者倫理は，専門職として技術に携わる人間の活動や行為に関する規範である。技術者は，その高い専門性から，企業や顧客の機密情報を手に入れることが可能であるため，種々の分野で，技術者としての倫理観や行動規範を示した倫理綱領が定められている。多くの技術者は倫理観をもって行動しているが，一部の技術者の倫理違反の行動によって，情報漏えいや事故が発生している。

技術者倫理の遵守を妨げる要因の 1 つとして，集団思考がある。集団思考は，集団が合議によって意思決定を行うとき，集団の強い結束がマイナス方向に作用して，メンバが個人で決定を下す場合よりもしばしば愚かで不合理な決定を行ってしまう傾向のことである。集団思考はチーム内の結束が強く，閉鎖的な体制などの欠陥をもち，チームにかかるストレスが高いようなときに発生しやすいと言われ，次のタイプがある。これは，集団思考の 8 つの兆候と呼ばれる。

第 1 類型（グループの能力や道徳性に対する過大評価）
- 自分たちを不死身とみなす幻想（過度の楽観視）
- 集団に固有の道徳性についての無批判の支持

第 2 類型（閉鎖的な関心）
- 不都合な情報を割り引いて合理化
- 集団外部への批判・偏見及び責任の転嫁

第 3 類型（均一性への圧力）
- 自身の意見が集団の総意から外れていないかをチェックする自己検閲
- 沈黙を同意とみなすなどの満場一致の幻想
- 反論するメンバへの直接的な圧力
- 集団の自己満足を妨げる情報が入ってくるのを阻止する意見監視員（用心棒）の出現

技術者には，遵法の意識も求められている。遵法の意識（遵法精神）とは，道徳，倫理，法律などの社会のルール（規範）を守ろうとする意識のことである。

集団思考を簡単に言うと，一人ひとりは非常に優秀であるはずの人たちが，集団になると非合理的な判断をしてしまうことを指す。また，「会議の雰囲気を壊したくないから，余計なことはいわない」，「優秀な参加者が多いから，自分が意見を言う必要はない」というようなことは，集団思考の例の一つである。

チェック!　よく出る午前問題で基本事項を確認

日付・正解 Check　／　／　／

問題 1　[応用情報技術者試験 2019 年秋期午前 問 78]　難易度 ★　出題頻度 ★★★

プログラムの著作物について，著作権法上適法である行為はどれか。

ア　海賊版を複製したプログラムと事前に知りながら入手し，業務で使用した。
イ　業務処理用に購入したプログラムを複製し，社内教育用として各部門に配布した。
ウ　職務著作のプログラムを，作成した担当者が独断で複製し協力会社に貸与した。
エ　処理速度の向上など，購入したプログラムを効果的に利用するために改変した。

問題 2　[応用情報技術者試験 2016 年春期午前 問 79]　難易度 ★★　出題頻度 ★★

個人情報保護法で保護される個人情報の条件はどれか。

ア　企業が管理している顧客に関する情報に限られる。
イ　個人が秘密にしているプライバシに関する情報に限られる。
ウ　生存している個人に関する情報に限られる。
エ　日本国籍を有する個人に関する情報に限られる。

解説 1

著作権法は，文化的所産の公正な利用に留意しつつ，著作者等の権利の保護を図ることで文化の発展に寄与することを目的に制定された法律である。プログラムやデータベースは著作権法で保護されているが，アイデア，プログラム言語，文法，解法（アルゴリズム）は保護の対象外である。

ア　海賊版（違法コピーをして作ったソフトウェアやコンテンツ）であることを知らなかった場合は違法とならないが，知っていた場合は違法となる。
イ　原則として複製権は著作者にある。
ウ　著作権は著作物の作成者に帰属するが，職務上で作成した場合は，法人に帰属する。
エ　コンピュータ上で動作させるため，必要な範囲での改変は認められている。

正解：エ

解説 2

個人情報保護法では，次のように規定している。下線部は，解答に関連する部分である。

> **第2条**　この法律において「個人情報」とは，生存する個人に関する情報であって，次の各号のいずれかに該当するものをいう。
> 一　当該情報に含まれる氏名，生年月日その他の記述等（文書，図画若しくは電磁的記録（電磁的方式（電子的方式，磁気的方式その他人の知覚によっては認識することができない方式をいう。次項第二号において同じ。）で作られる記録をいう。以下同じ。）に記載され，若しくは記録され，又は音声，動作その他の方法を用いて表された一切の事項（個人識別符号を除く。）をいう。以下同じ。）により特定の個人を識別することができるもの（他の情報と容易に照合することができ，それにより特定の個人を識別することができることとなるものを含む。）
> 二　個人識別符号が含まれるもの

ア　企業が管理している顧客情報に限らない。対象は，生存する個人の情報である。

イ　対象は，“当該情報に含まれる氏名，生年月日その他の記述等により特定の個人を識別することができるもの”である。

エ　生存している個人であれば，外国人の個人情報を含む。

正解：ウ

12.7 標準化

標準化は，共通の規約，構造，形式を決めることである。標準化することで，情報伝達をスムーズに行うことができる。本節では，情報処理関係の標準規約と標準化組織について学習する。

12.7.1 開発と取引／データ交換の標準化

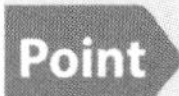

- ISO 9000は品質保証の規格，ISO 14000は環境保全の規格
- ISO/IEC 20000はITサービスマネジメントの規格

開発と取引に関する規格には，ISO 9000シリーズやISO 14000シリーズ，SLCPなど，セキュリティに関する規格にはISO 15408などがある。また，ITサービスマネジメントの規格には，ISO/IEC 20000シリーズがある。

▶間違えやすい

ISO 9000シリーズは，JIS Q 9000シリーズとしてJIS規格になっている。JIS Q 9000，JIS Q 9001，JIS Q 9004などの複数の規格から構成されるが，認証用の規格はJIS Q 9001である。

●ISO 9000シリーズ

ISO 9000シリーズは，ISOが定めた企業の品質保証体制に関する複数の国際規格の総称である。認証用の規格はISO 9001（JIS Q 9001）で，そのほかの規格は，ISO 9001の認証を取得するための指針となる事項である。企業や組織が，次の事項を目指していることを国際的に認めるもので，製品規格ではない。

・顧客要求事項や適用される規制要求事項を満たした製品を供給する能力をもつ

・顧客満足の向上を目指している

ISO 9000シリーズの内容は，次のとおりである。

規格	内容
ISO 9000	品質マネジメントシステムの基本と用語集
ISO 9001	品質マネジメント一般・文書化要求事項（経営者の責任，資源の運営管理，製品実現，測定・分析及び改善など）
ISO 9004	パフォーマンス改善の指針

●ISO 14000シリーズ

ISO 14000シリーズは，ISOが制定した環境保全管理に関する国際規格群である。エネルギー消費や産業廃棄物のような，地球の環境悪化につながる問題を解決するための企業などの取組みのガイドラインを定めている。環境管理システム，環境監査，エコラベル（製品が環境問題に配慮したものであることを表示するラベル），環境影響評価，ライフサイクルアセスメント（LCA），関連用語の定義などから構成される。ISO 9000シリーズの環境版で，第三者機関による適合認定を制度化している。認証用の規格はISO 14001（JIS Q 14001）で，政府に登録した第三者機関（審査登録機関）が審査を行う。

参考

ISO 14001では，環境管理システムについて規定しており，企業や組織の環境活動を管理するために備えておくべきシステムのモデルを示している。具体的には，組織の構造，責任，手順，工程，経営資源である。

●ISO/IEC 20000シリーズ

ISO/IEC 20000シリーズは，BSIが2000年に規格化したBS 15000を基に規格化されたITサービスマネジメントの国際規格である。BS 15000は，ITサービス運用のベストプラクティス（最善事例）であるITILを基に，ITサービスマネジメントの規格として策定されたものである。

ISO/IEC 20000シリーズはISO/IEC 20000-1，ISO/IEC 20000-2から構成され，ISO/IEC 20000-1は，ITサービスマネジメントの仕様で，認証を行う際の評価基準となる。ISO/IEC 20000-2はITサービスマネジメントの実施基準で，ITサービスマネジメントを構築する際のガイドラインとなるものである。

ISO/IEC 20000-1，ISO/IEC 20000-2は，それぞれJIS Q 20000-1（情報技術－サービスマネジメント－第1部:仕様），JIS Q 20000-2（情報技術－サービスマネジメント－第2部：実線のための規範）として，JIS規格となっている。

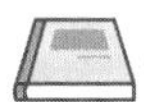
用語解説

BSI

BSI（British Standard Institution：英国規格協会）は英国規格であるBSを定めるために設けられた機関である。

12.7.2 ソフトウェア／データの標準化

- CORBAは分散オブジェクトのメッセージ交換の共通仕様
- データの標準化の対象は文字コード，ファイル形式など

異なるメーカのソフトウェア製品やデータが標準化されれば，よりよいシステムを構築することができる。データの標準化の対象は，文字コードやファイル形式である。

●ソフトウェアの標準化

ソフトウェアを標準化すれば，異なった言語同士でも，クライアントから遠隔地にあるサーバのもつメソッドを呼び出すなど，機種にとらわれずに処理を行うことができる。

CORBA（コルバ）

CORBA（Common Object Request Broker Architecture）は，分散システム環境におけるオブジェクト同士が，メッセージを交換するための共通仕様である。また，CORBAの仕様のうち，オブジェクト間の通信を行う機能を，ORB（Object Request Broker）という。

CORBAの策定は，分散オブジェクトの標準化団体のOMG（Object Management Group）が行っている。また，OMGは，分散オブジェクト環境の基本アーキテクチャのOMA（Object Management Architecture）を定めた。

EJB

EJB（Enterprise JavaBeans）は，Javaで分散オブジェクト指向の業務アプリケーションを構築するための標準コンポーネントアーキテクチャである。EJBによって，異なるベンダのツールを利用して開発したコンポーネントを組み合わせ，分散アプリケーションを構築することができる。また，CORBAとの互換性ももつ。

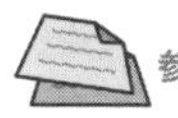
参考

Javaを利用した大規模な企業システムにおけるサーバ側アプリケーション構築のフレームワークを，Java EE（Java Platform, Enterprise Edition）という。業務用のサーバに必要な機能をまとめたもので，アプリケーションコンポーネントに，EJBなどが使われている。

●画像ファイル形式の標準化

画像ファイルの標準形式には，JPEG（ジェーペグ），GIF（ジフ/ギフ），MPEG（エムペグ），PNG（ピング）などがある。

標準形		説明
JPEG		Joint Photographic Expert カラー静止画像の符号化を検討するISOとITU-Tの合同組織，又は，JPEGが制定した静止画像の圧縮・伸張方式。圧縮効率がよく，インターネットの標準形式として使われている。可逆圧縮と非可逆圧縮を選択できる
GIF		Graphics Interchange Format CompuServeが開発した画像圧縮形式。256色以下のカラー／モノクロ画像に適用（フルカラー画像は不可）。圧縮効率がよい
PNG		Portable Network Graphics JPEGやGIFに代わってWebで使うことを目的として開発。また，フルカラーの自然画を劣化なしで圧縮でき，1ピクセル当たりの情報量は48ビットまで扱える。ピクセルごとに透明度を指定できる
MPEG		Motion Picture Expert Group 動画の圧縮・伸張方式の標準化を進めているISOとIECの合同組織又は，MPEGが制定した動画の圧縮・伸張方式
	MPEG-1	CD-ROMなどの蓄積メディア
	MPEG-2	HDTV（高精細テレビ），広帯域ISDNを利用した映像伝送など
	MPEG-4	移動体通信の動画と音声の高能率符号化
	MPEG-7	マルチメディアコンテンツを有効に検索するための記述方法の標準化。圧縮符号化のMPEG-1，MPEG-2，MPEG-4とは目的が異なる

● QRコード

QRコード（Quick Response code）は，マトリックス型二次元コードで，データ読み取りや店頭決済用コードとして世界中で多用されている。元々は，愛知県の自動車部品メーカーであるデンソーの開発部門（現在は分社化してデンソーウェーブ）が考案したバーコードである。現在，JIS X 0510であり，さらにISO/IEC 18004と世界標準となっている。

通常のバーコードは縦棒（1方向）だけなので情報量が少なく，数字のみで13文字程度しか表現できないが，QRコードは平面のドット模様なので，約200倍のデータ量となっている。

次はQRコードの例である。三つの回で方向を管理している。

参考

動画の圧縮・伸張方式に，Motion JPEGも使われている。Motion JPEGは，静止画を連続して圧縮する。前後のフレームとの差分情報を利用しないため，MPEGと比較して圧縮効率は悪いが，任意の箇所を簡単に編集することができる。

参考

GIFに用いられている圧縮アルゴリズムは，UNISYS社が特許権を取得していた。最初はライセンス料の支払いは不要であったが，GIF利用が広まるにつれて，UNISYS社はライセンス料を請求する方針に転換した。これにより，ライセンス料が必要となる可能性が生じたため，ライセンス料が不要なPNGが開発された。現在は，GIFの特許が失効したため再び自由に使うことができるようになった。

参考

QRコードは，数字だけでなく，アルファベット・日本語の漢字・ひらがなを入れることも可能である。記号も格納できるので，URLをバーコードで表現することが可能になり，世界中に広がった。

12.7.3 標準化組織

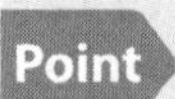

- 国際的な標準化組織はISO，IEC，ITU，IEEEなど
- 工業標準の国際機関はISO，電気通信標準の国際機関はITU

試験に出る

標準化組織に関する出題はほとんどないが，組織の名称や活動内容を知っていることを前提とした問題が多く出題されている。本文で取り上げた標準化団体については，確実に理解しておく必要がある。

国際的な規格制定のため，内容に応じて，種々の国際機関が設置されている。情報技術はISOやIECが中心，LAN関係はIEEE，通信関係はITUである。また，国際規格制定のために大きな影響力をもつのが，ANSIである。

● ISO（イソ/アイエスオー）

ISO（International Organization for Standardization：**国際標準化機構**）は，工業関連分野の規格統一標準化を図る国際機関である。分野別に専門委員会（Technical Committee：TC），TCの下に分科委員会（Sub-Committees:SC）や作業部会（Working Group：WG）が設置されている。

● IEC

IEC（International Electrotechnical Commission：**国際電気標準会議**）は，電気／電子分野に関する国際規格の統一を目的として設立された標準化団体である。1987年からISO電気通信部門（ISO/IEC）となり，同一組織として活動している。

● ITU

ITU（International Telecommunication Union：**国際電気通信連合**）は，電気通信技術の標準化，通信全般（有線，無線）に関する国際規格の標準化や勧告を行う機関である。電気通信関係は**ITU-T**（ITU Telecommunication Standardization sector），無線通信関係は**ITU-R**（ITU Radio communication Standardization Sector）が中心となって活動している。

アイトリプルイー
● IEEE

IEEE（Institute of Electrical and Electronic Engineers：電気電子学会）は，電子部品や通信方式など，LANや各種インタフェースの規格制定，標準化に大きな発言力をもつ団体である。

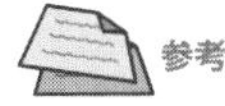
参考

欧州の標準化機関の1つにBSIがある。BSI（British Standards Institution：英国規格協会）は，ISOやIEC，欧州規格の制定に参画するとともに，それらと整合のとれた各種BS（British Standards：英国規格）を制定している。

アンシ/アンジー
● ANSI

ANSI（American National Standards Institute：米国規格協会）は，米国の工業規格の標準化を行う機関で，ANSIの規格は，日本のJIS規格に相当する。ISOのメンバで，国際的にも大きな影響力をもち，ANSI案がそのまま国際規格となることがある。

● IETF

IETF（Internet Engineering Task Force）は，TCP/IPネットワークなど，インターネットで利用される技術を標準化する組織である。インターネットに関する技術標準を決定する団体のIAB（Internet Architecture Board）の下部機関で，テーマ別に多くの研究グループがある。インターネットの全ての仕様はIETFが作成し，IABで承認され，最終的に標準として採用され，RFC（Request For Comments）として，インターネット上で公開される。

ジス
● JIS

JIS（Japanese Industrial Standards：日本産業規格）は，産業標準化法に基づきJISCの答申を受けて，主務大臣が制定する産業標準である。プログラム言語，図形・文書処理・文書交換，OSI・LAN・データ通信，出力機器・記録媒体など，情報処理関係はJIS X部門にまとめられている。また，環境マネジメントシステム，個人情報マネジメントシステム，サービスマネジメントシステム，情報セキュリティマネジメントシステムなど，管理システム関係はJIS Q部門にまとめられている。

参考

JISはかつては「日本工業規格」と呼ばれていたが，平成30年に「日本産業規格」に名称が変更された。

ジスシー
● JISC

JISC（Japanese Industrial Standards Committee：日本産業標準調査会）は，産業標準化法第3条第1項の規定により経済産業省に設置されている審議会である。産業標準化法で定められた事項を調査・審議するほか，産業標準化の促進に関し，関係各大臣の諮問に応じて答申し，又は関係各大臣に対し意見を述べることができる。国内の活動としては，JIS 規格の審議・制定・改廃などを行っている。また，国際的には，日本の代表組織として国際標準化機構（ISO），国際電気標準化会議（IEC）に加盟している。

チェック!　よく出る午前問題で基本事項を確認

日付・正解 Check　／　／　／

問題 1　[応用情報技術者試験 2011 年春期（特別）午前 問 80]　難易度 ★★　出題頻度 ★★

圧縮された情報を伸張しても，完全には元の情報を復元できない場合がある圧縮方式はどれか。

ア　GIF　　イ　JPEG　　ウ　MH　　エ　MR

問題 2　[応用情報技術者試験 2009 年秋期午前 問 80 改]　難易度 ★★　出題頻度 ★

日本産業標準調査会を説明したものはどれか。

ア　経済産業省に設置されている審議会で，産業標準化法に基づいて産業標準化に関する調査・審議を行っており，特にJISの制定，改正などに関する審議を行っている。
イ　電気機械器具・材料などの標準化に関する事項を調査審議し，JEC規格の制定及び普及の事業を行っている。
ウ　電気・電子技術に関する非営利の団体であり，主な活動内容としては，学会活動，書籍の発行，IEEEで始まる規格の標準化を行っている。
エ　電子情報技術産業の総合的な発展に資することを目的とした団体であり，JEITAで始まる規格の制定及び普及の事業を行っている。

解説 1

完全に元に戻せる圧縮方式を**可逆圧縮**，元には戻せない圧縮方式を**非可逆圧縮**という。一般に，非可逆圧縮の方が，圧縮率は高い。

ア　**GIF**は，画像データの保存形式の１つで，モノクロは256階調，カラーは256色まで扱える画像圧縮方式である。GIFは，圧縮したデータを完全に復元することができる。

イ　JPEGは，カラー静止画像の符号化方式（圧縮・伸張方式）の標準化を進めているISOとITU-Tの合同組織の名称であり，この組織で検討されている方式の名称でもある。パソコンやインターネットで標準的に利用されており，機種に関係なくファイル交換ができる。JPEGには，可逆圧縮方式と非可逆圧縮方式がある。

ウ　MH（Modified Huffman）は，G3ファクシミリで規格化されている圧縮伸張方式である。白又は黒の連続長を符号化する方式の1つで，一次元符号化方式である。MHは，圧縮したデータを完全に復元できる。

エ　MR（Modified Read）は，G3ファクシミリで，オプションとして規格化されている圧縮伸張方式である。直前の走査線の情報を利用する二次元逐次符号化方式の一種である。MRは，圧縮したデータを完全に復元できる。

正解：イ

解説 2

日本産業標準調査会については，本文を参照のこと。

イ　一般社団法人 電気学会（The Institute of Electrical Engineers of Japan：IEEJ）の説明である。IEEJは電気学会内に設立された電気規格調査会（Japanese Electrotechnical Committee：JEC）で，日本の電気分野の標準事業を行っている。主な事業は，電気規格調査会規格（JEC規格）の制定，日本産業規格（JIS）内の電気分野，国際電気標準会議規格（IEC規格）の審議・参加などである。JEC規格は，電気分野の標準規格である。

ウ　電気電子学会（Institute of Electrical and Electronic Engineers：IEEE）の説明である。IEEEは，エレクトロニクスに関する学会を開いたり，論文誌を発行したり，専門委員会を開いて技術標準を定めたりしている。IEEEが定めた規格には，LANのIEEE 802シリーズや入出力インタフェースのIEEE 1394などがある。

エ　一般社団法人 電子情報技術産業協会（Japan Electronics and Information Technology Industries Association：JEITA（ジェイタ））の説明である。JEITAは，電子情報技術産業の総合的な発展に貢献し，我が国経済の発展と文化の興隆に寄与することを目的とした業界団体である。対象とする規格は，電子工業一般，民生電子機器，情報通信機器，電子応用機器，一般電子部品，電子デバイス，電子材料，情報処理などである。

正解：ア

演習問題

［応用情報技術者試験 2014 年秋期午後 問 2］

問題 1

企業の財務体質の改善に関する次の記述を読んで，設問1～4に答えよ。

R社は，10年前に創業した電子部品の製造・販売会社である。仕入れた原材料を在庫にもち，それらを加工し組み立てて，電子部品を製造する。R社は，売上を全て売掛金に計上している。

〔経営状況と戦略〕

R社は，技術力を生かして開発した画期的な新製品を投入して，競合のない新しい市場を創造し，新規顧客を開拓することによって，創業以来，売上と利益を順調に伸ばしてきた。2013年度は，需要の増大に対応するために，積極的な投資を行い，工場などの設備を増強した。これらの投資の資金は，営業活動から生み出されるキャッシュだけでなく，銀行からの借入れによって調達したが，借入れはかなりの額に達しており，これ以上増やすことは難しい。また，ここ数年で大幅に増えた社員数，組織数，設備数などに社内の管理体制が追い付いておらず，改善が必要である。一方，R社の市場は他社にとっても魅力的なので，将来，他社が技術革新を進めて，R社の競合となることが予想される。

このような状況を受け，R社の経営陣は財務体質の改善に取り組むことにした。財務体質の改善には，社内の管理体制を強化する必要がある。そこで，財務部長をリーダとした財務体質改善プロジェクト（以下，プロジェクトという）を組織した。経営企画部のS君もプロジェクトメンバに選ばれた。

〔S君が学んだこと〕

S君は，プロジェクトに参加するに当たって，自分の知識を深めるために，キャッシュフローや財務諸表について学習した。次の記述は，S君が学んだことの一部である。

“取引の中には，キャッシュフロー計算書に反映されるが，損益計算書には反映されないものがある。また，その逆もある。理由は，キャッシュフロー計算書は現金主義に基づいているが，損益計算書は［　a　］主義に基づいているからである。黒字倒産は，［　b　］はあるのに，［　c　］が不足して起こる倒産である。”

〔財務諸表とその分析結果〕

プロジェクトでは，まず，R社の財務体質の現状を把握するために，直近の財務諸表を確認し，それらの分析を行った。業界標準との比較などによる分析の結果，効率性と安全性に改善の余地があることが分かった。R社の貸借対照表，損益計算書，キャッシュフロー計算書，株主資本等変動計算書，及び効率性と安全性に関する主な経営分析指標は，表1～5のとおりである。

表1　貸借対照表

単位　百万円

区分	勘定科目	2013年度末時点	対前年比	区分	勘定科目	2013年末時点	対前年比
流動資産		9,000	112%	流動負債		14,000	112%
	現金及び預金	2,500	103%		買掛金	1,000	110%
	売掛金	4,000	121%		短期借入金	13,000	112%
	棚卸資産[1]	2,500	109%	固定負債		2,000	112%
固定資産		9,000	112%		長期借入金	2,000	112%
	有形固定資産	8,500	112%	負債合計		16,000	112%
	無形固定資産	400	111%		資本金	300	100%
	投資その他の資産	100	100%		資本剰余金	300	100%
					利益剰余金	1,400	119%
				純資産合計		2,000	112%
資産合計		18,000	112%	負債・純資産合計		18,000	112%

注[1] 棚卸資産：製品，仕掛品，原材料

表2　損益計算書

単位　百万円

勘定科目	2013年度	対前年比
売上高	16,000	110%
売上原価	11,000	109%
売上総利益	5,000	114%
販売費・一般管理費	4,000	114%
営業利益	1,000	111%
営業外収益	300	107%
営業外費用	200	105%
経常利益	1,100	111%
特別損益	▲30	100%
税引前当期純利益	1,070	111%
法人税など	430	110%
当期純利益	640	112%

表3　キャッシュフロー計算書

単位　百万円

	2013年度
Ⅰ営業活動によるキャッシュフロー	省略
Ⅱ投資活動によるキャッシュフロー	
Ⅲ財務活動によるキャッシュフロー	
Ⅳ現金及び現金同等物に係る換算差額	0
Ⅴ現金及び現金同等物の増加額	70
Ⅵ現金及び現金同等物の期首残高	2,430
Ⅶ現金及び現金同等物の期末残高	2,500

表4　株主資本等変動計算書

単位　百万円

		2013年度株主資本			
		資本金	資本剰余金	利益剰余金	合計
期首残高		300	300	1,180	1,780
当期変動額	剰余金の配当			▲420	▲420
	当期純利益			640	640
	当期変動額合計			220	220
期末残高		300	300	1,400	2,000

表5　主な経営分析指標

効率性に関する指標	数値
総資産回転日数	411日
売上債権回転日数	91日
棚卸資産回転日数	83日
仕入債務回転日数	33日
安全性に関する指標	**数値**
自己資本比率	11%
流動比率	64%
固定比率	450%

〔財務体質の改善〕

プロジェクトでは，R社の財務諸表の分析結果をもとに，キャッシュフローの観点からの財務体質改善策として，次のA～C案を提案した。

A案：売上債権回転日数を減らすために，売上債権を減らす。この結果，営業活動によるキャッシュフローが増える。

B案：棚卸資産回転日数を減らすために，［　d　］を導入して棚卸資産を減らす。この結果，営業活動によるキャッシュフローが増える。

C案：［　e　］

A案に関連して，S君は，①損益計算書と貸借対照表を照らし合わせた結果，2013年度におけるR社の売上代金の回収に，前年度と比べて問題があることを発見した。財務部長は改善指示を出した。

さらに，プロジェクトでは，状況に応じて選択可能な具体案として，2014年度は純利益が2013年度の倍以上出る予想だが，自己資本比率を上げるために，②剰余金の配当を2013年度と同じ額に据え置くことを提案した。

設問1　〔経営状況と戦略〕について，R社のこれまでの経営戦略を，解答群の中から選び，記号で答えよ。

解答群

ア　市場浸透戦略　　イ　集中戦略

ウ　ブランド戦略　　エ　ブルーオーシャン戦略

設問2　本文中の［　a　］～［　c　］に入れる適切な字句を解答群の中から選び，記号で答えよ。

解答群

ア　売上　　イ　原価　　ウ　現金　　エ　在庫　　オ　三現
カ　仕入　　キ　発生　　ク　費用　　ケ　保守　　コ　利益

設問3　表3中の営業活動によるキャッシュフロー，投資活動によるキャッシュフロー，及び財務活動によるキャッシュフローは，〔経営状況と戦略〕の記述の活動から判断すると，それぞれプラスかそれともマイナスか。＋又は－の記号で答えよ。

設問4　〔財務体質の改善〕について，(1)～(3) に答えよ。

(1)　本文中の［　d　］，［　e　］に入れる適切な字句を解答群の中から選び，記号で答えよ。

dに関する解答群

ア　ジャストインタイム方式　　イ　フランチャイズチェーン
ウ　レイバースケジューリング　　エ　ワークシェアリング

eに関する解答群

ア　固定比率を下げるために，長期借入金を増やす。この結果，財務活動によるキャッシュフローが増える。
イ　仕入れ債務回転日数を増やすために，買掛債権の支払いを遅らせる。この結果，営業活動によるキャッシュフローが増える。
ウ　総資産改定日数を減らすために，新規株式を発行して増資を行う。この結果，投資活動によるキャッシュフローが増える。
エ　流動比率を上げるために，償還期限5年の社債を発行する。この結果，投資活動によるキャッシュフローが増える。

(2)　本文中の下線①について，S君が問題があると考えた根拠を，表1及び表2中の勘定科目名を一つずつ用いて，30字以内で述べよ。

(3)　本文中の下線②によって自己資本比率が改善される理由を，表4を参考に，表1中の勘定科目名を用いて，20字以内で述べよ。

［応用情報技術者試験 2019 年秋期午後 問 2］

問題 2

スマートフォン製造・販売会社の成長戦略に関する次の記述を読んで，設問1～4に答えよ。

B社は，スマートフォンの企画，開発，製造，販売を手掛ける会社である。“技術で人々の生活をより豊かに”の企業理念の下，“ユビキタス社会の実現に向けて，社会になくてはならない会社となる”というビジョンを掲げている。これまでは，スマートフォン市場の拡大に支えられ，順調に売上・利益を成長させてきたが，今後は市場の拡大の鈍化に伴い，これまでのような成長が難しくなると予測している。そこで，B社の経営陣は今後の成長戦略を検討するよう経営企画部に指示し，同部のC課長が成長戦略検討の責任者に任命された。

〔環境分析〕

C課長は，最初にB社の外部環境及び内部環境を分析し，その結果を次のとおりにまとめた。

(1) 外部環境

・国内のスマートフォン市場は成熟してきた。一方，海外のスマートフォン市場は，国内ほど成熟しておらず，伸びは鈍化傾向にあるものの，今後も拡大は続く見込みである。日本から海外への販売機会がある。

・国内では，国内の競合企業に加えて海外企業の参入が増えており，競争はますます激しさを増している。これによって，多くの企業が市場を奪い合う形となり，価格も下がり［ a ］となりつつある。

・5Gによる通信，IoT，AIのような技術革新が進んでおり，これらの技術を活用したスマートフォンに代わる腕時計のようなウェアラブル端末や，家電とつながるスマートスピーカの普及が期待される。また，医療や自動運転の分野で，新しい機器の開発が期待される。一方で，技術革新は急速であり，製品の陳腐化が早く，市場への迅速な製品の提供が必要である。

・スマートフォンは，機能の豊富さから若齢者層には受け入れられやすい。一方で，操作の複雑さから高齢者層は使用することに抵抗があり，普及率は低い。

・スマートフォンへの顧客ニーズは多様化しておりサービス提供のあり方も重要になっている。

(2) 内部環境

・B社は自社の強みを製品の企画，開発，製造の一貫体制であると認識している。これによって，顧客ニーズを満たす高い品質の製品を迅速に市場に提供できている。また，単一の企業で製品の企画，開発，製造をまとめて行うことで，異なる製品間における開発資源などの共有を実現し，複数の企業に分かれて企画，開発，製造するよりもコストを抑えている。

・B社は国内の販売に加えて海外でも販売しているが，マニュアルやサポートの多言語の対応などでノウハウが十分でなく，いまだに未開拓の国もある。

・B社はスマートフォンの新機能に敏感な若齢者層をターゲットセグメントとして，テレビコマーシャルなどの広告を行っている。広告は効果が大きく，売上拡大に寄与している。一方で，高齢者層は売上への寄与が少ない。

・B社は医療や自動運転の分野の市場には販売ルートをもっておらず，これらの市場への参入は容易ではない。

・競合企業の中には製造の体制をもたない，いわゆるファブレスを方針とする企業もあるが，B社はその方針は採っていない。①今後の新製品についても，現在の方針を維持する予定である。

〔成長戦略の検討〕

C課長は，環境分析の結果を基に，ビジネス［　b　］の一つである成長マトリクスを図1のとおり作成した。図1では，製品・サービスと市場・顧客を四つの象限に区分した。区分に際しては，スマートフォンを既存の製品・サービスとし，スマートフォン以外の機器を新規の製品・サービスとした。また，現在販売ルートのある市場の若齢者層を既存の市場・顧客とし，それ以外を新規の市場・顧客とした。

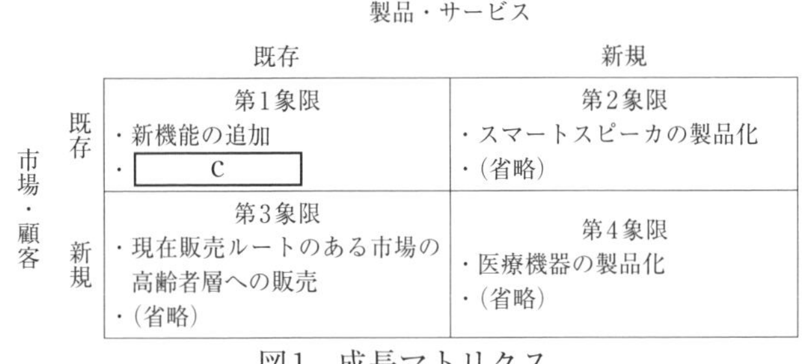

図1　成長マトリクス

当初，C課長は，成長マトリクスを基に外部環境に加えて内部環境も考慮して検討した結果，②第2象限と第4象限の二つの象限の戦略に力を入れるべきだと考えた。しかし，その後③第4象限の戦略に関するB社の弱みを考慮し，第2象限の戦略を優先すべきだと考えた。

〔投資計画の評価〕

第2象限の一部の戦略については，すぐにB社で製品化できる見込みのものがある。内部環境を考慮すると，これについてもB社で企画，開発，製造を行うことで，[　d　]によるメリットが期待できる。

C課長は，この製品化について，複数の投資計画をキャッシュフローを基に評価した。投資額の回収期間を算出する手法としては，金利やリスクを考慮して将来のキャッシュフローを[　e　]に割り引いて算出する割引回収期間法が一般的な方法であるが，製品の陳腐化が早いので簡易的な回収期間法を使用することにした。また，回収期間の算出には，損益計算書上の利益に④減価償却費を加えた金額を使用した。

製品化の投資計画は，表1のとおりである。

表1　製品化の投資計画

単位　百万円

年数[1]	投資年度	1年	2年	3年	4年	5年
投資額	1,000	0	0	0	0	0
利益[2]		200	300	300	200	100
減価償却費		200	200	200	200	200

注[1]　投資年度からの経過年数を示す。

[2]　発生主義に基づく損益計算書上の利益を示す。

投資額は投資年度の終わりに発生し，利益と減価償却費は各年内で期間均等に発生するものとして，C課長は表1を基に，回収期間を[　f　]年と算出した。

設問1　本文及び図1中の[　a　]～[　d　]に入れる適切な字句を解答群の中から選び，記号で答えよ。

aに関する解答群

ア　寡占市場　　　　イ　ニッチ市場

ウ　ブルーオーシャン　　　　エ　レッドオーシャン

bに関する解答群

ア　アーキテクチャ　　イ　フレームワーク

ウ　モデル化手法　　エ　要求分析手法

cに関する解答群

ア　ウェアラブル端末の製品化　　イ　自動運転機器の製品化

ウ　提供サービスの細分化　　エ　未開拓の国への販売

dに関する解答群

ア　アライアンス　　イ　イノベーション

ウ　規模の経済　　エ　範囲の経済

設問2　〔環境分析〕について，本文中の下線①の目的を解答群の中から選び，記号で答えよ。

解答群

ア　資金を開発投資に集中したい。

イ　製造設備の初期投資を抑えたい。

ウ　製品のブランド力を高めたい。

エ　高い品質の製品をコストを抑えて製造したい。

設問3　〔成長戦略の検討〕について，(1)，(2)に答えよ。

(1)　本文中の下線②について，第2象限と第4象限の二つの象限の戦略に力を入れるべきだとC課長が考えた内部環境上の積極的な理由を，40字以内で述べよ。

(2)　本文中の下線③のB社の弱みとは何か。25字以内で述べよ。

設問4　〔投資計画の評価〕について，(1)～(3)に答えよ。

(1)　本文中の［　e　］に入れる適切な字句を6字以内で答えよ。

(2)　本文中の下線④の理由を，“キャッシュ”という字句を含めて，30字以内で述べよ。

(3)　本文中の［　f　］に入れる適切な数値を求めよ。答えは小数第2位を四捨五入して，小数第1位まで求めよ。

演習問題・解答

解説 1

■設問1　解答　エ

解答群の各戦略について説明する。

ア　市場浸透戦略は，既存の市場に既存の製品を投入する戦略である。宣伝広告や値引きなどによって，現在の市場シェアを拡大する。

イ　集中戦略は，企業が対象とする市場を特定の顧客層や特定地域などのセグメントに集中することである。集中戦略では，コスト低減を図る（コスト集中），差別化を図る（差別化集中），あるいは双方を達成することが行われる。

ウ　ブランド戦略は，企業や製品・商品・サービスに対する顧客のブランドイメージを高め，顧客のロイヤリティを育てるための戦略である。

エ　ブルーオーシャン戦略は，競争の激しい既存市場を“レッドオーシャン”（赤い海，血で血を洗う競争の激しい領域）と定義し，競争のない未開拓市場である“ブルーオーシャン”（青い海，競合相手のいない領域）を切り開く戦略である。

R社のこれまでの戦略は，“技術力を生かして開発した画期的な新製品を投入して，競合のない新しい市場を創造し，新規顧客を開拓することによって，創業以来，売上と利益を順調に伸ばしてきた”（〔経営状況と戦略〕）という記述から，“ブルーオーシャン戦略”（「エ」）である。

■設問2　解答　a：キ，b：コ，c：ウ

費用・収益の認識を現金の収支という事実に基づいて認識する損益計算の方式を，現金主義という。

一方，現金の収入や支出に関係なく，取引の確定時点で収益と費用を認識する損益計算の方法を，発生主義という。現金主義では収益と費用が現金と連動しているため差異の発生余地が少なく，管理に対する手間が少なくなると期待できるが，信用取引を扱えず資産への減価償却などが行えないなど，財務会計としては多くの問題があるため，特殊な場合を除けば企業会計では発生主義が採用されている。キャッシュフロー会計は現金主義，損益計算書や貸借対照表による会計は発生主義に基づく。

黒字倒産は，損益計算書上では黒字の状態であるにもかかわらず，法人などが倒産してしまうことである。これは，売掛金が多く，現金の回収が追いつかないため，運転資金の

現金が不足するために発生する現象である。

● 空欄a

現金主義に対応する用語なので，“発生”（「キ」）主義である。

● 空欄b，c

黒字倒産は，“利益”（空欄b－「コ」）が出ているにもかかわらず，“現金”（空欄c－「ウ」）が不足して起こる倒産である。

■設問３　解答　営業活動：＋，投資活動：－，財務活動：＋

キャッシュフロー（計算書）は，企業の一定期間の現金の流れを分析し，その増加・減少の原因を明示する。すなわち，純現金収支の増減額を表したものである。

その源泉となる活動により以下の３つの区分に分けられる。

区分	収入	支出
営業活動による キャッシュフロー	営業活動の収入， 受取利息など	人件費，経費， 支払利息など
投資活動による キャッシュフロー	固定資産（売却）， 有価証券売却収入など	固定資産（購入）， 有価証券の購入など
財務活動による キャッシュフロー	借入，社債発行， 増資など	借入金返済， 社債償還など

数値のプラスはキャッシュの流入を表し，マイナスはキャッシュの流出を表す。

キャッシュフローの計算方法には，直接法と間接法がある。直接法は，売上収入・仕入支出など収入・支出を直接キャッシュフロー計算書に表示する。資金収支表に近く，資金の流れを把握しやすいという特徴がある。間接法は，税引前当期利益を基に，資金の増減の原因を明らかにしながら最終的に現金及び預金の当期増減額を明らかにする方法である。

直接法＝現金及び預金の増加－現金及び預金の減少＝現金及び預金の増減

間接法＝税引前当期利益±増減の原因＝現金及び預金の増減

直接法によるキャッシュフロー計算書の作成には事務負担がかかるので，通常は，間接法を採用する。

(1) 営業活動によるキャッシュフロー

“R社は，技術力を生かして開発した画期的な新製品を投入して，競合のない新しい市場を創造し，新規顧客を開拓することによって，創業以来，売上と利益を順調に伸ばしてきた”（〔経営状況と戦略〕）という記述から，営業活動によるキャッシュフローは“＋”と考えられる。

(2) 投資活動によるキャッシュフロー

“2013年度は，需要の増大に対応するために，積極的な投資を行い，工場などの設備を増強した。これらの投資の資金は，営業活動から生み出されるキャッシュだけでなく，銀行からの借入れによって調達したが，借入れはかなりの額に達しており，これ以上増やすことは難しい”（〔経営状況と戦略〕）という記述から，投資活動によるキャッシュフローは“－”と考えられる。

(3) 財務活動によるキャッシュフロー

財務キャッシュフローは，おおまかには銀行借入による資金の調達と，銀行借入の返済により構成される。

本業が不調で資金繰りが苦しい企業では，銀行借り入れにより資金繰りをすることになるため，財務キャッシュフローがプラスになる。ほかのキャッシュフローも合わせると通常，次のようになる。

営業キャッシュフロー	－
投資キャッシュフロー	－
財務キャッシュフロー	＋

本業が好調でキャッシュが豊富にある企業では，稼いだキャッシュによって借入金を返済していくため，財務活動によるキャッシュフローはマイナスになり，ほかのキャッシュフローも合わせると通常，次のようになる。

営業キャッシュフロー	＋
投資キャッシュフロー	－
財務キャッシュフロー	－

一方，本問のR社のように，本業が好調でキャッシュを多く稼いでいる企業であっても，その稼いだキャッシュ以上の巨額の投資を行うために銀行借り入れや社債の発行などにより資金を調達した場合は，財務活動によるキャッシュフローがプラスとなり，ほかのキャッシュフローも合わせると通常，次のようになる。

営業キャッシュフロー	＋
投資キャッシュフロー	－
財務キャッシュフロー	＋

したがって，営業活動によるキャッシュフローは“＋”，投資活動によるキャッシュフローは“－”，財務活動によるキャッシュフローは“＋”と考えられる。

■設問4　解答　(1) d：ア，e：イ
(2) 売上高の伸び以上に売掛金が増えているから
(3) 利益剰余金が増えるから

(1)〔財務体質の改善〕の空欄の穴埋め

R社の財務体質改善の方法について，売上債権の回転日数を減らす（A案），棚卸資産を減らす（B案）が挙げられている。空欄eはもう１つの対策を解答群から選ぶ。対策としては，利益は出ているものの，現金が不足する可能性がある。このため，黒字倒産を避けるため，現金を確保する対策が有効である。

現金を確保する必要があるので，投資活動のキャッシュフローは減らすべきで，「ウ，エ」は検討の対象外である。また，借入金も限界に近づいているということなので，「ア」も検討の対象外である。

●空欄d

棚卸資産（在庫）を減らす対策が必要である。このためには，“ジャストインタイム方式”（「ア」）を取り入れるとよい。ジャストインタイム方式は，部品や商品の在庫を持たずに，指定時間に合わせて部品を納入させる方式である。カンバン方式ともいう。

●空欄e

A案は売上債権を減らすという案である。これは，売掛金を減らせばよい。売上の回収期間を短縮するのが対策の１つである。これによって，現金が確保できる。B案は，在庫費用を圧縮するという案である。支出が少なくなるため，現金を確保できる。

一方，買掛金の支払を遅らせることで，営業活動によるキャッシュフローを増加させることができ，現金を確保できる。

したがって，“仕入債務回転日数を増やすために，買掛債権の支払を遅らせる。この結果，営業活動によるキャッシュフローが増える”（「イ」）が適切である。

(2) S君が問題であると考えた根拠

下線①の部分は，売上代金の回収に問題があるということである。このため，売上と売掛金に着目する必要がある。表２から売上高の対前年比は110%，表１から売掛金の対前年比は121%である。売掛金が増加すると，売上の回収が追いつかなくなる可能性がある。これでは，黒字倒産の可能性もある。

したがって，“売上高の伸び以上に売掛金が増えているから”という主旨で30字以内にまとめる。

(3) 自己資本比率が改善される理由

自己資本比率は，（自己資本÷総資産）で計算するので，自己資本比率を上げるためには，自己資本を増やせばよい。自己資本は，表１では，「資本金，資本剰余金，利益剰余金」が該当する。株の配当は利益剰余金を当てるので，配当を抑えることで，自己資本を増やすことができる。

したがって，“利益剰余金が増えるから”という主旨で20字以内にまとめる。

解説 2

■設問1　解答　a：エ，b：イ，c：ウ，d：エ

●空欄a

“競争はますます激しさを増している。これによって，多くの企業が市場を奪い合う形となり，価格も下がり［　a　］となりつつある” ということから，“レッドオーシャン”（「エ」）が適切である。

競争の激しい既存市場をレッドオーシャン（赤い海，血で血を洗う競争の激しい領域）とし，競争のない未開拓市場をブルーオーシャン（青い海，競合相手のいない領域）という。

●空欄b

（アンゾフの）成長マトリクス（成長マトリックス）は，大企業の成長戦略や多角化の理論的な支えになってきたフレームワーク（ひな形）である。製品（本問では「製品・サービス」）と市場（本問では「市場・顧客」）の二つの軸で事業の成長可能性を分析する。この結果，次のように，四つの戦略に分類することができる。どの市場にどのような商品を投入していけば，事業が成長，発展できるかを検討するのに有効なフレームワークである。

市場・顧客 ＼ 製品・サービス		既存	新規
市場・顧客	既存	第1象限 市場浸透戦略	第2象限 新製品開発戦略
	新規	第3象限 新市場開拓戦略	第4象限 多角化戦略

市場浸透戦略は，既存の市場に既存の製品を投入する戦略である。宣伝広告や値引き，サービスの細分化などによって，現在の市場シェアを拡大する。

新製品開発戦略は，既存の市場に新製品を投入する戦略である。既存の製品が市場に浸透するに従って売れ方の増加率が鈍くなるので，新機能を追加したり，デザインを変更したりして，新製品を開発・販売することで，市場シェアの維持や拡大を図る。

新市場開拓戦略は，新しい市場に既存の製品を投入する戦略である。製品を変えずに新たな顧客を取り込むことで，市場拡大を図る。

多角化戦略は，新しい市場に新しい製品を投入する戦略である。他の三つの戦略は集中的成長を意図するものであるが，多角化は多角的成長（分散化）を意図した戦略である。多角化戦略では，M&Aが行われることが多い。M&A（Mergers and Acquisitions：合併と買収）は，企業の合併や買収の総称である。新規事業や市場への参入，企業グループの再編，事業統合，経営が不振な企業の救済などを目的として

実施される。

したがって，“フレームワーク”（「イ」）が適切である。

●空欄c

空欄bの説明から，空欄cの位置は市場浸透戦略なので，“提供サービスの細分化”（「ウ」）が適切である。「ア，イ」は新製品の開発なので新製品開発戦略（第2象限），「エ」は未開拓の国への販売なので新市場開拓戦略（第3象限）に該当する。

●空欄d

“内部環境を考慮すると，これについてもB社で企画，開発，製造を行うことで，[d]によるメリットが期待できる”という記述から，“範囲の経済”（「エ」）が適切である。

範囲の経済は，企業が生産量を増加させたり事業を多角化したりした場合には，一製品や一事業当たりのコストを削減できるという考え方である。複数の事業で同じ設備が共用できたり，コストが増える場合でも複数の事業が存在したりするならば，重複するコストを削減できるようになる。

一方，規模の経済（「ウ」）は，生産規模が拡大するに従って固定費が分散するため，製品1個当たりの総コストが減少するという考え方である。

■設問2　解答　エ

B社の従来の方針は，“B社は自社の強みを製品の企画，開発，製造の一貫体制であると認識している。これによって，顧客ニーズを満たす高い品質の製品を迅速に市場に提供できている。また，単一の企業で製品の企画，開発，製造をまとめて行うことで，異なる製品間における開発資源などの共有を実現し，複数の企業に分かれて企画，開発，製造するよりもコストを抑えている”（〔環境分析〕（2）一つ目の・）である。そして，①の記述では，“今後の新製品についても，現在の方針を維持する予定である”としている。これは，自社製品の製造を今後も継続するということである。

したがって，“高い品質の製品をコストを抑えて製造したい”（「エ」）が適切である。

■設問3　解答　（1）企画から製造の一貫体制を強みに，低コストで高品質の製品にできるから
（2）医療や自動運転の市場には販売ルートがないこと

（1）第2象限と第4象限の二つの象限の戦略に力を入れる理由

内部環境上の積極的な理由なので，外部環境ではないことに注意する。外部環境の観点では，“5Gによる通信，IoT，AIのような技術革新が進んでおり，これらの技術を活用したスマートフォンに代わる腕時計のようなウェアラブル端末や，家電とつなが

るスマートスピーカの普及が期待される。また，医療や自動運転の分野で，新しい機器の開発が期待される。一方で，技術革新は急速であり，製品の陳腐化が早く，市場への迅速な製品の提供が必要である”（〔環境分析〕（1）三つ目の・）から，スマートスピーカについては，“スマートフォンに代わる”ということから既存市場への新規製品による参入と考えられるので，第2象限が適切であると分かる。また，医療機器については，“新しい機器の開発”ということと，“B社は医療や自動運転の分野の市場には販売ルートをもっておらず，これらの市場への参入は容易ではない”（〔環境分析〕（2）二つ目の・）ことから，新規市場への新製品による参入と考えられるので，第4象限が適切であると分かる。

一方，内部環境という観点では，“B社は自社の強みを製品の企画，開発，製造の一貫体制であると認識している。これによって，顧客ニーズを満たす高い品質の製品を迅速に市場に提供できている。また，単一の企業で製品の企画，開発，製造をまとめて行うことで，異なる製品間における開発資源などの共有を実現し，複数の企業に分かれて企画，開発，製造するよりもコストを抑えている”（〔環境分析〕（2）一つ目の・）ということから，高品質，低コストという点でまとめればよい。

したがって，“企画から製造の一貫体制を強みに，低コストで高品質の製品にできるから”という観点で，40字以内にまとめる。

（2）B社の弱み

第4象限は，医療機器の製品化なので，医療機器に関する弱みに関する記述を探せばよい。ただし，医療機器は製品化以外は，“省略”となっているので，他にも要素があることに気をつける。“B社は医療や自動運転の分野の市場には販売ルートをもっておらず，これらの市場への参入は容易ではない”（〔環境分析〕（2）四つ目の・）というのがその記述である。この記述から，他の要素は，“自動運転”ということも分かる。

したがって，“医療や自動運転の市場には販売ルートがないこと”という主旨で，25字以内にまとめる。

■設問4　解答　（1）e：現在価値
（2）減価償却費はキャッシュの移動がない費用だから
（3）f：2.2

（1）割引回収期間法で割り引く対象

回収期間法は，投資した資金が何年で返ってくるかを計算する方法である。一方，割引回収期間法は，キャッシュフロー（利益）を割り引いた上で回収期間を算出する方法である。具体的には，表1の利益に対して一定の割引率を適用して，利益を現在価値に置き換えることが行われる。例えば，割引率を10%とすると，1年目の利益の現在価値は，次のようになる。

現在価値＝利益÷(1＋割引率)
　　　　＝200÷(1＋0.1)
　　　　＝181.81…≒182

同様に2年目の利益の現在価値は，次のようになる。

現在価値＝300÷$(1+0.1)^2$
　　　　＝247.93…≒248

一般に，n年後の利益の現在価値は，次のようになる。

n年後の現在価値＝n年後の利益÷$(1+割引率)^n$

回収期間法の「貨幣の時間価値を考慮しない」という問題点を補うため，回収期間法に「貨幣の時間価値」の考え方を取り入れたのが割引回収期間法である。この評価方法は，投資からもたらされる毎期のキャッシュフローを現在価値に修正した上でこれを累積していき，原投資額と等しくなる期間を計算する。また，割引率には，プロジェクトのリスクを反映させている。これは，必ずしも，予定どおり，利益が得られるとは限らないからである。

したがって，割引回収期間法では，将来のキャッシュフローを“現在価値”に置き換えることが行われる。

(2) 損益計算書上の利益に減価償却費を加えた理由

投資の評価を行うためには，設備投資に見合う減価償却費を含める必要がある。キャッシュフローを用いて採算性を評価するのであれば，非資金損益項目である減価償却費はあらためて利益額に加算する必要がある。

非資金損益項目は，キャッシュの動きがないのに費用や収益として計上される勘定科目で，減価償却費がその例である。減価償却費は，費用（損失）として計上されるが，同じ年度にキャッシュが出ていくわけではない。減価償却費に対応するキャッシュは，それらの元となる固定資産を購入したときに支払われているからである。ただし，費用や収益として計上されるということは，その年の利益の計算に関わっていることを意味する。このため，非資金損益項目はキャッシュフローと利益の間に差を生み出す要因になる。例えば，表2において，1年目の利益は，利益と減価償却費の合計の400とみなすということである。また，2年目は500ということである。

したがって，“減価償却費はキャッシュの移動がない費用だから”という主旨で，30字以内にまとめる。

（3）回収期間法による回収期間の算出

（2）の解答から，回収金額は，利益と減価償却費の合計であることに注意する。投資額の1,000（百万円）（以下，単位を省略）を回収するのに，2年目までで900を回収できる。3年目の回収金額は500であるが，100に達した時点で投資額を回収できる。そこで，年内は均等に回収できるとすると，次のように考える。

100 ÷ 500 = 0.2

すなわち，3年目は0.2年で回収できると考える。

したがって，（2年＋0.2年＝）2.2年で回収できる。

第13章

令和6年度春期試験 午前

午前問題は80問出題され，全て解答する。解答時間は150分である。午前問題は，同じような問題が繰返し使われている。ときには，全く同じ問題が使われることもある。

問題文中で共通に使用される表記ルール

各問題文中に注記がない限り，次の表記ルールが適用されているものとする。

1. 論理回路

図記号	説明
(AND記号)	論理積素子（AND）
(NAND記号)	否定論理積素子（NAND）
(OR記号)	論理和素子（OR）
(NOR記号)	否定論理和素子（NOR）
(XOR記号)	排他的論理和素子（XOR）
(論理一致記号)	論理一致素子
(バッファ記号)	バッファ
(NOT記号)	論理否定素子（NOT）
(スリーステートバッファ記号)	スリーステートバッファ
(○印記号)	素子や回路の入力部又は出力部に示される○印は，論理状態の反転又は否定を表す。

2. 回路記号

図記号	説明
(抵抗記号)	抵抗（R）
(コンデンサ記号)	コンデンサ（C）
(ダイオード記号)	ダイオード（D）
(トランジスタ記号)	トランジスタ（Tr）
(接地記号)	接地
(演算増幅器記号)	演算増幅器

13.1 問題

問1　複数の袋からそれぞれ白と赤の玉を幾つかずつ取り出すとき，ベイズの定理を利用して事後確率を求める場合はどれか。

ア　ある袋から取り出した二つの玉の色が同じと推定することができる確率を求める場合
イ　異なる袋から取り出した玉が同じ色であると推定することができる確率を求める場合
ウ　玉を一つ取り出すために，ある袋が選ばれると推定することができる確率を求める場合
エ　取り出した玉の色から，どの袋から取り出されたのかを推定するための確率を求める場合

問2　ATM（現金自動預払機）が 1 台ずつ設置してある二つの支店を統合し，統合後の支店には ATM を 1 台設置する。統合後の ATM の平均待ち時間を求める式はどれか。ここで，待ち時間は M / M /1 の待ち行列モデルに従い，平均待ち時間にはサービス時間を含まず，ATM を 1 台に統合しても十分に処理できるものとする。

〔条件〕
(1)　統合後の平均サービス時間：T_S
(2)　統合前の ATM の利用率：両支店とも ρ
(3)　統合後の利用者数：統合前の両支店の利用者数の合計

ア　$\dfrac{\rho}{1-\rho}\times T_S$　　イ　$\dfrac{\rho}{1-2\rho}\times T_S$　　ウ　$\dfrac{2\rho}{1-\rho}\times T_S$　　エ　$\dfrac{2\rho}{1-2\rho}\times T_S$

問３　AI におけるディープラーニングに関する記述として，最も適切なものはどれか。

ア　あるデータから結果を求める処理を，人間の脳神経回路のように多層の処理を重ねることによって，複雑な判断をできるようにする。

イ　大量のデータからまだ知られていない新たな規則や仮説を発見するために，想定値から大きく外れている例外事項を取り除きながら分析を繰り返す手法である。

ウ　多様なデータや大量のデータに対して，三段論法，統計的手法やパターン認識手法を組み合わせることによって，高度なデータ分析を行う手法である。

エ　知識がルールに従って表現されており，演繹（えき）手法を利用した推論によって有意な結論を導く手法である。

問４　符号長７ビット，情報ビット数４ビットのハミング符号による誤り訂正の方法を，次のとおりとする。

受信した７ビットの符号語 $x_1\ x_2\ x_3\ x_4\ x_5\ x_6\ x_7$（$x_k = 0$ 又は 1）に対して

$$c_0 = x_1 + x_3 + x_5 + x_7$$
$$c_1 = x_2 + x_3 + x_6 + x_7$$
$$c_2 = x_4 + x_5 + x_6 + x_7$$

（いずれも mod 2 での計算）

を計算し，c_0，c_1，c_2 の中に少なくとも一つは 0 でないものがある場合には，

$$i = c_0 + c_1 \times 2 + c_2 \times 4$$

を求めて，左から i ビット目を反転することによって誤りを訂正する。

受信した符号語が 1000101 であった場合，誤り訂正後の符号語はどれか。

ア　1000001　　イ　1000101　　ウ　1001101　　エ　1010101

0 1 2 3 4 5 6 7 8 9 10 11 12 13 14

問5　正の整数Mに対して，次の二つの流れ図に示すアルゴリズムを実行したとき，結果xの値が等しくなるようにしたい。aに入れる条件として，適切なものはどれか。

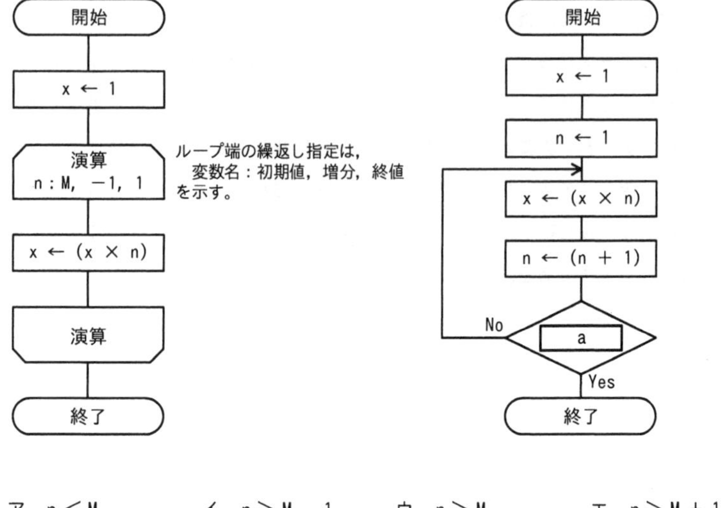

ア　n＜M　　イ　n＞M－1　　ウ　n＞M　　エ　n＞M＋1

問6　各ノードがもつデータを出力する再帰処理 f(ノード n)を定義した。この処理を，図の2分木の根（最上位のノード）から始めたときの出力はどれか。

〔f(ノード n)の定義〕

1. ノード n の右に子ノード r があれば，f(ノード r)を実行
2. ノード n の左に子ノード l があれば，f(ノード l)を実行
3. 再帰処理 f(ノード r)，f(ノード l)を未実行の子ノード，又は子ノードがなければ，ノード自身がもつデータを出力
4. 終了

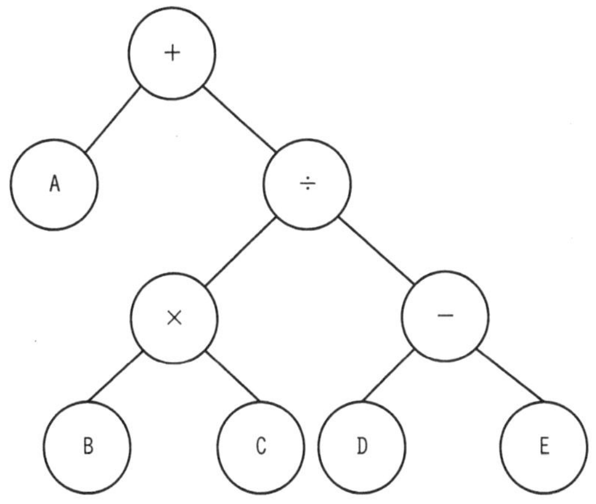

ア　＋÷－ED×CBA　　　イ　ABC×DE－÷＋

ウ　E－D÷C×B＋A　　　エ　ED－CB×÷A＋

問7　整列方法に関するアルゴリズムの記述のうち，バブルソートの記述はどれか。ここで，整列対象は重複のない1から9の数字がランダムに並んでいる数字列とする。

ア　数字列の最後の数字から最初の数字に向かって，隣り合う二つの数字を比較して小さい数字が前に来るよう数字を入れ替える操作を繰り返し行う。

イ　数字列の中からランダムに基準となる数を選び，基準より小さい数と大きい数の二つのグループに分け，それぞれのグループ内も同じ操作を繰り返し行う。

ウ　数字列をほぼ同じ長さの二つの数字列のグループに分割していき，分割できなくなった時点から，グループ内で数字が小さい順に並べる操作を繰り返し行う。

エ　未処理の数字列の中から最小値を探索し，未処理の数字列の最初の数字と入れ替える操作を繰り返し行う。

問８　同一メモリ空間で，転送元の開始アドレス，転送先の開始アドレス，方向フラグ及び転送語数をパラメータとして指定することによって，データをブロック転送できる機能をもつ CPU がある。図のようにアドレス 1001 から 1004 のデータをアドレス 1003 から 1006 に転送するとき，指定するパラメータとして適切なものはどれか。ここで，転送は開始アドレスから１語ずつ行われ，方向フラグに 0 を指定するとアドレスの昇順に，1 を指定するとアドレスの降順に転送を行うものとする。

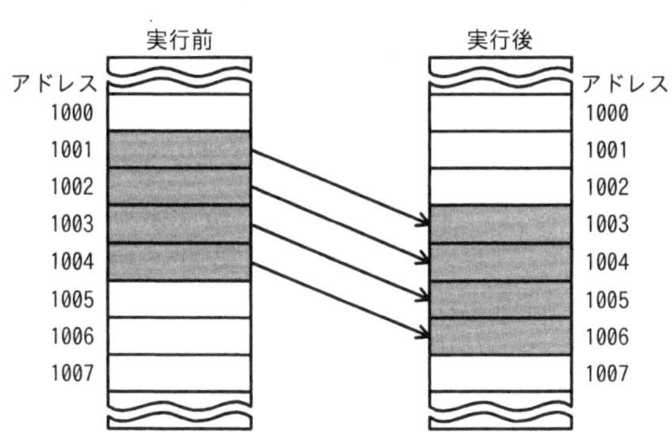

	転送元の開始アドレス	転送先の開始アドレス	方向フラグ	転送語数
ア	1001	1003	0	4
イ	1001	1003	1	4
ウ	1004	1006	0	4
エ	1004	1006	1	4

問９　量子ゲート方式の量子コンピュータの説明として，適切なものはどれか。

ア　演算は２進数で行われ，結果も２進数で出力される。
イ　特定のアルゴリズムによる演算だけができ，加算演算はできない。
ウ　複数の状態を同時に表現する量子ビットと，その重ね合わせを利用する。
エ　量子状態を変化させながら観測するので，100℃以上の高温で動作する。

問10　主記憶のアクセス時間が60ナノ秒，キャッシュメモリのアクセス時間が10ナノ秒であるシステムがある。キャッシュメモリを介して主記憶にアクセスする場合の実効アクセス時間が15ナノ秒であるとき，キャッシュメモリのヒット率は幾らか。

ア　0.1　　イ　0.17　　ウ　0.83　　エ　0.9

問11　15Mバイトのプログラムを圧縮して，フラッシュメモリに格納している。プログラムのサイズは圧縮によって元のサイズの40％になっている。フラッシュメモリから主記憶への転送速度が20Mバイト／秒であり，1Mバイトに圧縮されたデータの展開に主記憶上で0.03秒が掛かるとき，このプログラムが主記憶に展開されるまでの時間は何秒か。ここで，フラッシュメモリから主記憶への転送と圧縮データの展開は同時には行われないものとする。

ア　0.48　　イ　0.75　　ウ　0.93　　エ　1.20

問12　システムの信頼性設計に関する記述のうち，適切なものはどれか。

ア　フェールセーフとは，利用者の誤操作によってシステムが異常終了してしまうことのないように，単純なミスを発生させないようにする設計方法である。
イ　フェールソフトとは，故障が発生した場合でも機能を縮退させることなく稼働を継続する概念である。
ウ　フォールトアボイダンスとは，システム構成要素の個々の品質を高めて故障が発生しないようにする概念である。
エ　フォールトトレランスとは，故障が生じてもシステムに重大な影響が出ないように，あらかじめ定められた安全状態にシステムを固定し，全体として安全が維持されるような設計方法である。

問13 オブジェクトストレージの記述として，最も適切なものはどれか。

ア 更新頻度の少ない非構造型データの格納に適しており，大容量で拡張性のあるストレージ空間を仮想的に実現することができる。

イ 高速のストレージ専用ネットワークを介して，複数のサーバからストレージを共有することによって，高速にデータを格納することができる。

ウ サーバごとに割り当てられた専用ストレージであり，容量が不足したときにはストレージを追加することができる。

エ 複数のストレージを組み合わせることによって，仮想的な1台のストレージとして運用することができる。

問14 1台のCPUの性能を1とするとき，そのCPUをn台用いたマルチプロセッサの性能Pが，

$$P = \frac{n}{1 + (n - 1)a}$$

で表されるとする。ここで，aはオーバーヘッドを表す定数である。例えば，a＝0.1，n＝4とすると，P≒3なので，4台のCPUから成るマルチプロセッサの性能は約3になる。この式で表されるマルチプロセッサの性能には上限があり，nを幾ら大きくしてもPはある値以上には大きくならない。a＝0.1の場合，Pの上限は幾らか。

ア 5　　イ 10　　ウ 15　　エ 20

問15　コンピュータの性能評価には，シミュレーションを用いた方法，解析的な方法などがある。シミュレーションを用いた方法の特徴はどれか。

ア　解析的な方法よりも計算量が少なく，効率的に解が求まる。

イ　解析的な方法よりも，乱数を用いることで高精度の解が得られる。

ウ　解析的に解が求められないモデルに対しても，数値的に解が求まる。

エ　解析的に解が求められるモデルの検証には使用できない。

問16　ノンプリエンプティブ方式のタスクの状態遷移に関する記述として，適切なものはどれか。

ア　OS は実行中のタスクの優先度を他のタスクよりも上げることによって，実行中のタスクが終了するまでタスクが切り替えられるのを防ぐ。

イ　実行中のタスクが自らの中断を OS に要求することによってだけ，OS は実行中のタスクを中断し，動作可能な他のタスクを実行中に切り替えることができる。

ウ　実行中のタスクが無限ループに陥っていることを OS が検知した場合，OS は実行中のタスクを終了させ，動作可能な他のタスクを実行中に切り替える。

エ　実行中のタスクより優先度が高い動作可能なタスクが実行待ち行列に追加された場合，OS は実行中のタスクを中断し，優先度が高い動作可能なタスクを実行中に切り替える。

問17 三つの資源 X～Z を占有して処理を行う四つのプロセス A～D がある。各プロセスは処理の進行に伴い，表中の数値の順に資源を占有し，実行終了時に三つの資源を一括して解放する。プロセス A と同時にもう一つプロセスを動かした場合に，デッドロックを起こす可能性があるプロセスはどれか。

プロセス	資源の占有順序		
	資源 X	資源 Y	資源 Z
A	1	2	3
B	1	2	3
C	2	3	1
D	3	2	1

ア B，C，D　　イ C，D　　ウ Cだけ　　エ Dだけ

問18 複数のクライアントから接続されるサーバがある。このサーバのタスクの多重度が 2 以下の場合，タスク処理時間は常に 4 秒である。このサーバに 1 秒間隔で 4 件の処理要求が到着した場合，全ての処理が終わるまでの時間はタスクの多重度が 1 のときと 2 のときとで，何秒の差があるか。

ア 6　　イ 7　　ウ 8　　エ 9

問19 プログラムを構成するモジュールや関数の実行回数，実行時間など，性能改善のための分析に役立つ情報を収集するツールはどれか。

ア エミュレーター　　イ シミュレーター
ウ デバッガ　　エ プロファイラ

問20　エアコンや電気自動車でエネルギー効率のよい制御や電力変換をするためにパワー半導体が用いられる。このパワー半導体の活用例の一つであるインバータの説明として，適切なものはどれか。

ア　直流電圧をより高い直流電圧に変換する。

イ　直流電圧をより低い直流電圧に変換する。

ウ　交流電力を直流電力に変換する。

エ　直流電力を交流電力に変換する。

問21　入力がAとB，出力がYの論理回路を動作させたとき，図のタイムチャートが得られた。この論理回路として，適切なものはどれか。

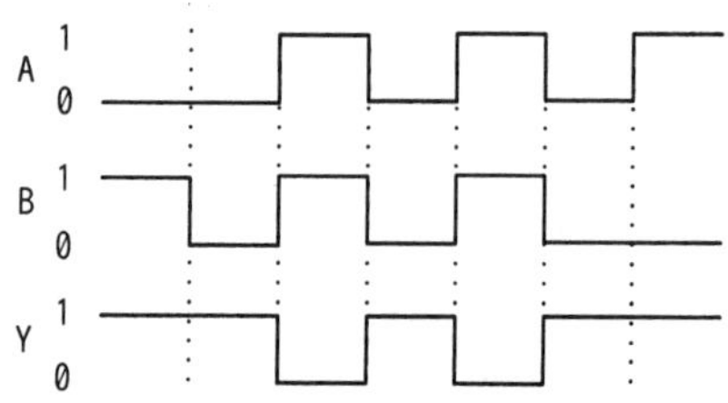

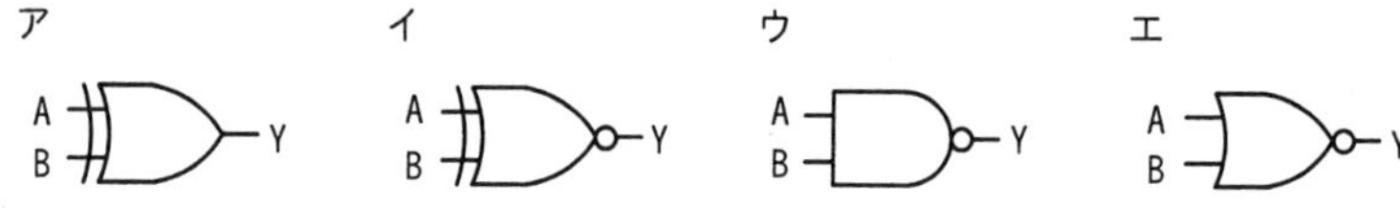

問22　次の方式で画素にメモリを割り当てる 640×480 のグラフィック LCD モジュールがある。始点（5，4）から終点（9，8）まで直線を描画するとき，直線上の x=7 の画素に割り当てられたメモリのアドレスの先頭は何番地か。ここで，画素の座標は（x，y）で表すものとする。

〔方式〕

・メモリは 0 番地から昇順に使用する。

・1 画素は 16 ビットとする。

・座標（0，0）から座標（639，479）までメモリを連続して割り当てる。

・各画素は，x=0 から x 軸の方向にメモリを割り当てていく。

・x=639 の次は x=0 とし，y を 1 増やす。

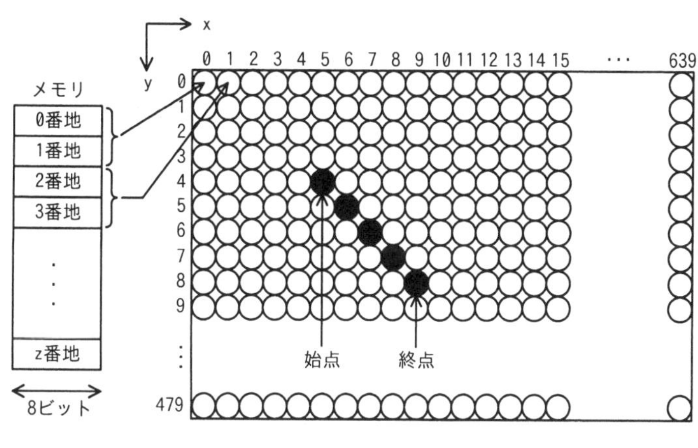

ア　3847　　イ　7680　　ウ　7694　　エ　8978

問23　データセンターなどで採用されているサーバ，ネットワーク機器に対する直流給電の利点として，適切なものはどれか。

ア　交流から直流への変換，直流から交流への変換で生じる電力損失を低減できる。
イ　受電設備からCPUなどのLSIまで，同じ電圧のまま給電できる。
ウ　停電の危険がないので，電源バックアップ用のバッテリを不要にできる。
エ　トランスを用いて容易に昇圧，降圧ができる。

問24　ビットマップフォントよりも，アウトラインフォントの利用が適している場合はどれか。

ア　英数字だけでなく，漢字も表示する。
イ　各文字の幅を一定にして表示する。
ウ　画面上にできるだけ高速に表示する。
エ　文字を任意の倍率に拡大して表示する。

問25　ストアドプロシージャの利点はどれか。

ア　アプリケーションプログラムからネットワークを介して DBMS にアクセスする場合，両者間の通信量を減少させる。
イ　アプリケーションプログラムからの一連の要求を一括して処理することによって，DBMS 内の実行計画の数を減少させる。
ウ　アプリケーションプログラムからの一連の要求を一括して処理することによって，DBMS 内の必要バッファ数を減少させる。
エ　データが格納されているディスク装置への I/O 回数を減少させる。

問26　“部品”表及び“在庫”表に対し，SQL 文を実行して結果を得た。SQL 文の a に入れる字句はどれか。

部品

部品 ID	発注点
P01	100
P02	150
P03	100

在庫

部品 ID	倉庫 ID	在庫数
P01	W01	90
P01	W02	90
P02	W01	150

〔結果〕

部品 ID	発注要否
P01	不要
P02	不要
P03	必要

〔SQL 文〕

```
SELECT 部品.部品 ID AS 部品 ID,
    CASE WHEN 部品.発注点 > [    a    ]
        THEN N'必要' ELSE N'不要' END AS 発注要否
FROM 部品 LEFT OUTER JOIN 在庫
    ON 部品.部品 ID = 在庫.部品 ID
GROUP BY 部品.部品 ID, 部品.発注点
```

ア　COALESCE(MIN(在庫.在庫数), 0)

イ　COALESCE(MIN(在庫.在庫数), NULL)

ウ　COALESCE(SUM(在庫.在庫数), 0)

エ　COALESCE(SUM(在庫.在庫数), NULL)

問27　トランザクションＴはチェックポイント後にコミットしたが，その後にシステム障害が発生した。トランザクションＴの更新内容をその終了直後の状態にするために用いられる復旧技法はどれか。ここで，トランザクションはWALプロトコルに従い，チェックポイントの他に，トランザクションログを利用する。

ア　２相ロック　　イ　シャドウページ
ウ　ロールバック　　エ　ロールフォワード

問28　データウェアハウスのテーブル構成をスタースキーマとする場合，分析対象のトランザクションデータを格納するテーブルはどれか。

ア　サマリテーブル　　イ　ディメンジョンテーブル
ウ　ファクトテーブル　　エ　ルックアップテーブル

問29　ビッグデータの基盤技術として利用されるNoSQLに分類されるデータベースはどれか。

ア　関係データモデルをオブジェクト指向データモデルに拡張し，操作の定義や型の継承関係の定義を可能としたデータベース
イ　経営者の意思決定を支援するために，ある主題に基づくデータを現在の情報とともに過去の情報も蓄積したデータベース
ウ　様々な形式のデータを一つのキーに対応付けて管理するキーバリュー型データベース
エ　データ項目の名称，形式など，データそのものの特性を表すメタ情報を管理するデータベース

問30 CSMA/CD方式のLANに接続されたノードの送信動作として，適切なものはどれか。

ア 各ノードに論理的な順位付けを行い，送信権を順次受け渡し，これを受け取ったノードだけが送信を行う。

イ 各ノードは伝送媒体が使用中かどうかを調べ，使用中でなければ送信を行う。衝突を検出したらランダムな時間の経過後に再度送信を行う。

ウ 各ノードを環状に接続して，送信権を制御するための特殊なフレームを巡回させ，これを受け取ったノードだけが送信を行う。

エ タイムスロットを割り当てられたノードだけが送信を行う。

問31 IPアドレス208.77.188.166は，どのアドレスに該当するか。

ア グローバルアドレス　　イ プライベートアドレス
ウ ブロードキャストアドレス　　エ マルチキャストアドレス

問32 ルータを冗長化するために用いられるプロトコルはどれか。

ア PPP　　イ RARP　　ウ SNMP　　エ VRRP

問33 ビット誤り率が0.0001%の回線を使って，1,500バイトのパケットを10,000個送信するとき，誤りが含まれるパケットの個数の期待値はおよそ幾らか。

ア 10　　イ 15　　ウ 80　　エ 120

問34　OpenFlow を使った SDN（Software-Defined Networking）の説明として，適切なものはどれか。

ア　単一の物理サーバ内の仮想サーバ同士が，外部のネットワーク機器を経由せずに，物理サーバ内部のソフトウェアで実現された仮想スイッチを経由して，通信する方式

イ　データを転送するネットワーク機器とは分離したソフトウェアによって，ネットワーク機器を集中的に制御，管理するアーキテクチャ

ウ　プロトコルの文法を形式言語を使って厳密に定義する，ISO で標準化された通信プロトコルの規格

エ　ルータやスイッチの機器内部で動作するソフトウェアを，オープンソースソフトウェア（OSS）で実現する方式

問35　3D セキュア 2.0（EMV 3-D セキュア）は，オンラインショッピングにおけるクレジットカード決済時に，不正取引を防止するための本人認証サービスである。3D セキュア 2.0 で利用される本人認証の特徴はどれか。

ア　利用者がカード会社による本人認証に用いるパスワードを忘れた場合でも，安全にパスワードを再発行することができる。

イ　利用者の過去の取引履歴や決済に用いているデバイスの情報から不正利用や高リスクと判断される場合に，カード会社が追加の本人認証を行う。

ウ　利用者の過去の取引履歴や決済に用いているデバイスの情報にかかわらず，カード会社がパスワードと生体認証を併用した本人認証を行う。

エ　利用者の過去の取引履歴や決済に用いているデバイスの情報に加えて，操作しているのが人間であることを確認した上で，カード会社が追加の本人認証を行う。

問36 企業の DMZ 上で 1 台の DNS サーバを，インターネット公開用と，社内の PC 及びサーバからの名前解決の問合せに対応する社内用とで共用している。この DNS サーバが，DNS キャッシュポイズニング攻撃による被害を受けた結果，直接引き起こされ得る現象はどれか。

ア DNS サーバのハードディスク上に定義されている DNS サーバ名が書き換わり，インターネットから DNS サーバに接続できなくなる。
イ DNS サーバのメモリ上にワームが常駐し，DNS 参照元に対して不正プログラムを送り込む。
ウ 社内の利用者が，インターネット上の特定の Web サーバにアクセスしようとすると，本来とは異なる Web サーバに誘導される。
エ 社内の利用者間の電子メールについて，宛先メールアドレスが書き換えられ，送信ができなくなる。

問37 DNSSEC で実現できることはどれか。

ア DNS キャッシュサーバが得た応答の中のリソースレコードが，権威 DNS サーバで管理されているものであり，改ざんされていないことの検証
イ 権威 DNS サーバと DNS キャッシュサーバとの通信を暗号化することによる，ゾーン情報の漏えいの防止
ウ 長音“ー”と漢数字“一”などの似た文字をドメイン名に用いて，正規サイトのように見せかける攻撃の防止
エ 利用者の URL の入力誤りを悪用して，偽サイトに誘導する攻撃の検知

0
1
2
3
4
5
6
7
8
9
10
11
12
13
14

問38　公開鍵暗号方式を使った暗号通信をｎ人が相互に行う場合，全部で何個の異なる鍵が必要になるか。ここで，一組の公開鍵と秘密鍵は２個と数える。

ア　$n+1$　　イ　$2n$　　ウ　$\frac{n(n-1)}{2}$　　エ　n^2

問39　自社製品の脆弱性に起因するリスクに対応するための社内機能として，最も適切なものはどれか。

ア　CSIRT
イ　PSIRT
ウ　SOC
エ　WHOIS データベースの技術連絡担当

問40　JIS Q 31000:2019（リスクマネジメント－指針）において，リスク特定で考慮することが望ましいとされている事項はどれか。

ア　結果の性質及び大きさ
イ　残留リスクが許容可能かどうかの判断
ウ　資産及び組織の資源の性質及び価値
エ　事象の起こりやすさ及び結果

問41 WAF による防御が有効な攻撃として，最も適切なものはどれか。

ア DNS サーバに対する DNS キャッシュポイズニング
イ REST API サービスに対する API の脆弱性を狙った攻撃
ウ SMTP サーバの第三者不正中継の脆弱性を悪用したフィッシングメールの配信
エ 電子メールサービスに対する大量，かつ，サイズの大きな電子メールの配信

問42 PC からサーバに対し，IPv6 を利用した通信を行う場合，ネットワーク層で暗号化を行うときに利用するものはどれか。

ア IPsec　　イ PPP　　ウ SSH　　エ TLS

問43 SPF（Sender Policy Framework）の仕組みはどれか。

ア 電子メールを受信するサーバが，電子メールに付与されているデジタル署名を使って，送信元ドメインの詐称がないことを確認する。
イ 電子メールを受信するサーバが，電子メールの送信元のドメイン情報と，電子メールを送信したサーバの IP アドレスから，送信元ドメインの詐称がないことを確認する。
ウ 電子メールを送信するサーバが，電子メールの宛先のドメインや送信者のメールアドレスを問わず，全ての電子メールをアーカイブする。
エ 電子メールを送信するサーバが，電子メールの送信者の上司からの承認が得られるまで，一時的に電子メールの送信を保留する。

問44　IC カードの耐タンパ性を高める対策はどれか。

ア　IC カードと IC カードリーダーとが非接触の状態で利用者を認証して，利用者の利便性を高めるようにする。

イ　故障に備えてあらかじめ作成した予備の IC カードを保管し，故障時に直ちに予備カードに交換して利用者が IC カードを使い続けられるようにする。

ウ　信号の読出し用プローブの取付けを検出すると IC チップ内の保存情報を消去する回路を設けて，IC チップ内の情報を容易には解析できないようにする。

エ　利用者認証に IC カードを利用している業務システムにおいて，退職者の IC カードは業務システム側で利用を停止して，他の利用者が利用できないようにする。

問45　オブジェクト指向におけるクラス間の関係のうち，適切なものはどれか。

ア　クラス間の関連は，二つのクラス間でだけ定義できる。

イ　サブクラスではスーパークラスの操作を再定義することができる。

ウ　サブクラスのインスタンスが，スーパークラスで定義されている操作を実行するときは，スーパークラスのインスタンスに操作を依頼する。

エ　二つのクラスに集約の関係があるときには，集約オブジェクトは部分となるオブジェクトと，属性及び操作を共有する。

問46　モジュール結合度に関する記述のうち，適切なものはどれか。

ア　あるモジュールが CALL 命令を使用せずに JUMP 命令でほかのモジュールを呼び出すとき，このモジュール間の関係は，外部結合である。

イ　実行する機能や論理を決定するために引数を受け渡すとき，このモジュール間の関係は，内容結合である。

ウ　大域的な単一のデータ項目を参照するモジュール間の関係は，制御結合である。

エ　大域的なデータを参照するモジュール間の関係は，共通結合である。

問47　ソフトウェア信頼度成長モデルの一つであって，テスト工程においてバグが収束したと判定する根拠の一つとして使用するゴンペルツ曲線はどれか。

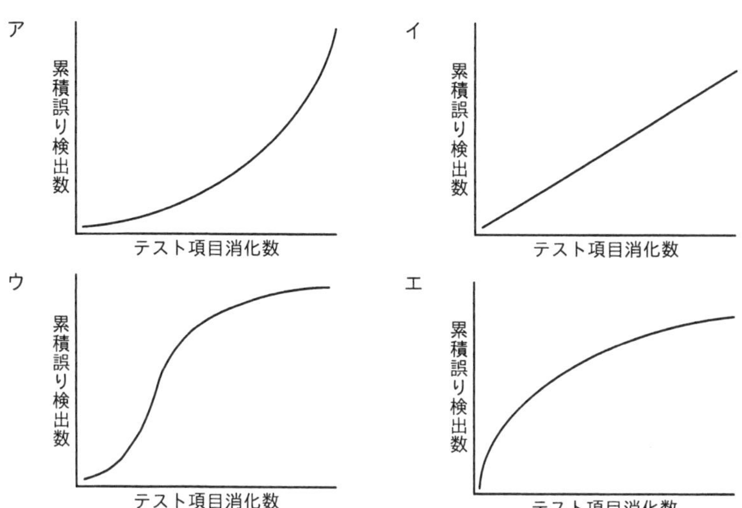

問48　リーンソフトウェア開発において，ソフトウェア開発のプロセスとプロセスの所要時間とを可視化し，ボトルネックや無駄がないかどうかを確認するのに用いるものはどれか。

ア　ストーリーカード　　イ　スプリントバックログ
ウ　バーンダウンチャート　　エ　バリューストリームマップ

問49　JIS X 33002:2017（プロセスアセスメント実施に対する要求事項）の説明として，適切なものはどれか。

ア　組織のプロセスを継続的に改善して品質を高めるための要求事項を規定している。

イ　組織プロセスの品質を客観的に診断するための要求事項を規定している。

ウ　プロジェクトの実施に重要で，かつ，影響を及ぼすプロジェクトマネジメントの概念及びプロセスに関する包括的な手引きを規定している。

エ　明確に定義された用語を使用し，ソフトウェアライフサイクルプロセスの共通枠組みを規定している。

問50　ドキュメンテーションジェネレーターの説明として，適切なものはどれか。

ア　HTML，CSS などのリソースを読み込んで，画面などに描画又は表示するソフトウェア

イ　ソースコード中にある，フォーマットに従って記述されたコメント文などから，プログラムのドキュメントを生成するソフトウェア

ウ　動的に Web ページを生成するために，文書のテンプレートと埋込み入力データを合成して出力するソフトウェア

エ　文書構造がマーク付けされたテキストファイルを読み込んで，印刷可能なドキュメントを組版するソフトウェア

問51　EVM で管理しているプロジェクトがある。図は，プロジェクトの開始から完了予定までの期間の半分が経過した時点での状況である。コスト効率，スケジュール効率がこのままで推移すると仮定した場合の見通しのうち，適切なものはどれか。

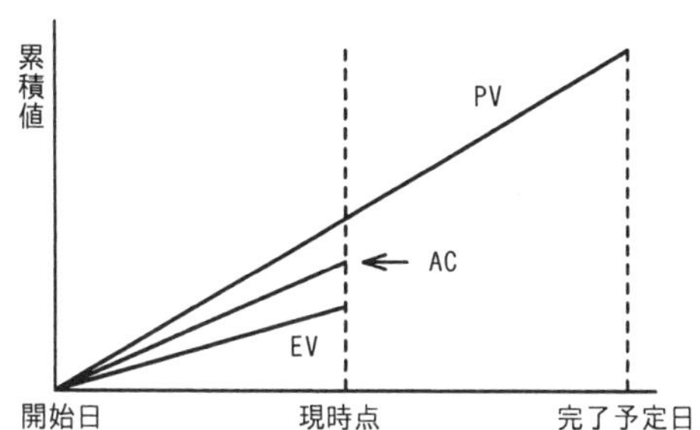

ア　計画に比べてコストは多くなり，プロジェクトの完了は遅くなる。

イ　計画に比べてコストは多くなり，プロジェクトの完了は早くなる。

ウ　計画に比べてコストは少なくなり，プロジェクトの完了は遅くなる。

エ　計画に比べてコストは少なくなり，プロジェクトの完了は早くなる。

問52　図のアローダイアグラムで表されるプロジェクトがある。結合点 5 の最早結合点時刻はプロジェクトの開始から第何日か。ここで，プロジェクトの開始日は 0 日目とする。

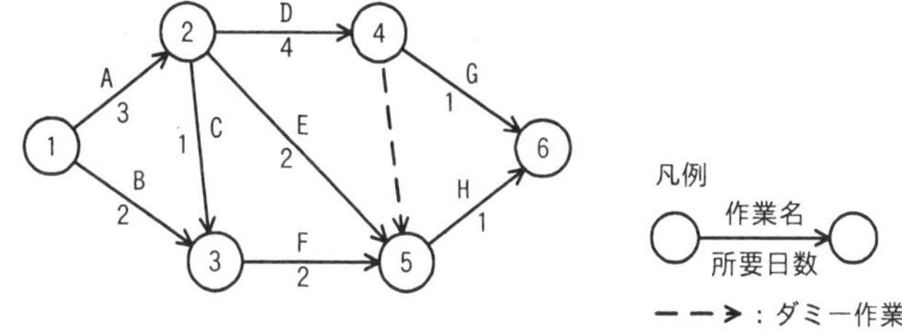

ア　4　　　イ　5　　　ウ　6　　　エ　7

問53　JIS Q 21500:2018（プロジェクトマネジメントの手引）によれば，プロセス“リスクの管理”の目的はどれか。

ア　特定したリスクに適切な処置を行うためにリスクを測定して，その優先順位を定める。

イ　発生した場合に，プロジェクトの目標にプラス又はマイナスの影響を与えることがある潜在的リスク事象及びその特性を決定する。

ウ　プロジェクトの目標への機会を高めて脅威を軽減するために，選択肢を作成して対策を決定する。

エ　リスクへの対応を実行するかどうか及びそれが期待する効果を上げられるかどうかを明らかにし，プロジェクトの混乱を最小限にする。

問54　工場の生産能力を増強する方法として，新規システムを開発する案と既存システムを改修する案とを検討している。次の条件で，期待金額価値の高い案を採用するとき，採用すべき案と期待金額価値との組合せのうち，適切なものはどれか。ここで，期待金額価値は，収入と投資額との差で求める。

〔条件〕

・新規システムを開発する場合の投資額は100億円であって，既存システムを改修する場合の投資額は50億円である。

・需要が拡大する確率は70%であって，需要が縮小する確率は30%である。

・新規システムを開発した場合，需要が拡大したときは180億円の収入が見込まれ，需要が縮小したときは50億円の収入が見込まれる。

・既存システムを改修した場合，需要が拡大したときは120億円の収入が見込まれ，需要が縮小したときは40億円の収入が見込まれる。

・他の条件は考慮しない。

	採用すべき案	期待金額価値（億円）
ア	既存システムの改修	46
イ	既存システムの改修	96
ウ	新規システムの開発	41
エ	新規システムの開発	130

問55　SaaS (Software as a Service) による新規サービスを提供するに当たって，顧客への課金方式を検討している。課金方式 ① ～ ④ のうち，想定利用状況に基づいて最も高い利益が得られる課金方式を採用したときの，年間利益は何万円か。ここで，新規サービスの課金は月ごとに行い，各月の想定利用状況は同じとする。また，新規サービスの運用に掛かる費用は 1,050 万円／年とする。

〔課金方式〕

①月間のサービス利用時間による従量課金	4,000 円／時間
②月間のトランザクション件数による従量課金	700 円／件
③月末時点のディスク割当て量による従量課金	300 円／GB
④月末時点の利用者 ID 数による従量課金	1,600 円／ID

〔想定利用状況〕

・サービス利用時間	250 時間／月
・トランザクション件数	1,500 件／月
・月末時点のディスク割当て量	3,300 GB
・月末時点の利用者 ID 数	650 ID

ア　150　　イ　198　　ウ　210　　エ　260

問56　サービスマネジメントにおけるサービスレベル管理の活動はどれか。

ア　現在の資源の調整と最適化とを行い，将来の資源要件に関する予測を記載した計画を作成する。
イ　サービスの提供に必要な予算に応じて，適切な資金を確保する。
ウ　災害や障害などで事業が中断しても，要求されたサービス機能を合意された期間内に確実に復旧できるように，事業影響度の評価や復旧優先順位を明確にする。
エ　提供するサービス及びサービスレベル目標を決定し，サービス提供者が顧客との間で合意文書を交わす。

問57 温室効果ガスの排出量の算定基準であるGHGプロトコルでは，事業者の事業活動によって直接的，又は間接的に排出される温室効果ガスについて，スコープを三つに分けている。事業者X社がデータセンター事業者であるときの，スコープ1の例として，適切なものはどれか。

〔GHGプロトコルにおけるスコープの説明〕

スコープ1	温室効果ガスの直接排出。事業者が所有している，又は管理している排出源から発生する。
スコープ2	電気の使用に伴う温室効果ガスの間接排出。事業者が消費する購入電力の発電に伴う温室効果ガスの排出量を算定する。
スコープ3	その他の温室効果ガスの間接排出。事業者の活動に関連して生じるが，事業者が所有も管理もしていない排出源から発生する。

ア X社が自社で管理するIT機器を使用するために購入した電力の，発電に伴う温室効果ガス

イ X社が自社で管理するIT機器を廃棄処分するときに，産業廃棄物処理事業者が排出する温室効果ガス

ウ X社が自社で管理する発電装置を稼働させることによって発生する温室効果ガス

エ X社が提供するハウジングサービスを利用する企業が自社で管理するIT機器を使用するために購入した電力の，発電に伴う温室効果ガス

問58　システム監査基準（令和５年）が規定している監査調書の説明として，最も適切なものはどれか。

ア　監査の結論に至った過程を明らかにし，監査の結論を支える合理的な根拠とするための記録
イ　監査の目的に応じた適切な形式によって作成し，監査依頼者に提出する，監査の概要と監査の結論を記載した要約版の報告書
ウ　システム監査対象ごとに，具体的な監査スケジュールを定めた詳細計画
エ　システム監査の中長期における方針等を明らかにすることを目的として作成する文書

問59　システム監査基準（令和５年）によれば，システム監査において，監査人が一定の基準に基づいて総合的に点検・評価を行う対象とするものは，情報システムのマネジメント，コントロールと，あと一つはどれか。

ア　ガバナンス　　　　　　　イ　コンプライアンス
ウ　サイバーレジリエンス　　エ　モニタリング

問60　情報システムに対する統制をITに係る全般統制とITに係る業務処理統制に分けたとき，ITに係る業務処理統制に該当するものはどれか。

ア　サーバ室への入退室を制限・記録するための入退室管理システム
イ　システム開発業務を適切に委託するために定めた選定手続
ウ　販売管理システムにおける入力データの正当性チェック機能
エ　不正アクセスを防止するためのファイアウォールの運用管理

問61 エンタープライズアーキテクチャの参照モデルのうち，BRM（Business Reference Model）として提供されるものはどれか。

ア アプリケーションサービスを機能的な観点から分類・体系化したサービスコンポーネント

イ サービスコンポーネントを実際に活用するためのプラットフォームやテクノロジの標準仕様

ウ 参照モデルの中で最も業務に近い階層として提供される，業務分類に従った業務体系及びシステム体系と各種業務モデル

エ 組織間で共有される可能性の高い情報について，名称，定義及び各種属性を総体的に記述したモデル

問62 “デジタルガバナンス・コード2.0”の説明として，適切なものはどれか。

ア 企業の自主的なDX推進を促すために，デジタル技術による社会変革を踏まえた経営ビジョン策定など経営者に求められる対応を，経済産業省がまとめたもの

イ 教育委員会に対して，教育情報セキュリティポリシーの基本理念や情報セキュリティ対策基準の記述例を，文部科学省がまとめたもの

ウ 全国どこでも誰もが便利で快適に暮らせる社会を目指し，自治体が重点的に取組むべき事項を，総務省がまとめたもの

エ デジタル社会形成のために政府が迅速かつ重点的に実施すべき施策などを，デジタル庁がまとめたもの

問63　SOA の説明はどれか。

ア　会計，人事，製造，購買，在庫管理，販売などの企業の業務プロセスを一元管理することによって，業務の効率化や経営資源の全体最適を図る手法

イ　企業の業務プロセス，システム化要求などのニーズと，ソフトウェアパッケージの機能性がどれだけ適合し，どれだけかい離しているかを分析する手法

ウ　業務プロセスの問題点を洗い出して，目標設定，実行，チェック，修正行動のマネジメントサイクルを適用し，継続的な改善を図る手法

エ　利用者の視点から業務システムの機能を幾つかの独立した部品に分けることによって，業務プロセスとの対応付けや他ソフトウェアとの連携を容易にする手法

問64　IT 投資案件において，投資効果を PBP（Pay Back Period）で評価する。投資額が 500 のとき，期待できるキャッシュインの四つのシナリオ a～d のうち，効果が最も高いものはどれか。

a

年目	1	2	3	4	5
キャッシュイン	100	150	200	250	300

b

年目	1	2	3	4	5
キャッシュイン	100	200	300	200	100

c

年目	1	2	3	4	5
キャッシュイン	200	150	100	150	200

d

年目	1	2	3	4	5
キャッシュイン	300	200	100	50	50

ア　a　　イ　b　　ウ　c　　エ　d

問65　EMS（Electronics Manufacturing Services）の説明として，適切なものはどれか。

ア　相手先ブランドで販売する電子機器の設計だけを受託し，製造は相手先で行う。
イ　外部から調達した電子機器に付加価値を加えて，自社ブランドで販売する。
ウ　自社ブランドで販売する電子機器のソフトウェア開発だけを外部に委託し，ハードウェアは自社で設計製造する。
エ　生産設備をもつ企業が，他社からの委託を受けて電子機器を製造する。

問66　組込み機器のハードウェアの製造を外部に委託する場合のコンティンジェンシープランの記述として，適切なものはどれか。

ア　実績のある外注先の利用によって，リスクの発生確率を低減する。
イ　製造品質が担保されていることを確認できるように委託先と契約する。
ウ　複数の会社の見積りを比較検討して，委託先を選定する。
エ　部品調達のリスクが顕在化したときに備えて，対処するための計画を策定する。

問67　PPM において，投資用の資金源として位置付けられる事業はどれか。

ア　市場成長率が高く，相対的市場占有率が高い事業
イ　市場成長率が高く，相対的市場占有率が低い事業
ウ　市場成長率が低く，相対的市場占有率が高い事業
エ　市場成長率が低く，相対的市場占有率が低い事業

問68　企業が属する業界の競争状態と収益構造を，“新規参入の脅威”，“供給者の支配力”，“買い手の交渉力”，“代替製品・サービスの脅威”，“既存競合者同士の敵対関係”の要素に分類して，分析するフレームワークはどれか。

ア　PEST 分析
イ　VRIO 分析
ウ　バリューチェーン分析
エ　ファイブフォース分析

問69　フィージビリティスタディの説明はどれか。

ア　企業が新規事業立ち上げや海外進出する際の検証，公共事業の採算性検証，情報システムの導入手段の検証など，実現性を調査・検証する投資前評価のこと
イ　技術革新，社会変動などに関する未来予測によく用いられ，専門家グループなどがもつ直観的意見や経験的判断を，反復型アンケートを使って組織的に集約・洗練して収束すること
ウ　集団（小グループ）によるアイディア発想法の一つで，会議の参加メンバー各自が自由奔放にアイディアを出し合い，互いの発想の異質さを利用して，連想を行うことによって，さらに多数のアイディアを生み出そうという集団思考法・発想法のこと
エ　商品が市場に投入されてから，次第に売れなくなり姿を消すまでのプロセスを，導入期，成長期，成熟（市場飽和）期，衰退期の４段階で表現して，その市場における製品の寿命を検討すること

問70 IoT 活用におけるデジタルツインの説明はどれか。

ア インターネットを介して遠隔地に設置した 3D プリンターへ設計データを送り，短時間に製品を製作すること

イ システムを正副の二重に用意し，災害や故障時にシステムの稼働の継続を保証すること

ウ 自宅の家電機器とインターネットでつながり，稼働監視や操作を遠隔で行うことができるウェアラブルデバイスのこと

エ デジタル空間に現実世界と同等な世界を，様々なセンサーで収集したデータを用いて構築し，現実世界では実施できないようなシミュレーションを行うこと

問71 IoT を活用したビジネスモデルの事例のうち，マスカスタマイゼーションの事例はどれか。

ア 建機メーカーが，建設機械にエンジンの稼働状況が分かるセンサーと GPS を搭載して，機械の稼働場所と稼働状況を可視化する。これによって，盗難された機械にキーを入れても，遠隔操作によってエンジンが掛からないようにする。

イ 航空機メーカーが，エンジンに組み込まれたセンサーから稼働状況に関するデータを収集し，これを分析して，航空会社にエンジンの予防保守情報を提供する。

ウ 自動車メーカーが，稼働状況を把握するセンサーと，遠隔地からドアロックを解錠できる装置を自動車に搭載して，カーシェアサービスを提供する。

エ 眼鏡メーカーが，店内で顧客の顔の形状を 3D スキャナーによってデジタル化し，パターンの組み合わせで顧客に合ったフレーム形状を設計する。その後，工場に設計情報を送信し，パーツを組み合わせてフレームを効率的に製造する。

問72　IoT の技術として注目されている，エッジコンピューティングの説明として，最も適切なものはどれか。

ア　演算処理のリソースをセンサー端末の近傍に置くことによって，アプリケーション処理の低遅延化や通信トラフィックの最適化を行う。
イ　人体に装着して脈拍センサーなどで人体の状態を計測して解析を行う。
ウ　ネットワークを介して複数のコンピュータを結ぶことによって，全体として処理能力が高いコンピュータシステムを作る。
エ　周りの環境から微小なエネルギーを収穫して，電力に変換する。

問73　ゲーム理論における“ナッシュ均衡”の説明はどれか。

ア　一部プレイヤーの受取が，そのまま残りのプレイヤーの支払となるような，各プレイヤーの利得（正負の支払）の総和がゼロとなる状態
イ　戦略を決定するに当たって，相手側の各戦略（行動）について，相手の結果が最大利得となる場合同士を比較して，その中で相手の利得を最小化する行動を選択している状態
ウ　戦略を決定するに当たって，自身の各戦略（行動）について，自身の結果が最小利得となる場合同士を比較して，その中で自身の利得を最大化する行動を選択している状態
エ　非協力ゲームのモデルであり，相手の行動に対して最適な行動をとる行動原理の中で，どのプレイヤーも自分だけが戦略を変更しても利得を増やせない戦略の組合せ状態

問74　分析対象としている問題に数多くの要因が関係し，それらが相互に絡み合っているとき，原因と結果，目的と手段といった関係を追求していくことによって，因果関係を明らかにし，解決の糸口をつかむための図はどれか。

ア　アローダイアグラム　　イ　パレート図

ウ　マトリックス図　　エ　連関図

問75　製品X，Yを1台製造するのに必要な部品数は，表のとおりである。製品1台当たりの利益がX，Yともに1万円のとき，利益は最大何万円になるか。ここで，部品Aは120個，部品Bは60個まで使えるものとする。

単位 個

部品＼製品	X	Y
A	3	2
B	1	2

ア　30　　イ　40　　ウ　45　　エ　60

問76　今年度のA社の販売実績と費用（固定費，変動費）を表に示す。来年度，固定費が5%増加し，販売単価が5%低下すると予測されるとき，今年度と同じ営業利益を確保するためには，最低何台を販売する必要があるか。

販売台数	2,500台
販売単価	200千円
固定費	150,000千円
変動費	100千円／台

ア　2,575　　イ　2,750　　ウ　2,778　　エ　2,862

問77　損益計算資料から求められる損益分岐点売上高は，何百万円か。

単位 百万円

売上高	500
材料費（変動費）	200
外注費（変動費）	100
製造固定費	100
総利益	100
販売固定費	80
利益	20

ア　225　　イ　300　　ウ　450　　エ　480

問78　特許法による保護の対象となるものはどれか。

ア　自然法則を利用した技術的思想の創作のうち高度なもの

イ　思想又は感情を創作的に表現したもの

ウ　物品の形状，模様，色彩など，視覚を通じて美感を起こさせるもの

エ　文字，図形，記号などの標章で，商品や役務について使用するもの

問79　不正競争防止法の不正競争行為に該当するものはどれか。

ア　A社と競争関係になっていないB社が，偶然に，A社の社名に類似のドメイン名を取得した。

イ　ある地方だけで有名な和菓子に類似した商品名の飲料を，その和菓子が有名ではない地方で販売し，利益を取得した。

ウ　商標権のない商品名を用いたドメイン名を取得し，当該商品のコピー商品を販売し，利益を取得した。

エ　他社サービスと類似しているが，自社サービスに適しており，正当な利益を得る目的があると認められるドメインを取得し，それを利用した。

問80 個人情報のうち，個人情報保護法における要配慮個人情報に該当するものはどれか。

ア 個人情報の取得時に，本人が取扱いの配慮を申告することによって設定される情報

イ 個人に割り当てられた，運転免許証，クレジットカードなどの番号

ウ 生存する個人に関する，個人を特定するために用いられる勤務先や住所などの情報

エ 本人の病歴，犯罪の経歴など不当な差別や不利益を生じさせるおそれのある情報

13.2 解答・解説

問1：正解 エ

ベイズの定理は，ある事象Aが起こったときの事象Bが起こる条件付き確率P(B|A)から，ある事象Bが起こったときの事象Aが起こる条件付き確率P(A|B)を求めることができるという定理である。例えば，幾つかの袋の中に赤い玉と白い玉が幾つか入っているとする。これらの袋のうちどれか1つの袋から，玉を1つ取り出したとき，この取り出された玉の色（結果）から，どの袋から取り出されたものか（原因）を推定することを考える。

このように，事前に分かっている情報（**事前確率**）と新しいデータを用い，その事象が前提として発生していた確率（**事後確率**）を求めることができるというのがベイズの定理である。なお，次式の項の意味は後述する。

$$P(B|A)=\frac{P(B|A)P(A)}{P(B)} \quad \cdots \text{ベイズの定理} \quad \cdots (1)$$

以下，ベイズの定理を，数学的に説明する。事象Aが発生したという前提で，事象Bが発生するとする。このとき，事象Bが発生する条件付き確率P(B|A)は，次のようになる。なお，**条件付き確率**P(B|A)は，事象Aが発生したとき，事象Bが発生する確率である。

① P(B|A)：事象Aが起こったときに，事象Bが起こる確率：尤度（ユウド）

$$P(B|A)=\frac{P(A\cap B)}{P(A)}$$

② P(A|B)：事象Bが起こったときに，事象Aが起こる確率：事後確率

$$P(A|B)=\frac{P(A\cap B)}{P(B)}$$

③ P(A)：事象Aが起こる確率：事前確率

①を移項して$P(A\cap B)=P(B|A)\times P(A)$，これを②式に代入すると，上記（1）で示した式になる。この式が，ベイズの定理である。

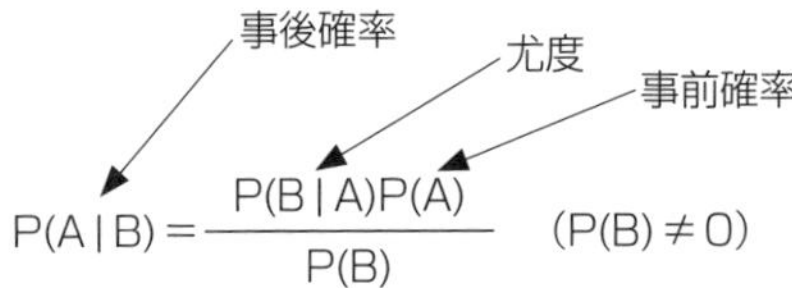

上式において，**尤度**は，想定するパラメータがある値をとる場合に観測している事象が起こり得る確率である。例えば，「2枚のコインを投げて2枚とも表が出た」という観測結果が得られたとき，この結果が観測される確率はコインが表になる確率pをパラメータとする関数$L(p)=p^2$で表すことができる。このとき，p＝0.5であれば，尤度は0.25である。

次に，具体的な例で説明する。例えば袋が2つあり，袋1，袋2ともに，幾つかの白玉と赤玉が入っている。このとき，袋1が選ばれる事象をA，赤玉が選ばれる事象をBとすると，袋1から赤玉が1つ選ばれる確率が$P(B|A)$である。一方，玉を取り出したとき，それが赤玉で，袋1から取り出された確率が$P(A|B)$である。

以上のように，ベイズの定理は，事前確率から事後確率を求めることができるという定理である。

ア　「袋を選ぶ」→「玉を取り出す」という手順であり，取り出した玉の色を推定しているので，事前確率の推定である。

イ　独立した事象の組合せなので，推定するのは事後確率ではない。

ウ　「袋を選ぶ」→「玉を取り出す」という手順であり，最初の「袋を選ぶ」という事象を推定しているので，事前確率の推定である。

エ　「ウ」と同様，「袋を選ぶ」→「玉を取り出す」という手順であるが，取り出された玉の色から袋を推定しているので，事後確率の推定である。

問2：正解 エ

それぞれの支店で使用していたATMを1台に統合しても，平均サービス時間（1件当たりの処理時間）T_sは，コンピュータシステムの性能が変わらないとすれば，統合後も同じである。

統合前の利用者の到着率（単位時間当たりの利用者の到着数）をλとおくと，統合前のシステムの利用率ρとT_sの関係は次のとおりである。

$$\rho=\lambda T_s$$

統合後の利用者の到着率は，統合前の利用者の合計値ということで，λが2λになると考えればよい。すると，統合後のシステムの利用率ρ'は次のようになる。

$$\rho'=2\lambda T_s$$

一方，平均待ち時間をWとおくと，待ち行列の公式により，次のようになる。

$$W=\frac{\rho'}{1-\rho'}\times T_s$$

上式に$\rho'=2\lambda T_s$を代入すればよい。

$$W = \frac{2\lambda T_s}{1-2\lambda T_s} \times T_s$$

$$= \frac{2\rho}{1-2\rho} \times T_s \quad (\because \quad \lambda T_s = \rho)$$

問3：正解 ア

AI（Artificial Intelligence：**人工知能**）は，人間の脳が行っている知的な作業をコンピュータで模倣したソフトウェアやシステムである。例えば，人間の使う自然言語を理解したり，論理的な推論を行ったり，経験から学習したりするソフトウェアやシステムなどである。人工知能の応用例に，専門家の問題解決技法を模倣するエキスパートシステムや，翻訳を自動的に行う機械翻訳システム，画像や音声の意味を理解する画像理解システムや音声理解システムなどがある。

ディープラーニング（Deep Learning：**DL**，**深層学習**）は，音声の認識，画像の特定，予測など，人間が行うような作業を実行できるようにコンピュータに学習させる手法である。DLでは，人間がデータを編成して定義済みの数式に適用するのではなく，人間はデータに関する基本的なパラメータ設定のみを行い，その後は何層もの処理を用いたパターン認識を通じてコンピュータ自体に課題の解決方法を学習させる。DLは，DNNを用いた学習のことである。

DNN（Deep Neural Network）は，**ニューラルネットワーク**（Neural Network：**NN**，**神経回路網**）という，パターン認識をするように設計された人間や動物の脳神経回路をモデルにしたアルゴリズムを多層構造化したものである。

イ，ウ　データマイニングの説明である。**データマイニング**は，膨大な量の生データと対話を通じて，経営やマーケティングにとって必要な傾向や動向，相関関係，パターンなどを，ニューラルネットワークや統計解析などの手法を使って導き出すための技術や手法である。**マイニング**は，採掘するという意味である。例えば，大量の販売実績データを分析して，顧客の購買動向などを導いたりする。

三段論法は，2つの前提命題から1つの結論命題を導く論理的推理である。例えば，「人間は死ぬ」「ソクラテスは人間だ」という2つの前提から，「ソクラテスは死ぬ」という結論を導き出す。**統計的手法**は，データを収集し，収集したデータの平均，メジアン，モードなどの代表値や，ヒストグラムなどのグラフを利用する方法などによって傾向や性質を数量的に把握するための手法である。**パターン認識**は，画像・音声などの雑多な情報を含むデータの中から，一定の規則や意味をもつ対象を選別して取り出す処理である。

エ　エキスパートシステムの説明である。**エキスパートシステム**（**専門家システム**）は，人間の専門家（エキスパート）の意思決定能力をエミュレートするAIの研究から発生したシステムである。専門家のように知識についての推論によって複雑な問題を解くよう設計されており，通常のプログラミングのようにソフトウェア開発者が設定した手続きに従うわけではない。

問4：正解 エ

受信した7ビットのビット列は，次のとおりである。

ビット位置	x_1	x_2	x_3	x_4	x_5	x_6	x_7
入力	1	0	0	0	1	0	1

以上のビット列について，c_0，c_1，c_2を求める。なお，**mod2**は，2で割った余りを示す。

$c_0 = x_1 + x_3 + x_5 + x_7 = 1 + 0 + 1 + 1 = 3$　→　3 mod 2 = 1

$c_1 = x_2 + x_3 + x_6 + x_7 = 0 + 0 + 0 + 1 = 1$　→　1 mod 2 = 1

$c_2 = x_4 + x_5 + x_6 + x_7 = 0 + 1 + 0 + 1 = 2$　→　2 mod 2 = 0

この結果から，iは，次のようになる。

$i = c_0 + c_1 \times 2 + c_2 \times 4 = 1 + 1 \times 2 + 0 \times 4 = 3$

この結果，受信した符号列1000101の左から3ビット目が誤ったと分かるので，誤り訂正後の符号は“10**1**0101”となる。太字下線部が，訂正したビットである。

ハミング符号による誤り発見の仕組みを説明しておく。ハミング符号ではデータビットx_3，x_5，x_6，x_7に対して，問題文中のc_0，c_1，c_2の計算結果が0となるように，チェックビットx_1，x_2，x_4を定める。このため，c_0，c_1，c_2の1つまたは複数の計算結果が1になった場合，エラーが発生したと分かる。本問のようにc_0とc_1が1になった場合，c_0とc_1の両方に含まれているx_3に誤りがあったと判断する。x_7も両方の式に含まれているが，c_2にも含まれているので，本問のケースでは誤りと判断しない。

問5：正解 ウ

左側の流れ図では，nの値を，n＝M，M－1，M－2，…，2，1と1ずつ減らしながら処理を繰り返している。また，繰返しの中ではx×n→xを実行しているので，次のような演算を行っていると分かる。下線部は，演算前のxの値である。

初期状態：x＝1

n＝M　　：x×n＝<u>1</u>×M＝M　→x＝M

n＝M－1：x×n＝<u>M</u>×(M－1)　→x＝M×(M－1)

n＝M－2：x×n＝<u>M×(M－1)</u>×(M－2)　→x＝M×(M－1)×(M－2)

～

n＝2　　：x×n＝<u>M×(M－1)×(M－2)×…×3</u>×2

→x＝M×(M－1)×(M－2)×…×2

n＝1　　：x×n＝M×(M－1)×(M－2)×…×2×1

→x＝M×(M－1)×(M－2)×…×2×1

したがって，次のような演算を行っていると分かる。

x＝M×(M－1)×(M－2)×…×2×1

＝1×2×…×(M－2)×(M－1)×M

＝M!

このように，1から順に1ずつ増やしながらMまでを乗算した結果をMの**階乗**といい，M!と表す。

一方，右側の流れ図では，繰返しの中で，x×n→xを実行し，x×n→xを実行した後にn＋1→nとしてnに1を加算している。そこで，n＝1，2，…，nを1から1ずつ増やしながら処理を繰り返している。すると，次のような計算となる。

x＝1×2×…

したがって，n＝M＋1が成立したとき，繰返しを脱出すればよい。なお，nは正の整数で1ずつ増えていくので，n＝M＋1は，n＞Mでも同じである。したがって，“**n＞M**”が適切である。

問6：正解 エ

〔f(ノードn)の定義〕に従い，2分木を追跡する。問題文から，根ノード“+”から始める。

f(＋)：(1.) 右ノードがあるのでf(÷)を実行
　f(÷)：(1.) 右ノードがあるのでf(－)を実行
　　f(－)：(1.) 右ノードがあるのでf(E)を実行
　　　f(E)：(3.) 左右のノードがないので自身“E”を出力
　　f(－)：(4.) f(－)に戻る
　　　　　：(2.) 左ノードがあるのでf(D)を実行
　　f(D)：(3.) 左右のノードがないので自身“D”を出力
※ “ED”と出力されたので，「エ」が正解と分かる
　　f(－)：(4.) f(－)に戻る
　　　　　：(3.) 左右の子は実行済みなのでノード自身“－”を出力
　　f(÷)：(4.) f(÷)に戻る
　f(÷)：(2) 左ノードがあるのでf(×)を実行
　　f(×)：(1.) 右ノードがあるのでf(C)を実行
　　　f(C)：(3.) 左右のノードがないので自身“C”を出力
　　f(×)：(4.) f(×)に戻る
　　　　　：(2.) 左ノードがあるのでf(B)を実行
　　　f(B)：(3.) 左右のノードがないので自身“B”を出力
　　f(×)：(4.) f(×)に戻る
　　　　　：(3.) 左右の子は実行済みなのでノード自身“×”を出力
　　f(÷)：(4.) f(÷)に戻る
　f(÷)：(3.) 左右のノードは実行済みなのでノード自身“÷”を出力
f(＋)：(4.) f(＋)に戻る
　　：(2.) 左ノードがあるのでf(A)を実行
　f(A)：左右のノードがないので自身“A”を出力
f(＋)：(4.) f(＋)に戻る
　　：(3.) 左右の子は実行済みなのでノード自身“+”を出力

以上から，“ED－CB×÷A＋”と出力される。

問7：正解 ア

バブルソート（**隣接交換法**）は，隣接する要素を比較し，大小関係が逆ならば要素を入れ替えて整列を行う方法である。昇順に整列する場合，まず，要素a_nとa_{n-1}，a_{n-1}とa_{n-2}，…，a_3とa_2，a_2とa_1とを順次比較し，任意のjについて，a_{j-1}とa_jが$a_{j-1} \geqq a_j$ならばa_jとa_{j-1}を入れ替える。この結果，a_1が一番小さな値になる。次に，a_n～a_2について同じ処理を行い，この結果，a_2に2番目に小さな値が入る。この操作をa_n～a_{n-1}まで(n－1)回繰り返す。次の図において，↔は比較している要素，“｜”の左側の網掛け部分は，整列済みであることを示す。

	添字	1	2	3	4	5	6	
整列前の配列		21	5	53	71	3	7	
i＝1,	j＝6	21	5	53	71	3↔	7	
	j＝5	21	5	53	71↔	3	7	71と3なので入替え
	j＝4	21	5	53↔	3	71	7	53と3なので入替え
	j＝3	21	5↔	3	53	71	7	5と3なので入替え
	j＝2	21↔	3	5	53	71	7	**21と3なので入替え**
		3	21	5	53	71	7	i＝1終了
i＝2,	j＝6	3	21	5	53	71↔	7	71と7なので入替え
	j＝5	3	21	5	53↔	7	71	53と7なので入替え
	j＝4	3	21	5↔	7	53	71	
	j＝3	3	21↔	5	7	53	71	21と5なので入替え
		3	5	21	7	53	71	i＝2終了
i＝3,	j＝6	3	5	21	7	53↔	71	
	j＝5	3	5	21	7↔	53	71	
	j＝4	3	5	21↔	7	53	71	21と7なので入替え
		3	5	7	21	53	71	i＝3終了
i＝4,	j＝6	3	5	7	21	53↔	71	
	j＝5	3	5	7	21↔	53	71	
		3	5	7	21	53	71	i＝4終了
i＝5,	j＝6	3	5	7	21	53↔	71	
		3	5	7	21	53	71	i＝5終了，整列完了

イ　クイックソートの説明である。**クイックソート**は，適当な基準値を選び，それより小さな値のグループと大きな値のグループに要素を分割する。同様にして，グループの中で基準値を選び，それぞれのグループを分割する。この操作を繰り返して整列を行う手法である。要素a_1，a_2，…，a_mの中から要素$\bar{a}$を1つ選び，$\bar{a}$を基準にして，値が$\bar{a}$より小さいグループA_1と$\bar{a}$以上のグループA_2に分ける。次に，A_1，A_2それぞれに対して同様の操作を行う。この操作を再帰的に繰り返す。

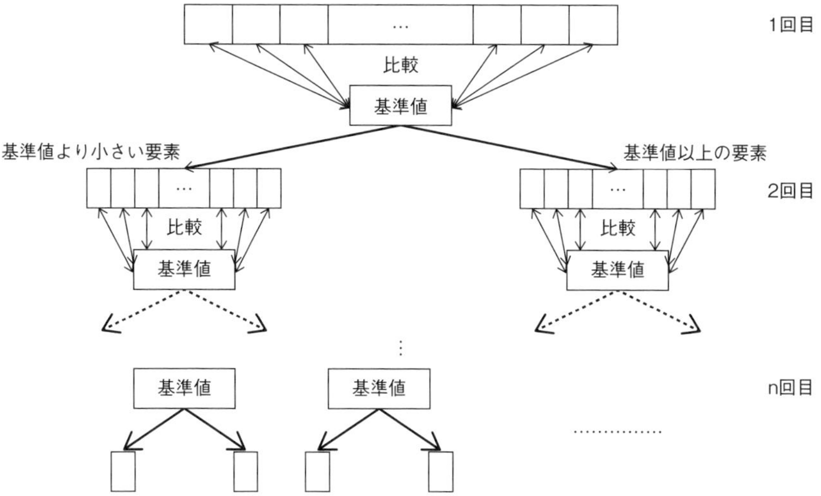

図で示したように，最終的に分割したグループの要素数は1になる。この結果，要素列は整列されたことになる。

ウ　マージソートの説明である。**マージソート**は，すでに整列されている2つの要素列を併合（マージ）して，1つの整列された要素列を作る方法である。このため，対象範囲を2分割し，さらに，それぞれを2分割する。分割を繰り返し，対象範囲の要素が2個以下になったら各分割範囲で内部整列し，整列済みの分割範囲を順次併合する。マージソートでは，2分割した整列対象の配列を作業領域にコピーし，元の配列と併合するため，要素数の半分程度の作業領域を必要とする。

次の図において，網掛け部は，内部整列が行われ，要素の入替えがあったことを示す。

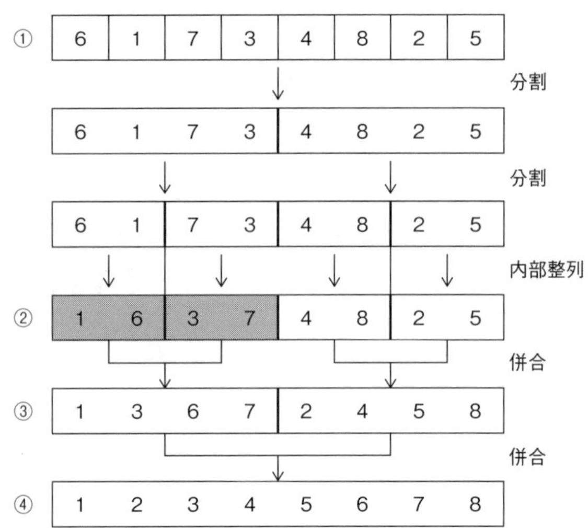

エ　選択ソートの説明である。**選択ソート**は，整列範囲の要素から最も小さい要素を取り出して，整列範囲の先頭（左端）の要素と入れ替える。これで，先頭の要素は整列されたことになる。次に，残りの整列範囲から，最も小さい要素を取り出して整列範囲の先頭の要素と入れ替える。このようにして，整列範囲を1つずつ狭めていくことで整列が完了する。

次の図において，網掛けの枠内は整列が完了している部分列である。"⟷"は，整列範囲である。

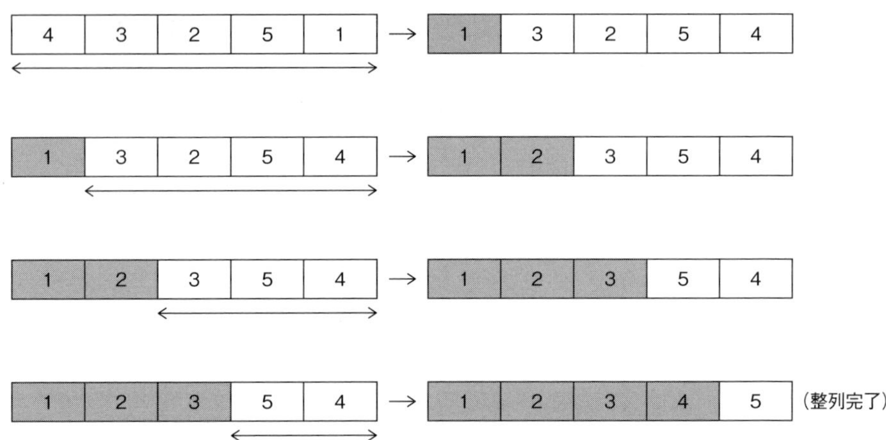

問8：正解 エ

転送元と転送先が一部重なっているため，アドレス値の小さいほうから1語ずつ転送すると，正しく転送されない。例えば，実行前のアドレス1001～1004の4語が，次のようになっていたとする。

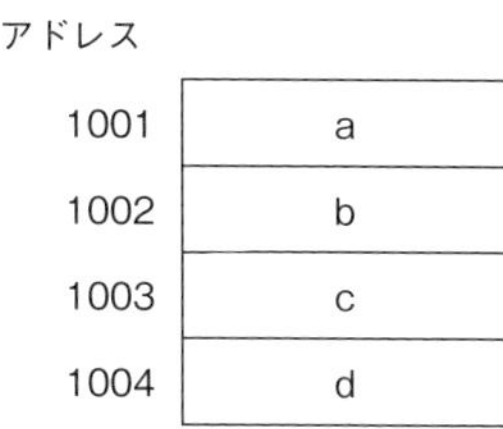

転送する部分のうち，アドレス値1003，1004が重なっているため，次に示すように，アドレス値1003，1004の内容が書き換えられてしまう。この結果，c，dがなくなり，a，bとなってしまう。なお，図において，()の番号は，転送順序である。

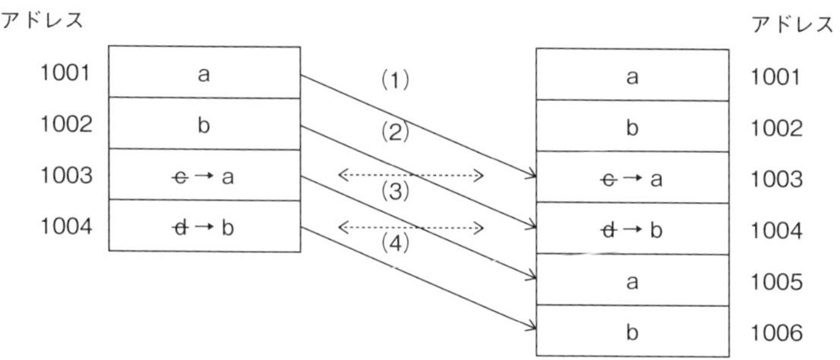

そこで，次のように，アドレス値の大きいほうから転送すればよい。

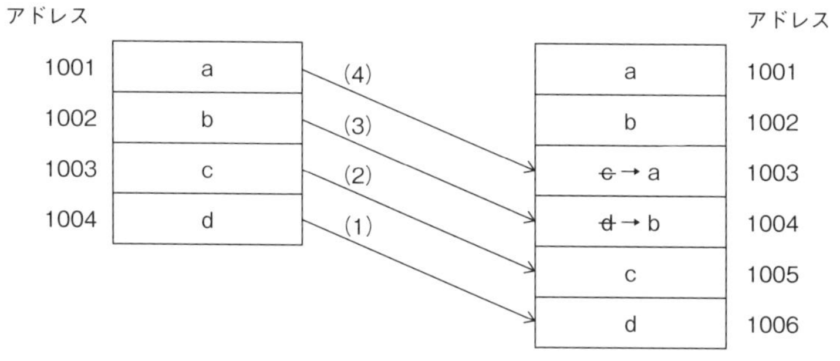

以上から，アドレス値の大きいほう（アドレス値1004）から小さいほう（アドレス値1001）に向かって1語ずつ転送する必要がある。このため，方向フラグはアドレス値の降順を指定（1を指定）する必要がある。また，転送語数は4である。

したがって，パラメータは“**転送元の開始アドレス：1004，転送先の開始アドレス：1006，方向フラグ：1，転送語数：4**”である。

ア　1005～1006番地にコピーされるべき1003～1004番地の内容が，転送前に1001～1002番地の内容で上書きされてしまう。

イ　1001番地から降順に4語を転送すると，転送先アドレスが1001～998番地となってしまう。

ウ　1004番地から昇順に4語を転送すると，転送先アドレスが1004～1007番地となってしまう。

問9：正解 ウ

量子コンピュータは，量子力学の現象を利用して並列計算を実現するコンピュータである。量子コンピュータでは，従来型のコンピュータより短時間で問題が解ける可能性があるため，多くの分野での活用が期待されている。量子コンピュータの実現方式は，量子ゲート方式と量子アニーリング方式に大別できる。なお，**量子**は，粒子と波の性質を併せもった小さな物質やエネルギーの単位である。物質を構成する最小単位である原子や原子よりもさらに小さな電子・中性子・陽子などがその例である。

量子ゲート方式は，従来型のコンピュータの上位互換として期待されており，論理回路（量子ゲート）と計算回路（電子回路）で構成され，複数の状態を同時に表現する量子ビットという情報と，その重ね合わせを利用することにより演算を行う。グーグルやIBMなどの大手ITベンダーや幾つかのスタートアップがハードウェアの開発を行っている。

量子アニーリング方式は，アニーリング（焼きなまし法）というアルゴリズムを処理に利用し，組合せ最適化問題の解決に特化した量子コンピュータの方式である。

ア　演算は量子ビットを使用して重ね合わせで行われるため，2進数では行われない。この記述は，一般的なコンピュータの説明である。

イ　量子アニーリング方式の説明であるが，量子コンピュータでも加算演算はできる。

エ　量子コンピュータの実現技術のうち，量子アニーリング方式も含めて，幾つかの方式では，絶対0度（約－273℃）の極低温で動作するものがある。一方，高温を動作条件とする量子ゲート方式は存在しない。

問10：正解 エ

ヒット率は，プログラムの実行に必要な部分が，キャッシュメモリに存在する確率である。

キャッシュメモリのアクセス時間をt_c，主記憶のアクセス時間をt_m，ヒット率をhとすると，平均アクセス時間（tとする）は，次のようになる。

$t = h \times t_c + (1 - h) \times t_m$ …（1）

ここで，(1)式に，$t_c = 10$ナノ秒，$t_m = 60$ナノ秒，$t = 15$ナノ秒を代入して，ヒット率hを算出する。単位は全てナノ秒なので，以下の計算では省略する。

$15 = h \times 10 + (1 - h) \times 60$

$15 = -50h + 60$

$50h = 45$

$\therefore \ h = 45 \div 50$

$= $ **0.9**

問11：正解 ア

フラッシュメモリから主記憶への転送時間と，主記憶での展開時間を合計する。転送は圧縮された状態のまま転送される。また，展開時間は，圧縮された容量に比例する。

15Mバイトのプログラムが40%（0.4）に圧縮されているので，圧縮後の容量は次のとおりである。

圧縮後の容量＝15（Mバイト）×0.4＝6（Mバイト）

転送速度は20Mバイト／秒なので，転送時間は次のとおりである。

転送時間＝6（Mバイト）÷20（Mバイト／秒）＝0.3（秒）

さらに，展開に要する時間は1Mバイトにつき0.03秒掛かるので，展開時間は次のようになる。

展開時間＝6（Mバイト）×0.03（秒／Mバイト）＝0.18（秒）

したがって，プログラムが主記憶に展開されるまでの時間は，次のようになる。

プログラムが主記憶に展開されるまでの時間＝0.3＋0.18＝**0.48**（秒）

問12：正解 ウ

信頼性設計は，システムの稼働率を向上させたり，データの信頼性を高めたりするための設計である。システムのどこかで障害が発生しても，動作を継続する高信頼システムを，**フォールトトレラントシステム**という。フォールトトレラントシステムの実現方法は1つではないが，基本的には冗長構成とする。フェールセーフやフェールソフトは，フォールトトレラントシステムを実現するための考え方である。

ア **フェールセーフ**は，システムに障害が発生しても，他の正常な機能に影響が及ばないように部分停止するなど，システムの安全を保つ設計方法である。デュアルシステムのように，ある部分が故障してもそれを救う方向に動作するものが該当する。

この記述は，フールプルーフの説明である。

イ　**フェールソフト**は，障害の程度に応じて性能の低下はやむを得ないとしても，処理を停止せずに続行することを目標とする考え方である。プロセッサの多重化などが，その例である。デュプレックスシステムでは，通常は2つの系列が別々の処理をしているが，1つの系に障害が発生すると，他方の系列で代替運転が可能である。マルチプロセッサシステムでは，あるプロセッサに障害が発生した場合，障害のあったプロセッサを切り離して運転を続行する。このように，機能が低下した状態で処理を続行することを，**縮退運転**（**フォールバック**）という。

この記述は，フォールトトレランスの説明である。

ウ　**フォールトアボイダンス**（**故障排除技術**）は，構成要素の信頼性を高め，故障が発生しないようにすることである。このため，冗長構成は取らず，個々の構成要素の品質を高めたり，十分なテストを行ったりして，故障や障害の原因となる要素を極力排除することで信頼性を高める。

エ　**フォールトトレランス**は，障害が発生しても，全ての機能が停止することなく稼働し続け，その間に修復ができるようにすることである。コンピュータシステムでは，無停電電源装置（Uninterruptible Power Supply：UPS）を導入したり，各種の装置を多重化したりする。

この記述は，フェールセーフの説明である。

問13：正解 ア

オブジェクトストレージは，クラウドサービスで用いるストレージサービスの1つで，データをオブジェクト単位で取り扱うストレージ（記憶装置）である。従来のファイルやディレクトリのような階層構造ではなく，フラットな構造でデータアクセスに関する利便性が高いことや，容量制限がないことなどが評価されている。このため，非構造型のデータを大量に保存することができる。また，オブジェクトストレージは，更新や書き換え頻度の少ない大容量データの保管，配信に適した仕組みであり，環境データの保存や重要な研究データのアーカイブなどに活用されている。ここでいうオブジェクトは，関連性の高いひとまとまりのデータを1つの単位として扱うことをいう。

クラウドサービスで用いられるストレージには，オブジェクトストレージ以外に，ファイルストレージとブロックストレージがある。

ファイルストレージは，ファイル単位で階層化してデータを保存することができるストレージである。階層を分けてデータを保存できるので，視覚的にデータを整理しやすく探しやすい。パソコンなど多くのストレージで主流の形式なので，誰にでも使いやすいというメリットがある。一方，階層化する分管理するデータ量が多くなるとアクセスに時間が掛かる，大規模なデータ管理や高速でデータ処理をしたい場合などには向いていないなどのデメリットがある。ファイルストレージの例にはNASがある。**NAS**（Network Attached Storage）は，ネットワークに直接接続して使用するファイルサーバである。ネットワークに接続しているコンピュータからはファイルサーバに見える。

ブロックストレージは，ストレージ内を複数のブロック単位に分割し，各ブロックにデータを保管するストレージである。各ブロックに付けられたID及び複数のブロックが含まれるボリュームのIDをもとにデータにアクセスする。ファイルストレージのようにデータの保存場所が階層化していないため，データへのアクセス速度が速いので，アプリケーションの処理に使うデータやトランザクションデータなど，頻繁に読み書きが必要なデータの保存に適している。解答群の「ア」以外は，ブロックストレージによる接続形態を提供する。

イ　SANの説明である。**SAN**（Storage Area Network）は，ストレージとコンピュータ間，あるいはストレージ間を結ぶ高速なネットワークである。

ウ　DASの説明である。**DAS**（Direct Attached Storage）は，サーバとストレージを直接接続するストレージである。

エ　RAIDの説明である。**RAID**（Redundant Arrays of Inexpensive Disks）は，ストレージを複数台並列に並べ，全体を1つのストレージとして制御することで信頼性を向上させるとともに，複数のストレージを組み合わせることによる大容量化，同時アクセスによる高速化を図る技術である。複数のストレージを分散して保管し，パリティなどを備え，高速アクセスや障害時の対応を可能とする。

問14：正解 イ

Pを求める式においてa＝0.1を代入し，nを大きくしたとき（n→∞）のPの値を求めればよい。そこで，Pを次のように変形する。

$$P=\frac{n}{1+(n-1)\times 0.1}$$

$$=\frac{n}{1+0.1n-0.1}$$

$$=\frac{n}{0.9+0.1n}$$

$$=\frac{\frac{n}{n}}{\frac{0.9}{n}+\frac{0.1n}{n}}$$ （分母，分子をnで割る）

$$=\frac{1}{\frac{0.9}{n}+0.1}$$

ここで，n→∞にすると，分母の$\frac{0.9}{n}$が0に近づくため，Pは次のようになる。

$$P \fallingdotseq \frac{1}{0.1} = 10$$

なお，n→∞としたときの極限値を求めるので，分子，分母ともにnで微分して求めてもよい。
問題文中のPに関する式の分子，分母をnで微分すると，Pは，次のようになる。

$$P=\frac{1}{a}=\frac{1}{0.1}\quad(a=0.1)$$

$$=10$$

このように，分子と分母を微分して極限値が求められるという定理を，**ロピタルの定理**という。

問15：正解 ウ

シミュレーションは，実環境に即した環境をコンピュータ上に実現し，実験を行うことである。システムパラメータの適切な値を求めたり，システムの限界性能を見極めるのに，実機での実行は困難なことがある。このような場合，実環境に即したモデルを作成し，パラメータの変更や大きなシステム負荷をモデルに与えて結果を見るという方法がとられる。乱数を使ったシミュレーションに，モンテカルロ法がある。**モンテカルロ法**は，解析的に解くことができない問題に対して，乱数を発生させて十分多くの回数シミュレーションを繰り返すことで近似的に解を求める手法である。

解析的な方法は，コンピュータの動作を数式で表し，その数式を解析することで理論的に評価する方法である。解析的な方法に，待ち行列理論がある。

ア　シミュレーションでは，乱数を用いて試行を何回も繰り返す必要があるため，解析的な方法よりも計算量は多くなる。

イ　シミュレーションは試行を繰り返すため，解析的な方法で求めた結果よりは精度は劣ると考えられる。

エ　シミュレーションは，現象を数式で表現できるのであれば，解析的な方法にも適用できる。なお，現象を数式で表現できるのではあれば，試行を繰り返すシミュレーションよりは精度が高い。

問16：正解 イ

プリエンプティブは，あるタスク（プロセス）が実行中でもOSによって実行を中断されることである。通常は，**マルチタスク**と合わせて，**プリエンプティブなマルチタスク**ということが多い。なお，実行中のタスクを一時中止して，他のタスクを先に実行することを，**プリエンプション**という。

ノンプリエンプティブは，タスクの終了を待って，次のタスクを実行することである。プリエンプティブなマルチタスクでは，OSがタスクの実行を制御するのに対して，ノンプリエンプティブでは，アプリケーションが自主的に処理を終わらせることを前提としている。

ア　ノンプリエンプティブ方式では，実行中のタスクが終了するまでタスクの切替えは行われない。したがって，タスクの優先度を上げる必要はない。

ウ　ノンプリエンプティブ方式では，OSがCPU資源の管理を行わない。このため，実行中のタスクが無限ループしてもOSがタスクの切替えを行わない。したがって，無限ループになるとそのままなので，タスク側でプログラムの中断を行う必要がある。

エ　ノンプリエンプティブ方式では，タスクの優先度は考慮されない。実行中のタスクより優先度の高いタスクが実行可能状態になっても，タスクの切替えは行われない。

問17：正解 イ

デッドロックは，排他制御が行われているときに，複数のプロセス（タスク）が互いに資源を占有しようとして動作できない状態になることである。複数のプロセスが同じ順序で資源を占有すれば，一方のプロセスが資源を使用している間，他方は待たされるだけなのでデッドロックは発生しない。あるいは，資源を一括して解放するのではなく，不要になったときに解放すれば，デッドロックは発生しない。

次の例は，プロセスAが資源X，資源Yの順に占有しようとし，プロセスBが資源Y，資源Xの順に占有しようとしたとき，デッドロックが発生する状況を示したものである。番号は，処理順序である。

まず，プロセスAが資源Xを占有（①）し，プロセスBが資源Yを占有（②）する。

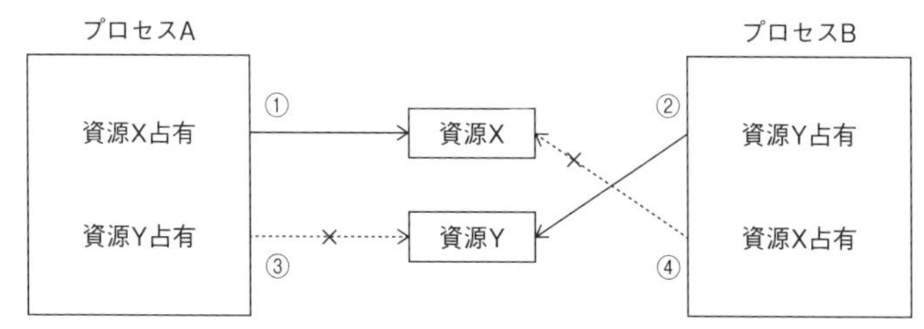

③では，②においてプロセスＢが資源Ｙを占有しているため，プロセスＡは資源Ｙを占有できずに待たされる。一方，④では，①においてプロセスＡが資源Ｘを占有しているため，プロセスＢは資源Ｘを占有できずに待たされる。この結果，④の時点で，デッドロックとなり，これ以上処理が進まなくなる。

デッドロックが発生する可能性があるのは，資源の占有順序が逆の場合なので，プロセス **“C，D”** とプロセスＡは，デッドロックを引き起こす可能性がある。

以下，プロセスごとに，デッドロックの発生の可能性について説明する。

(1)　プロセス**A**とプロセス**B**の関係

プロセスＡが資源Ｘを占有しても，プロセスＡの処理が終われば，プロセスＢは実行することができる。したがって，デッドロックは発生しない。

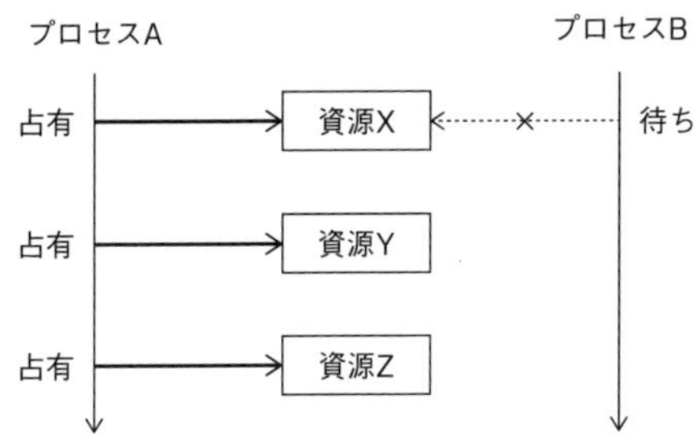

(2)　プロセス**A**とプロセス**C**の関係

プロセスＡが資源Ｘを占有し，プロセスＣが資源Ｚを占有する。この時点ではデッドロックは発生していない。ところが，プロセスＡが資源Ｙを占有し，さらに資源Ｚを占有しようとすると，資源ＺはプロセスＣが占有しているため待たされる。

一方，プロセスＣは資源Ｘを占有しようとするが，プロセスＡが占有しているため占有できずに待たされる。この時点でデッドロックとなる。

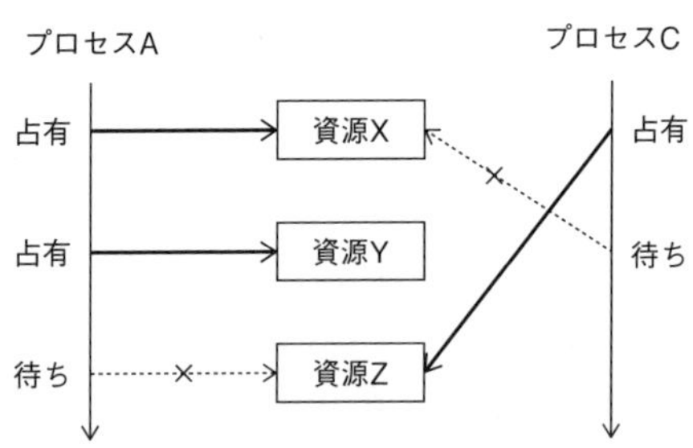

(3) プロセスAとプロセスDの関係

プロセスAが資源Xを占有し，プロセスDが資源Zを占有する。この時点ではデッドロックは発生していない。ところが，プロセスAが資源Yを占有し，さらに資源Zを占有しようとすると，資源ZはプロセスDが占有しているため待たされる。

一方，プロセスDは資源Yを占有しようとするが，プロセスAが占有しているため占有できずに待たされる。この時点でデッドロックとなる。

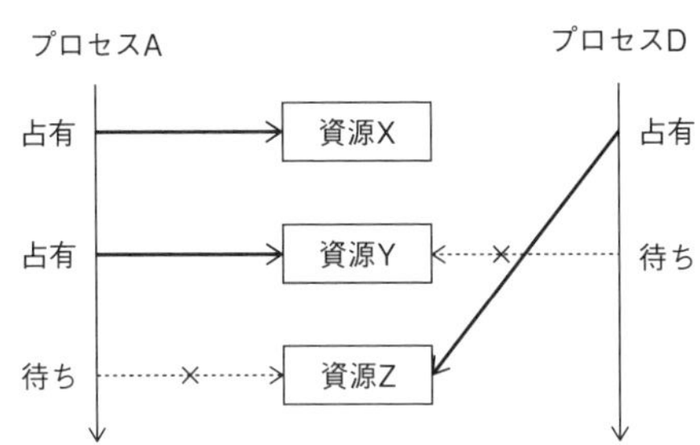

問18：正解 イ

多重度は，同時に実行できるジョブ（タスク，プログラム）の数である。また，“タスクの多重度2以下の場合，タスク処理時間は常に4秒”なので，1つのタスクの処理時間は4秒である。

4件の処理要求が到着したとき，多重度が1であれば，4件が連続して実行され，それぞれの処理時間が4秒なので，全体で16秒必要となる。

この場合のタイムチャートは，次のようになる。破線は待ちを示す。

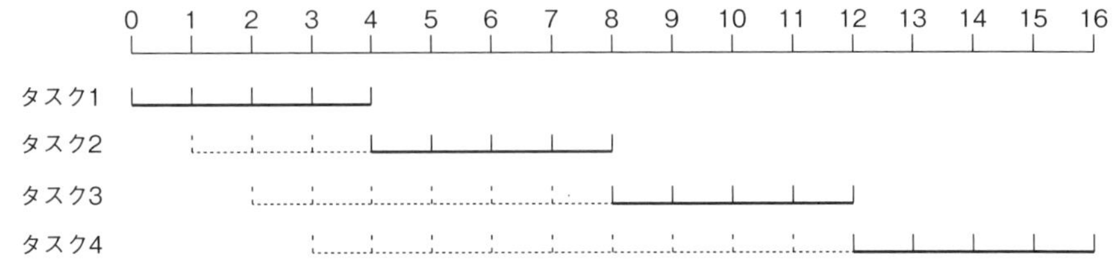

一方，多重度が2であれば2つのタスクを同時に実行できるので，タイムチャートは次のようになる。ここで，1秒間隔で到着することに気をつける。最初の1秒間は1つのタスクだけが動作している。

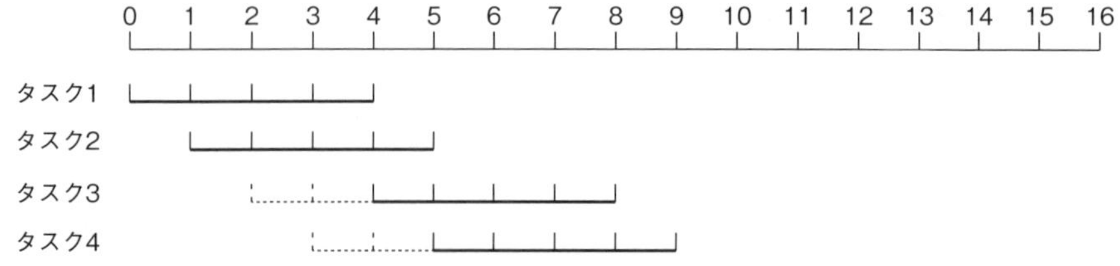

多重度が1のときの全体の処理時間は16秒，多重度2のときの全体の処理時間は9秒なので，その差は“7”秒である。

問19：正解 エ

“プログラムを構成するモジュールや関数の実行回数，実行時間など，性能改善のための分析に役立つ情報を収集するツール”ということで，プログラムの動作を解析するツールを選択する。

ア　**エミュレーター**は，あるシステム上で他のOSやCPUの機能を実現し，そのOSやCPU向けのプログラムを動作させるソフトウェアである。エミュレーターを使って，他のOSやCPU向けのアプリケーションを実行することを，**エミュレーション**という。

イ　**シミュレーター**は，現実的に実験することが困難な場合に，その仮想的なモデルを作成して模擬的に実験するハードウェアやソフトウェアである。コストや安全性の面で実際のテストが困難な場合などに利用される。

ウ　**デバッガ**（**デバッギングエイド**，**デバッグツール**）は，プログラムのテストを支援するプログラムである。トレーサ，スナップショット，メモリダンプ，ファイルダンプなどがある。これらのプログラムを使うことで，早期にプログラムのバグ（不具合）を発見できる。

エ　**プロファイラ**は，プログラムの動作を解析するプログラムである。プログラムのモジュール単位での処理回数や処理時間を調査し，場合によってはプログラムの修正を行う。コンパイラやデバッガなどとともに，プログラム言語の開発環境の一部として提供されることが多い。

問20：正解 エ

インバータ（**逆変換器**，**逆変換回路**，**パワーコンディショナー**）は，直流電流を交流電流に変換する回路である。エアコンや冷蔵庫，蛍光灯などの広告で，“インバータ搭載”と宣伝していることがあり，これらの製品には，コンセントからの50Hzや60Hzの交流を**コンバータ**（**整流器**）で直流に変換し，インバータを用いて再度高周波数の交流に変換する回路が内蔵されていることを示す。高周波数にすることで，蛍光灯ではチラツキを抑えたり，エアコンや冷蔵庫であればモータの回転スピードを調整して消費電力を抑えるという効果がある。なお，インバータに対して，交流電流を直流に変換する回路を，**コンバータ**という。

パワー半導体は，大電流のON/OFFを高速に行うスイッチングに適した半導体である。インバータは，直流をスイッチングして交流に変換する。

ア　変圧器（昇圧トランス）の説明である。
イ　変圧器（降圧トランス）の説明である。
ウ　コンバータの説明である。

問21：正解 ウ

タイムチャートのビットの変化に応じて，ビットの組合せを調べると次のような関係となる。

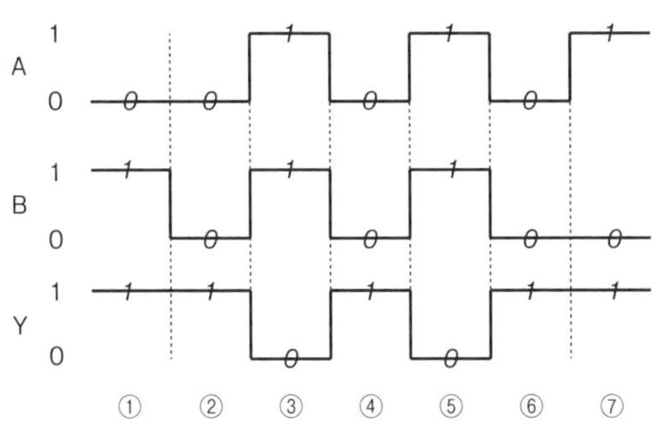

番号	A	B	Y
①	0	1	1
②	0	0	1
③	1	1	0
④	0	0	1
⑤	1	1	0
⑥	0	0	1
⑦	1	0	1

以上の結果を，重複を除いて整理すると，次のようになる。

入力		出力	対応番号
A	B	Y	
0	0	1	②，④，⑥
0	1	1	①
1	0	1	⑦
1	1	0	③，⑤

これは，入力がいずれも“1”のとき“0”を出力し，それ以外は“1”を出力するので，否定論理積（NAND，論理積の否定）である。

解答群の各回路の意味は，次のとおりである。

ア　排他的論理和回路

イ　論理一致（排他的論理和の否定）回路
ウ　否定論理積回路
エ　否定論理和回路

したがって，問題のタイムチャートに対応するのは，A B Y（**否定論理積回路**）である。

問22：正解 ウ

問題の図から，x＝7のとき，y＝6である。そこで，(x，y)＝(7，6)が何番地になるかを求めればよい。番地（アドレス）が0から始まっていることに注意する。

yが5までで（640×6＝）3,840で，さらにxの7を加算して，3,847番目となる。

ここで，1つのメモリで2つずつ番地を使うので注意する。したがって，メモリの番地は，次のようになる。

メモリの番地＝3,847×2＝**7,694**

問23：正解 ア

直流給電は，電気製品への電源用電力の供給を直流によって行うことである。屋内配線を直流化し，電器製品への電源供給を直流で行う。電気製品の多くが内部は直流で動作するようになり，交流電源による電力消費の無駄を省ける可能性があるため，日本国内では直流給電の利点が主張され，今後の標準化が検討・模索されている。

直流給電の普及が進められている分野に，データセンターがある。また，データセンターに続いて工場での導入も見込まれ，近い将来の導入分野として家庭での採用が求められている。将来的にはオフィスや商業店舗などでの採用も見込まれている。

イ　CPUやその周辺LSIは，機器によって電圧が異なる。また，直流給電では，比較的高圧な給電を行う。CPUやLSIは低電圧で動作するので，降圧のための変圧が必要になる。
ウ　停電を防止できるわけではない。このため，バックアップは必要である。
エ　交流ではトランス（変圧器）を使用することで変圧できるが，直流の変圧には手間が掛かる。具体的には，交流に変換して変圧し，再度，直流に戻すことが行われる。

問24：正解 エ

フォント（書体）は，コンピュータを使って文字を表示したり印刷したりする際の文字の形である。また，文字の形をデータとして表したものをフォントと呼ぶ場合もある。フォントには，ビットマップフォントとアウトラインフォントの2種類がある。**ビットマップフォント**は文字の形をドット（点）の集合として表したフォント，**アウトラインフォント**は文字の形を基準となる点の座標と輪郭線の集合として表現するフォントである。

ビットマップフォントは描画速度は速いが，拡大・縮小を行った際に輪郭がギザギザに見える**ジャギー**という現象が発生する。一方，アウトラインフォントは，表示や印刷時に曲線の方程式を計算し，描画する点の配置を決定するので，拡大や縮小，変形を繰り返しても文字の形が崩れない。しかし，ビットマップフォントに比べて処理に時間が掛かる。

ビットマップフォント　アウトラインフォント

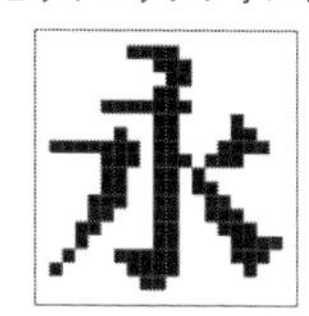

出典：株式会社モリサワ フォント用語集

ア　ビットマップフォントでも漢字を表示することは可能である。しかし，漢字は細かい部分が多く，アウトラインフォントで小さく縮小すると，その部分がつぶれて読みにくくなってしまうため，小さい文字ではビットマップフォントが使用されることがある。

イ　ビットマップフォントでも各文字の幅を一定（**等幅フォント**）にすることは可能である。なお，等幅でないフォントを，**プロポーショナルフォント**という。

　例えば，“i”と“w”は等幅フォントでは同じ幅で表示されるが，プロポーショナルフォントでは“i”の幅よりも“w”の幅のほうが大きい。

ウ　データ量の少ないビットマップフォントのほうが高速表示には向いている。アウトラインフォントでは，画面に出力するとき，解像度に合わせてビットマップ状に塗りつぶす**ラスタライズ**という処理が必要になるので，ビットマップフォントに比べて描画速度は低速になる。

問25：正解 ア

ストアドプロシージャは，DBMSへのアクセスなど，クライアントサーバシステムにおいて，一連の処理の指示を実行可能な状態でサーバ側に登録したプログラムモジュールやテキストファイルである。クライアントはストアドプロシージャの名称を指示するだけで，処理をサーバに依頼することができる。クライアントから引数（ヒキスウ）を渡したり，ストアドプロシージャからクライアントに値を返すこともできる。一般に，実行指示の内容が多いとそれだけデータ量が増えるので，ネットワークの負荷は増大する。そこで，一連の指示はサーバ側に登録しておき，クライアントは登録名だけを指示することで，ネットワークのトラフィックを減少させることができる。

したがって，ストアドプロシージャの利点は，“**アプリケーションプログラムからネットワークを介してDBMSにアクセスする場合，両者間の通信量を減少させる**”である。

イ，ウ　処理を一括して実行しても，個別に実行しても，処理の指示が同じであれば，実行計画の数やバッファ数は変わらない。

エ　ストアドプロシージャを使用してもしなくても，実行する指示が同じものであれば，I/O（入出力）回数は変わらない。

問26：正解 ウ

COALESCE関数は，第１引数から順に調べて，最初にNULLでない値を返す関数である。例えば，解答群の「ア」であれば，第１引数の“MIN(在庫.在庫数)”を調べ，この結果がNULL（該当する行などがない）でなければ“MIN(在庫.在庫数)”の結果を返し，NULLであれば第２引数の“0”を返す。

まず，与えられたSQL文のFROM～GROUP BY句によって得られる中間表の結果について検討する。FROM句では部品表と在庫表を“部品ID”で左外部結合（LEFT OUTER JOIN）するので，部品表の“部品ID”は全て抽出し，在庫表に対応する部品IDの行がなければ，NULLが抽出される。

さらに，GROUP BY句により部品ID，発注点ごとにグループ化する。

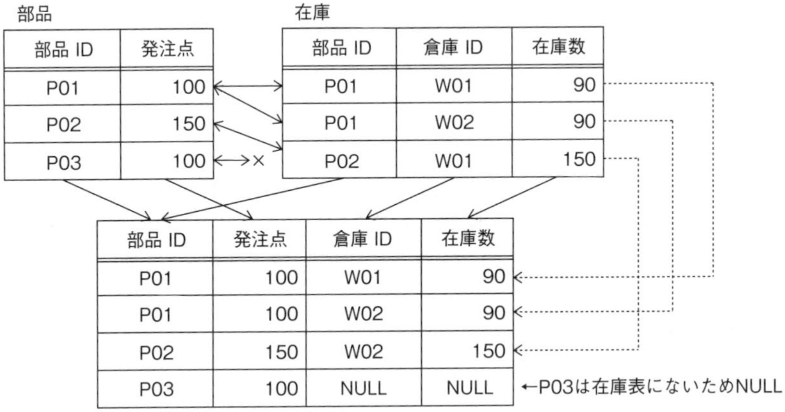

部品

部品 ID	発注点
P01	100
P02	150
P03	100

在庫

部品 ID	倉庫 ID	在庫数
P01	W01	90
P01	W02	90
P02	W01	150

部品 ID	発注点	倉庫 ID	在庫数
P01	100	W01	90
P01	100	W02	90
P02	150	W02	150
P03	100	NULL	NULL

←P03は在庫表にないためNULL

この結果に対して，解答群のCOALESCE関数を適用したときの結果を検討する。CASE文から，発注点と空欄a（COALESCE句の結果）の内容を比較し，空欄aの内容が発注点より小さければ“必要”を表示し，そうでなければ（発注点以上であれば）“不要”を表示する。このとき，数字の比較なので，COALESCE関数の第２引数がNULLである記述は不適切である。数値とNULL値との比較は常にUNKNOWNとなるため，WHEN句のELSEが成立する。この結果，常に“不要”が表示される。

ア　MIN関数は，グループ内の最小値を返す。この結果は，次のようになる。網掛け部は，（結果）と異なる表示である。この場合，P01の表示が異なる。

		P01	P02	P03
①	MIN関数が返す値	90	150	NULL
②	COALESCEが返す値	90	150	0
③	発注点	100	150	100
④	③>②（発注要否）	Yes（必要）	No（不要）	Yes（必要）

イ　この結果は，次のようになる。網掛け部は，（結果）と異なる表示である。この場合，P01，P03の表示が異なる。

		P01	P02	P03
①	MIN関数が返す値	90	150	NULL
②	COALESCE関数が返す値	90	150	NULL
③	発注点	100	150	100
④	③>②（発注要否）	Yes（必要）	No（不要）	No（不要）

ウ　SUM関数は，グループ内の合計値を返す。この結果は，次のようになる。この場合，（結果）と一致する。

		P01	P02	P03
①	SUM関数が返す値	180	150	NULL
②	COALESCEが返す値	180	150	0
③	発注点	100	150	100
④	③>②（発注要否）	No（不要）	No（不要）	Yes（必要）

エ　この結果は，次のようになる。網掛け部は，（結果）と異なる表示である。この場合，P03の表示が異なる。

		P01	P02	P03
①	SUM関数が返す値	180	150	NULL
②	COALESCEが返す値	180	150	NULL
③	発注点	100	150	100
④	③>②（発注要否）	No（不要）	No（不要）	No（不要）

問27：正解 エ

WAL（Write Ahead Log：**ログ先書出し方式**）プロトコルは，トランザクションからコミット（更新確定）が発行された段階で，トランザクションログをデータベースの更新より先にログファイルに書き出す方式である。更新トランザクションの処理速度が大幅に向上するとともに，障害が発生してもデータベースとWALファイルで復旧が可能である。データベースは更新処理のたびに，そのデータの更新前の値（**更新前情報**）と更新後の値（**更新後情報**）をトランザクションログとして記録する。トランザクションTの終了直後の状態に戻すためには，一度チェックポイントに戻した後，トランザクションログを利用して更新の内容を反映させる。

障害発生以前に処理が完了しているので，更新後情報がログに記録されている。そこで，データベースの内容を更新後情報で上書きすればよい。このように，更新後情報で上書きすることを，**ロールフォワード**という。

したがって，データベースをトランザクションTの終了直後の状態に戻すために用いられる復旧技法は，“**ロールフォワード**”である。

ア　**2相ロック**は，ロックが必要な資源全てに対して，トランザクションが操作する前に必要なロックを全て掛け（第1相），処理の完了後，全てのロックを解除（アンロック）する方式である。アンロック後は，2度とロックを掛けない。第1相でロック，第2相でアンロックするため，2相ロックと呼ばれる。2相ロックは，トランザクションの直列可能性を保証するために用いられる。

　直列可能性は，あるトランザクションの実行結果が他のトランザクションの実行結果に影響を与えないという性質である。並列実行されるトランザクションが，それらのトランザクションをある順序で直列につないで実行した場合と同じ結果をもつとき，並列トランザクションのスケジュールは直列可能であるという。

イ　**シャドウページ**は，ログを使わないトランザクションの障害回復手法である。各トランザクションは処理用に，データベース（またはデータベースの一部）のコピーを作成し，このコピーを使って処理を行う。エラーが発生すると，このコピーは削除される。一方，処理が正常に終わると，データベースは瞬時にデータをコピーに置き換え，その後，古いデータを削除する。

ウ　**ロールバック**は，トランザクション障害が発生したときに使われる復旧方法である。ログの更新前情報を用いてデータベースの内容を障害発生前の状態に戻し，障害を起こしたトランザクションを再実行する。

問28：正解 ウ

スタースキーマ（**星型スキーマ**）は，データウェアハウスに利用されるスキーマである。1つもしくは少数のファクトテーブル（ファクト表）と複数のディメンジョンテーブル（次元表）から構成される。**ファクトテーブル**は，主要なデータを格納した表である。**ディメンジョンテーブル**は，分析の次元（軸）になるデータを格納した表である。ファクトテーブルを中心に，スター型に配置される。必要に応じて，ディメンジョンテーブルはファクトテーブルと結合される。スタースキーマを定義することで，多くの角度からの検索が，高速になる。

次は，スタースキーマの例である。

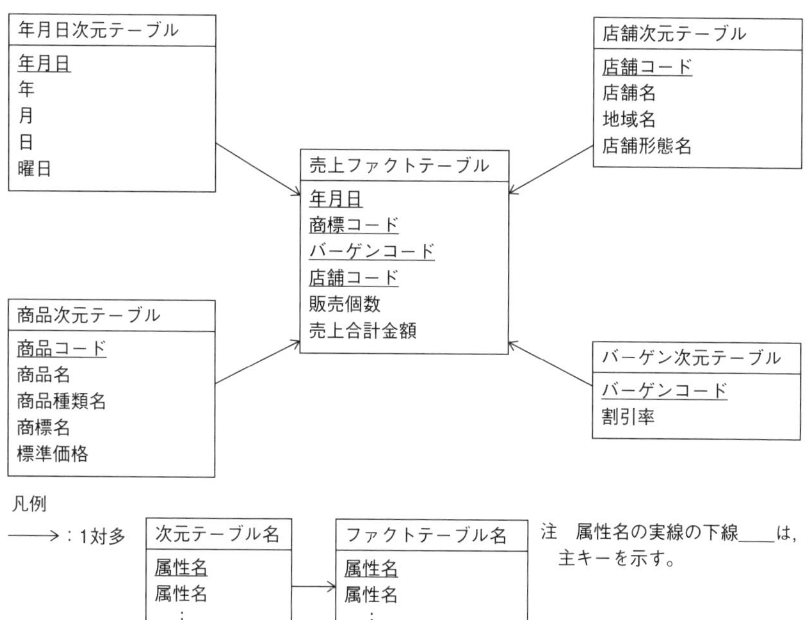

ア　**サマリテーブル**は，ある分析軸で既存のテーブルを結合したり集計したりした結果を保存したテーブルである。何度も行う検索の効率を上げるため，中間結果として使用する。**派生テーブル**，**集約テーブル**，**データマート**などということもある。

エ　**ルックアップテーブル**は，複雑な計算処理を単純な配列の参照処理に置き換えることで，計算処理の効率化を図るために作成される配列のデータ構造である。例えば，負担の掛かる計算処理を行う場合，先に計算できるデータはあらかじめ計算しておき，その値を配列（ルックアップテーブル）に保存しておき，その都度計算を行うことなく配列から目的のデータを取り出す。この結果，計算の負担を軽減することができ，効率よく処理を行うことができる。

問29：正解 ウ

ビッグデータは，市販されているデータベース管理ツールや従来のデータ処理アプリケーションで処理することが困難なほど，大量で複雑な体系のデータの集合体である。多くの場合，単に量が多いだけでなく，様々な種類・形式が含まれる非構造化データ・非定型的データであり，さらに，日々膨大に生成・記録される時系列性・リアルタイム性のあるものを指すことが多い。

このため，ビッグデータを扱うためには，収集，取捨選択，保管，検索，共有，転送，解析，可視化などの技術的な課題がある。今までは管理しきれないため見過ごされてきたが，このようなデータ群を記録・保管して即座に解析することで，ビジネスや社会に有用な知見を得たり，これまでにないような新たな仕組みやシステムを生み出したりする可能性が高まるとされている。

NoSQLは，現在，普及しているリレーショナルデータベース（RDB/RDBMS）とは異なる新しい方式のデータベース管理システム（DBMS）の総称である。RDBでデータの操作に用いるSQLを用いない（使えない）ことからこのように呼ばれる。

トランザクション処理やテーブルの結合など，RDBやSQLが得意とする機能が利用できない代わりに，大規模な並列分散処理や柔軟なスキーマの設定など，RDBでは不可能あるいは，苦手な機能を実現したものが多い。現在提唱されている主な方式に，**Key-Value型データベース**（Key-Valueストア，KVS）や**ドキュメント指向データベース**（XMLやJSONなどの構造でデータを格納），**グラフ指向データベース**（データの関係をグラフで表現），**カラム指向データベース**（キーに対して複数の値を設定できる列単位のデータ集約が効率的）などがある。

したがって，NoSQLに分類されるデータベースは，“**様々な形式のデータを一つのキーに対応付けて管理するキーバリュー型データベース**”である。

なお，**キーバリュー型データベース**は，データの保存・管理手法の一つで，任意の保存したいデータ(値：value)に対し，対応する一意の標識（key）を設定し，これらをペアで保存する方式，また，そのような機能を提供するシステムやソフトウェアである。特に，複数のサーバや記憶装置などに分散してデータを保存できる機能をもったものは，**分散KVS**と呼ばれる。

ア　オブジェクト指向データベースの説明である。**オブジェクト指向データベース**（Object-Oriented Database：**OODB**）は，オブジェクト指向プログラミングにおけるオブジェクトの概念を取り入れたデータベースである。相互に関連する複数のデータとその手続きを一つのまとまり（オブジェクト）の単位としてデータの格納や管理を行う。

イ　データウェアハウスの説明である。**データウェアハウス**は，意思決定支援のための全社規模のデータベースである。データを大量に蓄積し，整理し，ビジネス上の意思決定に利用する，**情報系データベース**ということもある。情報系データベースに対して，業務で使用するデータベースを**業務系データベース**，**基幹データベース**などということがある。

エ　データディクショナリ／ディレクトリの説明である。**データディクショナリ／ディレクトリ**(Date Dictionary/Directory：**DD/D**）は，データに関する情報（メタデータ）を収集・保管・提供するための仕組みである。**データディクショナリ（データ辞書）**は，データの意味的な定義に関するメタデータの集まりで，データの名称，識別子，別名，属性，意味，発生源，使用法，権限，制約，参照先などを記述したものである。システムで利用するデータを一意に定義することで，一貫性のあるデータベースの維持を可能にし，データ（データベース）を利用するアプリケーションの開発を支援する。**ディレクトリ**（**登録簿**）は，データの物理的，あるいは，基本的な論理的データに関するメタデータの集まりで，データのアクセス方法，内部構造，格納されている記録媒体，記憶媒体内の位置などを記録したものである。関係データベースでは，テーブル名やカラム名，データ型，主キー，外部キーなどの定義情報を含む。ディレクトリによって，利用者やアプリケーションは，データの物理的位置を意識する必要がなくなる。データディクショナリはデータを人間が記述したもの，ディレクトリはデータディクショナリをコンピュータ向きに翻訳したものである。

メタデータは，データウェアハウスに格納されているデータの情報を記述したデータである。データの属性，意味内容，格納場所，データ構造，格納時の履歴などに関する情報を格納する。すなわち，データを管理するデータである。

問30：正解 イ

CSMA/CD（Carrier Sense Multiple Access with Collision Detection：**搬送波感知多重アクセス／衝突検出方式**）は，バス型LANやスター型LANにおける媒体アクセス制御方式である。データを送信しようとするノード（端末）は，パケットの衝突が発生しないように，通信を行う前に，媒体が使用中かどうかを確認する。このとき，使用中でなければパケットを送信し，使用中（衝突が発生）であれば，一定時間待った後，再送を試みる。

ア　トークンパッシングバス方式（トークンバス方式）の説明である。
ウ　トークンパッシングリング方式（トークンリング方式）の説明である。なお，特殊なフレームを，**トークン**という。
エ　TDMA（Time Division Multiple Access：時分割多重アクセス）の説明である。

問31：正解 ア

プライベートアドレス（**プライベートIPアドレス**）は，IPアドレスの不足やセキュリティ強化に対処するもので，内部ネットワークでのみの使用を前提としたものである。組織内部では自由にIPアドレスを付与することはできるが，インターネット上のコンピュータと直接，通信することはできない。一方，インターネット上のコンピュータと直接，通信でき，全世界でユニークであるIPアドレスを，**グローバルアドレス**（**グローバルIPアドレス**）という。プライベートアドレスとグローバルアドレスの変換は，通常，ルータやプロキシサーバ，ファイアウォールなどに変換機能をもたせることで実現している。

なお，プライベートアドレスとして，以下のものが推奨されている。

クラスA：10.0.0.0～10.255.255.255
クラスB：172.16.0.0～172.31.255.255
クラスC：192.168.0.0～192.168.255.255

これらのアドレスについては，インターネット側ではルーティングしないことになっており，組織外へこのアドレスをもつパケットを送出することも禁止されている。しかし，これらのアドレスについては，組織内であれば，自由に割り当てて使うことができる。

また，グローバルアドレスとして利用できる範囲は，次のとおりである。

クラスA：1.0.0.0～9.255.255.255
　　　　　11.0.0.0～126.255.255.255
クラスB：128.0.0.0～172.15.255.255
　　　　　172.32.0.0～191.255.255.255
クラスC：192.0.0.0～192.167.255.255
　　　　　192.169.0.0～223.255.255.255

ブロードキャストは，送信要求のあったデータ（メッセージ）を，LAN上の全てのノードに送信することである。ブロードキャストに対して，1対1の通信を**ユニキャスト**，選択された複数のノードやグループに対して同じデータを送ることを**マルチキャスト**という。ブロードキャストを行うためには，IPアドレスのホストアドレスのビットを全て1にする。また，ホストアドレスの全てのビットを1としたIPアドレスを，**ブロードキャストアドレス**という。一方，マルチキャストは，**マルチキャストアドレス**という特殊なアドレス（224.0.0.0～239.255.255.255）を使用して，特定のグループに所属する全てのノードにデータを送信する。

IPアドレスの先頭のビットパターンから，アドレスクラスが分かるので，208.77.188.166の先頭8ビット（208）2進数に変換して，クラスを確認する。

$208_{10} \rightarrow 11010000_2$

一方，IPアドレスの先頭のビットパターンによって，アドレスクラスは次のようになる。

0→クラスA
10→クラスB
110→クラスC
1110→クラスD（マルチキャストアドレス）

IPアドレス208.77.188.166は先頭が“110”で始まるので，クラスCのIPアドレスであると分かる。クラスCにおけるプライベートアドレスの範囲は，“192.168.0.0～192.168.255.255”なので，IPアドレス208.77.188.166は，クラスCのプライベートアドレスではない（グローバルアドレス）と判断できる。

したがって，IPアドレス208.77.188.166は，**“グローバルアドレス”**に該当する。

イ　IPアドレス208.77.188.166は，クラスCのプライベートアドレスの範囲外なので，プライベートアドレスではない。

ウ　クラスCのブロードキャストアドレスであれば，IPアドレスのホスト部（下位8ビット）の全ビットが1（$11111111_2 = 255_{10}$）になる。しかし，IPアドレス208.77.188.166の下位8ビットは166_{10}なので，ブロードキャストアドレスではない。

エ　マルチキャストアドレスには，クラスDのアドレスが使用される。しかし，IPアドレス208.77.188.166はクラスCに属するので，マルチキャストアドレスではない。

問32：正解 エ

ルータやレイヤ3スイッチを経由して，LAN内のクライアントパソコンが外部のネットワークにある機器と通信するとき，クライアントには，デフォルトゲートウェイのIPアドレスは1つしか設定できない。そこで，ルータが故障した場合に備え，デフォルトゲートウェイの役割を別のルータに自動的に引き継ぐ技術が必要になる。すなわち，ルータの多重化が，ルータの冗長化である。

ア　**PPP**（Point to Point Protocol）は，電話などの通信回線を使ってコンピュータ同士をネットワーク接続するときに用いるプロトコルである。2点間を接続してデータ通信を行うときに使用する。認証プロトコルを備えていることから，アクセスポイントへの接続に用いられている。また，光ファイバーによる接続では，EthernetやATMの上位層で2点間の接続を確立するのにも使われている。それぞれ，PPPoE（PPP over Ethernet），PPPoA（PPP over ATM）と呼ばれる。

イ　**RARP**（ラープ）（Reverse Address Resolution Protocol）は，クライアントのMAC（マック）アドレスからそのクライアントのIPアドレスを求めるために使うTCP/IPのプロトコルである。クライアントは自分のMACアドレスをLAN上に**ブロードキャスト**（全てのノードに送信）すると，LAN上のRARPサーバが，そのクライアントのIPアドレスを返す。ディスクレスのワークステーションなど，IPアドレスを設定できないノードは，自分のMACアドレスは分かるが，IPアドレスは起動時には分からない。そこで，RARPを用いて，自分のIPアドレスを求めることが行われる。RARPを使うことで，各ノードでIPアドレスを設定するための固有の手順がなくなるため，ネットワーク上の各ノードの管理が容易になる。

ウ　**SNMP**（Simple Network Management Protocol）は，TCP/IPネットワーク管理プロトコルの1つで，管理システム（**マネージャ**）とルータやハブなどの各種管理対象となるネットワーク機器（**エージェント**）との間で管理に必要なデータを授受する方法を定めている。管理情報は，**MIB**（Management Information Base）と呼ばれるエージェント側のデータベースに格納されている。マネージャは，MIBの値を監視・管理する。なお，MIBも含めて，SNMPということもある。

MIBの情報を参照したり，変更したりするために，次の5つの操作がある。

操作	動作
Get-Request	マネージャからエージェントへの参照要求
Get-Response	エージェントからの応答
Get-Next-Request	次の情報の参照要求
Set-Request	マネージャからのMIB情報に対する変更要求
Trap	エージェントからの障害通知

エ　**VRRP**（Virtual Router Redundancy Protocol）は，ルータの多重化を行うプロトコルである。VRRPに対応した複数のルータを1つのグループに所属させ，通常はそのうちの1つのルータが通信を行っているが，そのルータに障害が発生したとき，同じグループに属する他のルータが自動的に通信を受け継ぐ。グループ内で通信を行うルータは1台に限られるが，1つのルータが複数のグループに所属することもできるので，負荷分散を同時に実現することも可能である。

問33：正解 エ

まず，1パケット当たりの誤りビット数zを求める。

1パケットが1,500バイトなので，1パケットのビット数xは次のようになる。なお，1バイトは8ビットで換算する。

x（ビット／パケット）＝1,500（バイト／パケット）×8（ビット／バイト）
＝12,000（ビット／パケット）

ビット誤り率が0.0001%（＝0.000001）なので，1パケット当たりのビット誤り数yは，次のようになる。

y（ビット／パケット）＝12,000×0.000001（ビット／パケット）
＝0.012（ビット／パケット）

全部で10,000個のパケットがあるので，全体の誤りビット数zは，次のようになる。

z（ビット）＝10,000（パケット）×0.012（ビット／パケット）
＝120（ビット）

誤りのビットが均一に分散すると考えると，誤りは1パケット当たり最大1ビットと考えられるので，誤りのビットをもつパケットは“**120**”個となる。

問34：正解 イ

OpenFlowは，制御機能と転送機能が共存する既存のネットワーク装置とは異なり，制御部と転送部を分離した技術である。ネットワーク管理者は，OpenFlowコントローラと呼ばれる制御部を，自ら設計・実装することで，必要な制御機能を自由に実現することができる。OpenFlowは，SDNを実現するための技術の1つである。

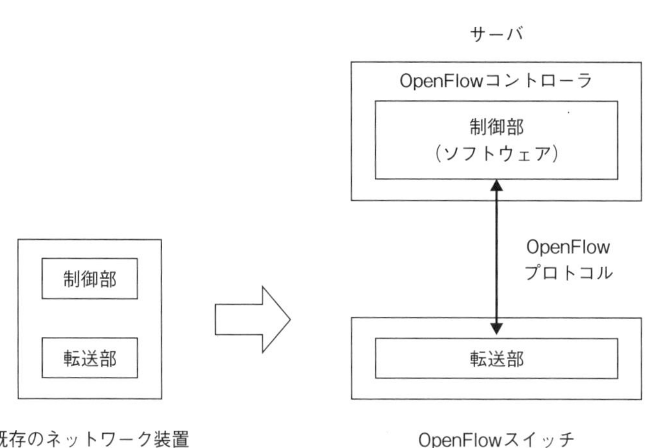

SDN（Software-Defined Network）は，ソフトウェアにより柔軟に定義することができるネットワーク及びそれを実現する技術全般を指す。ソフトウェアによって仮想的なネットワーク環境を作る技術，コンセプトである。ネットワークの装置の配置や配線などの物理的構成とはある程度独立して，目的に応じて複数の仮想的なネットワークを構築すること（ネットワークの仮想化）ができる。

- ア　ネットワーク仮想化の説明である。**ネットワークの仮想化**は，物理的なネットワーク機器や回線をソフトウェアで抽象化し，柔軟に管理・制御できるようにする技術である。ネットワークの仮想化をすることで，ネットワークの設定や構成を柔軟に変更できる。また，コストや運用負荷の削減，セキュリティやパフォーマンスの向上などを図ることができる。
- ウ　ASN.1の説明である。**ASN.1**（Abstract Syntax Notation One）は，電気通信やコンピュータネットワークでのデータ構造の表現・エンコード・転送・デコードを記述する標準的な記法である。CCITTX.409:1984の一部として，ISOとITU-Tが策定した。
- エ　OpenFlowで使うソフトウェアは，OSSに限定されない。**OSS**（Open Source Software）は，プログラムのソースコードを広く一般に公開し，誰でも自由に扱ってよいとする考え方，また，そのような考えに基づいて公開されたソフトウェアのことをいう。

問35：正解 イ

3Dセキュアは，インターネット上でクレジットカード決済をより安全に行うための本人認証の仕組みである。ビザ・インターナショナルが開発した，世界標準の本人認証方法である。VISA，MasterCard，JCB，AmericanExpress，DinersClubの国際ブランド各社が推奨する。カード決済時に，カード番号や有効期限，セキュリティコード以外に，あらかじめ登録したパスワードの入力を求められることがあり，これが，3Dセキュアである。"3D"とは，加盟店，カード発行会社とカード会員，国際カードブランドの三者のことである。

クレジットカード決済を安全かつ便利に決済するため，従来の3Dセキュア（3Dセキュア1.0）をバージョンアップした**EMV3Dセキュア**（**3Dセキュア2.0**）が提供されている。**EMV**は，国際カードブランドのVisaとMasterCardが策定した"ICチップ搭載クレジットカードの統一規格"のことを指す。両社の頭文字である"M"と"V"に，規格策定当時ヨーロッパでMasterCardブランドを運営していたEuropayInternationalの"E"を加えて"EMV"と名付けられた。

3Dセキュア1.0では，全てのクレジットカード決済においてIDやパスワードによる認証が必要だったため，利用者の手間が掛かっていた。しかし，3Dセキュア2.0では，不正利用の疑いが高いときだけ認証が求められるリスクベース認証が導入され，利用者の手間が軽減されている。なお，**リスクベース認証**は，利用者のアクセス履歴などをもとに，不正のリスクを判定し，高リスクと判定された場合は追加認証などを行うことでなりすましを防ぐ認証技術である。例えば，インターネットバンキングの口座開設，オンラインショッピングの会員登録などで設定を求められる秘密の質問が該当する。

ア　3Dセキュアは，パスワード再発行の仕組みは提供していない。

ウ　3Dセキュアはリスクベース認証を行うので，リスクが低いと判断された場合には，追加の本人認証は行わない。

エ　3Dセキュア2.0の本人認証の方法は，ワンタイムパスワードや生体認証など，記憶しておく必要がないものもある。しかし，操作しているのが人間であるかどうかの情報はリスクの評価には含まれない。

　なお，操作しているのが人間であるかどうかを確認する仕組みは，CAPTCHAという。**CAPTCHA**（Completely Automated Public Turing test to tell Computers and Humans Apart：**キャプチャ**）は，Webページの入力フォームなどで，ロボットによる自動入力を防止するために人間であることを証明させるテストである。ゆがんだ文字や数字が埋め込まれた画像を表示し，何が書かれているかを入力させる方式がよく使われている。毎回異なる画像上の文字列をプログラム処理で読み取ることは困難であるため，自動プログラムで無差別に投稿する行為，短時間の繰返しリクエストなどを抑制するのに有効である。

出典：iStock.com/claudiodivizia

CAPTCHAは，主にボット対策であるため，3Dセキュアでは採用されていない。

問36：正解 ウ

DMZ（DeMilitarized Zone：**非武装地帯**）は，インターネットに接続されたネットワークにおいて，ファイアウォールによって外部ネットワーク（インターネット）からも内部ネットワーク（組織内のネットワーク）からも隔離された区域のことである。

DNSキャッシュポイズニングは，DNSサーバの脆弱性を利用して偽の情報をDNSサーバへ記憶させ，そのDNSサーバを使用するユーザーに対して影響を与える攻撃である。例えば，ホスト名とIPアドレスの対応を本来の情報とは異なるものにして，特定のサイトに到達できなくしたり，別のサイトへ誘導したりするものがある。DNS機能を内蔵したルータなども攻撃対象となるため，被害が広範囲に及ぶ危険性がある。

フィッシングなどの手法で汚染されたDNSサーバに誘導されたユーザーが，偽のキャッシュ情報を基に悪意のあるサイトに誘導され，機密情報を盗まれるなどの被害が生じる可能性がある。

したがって，DNSキャッシュポイズニングの被害を受けた結果，直接引き起こされ得る現象は，**“社内の利用者が，インターネット上の特定のWebサーバにアクセスしようとすると，本来とは異なるWebサーバに誘導される”**である。

ア　DNSキャッシュポイズニングは，DNSサーバ名の書換えは行わない。

イ　DNSキャッシュポイズニングは，ワームを感染させる攻撃手法ではない。

エ　偽のキャッシュ情報が登録されることで別のメールサーバに誘導され，メールの盗聴・改ざんを受ける可能性はあるが，電子メールの宛先アドレスが書き換えられることはない。

問37：正解 ア

DNSSEC（DNS Security Extension）は，サーバとクライアントの間で交わされるメッセージが改ざんされていないことを保証するための仕組みである。メッセージのハッシュ値を公開鍵暗号方式で暗号化し，メッセージとともに送り，届いたメッセージからハッシュ値を求め，復号したハッシュ値と一致すれば，改ざんの有無を検知することができる。すなわち，デジタル署名をメッセージとともに送信する。DNSキャッシュポイズニングへの対策として使われる。

権威DNSサーバ（**DNS コンテンツサーバ**）は，ドメイン名とIPアドレスが対応付けられたゾーン情報を保持して，他のDNSサーバに問い合わせることなく応答を返すことができるDNSサーバである。権威DNSサーバは自身が管理するゾーン情報と委任先の権威DNSサーバに関する情報を保持し，名前解決の問合せには自身が管理する情報のみを応答する。

DNSキャッシュサーバは，利用者から任意のドメイン名の名前解決の問合せを受け，当該ドメイン名を管理するDNS（Domain Name System）サーバへの問合せを代理で行い，結果を利用者に返答するコンピュータやソフトウェアである。問合せ結果は一定期間保存（キャッシュ）され，期間内に同じ問合せがあると，外部サーバに新たに問い合わせることをせず自ら返答する。これにより，上位のDNSサーバの負担が軽減され，利用者への応答時間も短縮される。DNSサーバに情報がキャッシュされていないと，DNSサーバは最上位のサーバから順に，名前解決の問合せを繰り返す。この問合せの繰返しを，**再帰的な問合せ**という。

イ　DNSSECは，暗号化の仕組みはもたない。ゾーン情報の暗号化には，SSLやTLSが用いられる。

ウ　DNSはIPアドレスを解釈して，そのIPアドレスをもつ機器に送信する。このため，DNSSECでは，このような状況は防ぐことはできない。なお，このように，正当なドメインに似せたドメインを用いて誤送信を狙う攻撃を，**ドッペルゲンガードメイン**という。

エ　URLを誤入力しても，DNSは入力された内容を解釈して該当のIPアドレスに送信してしまう。このため，DNSSECではこのような状況を防ぐことはできない。なお，このように，URLの入力ミスに乗じて偽サイトに誘導する攻撃を，**タイポスクワッティング**という。

問38：正解 イ

公開鍵暗号方式では，公開鍵（暗号鍵）と秘密鍵（復号鍵）を1対（2個）必要とする。1人が2個の鍵を必要とするので通信相手がn人いれば**“2n”**個の鍵が必要である。

なお，「ウ」は，共通鍵暗号方式での全体の鍵の数である。

共通鍵暗号方式では，暗号鍵と復号鍵は同じものを使う。n人の送受信者がいる場合，ある1人からみると，相手は(n－1)人である。すると組合せはn×(n－1)通りであるが，送受信者間で同じ鍵を使うので，n×(n－1)の半分である。

以上から，n人の場合の鍵の数は次のようになる。

$$\text{n人の場合の鍵の数} = \frac{n \times (n-1)}{2}$$

問39：正解 イ

問題文の主旨をよく理解しないと，解答を誤ってしまうため注意が必要である。“自社製品の脆弱性に起因するリスクに対応するための社内機能として，最も適切なものはどれか”の下線部に気をつける。自社製品なので，その製品を外部に提供することになり，外部との対応が必要になる。

ア　CSIRT（Computer Security Incident Response Team）は，企業や行政機関などに設置される組織の一種で，コンピュータシステムやネットワークに保安上の問題につながる事象が発生した際に対応する組織である。

イ　PSIRT（Product Security Incident Response Team）は，自社で製造・開発する製品やサービスを対象に，セキュリティレベルの向上やインシデント発生時の対応を行う組織である。

　CSIRTとの違いは，CSIRTがその企業，組織に対するセキュリティインシデント対応をするのに対して，PSIRTは自社が外部に提供する製品，サービスに対するセキュリティインシデント対応を行う。

ウ　SOC（Security Operation Center）は，ネットワークやデバイスを24時間365日体制で監視し，サイバー攻撃の検出や分析，対応策のアドバイスを行う機関，または組織内の部署である。セキュリティインシデント発生時には，CSIRTへの報告を行うとともに，支援も行う。

　CSIRTとの違いは，CSIRTはセキュリティインシデントが発生したときの対応に重点が置かれているのに対し，SOCはインシデントの検知に重点が置かれている。

エ　WHOISは，IPアドレスやドメイン名の登録者などに関する情報を，インターネットユーザーが誰でも参照できるサービスである。各資源について割当て権限の委譲を受けた各管理組織がデータベースを整備し，WHOISシステムを通じて情報提供を行っている。また，WHOIS情報を格納しているデータベースを，**WHOISデータベース**という。**技術連絡担当**は，そのドメインの技術的な連絡担当者である。例えば，割当て権限の移譲を受けた管理組織がレンタルサーバ業者を利用した場合は，その業者の情報となることが多い。セキュリティインシデントの受付窓口としては機能するが，セキュリティインシデント対応にはならない。

問40：正解 ウ

JIS Q 31000：2019（リスクマネジメント－指針）は，組織のリスクに焦点をあて，組織経営のためのリスクマネジメントを明確にし，様々な分野で共通するリスクマネジメントプロセスを標準化したものである。リスクマネジメントの国際規格であるISO 3100：2018を基に策定された。

解説を読むと分かるとおり，JIS規格の内容そのものを解答群に記述している。このような問題では，JIS企画の内容を覚えておく必要があると考えてしまうが，現実的に他にも覚える必要が出てくるので，このようなことは，現実的に不可能である。そこで，“リスク特定”の意味を考えて解答を検討するしかない。**リスク**は，通常は危険という意味であるが，セキュリティ関連では，収益が予測できない，不確実だ，バラつくということを示す。すなわち，将来のいずれかのときにおいて，何か悪い事象が起こる可能性をいう。そして，可能性については，過去のデータや専門家の予測・分析，ステークホルダーなどのニーズなどが考慮される。このようなことから，**リスク特定**は，過去のデータの論理的分析，専門家の意見，ステークホルダーのニーズなどから，リスクの事象や原因，起こり得る結果を発見し，認識することである。

以上から，「**資産及び組織の資源の性質及び価値**」を分析して，将来を予測することが該当する。

なお，JIS Q 31000：2019では，リスク特定について次のように定義している。下線部は，解答に関連する記述である。

6.4.2リスク特定

リスク特定の意義は，組織の目的の達成を助ける又は妨害する可能性のあるリスクを発見し，認識し，記述することである。リスクの特定に当たっては，現況に即した，適切で最新の情報が重要である。組織は，一つ以上の目的に影響するかもしれない不確かさを特定するために，様々な手法を使用することができる。次の要素，及びこれらの要素間の関係を考慮することが望ましい。

－有形及び無形のリスク源
－原因及び事象
－脅威及び機会
－ぜい（脆）弱性及び能力
－外部及び内部の状況の変化
－新たに発生するリスクの指標
－資産及び組織の資源の性質及び価値
－結果及び結果が目的に与える影響
－知識の限界及び情報の信頼性
－時間に関連する要素
－関与する人の先入観，前提及び信条

組織は，リスク源が組織の管理下にあるか否かを問わず，リスクを特定することが望ましい。様々な有形又は無形の結果をもたらす可能性のある2種類以上の結末が存在するかもしれないことを考慮することが望ましい。

ア，エ　リスク分析で考慮すべき事項である。JIS Q 31000：2019では次のように定義している。

6.4.3リスク分析

リスク分析の意義は，必要に応じてリスクのレベルを含め，リスクの性質及び特徴を理解することである。リスク分析には，不確かさ，リスク源，結果，起こりやすさ，事象，シナリオ，管理策及び管理策の有効性の詳細な検討が含まれる。一つの事象が複数の原因及び結果をもち，複数の目的に影響を与えることがある。リスク分析は，分析の意義，情報の入手可能性及び信頼性，並びに利用可能な資源に応じて，様々な詳細さ及び複雑さの度合いで行うことができる。分析手法は，周辺状況及び意図する用途に応じて，定性的，定量的，又はそれらを組み合わせたものにすることができる。リスク分析では，例えば，次の要素を検討することが望ましい。

－事象の起こりやすさ及び結果 ←「エ」に関連する記述

－結果の性質及び大きさ ←「ア」に関連する記述

－複雑さ及び結合性

－時間に関係する要素及び変動性

－既存の管理策の有効性

－機微性及び機密レベル

リスク分析は，意見の相違，先入観，リスクの認知及び判断によって影響されることがある。その他の影響としては，使用する情報の質，加えられた前提及び除外された前提，手法の限界，並びに実行方法が挙げられる。これらの影響を検討し，文書化し，意思決定者に伝達することが望ましい。非常に不確かな事象は，定量化が困難なことがある。重大な結果をもたらす事象を分析する場合，これは課題になる。このような場合は，一般的に手法の組合せを用いることによって洞察が深まる。リスク分析は，リスク評価へのインプット，リスク対応の必要性及び方法，並びに最適なリスク対応の戦略及び方法の決定へのインプットを提供する。結果は，選択を行う場合に決定を下すための洞察力を提供する。また，選択肢は，様々な種類及びレベルのリスクを伴う。

イ　リスク対応で考慮すべき事項である。JIS Q 31000：2019では次のように定義している。

6.5リスク対応

6.5.1一般

リスク対応の意義は，リスクに対処するための選択肢を選定し，実施することである。リスク対応には，次の事項の反復的プロセスが含まれる。

－リスク対応の選択肢の策定及び選定

－リスク対応の計画及び実施

－その対応の有効性の評価

－残留リスクが許容可能かどうかの判断

－許容できない場合は，更なる対応の実施

問41：正解 イ

WAF（ワフ）（Web Application Firewall）は，Webアプリケーションのやり取りを管理することで不正侵入を防御するファイアウォールである。一般的なファイアウォールがネットワーク層で管理するのに対して，WAFはアプリケーション層で管理を行う。プログラムに渡される入力内容などを直接検査することによって，不正とみなされたアクセス要求を遮断する。ブラウザとWebサーバを仲介し，ブラウザとの直接的なやり取りをWAFが受けもつ。このため，SQLインジェクションやクロスサイトスクリプティングなどを攻撃とみなして拒絶することができる。専用のハードウェアとして実装されたもの，ゲートウェイなどのサーバ上で動作させるソフトウェア，Webサーバ自体に組み込むモジュールの形になっているものがある。

WAFによって防御できるのは，Webアプリケーションだけである。**Webアプリケーション**は，HTTPやHTTPSの仕組みを利用したアプリケーションで，ブラウザとWebサーバのやりとりをサービスとして提供する。Webアプリケーションの例に，動画共有サービスのYouTubeやWebメールサービスのGmail，インターネット電話サービスのSkypeなどがある。

ア　DNSキャッシュポイズニングは，ブラウザとDNSサーバ（ネームサーバ）とのやり取りで発生する攻撃で，DNS（ポート番号53）を用いており，Webアプリケーションは利用していない。

イ　REST（レスト）（REpresentational State Transfer）は，Webサービスの設計モデル（設計思想）で，RESTなWebサービスは，そのサービスにHTTPメソッドでアクセスすることでデータの送受信を行う。

REST APIは，HTTP通信において，主に次のような特徴をもつシステムをいう。これを，**REST4原則**という，また，このようなシステムを，**RESTful**なシステムということがある。

① 統一インタフェース
あらかじめ定義・共有された方法でのやり取り（例えば，GET，POST，PUT）
② アドレス可能性
全ての情報が一意なURLを持っていて情報をURIで表現できること
③ 接続性
やり取りされる情報にハイパリンクを含めることができる
④ ステートレス性
状態がない（やり取りが1回ごとに完結）

REST APIはHTTP通信を使ったWebサービスなので，WAFによる防御が期待できる。

ウ　SMTPはメールサーバ間の送受信，及び，端末からメールサーバにメールを送信するときの送信のプロトコルである。SMTP（ポート番号25）を利用しており，Webアプリケーションは利用していない。また，**フィッシングメール**は，送信者を偽って電子メールを送信する詐欺手口の1つで，メールに記載されたURLから偽りのWebサイトに誘導し，IDやパスワードを盗み出すのが目的である。

エ　メールサーバに対する攻撃で，電子メール爆弾という。**電子メール爆弾**は，電子メールを利用した攻撃，またはいやがらせの一種で，特定のメールサーバに対して大量の電子メールや大容量の電子メールを送り付けることでメールサーバに負荷を掛ける行為である。この処理も，「ウ」と同様，SMTPを利用するので，Webアプリケーションは利用しない。

問42：正解 ア

IPv6（Internet Protocol version 6）は，32ビットのIPアドレス（Internet Protocol version 4：IPv4）が不足することが考えられたときに策定された128ビットのプロトコルである。IPv6のアドレスは，4桁の16進数（英字は小文字）を“：”（コロン）で区切って8個並べ，次のように表す。

xxxx:xxxx:xxxx:xxxx:xxxx:xxxx:xxxx:xxxx

IPv6の主な特徴は，次のとおりである。

・アドレス空間をIPv4の32ビットから128ビットに拡張（IPアドレス不足の解消が可能）
・マルチキャストを標準で定義（ブロードキャストを含む）
・IPのセキュリティ拡張機能であるIPsecは標準機能（IPsecはセキュリティプロトコルの1つ）

IPv4では約2^{32}（＝約42億）個であったIPアドレスを，約2^{128}（＝約340澗（かん））個まで使えるようにしたのが大きな特徴の1つであるが，このこと以外に，IPv4では上位の層で補完しなければならなかったユーザー認証，パケットの暗号化をIP層で行うIPsecの機能がサポートされている。

ア　**IPsec**（Security Architecture for Internet Protocol）は，IPパケットの暗号化と認証を行うセキュリティ技術で，インターネットで標準的に使われている。IPのパケットを全経路で暗号化して送受信するため，TCPやUDPなど，上位のプロトコルを利用するアプリケーションは，IPsecが使われていることを意識する必要はない。IPv4ではオプションであるが，IPv6では標準で実装されている。IPパケットを暗号化する機能なので，OSI基本参照モデルでは，ネットワーク層のプロトコルである。

　なお，IPsecでは共通鍵暗号方式が使われており，共通鍵を事前に交換する必要がある。このため，**IKE**（Internet Key Exchange）という自動鍵交換プロトコルが用いられている。

イ　**PPP**（Point to Point Protocol）は，電話などの通信回線を使ってコンピュータ同士をネットワーク接続するときのプロトコルで，2点間を接続してデータ通信を行うための通信プロトコルである。2点間を接続するので，OSI基本参照モデルでは，データリンク層のプロトコルである。

ウ　**SSH**（Secure SHell）は，主にUNIXで使われるリモートログインやリモートファイルコピーのセキュリティを強化したプログラムである。同じような機能にTelnetがあるが，Telnetは平文で通信するのに対して，SSHでは通信データを共通鍵暗号方式により暗号化して通信を行う。また，共通鍵は公開鍵暗号方式で暗号化して送る。POP3やFTPなどネットワーク上に平文のパスワードが流れてしまう既存のプロトコルを安全に利用する技術として利用されている。SSHはプログラムであり，OSI基本参照モデルでは，アプリケーション層（第7層）で通信を行う。

エ　TLS（Transport Layer Security）は，インターネット上で情報を暗号化して送受信するセキュリティプロトコルである。WebやFTPなどのデータを暗号化し，プライバシに関わる情報やクレジットカード番号，企業秘密などを安全に送受信することができる。公開鍵暗号方式や共通鍵暗号方式，デジタル証明書，ハッシュ関数などのセキュリティ技術を組み合わせ，データの盗聴や改ざん，なりすましを防ぐことができる。厳密ではないが，OSI基本参照モデルのトランスポート層（第4層）に相当し，上位のHTTPやFTPなどのプロトコルを利用するアプリケーションからは，TLSを意識することなく透過的に利用することができる。

問43：正解 イ

SPF（Sender Policy Framework）は，電子メールの送信ドメイン認証方式の1つで，差出人のメールアドレスが他のドメインになりすましていないかどうかを検出する仕組みである。SPFでは，メールヘッダから差出人アドレスに格納されたドメイン名を読み取り，正しいメールサーバから送信されているかどうかを検査する。

具体的には，メールの送信側ではDNSにSPFレコード（送信元サーバのIPアドレス）を登録しておき，送信側サーバは，受信側サーバにMAILFROMコマンドでメール送信者のメールアドレスと送信側サーバのIPアドレスを送信する。受信側のSMTPサーバは，送信されてきたメールのIPアドレスと送信側のDNSに登録されているSPFレコードに格納されているIPアドレスを比較し，真正な送信元サーバから送信されているメールであるかどうかを確認する。

このため，メールアドレスを詐称しているフィッシングメールなどに効果はあるが，差出人アドレスを詐称していない迷惑メールには無力である。

ア　SPFではデジタル署名は使用しない。この記述は，DKIMの仕組みである。**DKIM**（ディーキム）（Domain Keys Identified Mail：**送信ドメイン認証**）は，デジタル署名を利用した電子メールの送信ドメイン認証技術の1つである。スパムメール，フィッシングメールなどの迷惑メールへの対抗策として開発された。DKIMでは，事前に公開鍵をDNSに格納しておき，電子メールのヘッダにデジタル署名を付与して送信する。受信側のメールサーバは，受け取ったデジタル署名から公開鍵を取得し，デジタル署名を認証する。認証に失敗すると，メールを受信することはできない。

ウ　メールアーカイブシステムの仕組みである。**アーカイブ**は，記録保管所，保存記録，保管するなどの意味をもつ。このようなことから，別の場所（保管庫）にデータをまとめて保管するという意味で使われる。

エ　メールの誤送信を防止するのための仕組みである。

問44：正解 ウ

タンパは，情報不正取得，改ざんの意味である。**耐タンパ性**は，内部の情報を不正に読み書きすることを困難にする特性のことである。具体的には，ICカードなどの機器や回路の中身のリバースエンジニアリングや改変に対する物理的な防護力をいう。例えば，ICカードや著作権保護機能を備えた音楽プレイヤーでは，内部の動作や処理手順が外部に漏れると，一般にセキュリティが確保できなくなる。そこで，機器や回路の中身を外部からは分析しにくくすることが多い。

耐タンパ性を高める技術には，論理的な手段と物理的な手段の２種類がある。例えば，ソフトウェアであれば，逆アセンブラなどで簡単に解析できないようにする技術などが用いられ，ハードウェアであれば，LSIを解析するために保護層を剥がすと，内部の回路まで破壊されるようにする技術などが用いられている。

プローブは，探査，精査，探針などの意味をもち，測定や実験などのために，試料に接触または挿入する針を指す。

ア　利用者の利便性は高まるかもしれないが，耐タンパ性の向上には結びつかない。

イ　可用性（稼働率）は高まるかもしれないが，耐タンパ性の向上には結びつかない。

エ　システムのセキュリティの向上には結びつくかもしれないが，ICカード自体の耐タンパ性が向上するわけではない。

問45：正解 イ

オブジェクト指向は，データの処理や操作を手続きの流れとしてではなく，“もの（オブジェクト）”同士の関係としてとらえる考え方である。複雑な事象でも直感的に理解しやすくなるため，ユーザーインタフェースの設計などに応用されている。

オブジェクト指向においては，データ属性と手続き（メソッド）を一体化（カプセル化）したオブジェクトが，相互に関連し合って全体を構成する。そこで，共通の特性をもつ同種のオブジェクトをまとめて**クラス**を構成する。あるクラスをまとめて抽象化すると，さらに上位のクラスが定義できる。クラスは一般に階層をもち，上位のクラスを**スーパークラス**（**基底クラス**），下位のクラスを**サブクラス**（**派生クラス**）という。サブクラスはスーパークラスの特性を引き継ぐ（**継承**，**インヘリタンス**）ことができる。

サブクラスでは，スーパークラスのメソッドや属性を継承するので，サブクラス特有のメソッドや属性のみを記述し，スーパークラスのメソッドや属性はそのまま使用（再利用）する。このように，スーパークラスとの差のみを記述することを，**差分プログラミング**という。次は，クラス図の例である。この例においては，入金部のスーパークラスに対して，レジスタがサブクラスである。また，入金部に対して，缶飲料スロットが複数あることを示している。このことは，「1..*」から分かる。

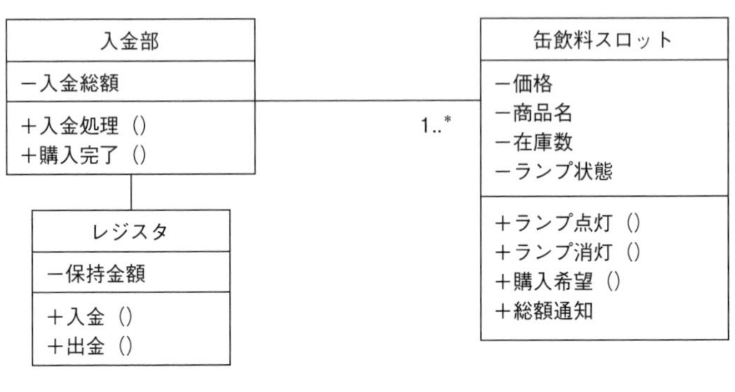

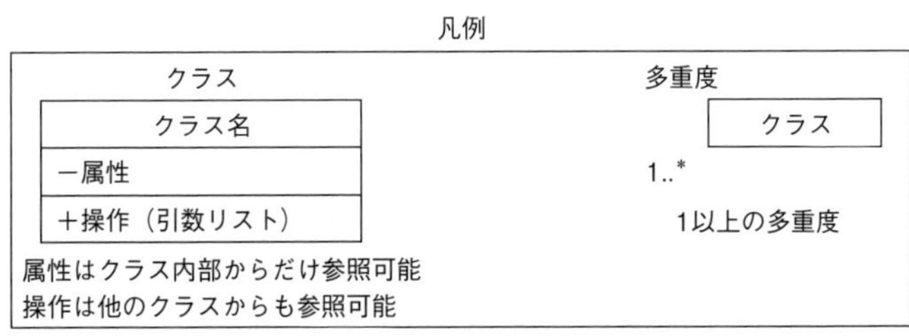

また，スーパクラスで定義されたメソッドはサブクラスに継承されるが，サブクラスではスーパクラスから継承したメソッドを必要に応じて再定義する（置き換える）ことができる。このことを，**オーバライド**という。

ア　1つのクラスが複数のクラスと関連をもつこともある。

ウ　サブクラスのインスタンスがスーパクラスで定義されている操作を実行するときは，スーパクラスのコンストラクタに操作を依頼する。なお，**コンストラクタ**は，クラスの処理を実行するインスタンスが生成されるときに自動的に実行される特殊なメソッドで，メンバー変数の初期化などを主に行う。

エ　集約は，複数のオブジェクトをまとめることである。例えば，自動車がタイヤ，ミラー，ドアから構成されているとすると，集約オブジェクトは“自動車”，部品オブジェクトは“タイヤ”，“ミラー”，“ドア”である。

次の例では，クラスAが集約オブジェクト，クラスBがタイヤ，ミラー，ドアに該当する。このとき，◇を使って部分であることを示す。すなわち，クラスBは，クラスAの一部であることを示す。

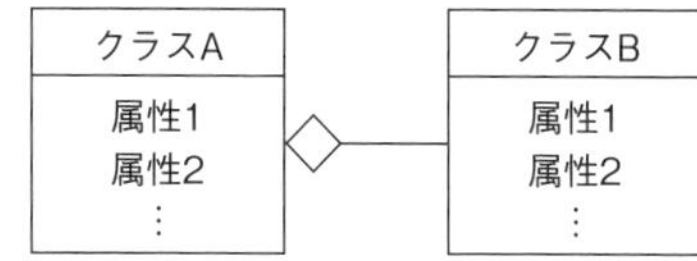

集約の関係においては，集約オブジェクトと部品オブジェクトの属性や操作を共有するとは限らない。共有するのは，継承されたときである。すなわち，スーパクラスとサブクラスの関係があるときである。

問46：正解 エ

モジュール結合度は，モジュール間の関係で，モジュール結合度が弱いほど，モジュール独立性は高まる。

モジュール結合度は，その強弱によって6段階に分類される。

強弱	モジュール結合度	内容
弱	データ結合	処理に必要なデータのみを受け渡す
	スタンプ結合	データの構造体を受け渡す
	制御結合	パラメータを受け渡し，モジュールの実行順序を制御
	外部結合	外部宣言したデータを共有
	共通結合	共通領域に定義したデータを共有
強	内容結合	外部宣言せずに他のモジュールが直接参照・変更

ア　他のモジュールに直接分岐（JUMP）するので，内容結合である。外部結合は，外部宣言が行われる。

イ　引数を受け渡すので，制御結合である。内容結合は，他のモジュールを直接参照・変更する。

ウ　大域的な単一のデータ項目を参照するのは，外部結合である。共通結合では，共通領域の複数のデータ（単一でない）を共有する。制御結合は引数を渡す。

エ　大域的なデータを参照するモジュール間の関係は，共通結合である。

問47：正解 ウ

ソフトウェアのテストにおいて，累積バグの件数は，次のようなロジスティック曲線やゴンペルツ曲線などの**成長曲線**（**バグ曲線**）と呼ばれる曲線で近似できることが経験的に知られている。

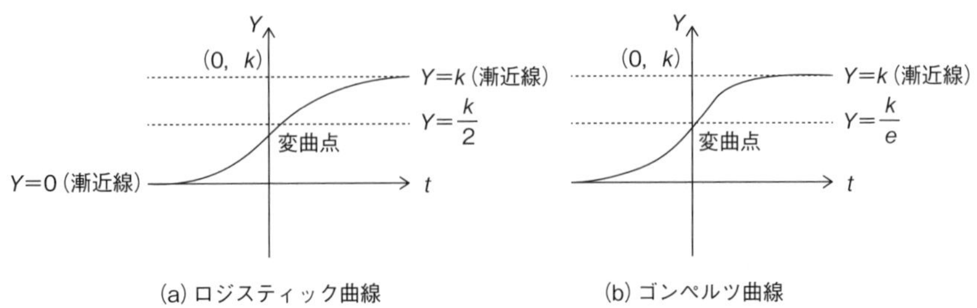

(a) ロジスティック曲線　　(b) ゴンペルツ曲線

バグの発生件数は，最初は時間の経過のわりに少なく，その後，次第に増加するが，最後は再び減少し，ほとんど飽和状態となる。これによって，ある程度，バグの発生を予測できる。バグの累積件数が成長曲線に近似しているほどシステムの品質が高いとされている。

テスト項目消化件数と累積バグ件数の関係は，テストが順調である場合は，成長曲線で近似することができる。成長曲線は，英字のＳに似ているため，**Ｓ字カーブ**ともいわれる。

ア，イ　「ア」は，累積バグ件数が指数関数的に増えている。また，「イ」は，累積バグ件数が直線的に増えている。ソフトウェアに内在するバグは限りがあるので，累積バグ件数は収束しなくてはならないが，これらのグラフは，バグが無限大にあると解釈できる。これでは，ソフトウェアとして意味をなさない。

エ　最終的には収束しているが，Ｓ字ではないのでゴンペルツ曲線ではない。

問48：正解 エ

リーンソフトウェア開発は，具体的なプラクティス（実践手順）や体系的なフレームワークの形ではなく，プラクティスを各分野・現場に合わせて作り出す際の手助けとなる「7つの原則」として提示されるアジャイル開発のプラクティスを実践する考え方である。7つの原則は，次のとおりであるが，中心となるのは，原則1の「ムダをなくす」である。

(1) ムダをなくす	(2) 品質を作り込む
(3) 知識を作り出す	(4) 決定を遅らせる
(5) できるだけ早く提供する	(6) 人を尊重する
(7) 全体を最適化する	

さらに，7つの原則を実現するために，「無駄を認識する」，「フィードバック」，「モチベーション」など，「22の思考ツール」が提案されている。

ア **ストーリー（ユーザーストリー）**は，開発するプロダクトがユーザーにとって，どのような役に立つ（価値を提供する）かを示すものである。誰のためにしたいのか，何をしたいのか，何故そうしたいのかの3つの内容を明確に示したものである。ストーリーの内容を簡潔に書き出したのが，**ストーリーカード**である。主に，開発の要件定義段階で用いる。

イ **バックログ**は，一般的には，積み残しや残務という意味である。しかし，IT業界では，未処理の作業や案件など広い意味で用いられている。一方，アジャイル開発のスクラムではタスクリストという意味で用いられ，プロダクトバックログとスプリントバックログがある。**プロダクトバックログ**は，開発しているプロダクト（成果物）を実現するために活用されるものである。必要な項目が一覧化され，開発すべき機能や修正すべきバグなどが記載される。一方，**スプリントバックログ**は，各スプリント（反復工程）期間内で開発すべき実行計画である。

ウ **バーンダウンチャート**は，残された片づけるべき作業の量と時間を表現したグラフである。バーンダウンチャートでは，縦軸に残作業量，横軸に時間を割り当てて残りの作業量をグラフで表す。このため，時間が進むと残りの作業量が減っていくので，右肩下がりのグラフになる。

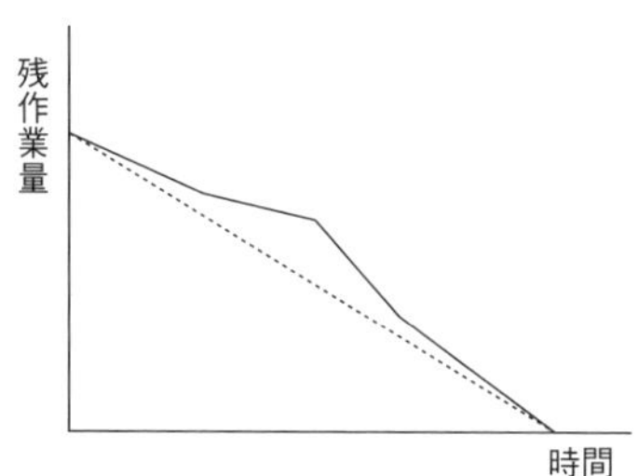

エ **バリューストリームマップ**（Value Stream Map：**VSM**）は，生産工程において，原料から完成品まで，製造プロセスの全ての活動を記述するダイアグラムである。物と情報の流れ図と考えればよい。歴史的には，最初，トヨタのエンジニアによって開拓され，生産性を改善するために設計されたが，現在は，トヨタのリーン生産システムフレームワークにおける物と情報の流れを可視化するためのツールとなっている。VSMは，生産プロセス内の無駄（付加価値を生まない活動）を発見し，それを排除することが最大の目的である。

問49：正解 イ

JIS X 33002は，組織内のソフトウェア開発プロセスを理解し，診断することを目的とするアセスメントについての要求事項を規定したJIS規格である。プロセスアセスメントを実施するための標準化された枠組みを提供する。なお，**アセスメント**は，主観的情報・客観的情報をもとに，分析・結合し，判断・評価し，意見・印象などを記述することである。また，**プロセスアセスメント**は，事業目標達成に向けた強みと弱みを明らかにし，改善の機会やリスクを特定するための活動である。

JIS X 33002：2017の序文の1に次の記述がある。下線部は，解答のヒントになる記述である。

> 序文
> （途中略）
> **1　適用範囲**
> この規格は，診断対象プロセスのアセスメント結果が，客観的で，一貫していて，再現可能であり，かつ，代表的であることを確実にするアセスメント実施のための最小限の要求事項を定義する。
> この規格で定義している要求事項は，組織又は組織の代行者が次の目的で使用できる。
> a)　自己アセスメントを促進する。
> b)　プロセスパフォーマンスを向上し，プロセスに関連するリスクを軽減するための基盤を提供する。
> c)　関連するプロセス品質特性の達成度合を評定する。
> d)　組織間の客観的なベンチマークを提供する。
> （以下，略）

現実問題として，JIS規格の内容を一つひとつ覚えておくことは不可能に近い。したがって，「プロセスアセスメント」という用語から解答群の記述を検討する。

ア　JIS Q 9001の説明である。**JIS Q 9001**（品質マネジメントー要求事項）は，品質マネジメントシステムに関する規格である。

ウ　JIS Q 21500の説明である。**JIS Q 21500**（プロジェクトマネジメントの手引）は，プロジェクトマネジメントに関する規格である。現在，JIS Q 21500では，認証制度・認証基準・認証機関による審査はなく，プロジェクトマネジメントに関する包括的なガイドライン，ガイダンス規格となっている。

エ　JIS X 0160の説明である。**JIS X 0160**（ソフトウェアライフサイクルプロセス）は，ソフトウェアライフサイクルプロセスに関する規格で，システム開発の発注側と受注側の双方で相互に理解できるソフトウェアライフサイクルプロセスの共通枠組みを，明確に定義したものである。

問50：正解 イ

ドキュメンテーションジェネレーターは，特別なコメントが記述されたソースコードファイルの集合，またはバイナリファイルの集合から，プログラマやエンドユーザーまたはその両方を対象としたドキュメントを生成するプログラミングツールである。所定の書式（フォーマット）でコメントを付けることで，関数やクラス，変数などの説明を含むドキュメントを自動的に生成できるので，工数の削減が期待できる。Javadoc（Java言語向け），Sphinx（Python向け），JSDoc（JavaScript向け）などがある。

ア　Webブラウザの説明である。

ウ　テンプレートエンジンの説明である。

エ　TeX（テフ）の説明である。**TeX**は，活版印刷の技法をコンピュータ上で実現する組版ソフトである。商用印刷に用いても見劣りしない高度な組版をコンピュータ上で作成できる。

問51：正解 ア

EVM（Earned Value Management）は，プロジェクト全体のスケジュールの遅れやコストの超過を可視化する進捗管理手法である。アーンドバリュー（EV，プロジェクトの進捗状況を客観的に測定するための指標）を統一的な尺度として用いることで，プロジェクトのパフォーマンス（コスト，スケジュール）を定量的に測定・分析し，一元的な管理を行う。

問題の図において，PV，AC，EVの意味は，次のとおりである。

PV（Planned Value：計画価値）：ある時点における費用の総額の予測値

AC（Actual Cost：実コスト）：費用の実績値の累計

EV（Earned Value：出来高）：現時点までに完了した作業の予測値

コストが計画を超過しそうかどうかは，PVとACの傾向を比較すればよい。ACがPVを上回ればコストは超過していることになる。また，納期の遅れを予測するには，PVとEVの傾向を比較すればよい。EVがPVを下回れば作業が遅れている，すなわち，納期遅れになる可能性がある。これは，本来，消化しているはずの予算を，消化していないということなので，作業が遅れていると判断できる。

図のEVMでは，現時点でPVよりEVが低いので作業が遅れていることが分かる。また，ACよりEVが低いのでコストが多く掛かっていることが分かる。

したがって，このままで推移すると“**計画に比べてコストは多くなり，プロジェクトの完了は遅くなる**”ことが予想される。

問52：正解 エ

最早結合点時刻は，その結合点を最も速く出発できる時刻である。また，ダミー作業の所要日数は0として計算する。**ダミー作業**は，実際の作業が発生するのではなく，合流する作業の完了を待ち合わせてから作業に着手することを示す。問題の図において，作業Eと作業D（結合点④→結合点⑤がダミー作業）の完了をもって，作業Hを開始することができる。

結合点5を通る経路のうち，結合点5までの所要日数は次のとおりである。

①→②→④→⑤　：3＋4＋0＝7（最大値）

①→②→⑤　：3＋2＝5

①→②→③→⑤　：3＋1＋2＝6

①→③→⑤　　：2＋2＝4

以上から，結合点5に至るまでの経路のうち，最も時間の掛かるのは，“①→②→④→⑤”の7日である。この経路の作業が完了しないと結合点5は出発できない。

したがって，結合点5の最早結合点時刻は，**“7”**である。

問53：正解 エ

解答するに当たって，JIS規格を覚えておくのは現実的ではない。他にも覚えることはたくさんあるので，このような問題の場合，問題の主旨である“リスクの管理”ということから解答を検討する。

ア 「特定したリスクに適切な処置を行うためにリスクを測定して，その優先順位を定める」ということから，“リスクの評価”をしてその対応順序を検討する。

イ 「発生した場合に，プロジェクトの目標にプラス又はマイナスの影響を与えることがある潜在的リスク事象及びその特性を決定する」ということから，“リスクの特定”をして対処方法を検討する。

ウ 「プロジェクトの目標への機会を高めて脅威を軽減するために，選択肢を作成して対策を決定する」ということから，“リスクへの対応”である。

エ 「リスクへの対応を実行するかどうか及びそれが期待する効果を上げられるかどうかを明らかにし，プロジェクトの混乱を最小限にする」ということから，リスクをコントロールすることなので，**“リスクの管理”**である。

JIS Q 21500:2018（ISO21500:2012）（Guidance on project Management：プロジェクトマネジメントの手引）は，プロジェクトマネジメントに関する用語，コンセプト，プロセスの定義について，国際的に共通する理解を，基本ガイドラインとしてまとめたものである。プロジェクトマネジメントの包括的な手引として，プロジェクトマネジメントを適切に実践するための概念とプロセスがまとめられている。

このガイドラインでは，10のサブジェクトグループ，5つのプロセスグループで，プロジェクトマネジメントプロセスを整理している。10のサブジェクトグループは，「統合」「ステークホルダー」「スコープ」「資源」「タイム」「コスト」「リスク」「品質」「調達」「コミュニケーション」である。また，5つのプロセス群は，「立上」「計画」「実行」「管理」「終結」である。

ア リスクの評価の説明である。リスクの評価については，JIS規格では，次のように定義している。

> リスクの評価の目的は，その後の処置のためにリスクを測定して，その優先順位を定めることである。

イ　リスクの特定の説明である。リスクの特定については，JIS規格では，次のように定義している。

> リスクの特定の目的は，発生した場合に，プロジェクトの目標にプラス又はマイナスの影響を与えることがある潜在的リスク事象及びその特性を決定することである。

ウ　リスクへの対応の説明である。リスクへの対応については，JIS規格では，次のように定義している。

> リスクへの対応の目的は，プロジェクトの目標への機会を高めて脅威を軽減するために，選択肢を作成して対策を決定することである。

エ　リスクの管理の説明である。リスクの管理については，JIS規格では，次のように定義している。

> リスクの管理の目的は，リスクへの対応を実行するかどうか及びそれが期待する効果を上げられるかどうかを明らかにし，プロジェクトの混乱を最小限にすることである。

問54：正解 ア

〔条件〕に基づいて，それぞれの期待金額を計算する。デシジョンツリーを作成するほどではないが，作成すると整理しやすい。デシジョンツリーにおいて，□は決定すべき点（**決定点**），○は不確定な事象を示す点（**不確定点**）である。決定点は，決定者の意思で決める点である。不確定点は自然あるいは他者が選択することを示し，決定者が自分では決められない。したがって，不確定点は，確率的な予想が入る。

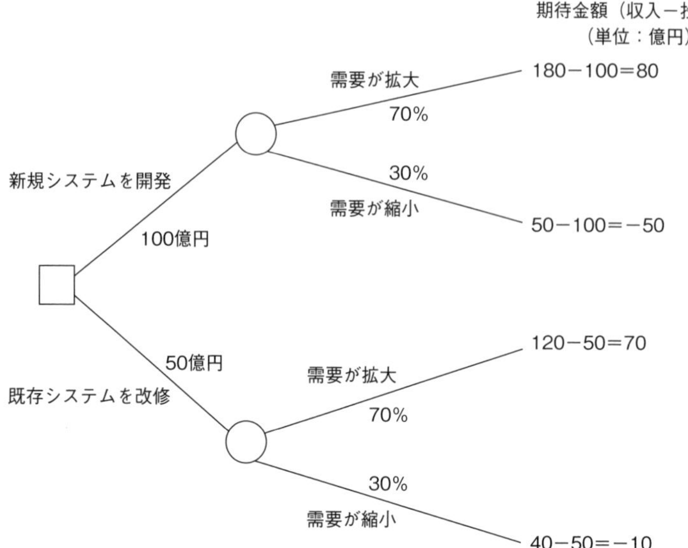

新規システムの開発を選択すると，70%（＝0.7）の確率で80億円の利益，30%（＝0.3）の確率で－50億円の利益（50億円の損失）となる。

以上から，この場合の期待金額価値は，次のようになる。

新規システムを開発する場合の期待金額価値

＝80×0.7－50×0.3＝56－15＝41（億円）

また，既存システムの改修を選択すると，70%（＝0.7）の確率で70億円の利益，30%（＝0.3）の確率で－10億円の利益（10億円の損失）となる。

以上から，この場合の期待金額価値は，次のようになる。

既存システムを改修する場合の期待金額価値

＝70×0.7－10×0.3＝49－3＝46（億円）

したがって，**"既存システムの改修"**を選択したとき**"46"**億円の期待金額価値を得ることができる。

問55：正解 ウ

どの課金方式を採用しても年間の運用費用（1,050万円）は同じなので，年間の売上高が最も高い方式を採用すればよい。なお，利益を計算するので，年間の売上高から運用費用を引いておく必要がある。

方式①の年間売上高＝250（時間／月）×4,000（円／時間）×12（月／年）

＝12,000,000（円／年）

=1,200（万円）

方式②の年間売上高=1,500（件／月）×700（円／件）×12（月／年）

=12,600,000（円／年）

=1,260（万円）

方式③の年間売上高=3,300（GB／月）×300（円／GB）×12（月／年）

=11,880,000（円／年）

=1,188（万円）

方式④の年間売上高=650（ID／月）×1,600（円／ID）×12（月／年）

=12,480,000（円／年）

=1,248（万円）

最大の売上となるのは，方式②の1,260万円なので，最大利益は次のようになる。

最大利益=1,260（万円）−1,050（万円）

=**210**（万円）

問56：正解 エ

ITサービスマネジメント（IT Service Management：**ITSM**）は，顧客のニーズに合致した適切なITサービスを提供するマネジメント活動全般である。その運用の維持管理や継続的改善を行っていくための仕組みをITサービスマネジメントシステムという。**ITサービスマネジメントシステム**（IT Service Management System：**ITSMS**）は，ITサービスを提供する企業などの組織が利用顧客のニーズに合致した適切なサービス提供を実現し，その運用の維持管理並びに継続的改善を行っていくための仕組み（システム）である。

サービスレベル管理については，ITサービスマネジメントの規格であるISO/IEC 20000（JIS Q 20000）やITILで規定している。ISO/IEC 20000とITILの内容はほぼ同様であるが，ITILが単にライブラリ（規範集）として編さんされているのに対して，ISO/IEC 20000は顧客の要求にサービス品質を適合させるためのマネジメントシステムとして構成されている。また，要求事項としてISO/IEC 20000では“経営陣の責任”が明記されている点が，ITILとは異なる。

サービスレベル管理（Service Level Management：**SLM**）は，通信サービスやITサービスなどで，提供者がサービスの品質について継続的・定期的に点検・検証し，品質を維持あるいは改善する活動である。サービス提供者と委託者（顧客）の間で，サービスの内容や品質に対する水準を明確にして合意し，合意文書を交わすことである。ビジネスに直結したITサービスではビジネス環境の変化やITの技術的な進展が激しく，変化への対応が重視される。そこで，継続的な改善が行われるように，常にITサービスの監視を行って分析し，その結果に応じて合意文書を書き換えたり，プロセスを見直したりする活動を続けるのがSLMである。なお，合意文書のことを，SLA（Service Level Agreement）という。

ア　キャパシティ管理（ITIL），又は容量・能力管理（ISO/IEC 20000）の活動である。

イ　ITサービス財務管理プロセス（ITIL），又はサービスの予算業務及び会計管理（ISO/IEC 20000）の活動である。

ウ　可用性管理，あるいはITサービス継続性管理（ITIL），又はサービス継続及び可用性管理（ISO/IEC 20000）の活動である。

問57：正解 ウ

GHGプロトコル（Greenhouse Gasプロトコル）は，温室効果ガス排出量の算定・報告をする際に用いられる国際的な枠組みである。Scope1～3までの区分が設けられており，原料調達から消費・廃棄まで，サプライチェーン全体の排出量を基準にしている。1997年に採択された京都議定書に基づいて定められており，世界中の多くの企業や政府が採用している。

GHGプロトコルにおいてScopeは，範囲の意味で使われており，問題文に示されているとおり，以下の3つに分けられる。

Scope	Scopeの範囲
Scope1	事業者からのGHGの直接排出（燃料の燃焼，工業過程）
Scope2	他社から供給された電気・熱・蒸気の使用による間接的な排出
Scope3	Scope1，Scope2以外の間接的な排出（関連する他社の排出など）

以下，下線部は，Scopeの判断基準となる記述である。

ア 「X社が自社で管理するIT機器を使用するために購入した電力の，発電に伴う温室効果ガス」ということから，他の事業者から電力を購入しているので，Scope2である。

イ 「X社が自社で管理するIT機器を廃棄処分するときに，産業廃棄物処理事業者が排出する温室効果ガス」ということから，他の事業者が排出するので，Scope3である。

ウ 「X社が自社で管理する発電装置を稼働させることによって発生する温室効果ガス」ということから，自社で発生させるので，Scope1である。

エ 「X社が提供するハウジングサービスを利用する企業が自社で管理するIT機器を使用するために購入した電力の，発電に伴う温室効果ガス」ということから，X社のサービスを受けた他の企業が排出するので，Scope2である。

問58：正解 ア

監査調書は，システム監査人が監査結果の裏付けとするために，収集し，分析した情報を文書化したものである。システム監査人の監査意見表明の根拠となる。システム監査では，個別計画書に記載された監査目的を念頭に置きながら，監査手続書に従って監査目標ごとに監査手続を実行し，監査証拠の収集作業を行う。予備調査で明確にした情報システムのコントロールの実態について，これを裏付ける事実やそのコントロールが機能しているかどうかの調査を様々な監査技法を用いて調査し，点検・評価していく。監査技法を活用して収集した資料などは監査調書として保管し，管理する。なお，**監査証拠**は，システム監査人の監査意見を立証するために必要な証拠資料や事実である。

イ　監査報告書の説明である。また，要約版が必要であればそれも提出するが，これは，要約版監査報告書という。
ウ　個別監査計画書の説明である。
エ　中長期計画書の説明である。

問59：正解 ア

システム監査は，組織の情報システムに関わるリスクが適切にコントロールされていることを，監査対象から独立かつ客観的な立場のシステム監査人が検証することである。**システム監査基準**は，システム監査人が情報システムの監査を行う際，監査上の判断の尺度として用いる基準である。

システム監査基準の前文に，以下のような記述がある。下線部は，解答に関連する記述である。

> **システム監査の意義と目的**
> システム監査とは，専門性と客観性を備えた監査人が，一定の基準に基づいてITシステムの利活用に係る検証・評価を行い，監査結果の利用者にこれらのガバナンス，マネジメント，コントロールの適切性等に対する保証を与える，又は改善のための助言を行う監査である。
> また，システム監査の目的は，ITシステムに係るリスクに適切に対応しているかどうかについて，監査人が検証・評価し，もって保証や助言を行うことを通じて，組織体の経営活動と業務活動の効果的かつ効率的な遂行，さらにはそれらの変革を支援し，組織体の目標達成に寄与すること，及び利害関係者に対する説明責任を果たすことである。

したがって，“**ガバナンス**”が正解である。
解答群の用語の意味は，次のとおりである。

ア　**ガバナンス**は，公正な判断・運営がなされるように，監視・統制する仕組みである。
イ　**コンプライアンス（法令遵守）**は，法制度をはじめ，企業理念や企業倫理を含めたあらゆるルールを遵守することである。倫理観や公序良俗，ハラスメント防止など，社会的な規範に従って業務を行うための法令遵守の姿勢をいう。
ウ　**レジリエンス**は，弾力や回復力，復元力などを意味する。**サイバーレジリエンス**は，攻撃の影響を最小限にとどめつつ，迅速に元の状態に回復，復元する能力を指す。

エ　**モニタリング**は，監視，観察，観測などの意味で，対象の状態を継続または定期的に観察・記録することである。

問60：正解 ウ

金融庁の"財務報告に係る内部統制の評価及び監査の実施基準（令和元年)"において，ITを取り入れた情報システムに関する統制は，全般統制と業務処理統制の２つから構成されているとしている。しかし，財務報告に係る内部統制の評価及び監査の実施基準について内容まで読んでおくことは実際問題として困難であるが，同じような内容がよく出題されているので，これを機会に，この解説に説明している内容程度は，覚えておくとよい。

財務報告に係る内部統制の評価及び監査の実施基準は，金融庁の企業会計審議会が公表した内部統制の監査基準である"**財務報告に係る内部統制の評価及び監査の基準**"について，具体的な例や評価方法など，実務上の取扱いを明らかにしたものである。

なお，**内部統制**は，業務の有効性と効率性，財務報告の信頼性，事業活動に関わる法令などの遵守，資産の保全を目的として，業務に組み込まれ，組織内の全ての者によって遂行されるプロセスである。言い換えると，会社自らが，業務の適正性を確保するために社内に構築する仕組みのことをいう。内部統制の目的を達成するため，経営者は，内部統制の基本的要素が組み込まれたプロセスを整備し，そのプロセスを適切に運用していく必要がある。内部統制の基本的要素は大きく，「統制環境」「リスクの評価と対応」「統制活動」「情報と伝達」「モニタリング」「IT（情報技術）との対応」６つに分けられており，さらにその下に複数の評価項目がある。

ITの統制については，実施基準の"ITの統制の構築"で次のように定義している。下線部は，解答に関連する記述である。

> 経営者は，自ら設定したITの統制目標を達成するため，ITの統制を構築する。
> ITに対する統制活動は，全般統制と業務処理統制の二つからなり，完全かつ正確な情報の処理を確保するためには，両者が一体となって機能することが重要となる。
> a. ITに係る全般統制
> ITに係る全般統制とは，業務処理統制が有効に機能する環境を保証するための統制活動を意味しており，通常，複数の業務処理統制に関係する方針と手続をいう。
> ITに係る全般統制の具体例としては，以下のような項目が挙げられる。
> ・システムの開発，保守に係る管理
> ・システムの運用，管理
> ・内外からのアクセス管理などシステムの安全性の確保
> ・外部委託に関する契約の管理
> （途中略）
> b. ITに係る業務処理統制
> ITに係る業務処理統制とは，業務を管理するシステムにおいて，承認された業務が全て正確に処理，記録されることを確保するために業務プロセスに組み込まれたITに係る内部統制である。
> ITに係る業務処理統制の具体例としては，以下のような項目が挙げられる。
> ・入力情報の完全性，正確性，正当性等を確保する統制
> ・例外処理（エラー）の修正と再処理
> ・マスタ・データの維持管理
> ・システムの利用に関する認証，操作範囲の限定などアクセスの管理
> （以下略）

以上から，全般統制は組織や集団全体としての統制環境整備を目的として実施され，業務処理統制は個々の業務の正確性を保証するための手続である。

ア，エ　いずれもアクセス管理なので全般統制に該当する。
イ　システムの開発・保守なので全般統制に該当する。
ウ　入力データの正当性のチェックなので業務処理統制に該当する。

問61：正解 ウ

エンタープライズアーキテクチャ（Enterprise Architecture：**EA**）は，組織の業務と情報システムを連携させて全体最適化を実現するための文書や図表，管理体制・手法を包含した概念である。文書や図表が組織の業務と情報システムの全体像を表す設計図に相当し，設計図を使って業務や情報システムを改善していくための仕組みが管理体制・手法に相当する。**参照モデル**は，EAの構築を行うための標準的な辞書，用語集，分類体系である。よく設計されたひな形と考えればよい。EAの参照モデルには，政策・業務参照モデル（BRM），業務測定参照モデル（PRM），データ参照モデル

(DRM)，サービスコンポーネント参照モデル（SRM)，技術参照モデル（TRM)，性能参照モデル(PRM）がある。

参照モデル	説明
政策・業務参照モデル (BRM)	Business Reference Model。業務分類に従った業務体系・システム体系と各種業務モデルから構成され組織全体の業務やシステムの共通化の対象領域を整理するモデル
業務測定参照モデル (PRM)	Performance Reference Model。情報化投資の効果を客観的に評価するためのKPI（Key Performance Indicator：重要業績評価指標）を整理するモデル
データ参照モデル (DRM)	Data Reference Model。組織間で共有される情報について，名称，定義及び各種属性を総体的に記述したモデルで，情報の再利用・統合を促進するために統一的に記述したモデル
サービスコンポーネント参照モデル (SRM)	Service component Reference Model。アプリケーションサービスを機能的な観点から分類・体系化したサービスコンポーネントから成り，アプリケーションサービスの再利用を可能とするためのモデル
技術参照モデル (TRM)	Technology Reference Model。サービスコンポーネントを実際に活用するためのプラットフォームやテクノロジの標準仕様から成り，組織全体での技術の標準化を促進するためのモデル

ア 「アプリケーションサービスを機能的な観点から分類・体系化したサービスコンポーネント」ということから，サービスコンポーネント参照モデル（SRM）が提供するものである。

イ 「サービスコンポーネントを実際に活用するためのプラットフォームやテクノロジの標準仕様」ということから，技術参照モデル（TRM）が提供するものである。

ウ 「参照モデルの中で最も業務に近い階層として提供される，業務分類に従った業務体系及びシステム体系と各種業務モデル」ということから，政策・業務参照モデル（BRM）が提供するものである。

エ 「組織間で共有される可能性の高い情報について，名称，定義及び各種属性を総体的に記述したモデル」ということから，データ参照モデル（DRM）が提供するものである。

問62：正解 ア

デジタルガバナンス・コードは，企業がDX（Digital Transformation：デジタル化）を自主的に取り組めるように，デジタル技術による経営ビジョンの策定・公表という経営者に求められる対応を経済産業省がとりまとめたものである。DX推進に関心を持つ企業にとって重要な事項がとりまとめられている。あらゆる要素がデジタル化されるSociety5.0に向けて企業価値向上のために実践すべき事項を示している。令和2年（2020年）に公表され，令和4年（2022年）最新版の2.0が公表された。

次の項目について，柱となる考え方を示している。

1. ビジョン・ビジネスモデル
2. 戦略
2－1. 組織作り・人材・企業文化に関する方策
2－2. ITシステム・デジタル技術活用環境の整備に関する方策
3. 成果と重要な成果指標
4. ガバナンスシステム

なお，Society5.0（ソサエティー）は，日本政府提唱による科学技術政策の基本指針の1つである。科学技術基本法に基づき，5年ごとに策定されている科学技術基本計画の第5期（2016～2020年度）にキャッチフレーズとして採用された。「サイバー空間（仮想空間）とフィジカル空間（現実空間）を高度に融合させたシステムにより，経済発展と社会的課題の解決を両立する人間中心の社会（Society）」を指し，狩猟社会（Society1.0），農耕社会（Society2.0），工業社会（Society3.0），情報社会（Society4.0）に次ぐ第5の新たな社会をイノベーションによって生み出すという意味を込めて，Society5.0と名付けられた。

イ　教育情報セキュリティポリシーに関するガイドラインの説明である。
ウ　デジタル田園都市国家構想総合戦略の説明である。
エ　デジタル社会の実現に向けた重点計画の説明である。

問63：正解 エ

SOA（Service Oriented Architecture）は，サービスの集まりとしてシステムを構築する手法である。ここでいうサービスは，標準化された手順によって，外部から呼び出すことのできるソフトウェアの集合という意味で，一定の機能を提供するソフトウェア群である。アプリケーションに，他のソフトウェアとの連携機能をもたせたものと考えればよい。言語やプラットフォームに依存せずにシステムを構築するという手法，またはそのことを指す用語である。SOAでは，機能単位の組合せでシステムを構築するので，ソフトウェアコンポーネントの再利用や機能の入替え，システムの再構築がしやすいという特徴がある。

ア　ERP（Enterprise Resource Planning）の説明である。
イ　フィットアンドギャップ分析（フィット＆ギャップ分析）の説明である。
ウ　PDCAサイクル（Plan-Do-Check-Act cycle）の説明である。

問64：正解 エ

PBP（Pay Back Period：**回収期間法**，**ペイバック法**）は，投資した資金をどれだけの期間で回収できるかをキャッシュフローベースで算定し，それを組織内の基準と比較することで投資の有効性を評価する手法である。

各案が，投資額の500を回収するまでに要する期間（年数）は，次のとおりである。

ア （シナリオa）次のとおり，4年目の途中で回収できる。

a

年目	1	2	3	4	5
キャッシュイン	100	150	200	250	300
回収額累計	100	250	450	700	

イ （シナリオb）次のとおり，3年目の途中で回収できる。

b

年目	1	2	3	4	5
キャッシュイン	100	200	300	200	100
回収額累計	100	300	600		

ウ （シナリオc）次のとおり，4年目の途中で回収できる。

c

年目	1	2	3	4	5
キャッシュイン	200	150	100	150	200
回収額累計	200	350	450	600	

エ （シナリオd）次のとおり，2年目で回収できる。

d

年目	1	2	3	4	5
キャッシュイン	300	200	100	50	50
回収額累計	300	500			

回収期間が短いほど投資効果が高いので，投資額の回収が最も早い“**シナリオd**”が最も投資効果がよいということになる。

問65：正解 エ

EMS（Electronics Manufacturing Services）は，他メーカーから受注した電子機器の受託生産を専門に行う企業である。設計は委託元が行い，製造のみを行い発注元ブランドで販売するケース（Original Equipment Manufacturer：**OEM**）と，設計工程を含めて受託するケース（Original Design Manufacturer：**ODM**）がある。製造企業が個別の製品ごとにラインを設置するのは効率が悪いため，外部の専門業者に委託（アウトソーシング）するようになり，その結果として発達してきた業務形態である。なお，EMSを行っている企業も，EMS専業ではなく，自社ブランドの製品開発，製造，販売を行っていることもある。

一方，自社で生産設備をもたず，外部の協力企業に100%生産委託しているメーカーを**ファブレス**という。ファブレスは，ファブ（工場）がレス（ない）という意味である。

ア　デザインハウスの説明である。
イ　付加価値再販業者(Value Added Reseller：VAR）の説明である。
ウ　ITアウトソーシングの説明である。

問66：正解 エ

コンティンジェンシープラン（**緊急時対応計画**）は，事故や災害など，不測の事態が発生したときに，リスクを最小限にとどめて，速やかに通常業務に復旧させるために，企業や従業員が取るべき行動指針や事前対策を定めたものである。

ア　外注先も事故や災害に遭遇することも考えられる。実績のある外注先を利用するのではなく，外注先を分散して複数確保しておくことが重要である。
イ　品質がよくても，事故や災害に遭遇する可能性はある。このため，1社に限定せず，複数の企業に製造委託するべきである。
ウ　通常は，複数の会社から見積りを取って価格の比較をする。事故や災害に遭遇するということでは，見積りと同様，複数の会社に製造を委託するべきである。

問67：正解 ウ

PPM（Product Portfolio Management：**プロダクトポートフォリオマネジメント**）は，相対的市場占有率と市場成長率の2つの軸によって製品を位置付け，市場戦略決定資料とすることである。縦軸が市場成長率で，上にいくほど市場成長率が高い。また，横軸が相対的市場占有率で，右にいくほど市場占有率が大きい。

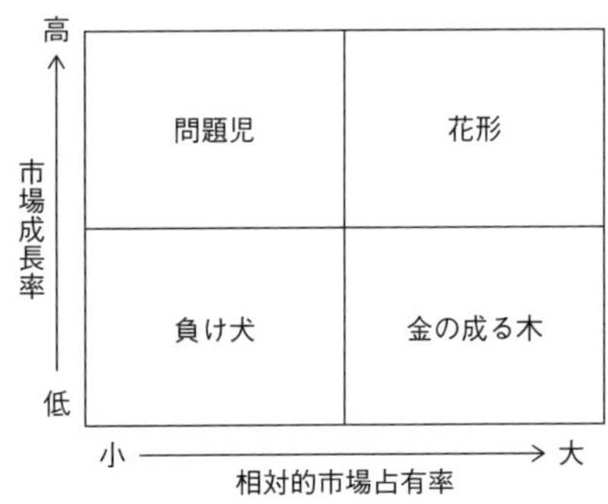

以上のように4分割したとき，製品の位置付けによって次のように判断する。

名称	判断
問題児 problem child	競争に勝つような市場占有率になれば花形になる可能性を秘めているが，競争に負ければ，負け犬となって撤退を余儀なくされる。そこで，金の成る木からの資金を投入して，競争に勝つような対策をとる。
花形 star	企業にとって今後の主力商品になる可能性をもつ。しかし，競争が激しいため，新規の投資も必要で，利益は出ているけれどもキャッシュフローの面ではプラスとは限らない。多くの資金を必要とする。
負け犬dog	将来にわたって期待できない。撤退も考えながら対策をとる。
金の成る木 cash cow	今後の成長は期待できないが，安定的に収益を見込むことができる。花形とは異なり，新規の投資が必要ないため，多くの利益を生み出す。この利益を，資金を多く必要とする花形と問題児につぎ込むとよい。

ア　花形の説明である。

イ　問題児の説明である。

ウ　金の成る木の説明である。何も対策をとらなくても安定的に利益が見込まれるので，投資用の資金源として位置付けられる。

エ　負け犬の説明である。

問68：正解 エ

企業が属する業界の競争状態と収益構造を，“新規参入の脅威”，“供給者の支配力”，“買い手の交渉力”，“代替製品・サービスの脅威”，“既存競合者同士の敵対関係”の5つの要素に分類するというのが特徴の分析フレームワークである。

ア　**PEST分析**は，政治（Politics），経済（Economy），社会（Society），技術（Technology）

の4つの外部環境を把握し，自社の製品改善方針を決定する手法である。

イ　**VRIO分析**は，自社の経営資源（人，モノ，カネ，情報）について，Value（経済価値），Rarity（希少性），Imitability（模倣困難性），Organization（組織）の4つの観点で評価し，市場での競争優位性をどの程度もっているかを分析する手法である。

ウ　**バリューチェーン分析（価値連鎖分析）**は，基本戦略から1つの戦略を選択するために，企業の競争優位の源泉を分析する手法である。**価値連鎖（バリューチェーン）**は，原材料の調達から製品やサービスが顧客に届くまでの企業活動で，一連の価値（バリュー）の連鎖として活動（業務）ごとにコストや強み・弱みを明確にする。バリューチェーンの概念は，5つの主要活動（購買物流，製造，出荷物流，マーケティング・販売，サービス）と4つの支援活動（全般管理，人事労務管理，技術開発，調達活動）に分類される。

エ　**ファイブフォース分析**は，業界の収益性を決める5つの競争要因から業界の構造分析を行う手法である。その業界がどういう特徴をもっているか，どの程度儲かるか，どの程度投資が掛りそうかなど，業界の収益構造や競争の主要要因を判断するためのフレームワークである。

　ファイブフォース分析の5つの競争要因は，次のとおりである。

競争要因	区分
・新規参入の脅威 ・代替製品・サービスの脅威	外的要因
・買い手の交渉力 ・売り手（供給者）の支配力 ・既存競合者同士の敵対関係	内的要因

問69：正解 ア

フィージビリティスタディは，計画された事業やプロジェクトなどが実現可能か，実施することに意義や妥当性があるかを多角的に調査・検討することである。フィージビリティスタディによる検討内容は，市場調査，技術的検討，コスト積算，運用，資金調査，経済・財務分析，社会調査など，多岐の事項にわたる。フィージビリティスタディの結果は，事業やプロジェクトなどに，資金を融資する側にとって，融資するか否かを決定する重要な判断材料となる。

イ　デルファイ法の説明である。**デルファイ法**は，長期未来予測や技術予測に用いられる論理予測手段である。多くの人（専門家であることが多い）の意見をアンケートにより収集・分析し，その結果を集約して見せ，再度アンケートをとるというフィードバックの特徴を活用したものである。また，直観的な手法なので，非連続的な技術の変化を対象とした調査に有効であり，会議などで生じがちの雰囲気に左右されるような弊害を避けることができ，多数意見と相違する場合はその理由などを添付することにより，貴重な意見を得ることができるなどの特徴がある。このため，質問項目の設定が，重要である。

ウ ブレーンストーミングの説明である。**ブレーンストーミング**は，他人の発言に対して一切の批判を行わないことを約束して行う会議の一種で，批判禁止，自由奔放，質より量，結合・便乗歓迎の４つを特徴とする。これによって発言者は拘束を受けずに自由な発想と意見を述べられるので斬新的なアイディアの提起が期待できる。

エ プロダクトライフサイクルの説明である。**プロダクトライフサイクル**（Product Life Cycle：**PLC**）は，製品のライフサイクルである。新製品として市場に出てから次第に成長し，シェアを拡大した後，競合する新製品によって需要が徐々に衰退し，最終的には市場から姿を消していく。この一連のPLCで，導入・成長・成熟・衰退のプロセスをたどる。製品がPLCのどの位置にあるかを測定するには，特徴，普及率，シェア，潜在購買者数，競争力などを指標とする。

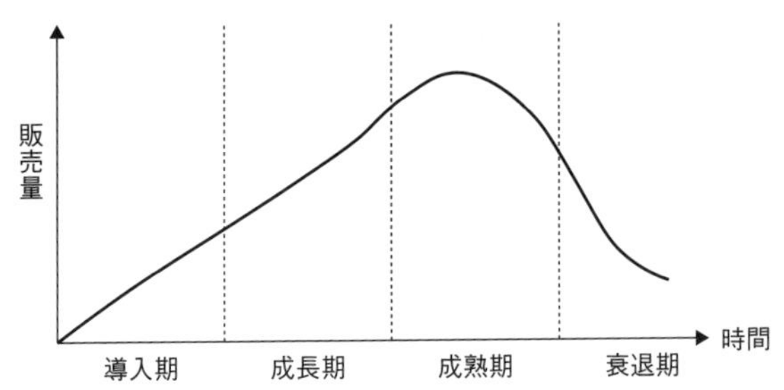

問70：正解 エ

IoT（Internet of Things：**モノのインターネット**）は，コンピュータなどの情報・通信機器だけでなく，世の中に存在する様々な物体（モノ）に通信機能をもたせ，インターネットに接続したり相互に通信したりすることにより，自動認識や自動制御，遠隔計測などを行うことである。大型の機械などにセンサーと通信機能を内蔵して稼働状況や故障箇所，交換が必要な部品などを製造元がリアルタイムに把握できるシステムや，自動車の位置情報をリアルタイムに集約して渋滞情報を配信するシステム，人間の検針員に代わって電力メータが電力会社と通信して電力使用量を申告するスマートメータなどが考案されている。

ここでいう**モノ**は，スマートフォンのようにIPアドレスをもつものや，IPアドレスをもつセンサーから検知可能なRFID（Radio Frequency IDentification）タグを付けた商品，IPアドレスをもった機器に格納されたコンテンツのことである。

従来，物品の識別にはバーコードなどが利用されてきたが，RFIDタグは，耐久性があり，汚れに強く，遮蔽物があってもデータを読み取ることができるなどの利点があるため，急速に普及した。

デジタルツインは，サイバー空間（デジタル空間）上に実際の製品や製造工程を再現したシステムである。検証したい物理的なモノや空間を，デジタル上にも再現（デジタル上の双子を作り）したものをいう。これにより，仮想的なシミュレーションを行うことができる。シミュレーションを行うことも含めて，デジタルツインということもある。

なお，**RFID**（Radio Frequency IDentification）は，電波を利用した認識システムである。**RFIDタグ**（**RFタグ**，**ICタグ**，**電子タグ**，**無線ICタグ**）という微小なICチップが埋め込まれているプレート（タグ）を，非接触式で読み書きする。プレートの大きさは，用途によって異なり，大きいものでは，SuicaやPASMOなどがある。また，比較的小さいものは，衣類や電化製品などの商品に取り付けて使用される。RFIDタグには，取り付けた商品の商品情報などが書き込まれており，人の出入りの激しい店舗において商品の万引き防止などのセキュリティ対策に使われるほか，倉庫や運送など物流の場面では商品を取り出さずに検品できるなどの利点がある。

ア　3Dプリントサービスの説明である。

イ　デュプレックスシステムの説明である。

ウ　スマートウォッチやスマートグラスなどの説明である。**ウェアラブルデバイス**（**ウェアラブルコンピュータ**）は，小型の携帯型コンピュータで，身につけたまま使用できる端末の総称である。腕時計（スマートウォッチ）や眼鏡（スマートグラス）などがある。

問71：正解 エ

IoTについては，問70の解説を参照のこと。

マスカスタマイゼーションは，大量生産・大量販売のメリットを活かしつつ，きめ細かな仕様・機能の取込みなどによって，顧客1人ひとりの好みに応じられる製品やサービスを提供する手法である。個々の顧客のニーズや好みを把握し，製品やサービスを顧客の仕様に合わせ，低コストで提供することを目指すという大量生産の経済性と個別対応処理とを融合させる方式である。例えば，セミオーダやイージーオーダのスーツがその例である。マスカスタマイゼーションを実現するには，デジタル化された生産工程が重要である。

ア　この対策は，工作機械のIoTモニタリング・遠隔制御として実用化されている。

イ　この対策は，予防保全ソリューションとして実用化されている。

ウ　この対策は，コネクテッドカーとして実用化されている。**コネクテッドカー**は，ICT端末としての機能をもつ自動車のことである。車両の状態や周囲の道路状況など，様々なデータをセンサーにより取得し，ネットワークを介して集積・分析することで，新たな価値を生み出すことが期待されている。

問72：正解 ア

IoTについては，問70の解説を参照のこと。

エッジコンピューティングは，ユーザーの近くにエッジサーバを配置し，処理を分散させ，距離を短縮することで通信遅延を短縮させる技術である。処理装置をクラウド上に配置する方式よりも，端末と処理装置の距離が短縮されるので通信遅延とネットワーク負荷を低減できる効果がある。スマートフォンなどの端末側で行っていた処理をサーバに分散させることで，高速なアプリケーション処理が可能になり，さらにリアルタイムなサービスやサーバとの通信頻度・量が多いビッグデータなどを効率的に処理することができる。**エッジサーバ**は，エンドユーザーの近くに配置されているサーバである。例えば，「サーバA→サーバB→サーバC→エンドユーザー（端末）」のようなデータの流れがあった場合，サーバCがエッジサーバに該当する。

イ　ウェアラブルコンピューティングの説明である。**ウェアラブルデバイス**（**ウェアラブルコンピュータ**）は，小型の携帯型コンピュータで，身につけたまま使用できる端末の総称である。腕時計（スマートウォッチ）や眼鏡（スマートグラス）などがある。

ウ　グリッドコンピューティングの説明である。**グリッドコンピューティング**は，ネットワークを介して複数のコンピュータを結合し，仮想的に高性能なコンピュータを作り，利用者はそこから必要な機能を取り出して使うシステムである。複数のコンピュータに並列処理を行わせることで，1台1台の性能は低くても，大量データを高速に処理することができるようになる。グリッドコンピューティングの技術を利用することで，待機しているコンピュータのリソースを活用したり，大量かつ高速のデータ処理を必要とする企業や他部門に貸し出したりすることが可能になる。また，1台のコンピュータでは処理しきれないような処理も行うことができる。

エ　エネルギーハーベスティングの説明である。**エネルギーハーベスティング**（**環境発電技術**）は，周りの環境から熱や振動など様々な形態の密度の低いエネルギーを収穫（ハーベスト）して，電気エネルギーに変換する技術である。普段は意識することは少ないが，昔から使われている技術で，例えば，太陽光で充電する腕時計や電卓はエネルギーハーベスティングを活用した製品である。デバイスの電源を必要なときだけONにして通信を行うことで，IoTデバイスの省電力化を図っている。太陽電池（太陽光を利用），発電床（床の振動を利用），電源レスイルミネーション（発電床や振り子の振動などで発電），電池レスリモコン（振動で電力を発生，トイレの洗浄ボタン）などの利用がある。

問73：正解 エ

ナッシュ均衡は，ゲームに参加する全てのプレイヤーが相互に他者の戦略を考慮に入れつつ，自己の利得を最大化するような戦略を実行したときに成立する均衡状態である。例えば，次の利得表があったとき，A社は最もシェアを得ることができる戦略a1（利得：50）を選択する。一方，B社は最も利得を得ることができる戦略b2（利得：30）を選択する。これで，戦略は確定する。したがって，A社が戦略a1，B社が戦略b2の組合せがナッシュ均衡となる。ナッシュ均衡になると，全てのプレイヤーが戦略を変更することができないので，安定した状態になる。なお，表の各欄において，左側の数値がA社の利得，右側の数値がB社の利得である。この場合，（a1，b2）の組合せがナッシュ均衡となる。

		B社	
		戦略b1	戦略b2
A社	戦略a1	40，20	50，30
	戦略a2	30，10	25，25

一方，プレイヤー全員が，他人の動向に関係なく，自己の利得が最大となるように戦略をとりあっている状態を，**支配戦略均衡**という。例えば，次のような場合である。

		B社	
		戦略b1	戦略b2
A社	戦略a1	40，50	20，40
	戦略a2	30，10	25，25

この場合，相手の戦略によって，自分の利得を最大化する戦略が異なる。A社はB社が戦略b1を選択したときは戦略a1を，戦略b2を選択したときは戦略a2を選択すると利得が大きくなる。この結果，（a1，b1）と（a2，b2）の組合せがナッシュ均衡となる。

ア　ゼロサムの説明である。**ゼロサム**は，一部のプレイヤーの受取りが，そのまま残りのプレイヤーの支払いとなるような，各プレイヤーの利得（正負の支払い）の総和がゼロとなる状態である。

イ　ミニマックス戦略の説明である。**ミニマックス戦略**は，戦略の決定に当たって，自身の戦略が最小利得（相手の利得が最大）となる場合を比較して，その中で自身の利得が最大とする戦略を選択する。

ウ　マクシミン戦略の説明である。**マクシミン戦略**は，戦略の決定に当たって，相手の最大利得となる場合を比較し，その中で相手の利得が最小（自身の利益が最大）となる戦略を選択する。

問74：正解 エ

例えば，開発期間の時間短縮などをテーマに挙げたとき，そこに関わっている要因には何があるのかを洗い出す必要がある。このようなとき，思いつくことを書き出しながら整理する方法もある。しかし，それよりも手順を明確にして，特性と要因の関係から導き出すほうが，解決の糸口をつかみやすいことがある。

ア　**アローダイアグラム**は，作業の進行状況を管理・把握するときに用いる。各作業間の相互関係を明確に表すことができるので，多人数が関わる大規模な日程計画に適している。

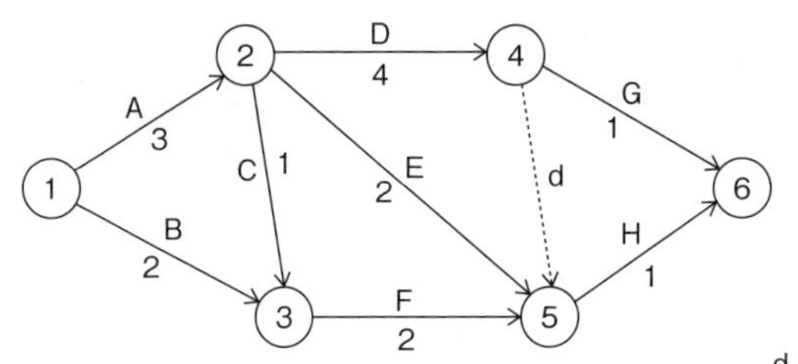

イ　**パレート図**は，数量実数と累計を示すものである。数量の多い項目から順にその累積を線で結び，項目の実数は棒グラフで表す。多くのデータの中から重要なもの，原因などを選ぶのに用いる。例えば，在庫管理におけるABC分析に用いられている。

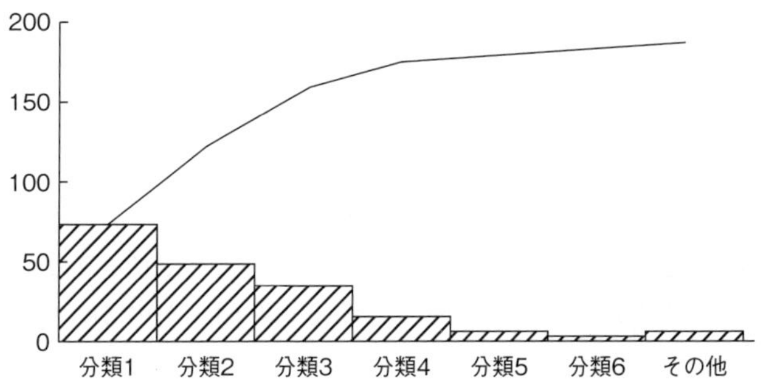

ウ　**マトリックス図**は，2つのカテゴリで分けられる要素を行と列にあてはめ，要素間の関係を明らかにするときに用いる。問題の所在を明らかにしたり，処理の優先順位を判断したりするのに用いる。

マトリックス図法には，次のものがある。

種類	説明
L型マトリックス図法	2つのカテゴリに分けられる要素を行と列に配置し，要素同士の関連の有無や度合いをつかむ
T型マトリックス図法	L型のカテゴリが2種類であるのに対して，T型は3種類。このうちの1つのカテゴリを共通にしてT字型に組み合わせる
X型マトリックス図法	カテゴリが4つ。X型はT型2つ分の機能を果たす

次は，L型マトリックス図法の例である。

職務内容＼区分	技術系	事務系
電話の応対	◎	◎
接客	△	○
ワープロ	△	◎
表計算ソフト		◎
情報処理技術	◎	○
プレゼンテーション	◎	△
事務処理の流れ	△	◎

◎：必須
○：時間に余裕があれば
△：希望者のみ

また，次は，T型マトリックス図法の例である。

<table>
<tr><th rowspan="2">30代</th><th rowspan="2">40代</th><th rowspan="2">50代</th><th>管理職</th><th>新人</th><th rowspan="2">専門卒</th><th rowspan="2">大卒</th><th rowspan="2">その他</th></tr>
<tr><th colspan="2">項目</th></tr>
<tr><td>－</td><td>－</td><td>－</td><td colspan="2">電話の応対</td><td>◎</td><td>◎</td><td>◎</td></tr>
<tr><td>△</td><td>－</td><td>－</td><td colspan="2">接客</td><td>◎</td><td>◎</td><td>◎</td></tr>
<tr><td>△</td><td>◎</td><td>◎</td><td colspan="2">ワープロ</td><td>◎</td><td>△</td><td>△</td></tr>
<tr><td>－</td><td>－</td><td>△</td><td colspan="2">情報処理技術</td><td>－</td><td>－</td><td>△</td></tr>
<tr><td>－</td><td>△</td><td>△</td><td colspan="2">プレゼンテーション</td><td>△</td><td>△</td><td>△</td></tr>
</table>

◎：必須
△：希望者
－：不要

エ　**連関図**は，ランダムに提起された事柄や問題などの因果関係を明らかにし，解決を図ったり，問題や原因を特定したりするための図解である。ある問題に対して，その原因，その原因に関連する原因を矢印で結んでいく**原因結果型連関図**と目的を達成するための手段を追求していく**目的手段型連関図**がある。

次は，原因結果型連関図の例である。連関図において，◯→◯は，原因→結果の関係がある。また，▭は，最終的な結果（問題点）である。

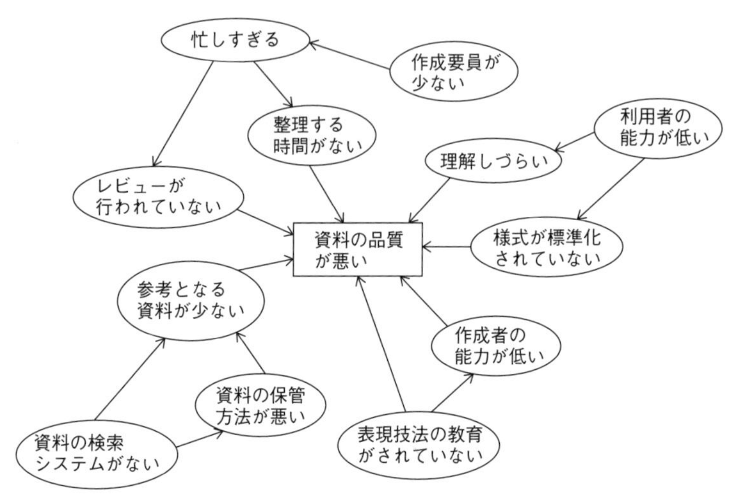

問75：正解 ウ

本問のように，限定された条件の中で最大の利益を得るような問題を解く手法を，**線形計画**（Linear Programming：**LP**）という。以下，LPの手法を説明しながら，解答を導く。問題の条件では，製品Xを1台製造するのに，部品A，Bそれぞれ3個，1個を必要とし，製品Yについてもそれぞれ2個，2個を必要とする。また，製品X，Yは，1個当たりそれぞれ1万円，1万円の利益を生む。しかし，部品Aは120個，Bは60個しか提供できない。

まず，製品Xの製造量をx（台），製品Yの製造量をy（台）として，制約条件を整理する。

	製品X 製造量（x台）	製品Y 製造量（y台）	最大 供給量
製品1台当たりの部品Aの必要量	3個	2個	120個
製品1台当たりの部品Bの必要量	1個	2個	60個
製品1台当たりの利益	1（万円）	1（万円）	最大化

整理した結果を横方向に見て，部品A，部品Bについての制約条件を整理する。これらの式は，**制約条件式**という。また，(c)式は，**非負条件**（負でないこと，すなわち0以上）という。

$3x + 2y \leqq 120$　…(a)（部品Aに関する制約条件式）

$x+2y \leqq 60$　　…(b)（部品Bに関する制約条件式）

$x \geqq 0,\ y \geqq 0$　　…(c)（非負条件：必要量なので負数にはならない）

(a)，(b)，(c)の各制約条件式において，利益を最大にする式Zは次のようになる。この式を，**目的関数**という。

$Z=x+y$　　…(d)（目的関数）

(a)，(b)，(c)を満たす領域は，次の網掛けの部分である。各直線は，(a)，(b)の各式を等式にしたもので，次のようになる。

(a)：$3x+2y=120 \ \rightarrow\ y=-\dfrac{3}{2}x+60$

(b)：$x+2y=60 \ \rightarrow\ y=-\dfrac{1}{2}x+30$

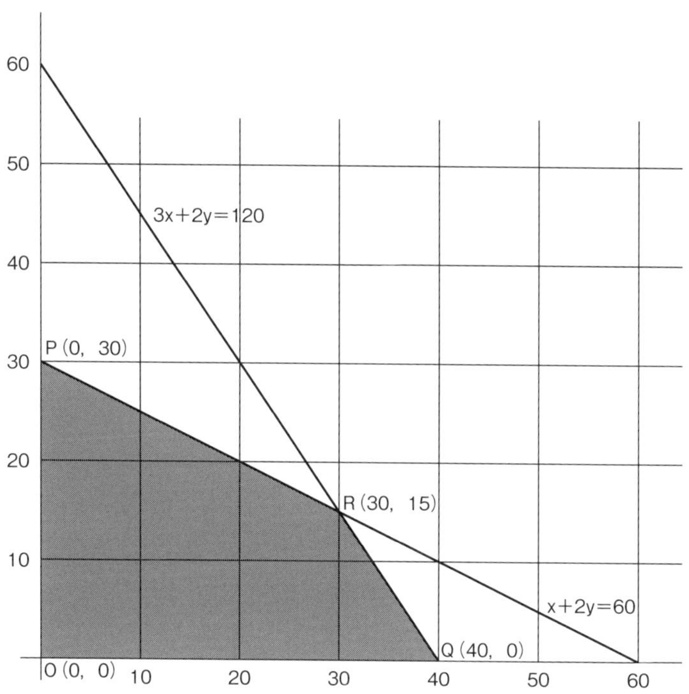

証明は省略するが，LPでは，網掛け部分の頂点のいずれかが目的関数の最大値を与えることが分かっている。そこで，各頂点の座標値を目的関数に代入する。

O(0, 0)：$Z=0+0=0$

P(0, 30)：$Z=0+30=30$

Q(40,　0)：Z＝40＋0＝40

R(30,　15)：Z＝30＋15＝45（最大利益）

したがって，製品Xを30台，製品Yを15台生産したとき，利益が“**45**”万円と最大になる。

問76：正解 エ

営業利益は，次式で算出する。

営業利益＝売上－(固定費＋変動費)

売上は，販売台数と販売単価を掛けて求めることができる。

売上＝販売台数×販売単価

＝2,500×200

＝500,000（千円）

変動費は，1台当たりの変動費に販売台数を掛けて求めることができる。

変動費＝1台当たりの変動費×販売台数

＝100×2,500

＝250,000（千円）

固定費は150,000千円なので，営業利益は次のようになる。

営業利益＝500,000－(150,000＋250,000)

＝100,000（千円）

来年度は，固定費が5%上昇し，販売単価が5%低下するので，来年度の固定費，販売単価は次のようになる。

来年度の固定費

＝150,000×1.05

＝157,500（千円）

来年度の販売単価

＝200×0.95

＝190（千円）

来年度の販売台数をxとすると，来年度の営業利益は次のようになる。

来年度の営業利益

＝190×x－(157,500＋100×x)

＝90x－157,500

今年度と来年度の営業利益を同じとするので，次の関係が成立する。

90x－157,500＝100,000

90x＝257,500

x＝2,861.11…

≒2,862（台）（小数点第1位を切り上げ）

小数点以下を切り上げるのは，2,861台であると今年度の利益を下回ってしまうからである。

問77：正解 ウ

損益分岐点売上高（**損益分岐点**）は，売上高と費用が等しい点である。すなわち，利益が0となる売上高である。損益分岐点は，固定費と変動費，売上高を用いて，次式で計算する。

$$損益分岐点=\frac{固定費}{1-\dfrac{変動費}{売上高}}=\frac{固定費}{1-変動費率}$$

損益分岐点をグラフで表したものを，**損益分岐点図表**という。損益分岐点図表では，総費用線と売上高線が交差する点の売上高が損益分岐点を表す。これは，一定期間の売上が，損益分岐点売上高未満であると損失が生じ，それを超えると利益が出ることを示す。

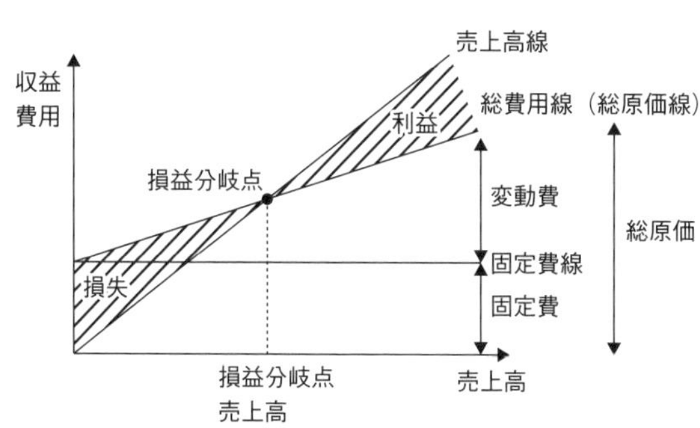

損益分岐点の式に，〔損益計算資料〕に与えられている売上高500百万円，変動費の合計300百万円，固定費の合計180百万円を代入する。固定費，変動費は次のようにして計算する。

変動費＝材料費（変動費）200＋外注費（変動費）100＝300

固定費＝製造固定費100＋販売固定費80＝180

$$損益分岐点=\frac{180}{1-\dfrac{300}{500}}=\frac{180}{0.4}=\mathbf{450}\ （百万円）$$

損益分岐点を求める公式を忘れた場合は，損益分岐点図表の横軸をx，縦軸をyとして，x－y平面で損益分岐点を求めることができる。

売上高線は，45度線で，傾きは1とする。したがって，x軸を売上高，y軸を収益（費用）とすると，次の式で表すことができる。

売上高線：$y = x$　　…（1）

総費用線は，傾きをa，y切片をbとすると，次式で表すことができる。

総費用線：$y = ax + b$　…（2）

（2）式において，固定費は180（百万円）なので，$b = 180$である。また，売上高が500（百万円）のとき変動費が300（百万円），固定費が180（百万）なので，$x = 500$のとき$y = 480$（総費用は，変動費と固定費の和）である。これを，（2）式に代入してaを求める。

$480 = 500 \times a + 180$

$\therefore\ a = 0.6$

したがって，総費用線は，次のようになる。

$y = 0.6x + 180$　　…（3）

損益分岐点は売上高線と総費用線が交差した点なので，（1），（3）の各式を連立させて解いたときのx座標の値が損益分岐点売上高となる。

（1）式は$y = x$なので，（3）式のyをxで置き換える。

$x = 0.6x + 180$

$0.4x = 180$　$\therefore x =$ **450**（百万円）

さらに，次のように考えてもよい。

固定費の総額は，製造固定費と販売固定費から次のようになる。

$100 + 80 = 180$（百万円）

また，変動費の総額は，材料費（変動費）と外注費（変動費）から次のようになる。

$200 + 100 = 300$（百万円）

ここで，損益分岐点は売上高から変動費を引いた金額が固定費と同じになった点（営業利益が0となったときの売上高）である。変動費は売上高に比例し増減する費用なので，損益分岐点の売上高をxとすると，次のような関係が成立する。

$500 : (500 - 300) = x : 180$

$500 : 200 = x : 180$

$\therefore\ x = 500 \times 180 \div 200 =$ **450**（百万円）

問78：正解 ア

特許法は，**発明**（自然法則を利用した高度な技術的思想で，具体化されているもの）の権利を保護する法律である。発明の保護，及び利用を図ることで，発明を奨励し，産業の発展に寄与することを目的に制定された。特許法では，次のように規定している。下線部は，解答に関連する部分である。

（目的）
第一条　この法律は，発明の保護及び利用を図ることにより，発明を奨励し，もつて産業の発達に寄与することを目的とする。
（定義）
第二条　この法律で「発明」とは，自然法則を利用した技術的思想の創作のうち高度のものをいう。
（以下，省略）

なお，本問の主題となっている特許権，解答群の記述中の著作権（「イ」），意匠権（「ウ」），商標権（「エ」）を総称して**知的財産権**という。この他，知的財産権として，実用新案権（実用新案法で保護），回路配置利用権（半導体集積回路の回路配置に関する法律で保護），育成者権（種苗法で保護），営業秘密等（不正競争防止法で保護）などがある。

イ　著作権法による保護の対象である。著作権法では，次のように規定している。

（目的）
第一条　この法律は，著作物並びに実演，レコード，放送及び有線放送に関し著作者の権利及びこれに隣接する権利を定め，これらの文化的所産の公正な利用に留意しつつ，著作者等の権利の保護を図り，もつて文化の発展に寄与することを目的とする。
（定義）
第二条　この法律において，次の各号に掲げる用語の意義は，当該各号に定めるところによる。
一　著作物　思想又は感情を創作的に表現したものであつて，文芸，学術，美術又は音楽の範囲に属するものをいう。
二　著作者　著作物を創作する者をいう。
（以下，省略）

ウ　意匠法による保護の対象である。

0 1 2 3 4 5 6 7 8 9 10 11 12 13 14

(目的)
第一条 この法律は，意匠の保護及び利用を図ることにより，意匠の創作を奨励し，もつて産業の発達に寄与することを目的とする。
(定義等)
第二条 この法律で「意匠」とは，物品（物品の部分を含む。以下同じ。）の形状，模様若しくは色彩若しくはこれらの結合（以下「形状等」という。），建築物（建築物の部分を含む。以下同じ。）の形状等又は画像（機器の操作の用に供されるもの又は機器がその機能を発揮した結果として表示されるものに限り，画像の部分を含む。次条第二項，第三十七条第二項，第三十八条第七号及び第八号，第四十四条の三第二項第六号並びに第五十五条第二項第六号を除き，以下同じ。）であつて，視覚を通じて美感を起こさせるものをいう。
(以下，省略)

エ 商標法による保護の対象である。

(目的)
第一条 この法律は，商標を保護することにより，商標の使用をする者の業務上の信用の維持を図り，もつて産業の発達に寄与し，あわせて需要者の利益を保護することを目的とする。
(定義等)
第二条 この法律で「商標」とは，人の知覚によつて認識することができるもののうち，文字，図形，記号，立体的形状若しくは色彩又はこれらの結合，音その他政令で定めるもの（以下「標章」という。）であつて，次に掲げるものをいう。
一 業として商品を生産し，証明し，又は譲渡する者がその商品について使用をするもの
二 業として役務を提供し，又は証明する者がその役務について使用をするもの（前号に掲げるものを除く。）
(以下，省略)

問79：正解 ウ

不正競争防止法は，他人の氏名などを無断で使用するなどの不正行為を規制し，流通秩序の維持を図ることを目的として制定された法律である。有名人の氏名，商号，商標，商品の容器や包装などの表示と同一の物，あるいは類似の物の使用に対して，差止請求権や損害賠償請求権が認められている。例えば，著名ブランドの無断使用や物まね商品（デッドコピー）の追放などである。

また，企業の未公開の技術や顧客情報など，企業の営業上の秘密（**営業秘密**，**企業秘密**，**トレードシークレット**）の保護もこの法律の目的である。特許が，内容を公開した上で権利を保護するのに対し，営業秘密は未公開で保護するものである。なお，**営業秘密**は，秘密として管理されている生産方法，販売方法その他の事業活動に有用な技術上又は営業上の情報であって，公然と知られていないものである。

また，他人の商品を模倣した商品（コピー商品）を販売することは，不正競争行為に該当し，商品の類似ドメイン名の取得は，その商品の知名度や信頼に影響を与えると考えられるので，やはり，不正競争防止法に抵触すると考えられる。

ア　競争関係になっていない会社が偶然，社名に類似のドメイン名を取得したので，不正競争には該当しない。

イ　広く認識されている商品名と類似の商品名を付けると不正競争と見なされる可能性はあるが，ある地方だけで有名な和菓子に類似した商品名を商品の異なる飲料に付けて，しかも，その和菓子が有名ではない地方で販売して利益を取得しても不正競争には該当しない。

エ　他社サービスと類似してはいるが，自社サービスに適しており，正当な利益を得る目的があると認められる場合（加害目的ではない場合），ドメイン名を取得し，それを使用しても，不正競争には該当しない。

問80：正解 エ

個人情報保護法（正式には「**個人情報の保護に関する法律**」）は，個人情報の取扱いを規定した法律である。基本原則，国及び地方公共団体の責務，個人情報の保護に関する施策（個人情報の保護に関する基本方針，国の施策，地方公共団体の施策，国及び地方公共団体の協力），個人情報取扱事業者の義務などから構成される。

主な内容は，個人情報の適正な取扱いを定めた基本理念，政府の役割，民間の個人情報取扱事業者の義務，苦情処理，業者に対する監督，主務大臣の権限行使の制限などが定められている。ただし，報道（個人を含む），著述，学術研究，宗教，政治に関わる取扱いは規定除外とされている。将来的には，住民基本台帳ネットワークの運用などを想定しているとみられているが，言論の自由を制限することになるなどの意見もある。

要配慮個人情報は，取得に制限があり，オプトアウト（情報主体の許可なし）による第三者提供は認められていない。また，第二条３項で次のように規定している。下線部は，具体例である。

> **（定義）**
> **第二条**
> （1項，２項略）
> 3　この法律において「要配慮個人情報」とは，本人の<u>人種</u>，<u>信条</u>，<u>社会的身分</u>，<u>病歴</u>，<u>犯罪の経歴</u>，<u>犯罪により害を被った事実その他本人に対する不当な差別</u>，偏見その他の不利益が生じないようにその取扱いに特に配慮を要するものとして政令で定める記述等が含まれる個人情報をいう。

「個人情報の保護に関する法律についてのガイドライン（通則編）」では，次の事例が解説されている。

・人種・信条　・社会的身分　・病歴　・犯罪の経歴　・犯罪の被害にあった事実 ・身体障害　・知的障害　・精神障害等があること　・健康診断等の結果 ・保健指導　・診療　・調剤に関する情報 ・逮捕　・差押えなどの刑事事件に関する手続が行われたこと（犯罪の経歴を除く） ・少年の保護事件に関する手続が行われたこと　・ゲノム情報

ア　要配慮個人情報かどうかは，本人の申告の有無ではなく，その情報の内容によって決まる。

イ，ウ　特定の個人を識別できるので，個人情報である。個人情報については，個人情報保護法で，次のように定めている。クレジットカードの番号については，他の情報と容易に照合することができて，特定の個人を識別することができる場合には個人情報となる。

（定義）

第二条　この法律において「個人情報」とは，生存する個人に関する情報であって，次の各号のいずれかに該当するものをいう。

一　当該情報に含まれる氏名，生年月日その他の記述等（文書，図画若しくは電磁的記録（電磁的方式（電子的方式，磁気的方式その他人の知覚によっては認識することができない方式をいう。次項第二号において同じ。）で作られる記録をいう。以下同じ。）に記載され，若しくは記録され，又は音声，動作その他の方法を用いて表された一切の事項（個人識別符号を除く。）をいう。以下同じ。）により特定の個人を識別することができるもの（他の情報と容易に照合することができ，それにより特定の個人を識別することができることとなるものを含む。）

二　個人識別符号が含まれるもの

2　この法律において「個人識別符号」とは，次の各号のいずれかに該当する文字，番号，記号その他の符号のうち，政令で定めるものをいう。

一　特定の個人の身体の一部の特徴を電子計算機の用に供するために変換した文字，番号，記号その他の符号であって，当該特定の個人を識別することができるもの

二　個人に提供される役務の利用若しくは個人に販売される商品の購入に関し割り当てられ，又は個人に発行されるカードその他の書類に記載され，若しくは電磁的方式により記録された文字，番号，記号その他の符号であって，その利用者若しくは購入者又は発行を受ける者ごとに異なるものとなるように割り当てられ，又は記載され，若しくは記録されることにより，特定の利用者若しくは購入者又は発行を受ける者を識別することができるもの

例えば，氏名や性別，住所，電話番号，メールアドレス，勤務先，生年月日などが個人情報に該当する。

第14章

令和6年度春期試験 午後

午後の問題は11問出題され，5問を選択する。解答時間は，150分である。午後問題は午前問題の応用である。そこで，演習で実力をつけるのが最も早道である。

〔問題一覧〕

●問1（必須）

問題番号	出題分野	テーマ
問1	情報セキュリティ	リモート環境のセキュリティ対策

●問2～問11（10問中4問選択）

問題番号	出題分野	テーマ
問2	経営戦略	物流業の事業計画
問3	プログラミング	グラフのノード間の最短経路を求めるアルゴリズム
問4	システムアーキテクチャ	CRM(Customer Relationship Management)システムの改修
問5	ネットワーク	クラウドサービスを活用した情報提供システムの構築
問6	データベース	人事評価システムの設計と実装
問7	組込みシステム開発	業務用ホットコーヒーマシン
問8	情報システム開発	ダッシュボードの設計
問9	プロジェクトマネジメント	IoT 活用プロジェクトのマネジメント
問10	サービスマネジメント	テレワーク環境下のサービスマネジメント
問11	システム監査	支払管理システムの監査

疑似言語の記述形式（基本情報技術者試験，応用情報技術者試験用）

疑似言語を使用した問題では，各問題文中に注記がない限り，次の記述形式が適用されているものとする。

〔疑似言語の記述形式〕

記述形式	説明
○手続名又は関数名	手続又は関数を宣言する。
型名: *変数名*	変数を宣言する。
/* *注釈* */ // *注釈*	注釈を記述する。
変数名 ← *式*	変数に*式*の値を代入する。
手続名又は関数名（*引数*，…）	手続又は関数を呼び出し，*引数*を受け渡す。
if（*条件式1*）*処理1* elseif（*条件式2*）*処理2* elseif（*条件式n*）*処理n* else *処理n＋1* endif	選択処理を表す。 *条件式*を上から評価し，最初に真になった*条件式*に対応する*処理*を実行する。以降の*条件式*は評価せず，対応する*処理*も実行しない。どの*条件式*も真にならないときは，*処理n＋1*を実行する。 各*処理*は，0以上の文の集まりである。 elseifと処理の組みは，複数記述することがあり，省略することもある。 elseと*処理n＋1*の組は一つだけ記述し，省略することもある。
while（*条件式*） *処理* endwhile	前判定繰返し処理を示す。 *条件式*が真の間，*処理*を繰返し実行する。*処理*は，0以上の文の集まりである。
do *処理* while（*条件式*）	後判定繰返し処理を示す。 *処理*を実行し，*条件式*が真の間，*処理*を繰返し実行する。 *処理*は，0以上の文の集まりである。
for（*制御記述*） *処理* endfor	繰返し処理を示す。 *制御記述*の内容に基づいて，*処理*を繰返し実行する。 *処理*は，0以上の文の集まりである。

〔演算子と優先順位〕

<table>
<tr><th colspan="2">演算子の種類</th><th>演算子</th><th>優先順位</th></tr>
<tr><td colspan="2">式</td><td>() .</td><td>高</td></tr>
<tr><td colspan="2">単項演算</td><td>not ＋ −</td><td rowspan="5">↕</td></tr>
<tr><td rowspan="5">二項演算子</td><td>乗除</td><td>mod × ÷</td></tr>
<tr><td>加減</td><td>＋, −</td></tr>
<tr><td>関係</td><td>≠ ≦ ≧ < ＝ ></td></tr>
<tr><td>論理積</td><td>and</td></tr>
<tr><td>論理和</td><td>or</td><td>低</td></tr>
</table>

注記　演算子 . はメンバ変数又はメソッドのアクセスを表す。
　　　演算子 mod は，剰余算を表す。

〔論理型の定数〕

true，false

〔配列〕

配列の要素は，“[” と “]” の間にアクセス対象要素の要素番号を指定することでアクセスする。なお，二次元配列の要素番号は，行番号，列番号の順に “,” で区切って指定する。

“{” は配列の内容の始まりを，“}” は配列の内容の終わりを表す。ただし，二次元配列において，内側の “{” と “}” に囲まれた部分は，1 行文の内容を表す。

〔未定義，未定義の値〕

変数に値が格納されていない状態を，“未定義” という。変数に “未定義の値” を代入すると，その変数は未定義になる。

14.1 問題

次の問1は必須問題です。必ず解答してください。

問1　リモート環境のセキュリティ対策に関する次の記述を読んで，設問に答えよ。

Q社は，首都圏で複数の学習塾を経営する会社であり，各学習塾で対面授業を行っている。生徒及び生徒の保護者からはリモートでも受講が可能なハイブリッド型授業の導入要望があり，Q社の従業員からはテレワーク勤務の導入要望がある。

〔Q社の現状のネットワーク構成〕

Q社のネットワーク構成（抜粋）を図1に示す。

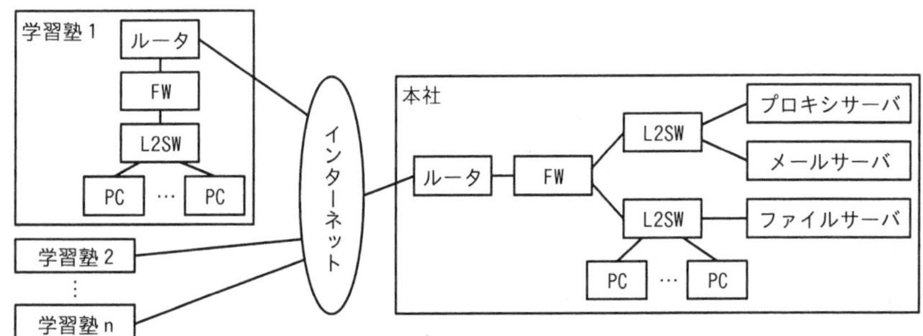

FW：ファイアウォール　　L2SW：レイヤー2スイッチ
注記　学習塾2～学習塾nは学習塾1と同様の構成である。

図1　Q社のネットワーク構成（抜粋）

〔Q社の現状のセキュリティ対策〕

Q社のセキュリティ対策は次のとおりである。

- パケットフィルタリングポリシーに従った通信だけをFWで許可し，その他の通信を遮断している。
- 業務上必要なサイトのURL情報を基に，URLフィルタリングを行うソフトウェアをプロキシサーバに導入して，業務上不要なサイトへの接続を禁止している。
- PC及びサーバ機器には，外部媒体の使用ができない設定をした上で，マルウェア対策ソフトを導入して，マルウェア感染対策を行っている。

〔Q 社の現状のセキュリティ対策に関する課題〕

・ネットワーク機器及びサーバ機器の EOL (End Of Life) 時期が近づいており，機器の更新が必要である。
・セキュリティパッチが提供されているかの調査及び適用してよいかの判断に時間が掛かることがある。
・ルータと FW を利用した①境界型防御によるセキュリティ対策では，防御しきれない攻撃がある。
・セキュリティインシデントの発生を，迅速に検知する仕組みがない。

Q 社では，ハイブリッド型授業とテレワーク勤務が行えるリモート環境を実現し，Q 社のセキュリティに関する課題を解決する新たな環境を，クラウドサービスを利用して構築することになり，情報システム部の R 課長が担当することになった。

〔リモート環境の構築方針〕

R 課長は，境界型防御の環境に代えて，いかなる通信も信頼しないという［ a ］の考え方に基づくリモート環境を構築することにした。

R 課長は，リモート環境について次の構築方針を立てた。

・クラウドサービスへの移行に伴い，ネットワーク機器及びサーバ機器は廃棄し，今後の Q 社としての EOL 対応を不要とする。
・②課題となっている作業を不要にするために，クラウドサービスは SaaS 型を利用する。
・セキュリティインシデントの発生を迅速に検知する仕組みを導入する。
・従業員にモバイルルータとセキュリティ対策を実施したノート PC（以下，貸与 PC という）を貸与する。今後は，本社，学習塾及びテレワークでの全ての業務において，貸与 PC とモバイルルータを使用してクラウドサービスを利用する。
・貸与 PC から業務上不要なサイトへの接続は禁止とする。
・生徒は，自宅などの PC（以下，自宅 PC という）からクラウドサービスを利用してリモートでも授業を受講できる。

〔リモート環境構築案の検討〕

R 課長はリモート環境の構築方針を部下の S 君に説明し，構築する環境の検討を指示した。

S君はリモート環境構築案を検討した。

・リモート環境の構築には，T社クラウドサービスを利用する。
・貸与PCからWebサイトを閲覧する際は，③プロキシを経由する。
・貸与PCからインターネットを経由して接続するWeb会議，オンラインストレージ及び電子メール（以下，メールという）を利用することで，Q社の業務及びリモートでの授業を行う。
・貸与PCからT社クラウドサービスへのログインは，ログインを集約管理するクラウドサービスであるIDaaS（Identity as a Service）を利用する。従業員はIDとパスワードを用いてシングルサインオンで接続してクラウドサービスを利用する。
・④SIEM（Security Information and Event Management）の導入と，アラート発生時に対応する体制の構築を行う。
・貸与PCには，マルウェア対策ソフトを導入し，外部媒体が使用できない設定を行う。また，⑤紛失時の情報漏えいリスクを低減する対策をとる。
・生徒は，自宅PCからインターネット経由で，Web会議に接続して，リモートで授業を受講できる。

S君が検討したリモート環境構築案（抜粋）を図2に示す。

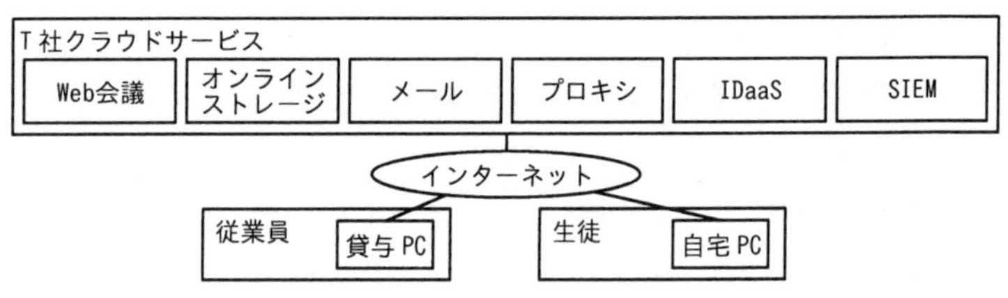

図2　リモート環境構築案（抜粋）

〔構築案への指摘と追加対策の検討〕

S君は検討した構築案についてR課長に説明した。すると，セキュリティ対策の不足に起因するセキュリティインシデントの発生を懸念したR課長は，“［　a　］では，クラウドサービスにアクセスする通信を信頼せずセキュリティ対策を行う必要があるので，エンドポイントである貸与PCと自宅PCに対する攻撃への対策及びクラウドサービスのユーザー認証を強化する対策が必要である。追加の対策を検討するように。”と指摘した。

R課長が懸念したセキュリティインシデント（抜粋）を表1に示す。

表1 R課長が懸念したセキュリティインシデント（抜粋）

項番	分類	セキュリティインシデント
1	貸与PC	ゼロデイ攻撃によるマルウェア感染
2		ファイルレスマルウェア攻撃によるマルウェア感染
3	自宅PC	マルウェア感染した自宅PCからWeb会議への不正アクセス
4	クラウドサービスのユーザー認証	不正ログインによる情報漏えい

S君は，R課長の指摘に対して，表1のセキュリティインシデントに対応した次の対策を追加することにした。

・項番1，2の対策として，貸与PCに⑥EDR（Endpoint Detection and Response）ソフトを導入する。

・項番3の対策として，T社クラウドサービスは不正アクセス及びマルウェア感染の対策がとられていることを確認した。

・項番4の対策として，知識情報であるIDとパスワードによる認証に加えて，所持情報である従業員のスマートフォンにインストールしたアプリケーションソフトウェアに送信されるワンタイムパスワードを組み合わせて認証を行う，［ b ］を採用する。

S君は，これらの対策を追加した構築案をR課長に報告し，構築案は了承された。

設問1 本文中の下線①について，防御できる攻撃を解答群の中から選び，記号で答えよ。

解答群

ア システム管理者による内部犯行

イ パケットフィルタリングのポリシーで許可していない通信による，内部ネットワークへの侵入

ウ 標的型メール攻撃での，添付ファイル開封による未知のマルウェア感染

エ ルータの脆弱性を利用した，インターネット接続の切断

設問2　〔リモート環境の構築方針〕について答えよ。

(1)　本文中の［ a ］に入れる適切な字句を6字で答えよ。

(2)　本文中の下線②について，課題となっている作業を25字以内で答えよ。

設問3　〔リモート環境構築案の検討〕について答えよ。

(1)　本文中の下線③で実現すべきセキュリティ対策を，本文中の字句を用いて15字以内で答えよ。

(2)　本文中の下線④を導入した目的を，〔Q社の現状のセキュリティ対策に関する課題〕と〔リモート環境の構築方針〕とを考慮して30字以内で答えよ。

(3)　本文中の下線⑤について，対策として適切なものを解答群の中から全て選び，記号で答えよ。

解答群

ア　貸与PCのストレージ全体を暗号化する。

イ　貸与PCのモニターにのぞき見防止フィルムを貼付する。

ウ　リモートロック及びリモートワイプの機能を導入する。

設問4　〔構築案への指摘と追加対策の検討〕について答えよ。

(1)　本文中の下線⑥について，表1の項番1，2のセキュリティインシデントが発生した場合のEDRソフトの動作として適切なものを解答群の中から選び，記号で答えよ。

解答群

ア　貸与PCをネットワークから遮断し，不審なプロセスを終了する。

イ　登録された振る舞いを行うマルウェアの侵入を防御する。

ウ　登録した機密情報の外部へのデータ送信をブロックする。

エ　パターン情報に登録されているマルウェアの侵入を防御する。

(2)　本文中の［ b ］に入れる適切な字句を5字で答えよ。

次の問２～問 11 については４問を選択し，答案用紙の選択欄の問題番号を○印で囲んで解答してください。
なお，５問以上○印で囲んだ場合は，はじめの４問について採点します。

問２　物流業の事業計画に関する次の記述を読んで，設問に答えよ。

B 社は，運送業務及び倉庫保管業務を受託する中規模の物流事業者である。従業員数は約 100 名で，関東甲信越エリアを中心に事業を行っており，高速道路や幹線道路へのアクセスの良い立地に複数の営業所と倉庫を構えている。主に，地場のメーカーと販売店との間の配送などを中心に事業を行ってきたが，同業他社との競争が激しく，ここ数年は収益が悪化傾向にあり，このままでは経営は厳しくなる一方である。B 社の C 取締役は，この状況の打開に向けて，顧客への新たな価値の提供を目指すべく，経営企画部の D 部長に事業計画の立案を指示した。

〔B 社の環境分析〕

D 部長は，自社の事業の置かれている状況を把握するために，環境分析を実施する必要があると考えた。環境分析には，自社を取り巻く経営環境のうち，自社以外の要因をマクロ的視点とミクロ的視点で分析する外部環境分析と，自社の経営資源に関する要因を分析し，自社の特徴を洗い出す内部環境分析がある。D 部長は，経営企画部の E 課長に，外部環境分析から実施するよう指示した。E 課長は，まず，PEST 分析を行い，PEST 分析の結果として B 社の事業に影響する要因の概要を表１のように整理した。

表１　B 社の PEST 分析の結果

項番	要因	要因の概要
1	政治的要因	・［ a ］改正による総労働時間に関する規制の設定 ・運送・倉庫保管業は，以前は需給調整規制によって新規参入が困難であったが，近年，事業経営能力や安全確保能力のある事業者の参入が可能となり，参入障壁が低下 ・今後は，外国人労働者をドライバーとして採用できるように規制が緩和される見通し
2	経済的要因	・燃料費上昇によるコストの上昇 ・トラックによる運送の供給量に比べ，顧客からの運送に対する需要量の方が大きいことから，運送料が上昇することを顧客は一定の範囲で許容
3	社会的要因	・高齢化が進み退職するドライバーが増える一方で少子化の影響で若年層のドライバーのなり手は減少することから，より良い処遇を提供しなければドライバーの確保が困難 ・EC 市場の拡大に起因する運送需要の増加は今後も継続
4	技術的要因	・自動運転に必要な技術の急速な発展 ・SNS を活用した多様な購買方法の登場

次に，E 課長は，ファイブフォース分析を進めることにした。ファイブフォース分析の結果，B 社が受ける脅威の概要を表 2 のように整理した。

表 2　B 社のファイブフォース分析の結果

項番	脅威	脅威の概要
1	業界内の競争の脅威	運送・倉庫保管だけの物流サービスではコモディティ化して，過当競争となりがちであり，[b]競争が常に発生していることから脅威は大きい。
2	新規参入の脅威	以前と比べ参入障壁が低くなり，新規参入の脅威は大きい。
3	[c]サービスの脅威	・航空輸送や海上輸送といった手段があるが，現状では車両による陸送に代わるものではなく脅威は小さい。 ・車両の自動運転による配送やドローン配送の実証実験が行われているが，実用化はまだ先であり，現状の脅威は小さい。
4	売手の交渉力の脅威	[d]。
5	買手の交渉力の脅威	顧客の要望は多様化しており，対応できないと市場から排除される脅威は大きい。

E 課長は，<u>①PEST 分析，ファイブフォース分析の順に分析し</u>，その結果について検討した。PEST 分析の結果から，[a]が改正されたことによって，ドライバーを含む労働力の総量が減少することが懸念され，また，社会的要因によってドライバーのなり手が減ることを認識した。このことはファイブフォース分析の結果における売手の交渉力の脅威にも大きな影響を及ぼすことに気が付き，ドライバーの需要に対して供給が減ることから，[d]と考えた。

E 課長は，これらの外部環境分析の結果を踏まえると，[b]競争の渦中にあり，減収減益となっている現状において，<u>②B 社が業界内において競争優位を確立するための分析</u>が必要であると考えた。E 課長は，その分析を実施した結果，B 社は，好立地にある営業所と倉庫をもっているにもかかわらず，そのことを生かして，多様化する顧客の要望に応えられていないことが収益悪化の原因であると結論付けた。

E 課長は，必要な分析を終えてその結果を D 部長に報告した。

〔顧客情報の定性的分析〕

E 課長は，D 部長から，運送・倉庫保管だけの物流サービスから，<u>③マーケットイン志向</u>の物流サービスに転換していくことによって，顧客に新たな価値を提供できるのではないかとアドバイスを受けた。E 課長は，これまでの自社の顧客情報の分析は，受注履歴，契約金額などの数値を基に分析を行うことだけであり，数値だけでは捉えきれない顧客の要望を把握する分析を行っていなかったことに気が付いた。

E 課長は，顧客との接点が多いドライバーは，運送業務の過程で，顧客の事業に関して様々な気付きを得ているのではないかと考えた。そこで，ドライバーのもつ顧客の事業に関する気付きを把握するために調査を実施した。ドライバーからの回答には，顧客の事業に関する未知の情報，B 社に対する期待やクレーム，顧客に対する感想，相対する顧客社員への好悪の感情といった顧客の事業に関する情報とそれ以外の種々雑多な情報が混在していた。しかし，これまでは顧客情報として管理されていなかった様々な情報が含まれており，分析することで，顧客の要望を把握することができるのではないかと考えた。

ドライバーからの回答は，自由記述形式のテキストデータであり，テキストマイニングによる定性的分析を行うことができる。D 部長は，テキストマイニングによる分析を行うに当たり，④テキストデータを選別するよう，E 課長にアドバイスをした。E 課長は，選別したテキストデータの分析の結果，顧客の事業に関するキーワードとして，“コア業務”，“一括委託”といった単語が頻出しており，“コア業務”は“集中”との単語間の結びつきの強さがあり，複数の単語が同一文章中に共に出現することを意味する共起関係が強く表れていた。E 課長は，定性的分析の結果を D 部長に報告し，顧客への新たな価値の提供に向けた検討の了承を得た。

〔顧客への新たな価値の提供〕

B 社が顧客の業務を確認したところ，B 社倉庫から顧客の拠点に荷物が届いた後に，顧客はその荷物の検品やタグ付け，複数の荷物を一つに箱詰めすることといった作業を顧客社内で行うか，又は B 社とは異なる事業者へ委託しており，顧客にとって負担となっていた。B 社では，昨年，業務効率の向上を図るために営業所と倉庫内のレイアウト変更を実施し，新たな業務を行うことが可能なスペースを確保している。そこで，E 課長は，運送，倉庫保管といった従来の業務に加え，検品やタグ付け，箱詰めといった作業を行う流通加工業務を一括で受託して顧客に新たな価値を提供する 3PL（3rd Party Logistics）サービスが有効ではないかと考え，D 部長に提案した。D 部長は，3PL サービスを提供することで，B 社の既存顧客の要望を満たすとともに，新たな顧客の獲得につながる可能性もあると考え，E 課長の提案に賛同した。さらに，D 部長は，顧客が作業を委託している流通加工業者の一つである R 社において，流通加工業務の需要拡大に伴い施設の拡張を検討しているという話を聞いていた。そこで，B 社の営業所と倉庫を作業所として，B 社の運送・倉庫保管業務と R 社の流通加工業務とを組み合わせてサービスする業務提携を R 社と行うことで，B 社の 3PL サービスの提供が可能になるのではないかと考えた。D 部長は，E 課長に，R 社との業務提携の可能性があるかを調査するよう指示した。

E 課長は，顧客から R 社の紹介を受けて，業務提携の協議を行った。R 社との協議を行う中で E 課長は R 社の状況を次のように把握した。

・R 社は流通加工業務の需要拡大に伴い，社員や作業所を増やし事業を拡大してきたが，作業所の多くは手狭になってきていて，別の作業所を探さなくてはならない。
・流通加工業務は，荷物の受入れと発送をスムーズに行えることが重要であり，これが作業所の選定上の最優先事項である。
・希望する場所に作業所を自前でもつことは，作業所の土地の取得費や倉庫の建築費といった初期費用の負担が大きいので，回避したいと考えている。

E 課長は，B 社の事業の概要を説明した上で，業務提携が可能であるか検討してほしいと R 社に依頼した。後日，R 社から，⑤B 社のもつ経営資源は，R 社の事業を展開する上で魅力的なものであることから，是非とも業務提携を行いたいとの連絡があった。

E 課長は，R 社との業務提携による 3PL サービスの事業化案について D 部長に報告した。D 部長は，⑥E 課長の事業化案を実現することで，B 社の顧客の物流に関わる作業に対する要望を満たすことができる，さらに，B 社と R 社で業務提携することで顧客を紹介し合って，相互に新たな顧客の開拓につなげられると判断した。D 部長は，収益向上によってドライバーの処遇を改善することも含めて C 取締役の承諾を得て，E 課長に事業化案に基づき事業計画をまとめるよう指示した。

設問1　〔B 社の環境分析〕について答えよ。

(1)　表 1 及び本文中の［ a ］に入れる適切な法律名，表 2 及び本文中の［ b ］，表 2 中の［ c ］に入れる適切な字句をそれぞれ答えよ。

(2)　表 2 及び本文中の［ d ］に入れる最も適切なものを解答群の中から選

び，記号で答えよ。

解答群

ア　ITの活用による省力化の脅威が大きい

イ　運送料の値下げの要求による脅威が大きい

ウ　ドライバーの賃金上昇に伴う調達コスト増加の脅威が大きい

エ　陸送に代わる新たな輸送方法の脅威が大きい

(3)　本文中の下線①について，PEST 分析をファイブフォース分析よりも先に実施したのは，PEST 分析がどのような視点での分析であるからか。本文中の字句を用いて6字で答えよ。

(4)　本文中の下線②の分析は何か。本文中の字句を用いて10字以内で答えよ。

設問2　〔顧客情報の定性的分析〕について答えよ。

(1)　本文中の下線③のマーケットイン志向に該当する行動はどれか。最も適切なものを解答群の中から選び，記号で答えよ。

解答群

ア　既存市場向けの物流サービスを新たな市場に提供する。

イ　競合他社よりも相対的に低価格となる物流サービスを提供する。

ウ　自社が市場で優位性をもつ技術を活用した物流サービスを提供する。

エ　市場調査を行い，顧客ニーズを満たす物流サービスを提供する。

(2)　本文中の下線④でどのようにテキストデータを選別するのか。35字以内で答えよ。

設問3　〔顧客への新たな価値の提供〕について答えよ。

(1)　本文中の下線⑤のB社のもつ経営資源とは何か。本文中の字句を用いて15字以内で答えよ。

(2)　本文中の下線⑥について，E課長の事業化案を実現することで，B社の顧客の物流に関わる作業に対するどのような要望を満たすことができるか。選別したテキストデータの分析の結果の字句を用いて30字以内で答えよ。

問3　グラフのノード間の最短経路を求めるアルゴリズムに関する次の記述を読んで，設問に答えよ。

グラフ内の二つのノード間の最短経路を求めるアルゴリズムにダイクストラ法がある。このアルゴリズムは，車載ナビゲーションシステムなどに採用されている。

〔経路算定のモデル化〕

グラフは，有限個のノードの集合と，その中の二つのノードを結ぶエッジの集合とから成る数理モデルである。ダイクストラ法による最短経路の探索問題を考えるに当たり，本問では，エッジをどちらの方向にも行き来することができ，任意の二つのノード間に経路が存在するグラフを扱う。ここで，グラフを次のように定義する。

・ノードの個数を N とし，N は 2 以上とする。ノードの番号（以下，ノード番号という）は，始点のノード番号を 1 とし，1 から始まる連続した整数とする。ノードには，ノード番号に対応させて，V1，V2，V3，…，VN とラベルを付ける。
・二つのノードが他のノードを経由せずにエッジでつながっているとき，それらのノードは隣接するという。隣接するノード間のエッジには，ノード間の距離として正の数値を付ける。
・始点のノード（以下，始点という）とは別のノードを終点のノード（以下，終点という）として定める。始点からあるノードまでの経路の中から，経路に含まれるエッジに付けられた距離の和が最小の距離を最短距離という。始点から終点までの最短距離となる経路を最短経路という。

図 1 にノードが五つのグラフの例を示す。図 1 の例では，始点を V1 のノードとし，終点を V5 のノードとした場合の最短経路は，V1，V2，V3，V5 のノードを順にたどる経路である。

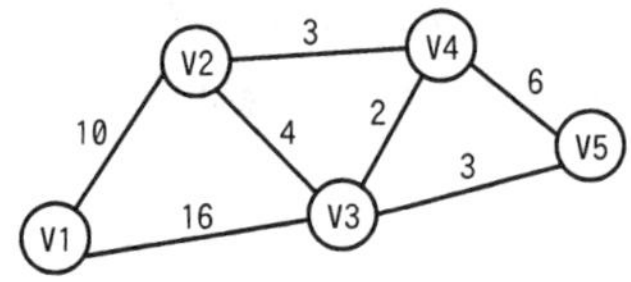

図 1　ノードが五つのグラフの例

〔始点から終点までの最短距離を求める手順〕

ダイクストラ法による始点から終点までの最短距離の算出は次のように行う。

最初に，各ノードについて，始点からそのノードまでの距離（以下，始点ノード距離という）を作業用に導入して十分に大きい定数としておく。ただし，始点の始点ノード距離は 0 とする。この時点では，どのノードの最短距離も確定していない。

次に，終点の最短距離が確定するまで，①～③を繰り返す。ここで，始点との距離を算出する基準となるノードを更新起点ノードという。

① 最短距離が確定していないノードの中で，始点ノード距離が最小のノードを更新起点ノードとして選び，そのときの始点ノード距離の値で，当該更新起点ノードの最短距離を確定する。更新起点ノードを選ぶ際に，始点ノード距離が最小となるノードが複数ある場合は，その中の任意のノードを更新起点ノードとして選ぶ。

② 更新起点ノードが終点であれば，終了する。

③ ①で選択した更新起点ノードに隣接しており，かつ，最短距離が確定していない全てのノードについて，更新起点ノードを経由した場合の始点ノード距離を計算する。ここで計算した始点ノード距離が，そのノードの現在までの始点ノード距離よりも小さい場合には，そのノードの現在までの始点ノード距離を更新する。

〔図 1 の例における最短距離を求める手順と始点ノード距離〕

図 1 の例において，始点 V1 から終点 V5 までの経路に対して，上の①～③を繰返し適用する。そのとき，更新起点ノードを選ぶたびに，更新起点ノードの始点ノード距離，更新起点ノードと隣接するノードの始点ノード距離，及び最短距離が確定していないノードの始点ノード距離を計算した内容を表 1 に示す。

表 1　図 1 の例における最短距離を求める手順と始点ノード距離

探索適用回数	更新起点ノード	最短距離が確定していない，更新起点ノードに隣接するノード	最短距離が確定していないノード
1 回目	V1 <0>	V2 <10>, V3 <16>	V2 <10>, V3 <16>, V4 <INF>, V5 <INF>
2 回目	V2 <10>	V3 <14>, V4 <13>	V3 <14>, V4 <13>, V5 <INF>
3 回目	V4 <13>	V3 <14>, V5 <19>	V3 <14>, V5 <19>
4 回目	V3 <14>	V5 < ア >	V5 < ア >
5 回目	V5 < ア >	―	―

注記 1　INF は，定数で十分大きい数を表す。
注記 2　<>内の数値は，当該ノードの始点ノード距離を表す。

〔最短距離の算出プログラム〕

始点から終点までの最短距離を求める関数 distance のプログラムを図 2 に示す。配列の要素番号は 1 から始まるものとする。また，行頭の数字は行の番号を表す。

```
 1: ○整数型: distance()
 2:   整数型: N                 /* ノードの個数 */
 3:   整数型: INF               /* 十分大きい定数 */
 4:   整数型の二次元配列: edge  /* edge[m, n]には，ノード m からノード n への距離を格納
                                   二つのノードが隣接していない場合には INF を格納 */
 5:   整数型: GOAL              /* 終点のノード番号 */
 6:   整数型の配列: dist        /* 始点ノード距離。初期値は INF。要素番号がノード番号を表す。 */
 7:   整数型の配列: done        /* 初期値は 0。最短距離が確定したら 1 を入れる。
                                   要素番号がノード番号を表す。 */
 8:   整数型: curNode           /* 更新起点ノードのノード番号 */
 9:   整数型: minDist           /* 更新起点ノードを求める際に使用する一時変数 */
10:   整数型: k                 /* 要素番号 */
11:   dist[1] ← 0               /* 始点の始点ノード距離を 0 とする。 */
12:   while (true)
13:     minDist ← INF
14:     for (k を 1 から N まで 1 ずつ増やす)
15:       if (done[k]が 0 かつ [   イ   ] )
16:         minDist ← [   ウ   ]
17:         curNode ← k
18:       endif
19:     endfor
20:     done[curNode] ← 1
21:     if (curNode が GOAL と等しい)
22:       return dist[curNode]
23:     endif
24:     for (k を 1 から N まで 1 ずつ増やす)
25:       if ([   エ   ] が dist[k] より小さい かつ done[k]が 0)
26:         dist[k] ← [   エ   ]
27:       endif
28:     endfor
29:   endwhile
```

図 2　関数 distance のプログラム

〔最短経路の出力〕

関数 distance を変更して，求めた最短距離となる最短経路を出力できるようにする。具体的には，まず，ノード番号1～Nを格納する配列viaNodeを使用するために，図 3 の変数宣言を図 2 の行 10 の直後に，図 4 のプログラムを図 2 の行 21 の直後に，それぞれ挿入する。さらに，各ノードの始点ノード距離を更新するたびに，直前に経由したノード番号を viaNode に格納する①代入文を一つ，図 2 のプログラムの行

[オ] の直後に挿入する。

このプログラムの変更によって，終点のノード番号を起点として [カ] たどることで，最短経路のノード番号を逆順に出力する。

```
整数型の配列: viaNode          /* 最短経路のノード番号を格納する。初期値は 0。 */
整数型: j                      /* 要素番号 */
```

図３　最短経路を出力するために関数 distance に挿入する変数宣言

```
j ← GOAL                      /* 終点のノード番号 */
GOAL を出力                    /* 終点のノード番号の出力 */
while (j が 1 より大きい)      /* 最短経路の出力 */
  viaNode[j]を出力
  j ← viaNode[j]
endwhile
```

図４　最短経路を出力するために関数 distance に挿入するプログラム

〔計算量の考察〕

関数 distance では，次の [キ] を選ぶために始点ノード距離を計算する回数は最大でも N 回である。また，[キ] を選ぶ回数は，一度選ばれると当該ノードの最短距離は確定するので，最大でも N 回である。よって，最悪の場合の計算量は，$O($ [ク] $)$ である。

設問1　表1中の［ ア ］に入れる適切な字句を答えよ。

設問2　図2中の［ イ ］～［ エ ］に入れる適切な字句を答えよ。

設問3　〔最短経路の出力〕について答えよ。

(1)　本文中の下線①と［ オ ］について，挿入すべき代入文と［ オ ］に入れる行の番号を答えよ。行の番号については，最も小さい番号を答えること。ただし，図2中の現在の行の番号は図3及び図4の挿入によって変化しないものとする。

(2)　本文中の［ カ ］に入れる適切な字句を解答群の中から選び，記号で答えよ。

解答群

ア　viaNodeに格納してあるノード番号を

イ　viaNodeの要素番号を大きい方から

ウ　viaNodeの要素番号を小さい方から

設問4　〔計算量の考察〕について答えよ。

(1)　本文中の［ キ ］に入れる適切な字句を，本文中の字句を用いて10字以内で答えよ。

(2)　本文中の［ ク ］に入れる適切な字句を答えよ。

問4　CRM（Customer Relationship Management）システムの改修に関する次の記述を読んで，設問に答えよ。

C 社は，住宅やビルなどのアルミサッシを製造，販売する中堅企業である。取引先の設計・施工会社のニーズにきめ細かく対応するために，自社で開発した CRM システム（以下，CRM システムという）を使用している。CRM システムは，データベースと Web アプリケーションプログラム（以下，Web アプリという）から成り，C 社の LAN 上にある PC から利用される。このたび，営業担当者が外出先からスマートフォンやノート PC を用いて CRM システムを利用できるようにするために，データベースは変更せずに Web アプリを改修することになった。

〔Web アプリの改修方針〕

Web アプリの改修方針を次に示す。

・必要以上の開発コストを掛けない。
・営業担当者が外出先で効率的に CRM システムを利用できるように，スマートフォンに最適化した画面を追加する。
・将来的に，CRM システム以外の社内システムとも連携できるように拡張性をもたせる。

〔Web アプリの実装方式の検討〕

これらの改修方針を受けて，図 1 の Web アプリを実装するシステムの構成案を検討した。

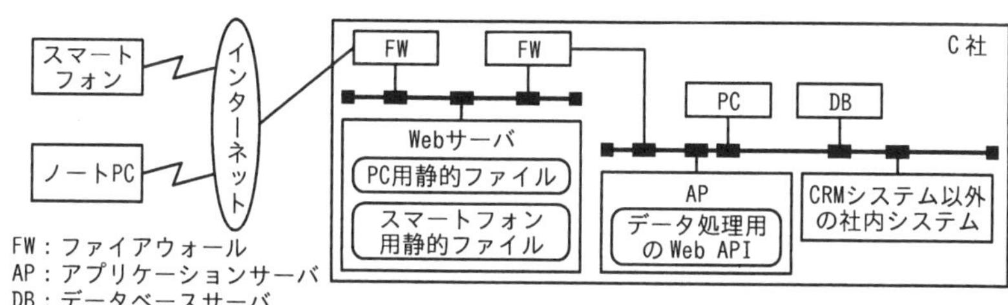

図 1　Web アプリを実装するシステムの構成案

検討したWebアプリの実装方式を次に示す。

・ユーザーインタフェースとデータ処理を分ける。ユーザーインタフェースは，Webサーバに HTML，Cascading Style Sheets（CSS），画像，スクリプトなどを静的なファイルとして配置する。データ処理は，AP が DB から取得したデータを JSON 形式のデータで返す Web API として実装する。

・ユーザーインタフェースとなる静的ファイルは，PC とスマートフォンそれぞれの Web ブラウザ用に個別に作成し，データ処理用の Web API は共用する。

・ユーザーインタフェースの表示速度を向上させるために，①静的ファイルを最適化する。

〔実現可能性の評価〕

〔Web アプリの実装方式の検討〕で示した方式の実現可能性を評価するために，プロトタイプを用いて多くのデータを扱う機能について検証した。その結果，スマートフォンの特定の画面において次の問題が発生した。

・扱うデータ量が増えるに連れて，レスポンスが著しく低下する。

・②スマートフォンの CPU 負荷が大きく，頻繁に使用するとバッテリの消耗が激しい。

そこで，これらの問題の原因を調べるために，Web アプリの処理を分析した。レスポンスの悪かった日誌一覧の表示画面を図 2 に，Web API からの応答データを図 3 に示す。

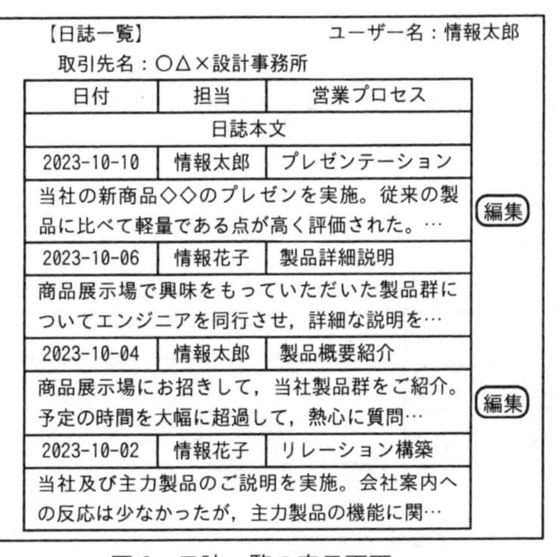

図 2　日誌一覧の表示画面

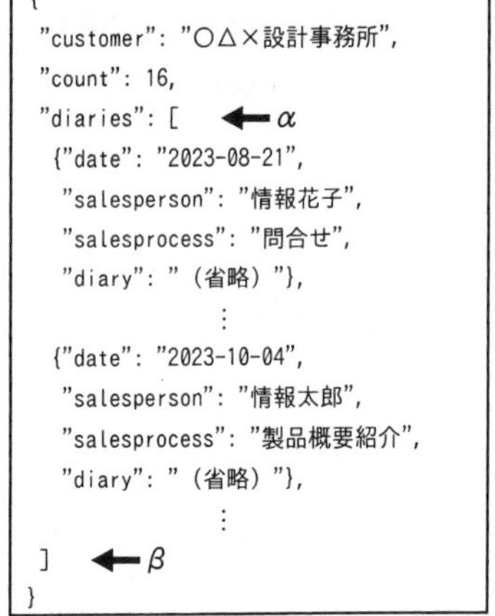

図 3　Web API からの応答データ

スマートフォンのWebブラウザから図2の画面をリクエストしてから描画されるまでの一連の処理について，処理ごとに所要時間を測定した結果を表1に示す。

表1 処理ごとに所要時間を測定した結果

No.	処理概要	所要時間（ミリ秒）
1	Webブラウザが画面に必要となる静的なファイルを全て受信する。	300
2	WebブラウザがWeb APIにリクエストして，図3の応答データを全て受信する。	800
3	Webブラウザ内で日誌のデータを日付の降順にソートして，画面に表示する最大件数である4件目までを抽出する。	1,200
4	日誌本文が42文字を超える場合，先頭から41文字に文字“…”を結合した42文字の文字列にする。	300
5	日誌一覧の表示を実行したユーザーが作成した日誌か否かを判断して，本人が作成した日誌には“編集”ボタンを表示する。	200
6	データをWebブラウザに描画する。	500

表1から，図3の応答データのスマートフォンへの転送処理と，Webブラウザ内でその応答データを加工する処理に多くの時間を要していることが判明した。

〔Webアプリの見直し〕

Webブラウザが画面をリクエストしてから描画されるまでの所要時間の目標値を3秒以内に設定して，それを達成するために，次の三つの方式を検討した。

① スマートフォンのユーザーインタフェースをアプリケーションプログラム（以下，スマホアプリという）として開発して，そのスマホアプリ内でWeb APIからの応答データを加工・描画する方式

② リクエストのあった応答データのうち，Webブラウザに描画するデータだけを返すWeb APIを開発して，スマートフォンのWebブラウザからそのWeb APIを利用する方式

③ ②で開発したWeb APIを①で開発したスマホアプリから利用する方式

各方式について，応答データを加工・描画するソフトウェア又はサーバと，その実現可能性を評価するために，設けた評価項目について整理した結果を表2に示す。各評価項目の評価点に対する重み付けは均一とし，また，将来的な拡張性については各

実装方法を設計するタイミングで検討することにした。

なお，〔実現可能性の評価〕においてプロトタイプを用いて検証した方式を方式Ⓟとする。

表2　整理した結果

方式	ソフトウェア／サーバ		評価項目			評価点合計
	データ描画	データ加工	レスポンス	開発コスト	CPU負荷	
Ⓟ	Webブラウザ	Webブラウザ	×	◎	×	3点
①	スマホアプリ	スマホアプリ	○	△	△	4点
②	Webブラウザ	AP	○	○	○	6点
③	スマホアプリ	AP	◎	×	○	5点

凡例　◎：とても優れている，　3点　○：優れている，　2点
　　　△：あまり優れていない，1点　×：優れていない，0点

〔レスポンス時間の試算〕

表2の結果から，方式②について更に検討を進めることになり，そのレスポンスが実用上問題ないか，表1を基に所要時間を試算した。

表1中のNo.2の所要時間について考える。方式②のWeb APIからの応答データのサイズは，図3のデータのサイズの4分の1になり，サーバ側でのデータ転送には時間を要しないものと仮定すると，No.2の所要時間は［　a　］ミリ秒となる。

次に，No.3～No.5の処理時間について考える。No.3の処理はDBで，No.4とNo.5の処理はAPで行われる。処理時間は各機器のCPU処理能力だけに依存すると仮定する。各機器のCPU処理能力は，スマートフォンが10,000MIPS相当，DBが40,000MIPS相当，APが20,000MIPS相当の場合，No.3～No.5の処理時間の合計は［　b　］ミリ秒となる。

以上の試算の結果，方式②で十分なレスポンスが期待できることから，方式②を採用することにした。

〔システム構成の検討〕

方式②で開発したWeb APIの配置について検討した。図1のAP上に配置する案も検討したが，③将来的な拡張性を考慮した結果，図1のAPとは別に，スマートフォンやノートPCから呼び出されるWeb APIのためのAPを，新たに追加する構成にした。

このシステム構成を採用した結果，問題を解消し，さらに将来的な拡張性をもたせることができた。

設問1　本文中の下線①に該当するものを解答群の中から<u>全て</u>選び，記号で答えよ。

解答群

ア　HTML，CSS，スクリプトなどのコードに，パイプライン処理を有効にする設定を行う。

イ　HTML，CSS，スクリプトなどのコードに含まれる，余分な改行やコメントを削除する。

ウ　画像を，BMP や TIFF などの画像フォーマットにする。

エ　画像を，PNG や SVG などの画像フォーマットにする。

オ　全てのファイルをバイトコードに変換して圧縮する。

設問2　〔実現可能性の評価〕について答えよ。

(1)　本文中の下線②の要因として，最も適切なものを解答群の中から選び，記号で答えよ。

解答群

ア　JSON 形式の応答データを送受信する処理

イ　Web ブラウザに HTML，CSS，画像ファイルをレンダリングする処理

ウ　スマートフォンのメモリ上で日誌のデータを加工する処理

エ　日誌一覧の各担当がログインユーザーか否かを判別する処理

(2)　図 3 中の α と β の箇所にある“[”及び“]”で囲まれたデータはどのようなデータを表現するものか。データ形式に着目し，“日誌”という単語を用いて，15 字以内で答えよ。

設問3　表 2 中の方式②のレスポンスが，方式Ⓟに比べて優れていると評価した理由を二つ挙げ，それぞれ 30 字以内で答えよ。

設問4　本文中の［ a ］，［ b ］に入れる適切な数値を答えよ。

設問5　本文中の下線③の拡張性とは何か。40 字以内で答えよ。

問5　クラウドサービスを活用した情報提供システムの構築に関する次の記述を読んで，設問に答えよ。

L 社は，国内の気象情報を様々な業種の顧客に提供する企業である。現在は，社外から購入した気象データを分析し，気象情報として提供している。今回，全国に設置する IoT 機器から気象データを収集し，S 社のクラウドサービス（以下，S 社クラウドという）で分析した結果を気象情報として提供する新しい気象情報システム（以下，新システムという）を構築することになった。新システムの設計を，L 社の情報システム部の M さんが担当することになった。

M さんは，新システムの構成と，新システムが備えるべき主な機能を検討した。新システムの構成案を図 1 に，新システムが備えるべき主な機能を表 1 に示す。情報提供先の PC，IoT 機器や L 社の保守用 PC から，S 社クラウド上に構築された新システムの各機能に対応するサーバにアクセスして，必要な機能を利用する。

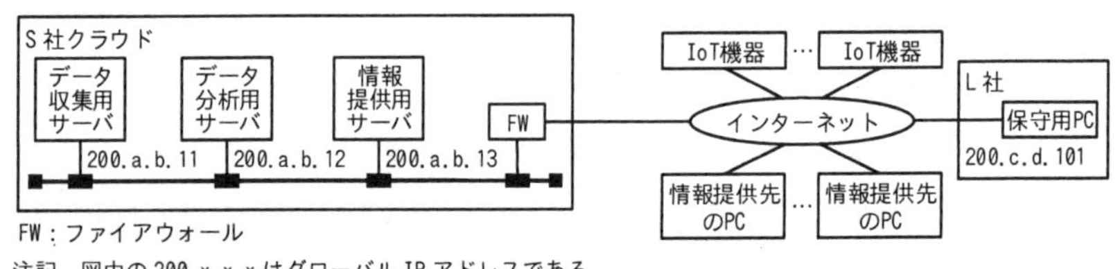

FW：ファイアウォール

注記　図中の 200.x.x.x はグローバル IP アドレスである。

図 1　新システムの構成案

表 1　新システムが備えるべき主な機能

機能	機能の概要
データ収集機能	全国に設置した IoT 機器から気象データを受信し，データ収集用サーバのデータベースに蓄積する。データ収集用サーバにはデータ収集用の Web API（以下，データ収集 API という）があり，IoT 機器はデータ収集 API を利用して気象データを送信する。
データ分析機能	データ収集用サーバのデータベースに蓄積した気象データを定期的に処理して気象情報を作成し，情報提供用サーバに保存する。
情報提供機能	情報提供先からの要求に対して必要な気象情報を送信する。情報提供用サーバには情報提供用の Web API（以下，情報提供 API という）があり，情報提供先の PC 上のアプリケーションプログラム（以下，情報提供先アプリという）の情報提供 API を利用した要求に対して気象情報を送信する。

M さんが検討した新システムの構成について，情報システム部の N 部長は次の検討

を行うようにMさんに指示した。

- IoT 機器から送信される気象データの特徴を踏まえて，データ収集 API に用いる通信プロトコルを選定すること。
- 新システムにインターネットからアクセス可能な機器の数を最小限にするように，S 社クラウド上の FW に設定する通信を許可するルール（以下，FW の許可ルールという）の設計を行うこと。
- 将来，IoT 機器の数や情報提供先の数が増加した場合に備えて，各機能の処理遅延対策を行うこと。

〔データ収集 API に用いる通信プロトコルの検討〕

IoT 機器は全国に 10,000 台設置する計画であり，通信事業者の LPWA（Low Power Wide Area）サービスを用いて各 IoT 機器から 1 件当たり最大 500 バイトの気象データを，1 分ごとに①データ収集用サーバに送信する設計とした。気象データは，1 件当たりのデータ量は少ないが，IoT 機器からデータ収集用サーバへの通信回数が多く，データ収集用サーバへアクセスが集中するおそれがある。そこで，データ収集 API には，通信の都度 TCP コネクションを確立して通信を行う HTTP ではなく，②TCP 上で HTTP よりプロトコルヘッダサイズが小さく，多対 1 通信に対応するプロトコルを用いることにした。

〔FW の許可ルールの設計〕

Mさんは，S 社クラウド上の FW の許可ルールの設計方針を検討した。

- IoT 機器からデータ収集用サーバへのアクセスや情報提供先アプリから情報提供用サーバへのアクセスに対しては，通信プロトコルの制限を行うが，インターネットの接続元 IP アドレスによる制限は行わない。
- L 社の保守用 PC から各サーバへのアクセスに対しては，各サーバにログインして更新プログラムの適用などの保守作業を行うために，SSH だけを許可する。
- 各サーバからインターネットへのアクセスに対しては，ソフトウェアベンダーの Web サイトから更新プログラムをダウンロードするために，任意の Web サイトへの HTTPS だけを許可する。

Mさんが検討した，FWの許可ルールを表2に示す。

表2　FWの許可ルール

項番	アクセス経路	送信元	宛先	プロトコル/宛先ポート番号
1	インターネット→S社クラウド	any	200.a.b.11	省略
2		any	a	TCP/443
3	L社→S社クラウド	b	200.a.b.11	TCP/22
4		b	200.a.b.12	TCP/22
5		b	200.a.b.13	TCP/22
6	S社クラウド→インターネット	200.a.b.11	any	c
7		200.a.b.12	any	c
8		200.a.b.13	any	c

注記1　FWは，応答パケットを自動的に通過させる，ステートフルパケットインスペクション機能をもつ。
注記2　ルールは項番の小さい順に参照され，最初に該当したルールが適用される。

〔処理遅延対策の検討〕

Mさんは，IoT機器の数や情報提供先の数が現在の計画よりも増加した場合に，表1の各機能の処理にどのような処理遅延が発生するか確認した。

IoT機器の数が増加した場合，全国に設置したIoT機器からS社クラウドのFWを経由してデータ収集用サーバにアクセスする通信が増加する。また，情報提供先の数が増加した場合，情報提供先アプリからS社クラウドのFWを経由して情報提供用サーバにアクセスする通信が増加する。

特に［　d　］については，データ収集機能の通信と情報提供機能の通信の両方が経由することから，単位時間内に処理できる通信の量を表す［　e　］と，同時に処理できる接続元の数を表す［　f　］が，必要な性能を満たすよう管理することにした。

また，データ収集用サーバと情報提供用サーバの性能を超えた要求が発生して，データ収集APIと情報提供APIの両方に処理遅延が発生した場合の対策として，③スケールアウトによってシステムの処理性能を高めるために必要な機能を新システムで利用することにした。

M さんは指示された内容の検討結果を N 部長に説明し，了承されたので，新システムの設計及び構築を進めることになった。

設問 1　〔データ収集 API に用いる通信プロトコルの検討〕について答えよ。

(1)　本文中の下線①について，全国の IoT 機器からデータ収集用サーバに送信される 1 時間当たりの最大になる気象データ量を答えよ。答えは M バイト単位とし，小数第 1 位を四捨五入して整数で求めよ。ここで，1M バイトは 1,000k バイト，1k バイトは 1,000 バイトとする。

(2)　本文中の下線②について，適切な通信プロトコル名の略称を 5 字以内で答えよ。

設問 2　〔FW の許可ルールの設計〕について答えよ。

(1)　表 2 中の [a] ～ [c] に入れる適切な字句を答えよ。

(2)　L 社の保守用 PC を用いてデータ分析用サーバの OS やミドルウェアなどの更新ファイルをインターネットから取得して適用する場合，表 2 のどのルールによって許可されるか。表 2 の項番を全て答えよ。

設問 3　〔処理遅延対策の検討〕について答えよ。

(1)　本文中の [d] に入れる適切な字句を，図 1 の構成要素名で答えよ。

(2)　本文中の [e] ，[f] に入れる適切な字句を解答群の中から選び，記号で答えよ。

解答群

ア　コネクション数　　イ　スケーラビリティ
ウ　スループット　　エ　フィルタリングルール数
オ　プロビジョニング　　カ　ポート数

(3)　本文中の下線③について，新システムに追加する機能の名称を解答群の中から選び，記号で答えよ。

解答群

ア　IDS　　イ　NAS
ウ　WAF　　エ　ロードバランサー

問6　人事評価システムの設計と実装に関する次の記述を読んで，設問に答えよ。

K 社は，人事評価システムを中小企業に提供する SaaS 事業者である。現在は，契約している会社ごとに仮想サーバを作成して，その中にデータベースを個別に作成している。現在のシステムの OS やフレームワークのサポート期限が迫ってきたのを機に，機能は変更せずにサーバリソース最適化を目的として，システムを再構築することにした。

〔人事評価システムの機能概要〕

人事評価システムの機能概要を表1に示す。

表1　人事評価システムの機能概要

機能名	概要
祝日管理	国民の祝日に加えて，創立記念日などの会社ごとの記念日を年月日で管理する。
入社	従業員が入社した際，従業員番号を割り振り，配属先の部署及び入社年月日を登録する。
評価者管理	部署の管理者を評価者として登録する。1 人の従業員が複数の部署を管理する場合がある。管理者の評価者は，評価時に個別に設定する。
目標設定	年度の始めに，その年度の目標を設定する。目標は複数設定することができ，重要度や達成までの期間などを考慮して重み付けする。
実績入力	年度の終わりに，その年度の実績を入力する。実績は，年度の始めに設定した目標に対して，実績内容や目標達成度を自己評価として記入する。
評価	年度の終わりに，管理者は評価対象の従業員が設定した目標とそれに対する実績を評価して，評価内容や達成度合を記入する。
退職	従業員の退職が決まると，その退職年月日と在籍期間を登録する。さらに，部署の管理者や人事部が対象の従業員にヒアリングした退職理由を登録する。
退職分析	人事部の管理者が自社及び自社と同じ業種の退職者について，在籍期間と退職理由を分析する。

〔単一データベース・単一スキーマ方式の検討〕

データベースのリソースを最適化するために，会社ごとに個別に作成していたデータベース及びスキーマを一つにまとめることを考える。検討した E-R 図を図1に示す。

なお，再構築するシステムでは，E-R 図のエンティティ名を表名に，属性名を列名にして，適切なデータ型で表定義した関係データベースによって，データを管理する。

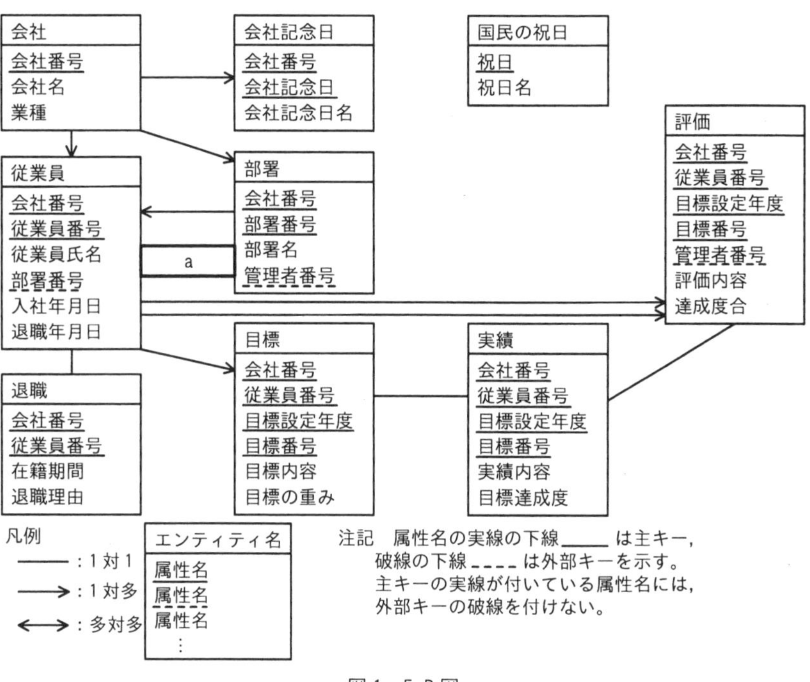

図 1　E-R 図

図 1 を関係データベースに実装した際の SQL 文を考える。

(1)　指定された会社と年度における，国民の祝日と会社記念日の一覧を日付の昇順に出力する SQL 文を図 2 に示す。ここで“:会社番号”は指定された会社の会社番号を，“:年度開始日”，“:年度終了日”は，それぞれ指定された年度の開始日，終了日を表す埋込み変数である。

```
SELECT 祝日 AS 日付, 祝日名 AS 日付名
FROM 国民の祝日
WHERE 祝日 [          b          ]
UNION ALL
SELECT 会社記念日 AS 日付, 会社記念日名 AS 日付名
FROM 会社記念日
WHERE 会社番号 = :会社番号
  AND 会社記念日 [          b          ]
[    c    ] 日付
```

図 2　国民の祝日と会社記念日の一覧を日付の昇順に出力する SQL 文

(2)　指定された管理者が評価する対象の従業員の一覧を部署番号，従業員番号の昇順に出力するSQL文を図3に示す。ここで“:会社番号”と“:管理者番号”は，それぞれ指定された管理者の会社番号と従業員番号を表す埋込み変数である。

```
SELECT DEP.部署番号, DEP.部署名, EMP.従業員番号, EMP.従業員氏名
FROM 従業員 EMP INNER JOIN 部署 DEP
  ON EMP.会社番号 = DEP.会社番号
    AND [          d          ]
    AND EMP.会社番号 = :会社番号
    AND DEP.管理者番号 = :管理者番号
[    c    ] DEP.部署番号, EMP.従業員番号
```

注記 [c] には，図2中の [c] と同じ字句が入る。

図3　従業員の一覧を部署番号，従業員番号の昇順に出力するSQL文

〔単一データベース・単一スキーマ方式のレビュー〕

検討した単一データベース・単一スキーマ方式のレビューを受けたところ，次の指摘とアドバイスを受けた。

・指摘

この検討案は，サーバリソース最適化を実現することができるが，SQLインジェクションの脆弱性が見つかってしまった場合，多くの情報が漏えいしてしまうおそれがある。

・アドバイス

データベースは一つのまま，システム全体で共有するデータだけを格納する共有用のスキーマと，①システム利用者の会社ごとのスキーマに分ける方式にするとよい。共有用のスキーマに作成した表は，会社ごとのスキーマに対象の表と同じ名前のビューを作成して照会できるようにすると，現在のシステムのSQL文への修正を少なくすることができる。

〔単一データベース・個別スキーマ方式の検討〕

〔単一データベース・単一スキーマ方式のレビュー〕のアドバイスを受け，複数のスキーマを作成して各スキーマに表とビューを配置する。検討したスキーマを整理した結果を表2に示す。

表 2　スキーマを整理した結果

スキーマ種類	スキーマ名	配置する表	配置するビュー
共有用	PUB	会社，国民の祝日	－
個別会社用	Cxxx （xxx は任意の英数字）	会社記念日，従業員，部署，目標，実績，評価，退職	会社， 国民の祝日

次に，ビューを作成する SQL 文について考える。

スキーマ C001 に国民の祝日ビューを作成する SQL 文を図 4 に示す。

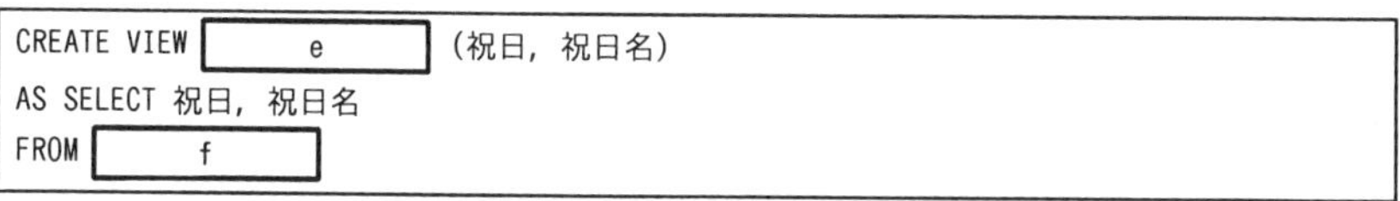

```
CREATE VIEW [    e    ] (祝日, 祝日名)
AS SELECT 祝日, 祝日名
FROM [    f    ]
```

図 4　国民の祝日ビューを作成する SQL 文

〔単一データベース・個別スキーマ方式のレビュー〕

検討した単一データベース・個別スキーマ方式のレビューを受けたところ，次の指摘を受けた。

・システム利用者ごとに，利用するスキーマを指定するために，［　g　］表に［　h　］列を追加する必要がある。

・表 2 の表とビューの配置のままでは②利用できない機能があるので，③配置を一部見直す必要がある。

レビューで受けた指摘に全て対応することで，システムを再構築することができた。

設問 1　〔単一データベース・単一スキーマ方式の検討〕について答えよ。

(1)　図 1 中の［　a　］に入れる適切なエンティティ間の関連を答え，E-R 図を完成させよ。

なお，エンティティ間の関連の表記は，図 1 の凡例に倣うこと。

(2)　図 2 中の［　b　］，図 2 及び図 3 中の［　c　］に入れる適切な字句を答えよ。

(3)　図 3 中の［　d　］に入れる適切な字句を答えよ。

設問２　本文中の下線①の方式にする利点は何か。20 字以内で答えよ。

設問３　図４中の［ e ］，［ f ］に入れる適切な字句を答えよ。

設問４　〔単一データベース・個別スキーマ方式のレビュー〕について答えよ。

(1)　本文中の［ g ］，［ h ］に入れる適切な字句を答えよ。

(2)　本文中の下線②の機能を，表１の機能名から答えよ。

(3)　本文中の下線③の見直した内容を，20 字以内で答えよ。

問7　業務用ホットコーヒーマシンに関する次の記述を読んで，設問に答えよ。

G 社は，業務用ホットコーヒーマシン（以下，コーヒーマシンという）を開発している。コーヒーマシンの外観を図 1 に，コーヒーマシンの内部構成を図 2 に，コーヒーマシンの主な構成要素を表 1 に，それぞれ示す。

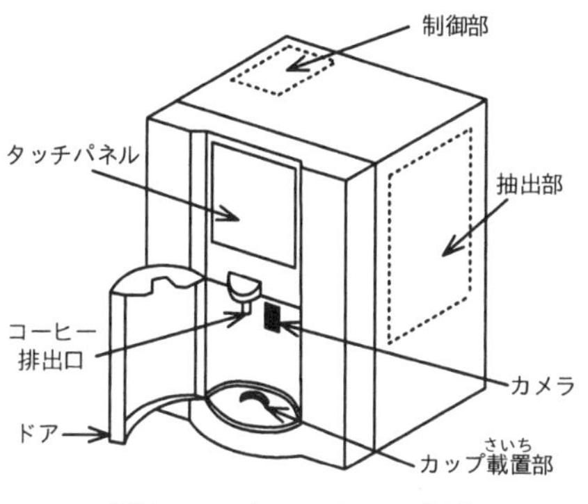

図 1　コーヒーマシンの外観

制御部
タッチパネル
抽出部
ドア
カメラ
カップ載置部

図 2　コーヒーマシンの内部構成

表 1　コーヒーマシンの主な構成要素

構成要素名	概要
制御部	・コーヒーマシン全体の制御及び状態管理を行う。また，カップの有無やサイズ，カップが空か否かを判定（以下，カップ判定という）するための画像認識を行う。
タッチパネル	・制御部から指示された画面を表示する。 ・利用者がタッチした座標情報を制御部に通知する。
抽出部	・制御部から指示された分量のコーヒーを抽出し，コーヒー排出口から排出する。
ドア	・開閉センサーをもち，開閉状態を 0/1 のデジタル信号で制御部に入力する。 ・ドアを閉じた状態でロックすることができるロック機構をもつ。ロック機構は，制御部からの指示でロック及びロック解除ができる。ロック及びロック解除に掛かる時間は無視できるほど小さいものとする。
カップ載置部	・コーヒー排出口から排出されたコーヒーを受けるカップを置く場所である。
カメラ	・カップ載置部を撮影するカメラで，制御部からの指示で撮影を行い，制御部と共有するメモリに画像データを書き出す。

〔カップ判定の仕様〕

カップ判定は，利用者がドアを閉じた時に，カメラでカップ載置部を複数回撮影して行う。カップ判定の結果一覧を，表 2 に示す。

表２　カップ判定の結果一覧

結果	概要
カップなし	・カップ載置部に何も置かれていないことを示す。
空カップあり	・専用の紙カップが，空の状態でカップ載置部に置かれていることを示す。この結果には，カップのサイズ（大，中，小）が付加される。
カップあり	・専用の紙カップが空でない状態でカップ載置部に置かれていることを示す。
障害物あり	・専用の紙カップ以外の物がカップ載置部に置かれていることを示す。

〔ドアの開閉状態の判定仕様〕

ドアの開閉センサーは，ドアが完全に閉じているときは 0，それ以外は 1 を出力する。非常に短い間隔で 0 と 1 とを交互に出力することがあるので，制御部のソフトウェアは入力された値を 10 ミリ秒間隔で読み出し，4 回連続で同じ値が読み出されたらドアの開閉状態を確定する。

〔コーヒーマシンの動作概要〕

コーヒーマシンの動作概要を次に示す。

(1) 電源が入ると，初期化処理を行う。初期化処理が完了したら待機中となり，カップをカップ載置部に置くように促す画面をタッチパネルに表示する。
(2) 利用者がドアを開けて，購入したカップをカップ載置部に置く。
(3) 利用者がドアを閉じると，カップ判定を行う。
(4) カップ判定の結果が“空カップあり”となるので，カップのサイズを表す文字と，確認ボタンで構成される画面をタッチパネルに表示する。
(5) 利用者が確認ボタンにタッチすると，［ a ］し，カップのサイズに応じた分量のコーヒーを抽出してコーヒー排出口からカップに注ぎ込む。タッチパネルには，抽出中であることを示す画面を表示する。
(6) コーヒーの排出が終わると，ドアをロック解除し，タッチパネルにカップの引取りを促す画面を表示する。
(7) 利用者がドアを開け，カップを引き取る。
(8) 利用者がドアを閉じると，カップ判定を行う。
(9) カップ判定の結果が“カップなし”となるので，待機中に戻る。

ここで，カップ判定中に利用者がドアを開けた場合は，カップ判定を中止し，利用者がドアを閉じるのを待つ。また，確認ボタンがタッチされる前に，利用者がドアを開けた場合は，カップ判定の結果を破棄して，利用者がドアを閉じるのを待つ。

カップ判定の結果が“カップあり”又は“障害物あり”の場合，カップ判定の結果に応じた適切な画面をタッチパネルに表示する。

〔制御部のソフトウェア構成〕

制御部のソフトウェアは，リアルタイム OS を用いて実装する。制御部の主なタスクの処理概要を表 3 に示す。

表 3　制御部の主なタスクの処理概要

タスク名	処理概要
メイン	・コーヒーマシンの状態管理を行う。
カップ判定	・メインタスクから“判定”を受けると，カメラで複数回撮影を行い，得られた画像データを用いてカップ判定を行った後，結果を“判定結果”でメインタスクに通知する。判定に掛かる時間は，300 ミリ秒以上 500 ミリ秒以下である。 ・カップ判定中にメインタスクから“中止”を受けると，5 ミリ秒以内にカップ判定を中止して“中止完了”をメインタスクに通知する。カップ判定中以外で“中止”を受けたときは無視する。
抽出	・メインタスクから“抽出”を受けると，抽出部を起動して抽出を開始し，抽出部から抽出終了を受信するまで待つ。 ・抽出終了を受信すると，コーヒーの排出が終了したと判断し，抽出部を停止して“抽出完了”をメインタスクに通知する。
タッチパネル	・メインタスクから“画面表示”を受けると，指定された画面をタッチパネルに表示する。 ・利用者が確認ボタンに触れたことを検出すると，“確認”をメインタスクに通知する。
ドア	・開閉センサーの出力を 10 ミリ秒周期で読み出し，確定したドアの開閉状態を保持する。 ・確定したドアの開閉状態が変化したら，“ドア開”又は“ドア閉”をメインタスクに通知する。 ・メインタスクから“ロック”又は“ロック解除”を受けると，ロック機構を操作して，ドアをロック又はロック解除する。

設問 1　コーヒーマシンについて答えよ。

(1) 本文中の［ a ］に入れる，適切なコーヒーマシンの動作を答えよ。

(2) 開閉センサーの出力を読み出す周期を，周波数 32kHz のカウントダウンタイマー（以下，タイマーという）を用いて計っている。このタイマーは，あらかじめ設定された初期値からカウントダウンを行い，カウント値が 0 になったら，次のカウントダウンまでの間に初期値をリロードして動作を継続する。タイマーに設定する初期値は幾つか，整数で求めよ。ここで，$1k=10^3$ とする。

設問 2　制御部のタスクについて答えよ。

(1) カップ判定タスクは，メインタスク及びドアタスクよりも優先度を低くしている。その理由を 30 字以内で答えよ。

(2) メインタスクが抽出タスクに“抽出”を通知する際のパラメータとして，必要な情報を答えよ。

(3) 開閉センサーの出力と，ドアタスクの動作タイミングの例を図 3 に示す。図 3 中の，アの時点でドアタスクが保持しているドアの開閉状態が開状態であるとき，ドアタスクがメインタスクに“ドア開”及び“ドア閉”を通知するタイミングを，それぞれ，ア～テの記号で答えよ。

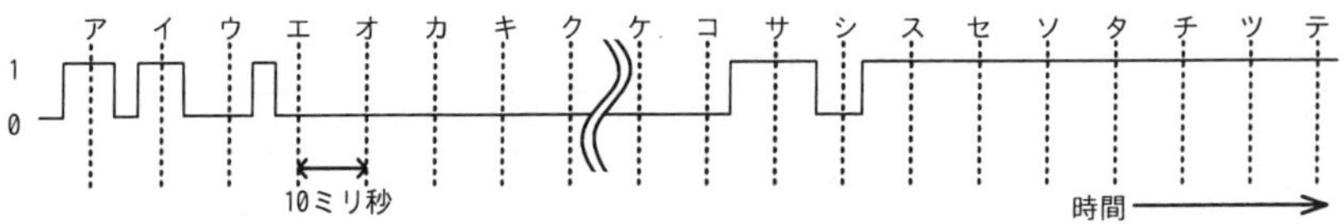

注記 1　実線は開閉センサーの出力の変化を示し，破線はドアタスクの動作タイミングを示す。
注記 2　クとケの間は，開閉センサーの出力は常に 0 である。

図 3　開閉センサーの出力と，ドアタスクの動作タイミングの例

設問 3　図 4 に示すメインタスクの状態遷移について答えよ。

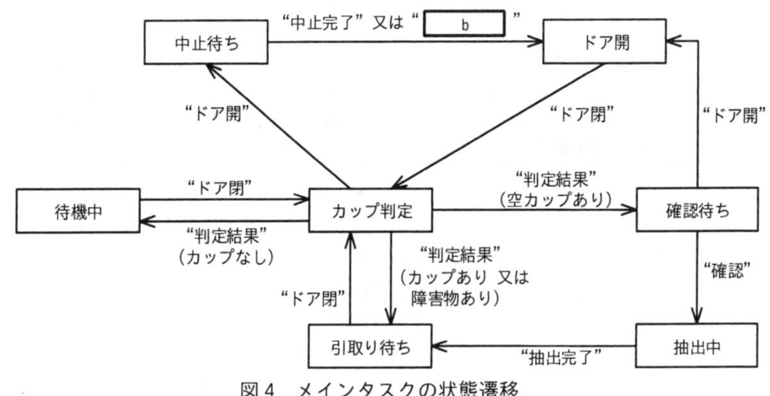

図 4　メインタスクの状態遷移

(1) メインタスクがドアタスクに通知を行うのは，何のメッセージを受けたときか。図 4 中のメッセージ名で<u>全て</u>答えよ。

(2) 図 4 中の [b] に入れる適切なメッセージ名を，表 3 中の字句で答えよ。

問８　ダッシュボードの設計に関する次の記述を読んで，設問に答えよ。

Y 社は，食品などを販売する店舗を経営する企業である。複数ある店舗では，商品の販売状況や在庫状況に合わせて，割引率を設定したり，店舗間で在庫の移動を行ったりしている。販売に関する情報は販売管理システムで管理しているが，状況をリアルタイムで監視するには不向きであった。そこで，販売状況をリアルタイムで監視できるシステム（以下，ダッシュボードという）を開発することにした。

Y 社では，商品ごとに商品分類を設定し，売上金額や販売数の集計に利用している。Y 社が扱う情報のデータモデル（抜粋）を図 1 に，ダッシュボードのイメージ（一部）を図 2 に示す。

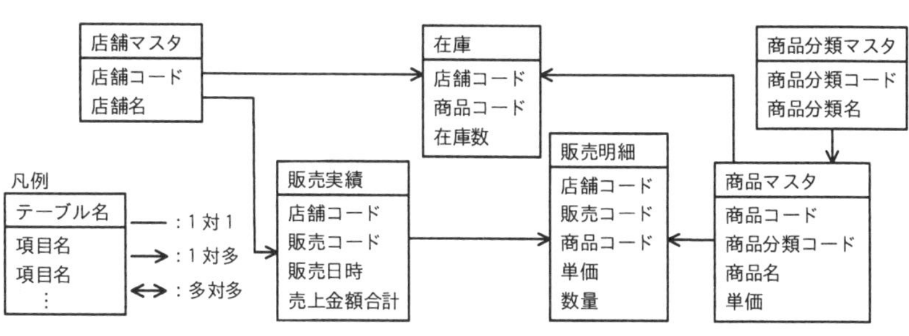

図 1　データモデル（抜粋）

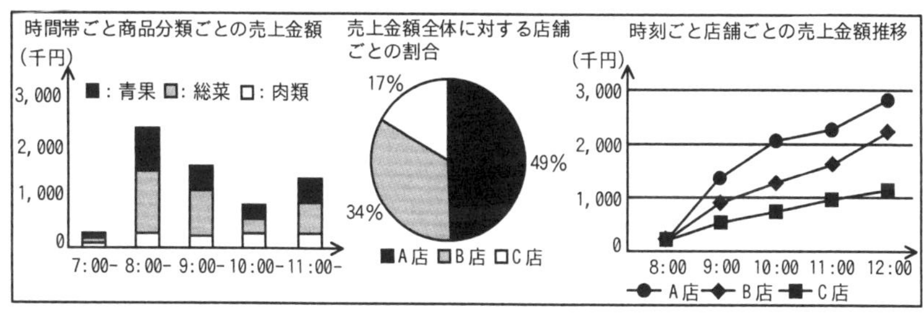

図 2　ダッシュボードのイメージ（一部）

販売状況や在庫状況はデータベースで管理する。データベースに新たな販売実績が追加されたり，在庫数が更新されたりすると，その内容がダッシュボードに随時反映され，最新の情報が表示される。

Y 社は，ダッシュボードの開発を Z 社に依頼し，Z 社はその設計に取り掛かった。

〔ダッシュボードのクラスの設計〕

Z 社は，ダッシュボードのクラスの設計を行った。設計したクラス図を図 3 に，表示できるグラフの種類を表 1 に，主なクラスの説明を表 2 に示す。Controller クラスは，システム全体の挙動を制御するクラスである。View クラスは，画面にグラフを表示する機能をもつクラスである。グラフには複数の種類があるので，その種類ごとに，View クラスを [a] したクラスを作成する。Subject クラスは，データベースが更新されたことを View クラスのオブジェクトに通知するクラスである。図 1 のデータモデル中のテーブルのうち，ダッシュボードで監視したい情報に関するテーブルのそれぞれについて，Subject クラスを [a] したクラスを作成する。以下，View クラス，Subject クラスを [a] したクラスのオブジェクトを，それぞれ View オブジェクト，Subject オブジェクトという。

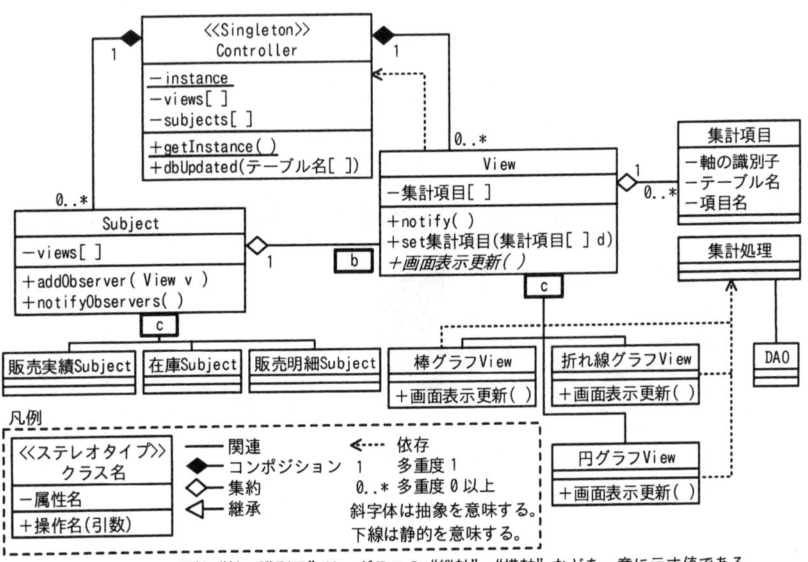

注記　集計項目クラスの属性“軸の識別子”は，グラフの“縦軸”，“横軸”などを一意に示す値である。

図 3　クラス図

表1　表示できるグラフの種類

種類	グラフの構成要素	説明
棒グラフ	横軸の項目，集計対象の項目，分類	横軸の項目について，任意の値の範囲で区切り，集計対象の項目の値を縦棒で表現する。縦棒の値は，分類ごとに色分けし，それらを積み上げて表示する。
円グラフ	集計対象の項目，分類	集計対象の項目について，分類ごとに集計して，その割合を扇形の面積で表現する。 扇形は分類ごとに色分けして表示する。
折れ線グラフ	横軸の項目，集計対象の項目，分類	横軸の項目について，任意の値の範囲で区切り，集計対象の項目の値の推移を折れ線で表現する。折れ線は分類ごとに分けて表示する。

表2　主なクラスの説明

クラス	説明
Controller	プログラムの流れを制御するクラス。データベースが更新されたときに，更新されたテーブル名の配列を引数にして，dbUpdated メソッドを呼び出す。
DAO	データベースにアクセスするためのクラス。
Subject	データの更新を View オブジェクトに通知するクラス。通知先は，addObserver メソッドで登録する。notifyObservers メソッドは，登録された全ての通知先の notify メソッドを呼び出す。
View	ダッシュボードに一つのグラフを表示するクラス。グラフの軸や集計対象の項目の情報を，集計項目オブジェクトの配列で保持している。notify メソッドは，画面表示更新メソッドを呼び出す。画面表示更新メソッドは，対象に関する集計を行い，画面の表示を更新する。
集計処理	グラフを表示する際に必要になる，各種の集計の処理を実装したクラス。

〔グラフの新規表示〕

例えば，“時間帯ごと商品分類ごとの売上金額”のグラフを新たに画面上に表示する場合を考える。グラフの種類は棒グラフなので，棒グラフ View クラスのオブジェクトを作成する。次に，①関係する Subject オブジェクトの addObserver メソッドを呼び出す。その後，画面の初期表示のために，画面表示更新メソッドを呼び出す。

〔グラフの表示内容更新〕

店舗で商品が販売されると，販売管理システムが，データベースにレコードを追加する。そのとき，ダッシュボードの Controller クラスに実装されている dbUpdated メソッドが呼び出されるように，システム間の連携が行われている。

Controller クラスは，dbUpdated メソッドが呼び出されると，更新されたテーブルに対応する Subject オブジェクトの notifyObservers メソッドを呼び出す。notifyObservers メソッドは，そのオブジェクトが属性としてもつ配列 views に格納されている全ての View オブジェクトの notify メソッドを呼び出す。notify メソッドは，画面表示更新メソッドを呼び出す。View クラスの画面表示更新メソッドは［　d　］メソッドなので，例えば，“時間帯ごと商品分類ごとの売上金額”の場合は［　e　］クラスに実装されたメソッドを呼び出す。

〔データのフィルタリング〕

Y 社からの追加の要求で，集計結果をフィルタリングする機能を追加することになった。例えば，“時間帯ごと商品分類ごとの売上金額”のグラフ上で，特定の商品分類の表示箇所をマウスでクリックしたときに，表示されている全てのグラフについて，指定した商品分類で絞り込んだ結果を表示したい。そこで，絞込条件を取り扱うクラスとして絞込条件クラスを導入し，次の改修を加えることで機能を実現することにした。

・絞込条件クラスは，属性として“テーブル名”，“項目名”，“絞込条件の値”をもつ。例えば，商品分類で絞り込む場合は，テーブル名に“商品マスタ”，項目名に“商品分類コード”，絞込条件の値に“商品分類コードの値”が入る。
・Controller クラスの属性に絞込条件クラスのオブジェクトを追加し，その属性に条件を設定するための setFilter メソッドを追加する。
・View オブジェクトが画面の表示を更新する際に，絞込条件のオブジェクトが引き渡されるようにするために，Subject クラスの notifyObservers メソッドと，View クラスの notify メソッドのそれぞれについて，呼出しの②仕様を変更する。
・集計処理クラスの処理で絞込条件を考慮して集計し，画面を更新する。

画面の操作が行われたら，View オブジェクトが絞込条件オブジェクトを生成し，Controller オブジェクトの setFilter メソッドを呼び出す。その後，全ての View オブジェクトの画面表示更新メソッドを呼び出すことで，機能を実現する。

〔過負荷の回避〕

設計レビューを実施したところ，次の点が指摘された。

・販売管理システムが，データベースに販売実績のレコードを連続で追加すると，ダッシュボードが過負荷になるおそれがある。

・一つの View オブジェクトは［ f ］ので，1 回の販売実績の登録で，表示の更新が複数回発生してしまう。

そこで，View クラスの属性に“更新フラグ”を追加し，notify メソッドでは画面表示更新メソッドを呼び出すのではなく，“更新フラグ”を立てるようにした。また，“更新フラグ”を立てる処理とは別に，定期的に画面表示更新メソッドを呼び出す仕組みを用意し，“更新フラグ”が立っている場合だけ画面の更新処理を実行してから“更新フラグ”を降ろすようにした。

設問 1　本文中の［ a ］に入れる適切な字句を答えよ。

設問 2　図 3 中の［ b ］，［ c ］に入れる適切なクラス間の関係又は多重度を答え，クラス図を完成させよ。なお，表記は図 3 の凡例に倣うこと。

設問 3　本文中の下線①について，関係する Subject オブジェクトのクラス名を図 3 中から選び全て答えよ。

設問 4　本文中の［ d ］，［ e ］に入れる適切な字句を答えよ。

設問 5　本文中の下線②について，仕様変更の内容を 30 字以内で答えよ。

設問 6　本文中の［ f ］に入れる適切な字句を，30 字以内で答えよ。

問9　IoT 活用プロジェクトのマネジメントに関する次の記述を読んで，設問に答えよ。

P 農業組合が管轄する地域では，いちご栽培が盛んである。いちごは繁殖率が低く，栽培技術の向上や天候不順への対応が必要である。P 農業組合員のいちご栽培農家は温度調節や給水などの栽培管理を長年の経験と勘に頼っていたので，一部の農家を除いて生産性が低い状態が続いていた。そこで，数年前に生産性向上を目指して W 社の IoT システムを導入した。IoT システムの主な機能は，次のとおりである。

- 栽培ハウス（以下，ハウスという）内外に環境計測用センサー（以下，K センサーという），温度調節や給水などを行う装置，装置に無線で動作指示する制御機器（以下，S 機器という）を設置する。
- K センサーは，温度，湿度などの環境データを取得して S 機器に送信する。
- S 機器は，受信した環境データと，S 機器の動作指示を制御するパラメータ（以下，制御パラメータという）とを基に，装置に温度調節や給水などの動作指示をする。
- 農家は，その日の天候及び P 農業組合内に設置されたデータベース（以下，DB という）サーバに蓄積された過去の環境データを参考にして，より良い栽培環境になるように，農家に配付されているタブレット端末を使って制御パラメータを変更できる。

〔SaaS を活用した IoT の効果向上〕

IoT システムの導入によって，ハウス内の温度や湿度などをコントロールできるようになった。しかし，大半の農家では，過去の環境データを分析して制御パラメータを最適に設定することが難しかったので，期待していたほどの効果は出ていなかった。そこで，P 農業組合の Q 組合長は A 社に支援を依頼した。A 社は，ICT を活用した農作物の生産性向上に資するデータ分析サービスを SaaS として提供する企業である。A 社の B 部長は，導入した IoT システムの効果を向上させるために，A 社の SaaS を活用して制御パラメータを自動的に変更するサービス（以下，本サービスという）の導入を提案しようと考えた。

A 社の SaaS は，実装された AI のデータ分析を最適化するためのパラメータ（以下，分析パラメータという）を参照し，過去と現在の環境データ，及び外部気象サービスが提供する予報データを統合して分析する。本サービスでは，この分析結果から最適な制御パラメータを算出してS機器に送信し，制御パラメータを変更する。

提案に先立って，B部長はQ組合長に，A社のSaaSにはW社のIoTシステムとの接続実績がなく，またA社にはいちご栽培でのデータ分析サービスの経験がないので，分析パラメータの種類の選定及び値の設定の際に，試行錯誤が予想されることを説明した。さらに，B部長は，本サービスの実現に不確かな要素は多いが，導入を試してみる価値が十分あると伝えた。Q組合長はこれらを理解した上で，本サービスの導入プロジェクト（以下，SaaS導入プロジェクトという）の立ち上げを決定し，Q組合長自身がプロジェクトオーナーに，B部長がプロジェクトマネージャになった。

B部長は，プロジェクトの目的を“農家が，本サービスを使っていちご栽培を改善し，より良い収穫を実現すること”にした。なお，SaaS導入プロジェクトが完了して本サービスが開始されるときの分析パラメータは，プロジェクト活動中にいちご栽培に適すると評価された設定値とする。本サービス開始後，農家は，タブレット端末から分析パラメータの設定をガイドする機能（以下，ガイド機能という）を使って設定値を変更できる。その際，P農業組合は，農家がガイド機能を活用できるようになる支援を行う。本サービスを導入したシステムの全体の概要を図1に示す。

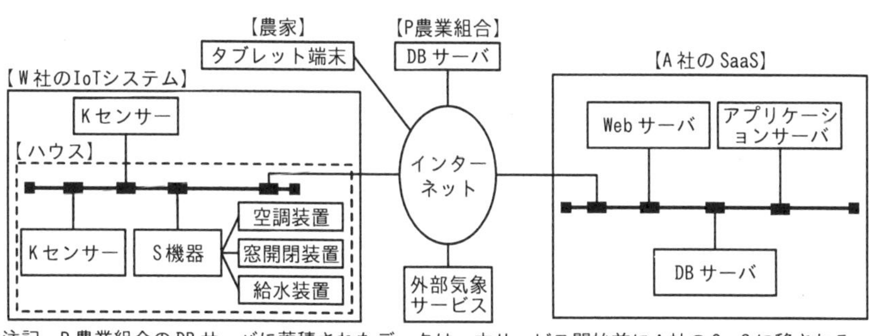

注記　P農業組合のDBサーバに蓄積されたデータは，本サービス開始前にA社のSaaSに移される。

図1　本サービスを導入したシステムの全体の概要

〔概念実証の実施〕

B部長は，<u>①SaaS導入プロジェクトの立ち上げに先立って，概念実証（Proof of Concept 以下，PoCという）を実施することにした</u>。PoCの実施メンバーには，A社からB部長のほかに，導入支援担当としてC氏が選任された。C氏は，IoTシステムとのデータ連携機能の開発経験があり，また様々なデータ分析の手法を熟知していた。

P 農業組合からは，いちご栽培の熟練者である R 氏が選任された。また，P 農業組合から W 社に，IoT システムと A 社の SaaS とのデータ連携に関する支援を依頼した。PoC の実施に当たって，P 農業組合がいちご栽培の独自情報を開示すること，A 社及び W 社が製品の重要情報を開示することから，3 者間で［　a　］を締結した。

PoC では，IoT システムが導入された農家で実際に栽培している環境の一部（以下，PoC 環境という）を使うことにした。A 社と W 社が協力して IoT システムと A 社の SaaS との簡易なデータ連携機能を開発し，P 農業組合内に設置された DB サーバに蓄積された過去の環境データを利用することにした。C 氏が分析パラメータの種類の選定と値の設定を担当し，R 氏が装置への動作指示の妥当性を評価することになった。

PoC は計画どおりに実施された。IoT システムと A 社の SaaS とのデータ連携は確認され，分析パラメータの種類の選定と値の設定に基づく動作指示も妥当であった。一方で，R 氏から，K センサーの種類を増やして糖度，形状，色づきなどの多様なデータを取得し，きめ細かく装置を動作させたいとの意見が出された。これに対して C 氏は，K センサーの種類を増やすとデータ連携機能の開発規模が増え，かつ，分析パラメータの種類の再選定が必要になると指摘した。

B 部長は，PoC によって得られた本サービスの実現性の検証結果に加え，導入コスト，導入スケジュールなどを提案書にまとめた。A 社内で承認を受けた後，B 部長は Q 組合長に A 社の SaaS 導入提案を行って了承され，準委任契約を締結して SaaS 導入プロジェクトが立ち上げられた。

〔SaaS 導入プロジェクトの計画〕

SaaS 導入プロジェクトには，PoC の実施メンバーに引き続き参加してもらい，A 社からの業務委託で W 社も参加することになった。現在の IoT システムに追加する K センサーの種類の選定は R 氏が中心になって進め，IoT システムと A 社の SaaS とのデータ連携機能の開発，及び分析パラメータの種類の選定と値の設定は C 氏がリーダーになって進める。さらに，P 農業組合の青年部からいちご栽培の経験がある 2 名が，利用者であるいちご栽培農家の視点で参加することになった。Q 組合長は，この 2 名に<u>②R 氏及び C 氏と協議しながら分析パラメータの値を設定するよう指示した</u>。

B 部長は，プロジェクトメンバーとともにプロジェクト計画の作成に着手し，プロジェクトのスコープを検討した。SaaS 導入プロジェクトには，二つの作業スコープがある。一つは，K センサーの種類の追加という W 社側の作業スコープである。もう一つは，K センサーの種類の追加に対応したデータ連携機能の開発及び分析パラメータの種類の選定と値の設定という A 社側の作業スコープである。この二つの作業スコープは密接に関連しており，W 社側の作業スコープの変更は A 社側の作業スコープに影響する。B 部長は，まず PoC の実施結果を基に，PoC 環境の規模から実際に栽培している環境の規模に拡張することを当初スコープにした。このスコープでサービスを開発し，開発したサービスをプロジェクトメンバー全員で検証，協議した上で，開発項目の追加候補を決めてスコープを変更する開発アプローチを採用することにした。

B 部長は，この開発アプローチでは適切にスコープをマネジメントしないと③スコープクリープが発生するリスクがあると危惧した。そこで，スコープクリープが発生するリスクへの対応として，[b] 及び [c] のベースラインを基に次のスコープ管理のプロセスを設定した。

(1) 追加候補の開発項目を，スコープとして追加する価値があるか否かをプロジェクトメンバー全員で確認し，追加の可否を判断する。

(2) 追加候補の開発項目を加えたスコープがベースラインに収まれば追加する。

(3) 追加候補の開発項目を加えたスコープがベースラインに収まらず，スコープ内の他の開発項目の優先順位を下げられる場合は，優先順位を下げた開発項目をスコープから外し，追加候補の開発項目をスコープに追加する。

(4) 他の開発項目の優先順位を下げられない場合は，スコープが拡大してしまうので，プロジェクトの品質を確保するため [b] 及び [c] のベースラインの変更をプロジェクトオーナーに報告し，変更可否を判断してもらう。

次に，B 部長は，本サービスは，K センサー，装置，S 機器などの多種多様の IoT 機器，及び A 社の SaaS で実現するシステムであることから，テスト項目数が多くなると予想し，テストで着目する点を明確にして効率よくテストを実施すべきだと考えた。PoC の実施環境，実施状況，及び実施結果を踏まえ，次のとおり着目する点を設定してテストを実施することにした。

(i) 利用規模を想定して，IoT 機器の接続やデータ連携に着目したテスト

(ii) 同一ハウス内で動作する複数の装置の競合に着目したテスト

(iii) 利用場所，利用シーンに着目したテスト

(iv) システムやデータの機密性，完全性，可用性に着目したテスト

本サービスをP農業組合へ導入したことをもってプロジェクトは完了するが，農家はいちごの栽培を続け，収穫によって導入効果を評価する。④B部長は，プロジェクトの完了時点では，プロジェクトの目的の実現に対する真の評価はできないと考えた。そこで，B部長は，A社とP農業組合とで，これについて事前に合意することにした。

設問1 〔概念実証の実施〕について答えよ。

(1) 本文中の下線①について，B部長がSaaS導入プロジェクトの立ち上げに先立ってPoCを実施することにした理由は何か。25字以内で答えよ。

(2) 本文中の［ a ］に入れる適切な字句を，8字以内で答えよ。

設問2 〔SaaS導入プロジェクトの計画〕について答えよ。

(1) 本文中の下線②について，Q組合長は，青年部の2名に本サービス開始後にどのような役割を期待して指示したのか。25字以内で答えよ。

(2) 本文中の下線③について，B部長が危惧したスコープクリープを発生させる要因は何か。35字以内で答えよ。

(3) 本文中の［ b ］，［ c ］に入れる適切な字句を，それぞれ8字以内で答えよ。

(4) 本文中の(ⅰ)～(ⅳ)の各テストで着目する点に1対1で対応する検証内容として解答群のア～エがある。このうち(ⅰ)のテストで着目する点に対応する検証内容として適切なものを，解答群の中から選び，記号で答えよ。

解答群

ア 屋内屋外，温暖寒冷など様々な環境下での動作の検証

イ 最大台数のIoT機器及び装置をつなげた状態での動作の検証

ウ 同一ハウス内の無線を使った同一タイミングでの複数装置の動作の検証

エ 無関係の外部者がシステムにアクセスできないことの検証

(5) 本文中の下線④について，B部長が真の評価はできないと考えた理由は何か。30字以内で答えよ。

問 10　テレワーク環境下のサービスマネジメントに関する次の記述を読んで，設問に答えよ。

E 社は，東京に本社があり，全国に 3 か所の営業所をもつ，従業員約 200 名の保険代理店である。E 社には，保険商品の販売や顧客サポートを行う営業部，入出金処理や伝票処理を行う経理部，情報システムの開発や運用を行う情報システム部などの部署がある。営業部の従業員（以下，営業員という）は，営業先に出向いて業務を行うことが多く，その際の顧客サポートの質の向上が課題となっている。

E 社の従業員には，ノート PC が一人 1 台貸与され，一部の営業員には，ノート PC とは別にタブレット端末が貸与されている。ノート PC やタブレット端末（以下，これらを社内デバイスという）では，本社内に設置しているサーバのアプリケーションソフトウェア（以下，業務アプリという）と，電子メール送受信やスケジュール管理を行うことができるグループウェア（以下，業務アプリとグループウェアを合わせて社内 IT 環境という）の利用が可能である。社内デバイスは，社外から社内 IT 環境へのネットワーク接続は行えない。

E 社の情報システム部には，開発課と運用課がある。開発課は，各部署が利用する社内 IT 環境の企画・開発を行う。運用課は，管理者の F 課長，運用業務の取りまとめを行う G 主任及び数名の運用担当者で構成され，サーバなどの IT 機器の管理だけでなく，次の IT サービスを提供している。

・社内 IT 環境の運用
・従業員からの問合せやインシデントの対応を受け付けるサービスデスク

〔社内 IT 環境とサービスマネジメントの概要〕

現在の社内 IT 環境とサービスマネジメントの概要を次に示す。

・営業員は，社内 IT 環境から営業活動に必要なデータを，社内でタブレット端末にダウンロードし，営業先ではタブレット端末をスタンドアロンで使用している。
・社内デバイスの OS を対象に，セキュリティ修正プログラムを含む OS バージョンのアップデート（以下，OS パッチという）を実施している。
・OS パッチを適用するには，社内デバイスのシステム設定で自動適用と手動適用のいずれか一方を設定する必要がある。現在は手動適用に設定している。

・OS パッチを適用すると，社内デバイスで業務アプリを正常に利用できなくなるおそれがある。そこで，OS パッチの展開管理に責任をもつ運用課は，OS パッチが公開されると，まず，開発課に OS パッチを適用した社内デバイスでテストを行い，業務アプリを正常に利用できることを確認するように依頼する。業務アプリを正常に利用できることを確認後，運用課から，従業員に社内デバイスを操作して OS パッチを手動適用するように依頼する。

・従業員からの問合せやインシデントに対応するために，従業員が使っている社内デバイスの操作が必要な場合がある。サービスデスクは，従業員が社内デバイスを利用している場所が本社のときは対面でサポートを行い，営業所のときは電話でサポートを行っている。ただし，サービスデスクでは，電話でのサポートは時間が掛かるという問題を抱えている。

・サービスデスクだけでインシデントをタイムリーに解決できない場合，開発課への［ a ］を行うことがある。

〔テレワーク環境の構築の計画〕

営業部の課題を解決するため，全ての営業員にタブレット端末を貸与し，社外からインターネットを介して社内 IT 環境に接続可能なテレワーク環境を，開発課が構築し，運用課が運用することになった。なお，テレワーク環境は，当初はタブレット端末だけの利用とするが，社会情勢の変化を受けて在宅勤務などで，ノート PC にも今後利用を拡大する予定である。

テレワーク環境では，サービスデスクは，社外でタブレット端末を使う営業員からの問合せやインシデントに，営業所の場合と同様に，電話によるサポートで対応する。

〔テレワーク環境の運用の準備〕

F 課長は，テレワーク環境の運用の準備に着手した。

テレワーク環境の利用開始直後は，営業員から問合せが多発することやインシデントの発生が想定された。F 課長は，テレワーク環境の利用開始から安定稼働になるまでの間は，開発課による初期サポートが必要と判断し，開発課に依頼して初期サポート窓口を開発課に設けることを計画した。ただし，開発課による初期サポートの実施中は，問合せ先及びインシデントの連絡先を営業員自身が判断し，テレワーク環境については初期サポート窓口に，その他についてはサービスデスクに対応を依頼することとなる。F 課長は，利用開始後のテレワーク環境に関する問合せとインシデントの対応が［ b ］ことを，テレワーク環境の安定稼働の条件と考えた。また，初期サポート窓口の設置は，テレワーク環境の利用開始後から 4 週間を目安とし，テレワーク環境に関する問合せとインシデントの対応が［ b ］ことを初期サポートの終了基準とし，終了基準を満たすまで，初期サポート窓口を継続する。

サービスデスクは本来，機能的に SPOC（Single Point Of Contact）とするのが望ましい。そこで，F 課長は，①SPOC を実現する時期の判断のために，テレワーク環境の問合せ対応に関して，初期サポートが終了するまでに開発課から［ c ］ことも初期サポートの終了基準として設けるべきであると考えた。F 課長は，これらの計画について営業部と開発課に説明して了承を得た。

次に，F 課長は，タブレット端末をもつ営業員が増え，また社外での利用機会が拡大すること，及び今後ノート PC を利用した在宅勤務が予定されていることから，社内デバイスの利用状況の管理を効率的に行う必要があると考えた。そこで，現状の人手による管理に代えて，社内デバイスの利用状況を統合的に管理することができるツール（以下，統合管理ツールという）を導入することにした。F 課長は，G 主任に統合管理ツールの調査を指示し，G 主任は，統合管理ツールの機能と概要を表 1 にまとめた。

表 1　統合管理ツールの機能と概要

項番	機能	概要
1	台帳管理	社内デバイスのハードウェア情報，OS 及び導入しているミドルウェアのバージョン情報を自動取得し，管理することができる。
2	操作ログ管理	社内デバイスへのログイン及びログアウト状況など社内デバイスの利用状況を把握することができる。
3	リモート操作	統合管理ツールから社内デバイスをリモートで操作したり，ロックして使用できないようにしたりすることができる。
4	パッチ適用	配信用サーバを構築することで，社内デバイスの OS に対して，OS パッチを自動的に展開することができる。

G 主任は，調査結果を F 課長に説明した。F 課長は，現在実施している OS パッチの手動適用では，従業員が OS パッチの適用のタイミングをコントロールできてしまう

ことから，OSパッチの適用に不確実さがあることを問題視していた。F課長は，パッチ適用機能を使うことで，展開管理としてOSパッチを確実に適用できると考えた。F課長は，パッチ適用機能の実現には，テスト済みのOSパッチを配信用サーバに登録する手順の追加が必要となることをG主任に指摘し，検討するように指示した。そこで，F課長は，テレワーク環境の利用開始時点では，統合管理ツールのパッチ適用以外の機能を使用し，②現在，サービスデスクで行っているサポートの問題を解決することにした。

〔パッチ適用機能の使用〕

テレワーク環境の構築が完了し，営業員によるテレワーク環境の利用が開始された。初期サポート窓口での対応は，終了基準を満たして，計画どおり4週間で終了した。テレワーク環境はおおむね好評で，営業員のタブレット端末の利用頻度が上がり，タブレット端末による営業活動への効果が向上していた。一方で，以前から，営業部では，運用課からの指示がないにもかかわらずOSパッチを手動適用したり，指示したにもかかわらず手動適用を忘れたりして，社内デバイスで業務アプリを正常に利用できないというインシデントが発生しており，現在も営業活動に影響が出ていた。

この状況を受けて，F課長は，“今後のインシデント発生を防止するという問題管理の視点から有効であるだけでなく，展開管理の視点からも有効である”と考えて，早期に③パッチ適用機能の使用を開始することにし，G主任にその後の検討状況の報告を求めた。G主任は，展開管理の手順の検討結果を報告し，F課長は了承した。また，G主任は，パッチ適用機能を実現するためには，現在，手動適用の運用をしている社内デバイスの設定を変更する準備作業が必要となることを報告した。報告を受けたF課長は，準備が整い次第，パッチ適用機能を使用することを決定した。

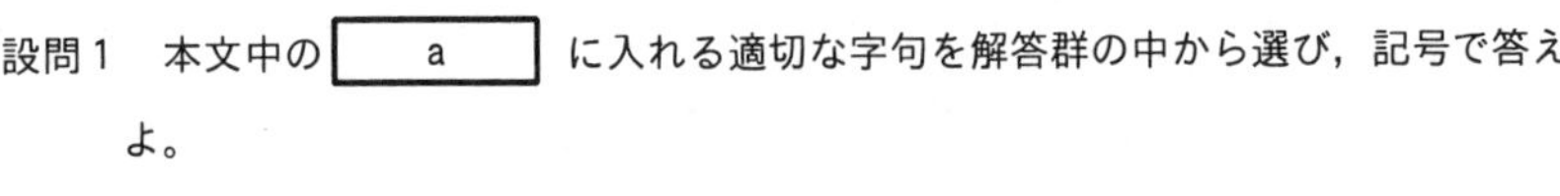

設問1 本文中の［a］に入れる適切な字句を解答群の中から選び，記号で答えよ。

解答群

ア アセスメント　　イ エスカレーション

ウ ガバナンス　　エ コミットメント

設問2 〔テレワーク環境の運用の準備〕について答えよ。

(1) 本文中の [b] に入れる内容を，15字以内で答えよ。

(2) 本文中の下線①とすることのメリットは何か。営業員にとってのメリットを25字以内で答えよ。

(3) 本文中の [c] に入れる内容を，25字以内で答えよ。

(4) 本文中の下線②の問題と解決方法は何か。問題を25字以内で答えよ。解決方法は表1中の機能に対応する項番の数字を答えよ。

設問3 本文中の下線③について，運用課が下線③の対策を採る理由を，展開管理の視点から30字以内で答えよ。

問 11　支払管理システムの監査に関する次の記述を読んで，設問に答えよ。

V 社は大手の製造会社であり，2 年前に 12 年間利用していた自社開発の債務管理システムから業務パッケージを利用した支払管理システムに移行した。そこで，内部監査室は，支払管理システムの運用状況に関するシステム監査を実施することにした。

〔支払管理システム及び関連システムの概要〕

支払管理システム及び関連システムの概要を図 1 に示す。

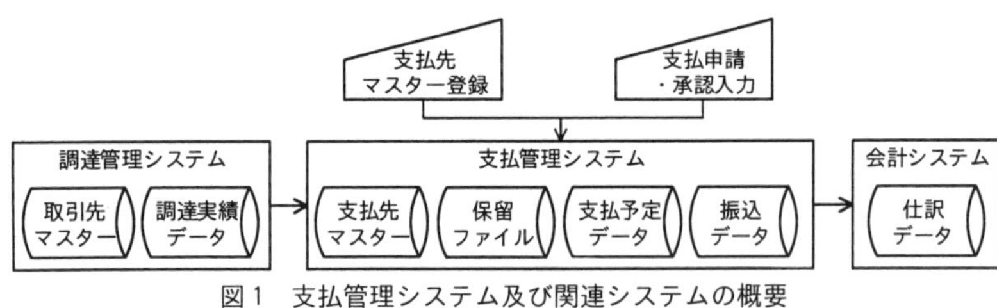

図 1　支払管理システム及び関連システムの概要

(1)　支払管理システムは業務パッケージの標準機能を利用し，約 1 年間で，企画，要件定義，業務パッケージ選定，設計，開発，テスト及びリリースの各段階を経て移行された。V 社では，規程類に適合しない機能を採用する場合は，対応策を含めて，リスク委員会の承認を受ける必要がある。

(2)　会計システムは業務パッケージである。

(3)　調達管理システムは，10 年前に構築した自社開発システムであり，各工場製造部の原料及び外注加工に関する見積依頼・発注・入荷・検収を管理している。検収入力で作成される調達実績データは，半月ごとに支払管理システムへ取り込まれる。

(4)　4 年前に実施された債務管理システムのシステム監査では，規程類に適合した機能が導入され，運用されていると結論付けられ，指摘事項はなかった。

(5)　昨年実施された調達管理システムの監査では，取引先別の調達実績データの合計額が支払管理システムの支払予定データの合計額と一致していないことが発見された。これについて，調達管理システムには問題はなく，支払管理システムの運用状況の詳細な調査が必要と結論付けられ，経理部で調査中とのことである。

〔支払管理システムの運用の概要〕

監査担当者が予備調査で把握した内容は，次のとおりである。

(1) 支払管理システムでは，業務パッケージの標準機能である利用者 ID 情報管理機能及びパスワード管理機能を利用している。承認された利用者 ID 申請書が情報システム部サポート担当に提出され，利用者 ID 情報が登録，変更，削除される。利用者 ID 情報には，利用者 ID，利用者名，部署名，各メニューの利用権限などが含まれ，登録・変更・削除履歴は利用者 ID 更新ログに記録される。業務パッケージのパスワードポリシーの一部には，規程類に適合するようにパスワードポリシーを適用できない箇所があった。

(2) 支払管理システムに関連するプロセスは，次のとおりである。

① 経費精算などは，支払管理システムに支払申請入力を行い，承認者が承認入力を行うことで支払予定データが生成される。支払予定データは修正できないので，支払額を減額したい場合は，減額の支払申請を入力する。

② 支払規程によると，支払金額が一定額を超過する場合には，事業本部長の承認及び担当役員の承認が必要になる。支払管理システムには，一つの申請に対し複数の承認者を設定する機能がないので，承認入力後に承認者から必要な上位者に経理部宛の CC を含む電子メールで承認を受ける手続としている。

③ 支払申請入力では，請求書・領収書などの証ひょう類を承認者に回付せず，申請者が入力後に経理部に送付する。経理部は，支払予定データについて一定額超過の承認メールを含む証ひょう類に不備がないかチェックする。経理部は，証ひょう類に不備のある支払予定データについて，未承認の状態に変更することができ，その場合は，申請者に電子メールで通知される。また，各工場管理部は調達管理システムの調達実績データについて，取引先からの請求書とチェックしている。

④ 調達実績データから支払予定データを生成するには支払先マスターに調達連携用の支払先（以下，調達用支払先という）を登録しておく必要がある。調達用支払先は，調達管理システムに関する支払業務以外では利用しない。

⑤　支払管理システムでは，半月ごとの調達実績データの取込処理によって，支払予定データが生成される。取込処理の実行時にエラーがあった場合は，情報システム部でエラー対応を行う。一方，エラーではないが支払先マスターに調達用支払先が未登録などの場合は，保留ファイルに格納される。経理部は保留ファイルに対し，支払先マスター登録などの対応後に保留ファイルの更新処理を実行する一連の作業を行う。

⑥　原料・外注加工費は半月ごとに支払が行われるので，調達管理システムでの検収入力が遅れ，次回の取込処理となってしまうと支払遅延となる。そこで，支払遅延とならないように工場製造部の申請に基づき，工場管理部は，当該取引先に対応した調達用支払先を利用して追加の支払申請入力を行う。また，次回の取込処理までに重複防止のための減額の支払申請入力が必要となる。

⑦　経理部は，作業が完了した支払予定データに対して振込データ作成画面で対象範囲を指定して，銀行に送信する振込データを作成する。

〔監査手続の作成〕

監査担当者が，予備調査に基づき策定した監査手続案を表１に示す。

表１　監査手続案（抜粋）

項番	監査要点	監査手続
1	利用者 ID は，適切に登録，変更，削除される。	・利用者 ID 申請書が適切に作成，承認され，利用者 ID 申請書の内容と利用者 ID 情報が一致しているか確かめる。
2	利用者 ID のパスワードは，適切に設定される。	・利用者 ID のパスワードポリシーが，V 社のパスワードの規程類に準拠しているか確かめる。
3	支払予定データは，調達実績データによって適切に作成される。	・支払先マスターが正確に登録されるかどうか確かめる。 ・調達実績データの取込処理が漏れなく実行され，エラーが発生した場合は適切に対処されているか確かめる。
4	経費精算などの支払予定データは，適切に承認される。	・支払管理システムの承認権限が適切に付与されているか確かめる。 ・支払申請が未承認で残っていないか確かめる。
5	振込データは，適切に作成される。	・経理部が振込データの作成範囲に漏れがないことをチェックしているかを確かめる。

内部監査室長は，表 1 をレビューし，次のとおり監査担当者に指示した。

(1) 表 1 項番 2 の監査手続は，予備調査の結果を踏まえると不備が発見される可能性が高い。これに対応する追加手続として，[a]段階で[b]が行われていたかどうかについての監査手続を含めるべきである。

(2) 表 1 項番 3 の監査手続だけでは，監査要点を十分に評価できない。[c]に対する作業について評価する監査手続を追加すること。

(3) 表 1 項番 4 の監査手続だけでは，監査要点を十分に評価できない。支払金額が[d]の支払予定データについては，監査手続を追加すること。

(4) 表 1 項番 5 について，支払予定データに対して経理部の[e]が振込データ作成前に完了していることを確かめる監査手続を追加すること。

(5) 昨年度のシステム監査での発見事項については，表 1 の項番[f]で確かめている。その他，差異が発生する可能性のある次の二つの事象に関する監査要点及び監査手続を追加すること。

① 調達管理システムと異なる支払申請入力において，間違って[g]を利用してしまった。

② 支払遅延防止として追加の支払申請入力した後に，[h]を行わなかった。

設問 1 〔監査手続の作成〕の[a]～[d]に入れる適切な字句をそれぞれ 10 字以内で答えよ。

設問 2 〔監査手続の作成〕の[e]について，どのような作業を確かめるべきか，適切な字句を 20 字以内で答えよ。

設問 3 〔監査手続の作成〕の[f]に入れる最も適切な監査要点を表 1 の中から選び，表 1 の項番で答えよ。

設問 4 〔監査手続の作成〕の[g]，[h]に入れる適切な字句をそれぞれ 10 字以内で答えよ。

14.2 解答・解説

問1

テレワークは，厚生労働省では，「情報通信技術（ICT：Information and Communication Technology）を活用した時間や場所を有効に活用できる柔軟な働き方」と定義している。Tele（離れて）とWork（仕事）を組み合わせた造語である。具体的には，拠点となる事務所から離れた場所で，ICTを使って仕事をすることである。テレワークを働く場所という観点から分類すると，自宅で働く**在宅勤務**，本拠地以外の施設で働く**サテライトオフィス勤務**，移動中や出先で働く**モバイル勤務**がある。

境界型防御は，ネットワーク上の外部と社内ネットワークとの境目に壁を作ることで，攻撃をブロックし内部ネットワークの安全性を保つ方式である。これは、外部からのマルウェア侵入やサイバー攻撃を防ぐ情報セキュリティ対策である。

SaaS（サース）（Software as a Service）は，Webブラウザやクライアントを介して，クラウドプラットフォーム上で稼働するWebメールなどのアプリケーションにアクセスして利用するモデルである。ユーザーはクラウドプラットフォームのネットワークやサーバ，OS，ストレージの管理・制御を行えず，特定のアプリケーション設定だけを行うことができる。**サーズ**ということもある。

IDaaS（Identity as a Service）は，社内で利用する種々のサービスのIDやパスワードを一元管理するクラウドサービスである。1つのパスワードで複数サービスの認証を自動化することを可能にするシングルサインオンを実現できる。権限の付与・削除などの管理工数を削減できるため，サービスを利用する社員の負担を軽減できる。

SIEM（Security Information and Event Management）は，種々の機器やソフトウェアの動作状況の記録（ログ）を一元的に蓄積・管理・分析し，保安上の脅威となる事象を検知したら，管理者に通知したり対策を知らせたりする仕組みである。

ゼロデイ攻撃は，ソフトウェアなどのセキュリティホールが発見されてから，その情報公開や対策が講じられる前に，そのセキュリティホールを狙う攻撃のことである。脆弱性発見から日にちを空けない（0日）で攻撃することからこのように呼ばれる。

EDR（Endpoint Detection and Response）は，PCやスマートフォンなどのエンドポイント上の不審な挙動を速やかに検知し，セキュリティ監視者へ通知し，脅威の侵入に素早く対処するためのセキュリティソリューションである。

リモートワイプは，スマートフォンやタブレットなどのモバイル端末に保存されているデータを，インターネットを通じた遠隔操作によって削除する技術である。

標的型メールは，攻撃や機密情報漏えいなどを目的として，特定企業や個人を対象に送りつけられる電子メールのことである。取引先企業や官公庁，知人など，信頼性のある人を偽装し，受信者の興味を引く件名や本文を使用してマルウェアに感染させる攻撃手法である。メールの内容は業務に関連するもので，さらに詳しい内容を知ろうとして添付ファイルを開いたり，Webサイトにアクセスさせることで，マルウェアに感染させたり，個人情報を不正に取得したりする。

■設問１（下線①）

解答
a　イ

境界型防御の意味は，「ルータとFWを利用した」（下線①の直前）から見当がつく。境界型防御の目的は，ルータやFWなどの外部ネットワークと内部ネットワークの接続点に設置する機器で，外部からの侵入を防ぐということである。境界型防御の場合，いったん内部のネットワークに侵入されてしまうと，種々の情報にアクセスできてしまうという欠点がある。

ア　内部犯行なので，外部とは関係ない。
イ　パケットフィルタリングポリシーは，ルータや FW に対して，外部との接続に関するパラメータなどを設定して，パケットを通すか遮断するかを判断するルールである。
ウ　メールの添付ファイルの開封は内部ネットワーク内で行われる行為である。
エ　ルータの脆弱性とはルータ自体のセキュリティホールのことで，外部との接続とは関係ない。

したがって，防御できる攻撃は，“**パケットフィルタリングのポリシーで許可していない通信による，内部ネットワークへの侵入**”（「イ」）が適切である。

■設問２

解答
(1)　ゼロトラスト
(2)　セキュリティパッチ提供の調査及び適用の判断

(1)　いかなる通信も信頼しないという考え方（空欄 a）

「いかなる通信も信頼しないという［ a ］の考え方」を，“**ゼロトラスト**”という。

ゼロトラストは，「トラスト（信頼）がゼロ」ということで，一切を信頼しないという観点でセキュリティ対策を行うことである。基本的な考え方は，セキュリティ対策は信頼せず必ず確認を行うということである。内部ネットワーク内のやり取りだから安心という考え方はしないで，アクセスを常に監視し，リスクや異常を検知したら即座に分析・対応する。

(2) 課題となっている作業（下線②）

課題となっているのは，〔Q社の現状のセキュリティ対策〕の4つの黒丸で示している事項である。これらの事項のうち，SaaS型のクラウドサービスを利用することで対処不要になる事項を指摘する。

「ネットワーク機器及びサーバ機器のEOL（End Of Life）時期が近づいており，機器の更新が必要である」（1つ目の黒丸）については，Q社が自主的に管理すべき事項であり作業が不要とはならない。

「セキュリティパッチが提供されているかの調査及び適用してよいかの判断に時間が掛かることがある」（2つ目の黒丸）については，Q社が現在使用している他社のソフトウェアのバージョンを調査する必要がある。しかし，SaaSを使えば，提供事業者が常に，最新の状態を保っているため，Q社はソフトウェアのバージョンをチェックする必要はない。

「ルータとFWを利用した①境界型防御によるセキュリティ対策では，防御しきれない攻撃がある」（3つ目の黒丸）については，ルータやFWでは防御できないので，機器の交換，機器のバージョンアップなどの対策が必要である。これは，Q社が主体的に行う必要がある。

「セキュリティインシデントの発生を，迅速に検知する仕組みがない」（4つ目の黒丸）については，仕組みを導入する必要があるということである。これは，Q社が主体的に行う必要がある。

以上から，2つ目の黒丸について，25字以内にまとめればよい。したがって，“**セキュリティパッチ提供の調査及び適用の判断**”という主旨で25字以内にまとめる。

■設問3

解答
(1) URLフィルタリング（別解 業務上不要なサイトへの接続禁止）
(2) セキュリティインシデントの発生を迅速に検知するため
(3) ア，ウ

(1) 実現すべきセキュリティ対策（下線③）

「貸与PCからWeb サイトを閲覧する際は，③プロキシを経由する」ということから，プロキシができることを答えればよい。このことについては，「業務上必要なサイトのURL情報を基に，URLフィルタリングを行うソフトウェアをプロキシサーバに導入して，業務上不要なサイトへの接続を禁止している」（〔Q社の現状のセキュリティ対策〕2つ目の黒丸）ということから，URLフィルタリング，業務上不要なサイトへの接続禁止のいずれかの観点でまとめればよい。

したがって，“**URLフィルタリング**”あるいは，“**業務上不要なサイトへの接続禁止**”などの主旨で15字以内にまとめる。

(2) SIEMを導入した目的（下線④）

SIEMは，セキュリティインシデントらしい状況を検出したら，管理者に連絡する仕組みである。

このような観点では，「セキュリティインシデントの発生を，迅速に検知する仕組みがない」（〔Q社の現状のセキュリティ対策に関する課題〕４つ目の黒丸），「セキュリティインシデントの発生を迅速に検知する仕組みを導入する」（〔リモート環境の構築方針〕３つ目の黒丸）が該当する。このためには，セキュリティインシデントの検出が迅速に行えるような仕組みを導入するという主旨でまとめる。

したがって，"**セキュリティインシデントの発生を迅速に検知するため**"という主旨で30字以内にまとめる。

(3) 情報漏えいのリスクを低減する対策（下線⑤）

PC紛失時の情報漏えい対策なので，PCの場所は特定できないというのが前提である。すると，離れた場所（リモート）から，操作できる対策ということになる。このような観点から，解答群の記述を検討する。

ア 「貸与PCのストレージ全体を暗号化する」ことがリモートで可能ならば，データが除かれることを防ぐことができる。

イ 「貸与PCのモニターにのぞき見防止フィルムを貼付する」ことは，リモートではできない。このようにするには，PCのある場所に移動する必要がある。また，のぞき見防止フィルムを貼っておいても，ストレージなどを取り出されると，データを見られてしまう可能性がある。

ウ 「リモートロック及びリモートワイプの機能を導入する」ことによって，PCのロック，データのリモートでの削除が可能となる。

したがって，PC紛失時の情報漏えいのリスクを低減する対策として，"**貸与PCのストレージ全体を暗号化する。**"（「**ア**」），「**リモートロック及びリモートワイプの機能を導入する。**」（「**ウ**」）が適切である。

■設問４

解答
(1) ア (2) b　多要素認証（2要素認証，2段階認証，多段階認証 などでも可）

(1) EDRソフトの動作（下線⑥）

EDRは，PCやスマートフォンなどのエンドポイントの挙動を監視し，不審な動作があれば直ちに適切な対処を行うセキュリティ製品である。エンドポイントに不審な動作が確認されれば，ネットワークから切り離すのが適切である。ネットワークから切り離せば被害は拡大することはないが，現状を可能な限り保つため，不審な動作をするプロセスを停止できればそのようにすることが望ましい。後からの調査のため，そのプロセスを削除してはならない。

したがって，EDRソフトの動作として，“**貸与PCをネットワークから遮断し，不審なプロセスを終了する。**”（「**ア**」）が適切である。

イ 「登録された振る舞いを行うマルウェアの侵入を防御する」ことは，既知のマルウェアへの対策にはなるが，未知のマルウェアに対しては無力である。
ウ 「登録した機密情報の外部へのデータ送信をブロックする」としても，登録していない機密情報があるかもしれない。したがって，情報漏えいの対策にはならない。
エ 「パターン情報に登録されているマルウェアの侵入を防御する」としても，登録していないマルウェアの侵入を防御できない。したがって，未知，あるいは登録していないマルウェアの侵入は防御できない。

(2) ワンタイムパスワードを組み合わせて認証を行うもの（ b ）

「項番4の対策として，知識情報であるIDとパスワードによる認証に加えて，所持情報である従業員のスマートフォンにインストールしたアプリケーションソフトウェアに送信されるワンタイムパスワードを組み合わせて認証を行う」（空欄bの直前）のように，ハードウェアトークンとパスワードを併用させるなど，認証要求元の環境によらず2つの認証方式を併用することによって安全性を高める認証方法を，“**多要素認証**”あるいは，“**2要素認証**”という。この場合，厳密にはIDとパスワードによる認証とワンタイムパスワードの3つの要素による認証なので，多要素認証が正解である。他には，例えば，“秘密の質問”など，3種類以上を組み合わせる多要素認証もある。ただし，多要素認証は2要素認証を含むと考えてよい。

なお，一般に，認証には，知識情報（パスワード，PIN，生年月日，電話番号など），所有情報（ICカード，ハードウェアトークン，スマートフォンなど），生体情報（指紋，虹彩，声紋など）の3つの要素がある。このうち，同じ要素を組み合わせて認証することを**2段階認証**（**多段階認証**）という。例えば，IDで認証を行った後パスワードで認証を行うことである。また，異なる要素を2つ組み合わせて認証を行うことを，**2要素認証**（**多要素認証**）という。例えば，ICカードで認証した後，パスワードで認証することである。本問の場合，IDとパスワードという知識情報に加えて，スマートフォンという所有情報で認証しているので，2要素認証または多要素認証である。

本問の場合，IDとパスワード，ワンタイムパスワードなので，多要素認証であるが，2段階認証，2要素認証，多段階認証でも正解である。

問2

PEST分析は，自社を取り巻く外部環境が，現在あるいは将来的にどのような影響を及ぼすかを把握・予測するためのフレームワークである。Politics（政治），Economy（経済），Society（社会），Technology（技術）の４要素を用いて分析する。外部環境には，自社にとって間接的に影響のある**マクロ環境**，自社の働きかけによって影響を与えることができ、自社の力である程度コントロールが可能な**ミクロ環境**に分類され，PEST分析は自社で制御することが難しいマクロ環境の分析に適している。例えば，事業戦略（経営戦略，海外戦略，マーケティング戦略など）を策定するときに用いる。

ファイブフォース分析は，業界の収益性を決める５つの競争要因から業界の構造分析を行う手法である。その業界がどういう特徴をもっているか，どの程度儲かるか，どの程度投資が掛かりそうかなど，業界の収益構造や競争の主要要因を判断するためのフレームワークである。

ファイブフォース分析の５つの競争要因は，次のとおりである。

・新規参入の脅威
・代替品の脅威
} 外的要因

・買手の交渉力
・売手（供給企業）の交渉力
・競争企業間の敵対関係
} 内的要因

EC（Electronic Commerce：**電子商取引**）は，商品やサービスの販売を店舗や従来型の通信販売で行うのではなく，インターネットなどを介して行う方法である。小規模資本で開業できるとともに，無店舗，少人数経営により，運営コストを低く抑えることができるとともに，顧客別に異なる情報の提供が可能になる。

次は，ECの取引きの概念である。

概念	説明
B to B	Business to Business，企業間取引き
B to C	Business to Consumer，企業と消費者の取引き
B to E	Business to Employee，企業と従業員の取引き
C to B	Consumer to Business，消費者から企業への働きかけ Community to Business，コミュニティからの企業化
C to C	Consumer to Consumer，消費者間の取引き（オークションなど） Community to Community，コミュニティ間の結び付け
G to B	Government to Business，政府と企業の取引き（やり取り）

G to C	Government to Citizen，政府と個人の取引き（やり取り）
G to G	Government to Government，政府内のやり取り
O to O	Online to Offline， オンライン（インターネット）からオフライン（実店舗）へ消費者を誘導

コモディティ化（汎用化）は，商品の品質，機能，形状など，競争における差別化特性がなくなり，顧客から見ると商品に違いを見いだすことができない状態になることである。つまり，どの商品を買っても同じ状態のことである。

定性分析は，数値では表しにくい質的なデータを分析する手法である。主に主観的な要素や感情，意見などを分析する。例えば，インタビューや自由回答式のアンケート，行動観察，クチコミ，SNSなどのデータを扱う。

マーケットイン志向は，市場（顧客）のニーズを戦略の中心に据える考え方である。製品志向や販売志向ではなく，顧客のニーズから出発する考え方である。すなわち，顧客が求める製品やサービスを提供する志向である。

テキストマイニングは，定型化されていない文章の集合からなるテキストデータをフレーズや単語に分解して解析し，有用な情報を抽出する分析手法である。テキストデータには，SNS（XやFacebookなど）の文章，不特定多数からのアンケートの回答，コールセンターに寄せられる意見や質問などが使われる。

3PL（Third Party Logistics）は，倉庫における在庫管理や輸送などの物流業務を自社で行うのではなく，物流の専門的なノウハウを持つ第三者（Third Party）企業に委託する物流形態をいう。これによって，企業は，自社のコア業務に専念できる。

■設問1

解答
(1) a　**労働基準法** 　　b　**価格** 　　c　**代替** (2) d　**ウ** (3) **マクロ的視点** (4) **内部環境分析**

(1) 改正された法律（空欄a～c）

●空欄a

「[a]改正による総労働時間に関する規制の設定」が行われた法律は，**“労働基準法”**である。近年話題になっている“働き方改革”の一環として，労働時間の見直しが行われた。そして，労働時間を規定しているのは，労働基準法である。

●空欄 b

「競争の渦中にあり，減収減益となっている現状において」（問題文中の空欄bの直後）ということから，減収減益の原因を答える。「運送・倉庫保管だけの物流サービスではコモディティ化して，過当競争となりがちであり，［ b ］競争が常に発生していることから脅威は大きい」（表２項番１の脅威の概要）ということから，コモディティ化による競争の渦中ということである。コモディティ化によって商品の差別化ができなくなるので，少しでも安くして競争に勝つ必要がある。したがって，“**価格**”競争が適切である。

●空欄 c

「航空輸送や海上輸送といった手段があるが，現状では車両による陸送に代わるものではなく脅威は小さい」（表２項番３の脅威の概要）ということから，幾つかの輸送の方法はあるが，陸送による方法に脅威はないということである。このように，幾つかの手段があるとき，“**代替**”手段という。

(2) 売手の交渉力の脅威概要（空欄 d）

表２から，売手の交渉力の脅威の概要である。この場合，売手とは「ドライバーの需要に対して供給が減ることから」（問題文中の空欄dの直前）ということから，ドライバーの供給不足となることが予想されるということである。

したがって，ドライバーに関連する記述，“**ドライバーの賃金上昇に伴う調達コスト増加の脅威が大きい**”（「**ウ**」）が適切である。

(3) PEST 分析をファイブフォース分析より先に実施した理由

「環境分析には，自社を取り巻く経営環境のうち，自社以外の要因をマクロ的視点とミクロ的視点で分析する外部環境分析と，自社の経営資源に関する要因を分析し，自社の特徴を洗い出す内部環境分析がある。D部長は，経営企画部のE課長に，外部環境分析から実施するよう指示した」（〔B社の環境分析〕）ということから，PEST分析にはマクロ的視点とミクロ的視点の分析を行うことができ，D部長は外部環境分析から始めるように指示した。一方，ファイブフォース分析は，業界の分析ということで，ミクロ的分析である。

したがって，広範囲ということで“**マクロ的視点**”が適切である。

(4) 競争優位を確立するための分析（下線②）

「E課長は，その分析を実施した結果，B社は，好立地にある営業所と倉庫をもっているにもかかわらず，そのことを生かして，多様化する顧客の要望に応えられていないことが収益悪化の原因であると結論付けた」（下線②の直後）ということから，内部の状況の分析（内部環境分析）ができていないことが分かった。

したがって，“**内部環境分析**”が適切である。なお，内部環境分析という用語は，〔B社の環境分析〕の記述中に使われている。

■設問2

解答
(1) エ
(2) 顧客の事業に関するテキストデータを分析の対象とする。

(1) マーケットイン志向に該当する行動（下線③）

「E課長は，D部長から，運送・倉庫保管だけの物流サービスから，③マーケットイン志向の物流サービスに転換していくことによって，顧客に新たな価値を提供できるのではないかとアドバイスを受けた」（下線③の前後）ということから，マーケットイン志向の意味の見当がつく。マーケットイン志向は，運送・倉庫保管だけではなく，顧客が必要とする物流サービスを提供しようということである。

したがって，顧客ニーズに触れている"**市場調査を行い，顧客ニーズを満たす物流サービスを提供する。**"（「**エ**」）が適切である。

ア　新たな市場ということには，問題文では触れていない。
イ　新たな価値を提供することには触れているが，低価格化に絞っているわけではない。
ウ　優位性をもった技術を活用した物流サービスには，問題文では触れていない。

(2) テキストデータの選別方法（下線④）

「ドライバーからの回答には，顧客の事業に関する未知の情報，B社に対する期待やクレーム，顧客に対する感想，相対する顧客社員への好悪の感情といった顧客の事業に関する情報とそれ以外の種々雑多な情報が混在していた。しかし，これまでは顧客情報として管理されていなかった様々な情報が含まれており，分析することで，顧客の要望を把握することができるのではないかと考えた」（〔顧客情報の定性的分析〕）ということから，顧客の事業に関する情報と雑多な情報が含まれているため，これらの情報を選別して分析の対象とすることが分かる。

したがって，"**顧客の事業に関するテキストデータを分析の対象とする。**"という主旨で35字以内にまとめる。

■設問3

解答
(1) 好立地にある営業所と倉庫
(2) 一括委託することでコア業務に集中したいという要望

(1) B社のもつ経営資源（下線⑤）

「E課長は，その分析を実施した結果，B社は，好立地にある営業所と倉庫をもっているにもかかわらず，そのことを生かして，多様化する顧客の要望に応えられていないことが収益悪化の原因であると結論付けた」（下線②の直後）ということから，B社の経営資源は，好立地にある営業所と倉庫であることが分かる。

したがって，“**好立地にある営業所と倉庫**”という主旨で，15字以内にまとめる。

(2) 満たすことのできる要望（下線⑥）

E課長の事業化案は，「E課長は，R社との業務提携による3PLサービスの事業化案についてD部長に報告した」（下線⑥の直前）ということから，R社との提携による3PLサービスである。

また，3PLに関して，「E課長は，運送，倉庫保管といった従来の業務に加え，検品やタグ付け，箱詰めといった作業を行う流通加工業務を一括で受託して顧客に新たな価値を提供する3PL（3rd Party Logistics）サービスが有効ではないかと考え，D部長に提案した」（〔顧客への新たな価値の提供〕）ということで，顧客に対して物流に関わる作業を一括して受注し，それを一括してR社に委託するのが適切と考えた。

そこで，テキストマイニングによる分析の結果，「E課長は，選別したテキストデータの分析の結果，顧客の事業に関するキーワードとして，“コア業務”，“一括委託”といった単語が頻出しており，“コア業務”は“集中”との単語間の結びつきの強さがあり，複数の単語が同一文章中に共に出現することを意味する共起関係が強く表れていた。」（〔顧客情報の定性的分析〕）ということから，顧客は，物流関係の業務を一括委託し，コア業務に集中したいと考えた。

したがって，“**一括委託することでコア業務に集中したいという要望**”という主旨で，30字以内にまとめる。

問3

ダイクストラ法では，出発点（V_1）からある頂点までの最短距離が決まるごとに，その頂点に隣接する頂点までの出発点からの最短距離を計算し直す。このため，中間結果を保持しながら最短距離を決めていく。

以下，ダイクストラ法の手順を説明しながら，各頂点までの最短距離を求める。

(1) 始点V1に隣接しているノード（V2，V3）までの距離を比較する。V2までの距離の方が短いので，V1→V2の経路の最短距離が確定する。↓が更新起点ノード，↑が最短距離が確定したノードである。また，ノードの近傍の数値は，始点ノードV1からの確定した距離である。これは，表1の「**1回目**」に該当する。

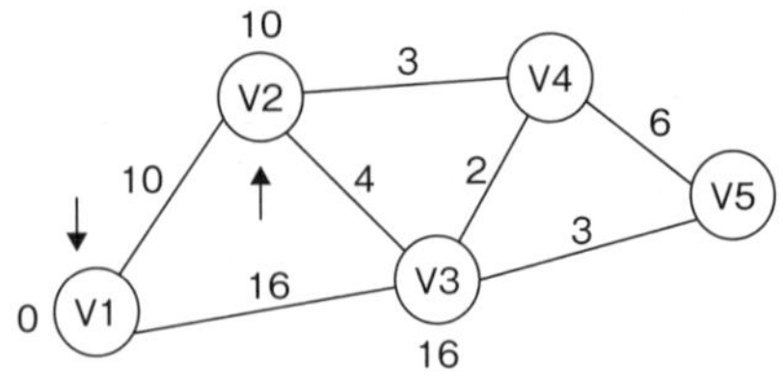

(2) 確定した変更起点ノードV2に隣接しているノード（V3，V4）までの距離を比較する。V4までの距離の方が短いので，V2→V4の経路が確定する。この結果，V1→V2→V4の距離は＜13＞となる。また，V1→V3の距離は＜16＞，V1→V2→V3の距離は＜14＞なので，V3まではV1→V2→V3の方が短く，V3までの最短距離＜16＞は＜14＞に確定する。これは，表1の「**2回目**」に該当する。

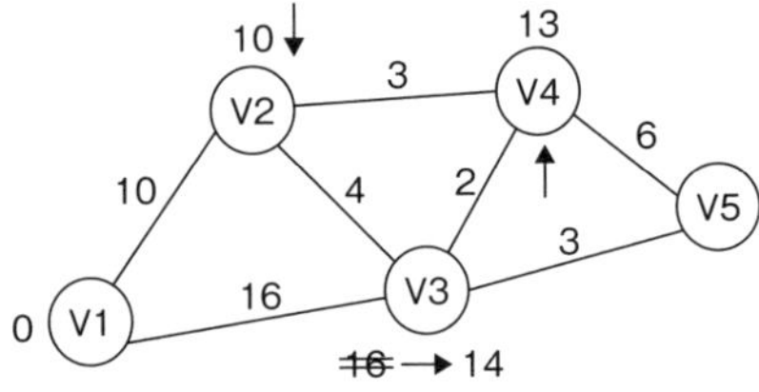

(3) 確定した変更起点ノードV4に隣接しているノード（V3，V5）までの距離を比較する。V3までの距離の方が短いので，V4→V3の経路が確定する。V1→V2→V4→V3の距離は＜15＞となる。一方，すでに求められたV1→V2→V3の距離は＜14＞なので，V1からの距離は＜14＞のままである。ただし，次の更新起点ノードはV3である。これは，表1の「**3回目**」に該当する。

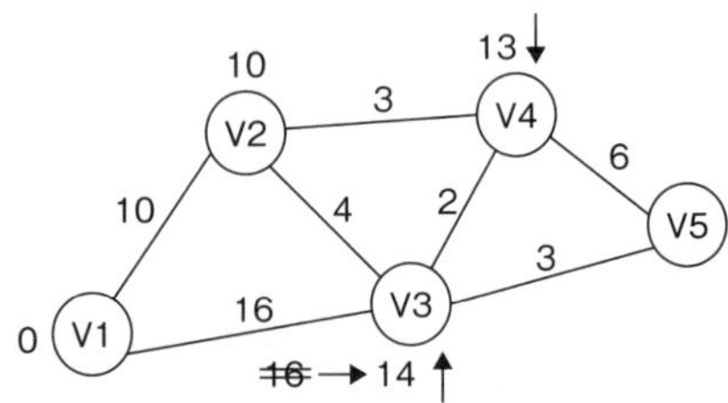

(4) 確定した変更起点ノードV3に隣接しているノード（V5）までの距離は＜17＞である。隣接するノードはV2もあるが，これは，すでに確定している。これで，全てのノードまでの距離が確定する。これは，表1の「**4回目**」に該当する。

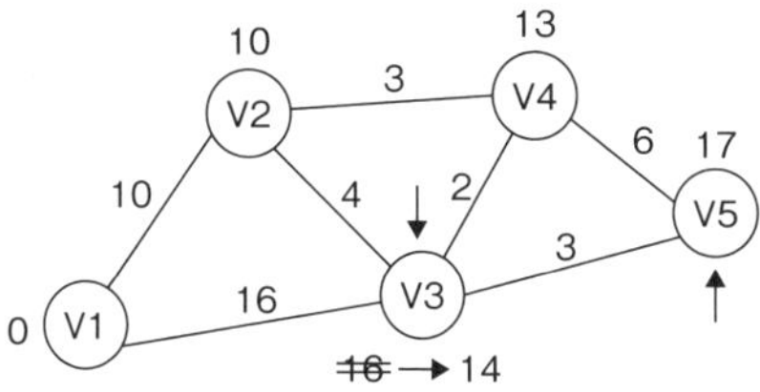

(5) 確定した変更起点コードはV5までの距離が確定すると，最短距離が確定していないノードはなくなる。これは，表1の「**5回目**」に該当する。

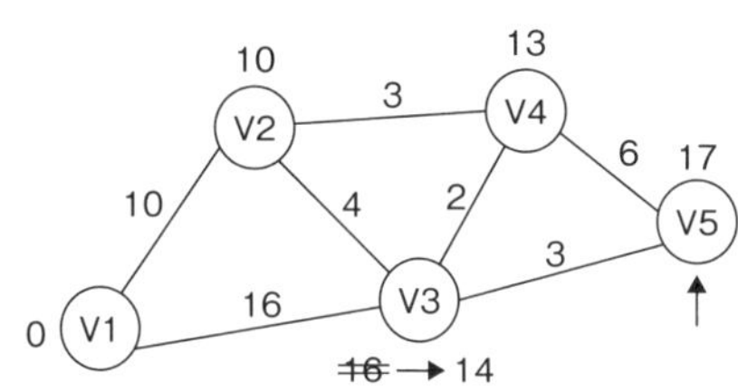

(6) 以上の結果，各ノードまでの経路と距離は次のようになる。

V1：V1　距離＝0

V2：V1 → V2　距離 10

V3：V1 → V2 →V3　距離 14

V4：V1 → V2 → V4　距離 13

V5：V1 → V2 → V3 → V5　距離 17

■設問1（空欄ア）

解答
ア　17

前述したように，V5までの最短距離は，"**17**"である。

■設問2

解答
イ　dist[k] が minDist より小さい（別解 minDist が dist[k] より大きい）
ウ　dist[k]
エ　edge[curNode, k] ＋ dist[curNode]

イ　14行目から19行目の処理は，〔始点から終点までの最短距離を求める手順〕の①の処理である。15行目の「done[k]が0」は「最短距離が確定していないノード」の条件なので，空欄イは「始点ノード距離が最小のノード」の条件が入る。

　更新起点ノードからの最小距離はminDistに格納されているので，これを更新するには始点ノードからの距離が格納されているdist[k]（kはノードの番号）との比較が必要で，minDistとdist[k]の小さい方が新しいminDistとなる。

　したがって，“dist[k]＜minDist”であればminDistを更新する。そこで，プログラムの記述に合わせて，**“dist[k]がminDistより小さい”**，**“minDistがdist[k]より大きい”**などが入る。

ウ　空欄イの条件が成立すると，minDistにdist[k]を代入する。したがって，minDist←**“dist[k]”**が入る。

エ　24～28行のfor文は，〔始点から終点までの最短距離を求める手順〕の③の処理である。「①で選択した<u>更新起点ノードに隣接しており，かつ，最短距離が確定していない全てのノードについて，更新起点ノードを経由した場合の始点ノード距離を計算</u>する。ここで<u>計算した始点ノード距離が，そのノードの現在までの始点ノード距離よりも小さい場合には，そのノードの現在までの始点ノード距離を更新</u>する」（〔始点から終点までの最短距離を求める手順〕③）という記述から，更新起点ノードに隣接するノードのうち，最短距離のノードを見つける処理である。

　始点ノードから更新起点ノードまでの最短距離は dist[curNode]に格納されており，更新起点ノードから隣接ノードまでの距離はedge[]に格納されている。そして，現在のノードcurNodeと隣接ノードk間の距離は，edge[curNode, k]に格納されている。

　したがって，更新起点ノードから隣接ノードまでの距離は（edge[curNode,k]＋dist[curNode]）である。この値がdist[k]より小さくかつ未チェック（done[k]が0）であれば，dist[k]をedge[curNode, k]＋dist[curNode]と入れ替えればよいので，**“dist[curNode]＋edge [curNode, k]”**が入る。

■設問3

解答
(1) 代入文 viaNode[k] ← curNode 　　オ　25 (2) カ　ア

(1) 配列 viaNode と変数 j を挿入する位置と代入文の挿入位置（下線①と空欄オ）

　最短経路を出力できるようにするには，経由したノードの番号をviaNode[]に順に格納すればよい。各ノードの始点ノード距離を決定するのは，行番号25である。このため，行番号25の処理が行われた後，最短経路が決定したノードの番号をviaNode[]に格納する。このときの挿入するノードの位置はk，格納するノード位置はcurNodeである。

したがって，挿入する代入文の位置は“25”の直後，代入文は“viaNode[k]←curNode”である。

(2) viaNodeのたどり方（空欄カ）

「このプログラムの変更によって，終点のノード番号を起点として［ カ ］たどることで，最短経路のノード番号を逆順に出力する」ということから，最短経路のノード番号が逆順に取り出される。

したがって，“**viaNodeに格納してあるノード番号を**”（「ア」）が適切である。

■設問4

解答
(1) キ　更新起点ノード
(2) ク　N^2

(1) 関数distance（）において始点ノードを計算する回数（空欄キ）

関数distanceにおいて，始点ノード距離を計算するために，最大で，ノード1からノードNまで計算する必要がある。さらに，選択されたノードから隣接ノードを選択する処理に最大で（N－1）回の処理が必要である。

したがって，始点ノード距離を決定するために，“**更新起点ノード**”から各ノードの距離を計算するためにN回の繰返しが行われる。

(2) 関数distance（）の計算量（空欄ク）

（1）で説明したように，最大N回の繰返しが最大（N－1）回，行われる。したがって，計算量はN（N－1）＝N^2－Nであるが，N^2≫Nなので，O（“N^2”）が入る。

問4

CRM（Customer Relationship Management：**顧客関係管理**）は，顧客と接する機会のある全ての部門で顧客情報と接触履歴を共有・管理し，どのような問合せがあっても常に最適な対応ができるようにしようという概念である。情報システム，電話，FAX（ファックス），Web（ウェブ），電子メールなど全てのチャネルを統合して顧客との関係（リレーション）を深め，顧客個々に合わせたサービスを提供することで顧客の拡大を図ることを目的とする。

静的ファイルは，HTMLファイルや画像ファイルなど，クライアントからの要求に対する応答に使用するファイルのうち，リクエスト内容に影響されないで常に同じ内容になるファイルをいう。一方，サーブレットやJSP（Java Server Pages）のように，Webサーバ上で動作するプログラムなど，クライアントからの要求に応じて動的に生成されるファイルを**動的ファイル**という。

JSON（ジェイソン）（JavaScript Object Notation）は，JavaScript（ジャバスクリプト）内でのオブジェクトの表記法を応用したデータ形式である。構文はJavaScriptにおけるオブジェクトの表記法をベースにしているが，JavaScript専用のデータ形式ではなく，種々のソフトウェアやプログラム言語間におけるデータの受け渡しに使えるようになっている。

レンダリングは，数値データとして与えられた物体や図形に関する情報を計算によって画像化（表示）することである。コンピュータのプログラムを用いて画像・映像・音声などを生成する。元となる情報には，物体の形状，物体をとらえる視点，物体表面の質感（テクスチャマッピングに関する情報），光源，シェーディングなどがある。

BMP（BitMaP）は，Windowsで標準的に使用されるビットマップデータの形式で，拡張子がbmpとなっているファイルである。データを圧縮しないか，ごく簡単な方法でしか圧縮しないため，ファイルサイズは非圧縮の場合とそれほど変わらない。BMPはWindowsでは標準的に提供されているが，国際規格ではない。

TIFF（Tagged Image File Format）は，高密度ビットマップ画像を保存するためのファイル形式である。種々の解像度に対応でき，単純な白黒2値画像のほか，グレースケール画像，カラー画像も扱うことができる。画像データの先頭部に，タグと呼ばれる属性情報が用意されており，ここにファイルがどんな形式で記録されているかを記録する。このため，記録形式の自由度が高くなる。

PNG（Portable Network Graphics）は，主にWebページで扱うことを前提に開発された画像ファイル形式である。16ビットまでのグレースケール，48ビットまでのRGBカラー，8ビットまでのインデックスカラーの表示がそれぞれ可能で，ピクセルごとに透明度を指定できる**アルファチャンネル**をサポートしている。GIFに比べてファイルの圧縮率が高いにもかかわらず，画質が劣化しない。PNGファイルの拡張子は，".png" である。

SVG（Scalable Vector Graphics）は，ベクタ画像を記述するためのマークアップ言語で，解像度にかかわらず，高品質な表示が可能である。データ形式はXMLをもとにしており，すべてテキストデータで記述する。**ベクタ画像**（**ベクトル画像**，**ベクタグラフィックス**）は，線を用いて図形を描画・管理する画像である。点の集まりで描画する**ビットマップ画像**とは異なり，図形の拡大や縮小などを行っても画像が劣化しない。

■設問1（下線①）

解答
イ，エ

静的ファイルの最適化は，「表示速度を向上させるために」（下線①の直前）行うことから，容量の削減ができるとよい。このためには，圧縮，キャッシュの設定，ファイルの結合などが考えられる。

ア　静的ファイルは常に同じ状態になる。このことと，データが，パイプライン処理に適しているかどうかということとは関係がない。

イ　余分な処理を削減できるので，処理時間の減少を図ることができる。

ウ　一般に，BMPやTIFFはWebでは使用しない。

エ　一般に，PNGやSVGは圧縮がサポートされている。このため，ファイルサイズの圧縮を図ることができる。

オ　バイトコード（文字コード）に変換して圧縮しても，Webサーバ上でのことであり，ブラウザの動作には影響を与えない。

以上から，①に該当するものは，“**HTML，CSS，スクリプトなどのコードに含まれる，余分な改行やコメントを削除する。**”（「イ」），“**画像を，PNGやSVGなどの画像フォーマットにする。**”（「エ」）である。

■設問2

解答
(1)　ウ
(2)　日誌の繰返しデータ

(1)　スマートフォンのCPUの負荷が大きくなる要因（下線②）

表1のNo.3の所要時間が1,200ミリ秒と他の処理時間より，圧倒的に大きい。この処理は，「Webブラウザ内で日誌のデータを日付の降順にソートして，画面に表示する最大件数である4件目までを抽出する」（表1項番3の処理概要）ことから，“**スマートフォンのメモリ上で日誌のデータを加工する処理**”（「**ウ**」）が適切である。

(2)　図3中のαとβの“〔”及び“〕”で囲まれたデータが表現するもの

αからβの〔〕で囲まれたデータは，日付（“date”），セールスパーソン（“salesperson”），セールスプロセス（“salesprocess”），ダイアリー（“diary”）が2回繰り返されている。これは，日誌のデータの繰返し，すなわち，配列と考えられる。

したがって，“**日誌の繰返しデータ**”という主旨で，15字以内にまとめる。

■設問3

解答
・　応答データの加工処理をサーバ側で行うから
・　応答データの転送量が削減されるから

「リクエストのあった応答データのうち，Web ブラウザに描画するデータだけを返すWeb APIを開発して，スマートフォンのWebブラウザからそのWeb APIを利用する方式」（〔Webアプリの見

直し〕②）から，方式②では，Webブラウザに描画するデータだけを返すので，データ量が削減される。データ量が削減されれば，それだけ処理時間が短縮される。また，データ量が削減されれば，データ加工処理が減り，加工時間が短縮される。したがって，**“応答データの加工処理をサーバ側で行うから”**，**“応答データの転送量が削減されるから”**という主旨で，それぞれ 30 字以内にまとめる。

■設問4

解答
a　200 b　550

●空欄a

「表1中のNo.2の所要時間について考える。方式②のWeb APIからの応答データのサイズは，図3のデータのサイズの4分の1になり，サーバ側でのデータ転送には時間を要しないものと仮定すると，No.2の所要時間は［　a　］ミリ秒となる」，「Webブラウザが Web APIにリクエストして，図3の応答データを全て受信する」（表1No2の処理概要）ということから，所要時間はデータ量に比例すると判断できる。さらに，データのサイズが4分の1になるということから，所要時間が4分の1となる。

したがって，現在の所要時間は表1のNo2の所要時間が800ミリ秒なので，データ量削減後の所要時間は4分の1，すなわち，**“200”**ミリ秒となる。

●空欄b

この場合もデータ量は4分の1になるので，処理時間も4分の1になる。したがって，処理時間は次のように向上する。

新しい処理時間＝（1200 ＋ 300 ＋ 200 ＋ 500）÷ 4
＝ 2200 ÷ 4
＝ **550**（ミリ秒）

■設問5（下線③）

解答
Web APIを介してCRMシステム以外の社内システムにも連携する拡張性

「図1のAPとは別に，スマートフォンやノートPCから呼び出されるWeb APIのためのAPを，新たに追加する構成にした」（下線③の直後），「将来的に，CRMシステム以外の社内システムとも連携できるように拡張性をもたせる」（〔Webアプリの改修方針〕3つ目の黒丸）から，将来的には

CRMシステム以外にも連携できる拡張性を持たせようとした意図が分かる。

したがって，“**Web APIを介してCRMシステム以外の社内システムにも連携する拡張性**”という主旨で，40字以内まとめる。

問5

クラウドサービスは，コンピュータの利用者に対して，ハードウェアやソフトウェア，データなどをネットワーク経由で提供するサービスである。利用者が最低限の環境（パソコンや携帯情報端末などのクライアント，その上で動作するブラウザ，インターネット接続環境など）を用意することで，どの端末からでも，種々のサービスを利用することができる。従来，利用者はハードウェア，ソフトウェア，データなどを，自身で保有・管理し利用していた。しかしクラウドサービスを利用することで，これまで機材の購入やシステムの構築，管理などに掛かった手間や時間が削減でき，さらに，業務の効率化やコストダウンを図ることができる。

IoT（Internet of Things：モノのインターネット）は，コンピュータなどの情報・通信機器だけでなく，世の中に存在する様々な物体（モノ）に通信機能をもたせ，インターネットに接続したり相互に通信することにより，自動認識や自動制御，遠隔計測などを行うことである。大型の機械などにセンサーと通信機能を内蔵して稼働状況や故障箇所，交換が必要な部品などを製造元がリアルタイムに把握できるシステムや，自動車の位置情報をリアルタイムに集約して渋滞情報を配信するシステム，人間の検針員に代わって電力メータが電力会社と通信して電力使用量を申告するスマートメータなどが考案されている。ここでいう**モノ**は，スマートフォンのようにIPアドレスをもつものや，IPアドレスをもつセンサーから検知可能なRFID（Radio Frequency IDentification）タグを付けた商品，IPアドレスをもった機器に格納されたコンテンツのことである。

LPWA（Low Power Wide Area：省電力広域ネットワーク）は，低電力で長距離かつ広範囲の通信を可能とする技術の総称である。LoRa（ローラー），SIGFOX（シグフォックス），NB-IoTなどの通信規格があり，低電力で，数キロ～数十キロの広い範囲で通信が可能である。また，通信速度は100bps～数十kbps程度とWiMAXやWi-Fiなどの無線通信技術と比較すると遅いが、電池だけで年単位の長期間の稼働が可能で，コストが低いなどの特徴があり，IoTの分野で使われることが多い。

SSH（Secure SHell）は，主にUNIXで使われるリモートログインやリモートファイルコピーのセキュリティを強化したプログラムである。同じような機能にTelnetがあるが，Telnetは平文で通信するのに対して，SSHでは通信データを共通鍵暗号方式により暗号化して通信を行う。また，共通鍵は公開鍵暗号方式で暗号化して送る。POP3やFTPなどネットワーク上に平文のパスワードが流れてしまう既存のプロトコルを安全に利用する技術として利用されている。

HTTP（HyperText Transfer Protocol）は，Webサーバとブラウザ間でHTML文書を送受信するためのプロトコルである。**HTTPS**（HyperText Transfer Protocol Security）は，HTTPにSSLによるデータの暗号化機能を付加したプロトコルである。Webサーバとブラウザの間の通信を暗号化し，プライバシに関わる情報やクレジットカード番号などを安全にやり取りすることができる。また，**SSL**（Secure Sockets Layer）は，ブラウザとWebサーバ間のデータ転送を安全に行うことを目的としたセキュリティプロトコルである。公開鍵暗号方式と共通鍵暗号方式を組み合わせて，認証と暗号化の機能を実現している。ブラウザとWebサーバの両方に装備されていないと機能しないが，現在，主要なブラウザやWebサーバソフトウェアに標準的に組み込まれている。SSL/TLSと表記されることもある。

ステートフルインパケットスペクション（ステートフルインスペクション）機能は，ファイアウォールを通過するパケットのデータを判断してポートの開閉を動的に行う機能である。通常のパケットフィルタリング機能で，正常に送信されたパケットを正しく処理することはできても，特定のサーバを攻撃するための不正なパケットを処理できないことがあるが，ステートフルインスペクション機能では，不正パケットを判断することが可能である。例えば，TCPパケットには直前のパケットが正常に受信されたとき，ACK信号が付けられることがある。一般的なパケットフィルタリング機能では，ACK信号が付いたパケットは，WAN側からのものであっても通過させているが，不正アクセスの手段として，パケットを受け取っていないのにACK信号をパケットに付加し，パケットフィルタリング機能を無効化しようとすることができる。ステートフルインスペクション機能は，LAN側から送信したデータのログを記録しておき，WAN側から到着したパケットがログの内容と矛盾していないかどうかを確認する。WAN側から送信されてきたパケットとログの内容が矛盾する場合は，不正パケットと判断しそのパケットを遮断する。

サーバの処理能力を負荷状況に応じて調整する方法に，スケールイン，スケールアウト，スケールアップ，スケールダウンがある。

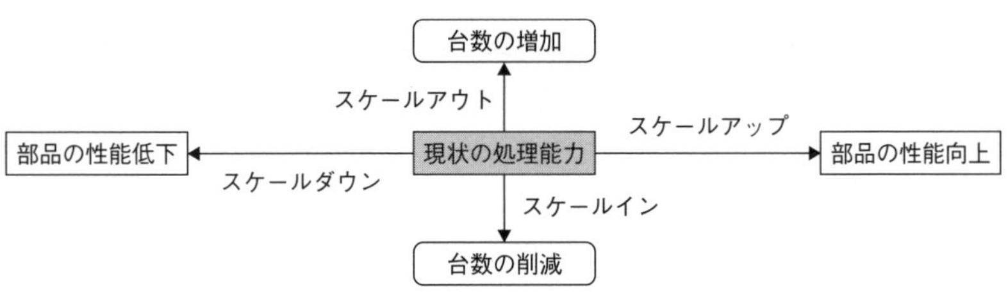

スケールアウトはサーバの台数を増やすことで，システムの性能を向上させること，**スケールイン**は，サーバの台数を減らすことでリソースの最適化を図る。コスト削減や必要な機能の適正化を目的として実施する。

一方，**スケールダウン**はサーバの台数を減らさないでサーバ自体の性能を下げることでシステムの性能を低減させること，**スケールアップ**は，サーバの台数を増やさないでサーバ自体の性能を向上させることでシステムの性能を向上させることである。

■設問１

解答
(1) 300
(2) MQTT

(1) １時間当たりの最大気象データ量（下線①）

「IoT機器は全国に10,000台設置する計画であり，通信事業者のLPWA（Low Power Wide Area）サービスを用いて各IoT機器から１件当たり最大500バイトの気象データを，１分ごとにデータ収集用サーバに送信する設計とした」（〔データ収集API に用いる通信プロトコルの検討〕下線①の前後）から，機器は10,000台，１件当たり500バイト，１分ごとに１件送信するので，データ量は次のようになる。なお，１時間は60分である。

データ量＝ 10,000台×500バイト×60分
＝ 300,000,000 バイト
→ 300M バイト

(2) 通信プロトコル名（下線②）

「TCP上でHTTPよりプロトコルヘッダサイズが小さく，多対１通信に対応するプロトコル」（下線②）は，“MQTT”（Message Queuing Telemetry Transport）である。似たような通信規格にCoAP（Constrained Application Protocol）もあるが，CoAPは，UDP上で動作する。また，CoAPは軽量なM2M（Machine to Machine）プロトコルとして設計されており、多対１の通信には対応しない。

■設問２

解答	
(1) a	200.a.b.13
b	200.c.d.101
c	TCP/443
(2) 4，7	

(1) 表２の完成（空欄ａ～空欄ｃ）

TCP/443はHTTPS，TCP/22はSSHである。

●空欄ａ

項番１，２について，「IoT機器からデータ収集用サーバへのアクセスや情報提供先アプリから情報提供用サーバへのアクセスに対しては，通信プロトコルの制限を行うが，インターネットの接続元IPアドレスによる制限は行わない」（〔FWの許可ルールの設計〕１つ目の・）から，送信元はIoT機器で

ありanyとなっている。一方，宛先の200.a.b.11はデータ収集用サーバなので，ここは，情報提供用サーバのIPアドレスが入る。データ分析用サーバについては，「データ収集用サーバのデータベースに蓄積した気象データを定期的に処理して気象情報を作成し，情報提供用サーバに保存する」（表1データ分析機能の機能の概要）から分かるように，外部との通信はない。

したがって，情報提供用サーバのIPアドレス“**200.a.b.13**”が入る。

●空欄b

「L社の保守用PCから各サーバへのアクセスに対しては，各サーバにログインして更新プログラムの適用などの保守作業を行うために，SSHだけを許可する」（〔FWの許可ルールの設計〕2つ目の・）から，送信元にはL社の保守用PCのIPアドレスが入る。

したがって，“**200.c.d.101**”が入る。

●空欄c

「各サーバからインターネットへのアクセスに対しては，ソフトウェアベンダーのWebサイトから更新プログラムをダウンロードするために，任意のWebサイトへのHTTPS だけを許可する」（〔FWの許可ルールの設計〕3つ目の・）から，HTTPSのポート番号が入る。

したがって，“**TCP/443**”が入る。

(2) 許可されるルール

「L社の保守用PCを用いてデータ分析用サーバのOSやミドルウェアなどの更新ファイルをインターネットから取得して適用する場合，表2のどのルールによって許可されるか」（設問文）から，次のアクセスが発生する。() 内は，IPアドレスである。

① L社の保守用PC（200.c.d.101）からデータ分析用サーバ（200.a.b.12）にアクセス→項番4 ② データ分析用サーバ（200.a.b.12）からインターネット（any）にアクセス→項番7

したがって，“**4，7**”が適切である。

■設問3

解答
(1) d　FW (2) e　ウ 　　f　ア (3) エ

(1) データ収集機能の通信と情報提供機能の通信の両方が経由する機器（空欄d）

「特に［　d　］については，データ収集機能の通信と情報提供機能の通信の両方が経由することから」という記述から，図1では“**FW**”が該当する。

(2) 性能を表す指標（空欄e，f）

●空欄e

「単位時間内に処理できる通信の量を表す［ e ］と」は，“**スループット**”（「**ウ**」）である。

●空欄f

「同時に処理できる接続元の数を表す［ f ］が」は，“**コネクション数**”（「**ア**」）という。

その他の解答群の用語の意味は，次のとおりである。

イ　**スケーラビリティ**は，利用者や仕事の増大に適応できる能力・度合いのことである。スケールアウトやスケールアップ等で対応する。

エ　FWのようにパケットの通信制御を行う機器に設定するルールの数である。本問では，表2がルールで，項番がルール数である。ルール数が多いほど，きめ細かな制御ができる。

オ　**プロビジョニング**は，本来，準備，提供，設備などの意味であり，現在は，ネットワーク設備やシステムリソースなどを事前に用意しておき，ユーザーの要求に応じてそれらを迅速に割り当ててサービスを提供することを指す。プロビジョニングを適切に行えば，システム運用の効率が向上する。

カ　**ポート数**は，ネットワークデバイスがもつ接続ポートの数である。ポート数が多ければ，それだけ多くのデバイスを接続することができる。

(3) 新システムに追加する機能（下線③）

解答群の各用語の意味は，次のとおりである。

ア　**IDS**（Intrusion Detection System：**侵入検知システム**）は，ネットワークやネットワークに接続されているコンピュータの状況を常時監視し，不正アクセスが発生したと思われる時点でアクセスを遮断するようにファイアウォールに指示したり，管理者に警告をしたりするシステムである。ファイアウォールと組み合わせた使用が一般的となっている。IDSには，ネットワーク型IDSとホスト型IDSがある。

ネットワーク型IDS（Network Intrusion Detection System：**NIDS**，**ネットワーク型侵入検知システム**）は，ネットワーク上のパケットを監視し，不正と思われるパケットやトラフィックがあった場合，それを管理者に伝える。**ホスト型IDS**（Host Intrusion Detection System：**HIDS**，**ホスト型侵入検知システム**）は，そのホスト（ネットワークに接続されているコンピュータ）に到達したパケットをそのホストが検証するシステムである。通常，ホスト型IDSでは不正と判断したパケットはそのまま破棄する。ホストごとに導入する必要があり，不正侵入防止の観点からはNIDSより確実であるが，運用コストが掛かる。

イ　**NAS**（Network Attached Storage）は，ネットワークに直接接続して使用するファイルサーバである。ネットワークに接続しているコンピュータからはファイルサーバに見える。

ウ　**WAF**（Web Application Firewall）は，Webアプリケーションのやり取りを管理することで不正侵入を防御するファイアウォールである。一般的なファイヤーウォールがネットワーク層で管理するのに対して，WAFはアプリケーション層で管理を行う。プログラムに渡される入力内容などを直接検査することによって，不正とみなされたアクセス要求を遮断する。ブラウザとWebサーバを仲介し，ブラウザとの直接的なやり取りをWAFが受けもつ。

エ　**ロードバランサー**は，並列に運用されている機器間での負荷がなるべく均等になるように処理を分散して割り当てる装置である。例えば，ネットワーク上で余力のあるサーバに接続要求を回送することである。

「③スケールアウトによってシステムの処理性能を高めるために必要な機能を新システムで利用することにした」ということから，スケールアウト，すなわち，サーバの台数を増やすことでシステムの性能を高めることにした。スケールアウトは，サーバの台数を増やすことなので，各サーバの処理のバランスを取るための機器が必要となる。

したがって，“**ロードバランサー**”（「**エ**」）が適切である。

問6

SaaS（Software as a Service）は，ソフトウェアが提供する機能のうち，利用者が必要とするものだけを利用できるようにしたソフトウェアサービスである。利用者は，必要な機能のみを必要なときに利用でき，利用する機能に応じて料金を支払う。

UNIONは，2つのSELECT の結果を合併する。一般形式は，次のとおりである。

```
SELECT 文
UNION (ALL)
SELECT 文
```

合併は，2つのものを合わせることである。すなわち，2つの表の照会結果を合わせる操作で，同じ系列のもので，同じ属性（データ型）のもの同士を上下の縦方向につなげる。さらにUNIONでは値が重複している場合は1行だけが抽出され，整列が行われる。ただし，ALLを指定すると整列も重複値の除去も行われない。

SQLインジェクションは，アプリケーションのセキュリティ上の不備を意図的に利用し，アプリケーションが想定しないSQL文を実行させることにより，データベースシステムを不正に操作する攻撃方法，あるいは，その攻撃を可能とする脆弱性である。

■設問 1

解答
(1) a →
(2) b BETWEEN :年度開始日 AND :年度終了日
c ORDER BY
(3) d EMP.部署番号 = DEP.部署番号

(1) 図 1 の完成（空欄 a）

空欄aの上に示されている「←」は，従業員エンティティと部署エンティティの関係が多対1であることを示している。このことについては，問題文中に明確な記述がない。これは，1つの部署に複数の従業員が所属するということである。これは，一般的に考えられる事実である。したがって，もう一つ，従業員と所属の関係があるということである。

「部署の管理者を評価者として登録する。1人の従業員が複数の部署を管理する場合がある。管理者の評価者は，評価時に個別に設定する」（表1評価者管理の概要）ことから，1人の従業員が複数の部署を管理するので，従業員エンティティと部署エンティティは，1対多の関係になる。

したがって，“→”（1対多）が入る。

(2) 図 2，図 3 の完成（空欄 b，c）

●空欄 b

最初のSELECT文により，国民の祝日が抽出される。また，2つ目のSELECT文により会社記念日が抽出される。「ここで“会社番号”は指定された会社の会社番号を，“:年度開始日”，“:年度終了日”は，それぞれ指定された年度の開始日，終了日を表す埋込み変数である」（図2の直前）ことから，抽出条件は，指定された年度の開始日と終了日である。このため，範囲を指定するBETWEENを使う。また，開始日と終了日は埋込み変数なので，列名の前に“:”を付ける。

したがって，“**BETWEEN :年度開始日 AND :年度終了日**”が入る。

●空欄 c

「指定された会社と年度における，国民の祝日と会社記念日の一覧を日付の昇順に出力するSQL文を図2に示す」（図1の直後の（1）中）から，昇順の指定が必要である。列名は“日付”と明示されているので，ここには，整列の指定のみでよい。

したがって，“**ORDER BY**”が入る。なお，昇順の指定を日付に行うには，日付に続けて「ASC」の指定が必要であるが，ASCを省略するとASCが仮定される。

(3) 図 3 の完成（空欄 d）

このSQLでは，条件を満たす従業員の一覧表を抽出している。使用する表は，INNER JOINの記述から分かるように，従業員表（EMP）と部署表（DEP）である。結合条件は，両表の共通列である会社番号が明示されているので，部署番号の結合が必要である。

したがって，“**EMP.部署番号 = DEP.部署番号**”が入る。

■設問2（下線①）

解答
漏れる情報を会社単位に制限できる。

データベースを全て共有すると，SQLインジェクションが発生した場合，SaaSを利用している全ての会社に影響が及び，情報が漏えいする可能性があることが指摘されている。そこで，会社ごとに個別のデータベースとすることで，SQLインジェクションを回避しようということである。

したがって，“**漏れる情報を会社単位に制限できる。**”という主旨で，20字以内まとめる。

■設問3（空欄e，f）

解答
e　**C001.国民の祝日**
f　**PUB.国民の祝日**

共有用のスキーマPUBと個別用のスキーマCxxxに分け，個別用はビューとして作成する。図4は，C001にビューを作成するSQL文である。具体的には，全ての列を含んだ共有のスキーマPUBから，国民の祝日に必要な列を取り出して，ビューを作成する。表2から，個別用のビューは“国民の祝日”という名称であることが分かる。

●空欄e

「スキーマC001に国民の祝日ビューを作成するSQL文を図4に示す」（図4の直前）から，“**C001.国民の祝日**”が入る。

●空欄f

共有用スキーマから国民の祝日ビューに必要な列を取り出して，個別の祝日ビューを作成するので，“**PUB.国民の祝日**”が入る。

■設問4

解答
(1) g　**会社** 　　h　**スキーマ名**
(2) **退職分析**
(3) **退職表を共有用スキーマに配置する。**

(1) 単一データベース・個別スキーマ方式のレビュー(空欄g, h)

個別会社用の表には,会社を識別するための標識(列名)が必要である。国民の祝日は共通なので,個別に区別する必要があるのは会社表である。そこで,会社表にスキーマ名(この例ではC001)の列を追加する必要がある。

したがって,“**会社**”(空欄g)表に“**スキーマ名**”(空欄h)列を追加する。

(2) 利用できない機能(下線②)

「人事部の管理者が自社及び自社と同じ業種の退職者について,在籍期間と退職理由を分析する」(表1機能名“退職分析”の概要)ということから,自社だけでは分析ができない。他社の情報も必要になるので,退職者のスキーマは,PUBに配置する必要がある。

したがって,“**退職分析**”が入る。

(3) 見直した結果(下線③)

(2)で説明したように,退職表は,個別用ではなく,共有用に配置する必要がある。したがって,“**退職表を共有用スキーマに配置する。**”という主旨で,20字以内にまとめる。

問7

リアルタイムOSは,制御,通信,周辺装置などに組み込んで使うOSである。一般のOSとは異なり,ユーザーインタフェースよりは,実行の速さを優先する。また,汎用のOSとほぼ同じ機能をもつが,リアルタイム処理を行うため,スケジューリングについては,イベントドリブンプリエンプション方式が基本である。リアルタイムOSでは,タスクやセマフォなど,OSの管理する各種のオブジェクトを必要に応じて動的に生成/削除するのではなく,静的に(システム設計時に)生成しておく方法が使われることが多い。これは,処理速度を優先するためである。電源投入時に,必要なタスクが起動される。

クロックは,コンピュータの動作を制御するための基準信号の周波数で,Hz(ヘルツ)という単位を用いる。1Hzは1秒間の周波数が1回であることを示す。1MHzであれば,1秒間の周波数が百万(10^6)回であることを示す。コンピュータを構成する機器は,基準周波数に同期して演算やデータの入出力などの動作を行うため,クロック周波数が大きければコンピュータの処理速度も向上するし,データ転送速度も速くなる。

■設問1

解答
(1) a ドアをロック
(2) 320

(1) コーヒーマシンの動作(空欄a)

「コーヒーの排出が終わると，ドアをロック解除し，タッチパネルにカップの引取りを促す画面を表示する」(〔コーヒーマシンの動作概要〕(6)) ということから，これ以前に，ドアをロックする必要がある。

したがって，“**ドアをロック**”が適切である。

(2) タイマーに設定する初期値

タイマーの周波数は，32kHzである。これは，1秒間に32k (32×10^3) 回カウントダウンするので，1ミリ秒では32回カウントダウンすることになる。

「非常に短い間隔で0と1とを交互に出力することがあるので，制御部のソフトウェアは入力された値を10ミリ秒間隔で読み出し，4回連続で同じ値が読み出されたらドアの開閉状態を確定する」(〔ドアの開閉状態の判定仕様〕) から，10ミリ秒を測定する必要がある。一方，1ミリ秒で32回カウントダウンするので，10ミリ秒を測定するには，カウンターの初期値を“**320**”とする必要がある。

■設問2

解答
(1) カップ判定中にドアが開けられたことを検出したいから
(2) コーヒーの分量 (別解 カップのサイズ)
(3) ドア開　タ
**　　ドア閉　カ**

(1) カップ判定タスクの優先度を低くしている理由

「ここで，カップ判定中に利用者がドアを開けた場合は，カップ判定を中止し，利用者がドアを閉じるのを待つ。また，確認ボタンがタッチされる前に，利用者がドアを開けた場合は，カップ判定の結果を破棄して，利用者がドアを閉じるのを待つ」(〔コーヒーマシンの動作概要〕(9) の次) ということから，ドアタスクより優先度を低くする必要がある。これは，カップ判定中でも，ドアを開ける必要があるからである。また，メインタスク以外のタスクは，表3から分かるように，メインタスクからの指示で動作する。このため，メインタスクの優先順位を最も高くする必要がある。

したがって，“**カップ判定中にドアが開けられたことを検出したいから**”という主旨で，30字以内にまとめる。

(2) “抽出”を通知する際のパラメータ

「制御部から指示された分量のコーヒーを抽出し，コーヒー排出口から排出する」(表1抽出部の概要) から，分量が制御部から指示される。この値が可変なので，パラメータとして必要である。ただし，「コーヒーマシン全体の制御及び状態管理を行う。また，カップの有無やサイズ，カップが空か否かを判定 (以下，カップ判定という) するための画像認識を行う」(表1制御部の概要) から，カップ載置部はカップのサイズを認識するので，パラメータにはコーヒーの分量が適切である。なお，カップのサイズでコーヒーの分量が決まっていると考えられるので，試験センターの解答例にはないが，“**カップのサイズ**”でもよい。

したがって，“**コーヒーの分量**”が適切である。

(3) ドアタスクがメインタスクに“ドア開”及び“ドア閉”を通知するタイミング

「ドアの開閉センサーは，ドアが完全に閉じているときは0，それ以外は1を出力する。非常に短い間隔で0と1とを交互に出力することがあるので，制御部のソフトウェアは入力された値を10ミリ秒間隔で読み出し，4回連続で同じ値が読み出されたらドアの開閉状態を確定する」(〔ドアの開閉状態の判定仕様〕）から，まず，「ア」の時点で“開”であることが確認できる。

この後，4回，同じ状態を読み出すのは，「ウ〜カ」(ウとエの間で信号が変化しているが，10ミリ秒の中なので読み出していない）である。したがって，「カ」の時点で状態は確定し信号は0なので“ドア閉”である。

次に，4回，同じ状態を読み出すのは，ス〜タである。したがって，「タ」の時点で状態は確定し信号は1なので“ドア開”である。

以上から，“**ドア開はタ**”，“**ドア閉はカ**”である。

■設問3

解答
(1)“確認”，“抽出完了”
(2) b　判定結果

(1) メインタスクがドアタスクに通知を行うタイミング

メインタスクがドアタスクに通知を行うのは，「メインタスクから“ロック”又は“ロック解除”を受けると，ロック機構を操作して，ドアをロック又はロック解除する」(表3ドアの処理概要）から，“ロック”，“ロック解除”を受け取ったときである。

これは，「利用者が確認ボタンにタッチすると，[　a　] し，カップのサイズに応じた分量のコーヒーを抽出してコーヒー排出口からカップに注ぎ込む。タッチパネルには，抽出中であることを示す画面を表示する」(〔コーヒーマシンの動作概要〕(5)）のタイミングであり，抽出中なので，ドアロックである。これは，図4では，確認待ちで，確認のメッセージを受け取って“抽出中”の状態に遷移する。

また，「コーヒーの排出が終わると，ドアをロック解除し，タッチパネルにカップの引取りを促す画面を表示する」(〔コーヒーマシンの動作概要〕(6)）から，抽出が終わると，ドアロックを解除する。これは，図4では，“抽出完了”の通知のときである。したがって，メインタスクがドアタスクに通知を行うのは，“**確認**”，“**抽出完了**”のメッセージを受けたときである。

(2) 図4の完成（空欄b）

図4では，カップ判定の状態でドアが開と中止待ち状態に遷移する。このとき，「カップ判定中にメインタスクから“中止”を受けると，5ミリ秒以内にカップ判定を中止して“中止完了”をメインタスクに通知する。カップ判定中以外で“中止”を受けたときは無視する」（表3カップ判定の処理概要）のように中止完了をメインタスクに通知する場合と，ドアを開けたときカップ判定が完了していることも考えられる。この場合は，判定結果を受け取ることになる。

したがって，**“判定結果”**が入る。

問8

ダッシュボードは，複数のデータを1つの画面にまとめて表示する機能を指す。種々のデータをグラフィカルにまとめ，一目で理解できるようにするデータを可視化するツールである。例えば，受注金額や予算の達成率，成約率などをダッシュボードに表示させることで分かりやすくなる。また，事業の業績や会社の経営状態，マーケティングデータを可視化し，素早い状況把握や分析に役立つ。BIツールの1つである。なお，**BI**（Business Intelligence）**ツール**は，データウェアハウスなどに蓄積された過去のデータを使って，様々な観点から分析を行うためのツール群である。主な利用対象者は，経営者や管理職である。

クラス図中の**抽象（メソッド）**は，実際に処理をもっていないメソッドで，それ自体をインスタンス化することはできず，サブクラスで使用する。そして，サブクラスでオーバーライトされる。このため，抽象メソッドはサブクラスのテンプレートの役割を果たす。**コンポジション**は，強い集約関係を意味し，全体側を黒塗りのひし形で表現する。部分側のインスタンスの存在は全体側に依存し，部分側のみで存在することはできない。

静的（メソッド）は，クラスに属するメソッドで，インスタンスを生成せずにクラスから直接呼び出すことができるメソッドである。非オブジェクト指向言語における関数と同じである。**クラスメソッド**ともいう。

■設問1（空欄a）

解答
a　**継承**

「Viewクラスは，画面にグラフを表示する機能をもつクラスである。グラフには複数の種類があるので，その種類ごとに，Viewクラスを［ a ］したクラスを作成する。Subjectクラスは，データベースが更新されたことをViewクラスのオブジェクトに通知するクラスである」ことから，Viewクラスのスーパークラスとして，複数のグラフのサブクラスを作成する。

このように，スーパークラスとサブクラスの関係は，**“継承”**という。

■設問２（空欄b，c）

解答
b　0..*
c　↑

●空欄 b

Subjectクラスと Viewクラスの多重度を答える。「ダッシュボードに一つのグラフを表示するクラス。グラフの軸や集計対象の項目の情報を，集計項目オブジェクトの配列で保持している。notifyメソッドは，画面表示更新メソッドを呼び出す。画面表示更新メソッドは，対象に関する集計を行い，画面の表示を更新する」（表2Viewの説明）から，グラフが全くなければ0，表示できる数に特に制限はないので0以上を意味する*で示す。

したがって，**"0..*"** が入る。

●空欄 c

図３で示すとおり，Viewクラスに対して棒グラフView，折れ線グラフView，円グラフView は，属性や操作を継承している。

したがって，継承を示す " ↑ " が入る。

■設問３（下線①）

解答
販売実績 Subject，販売明細 Subject

「次に，関係するSubjectオブジェクトのaddObserverメソッドを呼び出す。その後，画面の初期表示のために，画面表示更新メソッドを呼び出す」（下線①を含む記述）ことから，Subjectクラスのサブクラス販売実績Subject，販売明細Subjectを呼び出す。しかし，在庫Subjectもサブクラスであるが，実績表の作成であり在庫の更新はないので，在庫Subjectの呼出しはない。

したがって，関係するSubjectオブジェクトは，**"販売実績Subject"**，**"販売明細Subject"** である。

■設問４（空欄d，e）

解答
d　抽象
e　棒グラフ View

●空欄 d

図３に説明があるように，Viewクラスのメソッド画面表示更新は，**"抽象"** メソッドである。

●空欄 e

抽象メソッドは，サブクラスで実装する。「例えば，“時間帯ごと商品分類ごとの売上金額”のグラフを新たに画面上に表示する場合を考える。グラフの種類は棒グラフなので，棒グラフViewクラスのオブジェクトを作成する」（〔グラフの新規表示〕）ということから，この場合，“**棒グラフ View**”に実装する。

■設問5（下線②）

解答
引数に絞込条件のオブジェクトを追加する。

「Viewオブジェクトが画面の表示を更新する際に，絞込条件のオブジェクトが引き渡されるようにするために，Subjectクラスのnotify0bserversメソッドと，Viewクラスのnotifyメソッドのそれぞれについて，呼出しの仕様を変更する」（下線②を含む記述）ということから，引数に絞込み条件のオブジェクトを追加すればよい。

したがって，“**引数に絞込み条件のオブジェクトを追加する。**”という主旨で，30字以内にまとめる。

■設問6（空欄 f）

解答
f　複数の Subject オブジェクトに登録される

現状のViewオブジェクトは，「1回の販売実績の登録で，表示の更新が複数回発生してしまう」（空欄fの直後）ということから，複数のSubjectオブジェクトからの通知を受信するとその都度，更新することになる。

そこで，更新フラグを用いて，通知を受けるごとに更新するのではなく，更新フラグだけを更新しておき，別途，定期的に更新フラグを参照する処理を実行することで，まとめて更新を行うようにしたということである。

空欄f は，修正前の状況を示すので，“**複数のSubjectオブジェクトに登録される**”という主旨で，30字以内にまとめる。

問9

SaaSについては，問6を参照のこと。

IoT（Internet of Things：**モノのインターネット**）は，コンピュータなどの情報・通信機器だけでなく，世の中に存在する様々な物体（モノ）に通信機能をもたせ，インターネットに接続したり相互に通信したりすることにより，自動認識や自動制御，遠隔計測などを行うことである。大型の機械などにセンサーと通信機能を内蔵して稼働状況や故障箇所，交換が必要な部品などを製造元がリアルタイムに把握できるシステムや，自動車の位置情報をリアルタイムに集約して渋滞情報を配信するシステム，人間の検針員に代わって電力メータが電力会社と通信して電力使用量を申告するスマートメータなどが考案されている。ここでいう**モノ**は，スマートフォンのようにIPアドレスをもつものや，IPアドレスをもつセンサーから検知可能な RFID（Radio Frequency IDentification）タグを付けた商品，IPアドレスをもった機器に格納されたコンテンツなどのことである。

ICT（Information and Communication Technology：**情報通信技術**）は，デジタル化された情報の通信技術で，インターネットなどを経由して人と人とをつなぐ役割を果たす技術である。IT（Information Technology：情報技術）と同じような意味ではあるが，ICTは情報・知識の共有に焦点を当てており，「人と人」「人とモノ」の情報伝達にコミュニケーションの側面がより強調される。最近では、日本政府をはじめ，国際的にもICTと表現することがほとんどである。

PoC（ポック）（Proof of Concept：**概念実証**）は，新しいアイデアや技術またそれらのコンセプトが実現可能であることを示すために検証すること，あるいはそのために行われるテストや実験を指す。実現できるかどうか分からない製品やサービスの開発に莫大な開発費用や時間を掛けてしまうと失敗したときのリスクが大きいが，実現したい製品やサービスの簡易版を作成し，小規模で仮説検証を行うことにより，早い段階で実現可能かどうかの判断が可能になる。結果的に，開発リスクを抑えることができる。

スコープクリープは，プロジェクトが当初の目標や境界を越えて膨張し始めたときに起こる現象を意味する。プロジェクトチームがプロジェクトスコープを把握していないときや不測の事態が発生した場合に発生する。このように，プロジェクト開始後のどの時点でも，プロジェクトのスコープに影響を与える変更，拡大，制御不能な要因をいう。また，ステークホルダーが時間的制約や予算を無視して追加の機能や特性を要求してくる場合にも起こる。

ベースラインは，一般的には基準線という意味である。プロジェクトでは，要件や条件などを途中で変更することがよくあり，そのため，変更管理が重要である。そこで，最初にベースラインを定義し、そのベースラインからの差異を計測することで，効率的な管理ができるようになる。

■設問 1

解答
(1) 本サービスの実現に不確かな要素が多いから
(2) a　守秘契約（秘密保持契約，NDA　などでも可）

(1) PoC を実施することにした理由（下線①）

PoCの意味が分かっていれば，解答は可能である。不特定要素が多いので，失敗しないようにテストを行う必要があったからである。本文では，「提案に先立って，B部長はQ組合長に，A社のSaaSにはW社のIoTシステムとの接続実績がなく，またA社にはいちご栽培でのデータ分析サービスの経験がないので，分析パラメータの種類の選定及び値の設定の際に，試行錯誤が予想されることを説明した」（〔SaaSを活用したIoTの効果向上〕）あたりの記述に注目すればよい。PoCの意味が分からなくても，経験がないので実験をしてみたいということを挙げればよい。

したがって，“**本サービスの実現に不確かな要素が多いから**”という主旨で，25字以内にまとめる。

(2) 3者間で締結したもの（空欄a）

「PoCの実施に当たって，P農業組合がいちご栽培の独自情報を開示すること，A社及びW社が製品の重要情報を開示することから，3者間で［　a　］を締結した」ということは，3者間で重要事項を開示することから，機密を第三者に漏えいしないことを約束することを確認したということである。このような契約を，“**守秘契約**”という。なお，試験センターの解答例にはないが，“**秘密保持契約**”，“**NDA**”（Non-Disclosure Agreement）ともいうので，これらも正解である。

■設問2

解答
(1) 農家がガイド機能を活用できるようになる支援
(2) Kセンサーの種類を増やすとデータ連携機能の開発規模が増えること （別解 W社側の作業スコープの変更はA社側の作業スコープに影響すること）
(3) b　コスト c　スケジュール（b，cは順不同）
(4) イ
(5) いちごを収穫するまでの導入効果を評価できないから

(1) 本サービス開始後にQ組合長が青年部の2名に期待した役割（下線②）

「本サービス開始後，農家は，タブレット端末から分析パラメータの設定をガイドする機能（以下，ガイド機能という）を使って設定値を変更できる。その際，P農業組合は，農家がガイド機能を活用できるようになる支援を行う」（〔SaaSを活用したIoTの効果向上〕）ということから，各農家がガイド機能を活用できるように適切に支援をしないとスコープクリープが発生すると思ったことが分かる。

したがって，“**農家がガイド機能を活用できるようになる支援**”という主旨で，25字以内にまとめる。

(2) スコープクリープを発生させる要因（下線③）

「SaaS導入プロジェクトには，二つの作業スコープがある。一つは，Kセンサーの種類の追加というW社側の作業スコープである。もう一つは，Kセンサーの種類の追加に対応したデータ連携機能の開発及び分析パラメータの種類の選定と値の設定というA社側の作業スコープである。この二つの作業スコープは密接に関連しており，W社側の作業スコープの変更はA社側の作業スコープに影響する」（〔SaaS導入プロジェクトの計画〕）ということから，Kセンサーを増やすことによってプロジェクトの作業項目が増え，スコープクリープが発生する可能性がある。また，W社の作業スコープとA社の作業スコープは互いに関連するので，W社の作業スコープの変更は，A社の作業スコープに影響するという観点でまとめてもよい。

したがって，“**Kセンサーの種類を増やすとデータ連携機能の開発規模が増えること**”，“**W社側の作業スコープの変更はA社側の作業スコープに影響すること**”などの主旨で，35字以内にまとめる。

(3) スコープクリープが発生するリスクへの対応（空欄b，c）

「B部長は，PoCによって得られた本サービスの実現性の検証結果に加え，導入コスト，導入スケジュールなどを提案書にまとめた。A社内で承認を受けた後，B部長はQ組合長に A社のSaaS導入提案を行って了承され，準委任契約を締結してSaaS導入プロジェクトが立ち上げられた」（〔SaaS導入プロジェクトの計画〕の直前），及び「B部長は，この開発アプローチでは適切にスコープをマネジメントしないとスコープクリープが発生するリスクがあると危惧した。そこで，スコープクリープが発生するリスクへの対応として，［ b ］及び［ c ］のベースラインを基に次のスコープ管理のプロセスを設定した」ということから，適切にスコープをマネジメントしないと，スコープクリープが発生するリスクがあると危惧したわけである。このことから，スコープの変更によって，導入コストと導入スケジュールのベースラインも見直す必要があるとしている。

したがって，空欄b，cに，順不同で，“**コスト**”，“**スケジュール**”が入る。

(4)（ⅰ）のテストで着目する点に対応する検証内容

行うテストは，「利用規模を想定して，IoT機器の接続やデータ連携に着目したテスト」である。これは，接続機器の台数やデータ量などに着目した負荷テストと考えられる。

したがって，“**最大台数のIoT機器及び装置をつなげた状態での動作の検証**”（「イ」）が適切である。

ア　利用場所，温暖寒冷な，様々な環境下ということから，（ⅲ）に該当する。

ウ　同一タイミングでの複数の装置の動作ということから，競合した状態をテストしていると考えられるので，（ⅱ）に該当する。

エ　外部者がシステムにアクセスできないということから，セキュリティを確保できているかどうかなので，（ⅳ）に該当する。

(5) B部長が真の評価はできないと考えた理由（下線④）

SaaS導入の目的は，「B部長は，プロジェクトの目的を“農家が，本サービスを使っていちご栽培を改善し，より良い収穫を実現すること”にした」（〔SaaSを活用したIoTの効果向上〕）であるのに対して，「本サービスをP農業組合へ導入したことをもってプロジェクトは完了するが，農家はいちごの栽培を続け，収穫によって導入効果を評価する」（下線④の直前）ということなので，プロジェクトが完了した時点では，栽培した結果の導入効果の評価という目的が達成できていない。つまり，収穫が終わっていないため，システムの導入効果が評価できないということである。

したがって，“**いちごを収穫するまでの導入効果を評価できないから**”という主旨で，30字以内にまとめる。

問10

テレワークは，Tele（離れて）とWork（仕事）を組み合わせた造語で，ICT（Information and Communication Technology：情報通信技術）を活用して時間や場所を有効に活用する柔軟な働き方をいう。総務省では「ICTを用い，時間や場所を有効活用する柔軟な働き方」と定義している。働く場所で分類すると，在宅勤務（自宅で働く），サテライトオフィス勤務（事務所以外の施設で働く）などがある。さらに，出先で働く形態もある。

サービスマネジメントは，ITサービスを提供するIT部門やIT組織が，顧客の要求事項を満たすために，ITサービスの品質（信頼性や可用性など）を高め，効果的に提供できるように体系的に管理することである。

グループウェアは，電子メールや電子掲示板，会議室の予約など，個人やグループの作業を，ネットワーク上で支援するソフトウェア群である。個人やグループの共同作業を効率よく行うためには，パソコンやネットワークを利用すると効果的である。例えば，LANを使い，電子メールでやり取りを行ったり，作業や会談などのスケジュール管理を行い，グループ間で連絡を取り合ったりすることで，共同作業を円滑に行うことができる。グループウェアの提供する機能の一部，又は全部がブラウザから利用できるようになっている。

インシデントは，ITサービスの品質を阻害する，又は阻害する可能性のある事象である。例えば，ユーザーからのトラブル報告や問合せ，システム障害などが該当する。

サービスデスクは，ユーザーがコンピュータシステムの使用中に発生したトラブルに対応する窓口である。厳密には，サービスデスクは，単に顧客や利用者の問合せ窓口という位置付けではなく，サービスレベルを管理するなど，ほかの分野と密接に関連しながらサービスを提供する。

SPOC（Single Point Of Contact）は，問合せ窓口を単一化することで問合せを集約することである。ヘルプデスクの窓口を一か所に集め，問合せを集約することをいう。ユーザーからの問合せをサービスデスクで集約し，適切に担当部署と連携を行い，回答を行う。**問題管理**は，システムの不具合を生じさせる根本的な原因を特定し，インシデントを最小限に抑えるとともに，インシデントの再発を防止するための対応である。発生した問題点を速やかに解決し，インシデントの発生を最小限に抑えることも重要であるが，それ以上に，再発を事前に防ぐことが望まれる。

展開管理は，JIS Q 20000-2では，リリース及び展開管理として定義されている。**リリース及び**

展開管理は，変更管理プロセスで承認された変更作業について，システムへ変更作業を行い，サービスを提供できるように，リリースを本番環境に展開することを目的とするプロセスである。また，**変更管理**は，変更が原因で業務に影響が起きるのを避けることを目的とするプロセスである。すなわち，変更を管理するのではなく，変更がもたらす影響を管理する。

■設問１（空欄a）

解答
a　イ

「サービスデスクだけでインシデントをタイムリーに解決できない場合，開発課への［ a ］を行うことがある」ということは，インシデントがサービスデスクで解決できない場合は，他部署（この場合は開発課）に振り向けるということである。このような状況を，“**エスカレーション**”（「**イ**」）という。

エスカレーションは，顧客からの問合せに対応できないとき，上長や専門の組織など適切な担当者に段階的に引き継ぐことである。

解答群のその他の用語の意味は，次のとおりである。

ア　**アセスメント**は，一般的には，ものごとを数値でかつ客観的に評価することである。客観的な情報を基に評価するため，評価者の主観に左右されないというメリットがある。

ウ　**ガバナンス**は，統治や支配，管理，又はそのための機構や方法という意味で，ビジネスにおいては健全な企業経営を行うための管理体制を指す。

エ　**コミットメント**は，公約，委託，委任などの意味である。ビジネスにおいては，業務や業績目標に対して責任をもつ，約束をするなどの意味で用いられることが多い。情報システムでは，合意された条件を実現するという意味で用いる。

■設問２

解答
(1) b　サービスデスクだけでできる （別解１ 収束した状態になる，　別解２ 定常状態に落ち着く） (2) 営業員による問合せ先の判断が不要になること (3) c　初期サポート内容の引継ぎが完了していること （別解 初期サポート窓口での対応内容の確認が完了していること） (4) 問題　電話によるサポートは時間が掛かること 解決方法　3

(1) 初期サポートの窓口の終了基準（空欄b）

「F課長は，利用開始後のテレワーク環境に関する問合せとインシデントの対応が［ b ］ことを，テレワーク環境の安定稼働の条件と考えた。また，初期サポート窓口の設置は，テレワーク環境の利用開始後から4週間を目安とし，テレワーク環境に関する問合せとインシデントの対応が［ b ］ことを初期サポートの終了基準とし，終了基準を満たすまで，初期サポート窓口を継続する」ということから，初期サポート窓口の終了条件に関連する内容が入ると見当がつく。これは，問合せに対するインシデントの対応が一定の水準以下になったとき，初期サポート窓口を閉鎖すればよいと考えられる。ここで，一定の水準とは，問合せ数と考えてよい。この結果，サービスデスクだけで対応できるようになる。また，問合せ数が一定の水準になることで，収束した状態になり，定常状態に落ち着くようになる。

したがって，“**サービスデスクだけでできる**”，“**収束した状態になる**”，“**定常状態に落ち着く**”などの主旨で，15字以内にまとめる。

(2) 営業員にとってのメリット（下線①）

SPOCの意味が分かっていれば，ある程度の回答はできる。インシデント発生時の問合せ窓口が常に1つであれば，ユーザーはどこに問合せをするか迷う必要がなくなる。

「ただし，開発課による初期サポートの実施中は，問合せ先及びインシデントの連絡先を営業員自身が判断し，テレワーク環境については初期サポート窓口に，その他についてはサービスデスクに対応を依頼することとなる」（〔テレワーク環境の運用の準備〕）ということから，SPOCを設置することで，問合せ先を調べるという手間が省け，営業員の負担が軽減される。

したがって，“**営業員による問合せ先の判断が不要になること**”という主旨で，25字以内にまとめる。

(3) さらに設ける終了基準（空欄c）

「F課長は，SPOCを実現する時期の判断のために，テレワーク環境の問合せ対応に関して，初期サポートが終了するまでに開発課から［ c ］ことも初期サポートの終了基準として設けるべきであると考えた」という記述から，SPOCを実現する前は開発課が初期サポートを実施していることが分かる。このため，新たに実現するサービスデスクは サポートの内容を十分把握しているとは考えにくい。そこで，引継ぎを確実に行うことが必要である。

したがって，“**初期サポート内容の引継ぎが完了していること**”，“**初期サポート窓口での対応内容の確認が完了していること**”などの主旨で，25字以内にまとめる。

(4) 現在のサポートの問題点と解決方法

「従業員からの問合せやインシデントに対応するために，従業員が使っている社内デバイスの操作が必要な場合がある。サービスデスクは，従業員が社内デバイスを利用している場所が本社のときは対面でサポートを行い，営業所のときは電話でサポートを行っている。ただし，サービスデスクでは，電話でのサポートは時間が掛かるという問題を抱えている」（〔社内IT環境とサービスマネジメントの概要〕5つ目の・）という問題があると説明されている。

したがって，問題については，**“電話によるサポートは時間が掛かること”**という主旨で，25字以内にまとめる。

また，解決方法については，「そこで，F課長は，テレワーク環境の利用開始時点では，統合管理ツールのパッチ適用以外の機能を使用し」（下線②の直前）ということから，表1の項番1（台帳管理），項番2（操作ログ管理），項番3（リモート操作）の中から選択することになる。これらのうち，項番1，項番2については，情報収集や状況の把握などの管理であり，ユーザーに対するサポートにはならない。一方，項番3は，「統合管理ツールから社内デバイスをリモートで操作したり，ロックして使用できないようにしたりすることができる」（表1項番3の概要）ということから，事実上，リモートで対面と同様の操作説明ができる。したがって，解決方法は表1項番**“3”**が適切である。

■設問3（下線③）

解答
OSパッチの適用のタイミングをコントロールできるから

パッチ適用機能は，表3の記述から分かるように，パッチを自動的に行う機能である。パッチについては，「一方で，以前から，営業部では，運用課からの指示がないにもかかわらずOSパッチを手動適用したり，指示したにもかかわらず手動適用を忘れたりして，社内デバイスで業務アプリを正常に利用できないというインシデントが発生しており，現在も営業活動に影響が出ていた」（〔パッチ適用機能の使用〕）ということから，必ずしも，パッチの運用が正しく行われていなかった。そこで，F課長は，パッチを正しく運用したいと考えたわけである。「展開管理の観点から」（設問文）ということで，パッチを確実に行うためには自動的に行うことでパッチのタイミングを運用課がコントロールできることが望ましいと考えた。

したがって，**“OSパッチの適用のタイミングをコントロールできるから”**という主旨で，30字以内にまとめる。

問11

システム監査は，監査計画に基づき次の手順により行う。

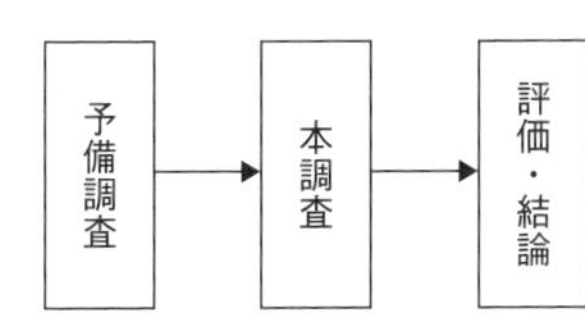

予備調査は，監査対象の実態を調べ，コントロールの有無を確認する調査である。調査全体の一次

調査で，調査対象であるコントロールの存在が確認できなかった場合は，ここで調査活動を打ち切り，評価・結論を導く。予備調査では，管理者へのヒアリングや資料の確認によって，監査対象の実態を概略的に調査する。その結果によって，本調査で時間を掛けて調査する項目，確認すればよい項目の選別を行い，必要であれば監査個別計画を修正する。

コントロール（**統制**）は，チェックの仕組みである。コントロールには，内部と外部のチェックの仕組みがある。**内部統制**は，組織内部に設定されるチェックの仕組みである。**外部統制**は，法律や監督官庁による規制など，組織外部によって実施されるものである。分業体系化された組織において，権限委譲の合理性を確保するために，各分権組織での活動をチェックする内部統制と，法律や行政指導などの組織外部からのチェックの仕組みの概念を総称してコントロールという。

本調査では，個別計画書に記載された監査目的を念頭に置きながら，監査手続書に従って監査目標ごとに監査手続を実行し，監査証拠の収集作業を行う。予備調査で明確にした情報システムのコントロールの実態について，これを裏付ける事実やそのコントロールが機能しているかどうかの調査を様々な監査技法を用いて調査し，点検・評価する。なお，監査技法を活用して収集した資料等は監査調書として保管し，管理する。なお，**監査証拠**は，システム監査人の監査意見を立証するために必要な証拠資料や事実である。

証ひょう（**証憑**）は，取引の成立を立証する書類である。外部取引の当事者間で授受される書類だけではなく，内部取引の事実の証拠となる書類をも含む。取引の原始的記録で記録，計算の基礎資料となるので，会計記録の正確性，真実性を証明する書類でもある。システム監査人は，証ひょうを自ら作成する必要がある。

■設問1（空欄a～d）

解答
a　業務パッケージ選定
b　リスク委員会の承認
c　保留ファイル
d　一定額を超過する場合

●空欄a，b

表1項番2の監査手続では，「利用者IDのパスワードポリシーが，V社のパスワードの規程類に準拠しているか確かめる」としている。そして，「表1項番2の監査手続は，予備調査の結果を踏まえると不備が発見される可能性が高い」（空欄aの直前）ということである。

一方，「支払管理システムは業務パッケージの標準機能を利用し，約1年間で，企画，要件定義，業務パッケージ選定，設計，開発，テスト及びリリースの各段階を経て移行された。V社では，規程類に適合しない機能を採用する場合は，対応策を含めて，リスク委員会の承認を受ける必要がある」

(〔支払管理システム及び関連システムの概要〕(1))ということである。

つまり，新システムを導入するとき，規程類に合致しない機能を採用するに当たっては，リスク委員会の承認が必要ということである。リスク委員会の承認を受けるためには，業務パッケージの選定段階から調査する必要がある。今回のシステムの導入では，自社開発ではなく，業務パッケージを利用することから，V社の規程類に合致しない可能性があると考えられるので，リスク委員会の承認が必要である。

したがって，監査に当たって，**"業務パッケージ選定"**（空欄a）段階で**"リスク委員会の承認"**（空欄b）を得たかどうかという主旨で，それぞれ10字以内にまとめる。

●空欄c

表1項番3の監査要点は，支払予定データの作成に関連する事項である。「支払管理システムでは，半月ごとの調達実績データの取込処理によって，支払予定データが生成される。取込処理の実行時にエラーがあった場合は，情報システム部でエラー対応を行う。一方，エラーではないが支払先マスターに調達用支払先が未登録などの場合は，保留ファイルに格納される。経理部は保留ファイルに対し，支払先マスター登録などの対応後に保留ファイルの更新処理を実行する一連の作業を行う」(〔支払管理システムの運用の概要〕(2)⑤)であるのに対して，表1項番3では，保留ファイルの処理についての記述がない。このため，監査手続が十分とはいえない。

したがって，**"保留ファイル"**という主旨で，10字以内にまとめる。

●空欄d

表1項番4の監査要点は，支払予定データの承認に関する事項である。「支払規程によると，支払金額が一定額を超過する場合には，事業本部長の承認及び担当役員の承認が必要になる。支払管理システムには，一つの申請に対し複数の承認者を設定する機能がないので，承認入力後に承認者から必要な上位者に経理部宛のCCを含む電子メールで承認を受ける手続としている」(〔支払管理システムの運用の概要〕(2)②)であるのに対して，表1項番 4では，支払金額が一定額を超過する場合の監査手続が記述されていない。

したがって，**"一定額を超過する場合"**という主旨で，10字以内にまとめる。

■設問2（空欄e）

解答
e　**証ひょう類に不備がないかのチェック**

表1項番5の監査要点は，振込データが適切に作成されているかということである。「支払申請入力では，請求書・領収書などの証ひょう類を承認者に回付せず，申請者が入力後に経理部に送付する。経理部は，支払予定データについて一定額超過の承認メールを含む証ひょう類に不備がないかチェックする。経理部は，証ひょう類に不備のある支払予定データについて，未承認の状態に変更す

ることができ，その場合は，申請者に電子メールで通知される。また，各工場管理部は調達管理システムの調達実績データについて，取引先からの請求書とチェックしている」（[支払管理システムの運用の概要]（2）③）ことから，支払先データについて，一定額を超えた場合の証ひょう類の不備がないかをチェックした後，振込データを作成する必要がある。表１項番５では，この手順のチェックに言及していない。

したがって，“**証ひょう類に不備がないかのチェック**”という主旨で，20 字以内にまとめる。

■設問３（空欄 f）

解答
f　3

昨年度のシステム監査での発見事項については，「昨年実施された調達管理システムの監査では，取引先別の調達実績データの合計額が支払管理システムの支払予定データの合計額と一致していないことが発見された。これについて，調達管理システムには問題はなく，支払管理システムの運用状況の詳細な調査が必要と結論付けられ，経理部で調査中とのことである」（[支払管理システム及び関連システムの概要]（5）ということである。これは，支払予定データが調達実績データによって適切に作成されているかを監査すればよい。

したがって，最も適切な監査要点は，表１項番“3”である。

■設問４

解答
g　**調達用支払先**
h　**減額の支払申請入力**

●空欄 g

調達管理システムで利用するものを，間違って支払申請入力で利用してしまったということである。そして，「調達実績データから支払予定データを生成するには支払先マスターに調達連携用の支払先（以下，調達用支払先という）を登録しておく必要がある。調達用支払先は，調達管理システムに関する支払業務以外では利用しない」（[支払管理システムの運用の概要]（2）④）ということである。

これは，本来，入力データが調達管理システムに変更を加えるべき数値が，支払申請入力のデータが変更され，支払予定データと調達実績データとの不整合が発生することになる。

したがって，支払申請入力において，“**調達用支払先**”を利用してしまったことを確認する監査が必要である。

●空欄ｈ

支払遅延防止については，「原料・外注加工費は半月ごとに支払が行われるので，調達管理システムでの検収入力が遅れ，次回の取込処理となってしまうと支払遅延となる。そこで，支払遅延とならないように工場製造部の申請に基づき，工場管理部は，当該取引先に対応した調達用支払先を利用して追加の支払申請入力を行う。また，次回の取込処理までに重複防止のための減額の支払申請入力が必要となる」（［支払管理システムの運用の概要］（2）⑥）ということから，これが適切に実行されないと，調達実績データの合計額と支払管理システムの支払予定の合計額との不整合が発生する。

したがって，“**減額の支払申請入力**”という主旨で，10字以内にまとめる。

索引

数字・記号

A

B

C

へ

ゆ

よ

ら

り

る

れ

ろ

わ

著者

日高 哲郎（ひだか てつろう）

1972年電気通信大学電気通信学部電子工学科卒業。現在，各種企業・団体等の講師を務めている。特種情報処理技術者。情報処理技術者試験，システム開発・設計関連の著書多数。

装丁　結城 亨（SelfScript）
カバーイラスト　大野 文彰
DTP　株式会社トップスタジオ

情報処理教科書
応用情報技術者 テキスト&問題集 2025年版

2024年　11月20日　初 版　第1刷発行

著　者　日高 哲郎（ひだか てつろう）
発 行 人　佐々木 幹夫
発 行 所　株式会社翔泳社（https://www.shoeisha.co.jp）
印　刷　昭和情報プロセス株式会社
製　本　株式会社国宝社

本書へのお問い合わせについては、ii ページに記載の内容をお読みください。

造本には細心の注意を払っておりますが、万一、乱丁（ページの順序違い）や落丁（ページの抜け）がございましたら、お取り替えします。03-5362-3705 までご連絡ください。

ISBN978-4-7981-8888-1　Printed in Japan